N

Maison
d'Albert Pinkham Ryder

QG des
Hudson Dusters

39 Bethune Street

Jetée de
White Star Line

Jetée de
la Cunard Line

Washington
Square

Tammany Hall
808 Broadway

34 Gra...
Park

HUDSON

300 Mulberry Street
(QG Police)

Hôtel de ville

Institut Kreizler
(185-187 East Broadway)

EAST

Pont de
Brooklyn

The
Battery

BROOKL

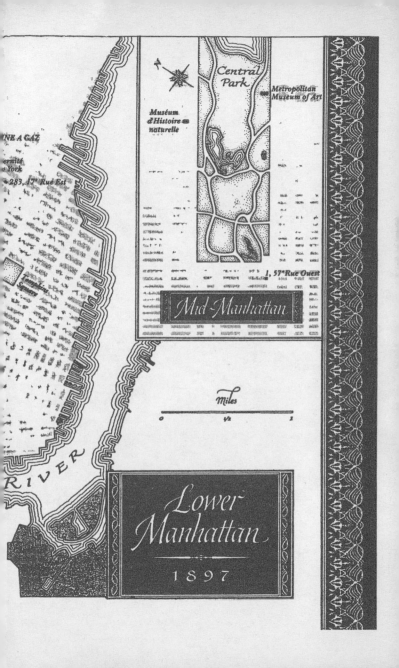

Central
Park

Metropolitan
Museum of Art

Muséum
d'Histoire
naturelle

1, 57° Rue Ouest

Mid-Manhattan

Miles

0   1/2   1

ÎNE A GAZ

ernité
York

283, 47° Rue Est

RIVER

Lower
Manhattan

1897

L'ANGE DES TÉNÈBRES

CALEB CARR

L'ANGE
DES TÉNÈBRES

© Caleb Carr, 1997.

© Presses Pocket de la Cité, 1998 pour la traduction française.

PRESSES DE LA CITÉ

Titre original :

The Angel of Darkness

Traduit par Jacques Martinache

Le Code de la propriété intellectuelle n'autorisant, aux termes de l'article L. 122-5 (2° et 3° a), d'une part, que les « copies ou reproductions strictement réservées à l'usage privé du copiste et non destinées à une utilisation collective » et, d'autre part, que les analyses et les courtes citations dans un but d'exemple et d'illustration, « toute représentation ou reproduction intégrale ou partielle faite sans le consentement de l'auteur ou de ses ayants droit ou ayants cause est illicite » (art. L. 122-4). Cette représentation ou reproduction, par quelque procédé que ce soit, constituerait donc une contrefaçon sanctionnée par les articles L. 335-2 et suivants du Code de la propriété intellectuelle.

À ma mère et mon père.

« Ce n'est pas d'être allé dans la maison des ténèbres qui compte, mais d'en être sorti. »

THEODORE ROOSEVELT

1

Le 19 juin 1919

Il y a probablement une façon bien tournée de commencer une histoire comme celle-là, une accroche habile pour attirer les gogos plus sûrement que le meilleur bonneteur de la ville. Mais la vérité, c'est que je n'ai pas la langue assez bien pendue ni l'esprit assez vif pour ce genre de jeu. Les mots n'ont pas joué un grand rôle dans ma vie, et si, avec les années, j'ai rencontré un grand nombre de ceux qui passent pour les grands penseurs et les beaux parleurs de notre époque, je suis resté ce qu'on appelle un homme simple. Et une façon simple de commencer me conviendra parfaitement.

La première chose à faire, pour rester dans la simplicité, c'est d'expliquer pourquoi j'ai fermé la boutique un soir où j'aurais pu me faire encore pas mal d'oseille. Un de ces soirs superbes que j'adorais, dans le temps, un soir où on peut s'asseoir sur le trottoir en manches de chemise et regarder tout ce qui se passe en soufflant la fumée d'une bonne cigarette vers les étoiles, au-dessus de la ville, en pensant que ça vaut peut-être le coup, finalement, de vivre dans cet asile de fous. La circulation — des automobiles et des camions à essence, qui se mêlent maintenant aux vieux canassons tirant des charrettes et des calèches — a ralenti un peu vers minuit ; bientôt, ces messieurs-dames d'après le souper sortiront de l'Albermarle Hotel et du Hoffman House pour venir acheter leurs cigarettes de luxe. Ils se demanderont pourquoi j'ai bouclé si tôt mais ne tarderont pas à se diriger vers une autre boutique, et, après leur passage, le calme reviendra autour du majestueux Flatiron Building[1]. Il domine encore Madison Square, le Flatiron, avec sa curieuse silhouette solitaire et sa façade en pierre tarabiscotée, à propos desquelles architectes et critiques se bouffaient le nez au moment de sa construction. La Metropolitan Life Tower, plantée de l'autre côté du parc, est peut-être plus haute mais elle ne lui arrive pas à la cheville question style et présence, et comparés au Flatiron, des bâtiments comme le Madison Square Garden, surmonté de cette statue de Diane nue qui faisait autrefois scandale, ont l'air de vestiges d'une autre époque. Une époque qui, rétrospectivement, semble avoir passé en l'espace d'une nuit. Une nuit joyeuse, diront beaucoup, mais pour certains d'entre nous, ce fut une époque étrange et dangereuse, pendant laquelle nous avons appris sur le comportement humain des choses que la plupart des gens sensés ne tiendraient pas à savoir. Ceux qui auraient pu avoir la curiosité nécessaire ont reçu plus que leur part d'horreur avec la Grande Guerre. Ce que les gens veulent maintenant, c'est du bon temps, et ils le veulent pour de bon.

C'est à coup sûr ce désir qui anime le genre de types qui viendront tout à l'heure acheter le tabac dont ils ont besoin pour passer de longues heures aux tables de jeu et dans les dancings de la ville. Le temps doux exclurait à lui seul tout dessein plus sombre. Les bras légers et frais de l'air nocturne enlaceront ces âmes ardentes et pleines d'espoir qui fondront sur la ville comme un chien du quartier des abattoirs qui a senti un os sous un tas de cendres. Pour la plupart, ils ne feront rien de la soirée, bien sûr, mais peu importe. Une part de l'étrange plaisir qu'on prend à se laisser embobiner, à croire que tout est possible dans les rues sales du Gros Oignon, c'est de savoir que si on ne trouve pas ce soir ce qu'on cherche, on aura tout loisir de remettre ça demain.

1. Surnom d'un gratte-ciel de New York de forme triangulaire édifié en 1902. (N.d.T.)

Je me souviens de ce sentiment ; je l'ai souvent éprouvé avant d'être réduit à mon lamentable état. Etre constamment sur le point de cracher un de mes poumons m'a privé d'une bonne partie de ma joie de vivre, parce que ce n'est pas facile d'apprécier les plaisirs de ce monde quand on laisse des flaques de sang et de pus partout où on passe. Ma mémoire, pourtant, est aussi bonne qu'avant, et je me rappelle la joie pure que des nuits comme celle-ci m'apportaient, le sentiment d'être fort, et libre, avec le monde entier qui s'étire devant vous et vous attend. Oui, même avec cette saleté de toux, je sais qu'on ne rentre pas chez soi par une nuit pareille sans une bonne raison. Mais cette raison, Mr John Schuyler Moore me l'a donnée.

Il est entré il y a une heure environ, soûl comme un prince (ce qui ne surprendra aucun de ceux qui le connaissent), et a déversé un flot de vitriol sur la lâcheté des rédacteurs en chef, des éditeurs et des Américains en général. A l'entendre (je devrais plutôt dire à entendre le vin et le whisky parler), c'est un miracle que ce pays soit parvenu aussi loin avec toutes les horreurs et les tragédies qui affligent la société. Remarquez bien que je ne conteste pas son point de vue. J'ai passé trop d'années dans la maison et au service du Dr Laszlo Kreizler, éminent aliéniste, mon ami et celui de Mr Moore, pour ne voir dans les sombres propos de mon visiteur que les divagations d'un ivrogne. Mais comme il arrive souvent avec les pochards, l'objet de son amertume ne devait pas rester trop longtemps de l'ordre du général. Il cherchait quelqu'un de plus spécifique à qui s'en prendre, et en l'absence de toute autre personne, je ferais manifestement l'affaire.

Ses récriminations concernaient en particulier le livre qu'il avait pondu ces derniers mois, depuis la mort du président Roosevelt. J'ai lu la chose — nous l'avons tous lue et avons tous donné notre avis à Mr Moore, en lui souhaitant beaucoup de succès, mais pas un de nous, y compris le docteur, n'a sérieusement cru qu'il avait la moindre chance de trouver un éditeur. Son manuscrit raconte l'histoire des meurtres de Beecham, la première affaire que le docteur, Mr Moore, Miss Sara Howard, les deux Isaacson, Cyrus Montrose et moi avons menée ensemble. Pas le genre d'histoire qu'un éditeur sain d'esprit proposerait au public. D'accord, il y en a qui aiment avoir un peu peur avant de s'endormir, mais il y a une limite à ne pas franchir, et l'affaire Beecham dépassait les bornes. L'histoire mérite peut-être d'être racontée, comme le prétend Mr Moore, mais il ne manque pas d'histoires qui le méritent et qu'on ne racontera jamais, simplement parce que les gens ne supporteraient pas de les entendre.

Ma première erreur, ce soir-là, a été de faire cette petite remarque à Mr Moore.

Il m'a lancé un regard d'une dureté inhabituelle chez lui. Je connais John Schuyler Moore depuis que j'ai onze ans — ce qui doit faire vingt-quatre ans maintenant — et je serais bien en peine de nommer un homme plus juste, plus brave et, d'une manière générale, plus gentil. Mais c'est un homme profond, et il y a en lui un lac d'amertume que parfois rien ne peut empêcher de déborder. J'ai vu plusieurs fois la crue se produire, pour différentes raisons, mais jamais avec une telle force que ce soir-là : il voulait absolument faire connaître l'histoire de Beecham, et il était littéralement en rage contre tous ceux qui voulaient l'en empêcher, sans parler de celui qui aurait le front d'essayer de comprendre une telle attitude. Moi, en l'occurrence, malheureusement.

Il n'est plus jeune, Mr Moore, et les plis rougeauds de sa peau autour de son col amidonné révèlent la façon dont il a vécu. Mais dans ses yeux furieux brûlait le feu qui l'anime toujours quand il affronte l'injustice et la stupidité. Et le bonhomme ne renonce pas davantage à soixante ans et plus qu'il ne le faisait quand il avait mon âge. Sachant tout ça, je prévoyais le déversement d'une bonne charretée d'opinions, et j'ai grimpé sur l'une des échelles en bois de la boutique pour prendre une grosse jarre contenant un mélange particulièrement chérot de tabacs turc et géorgien. Puis j'ai installé un deuxième fauteuil en rotin sous la petite banne rayée qui couvre mes deux vitrines — *S. Taggert, tabacs fins américains et étrangers*, en lettres d'or — et je me suis mis à rouler la marchandise dans mon meilleur papier anglais.

14

— Alors, comme ça, Stevie, commence le grand journaliste sur le ton qui lui a valu d'être viré d'une quantité de journaux de la côte Est, toi aussi, si j'ai bien compris, tu entends participer à la conspiration du silence qui entoure les horreurs secrètes de la société américaine…

— Fumez-en une, Mr Moore, répond votre serviteur, le conspirateur sans le savoir, et réfléchissez un peu à ce que vous venez de dire. C'est moi, Stevie, celui qui a mené avec vous des enquêtes infernales comme l'affaire Beecham depuis qu'il est tout gosse…

— C'est bien la personne à qui je pensais m'adresser, réplique mon compagnon d'une voix pâteuse, mais le ton que tu prends m'incite à me demander si je n'ai pas fait erreur.

— Du feu ? je propose, craquant une allumette sur mon pantalon tandis que Mr Moore fouille dans ses poches. Vous faites pas erreur, mais il faut savoir comment s'adresser aux gens.

— Ah ! il s'exclame. Parce que maintenant, moi qui ai travaillé pour les plus grands journaux de ce pays, qui tiens présentement la rubrique judiciaire du *New York Times*, je ne sais pas comment m'adresser à mon public !

— Montez pas sur vos grands chevaux. A ma connaissance, le *Times* vous a fichu deux fois à la porte justement parce que vous ne saviez pas vous adresser au public. L'affaire Beecham, c'était du raide, peut-être un peu trop pour être balancé tel quel à vos lecteurs dès le départ de la course. Peut-être que vous auriez dû les y amener petit à petit, en commençant par quelque chose qui ne parlait pas de meurtres de jeunes prostitués, de cannibalisme et d'yeux conservés dans une jarre.

Le grand écrivain pousse un soupir enfumé, et un infime hochement de tête indique qu'il pense que j'ai peut-être raison : l'histoire d'un tueur tourmenté qui a passé sa rage sur quelques-uns des plus infortunés jeunes gens de cette ville n'était peut-être pas la meilleure façon de faire connaître les théories psychologiques du Dr Kreizler ou les péchés secrets de la société américaine. Cette constatation ne le requinque visiblement pas beaucoup, et le grognement plaintif qui s'échappe de ses lèvres semble dire : Voilà maintenant qu'un petit voyou devenu débitant de tabac veut m'apprendre mon métier. Ça me fait rire — bien obligé parce que l'attitude de Mr Moore ressemble maintenant plus à celle d'un enfant boudeur qu'à celle d'un vieil homme en colère.

— Revenons un moment en arrière, je suggère, me sentant mieux à présent que sa colère a fait place à une certaine résignation. Repensons à toutes ces affaires, et voyons si on ne pourrait pas en trouver une qui serait moins terrifiante et servirait quand même votre objectif.

— C'est impossible, Stevie, marmonne Mr Moore, abattu. Tu sais aussi bien que moi que l'affaire Beecham est la première et la meilleure illustration de ce que Kreizler cherche à établir depuis des années.

— Ça se peut. Mais il y en a peut-être d'aussi bonnes. Vous avez toujours reconnu que, de nous tous, c'était moi qui avais la meilleure mémoire. Je pourrais peut-être vous aider à en retrouver une autre.

Là, je ruse un peu : je sais déjà quelle affaire je proposerais comme la plus intrigante et la plus fascinante de toutes celles sur lesquelles nous avons travaillé. Mais si je la monte en épingle trop tôt, et avec trop d'insistance, cela reviendra à agiter un chiffon rouge devant un taureau pour un homme dans l'état de Mr Moore. Il tire une flasque de sa poche, va pour la porter à ses lèvres, fait un bond de trente centimètres sur son fauteuil quand le moteur d'une Ford à plateau se met à pétarader dans l'avenue. Les vieux ont souvent cette réaction ; ils ne se sont pas vraiment faits aux bruits de l'époque moderne. Quoi qu'il en soit, après s'être rassis dans son fauteuil avec un grognement, Mr Moore s'accorde une minute pour réfléchir à ma proposition. Mais il finit par secouer lentement la tête, indiquant ainsi qu'il a parcouru toute la boucle pour en revenir à la même conclusion désespérante : de toutes nos expériences communes, aucune n'est aussi convaincante, aussi claire que l'affaire Beecham. Je tire une bouffée de mon clope avant de lâcher tranquillement :

— Et Libby Hatch ?

Mon ami pâlit un peu, me regarde comme si la fille en personne allait apparaître dans la boutique et le zigouiller s'il donne la mauvaise réponse. Son nom produit cet effet sur tous ceux qui ont croisé sa route ou y ont dressé des obstacles.

— Libby Hatch ? fait-il en écho. Non. Non, impossible. Ce n'est pas… enfin, on ne saurait…

Il continue un moment dans cette veine jusqu'à ce que je réussisse à placer ma question : *Pourquoi* exactement on ne pourrait pas ?

— Mais voyons, reprend-il du ton d'un gosse à demi terrifié, comment pourrais-tu, comment n'importe qui pourrait-il… ?

La partie de son cerveau que la gnôle n'a pas obscurcie se rappelle alors que cette femme est morte depuis plus de vingt ans. Il gonfle la poitrine et s'enhardit.

— Premièrement, dit-il (et il lève le pouce, préparant déjà ses autres doigts pour énoncer tout un arsenal d'arguments), je croyais que tu parlais d'une histoire moins macabre que celle de Beecham. Dans l'affaire Hatch, nous avons non seulement des enlèvements mais des bébés assassinés, une profanation de sépulture — commise par nous, grand Dieu !…

— C'est vrai, mais…

Il n'y a pas de « mais » : Mr Moore ne me laissera pas lui faire entendre raison. Un autre doigt se dresse et il poursuit sur sa lancée :

— Deuxièmement, les implications morales (il aime ce petit bout de phrase) de l'affaire Hatch sont encore plus troublantes, à tout le moins, que celles de l'affaire Beecham…

— Exact, je glisse, faisant chorus, et c'est justement pourquoi…

— Enfin, tonne-t-il, même si cette histoire n'était pas aussi terrifiante et troublante, ce n'est pas toi, Stevie Taggert, qui serais le plus indiqué pour la raconter !

Ce dernier point me rend perplexe. Il ne m'était pas vraiment venu à l'idée que j'étais le plus indiqué pour la raconter, mais je n'aime pas trop entendre dire que je ne le serais pas. Cette affirmation me semble impliquer quelque chose.

Espérant avoir mal interprété ses propos, je lui demande carrément cc qui m'empêcherait de relater la terrible saga de Libby Hatch si j'en avais envie.

— Qu'est-ce que tu crois ? rétorque-t-il, son stock d'orgueil blessé pas encore épuisé. Tu t'imagines qu'on écrit un livre comme une facture ? Que l'art de l'écrivain ne va guère au-delà de l'habileté d'un marchand de tabac ?

A ce stade de la conversation, l'ivrogne assis à côté de moi commence à m'amuser un peu moins, mais je lui donne une dernière chance.

— Vous oubliez que le Dr Kreizler lui-même s'est chargé de mon éducation une fois que je suis allé vivre avec lui...

— Quelques années d'instruction extrascolaire, bougonne Mr Première Page. Rien qui puisse se comparer à des études à Harvard...

— Vous me dites si je me trompe, je lui renvoie, mais vos études à Harvard n'ont pas fait grand-chose pour la publication de votre petit manuscrit... (Je vois ses yeux se plisser et je continue, remuant le couteau dans la plaie :) Bien sûr, moi, je ne bois pas, ce qui semble être une condition indispensable dans votre métier. Mais à part ça, je pense que je peux faire aussi bien que les écrivaillons de votre espèce.

Je mets l'accent sur « écrivaillons » car c'est une insulte à laquelle mon compagnon est particulièrement sensible, mais je n'en rajoute pas. Ma remarque est moins destinée à percer qu'à piquer, et le but est atteint : Mr Moore ne dit plus rien pendant quelques secondes, et quand il ouvre enfin la bouche, je sais que je peux m'attendre à une repartie au moins aussi bien assenée que la mienne. Comme deux chiens dans une fosse, du temps des combats organisés dans mon ancien quartier, nous avons suffisamment aboyé, mordillé et pris la mesure de l'adversaire : le moment est venu de lui arracher l'oreille.

— La couardise et la stupidité des éditeurs new-yorkais et des lecteurs américains n'ont rien à voir avec une incapacité de ma part à raconter cette histoire, riposte Mr Moore, bouillonnant de colère. Et le jour où je pourrai apprendre de toi, Taggert, quelque chose sur l'art d'écrire, sur les travaux de Kreizler ou sur n'importe quel autre sujet que les feuilles de tabac, je me ferai un plaisir de mettre un tablier et de tenir ta boutique pendant une semaine entière !

Ici, une précision s'impose : Mr Moore et moi, nous sommes des flambeurs. A huit ans, j'ai tenu mon premier tripot, où les gosses du quartier jouaient au pharaon, et Mr Moore est toujours prêt à risquer un peu d'argent sur n'importe quel jeu de hasard intéressant. D'ailleurs, c'est le jeu qui a servi de base à notre amitié : l'homme m'a appris tout ce que je sais des chevaux, et je le reconnais volontiers, malgré ses airs condescendants. Aussi, quand il me lance ce défi, je ne ris pas, je ne hausse pas les épaules. Je le regarde dans les yeux et je réponds :

— Tenu.

Nous crachons par terre, comme je lui ai appris, et nous nous serrons la main, comme il m'a appris. Nous savons tous les deux que c'est réglé. Il se lève, tire une dernière bouffée de son mégot et me dit « Bonne nuit, Stevie » d'un ton presque aimable, comme si cette discussion n'avait jamais eu lieu. Tout se passe maintenant à un autre niveau : il ne s'agit plus de ce qu'il appellerait un exercice intellectuel mais d'un pari, et tout mot de plus ne ferait que le profaner. A partir de maintenant, il n'y a plus que le jeu, la course qui fera de l'un de nous un gagnant et de l'autre un perdant. Il est probable que je ne le verrai guère, voire pas du tout, jusqu'à ce que s'affiche l'ordre d'arrivée.

Ce qui me laisse seul pour cette nuit (et pour bien d'autres nuits à venir, je suppose) avec mes souvenirs de l'affaire Hatch : les gens qui nous ont aidés et ceux qui se sont mis en travers de notre route, les amis (ou des êtres plus proches encore) que nous avons perdus pendant l'enquête, les lieux étranges où elle nous a conduits — et Libby Hatch elle-même. Je ne crains pas de reconnaître, maintenant que Mr Moore est parti et que j'ai eu le temps de réfléchir un peu, que la plupart de ses commentaires étaient parfaitement justes : à de nombreux égards, l'histoire de Libby Hatch est plus effrayante, plus dérangeante que tout ce que nous avons vécu pendant notre traque du boucher Beecham. A vrai dire, en des circonstances normales, la chair de poule qui marbre ma peau et les frissons qui secouent mon âme au souvenir de cette femme auraient suffi à me convaincre de renoncer à gagner notre pari. Mais la toux reprend, surgie de nulle part, dure, épuisante, projetant des gouttes de sang et Dieu sait quoi d'autre sur la feuille qui est devant moi. Et curieusement, je m'en rends compte, c'est cette toux qui me fera continuer à écrire, malgré la frousse que je pourrai éprouver. Le Dr Kreizler m'a expliqué ce qu'elle signifie sans doute : je ne sais pas au juste combien d'années, combien de mois il me reste à passer sur cette terre. Alors Libby Hatch peut bien s'en prendre à moi parce que je tente de raconter son histoire. Son fantôme désolé peut bien venir ravir mon souffle parce que j'ai l'audace de révéler qui elle a été. Elle me fait probablement une faveur, car avec la toux, les souvenirs s'en iront eux aussi...

Je crois pourtant que ni le destin ni Libby ne seront aussi charitables. Le seul lieu que son souvenir hantera, ce sont ces feuilles de papier étalées devant moi, qui ne sont pas destinées à servir les objectifs d'un éditeur mais à gagner un pari. Après quoi, je les laisserai pour qui les trouvera et prendra la peine d'y jeter un coup d'œil quand je ne serai plus là. Cette histoire te choquera peut-être, lecteur, elle pourra te sembler trop anormale pour être vraiment arrivée. C'est un mot qu'on a beaucoup prononcé pendant l'affaire : *anormal*. Mais ma mémoire ne s'est pas atrophiée en même temps que mes poumons et tu peux me croire sur parole : si l'histoire de Libby Hatch nous apprend quelque chose, c'est que la nature inclut toutes les formes de comportement que la société qualifie d'« anormales », et qu'en fait, comme le Dr Kreizler ne cesse de le répéter, il n'y a rien sous le soleil de véritablement normal *ou* anormal...

2

C'est par un léger grattement que tout commença : le raclement d'une botte contre la façade de pierre et de brique de la maison du Dr Kreizler, au 283, 17ᵉ Rue Est. Le bruit — familier à tout garçon qui a vécu une enfance comme la mienne — pénétra par la fenêtre de ma chambre tard dans la soirée du dimanche 20 juin 1897, il y a près de vingt ans. Etendu sur mon lit étroit, je m'efforçais, sans grand résultat, d'apprendre mes leçons. Ce soir-là aussi, l'air était trop chargé d'odeurs printanières, trop baigné de clair de lune pour laisser place à des pensées sérieuses, ou même au sommeil. Comme c'était et comme c'est encore trop souvent le cas à New York, le début du printemps avait été froid et humide, ne laissant espérer qu'une ou deux semaines de temps acceptable avant la canicule. Ce dimanche, il avait plu dans la journée mais le ciel commençait à s'éclaircir et semblait promettre l'arrivée de cette brève période de temps doux. Aussi, si vous me soupçonnez d'avoir capté ce bruit extérieur parce que j'attendais le premier prétexte venu pour sortir, je ne nierai pas. Mais d'une manière générale, aussi loin que remonte ma mémoire, j'ai toujours eu l'oreille sensible aux bruits de la nuit, quel que soit l'endroit où je me trouve.

Ma chambre chez le Dr Kreizler était au troisième, à deux étages et à un demi-monde de son magnifique salon et de sa superbe salle à manger, à quelques mètres de sa chambre à la fois majestueuse et nue et de son bureau encombré, au deuxième. Dans la simplicité mansardée du dernier étage (ce que la plupart des gens appelleraient avec condescendance les « quartiers de la domesticité »), Cyrus Montrose — qui partageait avec moi les fonctions de cocher du docteur et d'autres attributions domestiques — occupait la vaste chambre du fond, contiguë à une pièce plus petite que nous utilisions comme débarras. Ma chambre, située sur le devant, était beaucoup moins spacieuse, mais il faut dire que j'étais beaucoup moins grand que Cyrus, qui mesurait deux bons mètres. Et la superficie de mon domaine semblait encore un luxe aux yeux d'un enfant de treize ans qui, depuis sa naissance, avait, dans l'ordre, partagé une pièce sur cour dans un taudis proche de Five Points avec sa mère et la succession de ses jules, dormi sur n'importe quel coin de trottoir ou de ruelle lui offrant quelques heures de paix (après avoir quitté ladite mère et lesdits jules à l'âge de huit ans) et déserté ce que les matons se plaisaient à appeler les « baraquements » du Foyer pour garçons de Randalls Island.

A propos de cet épouvantable endroit, autant apporter tout de suite une précision qui nous aidera peut-être à clarifier certaines choses à mesure que nous avancerons. Quelques-uns d'entre vous ont sans doute lu dans les journaux que j'ai presque tué un gardien qui avait essayé de me violer quand j'étais détenu sur l'île. Ne concluez pas que j'ai le cœur insensible si je déclare qu'à certains égards je regrette de ne pas l'avoir tué, car il avait agi de même avec d'autres garçons, et il continua à le faire, j'en suis sûr, après que mon affaire eut été discrètement poussée sous le tapis et qu'on l'eut rétabli à son poste.

Il y avait une seule autre chambre au dernier étage de la résidence du Dr Kreizler. Séparée de la mienne et de celle de Cyrus par un bref couloir, elle était réservée à la bonne, mais, depuis une année entière, plus aucun être vivant ne l'occupait. Je dis « être vivant » car elle abritait encore les maigres biens personnels et le triste souvenir de Mary Palmer, dont la mort, survenue pendant l'affaire Beecham, avait brisé le cœur du docteur. Depuis, nous avions connu une ribambelle de cuisinières et de bonnes qui venaient le matin avant le petit déjeuner et repartaient après le dîner, certaines compétentes, d'autres franchement épouvantables, mais ni Cyrus ni moi ne nous plaignîmes jamais du changement parce que, pas plus que le docteur, nous ne tenions à garder quelqu'un en permanence. Voyez-vous, nous avions tous deux aussi aimé Mary — quoique d'une manière très différente de celle du docteur, cela va de soi.

Bref, vers onze heures du soir, ce dimanche 20 juin, je tentais de me concentrer sur les leçons que le Dr Kreizler m'avait assignées pour la semaine — tables de multiplication et histoire — quand j'entendis la porte d'en bas se fermer. Je sentis mon corps se raidir comme il le faisait toujours, comme il le fait encore aujourd'hui, quand j'entends le bruit d'une porte la nuit. Tendant l'oreille, je discernai des pas lourds sur le tapis persan bleu et vert de l'escalier et je fus rassuré : le pas de Cyrus était aussi reconnaissable que la respiration profonde et le doux fredonnement qui l'accompagnaient toujours. Je me laissai retomber sur mon lit et tins mon livre à bout de bras au-dessus de moi, sachant que mon ami passerait bientôt sa grosse tête noire dans la chambre pour me dire bonsoir.

— Tout va bien, Stevie ? me demanda-t-il, de sa voix de basse à la fois puissante et douce.

Je hochai la tête, levai les yeux vers lui.

— Il dort à l'Institut, je suppose ?

Cyrus me rendit mon hochement de tête.

— Sa dernière nuit là-bas avant un bon moment. Il veut utiliser le temps qui lui reste…

Après une pause empreinte d'inquiétude, il reprit dans un bâillement :

— Ne veille pas trop tard, il veut que tu viennes le chercher demain matin. J'ai rapporté le landau, tu prendras la calèche, et tu laisseras un des chevaux se reposer.

— D'accord.

Après le départ de Cyrus, je posai mon livre et regardai fixement autour de moi, d'abord le papier mural à rayures bleues et blanches de la pièce, puis la petite lucarne derrière laquelle bruissaient les cimes des arbres de Stuyvesant Park, de l'autre côté de la rue.

Pas plus qu'aujourd'hui je ne m'expliquais à l'époque

pourquoi la vie s'acharne sur un homme qui ne le mérite pas alors qu'elle accorde à certains, parmi les plus fieffés imbéciles et gredins, une longue existence paisible. J'imaginais le docteur à l'Institut — l'Institut Kreizler pour l'enfance, dans Broadway Est : il s'était depuis longtemps assuré que tous les enfants étaient couchés, il avait donné ses instructions au personnel pour les nouveaux venus ou les cas difficiles. Assis à présent devant le secrétaire de sa salle de consultation, il épluchait une montagne de paperasse, à la fois par nécessité et pour éviter de penser que l'aventure de l'Institut pouvait bien prendre fin. A la lueur de sa lampe Tiffany vert et or, il tirait sur sa moustache ou sur la mouche qu'il avait sous la bouche, massait de temps à autre son bras estropié, qui le tourmentait davantage la nuit. De longues heures s'écouleraient avant que la lassitude ne s'insinue dans ses yeux noirs perçants, et s'il parvenait à dormir un peu, ce serait seulement quand sa tête dodelinante se poserait enfin sur les papiers étalés devant lui.

Voyez-vous, le docteur venait de traverser une année de tragédie et de controverse qui avait commencé, comme je l'ai signalé, par la mort de la seule femme qu'il ait jamais vraiment aimée, et qui avait culminé avec le récent suicide inexpliqué d'un de ses jeunes pensionnaires à l'Institut. Un tribunal chargé d'évaluer la gestion de l'établissement avait prononcé cette injonction : pendant soixante jours, le docteur n'aurait plus le droit de mettre le pied à l'Institut tandis que la police enquêterait, et ces soixante jours commençaient le lendemain — j'aurai d'ailleurs d'autres choses à dire sur cette affaire.

C'est au moment où, étendu sur mon lit, je ressassais les ennuis du docteur que j'entendis dehors le petit grattement mentionné plus haut. Comme je l'ai souligné, je reconnus aussitôt ce bruit, que mes propres pieds avaient trop souvent produit. Le cœur battant d'une certaine nervosité, mais plus encore d'excitation, je songeai un instant à appeler Cyrus, mais une succession de dérapages contre la paroi me fit comprendre qu'il s'agissait d'un amateur dont je n'avais rien à redouter. Je posai donc mon livre, m'approchai de la fenêtre et glissai le haut de la tête dehors.

24

Je souris, parfois, quand je repense à ces jours — et plus souvent à ces nuits —, au temps que nous avons tous passé à ramper sur les toits, à pénétrer chez les gens par leurs fenêtres pendant que la ville dormait. Ce n'était pas une activité étonnante ou nouvelle pour moi, bien entendu : dès que j'avais su marcher, ma mère m'avait appris à m'introduire dans les maisons pour y faucher tout ce qu'on pouvait fourguer à un receleur. Mais voir les jeunes amis respectables du docteur forcer une fenêtre et se couler dans une pièce comme le premier monte-en-l'air venu, je trouvais ça amusant. Et rien ne m'amusa plus que ce que je vis ce soir-là.

Miss Sara Howard, enfreignant à peu près toutes les règles de la bible du cambrioleur, si une telle chose existe, maudissait le ciel avec la verdeur d'un matelot. Elle était vêtue comme à son habitude d'une robe sombre toute simple, sans aucune de ces fanfreluches à la mode, mais malgré l'austérité de sa tenue, elle avait beaucoup de mal à s'agripper à la gouttière et aux pierres angulaires en saillie de la maison, et était à un poil de tomber dans le jardin du docteur et de se briser les os. Ses cheveux, qu'elle avait noués en un chignon bien serré, commençaient à se libérer, et son visage, joli quoique un peu banal, reflétait la frustration et la colère.

— Vous avez de la chance que je sois pas les flics, Miss Howard, dis-je en passant le torse par la fenêtre. (Ma remarque lui fit tourner vivement la tête et alluma une lueur dans ses yeux d'un vert que n'importe quelle émeraude lui aurait envié.) Ils vous auraient emmenée à l'Octagon Tower pour le petit déjeuner.

L'Octagon Tower, bâtiment disgracieux surmonté d'un dôme, se dressait sur Blackwell's Island, dans l'East River, et abritait la célèbre prison-asile pour femmes de New York.

Miss Howard fronça les sourcils, montra ses pieds d'un mouvement de tête.

— C'est à cause de ces fichues bottes, dit-elle.

Suivant des yeux la direction indiquée, je compris le problème : au lieu de porter une paire de chaussures légères ou des pantoufles, qui auraient permis à ses orteils de se loger dans les anfractuosités de la maçonnerie, elle avait chaussé — novice qu'elle était — de lourdes bottes ferrées d'alpiniste. Elles n'étaient pas sans rappeler celles avec lesquelles le meurtrier John Beecham escaladait les murs, et j'en déduisis que c'était cela qui lui avait donné l'idée de les mettre.

— Il faut une corde et du matériel, pour ces trucs-là, expliquai-je. (Me tenant de la main droite à l'encadrement de la fenêtre, je lui tendis le bras gauche.) Rappelez-vous, Beecham, lui, il grimpait le long de murs de brique.

La tirant à l'intérieur, j'ajoutai avec un sourire :

— Et il savait ce qu'il faisait.

Elle reprit sa respiration, me coula un regard en biais.

— Ça, c'est un coup bas, Stevie.

D'irrité, son visage devint toutefois amusé, avec une soudaineté habituelle chez lui. Elle me rendit mon sourire.

— Tu as des cigarettes ?

— Comme les chiens ont des puces, répondis-je.

Je revins dans la pièce pour prendre mon paquet, lui offris un clope, en pris un pour moi, craquai une allumette sur l'appui de la fenêtre.

— Vous devez commencer à vous ennuyer à Broadway, insinuai-je.

— Au contraire, répondit-elle, soufflant un jet de fumée vers le parc et sortant une paire de souliers plus classiques du sac accroché à son cou. Je crois que j'ai enfin obtenu une affaire qui ne concerne pas un mari infidèle ou un riche héritier qui se dévergonde.

Ici, un mot d'explication : après Beecham, tous les membres de notre petite bande d'enquêteurs, à l'exception de Miss Howard, reprirent leurs activités habituelles. Mr Moore retrouva son poste à la rubrique criminelle du *Times*, se chamaillant plus que jamais avec son rédacteur en chef. Lucius et Marcus Isaacson réintégrèrent les services de police où, après avoir été promus par le préfet Roosevelt, ils furent promptement rétrogradés au rang de sergents quand celui-ci quitta New York pour Washington et devint sous-secrétaire à la Marine, laissant la police new-yorkaise retomber dans ses vieilles habitudes. Le Dr Kreizler retourna à l'Institut et à ses consultations sur les affaires criminelles, tandis que Cyrus et moi recommencions à tenir sa maison. Miss Howard, cependant, ne put supporter de mener de nouveau la vie d'une secrétaire, même à la direction de la police. Elle reprit le bail de notre ancien quartier général, au 808, Broadway, et ouvrit sa propre agence de détective privé. Elle limitait sa clientèle aux femmes, qui avaient des difficultés pour s'assurer ce genre de services à l'époque (ce qui ne signifie pas que c'est facile pour elles maintenant). Le problème — elle venait d'y faire allusion —, c'était que les seules qui avaient les moyens de régler ses honoraires étaient des bonnes femmes de la haute qui voulaient savoir si leurs maris les trompaient (la réponse étant généralement « oui ») ou ce que les héritiers dissolus de la fortune familiale faisaient de leur temps. En un an de pratique, Miss Howard n'avait pas enquêté sur un seul meurtre juteux ni même sur la moindre affaire de chantage, et je crois qu'elle commençait à perdre ses illusions sur le métier de détective. Ce soir-là, cependant, son expression confirmait ce qu'elle venait de laisser entendre : on lui avait enfin confié une affaire captivante.

— Si c'est tellement important, vous auriez pu essayer la porte d'entrée, dis-je. Ça vous aurait fait gagner du temps. Et vous n'auriez pas risqué de vous casser le cou...

Si un homme adulte avait lancé ce genre de pique à Sara Howard, elle aurait sorti le Derringer qu'elle cachait toujours sur sa personne et elle le lui aurait collé sous le nez. Mais, sans doute parce que j'étais beaucoup plus jeune, elle avait toujours adopté une attitude différente envers moi, et nous nous parlions avec une grande franchise.

— Je sais, répondit-elle, riant un peu d'elle-même. (Elle défit les bottes cloutées, les fourra dans le sac et enfila les chaussures.) C'était simplement pour m'entraîner. J'ai découvert que si l'on veut pincer des criminels, il faut l'être un peu soi-même.

— Vous m'en direz tant.

Miss Howard finit de nouer ses lacets, éteignit sa cigarette, dispersa dans le vent le tabac du mégot, roula le papier en une boulette qu'elle expédia par la fenêtre.

— Bon, le Dr Kreizler n'est pas chez lui, n'est-ce pas, Stevie ?

— Non, il est à l'Institut. Il faudra qu'il en déloge demain matin.

— Oui, je sais. En son absence, Cyrus et toi, vous êtes libres pour me donner un coup de main. Si vous êtes d'accord...

— Où il faut aller ?

— Chez Mr Moore, dit-elle, renouant son chignon. Il ne répond ni quand on sonne à sa porte ni quand on lui téléphone.

— Alors, il est pas chez lui. Vous le connaissez, vous devriez chercher dans les tripots du Tenderloin[1]. Sa grand-mère n'est morte que depuis six mois, il n'a pas encore claqué tout l'héritage.

Miss Howard secoua la tête.

— Le concierge de l'immeuble dit que John est rentré il y a une heure. Avec une jeune femme. Ils ne sont pas ressortis. (Un sourire malicieux apparut sur ses lèvres.) Il est chez lui, il ne veut pas être dérangé. Mais toi, tu vas nous faire entrer.

Un court instant, je songeai au docteur, à ses efforts inlassables pour me faire perdre une tendance fortement enracinée en moi à me jeter dans le genre d'expédition que Miss Howard me proposait. Mais, comme je l'ai dit, mon atermoiement fut bref.

— Cyrus vient de rentrer, annonçai-je, lui rendant son sourire. Il sera partant. La maison est une vraie morgue en ce moment. Un peu de distraction ne nous fera pas de mal.

— Bien ! Je savais que j'avais sous la main l'homme de la situation.

— Ouais, acquiesçai-je. Vous aviez simplement pas les bonnes chaussures.

Elle s'esclaffa de nouveau et feignit de me coller une taloche pendant que nous allions réveiller Cyrus.

Je ne m'étais pas trompé en pensant qu'après une année à se morfondre dans la maison de la 17e Rue, Cyrus sauterait sur l'occasion de briser la routine : en un rien

---

1. Le quartier interlope. (N.d.T.)

28

de temps, il réapparut en costume de tweed, chemise amidonnée, cravate, et, tandis que nous descendions vers le vestibule, il posa sur sa tête son vieux chapeau melon préféré. Nous écoutâmes Miss Howard nous expliquer qu'il fallait conduire Mr Moore de toute urgence au 808, Broadway, où une femme en détresse attendait le retour de « la » détective. Il s'agissait, déclara Sara Howard, d'une affaire qui avait des « implications non seulement criminelles mais peut-être internationales ». Elle ne voulait pas nous en dire plus pour le moment, et ni Cyrus ni moi n'avions besoin d'en savoir davantage : ce que nous voulions, c'était un peu d'action. Les longues explications pouvaient attendre. Après une traversée du hall au pas de charge, nous nous retrouvâmes dans le jardin ceint d'une clôture métallique et Cyrus — toujours prudent — prit le temps de s'assurer que la maison était bien fermée avant que nous descendions l'allée jusqu'à la grille et que nous nous engagions sur le trottoir de la 17e Rue.

Il n'aurait servi à rien de sortir les chevaux et la calèche ni de perdre du temps à essayer de trouver un fiacre puisque nous n'étions qu'à quelques rues du 34, Gramercy Park, où Mr Moore avait élu domicile au début de l'année, après la mort de sa grand-mère. Comme nous passions d'un cercle de lumière à un autre sous les réverbères à lampe à arc qui s'alignaient dans la Troisième Avenue, Miss Howard noua son bras droit au bras gauche de Cyrus, son bras gauche à mon bras droit, et entreprit de commenter les menues activités nocturnes que nous découvrions en chemin. Elle s'efforçait manifestement de juguler son excitation en parlant de tout et de rien. Cyrus et moi lui répondions à peine, et avant de nous en rendre compte nous avions tourné dans la 20e Rue et étions parvenus devant la masse de pierre beige du 34, Gramercy Park, où la lumière électrique et les lampes à gaz éclairaient encore les fenêtres de quelques appartements. C'était l'un des plus anciens immeubles de la ville, ainsi que l'un des premiers « en copropriété », comme on disait, ce qui signifiait que ses occupants en partageaient la possession. Après le décès subit de sa grand-mère, Mr Moore avait envisagé de s'installer dans un des immeubles à la mode du nord de la ville, le Dakota, par exemple, mais en définitive je crois qu'il ne put supporter de s'éloigner autant du quartier de son enfance. Ayant perdu le dernier des deux seuls membres de sa famille dont il s'était jamais senti proche (l'autre, son frère, était tombé d'une barque, abruti par la morphine et l'alcool, bien des années plus tôt), Mr Moore avait tout fait pour demeurer propriétaire de la maison de sa grand-mère, à Washington Square, mais le testament stipulait que la résidence devait être vendue et le fruit de la vente divisé entre ses héritiers chicaniers au sang bleu. Se retrouver seul aussi soudainement et totalement était suffisamment déroutant pour Mr Moore, sans qu'il s'aventure en plus en terre inconnue. Il revint finalement à Gramercy Park, dans le quartier où il avait grandi et où il avait appris ses premières leçons sur le côté louche de l'existence en s'encanaillant avec les garnements de la zone de l'Usine à Gaz, plus à l'est.

Quand nous commençâmes à gravir les marches vers les colonnes de marbre brun flanquant les portes de verre de l'entrée de l'immeuble, je gardai l'œil sur la masse sombre d'arbres et de haies de Gramercy Park derrière nous. Certes, le parc était bordé de maisons et de clubs huppés, comme le Players, et entouré, par surcroît, d'une grille en fer forgé de plus de deux mètres de haut, mais n'importe quel petit dur de l'Usine à Gaz digne de ce nom en serait venu à bout rapidement et aurait transformé l'endroit en cachette d'où se jeter sur les passants sans méfiance. Ce n'est qu'après avoir avisé un flic faisant sa ronde que je me sentis suffisamment rassuré pour rejoindre mes compagnons devant la porte.

A cette heure, elle était naturellement fermée à clé mais Miss Howard appuya sur le petit bouton serti dans le chambranle et nous entendîmes une sonnerie quelque part à l'intérieur. Bientôt, je distinguai une silhouette menue se dirigeant vers nous derrière le panneau de verre. Quelques secondes plus tard, nous nous trouvâmes face à un vieil homme en gilet rayé et pantalon noir qui donnait l'impression qu'on aurait dû l'enterrer dix ans plus tôt. Son visage ridé se rembrunit en nous découvrant.

— Voyons, Miss Howard, ça ne se fait pas, protesta-t-il d'une voix sifflante. Si Mr Moore ne répond pas, c'est qu'il…

— Pas de problème, Stevenson, repartit la détective avec froideur. J'ai eu Mr Moore au téléphone, il est d'accord pour nous recevoir, mes amis et moi. Sa sonnette ne marche pas, semble-t-il. Il m'a révélé où il a caché sa clé de secours, au cas où cela se produirait.

Le vieux cadavre posa un regard hautain sur Cyrus et moi.

— Vraiment ? grommela-t-il. En tout cas, je ne serai pas responsable s'il y a quelque chose de fâcheux là-dedans. Cela ne se fait pas mais… (Il se tourna vers l'ascenseur.) Bon, venez.

Nous le suivîmes quand il ouvrit d'abord la porte extérieure en bois puis la grille métallique de la cabine. M'asseyant sur la petite banquette recouverte de velours dans le seul but d'enquiquiner le vieux portier (objectif atteint), j'admirai l'acajou et le cuivre soigneusement astiqués qui nous entouraient en me demandant quel malheureux passait sa vie à les entretenir. Si c'était le vieux, j'avoue qu'il avait une bonne raison d'être acariâtre. Après avoir refermé la grille puis la porte, l'homme enfila une paire de gants en cuir usés et tachés puis donna un coup sec au câble graissé de l'ascenseur — qui, traversant le plancher, filait vers un coin du plafond — pour mettre la chose en branle. Nous commençâmes à monter lentement vers le cinquième étage, où Mr Moore occupait l'appartement donnant sur le parc dans la partie nord de l'immeuble.

La porte et la grille s'ouvrirent de nouveau bruyamment, et Cyrus et moi suivîmes Miss Howard dans un couloir de couleur beige interrompu çà et là par d'autres portes en bois encore plus soigneusement astiquées. Parvenue devant celle de Moore, Miss Howard frappa puis feignit d'attendre que Mr Moore vienne ouvrir. Se tournant vers le portier, qui continuait à nous observer d'un air méfiant, elle dit simplement :

— Il se fait tard, Stevenson. Nous ne vous retenons pas.

Le portier hocha la tête avec réticence, réintégra l'ascenseur et redescendit.

Aussitôt, Miss Howard colla l'oreille à la porte, posa sur moi ses yeux dansants.

— A toi de jouer, Stevie, murmura-t-elle.

Bien qu'amendé depuis que je m'étais installé chez le Dr Kreizler, deux ans plus tôt, je portais encore sur moi quelques outils de mon ancien métier qui pouvaient se révéler utiles à l'occasion. Je ne m'étais notamment pas séparé de mon petit jeu de crochets, avec lequel j'entrepris de titiller la serrure assez simple de Mr Moore. Avec un léger *clic,* la porte s'entrouvrit, et Miss Howard eut un sourire radieux.

— Il faudra que tu m'apprennes ça un jour, fit-elle à voix basse en me tapotant le dos. Allons-y.

Mr Moore avait meublé son appartement avec les meubles de sa grand-mère que la famille avait consenti à lui laisser, ainsi qu'avec quelques jolies pièces rustiques anglaises que le Dr Kreizler l'avait aidé à choisir. Cela conférait une sorte de double personnalité au lieu qui, par endroits, ressemblait à la maison d'une vieille dame et, à d'autres, à une garçonnière sans raffinement. Il y avait sept pièces en tout, disposées d'une manière insensée qui aurait étonné dans une maison ordinaire. En file indienne, nous traversâmes furtivement le hall obscur. Une série d'articles vestimentaires masculins et féminins jonchaient le sol. Miss Howard plissa le front, le plissa plus encore quand, approchant de la porte de la chambre, nous entendîmes des gloussements et des rires. Elle s'apprêtait à frapper lorsque la porte s'ouvrit et qu'une femme sortit de la pièce.

C'était bien une femme, je puis l'affirmer maintenant plus catégoriquement encore qu'à l'époque. Vêtue en tout et pour tout d'un drap qu'elle tenait d'une main derrière son dos, elle avait de longs cheveux dorés qui descendaient jusqu'à sa taille, une paire de jambes qui commençaient par de minces chevilles et semblaient s'arrêter quelque part près du plafond — les appartements étaient hauts de plafond, dans cet immeuble, je vous le signale. De la chambre, Mr Moore la supplia de revenir.

— Je reviens, John, je reviens, promit-elle, gloussant encore. Juste une minute.

Elle ferma la porte, se tourna vers la salle de bains, située au bout du couloir... et nous découvrit.

Sans rien dire, elle nous adressa une sorte de petit sourire perplexe. Miss Howard lui rendit son sourire — cela lui demanda un certain effort, je le remarquai — puis porta un doigt à ses lèvres pour inviter l'inconnue à se taire. La femme imita le geste, gloussa de nouveau — elle était visiblement ivre — puis repartit en direction de la salle de bains, sans un mot d'explication de sa part ou de la nôtre. Sur ce, Miss Howard eut un sourire plus sincère, et un tantinet malicieux, et ouvrit la porte de la chambre.

La faible lumière du couloir ne laissait guère entrevoir qu'une masse de draps froissés sur un très grand lit, bien qu'on devinât qu'il y avait quelqu'un dessous. Cyrus et moi restâmes près de la porte mais Miss Howard alla droit au lit et demeura plantée devant comme si elle attendait quelque chose. Bientôt la masse se mit à remuer, puis la partie supérieure du corps de Mr Moore émergea, cheveux courts ébouriffés, son visage offrant l'image même du bonheur. Les yeux fermés, il tendit les bras à la manière d'un enfant, emprisonna la taille de Miss Howard. Elle n'en parut pas ravie mais ne bougea pas. Sentant le tissu de la robe, il marmonna :

— Lily, pourquoi tu t'habilles ? Tu ne peux pas partir maintenant, cette nuit ne doit jamais finir...

Le Derringer apparut. Aujourd'hui encore, je ne saurais dire où Miss Howard le dissimulait pour qu'il soit à la fois invisible et toujours à portée de main, mais en un éclair l'arme se retrouva devant les yeux clos et le visage souriant du journaliste. Le sourire s'évanouit et les yeux s'ouvrirent quand Miss Howard releva le chien.

— John, je pense que même à travers le drap je pourrais te couper les deux testicules avec une seule balle, déclara-t-elle d'un ton égal. Alors, je te conseille de me lâcher.

Mr Moore s'écarta d'elle en poussant un petit cri et se couvrit avec le drap comme un gosse surpris en train de se tripoter.

— Sara ! s'étrangla-t-il. Qu'est-ce que tu fiches ici ? Et comment es-tu entrée ?

— Par la porte de devant, répondit-elle simplement, tandis que le pistolet disparaissait de nouveau dans les plis de sa robe.

— La porte de devant ? Mais elle est fermée à clé, je suis sûr d'avoir…

Tournant les yeux vers le couloir, Mr Moore nous aperçut, Cyrus et moi, et il n'eut pas besoin d'en voir davantage.

— Stevie ! Tiens donc ! s'exclama-t-il. (Il lissa ses cheveux sur son crâne, se redressa pour recouvrer un peu de dignité.) J'aurais cru que les liens de la solidarité masculine t'auraient empêché de prendre part à pareille machination. Et qu'est-ce que vous avez fait de Lily ?

— Elle est dans la salle de bains, répondit Miss Howard. Elle n'a pas du tout eu l'air déçue de nous voir. Tu dois perdre la main, John…

Sans réagir à la pointe, Mr Moore se tourna de nouveau vers la porte.

— C'est à vous que je m'adresse, Cyrus. Sachant que vous êtes une personne de la plus parfaite intégrité, je suppose qu'il y a une bonne raison à votre présence ici.

Le grand Noir hocha la tête, avec ce sourire un rien condescendant qui lui montait souvent aux lèvres quand il parlait au journaliste.

— Miss Howard assure qu'il y en a une, monsieur, dit-il. Cela me suffit. Vous devriez lui poser la question.

— Et si je n'ai pas envie de lui adresser la parole ? grogna Moore.

— Alors, monsieur, vous risquez d'attendre longtemps une explication…

N'ayant pas le choix, Mr Moore haussa les épaules puis se laissa retomber sur le lit.

— D'accord, Sara, explique-moi ce qu'il y a de si urgent pour que tu pénètres chez moi par effraction. Et pour l'amour du ciel, Stevie, donne-moi une cigarette.

Pendant que j'allumais un clope pour le passer à Mr Moore, Sara Howard fit le tour du lit et vint se camper devant lui.

— J'ai une affaire, John.

Il poussa un long soupir mêlé de fumée.

— Formidable. Tu exiges la une, ou les pages intérieures te suffiront ?

— Non, John, cette fois, c'est pour de bon, déclara-t-elle avec conviction. Je crois que c'est une grosse affaire.

La ferveur du ton de Sara rendit celui de Moore moins sarcastique quand il demanda :

— Bon, de quoi s'agit-il ?

— Une femme est venue ce soir au 808. La *señora* Isabella Linares. Ça ne te dit rien ?

— Non. C'est un point que vous avez en commun, parce que toi non plus, tu ne me dis rien. Je t'en prie, Sara, assez de cachotteries. Qui est-ce ?

— Elle est mariée au *señor* Narciso Linares. Ça te dit quelque chose, maintenant ?

Il releva lentement la tête, avec une expression intriguée qui plut manifestement à Miss Howard.

— Est-ce qu'il n'est pas... Il a un poste quelconque au consulat espagnol, non ?

— En fait, c'est le secrétaire particulier du consul.

— Et qu'est-ce que sa femme fait au 808 ?

Miss Howard se mit à aller et venir dans la pièce.

— Elle a une petite fille de quatorze mois. Ou plutôt elle avait. L'enfant a été enlevée. Il y a trois jours.

L'expression de Moore se fit sceptique.

— Sara... Nous parlons de la fille du secrétaire particulier du consul de l'empire d'Espagne dans la ville de New York. Ce même empire que Mr William Randolph Hearst et notre ami au ministère de la Marine (il entendait par là Mr Roosevelt), plus certains de mes patrons, quelques-uns des magnats de l'industrie et une bonne partie de la populace de ce pays insultent ouvertement depuis des années pour l'inciter à nous faire la guerre. Penses-tu sincèrement que si cette enfant avait été kidnappée à New York, ledit empire d'Espagne n'aurait pas saisi l'occasion de pousser les hauts cris et de dénoncer la barbarie américaine ? On a déclenché des guerres pour moins que ça, tu sais.

— Précisément, John, répondit Miss Howard. On aurait pu croire que les diplomates espagnols réagiraient de cette façon, n'est-ce pas ? Mais pas du tout. La *señora*

Linares prétend que l'enlèvement s'est produit alors qu'elle se promenait seule un soir à Central Park avec le bébé. Elle n'a pas vu le ravisseur, il s'est approché par-derrière et l'a assommée. Quand elle est rentrée chez elle pour prévenir son mari, il a réagi de manière étrange, montrant peu d'inquiétude pour sa femme, encore moins pour sa fille. Il lui a recommandé de ne souffler mot à quiconque de ce qui s'était passé : ils devaient attendre qu'on leur envoie une demande de rançon, et s'ils n'en recevaient pas, cela signifierait que l'enfant avait été enlevée par un fou et assassinée.

— Ce sont des choses qui arrivent, Sara, commenta Moore avec un haussement d'épaules.

— Mais il n'a même pas informé la police ! Au bout de vingt-quatre heures, comme ils n'avaient reçu aucune demande de rançon, la *señora* Linares a décidé de s'adresser aux autorités puisque son mari n'en faisait rien. (Miss Howard marqua une pause.) Il l'a battue, John. Sauvagement. Tu devrais la voir — en fait, tu vas la voir. Elle ne savait plus que faire, son mari l'avait menacée de lui infliger une correction pire encore si elle reparlait d'avertir la police. Finalement, elle s'est confiée à une amie, une femme du consulat français que j'ai aidée pour une peccadille conjugale, il y a quelques mois. C'est elle qui lui a donné mon nom. La *señora* Linares nous attend, il faut que tu viennes…

— Attends, attends, attends, fit Mr Moore, cherchant encore à sauver sa nuit de plaisir. Tu oublies plusieurs choses. Premièrement, ces gens sont des diplomates, et la loi est différente pour eux. Je ne sais pas au juste quelle est la loi dans un cas comme celui-ci, mais elle est différente. Deuxièmement, si ce Linares refuse de porter plainte, ce n'est pas nous qui…

Mr Moore fut interrompu par la soudaine apparition, derrière Cyrus et moi, de la femme avec laquelle il partageait son lit quelques minutes plus tôt. Elle avait récupéré ses vêtements dans le couloir et s'était rhabillée.

— Excuse-moi, John, je sais pas exactement ce que veulent ces gens, mais ça a l'air important. Alors, je me suis dit qu'il valait mieux que je m'en aille. Te dérange pas, je trouverai la sortie.

Elle se tourna pour partir et Moore bondit comme s'il venait de s'asseoir par erreur sur la chaise électrique.

— Non ! cria-t-il, fonçant vers la porte de la chambre, plaquant le drap sur son corps dans un souci de pudeur. Non, Lily, attends...

— Appelle-moi demain au théâtre ! lui répondit-elle du vestibule. Ça me plairait de remettre ça un de ces jours !

Après le départ de la blonde, il se dirigea à grands pas vers Miss Howard et la fixa d'un regard qu'on ne saurait qualifier que de violemment hostile.

— Sara Howard, tu viens de ruiner ce qui avait toutes les chances de devenir l'une des trois plus belles nuits de mon existence !

Avec un léger sourire, elle répondit :

— Je ne te demanderai pas quelles ont été les deux autres. Sincèrement, je suis désolée, John, mais la situation est grave.

— Tu as intérêt à ce qu'elle le soit !

— Fais-moi confiance. Tu ne connais pas encore le plus beau.

— Ah ! vraiment ?

— La *señora* Linares est venue me trouver en grand secret, après les heures normales de bureau. Pour s'assurer qu'elle n'était suivie par aucune personne du consulat, elle a pris le métro aérien de la Troisième Avenue pour se rendre dans le centre. Descendue à la station de la 9ᵉ Rue, elle longeait le quai en direction de l'escalier quand son regard s'est posé par hasard sur la dernière voiture...

Sara Howard s'interrompit de nouveau, ce qui agaça singulièrement Moore :

— Ecoute, dispense-toi de ces pauses mélodramatiques, elles ne font rien pour améliorer mon humeur. Qu'est-ce qu'elle a vu ?

— Elle a vu son enfant, John.

Mr Moore eut une grimace.

— Tu veux dire qu'elle a cru voir son enfant. Une illusion, quelque chose comme ça...

— Non, John. Son enfant. Dans les bras d'une

37

femme… précisa Miss Howard, qui s'autorisa une autre courte pause. Une Blanche, une Américaine.

Moore assimila l'information avec un grognement irrité mais intéressé : le journaliste prenait le pas sur le libertin. Il se tourna vers moi avec une expression pas beaucoup plus satisfaite mais du moins résignée.

— Stevie, pour te faire pardonner cette intrusion, tu veux bien m'aider à trouver mes affaires ? Ensuite, nous irons au 808 et, si Dieu le veut, nous découvrirons de quoi il retourne. Mais tu peux me croire, Sara, Derringer ou pas, si cette affaire est une plaisanterie, tu regretteras le jour où nous nous sommes rencontrés !

— Oh ! je le regrette depuis longtemps, répliqua Miss Howard avec un rire que nous reprîmes, Cyrus et moi.

3

Je ne m'étais pas rendu à pied au 808, Broadway depuis un an mais vous ne l'auriez jamais cru à voir la façon dont j'avançais. Je me rappelle avoir lu dans les *Principes de psychologie* — ce livre capital que le vieux maître du Dr Kreizler à Harvard, le professeur William James, avait écrit quelques années plus tôt et que j'avais péniblement potassé avec le reste de l'équipe pendant l'affaire Beecham — que le cerveau n'est pas le seul organe qui emmagasine les souvenirs. Certaines parties du corps plus frustes — les muscles, par exemple — ont leur façon de conserver une expérience et de la restituer le moment venu. Si c'est vrai, mes jambes en fournissaient la preuve ce soir-là, car j'aurais pu faire la route même si quelqu'un m'avait sectionné la moelle épinière au ras du cortex cérébral, comme l'une de ces pauvres grenouilles de laboratoire que le professeur James et ses étudiants passaient leur temps à charcuter.

En longeant Gramercy Park puis en traversant Irving Square, je surveillais attentivement les alentours de crainte que les voyous du quartier de l'Usine à Gaz ne soient en embuscade pour détrousser les rupins avinés revenant des tripots du Tenderloin. Mais il n'y avait aucune menace dans l'air, rien que cette odeur de propre qui suit la pluie, et je commençais à me détendre à mesure que nous progressions. Miss Howard se refusant toujours à nous livrer d'autres informations sur son affaire avant notre arrivée au 808, nous avions renoncé à l'interroger et nous concentrions nos efforts sur un seul objectif : y conduire Mr Moore. La tâche se révéla plus ardue qu'il n'y paraissait. Nous avions choisi de prendre par Irving Place parce que nous savions qu'en empruntant la Quatrième Avenue puis Union Square nous passerions devant la brasserie Brubacher, où un grand nombre des compagnons de beuverie de Mr Moore s'adonneraient sans nul doute à leur passe-temps favori dans cet établissement : parier — est-ce que tel passant, telle voiture ou telle charrette parviendrait ou non à échapper à une collision avec les tramways qui descendaient Broadway à toute vitesse et tournaient autour de la place quasiment sans ralentir ? Face à une tentation aussi forte, Mr Moore aurait sans nul doute succombé. Irving Place avait cependant ses propres attraits sous la forme de la Pete's Tavern, agréable « point d'eau » où s'abreuvaient autrefois le Boss Tweed et ses Tammany Boys[1] et où, plus récemment, on voyait souvent Mr Moore passer la soirée en compagnie de ses amis journalistes et écrivains. Une fois que nous eûmes laissé derrière nous les lampes aux lueurs orange qui éclairaient les vitres grises de fumée de chez Pete, je constatai qu'il avait pris conscience que sa dernière chance de salut était elle aussi passée : son grommellement vira nettement au ton pleurnichard.

— Sara, demain, c'est lundi, argua-t-il comme nous atteignions la 14ᵉ Rue. (La façade trompeusement avenante de Tammany Hall apparut à notre gauche.) Et rester au fait de ce que Croker et ses sagouins trafiquent, poursuivit-il en nous la désignant, exige un effort constant. Sans parler du problème espagnol.

— Balivernes, John, rétorqua Miss Howard. La politique est dans une impasse en ce moment à New York, tu le sais parfaitement. Strong est le plus boiteux des canards qui aient jamais siégé à l'hôtel de ville, et ni Croker ni Platt (elle se référait aux chefs respectifs des partis démocrate et républicain de New York) ne laisseront un autre maire partisan de réformes remporter les élections de novembre. Quand viendra l'hiver, ce sera le

---

1. Politiciens véreux qui avaient fait main basse sur Tammany, l'organisation centrale du parti démocrate à New York. (N.d.T.)

retour aux combines habituelles, et personne n'a besoin de te le rappeler…

Comme pour ponctuer l'exposé de Sara, un rugissement de rire perça soudain la nuit tandis que nous dérapions sur la fine couche de crottin et d'urine recouvrant la chaussée. Une fois de l'autre côté, nous nous retournâmes tous pour voir un petit groupe d'hommes ivres, bien vêtus et fort heureux émergeant de Tammany Hall, un gros cigare aux lèvres.

Mr Moore émit un grognement vaguement désapprobateur en suivant des yeux les politiciens.

— Hmm, je ne suis pas sûr que ce soit aussi simple, Sara. Et même si ça l'est, il reste la crise de Cuba. Nous sommes à un moment critique de nos relations avec Madrid.

— Fadaises, lâcha Miss Howard, qui s'arrêta juste assez longtemps pour saisir le bras de Moore et lui faire accélérer l'allure. Même si tu tenais la rubrique des affaires étrangères, tu serais bloqué aussi, en ce moment. Le général Woodford (elle parlait du nouvel ambassadeur américain en Espagne) n'est pas encore à Madrid, et McKinley n'a pas l'intention de le laisser partir avant de recevoir le rapport complet de son émissaire à Cuba… comment, déjà ?… Calhoun.

— Comment discuter avec une fille qui lit plus attentivement mon journal que moi ? gémit Mr Moore, découragé.

— Conclusion : demain, l'actualité ne t'offrira rien à te mettre sous la dent, si ce n'est la vague habituelle de violence en été… et, j'allais l'oublier, l'anniversaire des soixante ans de règne de la reine Victoria. Nul doute que le *Times* va exploiter le sujet à fond.

Le journaliste ne put s'empêcher de rire.

— Gros titres pendant toutes les festivités, avec photos spéciales le dimanche. Sara, ça ne te fatigue pas de toujours tout savoir ?

— Je ne sais pas tout sur cette affaire, reconnut-elle lorsque nous débouchâmes dans Broadway. Je ne crains pas de l'avouer, elle m'effraie. Il y a quelque chose de terrible dans cette histoire…

Après quelques secondes d'un silence lourd d'appréhension, nous les vîmes apparaître : d'abord la flèche gothique de Grace Church, s'élevant au-dessus des bâtiments voisins avec une sorte de majesté facile, puis les briques jaunes et les fenêtres à ogives du 808. Notre ancien quartier général était en fait plus proche de nous que Grace puisqu'il jouxtait le cimetière de l'église côté nord, mais dans cette partie de la ville on apercevait toujours la flèche avant tout le reste. Ni les fenêtres toujours éclairées du grand magasin McCreery, de l'autre côté de Broadway, ni cet énorme monument en fonte dédié au mercantilisme que constituait le vieux magasin Stuart, dans la 10ᵉ Rue, ne pouvaient rivaliser avec l'église. Le seul bâtiment soutenant la comparaison, c'était le 808 — parce qu'il avait été dessiné par le même architecte, James Renwick, qui s'était apparemment mis en tête de faire de ce petit carrefour de Broadway un mémorial à nos ancêtres médiévaux plutôt qu'un simple marché.

Nous approchâmes des volutes de la jolie grille en fer forgé de la porte du 808 — « Art nouveau », disait-on, appellation qui m'a toujours paru assez creuse puisque, selon moi, toute personne posant à l'artiste ne manque jamais de revendiquer l'aspect *nouveau* de son art — et Cyrus, Mr Moore et moi fîmes halte avant d'entrer. Non par peur, mais vous devez vous souvenir qu'un an plus tôt ce lieu nous avait servi de deuxième foyer (parfois même de premier) pendant une enquête marquée par la découverte d'horreurs inimaginables et par l'assassinat sans merci de plusieurs de nos amis. Rien ne semblait avoir changé à Broadway : les grands magasins, le lugubre cimetière de l'église et la maison paroissiale, le St Denis Hotel, en face, joli et pas trop surchargé d'ornements, dessiné lui aussi par Mr Renwick, tout était comme avant, ce qui rendait nos souvenirs plus vivaces encore. Nous attendîmes une bonne minute avant d'entrer.

Miss Howard sentit notre trouble et, le sachant justifié, ne nous bouscula pas.

— Je sais que je vous demande beaucoup, dit-elle, parlant avec une hésitation inhabituelle chez elle. Mais quand vous aurez vu cette femme, quand vous l'aurez entendue vous décrire...

— Pas de problème, Sara, l'interrompit Mr Moore, abandonnant son ton geignard. (Il se tourna vers Cyrus et moi pour s'assurer qu'il parlait aussi en notre nom.) Il nous faut un moment, c'est tout, dit-il, levant les yeux vers la façade du 808. Mais nous sommes avec toi. Passe devant.

Notre petite troupe traversa le hall en marbre, pénétra dans la vaste cage de l'ascenseur, qui entama sa laborieuse montée vers le cinquième étage. Il s'y arrêta avec la brutalité d'un monte-charge car le 808 était un immeuble commercial abritant des ateliers et des fabriques de meubles. C'était une des raisons pour lesquelles le Dr Kreizler l'avait choisi au départ : nous pourrions y poursuivre nos activités d'enquêteurs sous le couvert d'une modeste entreprise. Mais pour Miss Howard, le secret n'était plus de mise et, par la grille de l'ascenseur, je constatai qu'elle avait apposé une pancarte pleine de tact sur la porte du cinquième étage :

AGENCE HOWARD
Services de recherches pour dames

Elle ouvrit, puis tint la porte pour nous laisser entrer.

La vaste salle, couvrant presque tout un étage, n'était éclairée que par les lampes à arc des réverbères de Broadway et les fenêtres supérieures du McCreery. Cela suffit cependant pour nous permettre de remarquer que Miss Howard n'avait apporté que quelques changements au décor. Le mobilier que le Dr Kreizler avait acheté l'année précédente dans une salle de ventes aux enchères — et qui avait appartenu au *marchese* Luigi Carcano — occupait toujours les lieux : le divan, la grande table d'acajou et les fauteuils reposaient à leur place habituelle sur les tapis d'Orient, créant une atmosphère inattendue de foyer domestique. Le billard, à présent exilé au fond de la salle, près de la cuisine, était recouvert de planches et d'un rideau de soie. Ce n'était pas le genre de meuble, présumai-je, qui aurait rassuré les clientes de Miss Howard. Les cinq bureaux étaient toujours là, mais elle les avait disposés en rangs et non plus en cercle, et le petit piano à queue trônait toujours près d'une des fenêtres gothiques.

Cyrus s'en approcha, souleva le couvercle, enfonça doucement deux touches et se tourna vers Miss Howard.

— Toujours accordé, dit-il à voix basse.

— Toujours, répondit-elle en souriant.

Il s'assit, posa son melon sur la banquette et se mit à jouer. Je crus d'abord qu'il avait choisi un de ces airs d'opéra que le docteur lui réclamait toujours à la maison, mais je ne tardai pas à me rendre compte que c'était une version lente et triste d'une mélodie populaire dont je ne parvenais pas à me rappeler le titre.

Mr Moore, qui d'une autre fenêtre contemplait le miroitement à peine visible de l'Hudson au loin, se tourna vers Cyrus et murmura «Shenandoah» avec un sourire, comme pour souligner que le grand Noir avait trouvé l'air idéal pour exprimer l'étrange mélancolie qui n'avait fait que croître en nous à la vue de cette salle.

Je remarquai dans un coin sombre une acquisition de Miss Howard : un grand paravent japonais déployant ses cinq panneaux, sans parvenir à dissimuler totalement le tableau noir bordé de chêne qui se trouvait derrière. *Le* tableau, comme nous l'appelions. Je me demandai depuis combien de temps il était caché…

Après nous avoir accordé quelques minutes pour maîtriser l'émotion du retour, Miss Howard annonça, à nouveau d'un ton hésitant auquel elle ne nous avait pas habitués :

— La *señora* Linares est dans la cuisine, elle prend le thé. Je vais la chercher.

Elle retourna d'un pas gracieux vers l'arrière du bâtiment. Machinalement, j'allai m'asseoir sur l'un des appuis de fenêtre donnant sur le cimetière de l'église — mon perchoir habituel en ce lieu —, je tirai un canif de ma poche et entrepris de me curer les ongles tandis que Cyrus continuait à jouer. Les voix des deux femmes, qui semblaient lointaines, nous parvenaient de la cuisine.

Bientôt deux formes se dessinèrent dans l'encadrement de la porte. Malgré la pénombre, je me rendis compte que Miss Howard soutenait l'autre femme — non pas tant parce que la *señora* était incapable de marcher seule (encore qu'elle parût souffrir) mais pour l'aider à surmonter une frayeur que je devinai terrible. Quand elles furent au centre de la pièce, je vis que l'Espagnole avait une très jolie silhouette, élégamment vêtue de noir, satin et soie, et couronnée par un large chapeau d'où tombait une épaisse voilette. Elle tenait dans une main un parapluie à manche d'ivoire sur lequel elle s'appuya quand Sara lui lâcha le bras.

Nous nous levâmes tous mais ce fut à Cyrus que la *señora* Linares s'adressa :

— Je vous en prie, dit-elle, d'une voix agréable manifestement affectée par des heures de sanglots, ne vous arrêtez pas, cet air est charmant.

Cyrus continua à jouer en sourdine. Mr Moore s'avança, tendit la main.

— *Señora* Linares, je suis John Schuyler Moore. Miss Howard vous a informée, je suppose, que je suis journaliste…

— Au *New York Times*, dit la femme derrière sa voilette en serrant la main de Moore. Je dois vous avouer que si vous aviez travaillé pour n'importe quel autre journal de cette ville, ceux qui appartiennent à Pulitzer et à Hearst, par exemple, je n'aurais pas consenti à cette rencontre. Ils ont publié d'abominables mensonges sur la conduite de mes compatriotes à l'égard des rebelles cubains.

Mr Moore l'examina plus attentivement.

— Je le crains, en effet. Mais je crains aussi qu'une partie au moins de ce qu'ils ont publié ne soit vraie. Heureusement, nous ne sommes pas ici pour discuter de politique mais de la disparition de votre fille. En supposant que nous puissions avoir la certitude que les deux sujets ne sont pas liés…

Sara lança à Moore un regard surpris et désapprobateur ; la *señora* Linares releva fièrement la tête.

— J'ai donné ma parole à Miss Howard : les faits sont tels que je les ai présentés.

— Franchement, John, comment peux-tu… ?

— Mes excuses, répondit-il. A toutes deux. Vous devez cependant convenir que la coïncidence est assez remarquable. On parle ces jours-ci de guerre entre nos deux pays aussi souvent qu'on parle du temps, mais de tous les enfants de tous les diplomates de New York,

c'est la fille d'un Espagnol qui disparaît mystérieusement...

— John, intervint Sara d'un ton furieux, toi et moi,
nous devrions peut-être...

Isabella Linares leva une main.

— Non, Miss Howard, le scepticisme du *señor* Moore
est compréhensible, il faut le reconnaître. Mais dites-moi,
cher monsieur, si je n'étais qu'un pion dans quelque jeu
diplomatique, irais-je jusqu'à de telles extrémités ?

En disant ces mots, elle releva la voilette noire sur son
chapeau et s'avança dans la lumière pénétrant par la
fenêtre.

Dans la partie du Lower East Side où je suis né et où
j'ai passé mes huit premières années, on était plutôt habi-
tué au spectacle de femmes tabassées par leurs hommes
et, du fait des goûts de ma mère en matière de compagnons, j'avais pu examiner de près certains échantillons
de cette pratique. Mais rien de ce que j'avais vu pendant
ces années ne dépassait en cruauté ce que quelqu'un avait
infligé à cette dame tout à fait charmante. Un énorme
bleu commençant au-dessus de son œil gauche, enflé et
fermé, se terminait par une entaille dans la joue. Un arc-
en-ciel violet, noir, jaune et vert s'étirait de part et d'autre
de son nez, manifestement éclaté. La chair du menton
était à vif, et le coin droit de la bouche tiré vers le bas en
une grimace permanente par une autre entaille. A la façon
dont elle se mouvait, on devinait que le reste du corps
avait subi le même genre de sévices.

Aux exclamations étouffées qui nous échappèrent, la
señora réagit en tentant de sourire, et une infime lueur
s'alluma dans son œil droit, ravissant.

— Si l'on m'interroge, murmura-t-elle, je dois
répondre que je suis tombée dans l'escalier de marbre du
consulat, accablée de chagrin après la mort de notre
enfant. Voyez-vous, mon mari et le consul Baldasano ont
déjà décidé que lorsque nous ne pourrons plus éviter les
questions, j'expliquerai que ma fille a été emportée par
une maladie. Mais elle n'est pas morte, *señor* Moore.
(Elle fit deux pas chancelants en s'appuyant sur le parapluie.) Je l'ai vue ! Je l'ai... vue.

Comme elle semblait sur le point de s'évanouir,

Miss Howard se précipita et l'entraîna vers un des magnifiques fauteuils du *marchese* Carcano. Me tournant vers Moore, je vis son visage refléter tout un bouquet de réactions : la colère, l'horreur, la compassion — mais surtout la consternation.

— Stevie… fit-il, avec un geste vague dans ma direction.

J'avais déjà sorti le paquet et j'allumai une sèche pour chacun de nous. Je lui tendis la sienne, le regardai aller et venir puis se diriger vers le téléphone posé sur un bureau derrière moi.

— Nous sommes loin de nos eaux territoriales, dit-il à voix basse en décrochant. Mademoiselle ? fit-il d'une voix plus forte. Le QG de la police, Mulberry Street, je vous prie. Le Central, Bureau des inspecteurs…

— Quoi ? s'exclama Sara Howard, cependant qu'une expression horrifiée déformait plus encore les traits de la *señora* Linares. John, non, je t'ai dit…

Il la coupa d'un geste de la main.

— Ne t'en fais pas. Je veux simplement savoir où ils sont. Tu les connais mieux que moi, ils garderont le secret si nous leur demandons.

— Qui ? fit l'Espagnole à voix basse, Moore ayant déjà reporté son attention sur le téléphone.

— Le Central ? J'ai un message personnel urgent pour les sergents Isaacson, pouvez-vous me dire où je peux les trouver ?… Ah. Bien, merci. (Il raccrocha, se tourna vers moi.) Stevie, on vient de découvrir un cadavre à la jetée de la Cunard. Lucius et Marcus s'en occupent. Combien de temps te faudrait-il, à ton avis, pour aller là-bas et les ramener ?

— Si Cyrus m'aide à « réquisitionner » un fiacre, une demi-heure, répondis-je. Trois quarts d'heure au maximum.

— Allez-y.

Nous nous ruâmes vers l'ascenseur. Toutefois, avant de pénétrer dans la vaste cabine, je marquai le pas juste assez longtemps pour me tourner vers Mr Moore.

— Vous ne pensez pas qu'il faudrait… ?

Il secoua vivement la tête.

— Nous ne savons pas encore de quoi il s'agit. Je ne

lui demanderai pas de revenir ici avant d'avoir une certitude.

Cyrus posa une main sur mon épaule.

— Il a raison, Stevie. Allons-y.

Je montai dans l'ascenseur, Cyrus ferma la grille et la cabine descendit de nouveau dans la cage.

Du fait de la proximité du St Denis, il était facile de trouver un « sapin » au 808 à n'importe quelle heure du jour ou de la nuit. Deux fiacres étaient précisément garés devant l'hôtel quand nous traversâmes. Le premier était une voiture à quatre roues commandée par un vieux schnock en livrée rouge passée, coiffé d'un haut-de-forme râpé. Il somnolait sur son siège et empestait l'alcool à six pas. Sa bête, en revanche — une jument grise de belle allure —, semblait impatiente de se mettre au travail.

— Colle-le derrière, dis-je à Cyrus. (Je sautai sur le perchoir du cocher, entrepris de l'en déloger.) Hé, grand-père ! Réveille-toi, t'as un client !

Le vieux émit quelques borborygmes d'ivrogne quand je le poussai vers le marchepied métallique situé à gauche de la voiture, vers Cyrus.

— Qu'est-ce… qu'est-ce qui vous prend ? s'insurgea-t-il. Qu'est-ce que vous faites ?

— Je conduis, répondis-je, m'asseyant et prenant les rênes du cheval.

— Mais tu peux pas !

Sourd à ses protestations, Cyrus le poussa à l'intérieur du fiacre, s'assit à côté de lui, referma les petites portes.

— Nous doublerons le prix de la course, déclara le Noir, maintenant solidement le vieil homme. Et ne t'en fais pas, le petit est un excellent cocher.

— Mais vous allez me griller avec les argousins ! mugit le pochard. (Otant son haut-de-forme, il montra la licence attachée à la doublure.) Je peux pas me permettre d'avoir des ennuis avec la police, je suis un vrai cocher de fiacre, j'ai ma licence, regardez !

— Ah ! ouais ? fis-je. (Je me retournai, m'emparai du chapeau et le fichai sur ma propre tête.) Ben, maintenant, c'est moi qui l'ai. Alors rassieds-toi et ferme-la !

Il fit l'un mais pas l'autre et braillait encore comme un

porc qu'on égorge quand je fis claquer les rênes sur la croupe de la jument. Le fiacre partit sur la chaussée de Broadway à une allure qui confirmait l'évaluation rapide que j'avais faite de l'animal.

4

Après avoir tourné le coin de la 9ᵉ Rue, nous roulions à une vitesse si folle — même pour moi, je l'avoue — que le fiacre faillit se soulever sur deux roues. A l'époque précédant le lancement des deux grands paquebots de la compagnie (le *Mauretania* et le tristement célèbre *Lusitania*), la jetée de la Cunard Line se trouvait encore au pied de Houston Street Ouest, mais j'avais l'intention d'éviter cette rue le plus longtemps possible : même un dimanche soir, son terre-plein central grouillait de prostituées, d'arnaqueurs et de gogos ivres, masse qui n'avait fait que croître depuis que le préfet Roosevelt était parti pour Washington. L'ampleur de leurs activités nous aurait considérablement ralentis. De fait, après avoir filé le long des pâtés de maisons tranquilles de la 9ᵉ Rue, traversé la Sixième Avenue et tourné à gauche dans Christopher, je commençai à discerner des signes notables de ce à quoi Miss Howard avait fait allusion tandis que nous marchions vers le 808 : la pègre vaquait à ses affaires hors des bouges, des tripots et des bordels, totalement libérée de la crainte que Mr Roosevelt lui avait inspirée, quoique brièvement. Ces activités s'assortissaient du spectacle occasionnel de flics se livrant aux exactions que le préfet, en patrouillant lui-même les rues la nuit dans des tournées d'inspection, avait tout fait pour empêcher : collecte de pots-de-vin, petits verres avalés devant les dancings et les bars, petites gâteries accordées par les prostituées et petits sommes n'importe où pendant la ronde. Oui, la vieille cité s'éveillait véritablement au fait que Roosevelt était parti, et que son maire épris de réformes, Strong, ne tarderait pas à le suivre : la pègre ne prenait plus de gants.

Au moment où nous arrivions au croisement de Bleecker Street, quelque chose accrocha mon regard et je tirai brusquement sur les rênes, à la surprise de Cyrus.

— Qu'est-ce qu'il y a, Stevie ? me cria-t-il.

Momentanément hébété, je fixai sans répondre, de l'autre côté de la rue, un morceau de soie bleue passée et une épaisse crinière blonde.

— Oh. Kat… fit Cyrus.

A son ton, je devinai qu'il avait remarqué la même chose que moi et qu'il fronçait les sourcils.

Je relançai la jument et la dirigeai au galop vers la soie bleue et les cheveux blonds, qui appartenaient tous deux à Kat Devlin, une… disons pour le moment une « amie » à moi, qui travaillait dans l'un des bouges à enfants et maisons de plaisir de Worth Street. Elle était en compagnie d'un homme endimanché assez âgé pour être son grand-père, car elle n'avait que quatorze ans. Lorsqu'ils voulurent traverser Bleecker, je mis la jument grise en travers de leur route.

— Nous n'avons pas le temps pour ça, Stevie… entendis-je Cyrus me dire, d'une voix douce mais ferme.

— Une minute, c'est tout, répondis-je vivement.

Kat sursauta devant la jument et leva la tête, son joli minois aux yeux bleus prenant un air furieux.

— Qu'est-ce que vous… ? commença-t-elle.

Lorsqu'elle me découvrit, son expression s'adoucit et un sourire se fraya un chemin jusqu'à ses lèvres minces.

— Stevie ! Ben, ça alors ! Qu'est-ce que tu fabriques dans le coin ? Et qu'est-ce que tu fous avec ce fiacre, à part faire peur à mon client ?

Elle tourna son sourire vers le vieux, serra plus fort son bras autour du sien. De sa main gantée de cuir coûteux, l'homme lui tapota le bras avec un sourire écœurant.

— J'allais te poser la même question, dis-je. C'est pas un peu loin de ton secteur ?

— Oh ! j'suis en train de m'élever dans le monde. La semaine prochaine, je déménage pour de bon de chez

Frankie et je commence à bosser dans Hudson Street, chez les Dusters…

Elle renifla longuement, eut un petit rire gêné, s'essuya le nez. Son gant mangé aux mites retint une trace de sang, et tout devint clair pour moi, comme on dit.

— Les Dusters, répétai-je, mon dégoût se transformant en peur. Kat, tu ne peux…

Devinant la suite, elle entraîna son client vers le trottoir en le rassurant :

— Juste un copain à moi.

Puis elle me cria, par-dessus son épaule :

— Passe me voir cette semaine chez Frankie, Stevie ! (Ce qui était autant un rendez-vous qu'une invitation à la laisser travailler tranquillement.) Et t'amuse plus à faucher des fiacres !

J'avais envie de dire quelque chose, n'importe quoi pour lui faire abandonner son client et la faire venir avec nous, mais Cyrus tendit le bras et me pressa fortement l'épaule.

— C'est inutile, Stevie, dit-il, du même ton doux et ferme. Nous n'avons pas le temps.

Je savais qu'il avait raison, mais savoir n'est pas se résigner, et je sentis mon corps se raidir au point que, l'espace d'un instant, ma vision en fut déformée. Puis, avec un cri bref, je saisis le long fouet du cocher, le fis siffler au-dessus de ma tête et l'abattis en direction de l'homme. La lanière frappa son chapeau à la couronne, y perça un joli trou et l'expédia à six pas, dans une flaque d'eau et de pisse de cheval.

Kat fit volte-face.

— Stevie ! T'as pas le droit de…

Je ne voulus pas en entendre davantage : reprenant les rênes, je fis repartir la jument et je descendis Christopher Street au galop, poursuivi par les jurons et les protestations sonores mais indistinctes de Kat.

Je présume que vous avez maintenant deviné qu'elle était pour moi plus qu'une amie. Ce n'était cependant pas ma *petite* amie, loin s'en faut. Ce n'était la petite amie de personne. Je n'aurais su dire, je ne saurais dire encore aujourd'hui quelle place elle occupait dans mon monde personnel. Peut-être pourrais-je avancer qu'elle fut la première personne avec qui j'eus des relations intimes, si cette déclaration n'évoquait des images heureuses d'amours juvéniles fort éloignées de la réalité. A la vérité, Kat était un mystère — un mystère dont la complexité devait s'accroître les jours suivants, lorsque sa vie prendrait un tournant inattendu qui la lierait à l'affaire que nous n'avions pas même commencé à démêler.

Quand nous arrivâmes à Hudson Street, j'étais encore sous le coup de ma rencontre avec Kate et je ne pris pas la peine de ralentir la jument avant de tirer durement les rênes pour la diriger vers le centre. Une fois de plus, le fiacre faillit se mettre sur deux roues. Si son cocher poussa un gémissement de frayeur, je n'entendis aucune protestation de Cyrus, qui était accoutumé à ma conduite et qui savait que je n'avais jamais fait verser un attelage. Filant le long des briques d'un rouge passé de St Luke Chapel, sur notre droite, puis des bars et des magasins de Hudson Street, nous parvînmes à Houston en quelques secondes et nous tournâmes de nouveau à folle allure, cette fois à gauche. Le fleuve et les quais surgirent soudain devant nous au bout de la rue, l'eau plus noire que la nuit et la jetée inhabituellement animée à cette heure.

Passant devant les entrepôts et les taudis qui composaient les deux derniers pâtés de maisons de Houston Street, nous commençâmes à distinguer la forme d'un gros vapeur amarré le long de la jetée de la Cunard : le *Campania*, qui n'avait pas encore cinq ans et qui se tenait fièrement à l'ancre. Des chapelets de petites lumières éclairaient ses deux cheminées rouges couronnées de noir, sa jolie passerelle blanche et ses canots de sauvetage, ainsi que la ligne gracieuse de sa coque — autant de signes annonçant les exploits que la compagnie pionnière des voyages transatlantiques réaliserait dans un avenir pas très éloigné.

Sur le quai, un groupe de gens assez fourni s'était formé près de la jetée. En approchant, je remarquai que c'était pour la plupart des flics, en civil ou en uniforme. Il y avait aussi quelques marins et dockers, ainsi que, curieusement, de jeunes garçons vêtus de pantalons raccourcis aux genoux dégouttant d'eau. De grands morceaux de voile autour des épaules, ils frissonnaient et sautillaient sur place, autant à cause du froid de l'eau dans laquelle ils avaient apparemment nagé qu'en raison de leur excitation. Plusieurs torches et la lampe électrique d'un docker éclairaient la scène — mais aucun signe des sergents enquêteurs Isaacson. Ce qui ne voulait rien dire, naturellement : ils pouvaient fort bien arpenter le fond de l'Hudson en scaphandre, cherchant des indices qu'un quelconque inspecteur new-yorkais aurait estimés sans valeur.

Quand nous atteignîmes le quai, Cyrus tira un billet de son portefeuille, le fourra dans la main tremblante du cocher avec ces simples mots, « Reste ici », ordre auquel l'homme n'était pas en état de désobéir. Pour m'en assurer, je gardai ses chapeau et licence sur la tête lorsque nous commençâmes à nous frayer un chemin dans la foule.

Je laissai mon ami discuter le bout de gras avec la volaille : si faible que soit le respect que la plupart des policiers new-yorkais ont pour les Noirs, ils en avaient encore moins pour ma personne. J'avais déjà repéré un ou deux agents dont j'avais croisé le chemin à l'époque où j'étais connu sous le nom de « Stevepipe [1] » et jouissais d'une sale réputation — justifiée, je le reconnais — dans le quartier de Mulberry Street. Quand Cyrus demanda les Isaacson, on le dirigea de mauvaise grâce vers le centre de la foule en criant : « Un négro qui veut voir les youpins ! » Nous nous faufilâmes dans le groupe.

Je n'avais pas vu les inspecteurs depuis quelques mois mais je n'aurais pu les imaginer dans un cadre plus approprié. A même le ciment du quai, ils étaient accroupis au-dessus d'un morceau de toile cirée rouge vif. Le grand et beau Marcus, nez proéminent et aristocratique sous une crinière de cheveux bruns bouclés, prenait les dimensions d'un objet encore non identifié à l'aide d'un mètre et autres instruments de mesure. Son jeune frère Lucius, courtaud, trapu, une chevelure clairsemée révélant par endroits un crâne toujours couvert de sueur, s'affairait

1. Soit « Steve le Tuyau ». Il apparaîtra assez vite qu'il ne s'agit pas ici de ces « tuyaux » qu'on échange — amicalement — sur les champs de courses… (N.d.T.)

autour de lui avec le genre d'instruments médicaux que le Dr Kreizler gardait dans sa salle de consultation. Un capitaine que je connaissais — un nommé Hogan — les observait en secouant la tête, comme le faisaient toujours les flics de la vieille école devant le travail des Isaacson.

— Y en a pas assez pour y comprendre quelque chose, déclara en riant le capitaine Hogan. On ferait mieux de draguer le fleuve pour trouver un truc qui pourrait nous en apprendre un peu plus — une tête, par exemple ! (Les flics qui l'entouraient firent écho à son rire.) Ce machin-là, vaudrait mieux l'envoyer droit à la morgue — et je sais même pas ce que les gars de la morgue pourraient en faire...

— Il y a beaucoup d'indices importants à relever, répondit Marcus sans se retourner, d'une voix profonde et assurée. Nous pouvons au moins nous faire une idée de la façon dont les choses se sont passées.

— Et le transport ne ferait que bousiller des indices, comme d'habitude, renchérit Lucius d'un ton rapide et nerveux. Alors, si vous voulez bien avoir la bonté de faire reculer tous ces gens pour nous laisser terminer, capitaine Hogan, vous aurez ensuite toute latitude de faire jeter la chose dans une fosse commune...

Hogan s'esclaffa de nouveau en s'éloignant.

— Ah ! ces deux youpins ! Toujours en train de faire turbiner leurs méninges. Bon, reculez, les gars, laissez travailler les experts.

Comme Hogan jetait un coup d'œil dans notre direction, j'inclinai le haut-de-forme du cocher sur mes yeux dans l'espoir de ne pas être reconnu. Cyrus s'approcha de lui.

— Monsieur, lui dit-il (avec plus de respect qu'il n'en éprouvait, je le savais), j'ai un message personnel important pour les sergents.

— Tiens ? fit le policier. Ben, je crois pas qu'ils aient envie qu'un Zoulou les dérange dans leurs recherches scientifiques...

Mais les Isaacson avaient tourné la tête au son de la voix du Noir.

— Cyrus ! s'exclama Marcus avec un grand sourire. Qu'est-ce que vous faites ici ?

Lorsque son regard se posa sur moi, j'avais déjà porté un doigt à mes lèvres. Il saisit le message et hocha la tête, son frère faisant de même. Ils se relevèrent tous deux et je vis pour la première fois ce qui gisait sur la toile cirée : la partie supérieure d'un torse d'homme, sectionnée juste sous les côtes. La tête manquait, le cou ayant été découpé d'une façon qui n'indiquait pas un travail d'expert. Les bras aussi avaient mis les bouts, comme pressés de fuir ce tas de chair, qui semblait encore frais. Son aspect ainsi que la faiblesse relative de l'odeur laissaient penser que la chose n'avait pas mariné longtemps dans l'eau.

Sur un signe de tête de Cyrus, les deux frères nous suivirent quand nous nous écartâmes des policiers, et nous échangeâmes à voix basse des salutations plus chaleureuses.

— Tu as changé de profession, Stevie ? me demanda Lucius, montrant mon chapeau.

— Non, m'sieur. Mais il fallait venir ici en vitesse. Miss Howard…

— Sara ? coupa Marcus. Elle va bien ? Il est arrivé quelque chose ?

— Elle est au 808, monsieur, dit Cyrus. Avec une cliente et Mr Moore. Il s'agit d'une affaire pour laquelle ils pensent que vous pourriez les aider. C'est urgent, mais le secret est de rigueur.

— Comme chaque fois qu'on pourrait faire progresser les techniques scientifiques d'investigation, soupira Lucius. Nous avons le plus grand mal à empêcher cette bande de lourdauds de jeter ces restes humains aux lions de la ménagerie de Central Park.

Je glissai un autre coup d'œil au quartier de cadavre.

— Qu'est-ce qui s'est passé ?

— Des gamins l'ont vu flotter sur le fleuve, répondit Marcus. Du travail assez grossier. La mort remonte sans doute à quelques heures. Il y a pas mal d'indices intéressants que nous devons noter. Vous nous accordez cinq minutes ?

Cyrus acquiesça et les Isaacson se remirent au travail. J'entendis Lucius énumérer ses constatations aux autres flics d'un ton qui montrait qu'il savait ses efforts inutiles.

— Vous avez remarqué, je n'en doute pas, que la chair

et la moelle épinière ont été coupées à l'aide d'une scie grossière. Nous pouvons donc exclure l'hypothèse d'un étudiant en médecine ou d'un anatomiste volant des morceaux de cadavre : ils n'auraient pas abîmé le corps de cette façon. Et ces plaques rectangulaires de chair à vif sont extrêmement intéressantes : la peau a été délibérément découpée, selon toute probabilité pour enlever des signes d'identification. Des tatouages, peut-être, puisque nous nous trouvons sur les quais, ou de simples marques de naissance. J'en déduis que le meurtrier connaissait bien sa victime…

Ayant suffisamment contemplé le tas de chair sanguinolent, et lassé de la façon dont les policiers raillaient ou ignoraient alternativement ce que Lucius avait à en dire, je me tournai vers les jeunes garçons qui avaient découvert le corps. Encore sous le choc, ils continuaient à sauter sur place et à rire nerveusement. Je remarquai que je connaissais le plus décharné de la bande et je me dirigeai vers lui d'un pas nonchalant.

— Hé, Gros-Blair, fis-je à voix basse.

Le gosse se tourna vers moi, sourit. Je n'eus pas besoin de lui recommander de ne pas prononcer mon nom devant les bourres. Il appartenait à la bande de Butch le Fou, un des lieutenants de Monk Eastman, un groupe dont j'avais fait partie quelque temps avant mon incarcération à Randalls Island. Gros-Blair savait que je ne recherchais pas la compagnie des flics : une fois qu'ils avaient collé sur un gosse l'étiquette de fauteur de troubles, ils prenaient un plaisir pervers à le harceler chaque fois qu'ils tombaient sur lui, qu'il ait quelque chose à se reprocher ou non.

— Stevepipe ! murmura Gros-Blair. (Il resserra son morceau de voile autour de lui, frotta le promontoire de chair à la forme curieuse qui saillait de son visage et lui valait son surnom.) T'es cocher de fiacre, maintenant ? J'croyais que tu bossais pour l'autre cinglé, là, le docteur…

— Je travaille encore pour lui, mais c'est une longue histoire. Qu'est-ce qui s'est passé ?

— Moi, Slap et Louie la Gerbe, dit-il, indiquant d'un geste ses compagnons (je les saluai d'un hochement de tête qu'ils me rendirent), on se baladait sur les quais, pour voir si y aurait pas des bagages non réclamés dans un coin de la jetée…

— Des « bagages non réclamés », gloussai-je. C'est bien trouvé, Gros-Blair.

— Faut bien avoir quelque chose à raconter si tu te fais pincer par les archers, hein ? Enfin, bref, on marchait vers la jetée et on voit ce paquet rouge dans la flotte. On se dit que c'est peut-être quèque chose d'intéressant et on plonge. On ramène le truc — tu devines comment c'était quand on l'a ouvert… (Gros-Blair émit un sifflement.) Pu-tain. Louie la Gerbe a bien dû dégueuler huit fois — il a qu'une moitié d'estomac, faut dire.

— J'te l'ai répété un million de fois, c'est mes intestins, corrigea Louie. Je suis né avec un paquet d'intestins en moins, c'est pour ça…

— Ouais, ouais, d'accord, marmonna Gros-Blair. On est allés prévenir les flics, des fois qu'y aurait une récompense. Une belle connerie, oui ! Maintenant, ils veulent plus nous lâcher… Ils s'imaginent peut-être qu'on a quèque chose à voir là-dedans… Tu me vois en train de découper un mec à la scie ? Et avec qui pour m'aider ? Çui-là, il est idiot, déclara-t-il en désignant du pouce le nommé Slap. (A y regarder de plus près, le gosse ne semblait effectivement pas se rendre compte de ce qui se passait autour de lui.) Et l'autre, il a qu'une moitié d'estomac…

— Merde, quoi, Gros-Blair ! protesta la Gerbe. C'est mes…

— Ouais, ouais, tes intestins ! Maintenant, boucle-la, tu veux, lui intima Gros-Blair. (Il se tourna de nouveau vers moi et sourit.) Putain de tarés. Alors, comment tu vas, Stevepipe ? Qu'est-ce qui t'amène dans le coin ?

— Euh… (Je me retournai, constatai que la foule commençait à se disperser.) Je suis venu chercher deux copains. (Cyrus et les Isaacson se dirigeaient vers moi.) Il faut que j'y aille, mais je passerai chez Frankie cette semaine, tu y seras ?

— Si les flics nous relâchent. Nous garder pour un truc pareil, tu te rends compte ? C'est pas bien fin ! Mais personne a jamais dit que les flics étaient du genre fin, hein, Stevepipe ? fit Gros-Blair avec un nouveau sourire.

Je lui rendis son sourire, touchai le bord du haut-de-forme et rejoignis mes amis.

Le cocher s'était de nouveau endormi mais quand Cyrus remonta dans le fiacre, il se réveilla en sursaut et geignit :

— Non, ça va pas recommencer ! Ecoutez, vous deux, je vais prévenir les poulets si…

Marcus se percha sur l'un des marchepieds, son frère faisant de même sur l'autre, et montra son insigne.

— Nous sommes des poulets, monsieur, annonça-t-il. (Son sac d'instruments à l'épaule, il s'agrippa au flanc du véhicule.) Restez tranquille, ce ne sera pas long.

— Non, sûrement pas, se lamenta le vieux, résigné. Si ça va aussi vite qu'à l'aller…

Je grimpai sur le siège du cocher, fis claquer les rênes et nous repartîmes au galop sur les pavés de Houston Ouest, laissant derrière nous l'étrange scène de la jetée. Nous ne pouvions savoir que le corps tronçonné réapparaîtrait dans les semaines à venir.

Un moment, mon esprit demeura absorbé par le souvenir de ma rencontre désolante avec Kat et son client, mais quand nous remontâmes de nouveau Hudson Street, mon attention fut détournée par un bruit familier et — en tenant compte de la situation et de mon humeur morose — bienvenu : les frères Isaacson se chamaillaient, comme chaque fois qu'il n'y avait aucun autre policier pour les écouter.

— Tu n'as pas pu t'en empêcher, hein ? entendis-je Marcus bougonner par-dessus le claquement des fers de la jument sur les pavés.

— M'empêcher de quoi ? répondit Lucius, déjà sur la défensive, accroché à la portière du fiacre.

— Il a fallu que tu leur fasses un laïus, comme si nous étions à l'école primaire, répondit Marcus avec irritation.

— J'ai simplement mis en évidence des indices importants ! répliqua Lucius.

Jetant un coup d'œil derrière moi, je vis qu'ils étaient penchés l'un vers l'autre par-dessus Cyrus et le cocher éberlué, comme deux gosses querelleurs. Cyrus me sourit — nous avions assisté à cent scènes de ce genre. Le cocher semblait toutefois voir dans cette curieuse prise de bec la preuve définitive qu'il avait été enlevé par des malades mentaux.

— « Mis en évidence des indices importants » ! renvoya Marcus à son frère. Tu paradais, oui ! Comme si nous n'avions pas déjà assez de problèmes dans le service sans que tu joues à la vieille institutrice !

— C'est ridicule ! M'accu… commença Lucius.

Marcus ne le laissa pas poursuivre :

— Ridicule ? Tu es comme ça depuis l'âge de huit ans !

— Marcus ! fit Lucius, essayant de se contrôler. Ce n'est vraiment pas le moment de déterrer…

— Tous les jours, quand on rentrait de l'école : « Maman ! Papa ! Je peux réciter toutes les leçons qu'on a apprises aujourd'hui, écoutez, écoutez ! »…

— … des histoires personnelles…

— Il ne t'est jamais venu à l'idée que Maman et Papa étaient trop fatigués pour t'écouter débiter toutes les leçons de la journée ? Non, tu faisais ton numéro !…

— Ils étaient fiers de moi ! beugla Lucius, renonçant à toute tentative pour garder un peu de dignité.

— Qu'est-ce que tu t'imagines ? brailla Marcus tandis que j'engageais la jument dans la Dixième, après Christopher Street, pour éviter toute possibilité de retomber sur Kat. Que Hogan, une fois de retour à Mulberry Street, va s'extasier : « Seigneur, on peut dire que ces Isaacson connaissent leur boulot, ils nous ont encore appris un truc ou deux aujourd'hui » ? Une chance de plus de se faire virer, oui !

La « discussion » se poursuivit dans cette veine jusqu'à ce que je remonte vers le nord par Broadway et que je fasse faire demi-tour au fiacre devant le St Denis. Il n'y avait pas meilleurs inspecteurs au monde que les deux frères, ils l'avaient prouvé pendant l'affaire Beecham : férus de médecine et de droit en plus de leur formation en police scientifique, ils se tenaient au courant des progrès des théories et des techniques d'investigation dans toutes les parties du monde. C'était leur connaissance de la méthode pour l'heure rejetée des empreintes digitales, par exemple, qui avait permis la première percée dans l'affaire Beecham. Ils disposaient en outre de tout un arsenal d'appareils photographiques, de produits chimiques et de microscopes avec lequel ils s'attaquaient à des problèmes qui semblaient totalement incompréhensibles à l'enquêteur moyen. Mais ils aimaient se chamailler et se laissaient aller la plupart du temps à leur penchant comme un vieux couple.

Cyrus gratifia le cocher d'un petit supplément, je lui rendis son chapeau et nous le laissâmes recouvrer ses esprits en face de l'hôtel. Après avoir traversé la rue d'un pas vif, nous pénétrâmes au 808. Dans l'ascenseur, les sergents réduisirent le bruit — mais pas la passion — de leur dispute.

— Marcus, pour l'amour de Dieu, nous en reparlerons à la maison !

— Oh ! bien sûr, marmonna Marcus, rajustant son gilet. Pour que tu mêles Maman à cette histoire.

— Ce qui veut dire ? demanda Lucius, interloqué.

— Qu'elle prendra ton parti. Comme toujours, parce qu'elle ne supporte pas de te froisser. Bien sûr, elle prétendra qu'elle adorait t'entendre réciter tes leçons. Alors qu'en réalité, ça l'ennuyait à mourir. En tout cas, c'est ce qu'elle me disait quand tu n'étais pas là.

— Comment oses-tu... commença Lucius.

Parvenu au cinquième, l'ascenseur l'interrompit en s'arrêtant avec sa brutalité habituelle. La pancarte que Sara avait fixée sur la porte ramena les deux frères à la réalité. Ils se turent, abandonnant leur querelle aussi soudainement qu'ils l'avaient entamée. Cyrus et moi avions eu grand-peine à ne pas éclater de rire pendant la montée, mais quand nous réintégrâmes notre ancien quartier général, nous redevînmes sérieux nous aussi.

5

Nous trouvâmes Mr Moore, Miss Howard et la *señora* Linares à peu près où nous les avions laissés. A en juger par l'extrême attention avec laquelle Mr Moore, assis près d'elle, écoutait l'Espagnole, il était patent qu'elle lui avait fait forte impression. Cela tenait en grande partie au fait que le journaliste avait toujours été une proie facile pour une femme charmante — et la *señora* Linares avait un charme certain, malgré les cicatrices, les ecchymoses et la voilette qu'elle avait rabattue sur son visage. Quand les Isaacson entrèrent dans la pièce, elle montra la même appréhension qu'en nous découvrant, Cyrus, Moore et moi, deux heures plus tôt, mais Mr Moore intervint aussitôt pour la rassurer :

— *Señora*, ce sont les hommes dont je vous ai parlé. La plus brillante paire d'inspecteurs de tous les services de la police de New York. Malgré leurs fonctions officielles, nous pouvons compter sur leur discrétion. (Il se leva pour serrer la main des deux frères.) Salut, les gars. De vilaines choses sur les quais, à ce que je crois savoir...

— Encore un meurtre impossible à résoudre, du moins aux yeux de l'équipe de Hogan, commenta Lucius. Mais si vous voulez mon avis, c'est une simple affaire de...

— Oui, mais personne ne te le demande, le coupa Marcus, qui se tourna pour prendre Miss Howard dans ses bras. Bonjour, Sara, vous avez l'air en pleine forme !

— Vous mentez à la perfection, Marcus, répondit-elle. Elle s'approcha de Lucius et, sachant qu'il n'oserait jamais établir un contact physique avec elle, déposa un léger baiser sur sa joue.

— Bonjour, Lucius.

Le bécot fit rougir le cadet des Isaacson jusqu'au sommet du crâne, et il tira vivement un mouchoir de sa poche pour s'éponger le front.

— Oh ! euh, bonjour, Sara. C'est... c'est merveilleux de vous revoir.

— J'aurais préféré que ce soit en des circonstances plus heureuses, fit remarquer Miss Howard. Messieurs, je vous présente la *señora* Isabella Linares.

Les deux inspecteurs froncèrent les sourcils.

— L'épouse du secrétaire particulier du consul Baldasano ? s'étonna Marcus.

La *señora* répondit d'un simple hochement de tête. Moore soupira :

— Je suis journaliste, je devrais savoir ces choses. Ecoutez, dit-il aux frères, venez donc dans la cuisine prendre une tasse de café. Je vous mettrai au courant.

Les inspecteurs, déroutés mais intrigués, le suivirent. Il y eut pour ceux qui restèrent dans la grande salle un moment de gêne que Miss Howard, experte en ce genre de choses, s'efforça de dissiper :

— Cyrus, la *señora* admire beaucoup votre façon de jouer. Peut-être connaissez-vous un air de son pays... ?

— Non, fit l'Espagnole. Je ne... je ne suis pas en état d'évoquer des souvenirs. Mais le morceau que vous interprétiez, c'est un air de votre peuple ?

— C'est une mélodie traditionnelle américaine, expliqua Cyrus, qui retourna s'asseoir au piano. Comme tous les airs du folklore, il n'appartient à aucune communauté en particulier.

— Il est très émouvant. Puis-je en entendre un autre ?

Le Noir inclina la tête sur le côté, considéra un instant la requête puis se mit à jouer doucement un vieil air appelé *Lorena*. La *señora* se laisser aller contre le dossier de son fauteuil, soupira, écouta quelques minutes puis posa une main sur le bras de Sara.

— J'espère que nous ne commettons pas une erreur, Miss Howard. Et que je ne suis pas folle.

— Vous ne l'êtes pas, répondit fermement mon amie. J'ai une certaine... expérience des fous.

— Votre *señor* Moore en paraît moins sûr.

— Il est journaliste. Il y en a de deux sortes : les cyniques et les menteurs. Il appartient à la première catégorie.

Isabella Linares parvint à émettre un petit rire douloureux au moment où Mr Moore revenait avec les Isaacson. Marcus s'arrêta devant l'ancien billard, posa dessus sa sacoche. Tandis qu'il nous rejoignait, son frère sortit les instruments étincelants qu'elle contenait et les disposa soigneusement sur le rideau.

Marcus alla se poster à droite de Miss Howard tandis que Moore s'accroupissait près de la femme du secrétaire.

— *Señora*, pour être en mesure de vous aider, nous devons vérifier plusieurs choses. D'abord la gravité de vos blessures, ensuite les détails de ce qui s'est passé à Central Park et à la station du métro aérien. Avec votre permission, les inspecteurs vont vous examiner et vous poser quelques questions. Cela vous semblera peut-être fastidieux, mais je vous assure que c'est indispensable.

Avec un nouveau soupir, Isabella Linares se redressa, souleva sa voilette et ôta son chapeau en murmurant :

— Très bien.

Aussitôt, Marcus alla prendre une lampe de bureau, la tint au-dessus de la tête de l'Espagnole et dit avec douceur :

— Il vaudrait mieux que vous fermiez les yeux, madame.

Elle s'exécuta, fermant le seul œil qu'elle pouvait ouvrir, et l'inspecteur alluma la lumière. En découvrant ses blessures, Marcus tressaillit — et rappelez-vous que cet homme venait d'examiner un corps décapité, démembré et scié en deux. Le visage de cette femme était véritablement horrible.

Lucius rejoignit son frère avec des instruments médicaux ou de mesure, en tendit plusieurs à Marcus. Bien qu'il concentrât son attention sur la petite scène se déroulant dans la coquille de lumière vive du centre de la pièce, Cyrus continuait à jouer parce qu'il sentait que cela calmait la *señora* Linares. Quant à moi, je retournai m'asseoir sur mon appui de fenêtre et allumai une cigarette, bien décidé à ne pas perdre une miette de la scène.

— Sara, dit Lucius, approchant de la tête de l'Espagnole ce qui ressemblait à une sonde d'acier, est-ce que cela vous dérangerait de prendre des notes ?

— Non, non, pas du tout, répondit Miss Howard, saisissant aussitôt bloc et crayon.

— Bien, nous commencerons par la blessure à l'arrière de la tête. Elle vous a été infligée lorsque vous avez été assaillie dans le parc, n'est-ce pas, *señora* ?

— Oui, confirma-t-elle.

— Quand et où exactement ? demanda Marcus, examinant lui aussi la plaie.

— Jeudi soir. Nous venions de sortir du Metropolitan Museum. J'y emmène souvent Ana, ma fille. Elle adore la salle des sculptures, je ne sais pas pourquoi. Toutes ces formes la font sourire aux anges et ouvrir de grands yeux émerveillés. Ensuite, je vais généralement m'asseoir dehors près de l'obélisque égyptien, et elle s'endort. L'obélisque aussi la fascine, quoique d'une manière différente...

— Et c'est là, dehors, que vous avez été frappée ?

— Oui.

— Il n'y a pas eu de témoins ?

— Apparemment non. Il avait plu le matin et le ciel était de nouveau menaçant ; les gens voulaient peut-être éviter de se faire mouiller. Mais plusieurs personnes très aimables m'entouraient quand j'ai repris conscience.

Lucius leva les yeux vers son frère.

— Tu remarques l'angle ? Et l'absence de lacération.

— J'ai remarqué, répondit Marcus. Probablement pas de commotion cérébrale non plus. *Señora*, avez-vous ressenti des troubles physiques particuliers après votre agression ? Un sifflement des oreilles, par exemple, ou des taches brillantes altérant votre vision ?

— Non.

— Des étourdissements ? Une sensation de pression à l'intérieur du crâne ?

— Non, j'ai été examinée par un médecin. Il m'a dit...

— Avec votre permission, nous ne tiendrons pas

compte des autres rapports. Nous avons une expérience négative des docteurs new-yorkais et de leurs diagnostics dans des affaires de ce genre...

Isabella Linares eut l'expression d'une petite fille qui a parlé sans lever le doigt à l'école.

— Pas de commotion cérébrale, donc, marmonna Lucius. Du beau travail.

— Angle parfait, commenta son frère. Un expert... à moins que... *Señora*, avez-vous vu la personne qui vous a frappée ?

— Non, pas du tout. J'ai perdu immédiatement conscience, quoique pour un temps assez bref, je suppose. Lorsque j'ai recouvré mes esprits, il s'était enfui. Avec Ana...

— « Il », dites-vous, fit observer Marcus. Vous avez une raison quelconque de penser que c'était un homme ?

Elle parut soudain perdue.

— C'est... je ne sais pas. Il ne m'est simplement pas venu à l'idée que...

— Aucune importance, je posais la question comme ça, assura l'inspecteur.

Il coula cependant un regard à Miss Howard, et à l'expression pleine d'appréhension qui se peignit sur leurs visages, je soupçonnai qu'il n'avait certainement pas posé la question juste « comme ça ».

Marcus reprit l'interrogatoire :

— Quelle taille faites-vous ?

— Un peu plus d'un mètre soixante.

Il hocha la tête en murmurant :

— Un coup direct. Pas avec une matraque.

— Le point d'impact est trop net, trop marqué, commenta Lucius. Un tuyau, je dirais. On a commencé les travaux dans la nouvelle aile du musée sur la Cinquième Avenue...

— Ce ne sont pas les tuyaux qui manquent, par là, dit Marcus. Stevie, viens voir...

Un peu surpris, je m'approchai, me glissai entre les deux frères pour jeter un coup d'œil à la vilaine bosse.

— Ça te rappelle quelque chose ? me demanda Marcus avec un petit sourire.

— Vous avez lu mon dossier au Central ?

— Réponds, s'il te plaît.

J'examinai de nouveau la blessure, hochai la tête.

— Ouais. Ça pourrait tout à fait être ça. Un bon petit tuyau de plomb.

— Bien, fit le sergent qui, d'un signe du menton, me renvoya à mon appui de fenêtre.

(Bon, tout le monde sait maintenant ce qui m'a valu mon surnom, et pour ceux qui souhaitent des explications plus détaillées, ne vous inquiétez pas, ça fait aussi partie de l'histoire.)

Les Isaacson revinrent à Isabella Linares, qui referma aussitôt son œil droit. Lucius examina rapidement les hématomes et le nez cassé en hochant la tête.

— Et voilà donc le travail du mari...

— Très caractéristique, souligna Marcus. Et tout à fait différent de l'autre.

— Exactement, approuva Lucius. Un indice de plus qui laisse penser que...

— Exactement, répéta Marcus. Vous dites que ni vous ni personne au consulat n'avez reçu de demande de rançon, *señora* ?

— Non.

Les inspecteurs échangèrent des regards et des signes de tête trahissant une montée de leur excitation.

— Bien, dit Marcus, qui se laissa tomber sur un genou.

L'épouse du secrétaire sursauta quand il lui prit la main, apparemment pour la rassurer, mais je remarquai qu'il avait placé l'un de ses doigts sous le poignet de la dame.

— Gardez les yeux clos, je vous prie, sollicita-t-il, tirant sa montre de gousset. Et dites-nous tout ce dont vous vous souvenez au sujet de la femme que vous avez vue dans le métro avec votre enfant...

Mr Moore se tourna vers Miss Howard, murmura quelques mots d'un air sceptique.

— Essayez de rester tranquille, John, lui lança Lucius. Nous vous mettrons au courant dans quelques minutes. Mais il se fait tard, on attend sans doute la *señora* chez elle...

— Pas de problème, dit Isabella Linares. En sortant

67

d'ici, j'irai rejoindre une amie qui travaille au consulat français — la femme qui m'a adressée à Miss Howard. Elle a réservé des chambres à l'hôtel Astoria et j'ai raconté à mon mari que nous passons la nuit à la campagne.

— L'Astoria ? fit Marcus. Ça vaut toutes les nuits que j'ai passées à la campagne. (La *señora* sourit, du moins autant que sa bouche douloureuse le lui permettait.) Revenons à la femme du métro…

A ces mots, la frayeur qui flottait autour de l'Espagnole depuis le début de la soirée réapparut sur son visage, et elle ne put s'empêcher d'ouvrir son œil indemne.

— Jamais je n'ai été aussi terrifiée, *señor*. (Du doigt, Marcus lui fit signe de refermer l'œil droit. Elle obéit, et il reporta les yeux sur sa montre.) Elle était simplement assise, Ana dans les bras. Elle était habillée, m'a-t-il semblé, comme une nurse, ou une gouvernante. Son visage, tourné vers Ana, avait une expression plutôt affectueuse… aimante, même, d'une certaine façon. Mais lorsqu'elle a regardé par la fenêtre… (La *señora* Linares agrippa le bras du fauteuil avec la main que Marcus ne tenait pas.) C'étaient des yeux d'animal. Un fauve, fascinant et… affamé. Je croyais avoir peur pour ma fille avant de voir ce visage, mais c'est seulement alors que j'ai su ce qu'est la vraie terreur…

— Vous rappelez-vous la couleur de ses vêtements ? demanda Lucius.

La *señora* répondit qu'elle ne s'en souvenait pas.

— Avait-elle un chapeau ?

Nouvel aveu d'ignorance de l'Espagnole :

— Je suis désolée. J'étais tellement fascinée par son visage que je n'ai rien remarqué d'autre.

Je vis Mr Moore se tourner vers Miss Howard (qui notait l'essentiel de ces déclarations) et rouler des yeux, comme s'il écoutait les divagations d'une hystérique qui — il le concédait — venait de vivre une terrible tragédie. Les Isaacson se regardèrent toutefois avec une expression très différente : connivence, confiance, excitation, tout y était. Et je remarquai que Moore paraissait dépité de ne pas saisir ce qu'ils avaient, eux, compris.

— Vous êtes certaine que la femme ne vous a pas vue ? demanda Lucius.

— Oui, inspecteur. J'étais sous la marquise du quai quand j'ai couru le long de la rame et il faisait déjà sombre. J'ai crié, j'ai sauté vers la fenêtre lorsque le train a quitté la station, mais il roulait déjà trop vite. Elle a peut-être vu quelqu'un mais elle n'a pas pu savoir que c'était moi.

— Avez-vous une idée de la taille et du poids de cette femme ? s'enquit Lucius, qui retourna examiner l'arrière du crâne de la *señora*.

Elle prit le temps de la réflexion et finit par répondre d'une voix lente :

— Elle était assise, mais je dirais qu'elle ne doit pas être beaucoup plus grande que moi. Légèrement plus lourde, peut-être…

— Je suis navré de vous avoir importunée si long-temps, s'excusa Marcus. Une dernière chose : avez-vous une photo de l'enfant ? Vous pouvez ouvrir les yeux pour la chercher, si vous voulez.

— J'en ai apporté une à Miss Howard, répondit-elle en se tournant vers Sara. Vous l'avez encore ?

— Oui, dit la détective, qui prit sur la table d'acajou une photo encadrée de huit centimètres sur douze. Elle est là.

Quand elle tendit l'objet à Isabella Linares, Marcus garda la main droite de l'Espagnole emprisonnée dans la sienne, ce qui l'obligea à prendre la photo de la main gauche. Pendant que la mère contemplait le portrait de son enfant, le policier fit aller son regard du visage mar-bré de coups à sa montre. Puis elle tendit la photo à Lucius, qui la tint devant son frère.

— Elle a été prise il y a quelques semaines seulement, précisa-t-elle. C'est remarquable : Ana est pleine de vie et d'énergie, c'est rare de trouver un photographe qui sache rendre la personnalité d'un enfant. Il a parfaitement réussi, vous ne trouvez pas ?

Les deux sergents accordèrent à la photographie un regard qu'on pourrait qualifier de très rapide puis Lucius, ne sachant où la mettre, se tourna vers moi.

— Stevie, tu pourrais… ?

Je sautai de mon perchoir pour prendre la photo et la restituer à Miss Howard, qui continuait à prendre des notes. M'arrêtant une seconde ou deux pour jeter un coup d'œil au portrait, je fus... frappé, d'une certaine façon. Je n'avais pas une grande expérience des bébés et, d'une manière générale, ils ne me rendent pas gâteux. Mais cette petite fille aux cheveux bruns, aux grands yeux noirs presque ronds, aux joues rebondies encadrant un sourire qui la disait prête pour toutes sortes d'amusements que la vie voudrait bien lui accorder... eh bien, il y avait quelque chose en elle de poignant. Peut-être parce qu'elle semblait avoir plus de personnalité qu'un bébé ordinaire ; peut-être aussi parce que je savais qu'elle avait été kidnappée.

Comme je retournais à la fenêtre, Marcus, l'œil toujours rivé à sa montre, murmura lentement « Très bien », lâcha enfin la main de la femme et se releva.

— Parfait, dit-il. Maintenant, je crois que vous devriez vous reposer, *señora*. Cyrus ?

Mon ami noir abandonna le piano pour rejoindre l'inspecteur.

— Mr Montrose se fera un plaisir, j'en suis sûr, de vous conduire en toute sécurité à l'Astoria. Vous n'aurez rien à craindre sous sa protection.

Isabella Linares posa sur Cyrus un regard confiant.

— Oui, je l'ai senti. Mais... et ma fille ?

— Je ne vous cacherai pas la vérité, c'est une affaire difficile, déclara Marcus. Votre mari vous a interdit de prévenir la police ? (Elle confirma d'un pitoyable hochement de tête.) Ne vous tourmentez pas, dit-il en l'accompagnant jusqu'à la porte avec Sara. Au bout du compte, cela pourrait constituer un avantage...

— Mais vous êtes vous-mêmes policiers ? fit-elle d'un ton dérouté quand Cyrus ouvrit la grille de l'ascenseur.

Elle remit son grand chapeau noir, le fixa à sa chevelure à l'aide d'une longue épingle ornée d'une pierre précieuse.

Marcus fit une réponse mitigée :

— Oui... et non. L'important, c'est que vous ne perdiez pas espoir. Les prochaines vingt-quatre heures nous suffiront, je pense, pour vous donner une idée de ce dont nous sommes capables.

La ressortissante de l'empire d'Espagne se tourna vers Miss Howard, qui ajouta simplement :

— Croyez-moi, vous ne pourriez être en de meilleures mains.

Isabella Linares hocha une ou deux fois la tête avant de monter dans l'ascenseur.

— Alors, j'attendrai, dit-elle, rabattant sa voilette. (Elle parcourut la salle du regard une dernière fois.) Ou plutôt nous attendrons tous...

Mr Moore la considéra avec étonnement.

— Nous tous ? Qu'est-ce que nous attendrons, *señora* ?

Du bout de son parapluie, elle indiqua les bureaux.

— Il y en a cinq, n'est-ce pas ? Et vous donnez tous l'impression de... Oui. Je pense que nous attendrons tous. L'homme qui occupe le cinquième bureau. Ou qui l'occupait...

Il n'y eut pas un seul d'entre nous, je crois, qui ne frissonna pas en entendant cette calme affirmation. Sans même chercher à discuter, Marcus acquiesça d'un hochement de tête puis dit à Cyrus :

— Allez directement à l'Astoria puis retrouvez-nous au Lafayette. Nous serons sur la terrasse. Il y a des questions auxquelles seuls vous et Stevie pouvez répondre.

Le cocher-majordome coiffa son chapeau melon ; Miss Howard adressa un dernier regard d'encouragement à sa cliente avant de fermer la porte.

— Gardez espoir, *señora*.

Après le départ de Cyrus et d'Isabella Linares, Lucius entreprit de ranger les instruments pendant que son frère faisait les cent pas. Sara alla à la fenêtre et contempla tristement Broadway. Seul Mr Moore semblait particulièrement impatient.

— Alors ? finit-il par dire. Qu'est-ce que vous avez appris ?

— Beaucoup de choses, répondit placidement Lucius. Quoique pas assez.

Après une pause, Moore leva les bras au ciel.

— Vous comptez partager vos informations, messieurs, ou c'est un secret entre vous et la *señora* ?

Marcus eut un rire songeur.

— C'est une femme intelligente…

— Certes, approuva Miss Howard avec un de ses petits sourires.

— Intelligente, ou tout simplement folle ? demanda le journaliste.

— Oh ! non, elle est loin d'être folle, assura Lucius.

Moore semblait sur le point d'exploser :

— Allez-vous me dire, à la fin, ce que vous savez ?

— Nous n'y manquerons pas, John, répondit Marcus. Mais allons d'abord au Café Lafayette. Je meurs de faim.

— Alors, nous sommes deux, dit son frère, prenant la sacoche d'instruments. Stevie ?

— Je mangerais bien un morceau, me contentai-je de répondre.

A la vérité, j'étais moi aussi impatient de savoir ce que les sergents enquêteurs avaient en tête. Toutefois, j'étais encore sous l'effet des mots prononcés par la *señora* Linares avant son départ, qui ne m'avaient pas mis d'humeur particulièrement optimiste.

Sara alla décrocher une veste courte au portemanteau de l'entrée.

— Allons-y. Il faudra prendre l'escalier : il ne reste personne dans l'immeuble pour nous renvoyer l'ascenseur.

Mr Moore prit notre sillage quand nous nous dirigeâmes en file indienne vers la porte.

— Qu'est-ce que vous avez tous ? maugréa-t-il. Enfin, la question est plutôt simple : sommes-nous devant une affaire, oui ou non ?

— Oh ! affaire il y a, répondit Marcus. De ce point de vue, vos souhaits sont exaucés, Sara.

Elle sourit d'un air mélancolique.

— Il faut toujours être prudent avec les souhaits…

— Ah ? fit Moore, les mains sur les hanches. Et c'est censé signifier quoi ? Ecoutez, je n'irai nulle part avant que quelqu'un me donne une vague idée de ce qui se passe ! Si nous tenons une affaire, pourquoi avez-vous tous l'air aussi abattus ?

Lucius poussa un grognement en chargeant la sacoche sur son épaule.

— Pour résumer, John, il y a bien une affaire, très intrigante, qui plus est. Nul besoin de vous dire que compte tenu des personnes impliquées elle pourrait devenir énorme. Enorme, et extrêmement vilaine. Mais la *señora* avait raison. Sans *lui*... (il se tourna pour regarder le premier bureau de la rangée) nous n'avons pas une chance...

— Etant donné ce qu'il vient de traverser, poursuivit Miss Howard alors que nous avancions vers l'escalier d'incendie proche de la cuisine, je ne pense pas qu'aucun de nous puisse affirmer qu'il est en état de le faire. Je ne suis même pas sûre que nous devions lui demander son aide. (Elle se tourna vers moi.) Des questions, comme l'a souligné Marcus, auxquelles seuls toi et Cyrus pouvez répondre, Stevie.

Je sentis toute l'attention se porter sur moi, situation qui ne m'a jamais mis à l'aise.

— Je devrais peut-être attendre Cyrus pour en parler, mais...

— Mais ? répéta Marcus.

— Mais, à mon avis, tout dépend de demain matin. De la façon dont il quittera l'Institut. Et vous avez raison, Miss Howard, je sais pas non plus si on a le droit de lui demander...

Elle hocha la tête, se tourna vers la porte noire de l'escalier, et c'est dans cet état d'esprit incertain que nous entamâmes la longue descente vers Broadway.

6

Pendant le souper sur la terrasse du Lafayette, au coin de la 9ᵉ Rue et de University Place, parmi les treillis de fer et les plantes grimpantes du restaurant, les Isaacson nous révélèrent ce qu'ils pensaient avoir retiré de la rencontre avec Isabella Linares. Leur théorie mit en évidence leur talent pour extirper des conclusions inattendues d'un apparent fatras de faits et, comme d'habitude, nous fit tous secouer la tête d'étonnement.

Le coup que la *señora* avait reçu sur la tête offrait l'alternative suivante concernant son assaillant, dirent les sergents : soit un spécialiste de la matraque, un malfrat sachant parfaitement estourbir les gens ; soit une personne de force beaucoup plus limitée ayant donné un coup « heureux » qui n'avait pas fait beaucoup de dégâts. La première hypothèse posait de vrais problèmes : si l'agression était l'œuvre d'un expert, l'homme devait être à peu près de la même taille que sa victime, vu l'angle du coup et son impact. En outre, il aurait fallu admettre qu'il ait délaissé sa matraque en faveur d'une arme plus dure et présentant plus de risques, comme un morceau de tuyau. Et surtout, il était étonnant qu'il ait choisi d'opérer dans un lieu si fréquenté, juste devant le Metropolitan Museum, à un moment de la journée qui ne s'y prêtait guère.

S'appuyant sur ces considérations, les Isaacson étaient prêts à écarter l'idée que la petite Linares avait été enlevée par un kidnappeur professionnel, voyou travaillant pour un patron ou truand à son compte. De tels personnages ne prendraient pas le risque d'assommer leur victime avec un tuyau de plomb non rembourré, et ils préfèrent en général opérer dans des endroits plus reculés que l'obélisque de Central Park. Restait l'hypothèse d'un amateur travaillant probablement au hasard, et il était tout à fait possible, voire probable, que ledit amateur soit une femme. Le fait que la *señora* ait dit « il » en parlant de son agresseur n'était pas concluant : elle avait elle-même reconnu qu'elle n'avait pas vu la personne qui l'avait frappée et, issue d'une famille aristocratique, elle présumait qu'aucune femme n'était capable d'un tel acte. Mais le coup lui-même avait fort bien pu être donné par une femme de la taille de la *señora* — et la description qu'elle avait faite de l'inconnue du métro correspondait à cette hypothèse.

Que penser de cette description, d'ailleurs ? voulut savoir Mr Moore. Pourquoi les sergents se montraient-ils si disposés à croire Isabella Linares sur parole ? N'avait-elle pas fourni un récit trop détaillé pour quelqu'un qui, avec un seul œil, venait d'entrevoir son enfant disparu et se trouvait donc en état de choc ? Pas du tout, répondit Lucius. En fait, il manquait au signalement donné par la *señora* certains détails que ce qu'il appelait un « menteur psychologique » (une personne tellement perturbée qu'elle finit par croire aux mensonges qu'elle invente — je l'avais appris par les travaux du docteur) aurait inclus. Par exemple, elle était capable de dire quelle sorte de vêtements la femme portait, mais pas de préciser leur couleur ; elle avait une vague idée de la taille de l'inconnue, mais sans plus ; et elle ne se souvenait même pas si elle avait un chapeau. En outre, il y avait d'autres raisons, plus subtiles, de penser qu'elle avait dit la vérité sur ce point, des raisons que Lucius qualifiait de « physiologiques ».

Des cadors du monde de l'investigation avaient récemment émis l'idée que les gens subissaient des changements physiques lorsqu'ils mentaient : accélération du rythme cardiaque et respiratoire, transpiration et tension musculaire accrues, ainsi que quelques autres altérations plus obscures. Si cette théorie n'était étayée par aucune preuve médicale ou « clinique », comme disait Lucius, son frère — je l'avais remarqué — avait quand même maintenu un doigt sur le poignet de la *señora* Linares tout le temps qu'ils avaient discuté de la mystérieuse femme du métro. En même temps, il n'avait cessé d'observer sa montre et, malgré le caractère bouleversant des sujets abordés, le rythme cardiaque de l'Espagnole ne s'était modifié à aucun moment, pas même quand elle avait regardé la photo de sa fille. Comme tant d'autres techniques et conclusions des Isaacson, la présente démonstration n'aurait eu aucune valeur devant un tribunal, mais elle donnait une raison supplémentaire de croire ce que disait la *señora*.

Ces arguments suffirent à dissiper les doutes de Mr Moore sur Isabella Linares. Restait à savoir si le Dr Kreizler serait disposé à se mêler de cette affaire. Sur ce point, je fus de nouveau bombardé de questions — ainsi que Cyrus, après son retour de l'Astoria — et j'avoue qu'au bout d'un moment nous fûmes tous deux sur la défensive. Quelle que fût notre fascination pour l'affaire, notre loyauté envers le docteur passait avant tout, et cette histoire semblait prendre rapidement des proportions bien plus importantes qu'une petite énigme pour vous occuper l'esprit le temps d'une soirée. Ni Cyrus ni moi n'étions sûrs que le Dr Kreizler serait en état de s'impliquer dans une entreprise aussi exigeante. Certes, comme l'avait souligné Mr Moore, l'injonction de la Cour laisserait à notre ami et employeur beaucoup de loisirs, mais il était vrai aussi qu'il avait besoin de repos et de temps pour soigner ses blessures. Miss Howard fit respectueusement observer que le docteur trouvait toujours la paix et le réconfort dans le travail, mais Cyrus répondit qu'il était plus bas qu'aucun de nous ne l'avait jamais vu, que, tôt ou tard, tout le monde a besoin de s'arrêter et de souffler. On ne pouvait rien dire à l'avance et, à la fin du repas, nous étions revenus à la conclusion que j'avais exprimée au moment où nous quittions le 808 : la réponse du docteur dépendrait de la façon dont il réagirait à son départ de l'Institut. Cyrus et moi promîmes que l'un de nous téléphonerait à Mr Moore au *Times* dès que le docteur serait rentré. Chacun partit ensuite de son côté avec le curieux sentiment que ce que nous entreprendrions dans les prochains jours pourrait avoir des répercussions qui dépasseraient de beaucoup les limites de l'île de Manhattan — laquelle, étrangement, nous parut tout à coup bien petite.

Quand nous rentrâmes, je parvins à dormir quelques heures, mais pas d'un sommeil qu'on pourrait qualifier de paisible. Je me levai à huit heures tapantes — me rappelant, au saut du lit, que c'était officiellement le premier jour de l'été — et je constatai que les derniers nuages avaient disparu, chassés par une brise soufflant du nord-ouest. J'enfilai des vêtements, réussis à mettre un semblant d'ordre dans mes cheveux trop longs, puis allai à l'écurie donner à Frederick, notre hongre noir, un peu d'avoine et un coup d'étrille matinal pour le préparer à sa journée de travail. En revenant vers la maison, je déduisis au fracas de casseroles provenant de la cuisine que Mrs Leshko — une femme incapable de faire bouillir de l'eau sans tintamarre — était arrivée. Je me contentai d'avaler à la hâte une tasse de son café amer avant d'atteler la calèche et de partir.

Je pris ma route habituelle — la Deuxième Avenue jusqu'au croisement avec la Bowery, puis à gauche dans Forsyth, en direction de Broadway Est. Cet itinéraire me faisait passer devant la plupart des dancings, bordels, tripots et bars du Lower East Side, dont la vue m'amena à me demander une fois de plus comment les choses avaient pu en arriver là. Oh ! je connaissais la raison apparente : un garçon de douze ans, Paulie McPherson, pensionnaire de l'institut du Dr Kreizler, s'était réveillé en pleine nuit deux semaines plus tôt, était sorti du dortoir et s'était pendu dans les toilettes avec un cordon de rideau double. Paulie était un petit voleur, avec des antécédents si minces que mes anciens copains de la bande de Butch le Fou n'en auraient jamais fait mention. Il s'était fait pincer, tenez-vous bien, en train d'essayer de faire les poches d'un « en-bourgeois » — entendez un flic en civil. Tenant compte de l'inexpérience de Paulie, le juge lui avait laissé le choix entre la prison et quelques années à l'Institut, après que le docteur eut examiné l'enfant et proposé de l'accueillir. Paulie était un voleur minable, mais pas un crétin : il avait immédiatement accepté l'offre du docteur.

Il n'y avait là rien d'inhabituel : plusieurs des élèves du Dr Kreizler étaient venus à l'Institut par des voies similaires. Et Paulie n'avait montré aucun signe extérieur de troubles depuis son arrivée à Broadway Est. Il était un peu ombrageux et secret, mais rien ne laissait penser qu'il était résolu à se pendre. Quoi qu'il en soit, la nouvelle du suicide avait taillé sa route à travers les couloirs de l'hôtel de ville et les salons de la bonne société new-yorkaise comme — pardonnez-moi l'expression — de la merde dans un égout. Cette mort offrait à de nombreux experts en chambre la preuve que le Dr Kreizler était incompétent et ses théories dangereuses. Quant au docteur lui-même, il n'avait jamais perdu un seul enfant jusque-là. Ce fait, conjugué à la nature soudaine et inexpliquée du suicide, élargit la brèche ouverte dans son esprit par la disparition de Mary Palmer.

Par cette brèche s'était écoulée une grande partie de l'énergie, apparemment inépuisable, avec laquelle le docteur avait répondu, pendant des années, aux attaques quasi quotidiennes des collègues hostiles, des grands penseurs sociaux, des juges, des avocats et des sceptiques ordinaires qu'il affrontait dans son travail de directeur de l'Institut et d'expert devant les tribunaux pour les affaires criminelles. S'il n'avait pas renoncé — il n'était pas homme à le faire —, il avait perdu une partie de son ardeur et de sa confiance, de cette pugnacité qui avait toujours tenu ses ennemis en échec. Pour comprendre le changement, vous auriez dû le voir à l'œuvre auparavant — comme je l'avais vu moi-même, deux ans plus tôt. Ça, pour l'avoir vu…

Notre rencontre avait eu lieu à Jefferson Market, cette imitation de château de Bohême qui m'avait toujours paru trop belle pour abriter un simple tribunal de police. Comme je l'ai dit, je vivais seul depuis que, fatigué d'entretenir ma mère et ses hommes par mes cambriolages, j'avais quitté la maison à huit ans. La coupe avait débordé quand ma vieille était passée de la gnôle à l'opium et s'était mise à fréquenter une fumerie de Chinatown tenue par un trafiquant que tout le monde appelait Toua-Tro-

Gro (son vrai nom chinois était imprononçable et l'insulte contenue dans son surnom fort approprié lui échappait apparemment). Je signalai à ma daronne que je ne connaissais pas beaucoup de gosses de huit ans qui volaient afin d'assouvir le penchant de leur mère pour l'alcool et la drogue — genre de déclaration qui me valait à tout coup une bonne paire de taloches. En battant l'air de ses bras, elle me cria que, puisque j'étais un sale petit ingrat, je n'avais qu'à me nourrir moi-même. Ce que je fis en rejoignant une bande du quartier. Ma mère alla vivre avec Toua-Tro-Gro, utilisant son corps plutôt que mes larcins pour assurer son ravitaillement permanent en drogue.

Dans la bande, nous nous protégions mutuellement, nous blottissant l'un contre l'autre au-dessus des bouches d'aération les nuits d'hiver, empêchant les plus maladroits de se noyer quand nous plongions dans le fleuve pour nous rafraîchir en été. A dix ans, je m'étais fait un nom comme bonneteur, pickpocket et « homme à tout faire » du crime. Quoique pas très costaud, j'avais appris à me défendre avec un morceau de tuyau qui me valut mon surnom, Stevepipe. Beaucoup de gosses portaient sur eux un flingue ou une lame, mais je m'étais aperçu que les flics étaient plus coulants avec vous si vous n'étiez pas armé jusqu'aux dents. Et Dieu sait que j'avais déjà assez d'ennuis avec la police à l'époque pour ne pas négliger cette considération.

Mes exploits et ma réputation me firent finalement remarquer par Butch le Fou qui, comme je l'ai également mentionné, dirigeait la bande de gamins travaillant pour Monk Eastman. J'avais toujours bien aimé Eastman, ses melons voyants, sa maison pleine de chats et d'oiseaux, et bien que Butch méritât un peu trop son surnom à mon goût, je saisis l'occasion de m'élever dans la pègre. Au lieu de faire le pickpocket en solo, je dévalisai bientôt des quantités de pékins avec ma bande, pillant aussi des voitures de livraison et barbotant tout ce que nous pouvions dans les boutiques et les entrepôts. Je me faisais parfois prendre, bien sûr, mais on me relâchait généralement. Comme nous étions nombreux dans la bande, il était difficile au procureur de retenir des charges contre un seul d'entre nous. De plus, je n'avais que onze ans et je savais au besoin jouer la partition de l'orphelin innocent.

Le juge à qui j'eus affaire ce jour-là, à Jefferson Market, refusa mordicus de s'y laisser prendre. Les flics m'avaient épinglé pour avoir cassé la jambe d'un détective de magasin chez B. Altman, dans la 19e Rue, un jour que ma bande et moi faisions les poches des clients. D'habitude, je contrôlais mieux l'usage de mon morceau de tuyau — m'efforçant toujours de laisser un vilain bleu plutôt qu'une fracture —, mais le type m'avait saisi à la gorge et j'étais sur le point de suffoquer. C'est ainsi que je m'étais retrouvé dans la principale salle d'audience de Jefferson Market, subissant un sacré savon sous la magnifique horloge du tribunal.

Le vieux moulin à paroles assis dans le fauteuil du juge me traita de tous les noms, d'intoxiqué à la nicotine (je fumais depuis que j'avais quitté ma mère) à ivrogne (ce qui montrait son ignorance : jamais je n'avais bu une goutte d'alcool), en passant par « individu affligé d'une pulsion destructrice congénitale », termes qui, à l'époque, ne signifiaient rien pour moi mais se révélèrent être ma planche de salut. Le hasard voulut qu'un expert en maladies mentales qui s'intéressait particulièrement aux enfants se trouvât ce jour-là dans la salle, attendant de témoigner dans une autre affaire. Quand le juge eut débité son charabia sur mon machin « congénital » et prononcé ma condamnation (deux ans à Randalls Island), j'entendis tout à coup une voix s'élever derrière moi. Je n'avais jamais rien entendu de tel — pas dans une salle d'audience, en tout cas. Colorée par un mélange d'accents allemand et hongrois, elle tonnait d'indignation comme l'organe d'un prédicateur de la vieille école : « Et quelles sont exactement les compétences de Votre Honneur pour formuler des conclusions psychologiques aussi précises concernant ce garçon ? »

Tous les regards, y compris le mien, se tournèrent vers le fond de la salle pour découvrir ce qui était, pour la plupart, un spectacle familier : le célèbre aliéniste Laszlo Kreizler, l'un des hommes les plus haïs et les plus respectés de cette ville, montait à l'assaut, ses longs cheveux et sa cape flottant derrière lui, ses yeux brûlant d'un feu noir. Je ne me doutais pas que cette vue me deviendrait un jour familière, à moi aussi. Je savais seulement à l'époque que jamais je n'avais vu un homme avec un pareil aplomb.

Le juge, pour sa part, porta une main lasse à son front comme si le Seigneur venait d'envoyer une pluie de grenouilles exclusivement sur son lopin de terre particulier.

« Dr Kreizler... » commença-t-il.

Mais l'aliéniste levait déjà un doigt accusateur.

« A-t-on procédé à une expertise ? L'un de mes estimés collègues vous a-t-il fourni une raison d'utiliser ces termes ? Ou avez-vous tout bonnement décidé, comme la plupart des autres magistrats de cette ville, que vous faites autorité en de telles matières ?

— Dr Kreizler... » essaya de nouveau le juge.

Sans plus de succès :

« Avez-vous la moindre idée des symptômes de ce que vous appelez "pulsion destructrice congénitale" ? Savez-vous même si cela existe ? Ce verbiage insupportable, incendiaire...

— *Dr Kreizler !* vociféra le juge, frappant son pupitre du poing. C'est *mon* tribunal ! Vous n'avez rien à voir avec cette affaire et j'exige...

— Non, monsieur ! riposta le docteur. C'est *moi* qui exige ! Vous m'avez impliqué dans cette affaire — moi, et tout autre psychologue qui se respecte se trouvant à portée de voix — quand vous avez proféré vos déclarations irresponsables ! Ce garçon... »

Il tendit le bras dans ma direction, me regardant vraiment pour la première fois, et je ne suis pas sûr de pouvoir décrire tout ce qu'il y avait sur son visage.

Un message d'espoir faisait étinceler ses yeux, et son mince sourire m'exhortait à avoir du courage. Pour la première fois de ma vie, je sentis qu'une personne de plus de quinze ans se souciait sincèrement de mon existence. L'expression du docteur redevint sévère lorsqu'il se tourna de nouveau vers le juge.

« Vous avez déclaré qu'il y a chez ce garçon une "pulsion destructrice congénitale". J'exige que vous en apportiez la preuve ! J'exige qu'il passe de nouveau en

jugement après avoir été examiné par au moins *un* aliéniste ou psychologue qualifié !

— Vous pouvez exiger tout ce que vous voulez, cher
monsieur ! répliqua le juge. Je suis dans *mon* tribunal, et
mes décisions ont force de loi ! Veuillez attendre en
silence qu'on appelle l'affaire pour laquelle votre témoignage a été requis, sinon je vous inculpe d'outrage à
magistrat ! »

Le marteau s'abattit, m'expédiant à Randalls Island.
Mais en quittant la salle, je regardai de nouveau l'homme
mystérieux qui avait surgi — de nulle part, avais-je eu
l'impression à l'époque — pour défendre ma cause. Il me
rendit mon regard avec une expression signifiant que l'affaire était loin d'être réglée.

En effet. Trois mois plus tard, dans ma cellule de
brique du bloc principal du Foyer pour jeunes garçons,
j'eus la « rencontre » avec un gardien mentionnée plus
haut. On peut trouver un bout de tuyau presque n'importe
où, pour peu qu'on cherche assez longtemps, et j'en avais
déniché un quelque temps après mon arrivée sur l'île. Je
le dissimulai à l'intérieur de mon matelas, en prévision
du jour où les autres garçons ou les gardiens m'oblige-
raient à m'en servir — et le maton qui finit par m'y
contraindre devait le regretter toute sa vie. Tandis qu'il
s'escrimait sur les boutons de son pantalon tout en me
maintenant sur le lit, je saisis mon arme et, moins de deux
minutes plus tard, l'homme présentait trois fractures à un
bras, deux à l'autre, une cheville brisée, et un tas d'es-
quilles d'os là où se trouvait auparavant son nez. J'étais
en plein boulot, sous les encouragements des autres déte-
nus, quand deux autres gardiens me tirèrent en arrière. Le
directeur du Foyer réclama une audience pour décider s'il
fallait me transférer dans un asile de fous, et la presse
relata l'incident. Le Dr Kreizler se présenta à l'audience
et exigea de nouveau qu'aucune sentence ne soit pro-
noncée sans une expertise psychiatrique préalable. Le
juge était cette fois beaucoup plus raisonnable et le docteur obtint satisfaction.

Pendant deux jours, nous restâmes lui et moi dans un
bureau de l'île, ne faisant guère que parler — sans même
aborder spécifiquement mon affaire le premier jour. Il me

posa des questions sur mon enfance et, surtout, me parla longuement de la sienne, ce qui contribua beaucoup à dissiper la gêne que j'éprouvais en présence d'un homme envers qui j'étais reconnaissant mais qui ne m'en inspirait pas moins une sorte de crainte respectueuse. Pendant les toutes premières heures, j'appris en fait un tas de détails sinistres sur sa propre vie que presque personne ne connaissait — et je sais maintenant qu'il utilisait son passé pour me faire parler du mien.

C'était étrange : pendant notre conversation, je commençai à comprendre — dans la mesure où un jeune garçon sans instruction le pouvait — que je ne faisais peut-être pas les choses au hasard, que j'avais peut-être opté pour une vie de crime et de violence autant par colère que par nécessité. Ce ne fut pas une idée que le docteur implanta en moi ; il me laissa y venir moi-même en manifestant sa sympathie pour tout ce que j'avais traversé, et même une sorte d'admiration pour mon attitude. En fait, il trouvait non seulement remarquable, mais d'une certaine façon plutôt drôle, que j'aie réussi à survivre, et j'eus bientôt le sentiment que je lui fournissais quelque chose de plus que des statistiques : je l'amusais.

C'était le secret de son succès avec les enfants : il ne s'agissait pas pour lui de charité, de cette générosité factice que vous offrent les bonnes âmes des missions. Ce qui amenait les enfants perturbés — riches ou pauvres — à lui accorder une si grande confiance, c'était qu'il retirait quelque chose de l'aide qu'il leur apportait. Il *aimait* consacrer du temps et des efforts à ses jeunes pensionnaires, et il y avait dans son attitude au moins une part d'égoïsme. C'était comme s'ils lui rendaient plus supportables les misérables endroits du monde adulte qu'il fréquentait la plupart du temps — prisons, asiles, hôpitaux et salles d'audience. Cela lui permettait d'espérer en l'avenir, d'une part, et cela l'amusait, purement et simplement, de l'autre. Quand on est enfant, on cherche ce genre d'attitude, on cherche le genre d'adulte qui ne vous prête pas assistance uniquement pour entrer dans les bonnes grâces de Dieu, mais parce que cela lui plaît.

Au tribunal, le Dr Kreizler se servit de tout ce dont nous avions discuté pour faire litière de l'idée que j'étais fou, étayant sa démonstration par une petite théorie qu'il avait élaborée au fil des ans et qu'il appelait le « contexte ». C'était le noyau de toute son œuvre : on ne peut véritablement comprendre les actes et les mobiles d'une personne sans connaître les circonstances de sa prime enfance et de son développement ultérieur. Simple et assez inoffensif, penserez-vous, mais ce n'était pas une mince tâche de défendre cette idée contre l'accusation d'aller à l'encontre des conceptions américaines traditionnelles en fournissant des excuses aux conduites criminelles. Le docteur soutint toujours qu'il y a un fossé entre explication et excuse, qu'il cherchait à comprendre le comportement des gens, pas à rendre la vie plus facile aux malfaiteurs.

Heureusement pour moi, ses déclarations trouvèrent ce jour-là un auditoire réceptif : les membres de la commission furent convaincus par l'analyse que le docteur fit de ma vie et de ma conduite. Mais quand il proposa ensuite mon inscription à son Institut, ils reculèrent, estimant sans doute qu'un jeune trublion comme ce « Stevepipe » devait être envoyé dans un endroit où il serait tenu par une laisse plus courte. Lorsqu'ils demandèrent au docteur s'il avait une autre idée, il réfléchit pendant deux minutes, sans jamais me regarder, puis annonça qu'il était prêt à me prendre chez lui, à son service, et qu'il assumerait l'entière responsabilité de mes actes. Les membres de la commission ouvrirent de grands yeux ; l'un d'eux lui demanda même s'il était sérieux. Il assura que oui et, après consultation, l'affaire fut réglée.

Pour la première fois, je me sentis un peu hésitant, non parce que quoi que ce soit, chez le docteur, avait éveillé ma méfiance, mais parce que les deux jours passés en sa compagnie m'avaient conduit à m'interroger sur moi-même, et je me demandais si je serais un jour capable de changer. Ces doutes me tourmentaient encore quand je récupérai mes affaires dans ma cellule puis traversai la cour lugubre du Foyer pour retrouver le docteur à sa voiture (il avait sorti ce jour-là le landau bordeaux). Mon trouble ne fut pas dissipé par la vue du colosse noir assis sur le siège du cocher. L'homme avait cependant un visage amical et, en descendant de la voiture, le docteur sourit et tendit le bras vers son compagnon.

— Stevie, je te présente Cyrus Montrose. Cela t'intéressera peut-être de savoir qu'il était en route pour le pénitencier — et un sort bien pire que le tien — avant que nos chemins se croisent et qu'il commence à travailler pour moi.

(J'appris plus tard que Cyrus avait, dans sa jeunesse, tué un flic irlandais véreux qui avait battu à mort une jeune prostituée noire dans un bordel où mon futur ami jouait du piano. Les parents de Cyrus avaient été lynchés par une foule irlandaise pendant les émeutes contre la conscription en 1863. A son procès, le Dr Kreizler avait argué qu'avec un tel passé il n'aurait pu réagir autrement à ce qui s'était passé au bordel.)

D'un signe de tête, je saluai le grand Noir qui inclina son melon et m'adressa un sourire chaleureux.

— Alors... commençai-je, hésitant, je vais travailler aussi pour vous, c'est ça ?

— Oh ! oui, tu travailleras, répondit le Dr Kreizler. Mais tu t'instruiras aussi. Tu liras, tu apprendras les mathématiques, tu exploreras l'histoire. Entre autres choses.

— Vraiment ? fis-je, déglutissant avec peine (je n'avais jamais mis les pieds dans une école).

— Vraiment, dit-il. (Il tira de sa poche un étui en argent, y prit un clope et l'alluma, remarquant mon regard avide.) Mais *ça*, c'est terminé, j'en ai peur. Plus de cigarettes, jeune homme. Et ceci... (Il inspecta le petit tas d'affaires que je trimbalais, y prit mon morceau de tuyau et le jeta au loin dans l'herbe.) Ceci ne sera plus nécessaire.

La perspective d'avoir les études pour seul loisir ne me rassurait pas. Je finis par demander :

— Et... et le travail ? Qu'est-ce que je ferai ?

— Tu m'as dit que lorsque la bande de Butch volait des voitures de livraison, tu étais généralement chargé de conduire, me rappela-t-il. Y avait-il une raison particulière à cela ?

— J'aime les chevaux, répondis-je en haussant les épaules. Et je conduis plutôt bien.

— Alors, dis bonjour à Frederick et Gwendolyn, reprit le docteur, indiquant de sa cigarette le hongre et la jument attelés au landau. Et prends les rênes.

Mon moral remonta considérablement. J'allai tapoter le long chanfrein du magnifique cheval noir, je caressai l'encolure brune de la jument.

— Sérieux ? demandai-je avec un sourire.

— Apparemment, l'idée de travailler te séduit plus que celle d'étudier, fit observer le Dr Kreizler. Voyons un peu comment tu te débrouilles. Cyrus, venez vous asseoir près de moi et aidez-moi à m'y retrouver dans mes rendez-vous. Je suis un peu perdu. D'après mes notes, j'aurais dû être au tribunal d'Essex Street il y a deux heures.

Comme le grand Noir descendait de son siège, le docteur leva de nouveau les yeux vers moi.

— Eh bien ? Au travail, donc !

Avec un autre sourire, je hochai la tête, me glissai à la place de Cyrus et fis claquer les rênes sur la croupe des chevaux.

Depuis, je n'ai jamais regardé en arrière, comme on dit.

Oui, ce furent de beaux jours, ces jours où nous n'avions jamais entendu le nom de John Beecham et où Mary Palmer vivait encore ! Et nous avions à présent de bonnes raisons de douter de leur retour, je m'en rendais compte. Ceux qui avaient toujours combattu le docteur et sa théorie du « contexte » (poussés, me semblait-il, par la crainte que ses recherches sur les conduites violentes et illégales ne l'amènent à mettre le nez dans la façon dont les Américains élevaient leurs gosses) contraient généralement ses arguments en rappelant que les Etats-Unis ont été bâtis sur le principe que tout homme est libre de choisir ses idées et ses actes, et qu'il en est responsable — quel que soit son passé. Sur le plan juridique, le docteur n'était pas réellement en désaccord avec eux ; il cherchait simplement des réponses scientifiques plus approfondies. Et depuis des années, la bataille entre l'aliéniste controversé et ceux qu'il déconcertait tant s'était plus ou moins enlisée. Mais le suicide du jeune Paulie McPherson avait offert aux ennemis du docteur l'occasion de reprendre les hostilités, et ils ne l'avaient pas laissée passer.

Le juge chargé de l'affaire était cependant un homme équitable, qui n'ordonna pas d'emblée la fermeture définitive de l'Institut. Il recommanda une période d'enquête de soixante jours, pendant laquelle les enfants seraient sous la tutelle du tribunal, et confia temporairement l'établissement au révérend Charles Bancroft, directeur d'orphelinat à la retraite. Le docteur lui-même se vit interdire de mettre les pieds dans les locaux durant cette période. Pour un homme d'un tempérament impatient comme lui, soixante jours — sans aucune certitude quant à l'avenir — pouvaient paraître une éternité. La réaction du docteur à cette décision ne dépendait pas seulement de sa personnalité ; les enfants eux-mêmes seraient un facteur décisif, car si un seul d'entre eux craquait pendant son absence — et certains de ces gosses présentaient des blessures psychologiques graves — le Dr Kreizler s'en tiendrait pour seul responsable, je le savais.

Juste après que j'eus tourné dans Forsyth Street, le fracas soudain d'un coup de feu dans une ruelle fit se cabrer Frederick et m'arracha à mes pensées. Le bruit provenait de l'arrière d'un vieux bâtiment délabré — le plus proche de l'Enfer qu'on pût trouver en guise de foyer. Je sautai à terre pour calmer le hongre en caressant son cou puissant et lui donnai un ou deux des morceaux de sucre que j'emportais toujours quand je conduisais. Les yeux rivés sur la ruelle, je vis bientôt apparaître la cause du vacarme : un homme petit et noueux, à l'expression égarée, affublé d'un chapeau mou et d'une moustache tombante. Il sortit de la ruelle armé d'un vieux fusil à double canon, sans se soucier de qui pouvait le voir. Un cri s'éleva derrière lui, mais il se contenta de répondre sans se retourner : « Maintenant, j'vais m'occuper de ton jules ! », puis il disparut au coin de la Bowery. Il n'y avait pas un argousin en vue, naturellement. Les flics se risquaient rarement dans ce quartier, et si l'un d'eux s'était trouvé à proximité, la détonation l'aurait vraisemblablement fait détaler dans la direction opposée.

Je remontai dans la calèche et repartis pour l'Institut. En parvenant aux numéros 185-187, Broadway Est — les

deux bâtiments de briques rouges aux boiseries orne-
mentales noires que le docteur avait achetés et réunis en
un seul espace des années plus tôt —, j'avisai un jeune
agent de police au pied du perron de l'entrée principale.
Je descendis, accordai à Frederick quelques caresses et
un morceau de sucre de plus, puis me dirigeai vers le policier, trop novice pour me connaître de vue.

— Je suppose que ça vous intéressera pas, de savoir
qu'il y a un abruti qui se balade dans la Bowery avec un
fusil…

— C'est-y pas Dieu possible, répondit le flic en me
toisant. Et en quoi ça te regarde ?

— C'est pas mes affaires, reconnus-je avec un haussement d'épaules. Mais j'ai pensé que ça pouvait être les
vôtres.

— Mon boulot, c'est ici, m'assena-t-il, bombant le
torse à en faire craquer sa tunique bleue. Ordre du tribunal.

— Ah.... Alors, vous pourriez peut-être prévenir le
Dr Kreizler que son cocher est là. Parce que le tribunal a
l'air de tenir beaucoup à lui faire vider les lieux.

Le poulet me jeta un regard mauvais.

— Tu sais, grogna-t-il en gravissant le perron, ce
genre d'attitude pourrait te valoir des ennuis, mon p'tit
gars.

Je le laissai entrer avant de secouer la tête et de cracher dans le caniveau.

— Va te faire voir, marmonnai-je. P'tit gars !

(Je dois peut-être souligner ici que la seule chose en
moi que les années passées auprès du Dr Kreizler n'ont
pas changée — mis à part mon goût pour les clopes —,
c'est mon attitude envers les flics.)

Quelques instants plus tard, le policier reparut, suivi
du docteur, d'un petit groupe d'élèves et d'un vieux sac
d'os confit en dévotion qui devait être le révérend Bancroft. Les enfants — quelques-uns des pensionnaires les
plus jeunes de l'Institut — offraient un échantillonnage
typique des cas dont le docteur avait la charge : une petite
fille des quartiers chics qui, depuis toujours, refusait
d'adresser un mot à quiconque en dehors de sa nounou
— avant sa rencontre avec le Dr Kreizler, s'entend —;

un garçon dont les parents tenaient une épicerie dans Greenwich Village et qui avait reçu plus que sa part de coups pour l'unique raison que sa conception avait été un accident et que ni sa mère ni son père ne supportait sa présence ; une autre fillette, qu'un ami du docteur avait trouvée dans une maison de tolérance où elle travaillait, bien qu'elle n'eût que dix ans (ce que l'homme faisait dans ladite maison, le docteur n'avait pas cherché à le savoir) ; un garçon élevé dans une vaste résidence de Rhode Island et qui avait passé le plus clair de ses huit ans à briser tout ce qui lui tombait sous la main dans une interminable série d'accès de colère.

Ils avaient tous revêtu l'uniforme gris et bleu de l'Institut, que le docteur avait dessiné lui-même et qu'il demandait aux enfants de porter pour que les riches ne traitent pas les pauvres avec arrogance. La première petite fille, celle qui n'avait jamais parlé à ses parents, s'agrippait à l'une des jambes du docteur et le gênait dans sa marche, tandis qu'il donnait au révérend ses dernières recommandations. L'autre petite fille gardait les mains derrière son dos et regardait autour d'elle comme si elle ne comprenait pas très bien ce qui se passait. Pendant ce temps, les deux garçons riaient et se chamaillaient de part et d'autre de Kreizler en se servant de lui comme d'un bouclier. Au total, une scène assez banale pour le lieu, mais un regard attentif eût décelé les indices de quelque chose d'inhabituel.

En premier lieu, le docteur lui-même. Son costume de lin noir, froissé et chiffonné par endroits, laissait supposer qu'il avait travaillé toute la nuit. Si ses vêtements ne l'avaient pas trahi, son visage l'eût fait : il avait les traits tirés, l'air épuisé, et l'expression de satisfaction qu'on ne lui voyait qu'à l'Institut en était absente. En parlant au révérend Bancroft, il se penchait en avant avec une sorte d'indécision qui ne lui ressemblait pas, et le pasteur semblait le sentir : posant une main sur le dos de Kreizler, il lui conseilla de se détendre et de faire le meilleur usage possible des semaines à venir — tout finirait par s'arranger, il en était sûr. Le docteur secoua la tête, résigné, frotta ses yeux noirs et parut se rappeler soudain la présence des enfants.

Il se redressa et écarta la fillette accrochée à sa jambe, demanda aux garçons de se calmer, en s'adressant à eux comme il le faisait avec tous les enfants, d'un ton affectueux et direct, comme s'il n'y avait pas eu entre eux la barrière de l'âge. Il me découvrit en bas des marches et je me dis qu'il faisait tout son possible pour ne pas craquer avant d'arriver à la voiture. La seconde petite fille ne lui facilita pas la tâche : de derrière son dos, elle fit apparaître un bouquet de roses enveloppé dans le papier grossier d'un fleuriste de quartier, retenant encore cependant tout l'éclat du nouvel été dans leurs pétales blancs et roses. Il sourit, s'accroupit pour recevoir les fleurs, mais quand la fillette, ange déchu à qui il avait redonné le droit à l'enfance, lui passa les bras autour du cou, le sourire disparut et il eut toutes les difficultés du monde à maîtriser son émotion. Il se releva vivement, demanda de nouveau aux garçons de se bien conduire puis serra la main du révérend et descendit le perron à la hâte. Je tenais la portière de la voiture ouverte et il se précipita à l'intérieur.

— A la maison, Stevie !

Ce fut tout ce qu'il parvint à dire. En un éclair, je fus de nouveau sur mon perchoir, le fouet à la main. Les gosses lui adressaient encore des signes de la main quand je fis demi-tour, mais le Dr Kreizler, effondré sur la banquette de cuir marron, ne leur répondit pas.

Il demeura silencieux pendant tout le trajet, même quand je lui narrai la rencontre avec le malade au fusil. Je lui jetai quelques coups d'œil par-dessus mon épaule. Bien que la matinée devînt de plus en plus magnifique, avec une brise soufflant dans l'avenue des senteurs de feuillage frais qui parvenaient presque à couvrir la puanteur des tas d'ordures, du crottin et de l'urine de cheval, il ne le remarquait apparemment pas. Il avait fermé la main droite et frappait du poing contre ses dents en regardant fixement devant lui. De sa main gauche, il serrait si fortement le bouquet de roses qu'une épine le piqua. Je l'entendis pousser un petit sifflement de souffrance, mais je ne dis rien — je ne sais ce que j'aurais pu dire. L'homme n'était plus qu'une balle morte, c'était clair, et

90

le mieux que je pouvais faire, c'était le ramener rapidement chez lui.

Une fois dans la maison de la 17ᵉ Rue, le docteur, à présent littéralement blême d'épuisement, se tourna vers Cyrus et moi.

— Il faut que j'essaie de prendre un peu de repos, murmura-t-il en montant les premières marches de l'escalier.

Il sursauta, s'arrêta quand un seau se renversa dans le couloir de la cuisine avec un bruit étonnant, même pour Mrs Leshko. Le boucan fut suivi d'un long chapelet de ce qui devait être des jurons russes. Kreizler soupira.

— A supposer qu'on puisse communiquer avec cette femme, voulez-vous la prier de faire en sorte que la maison reste silencieuse pendant quelques heures ? Si elle en est incapable, donnez-lui son après-midi…

— Oui, monsieur, répondit Cyrus. Si vous avez besoin de quoi que ce soit…

Le docteur leva une main, hocha la tête et disparut dans l'escalier. J'échangeai un regard avec Cyrus.

— Alors ? chuchota-t-il.

— Ça va pas fort, répondis-je. Mais j'ai une idée… (Nouveau tintamarre et nouveaux jurons dans la cuisine.) Tu t'occupes de Mrs Leshko, moi je téléphone à Mr Moore.

Cyrus acquiesça de la tête et je descendis en courant le couloir de la cuisine, passai devant la masse marmonnante de lin bleu et de chair robuste de Mrs Leshko. Je poursuivis ma course sur le carrelage de la cuisine, freinai dans l'office pour m'arrêter devant le téléphone mural. Après avoir fermé la porte, je décrochai, inclinai la tige de l'appareil pour le mettre à ma hauteur, demandai à l'employée de me donner le *New York Times*. Quelques secondes plus tard, j'avais Mr Moore à l'autre bout du fil.

— Stevie, dit-il. Nous avons du nouveau. Des faits intéressants.

— Ouais ? Des nouvelles du bébé ?

— Simplement la confirmation qu'il a effectivement disparu : personne au consulat ne l'a vu depuis des jours. Je n'ai pas osé interroger des personnes plus haut placées, pas avec ce que la *señora* a subi. Et toi, de ton côté, quoi de neuf ?

— Il est plutôt mal en point en ce moment, répondis-je. Mais il est monté se reposer. Et je pense…

Il attendit la suite dans le cliquetis des machines à écrire et finit par me demander :

— Tu penses… ?

— Je sais pas. Cette affaire… Si vous la présentez comme il faut, il pourrait peut-être… Je veux dire en la reliant à toutes ces histoires avec l'Espagne… Et la *señora*, si on pouvait le convaincre de la rencontrer… Et le portrait de la petite fille…

— Qu'est-ce que tu racontes, Stevie ?

— Juste que… Il est dans un triste état. Et si cette affaire débouche sur ce qu'on peut supposer…

— Ahhh ! fit Mr Moore, d'un ton satisfait. Je vois. On dirait que ton éducation commence à porter ses fruits, petit… Si je t'ai bien compris, tu penses que cette affaire pourrait révéler des choses assez vilaines sur le genre de personnes qui cherchent à abattre le docteur. Et le fait qu'un bébé innocent soit impliqué, ce serait la cerise sur le gâteau. Exact ?

— Euh, ouais. Quelque chose comme ça.

— Je vais te dire une chose, Stevie. Je connais Laszlo depuis le temps où nous avions tous deux moins que ton âge. Aussi abattu et épuisé soit-il, si cette affaire ne le réveille pas, nous pouvons fixer la date de ses funérailles dès maintenant, parce qu'il est déjà mort.

— Ouais. Mais il faut bien lui présenter la chose.

— Ne t'inquiète pas, j'ai déjà trouvé le moyen. Dis au docteur que nous viendrons tous prendre un verre en fin d'après-midi…

J'entendis une voix l'appeler.

— Ouais ? répondit-il, éloignant la bouche de l'appareil… Quoi ? Bensonhurst ? Non, non, non, Harry, je couvre New York !… Je me moque de ce que dit Platt, Bensonhurst n'est pas New York !… Et ce n'est pas moi qui ai suivi cette affaire, pour commencer !… Bon, d'accord, d'accord ! (Sa voix redevint plus nette :) Je dois partir, Stevie, un imbécile de docteur a essayé d'abattre sa famille la nuit dernière à Bensonhurst. Apparemment, les autorités ne sont pas satisfaites de la façon dont nous avons relaté l'histoire. N'oublie pas : nous passons ce soir prendre un verre…

— Mais vous ne m'avez pas parlé des faits nouveaux…

— Plus tard.

Il raccrocha, ne me laissant d'autre choix qu'attendre le soir pour apprendre ce qu'il avait à nous dire.

7

Le Dr Kreizler réussit à dormir jusqu'en milieu d'après-midi puis fit venir Cyrus dans son bureau. Je passai moi aussi la tête dans la pièce pour annoncer que Mr Moore, Miss Howard et les Isaacson avaient l'intention de venir prendre un verre, perspective qui parut le ragaillardir un peu. Avec l'aide de Cyrus, il entreprit de classer le courrier dont il n'avait pas eu le temps de s'occuper les jours précédents. J'essayai de bûcher moi aussi quelques heures, sans mettre toutefois beaucoup de cœur à l'ouvrage. Prenant pour prétexte que la plupart des enfants n'ont pas de devoirs à faire pendant l'été, j'allai à l'écurie fumer une cigarette en douce et étriller Frederick. Je passai ensuite à Gwendolyn, qui avait attendu son tour avec sa bonne humeur habituelle. C'était une bonne bête, aussi puissante que le hongre mais sans sa fougue, et m'occuper d'elle m'aida à calmer mon impatience.

Nos invités arrivèrent à six heures et demie. Le soleil brillait encore derrière les deux tours carrées et trapues de l'église St George, dans la partie ouest de Stuyvesant Park : c'était le jour le plus long de l'année, et le temps était au beau fixe. Mr Moore et les autres montèrent au salon où le docteur lisait une lettre en écoutant Cyrus jouer et chanter un air d'opéra fort triste — probablement l'histoire de deux personnes qui s'aiment et qui meurent. (C'est en général ce que racontent les opéras, d'après le peu que j'ai pu comprendre de cette forme musicale particulière.) Comme à mon habitude, j'observai la scène qui suivit d'un coin obscur, en haut de la première volée de marches.

Chacun donna au docteur une chaleureuse poignée de main, que Mr Moore assortit d'une grande tape dans le dos.

— Laszlo, tu as une tête épouvantable, déclara-t-il avant de fondre sur un coffret à cigarettes en argent rempli d'un mélange de tabacs noirs virginien et russe.

— C'est fort aimable à toi de le remarquer, Moore, répondit le maître de maison avec un soupir. (Il tendit le bras vers le fauteuil situé en face du sien.) Sara, je vous en prie.

— Comme toujours, John fait preuve d'un tact parfait, ironisa Miss Howard en s'asseyant. Tout bien considéré, docteur, je trouve que vous avez bonne mine.

— Hmm, oui, fit-il, dubitatif. Tout bien considéré…

Elle eut un sourire crispé en se rendant compte que son rectificatif était à double tranchant, mais le Dr Kreizler lui rendit son sourire en la remerciant.

— Et les sergents enquêteurs sont là aussi, poursuivit-il. C'est vraiment une bonne surprise. J'ai reçu aujourd'hui une lettre de Roosevelt — j'étais en train de la lire.

— Ah ! oui ? dit Lucius. Qu'est-ce qu'il vous écrit ?

— Je parie qu'il ne terrorise pas les marins comme il le faisait avec nos agents de police, avança Marcus.

— Désolé de vous interrompre, intervint Mr Moore à l'autre bout de la pièce, mais nous sommes venus pour prendre un verre. Nous pouvons faire le service nous-mêmes, Kreizler ? s'enquit-il, indiquant une table roulante de verre et d'acajou couverte de bouteilles. Je présume que la virago d'en bas ne s'en chargera pas. C'est quoi, d'ailleurs, une réfugiée ?

— Mrs Leshko ? dit le docteur. (D'un mouvement de tête, il montra le chariot à liqueurs, vers lequel le journaliste se précipita tel un homme mourant de soif dans le désert.) Non, je crains qu'elle ne soit notre gouvernante. Ainsi, à mon profond regret, que notre cuisinière. J'ai demandé à Cyrus d'essayer de lui trouver une autre place — je ne voudrais pas m'en séparer avant qu'elle ait un emploi assuré.

— Tu ne veux pas dire que tu manges vraiment sa cuisine ? s'exclama Mr Moore. (Il disposa six verres devant lui, versa dans chacun un peu de gin, du vermouth et un trait de bitter. Un Martini's, il appelait ça, mais j'avais entendu certains barmen dire aussi un Martinez.) Laszlo, tu connais la cuisine russe. Là-bas, on la mange uniquement parce qu'on y est obligé, dit-il en distribuant les verres.

— J'en suis péniblement conscient, Moore, crois-moi.

— Et cette lettre, docteur ? rappela Miss Howard après avoir bu une gorgée. Que raconte notre estimé sous-secrétaire ?

— Rien de bon, j'en ai peur. Aux dernières nouvelles, Cabot Lodge et lui fréquentent assidûment la maison de Henry Adams. Henry effectue en ce moment un voyage en Europe, mais son imbécile de frère tient table ouverte pendant son absence, semblerait-il.

— Brooks ? fit Miss Howard. Et vous trouvez ça préoccupant ?

— Vous ne pensez quand même pas que qui que ce soit l'écoute vraiment ? dit Marcus.

— Je me le demande, répondit le docteur. J'ai écrit à Roosevelt que je tiens Brooks Adams pour un mythomane. Dans sa lettre, il me répond qu'il aurait tendance à être de mon avis mais qu'il trouve cependant intéressantes bon nombre des idées du personnage.

Lucius écarquilla les yeux.

— Consternant, lâcha-t-il. Tout ce boniment sur l'« esprit martial », le « sang guerrier »…

— De méprisables bêtises, voilà ce que c'est, décréta le Dr Kreizler. Quand des hommes tels que Brooks Adams appellent à la guerre pour régénérer la nation, ils ne font que révéler leur propre dégénérescence. Si ce type se retrouve un jour lui-même sur un champ de bataille…

— Laszlo, ne t'inquiète pas, dit Mr Moore. Brooks est la coqueluche du moment, c'est tout. Personne ne le prend au sérieux.

— Non, mais des hommes comme Roosevelt et Lodge prennent ses idées au sérieux, avertit le Dr Kreizler. (Il se leva et se dirigea en secouant la tête vers un grand palmier en pot.) Ils sont maintenant à Washington et conspirent pour nous entraîner dans une guerre avec l'Espagne.

Je vous le déclare : une telle guerre changera ce pays. Profondément. Et pas en bien.

Mr Moore sourit en buvant.

— On croirait entendre le professeur James : il tient les mêmes propos. Tu ne l'aurais pas vu, récemment ?

— Ne sois pas ridicule, grogna le docteur, un peu embarrassé qu'on mentionne son vieux maître, avec qui il n'avait en fait pas eu de contacts depuis des années.

Lucius chercha à être impartial :

— Les Espagnols ont de bonnes raisons de nous en vouloir : nous les traitons de porcs et de bouchers pour leur conduite envers les rebelles cubains.

Miss Howard eut un sourire perplexe.

— Comment peut-on être à la fois porc et boucher ?

— Je ne sais pas, mais ils y sont parvenus, répondit Mr Moore. Ils ont réprimé sauvagement la rébellion — incarcérations, exécutions en masse…

— Oui, mais les rebelles ont montré en retour une barbarie égale, John, argua Marcus. Massacre de soldats capturés, de civils, aussi, s'ils ne soutiennent pas la cause…

— Marcus a raison, Moore, intervint le docteur avec impatience. L'objectif des rebelles n'est ni la liberté ni la démocratie, c'est le pouvoir. Un côté le détient, l'autre veut s'en emparer, voilà tout.

— Exact, convint le journaliste avec un haussement d'épaules.

— Et nous, nous cherchons à créer une sorte d'Empire américain, ajouta Lucius.

— Oui. Dieu nous protège… murmura le Dr Kreizler. (Il retourna à son fauteuil, reprit la lettre de Mr Roosevelt, la parcourut de nouveau puis la replia en se rasseyant et la rangea avec une moue de dégoût.) Assez parlé de cela. Si vous me disiez plutôt ce qui vous amène ?

— Ce qui nous amène ? répéta Mr Moore avec une expression d'étonnement et d'innocence dont n'importe quelle star des variétés de la Bowery eût été jalouse. Mais… la sollicitude. Le soutien moral…

— Seulement ? fit le docteur d'un ton soupçonneux.

— Non, pas seulement, avoua l'homme de presse en se tournant vers le piano. Cyrus, vous ne pourriez pas nous interpréter quelque chose d'un peu moins funèbre ? Nous sommes tous désolés que le vieil Othello ait étranglé sa charmante épouse sans raison mais puisque la Nature nous offre ce soir un spectacle enchanteur, je pense que nous pourrions nous épargner de tels sentiments. Vous ne connaîtriez pas un air moins... moins poussiéreux ? Voyons, chers amis et collègues, c'est l'été, que diable !

Cyrus répondit à la requête en attaquant *White*, une rengaine des années 1840 qui revigora aussitôt Mr Moore. Il adressa un sourire épanoui à son ami, qui le regarda avec quelque inquiétude.

— Il y a des moments où je m'interroge sur ta santé mentale, Moore.

— Allons, Kreizler ! Tout ira bien, je te le garantis. En fait, je t'apporte la preuve vivante que la situation commence à évoluer en ta faveur.

Du menton, le journaliste désigna les frères Isaacson.

— Les sergents enquêteurs ? fit le docteur, se tournant vers eux. Qu'est-ce que vous venez faire là-dedans ?

Marcus coula à Mr Moore un regard irrité, lui tendit son verre vide.

— John, si vous vous contentiez de faire le service...

— Avec plaisir ! s'écria Mr Moore, qui retourna au chariot à liqueurs.

Renonçant à attendre de son ami des explications sensées, le Dr Kreizler s'adressa de nouveau aux policiers :

— Dites-moi, messieurs, Moore aurait-il perdu la tête, qu'il vous ait fait venir ici sur une quelconque lubie ?

— Oh ! ce n'est pas John, s'empressa de répondre Marcus.

— Vous pouvez remercier le capitaine O'Brien, ajouta Lucius. Si « remercier » est le mot qui convient.

— Le chef des inspecteurs ? Et de quoi dois-je le remercier ?

— De vous permettre de nous voir assez fréquemment dans les soixante prochains jours, j'en ai peur, répondit Marcus. Vous n'ignorez pas que le tribunal a ordonné une enquête sur la gestion de votre institut...

Je devinai la suite — le docteur aussi, probablement. Il n'en dit pas moins :

— Et ?

— Et l'enquête, c'est nous, répondit Lucius.

— Vous ? fit le Dr Kreizler, d'une voix où un certain soulagement se mêlait à la surprise. Mais O'Brien ne sait-il pas...

— Que nous sommes de vos amis ? acheva Marcus. Bien sûr que si. C'est ce qui rend la chose amusante, à ses yeux. Voyez-vous... Par où commencer ?

L'explication des inspecteurs sur ce qui s'était passé ce jour-là au quartier général de la police étant saupoudrée de leurs habituelles chamailleries, je résume l'affaire :

Tout avait commencé avec le morceau de cadavre que Cyrus et moi avions vu la veille sur les quais, près de la jetée de la Cunard. (A vrai dire, tout avait commencé quand les Isaacson étaient entrés dans la police, car leurs méthodes révolutionnaires, s'ajoutant au fait qu'ils étaient juifs, leur avaient instantanément valu une antipathie quasi générale.) Pour tout le service, des simples agents présents sur les lieux au capitaine O'Brien, chef des inspecteurs, il était clair que le torse retrouvé dans l'eau annonçait une affaire retentissante. L'été à New York n'est pas complet sans un meurtre mystérieux et sensationnel, et celui-là donnait tous les signes requis, à commencer par la probabilité de retrouver d'autres morceaux du corps dans diverses parties de la ville (ce qui fut le cas). La presse lui consacrait déjà une grande place et continuerait sans doute à le faire, en mettant en avant les policiers qui travaillaient sur l'affaire et la résoudraient. Mais les flics devraient jouer finement en la présentant au public comme une énigme extrêmement difficile à percer, de manière à pouvoir se couvrir de lauriers le moment venu.

Les Isaacson avaient été envoyés sur les lieux au milieu de la nuit, alors que le capitaine O'Brien dormait et que personne ne savait encore ce qui les attendait à la jetée. O'Brien aurait mieux aimé mourir étouffé que confier ce qui promettait d'être la plus grosse prise de l'été à deux inspecteurs qui passaient leur temps à lui dire que ses méthodes étaient tellement dépassées qu'elles en devenaient risibles. Et les Isaacson avaient définitivement perdu toute chance de s'occuper de l'affaire en rédigeant un rapport initial selon les grandes lignes de ce que nous avions entendu Lucius expliquer ce soir-là près du fleuve : tout indiquait qu'il s'agissait d'un crime passionnel commis par un proche de la victime, quelqu'un qui connaissait ses signes particuliers et les avait soigneusement mis de côté — quelqu'un, en d'autres termes, qui cherchait avant tout à cacher l'identité de la victime pour ne pas être soupçonné. Or les pontes préféraient l'hypothèse d'un anatomiste fou ou d'un étudiant en médecine revendant des morceaux de corps, le genre d'histoire macabre qui excite toujours l'imagination du public. Et c'est la version qu'ils livrèrent aux journaux le soir même, sans se soucier du fait que tout la contredisait. La vérité n'aurait jamais à leurs yeux autant de valeur qu'une histoire inventée qu'ils pouvaient utiliser à leur avantage.

Le lundi matin, le capitaine O'Brien prit connaissance du rapport des Isaacson et estima que pour tirer tout le profit possible du « mystère du corps sans tête », il devait tenir les deux frères à l'écart. Comme il se trouvait qu'il devait par ailleurs, ce matin-là, désigner deux inspecteurs pour enquêter sur les conditions générales à l'Institut pour l'enfance de Kreizler et le suicide apparent du jeune Paulie McPherson, il prit un malin plaisir à informer les Isaacson que non seulement il leur retirait l'affaire du torse mais qu'il les mettait sur celle de l'Institut. O'Brien savait qu'ils connaissaient bien Kreizler, mais, comme la plupart des flics, il n'aimait pas le docteur, et l'idée de lui compliquer un peu plus encore l'existence le ravissait.

— Et nous voilà, conclut Marcus. Je suis désolé, docteur. Nous nous efforcerons de vous importuner le moins possible...

— Le moins possible, répéta Lucius avec empressement.

Mon maître chercha à les mettre à l'aise :

— Ne soyez pas embarrassés, vous n'y pouvez rien. Il fallait s'attendre à ce genre de coup. Essayons d'en tirer parti. Le personnel et moi-même nous sommes creusé la tête pour trouver un indice sur ce qui a poussé le jeune McPherson à se tuer. Sans résultat, je le crains. Je suis aussi sûr qu'on puisse l'être que ce n'est pas un incident survenu à l'Institut qui a provoqué son geste, bien qu'il vous appartienne maintenant d'en juger par vous-mêmes. Sachez toutefois qu'il n'y a pas une personne au monde à qui je confierais plus volontiers cette affaire qu'à vous.

— Merci, bredouilla Lucius.

— Oui, dit Marcus, mais nous allons quand même vous empoisonner la vie, j'en ai peur...

— Ne dites pas de sottises ! répondit le docteur.

J'entendis dans sa voix le soulagement qu'il éprouvait. Jetant un coup d'œil à Mr Moore et Miss Howard, je m'aperçus qu'ils souriaient d'un air béat, et il n'était pas difficile de deviner pourquoi : la nouvelle affectation des Isaacson nous donnait des chances supplémentaires d'obtenir l'aide du docteur pour l'affaire Linares, et nous permettrait en outre d'avoir accès aux talents des deux frères vingt-quatre heures sur vingt-quatre. Il y avait effectivement de quoi sourire.

— Beaucoup de bruit pour rien, de toute façon, estima Mr Moore, qui finissait de resservir une tournée. Au *Times,* tout le monde dit que le soufflé va retomber.

— Vraiment ? fit le docteur, pas très rassuré.

— Absolument.

En tendant son verre au docteur, Mr Moore se pencha un peu trop brusquement, et un paquet de papiers et de lettres tomba de la poche intérieure de sa veste.

— Sapristi ! jura-t-il d'un ton qui m'aurait paru tout à fait convaincant si je n'avais su que l'objectif de la soirée était d'intéresser mon maître à l'affaire Linares. Laszlo, tu veux bien... dit-il, tendant un verre à Lucius.

Le Dr Kreizler ramassa les documents éparpillés sur le sol, leur accorda un bref coup d'œil en les remettant en ordre. Soudain, il s'arrêta sur l'un d'eux.

La photographie de la petite Ana Linares.

Il l'examina — comme le rusé Mr Moore l'avait prévu, je n'en doute pas — et se mit à sourire.

— Quelle charmante enfant. La fille d'un ami, John ?

— Hmm ? fit le journaliste, l'air innocent.

— Elle est trop mignonne pour être de ta famille, reprit le docteur.

Les autres commirent leur première erreur en s'esclaffant, car le docteur n'avait montré la photo à personne : s'ils connaissaient le joli visage, c'est qu'ils mijotaient quelque chose. Kreizler les considéra attentivement.

— Qui est-ce, alors ?

Mr Moore récupéra ses lettres et ses papiers.

— Personne, Laszlo. Rien d'important.

Pendant que se déroulait ce petit jeu, je vis le sergent Lucius Isaacson saisir l'édition du soir du *Times* et la placer nerveusement devant son visage.

— Comment ça, personne ? insista le docteur. Tu portes sur toi la photo d'un enfant que tu ne connais pas, maintenant ?

— Non. Mais c'est... Aucune raison de t'inquiéter.

— Je ne suis pas inquiet. Pourquoi m'inquiéterais-je ?

— Exactement. Aucune raison.

— Mais *toi*, tu as des raisons de t'inquiéter ?

Mr Moore but une gorgée, leva la main.

— Laszlo, je t'en prie, tu as assez de soucis comme ça. N'en parlons plus.

— John, si tu as des ennuis... commença le docteur, réellement alarmé, à présent.

Il s'interrompit quand Miss Howard lui toucha le bras.

— Inutile de harceler John, dit-elle. En fait, il s'agit d'une petite affaire dont je m'occupe. Il m'aide un peu, c'est tout. Je lui ai confié la photo.

Le Dr Kreizler se laissa aller contre le dossier de son fauteuil, l'air moins inquiet mais plus intrigué.

— Une affaire, Sara ?

— Oui, fit-elle, laconique.

Je sentis que le docteur trouvait fort instructive l'attitude réticente de ses amis, et sa remarque suivante fut un peu plus directe :

— Sergent, dit-il au fébrile Lucius, je crois que vous aurez moins de mal à lire le journal si vous le tournez dans le bon sens...

— Oh ! fit le policier, qui régla le problème dans un bruissement de papier tandis que son frère lâchait un soupir. Oui, je... je pense que vous avez raison.

Après un silence, l'aliéniste reprit :

— Je présume que vous aidez vous aussi Miss Howard, tous les deux ?

— Pas vraiment, répondit Marcus avec embarras. Pas beaucoup, je veux dire. Pourtant, l'affaire est… intéressante, d'une certaine façon.

— A vrai dire, intervint Miss Howard, si vous pouviez nous faire part de vos réflexions… Officieusement, bien sûr. Sans rien vous imposer.

— Bien sûr, répondit-il.

A la façon dont il prononça ces mots, j'eus le sentiment qu'il commençait à se forger une idée de ce qui se passait, et qu'il était disposé à faire les premiers pas sur la route menant à sa participation.

Sentant que son ami avait mordu à l'hameçon, Mr Moore se dérida et regarda sa montre.

— Bon ! Nous en discuterons tout aussi bien en dînant. J'ai réservé une table au Mouquin's. Kreizler, tu viens aussi.

En d'autres circonstances, le docteur aurait trouvé un moyen de se dérober mais, ce soir-là, il était trop intrigué pour tenter de le faire.

— Eh bien… Ce sera avec plaisir.

— Parfait. Et Cyrus se fera un plaisir de conduire, n'est-ce pas, Cyrus ?

— Certainement, monsieur, répondit le Noir d'un ton jovial.

Mr Moore se tourna vers l'escalier.

— Stevie !

— J'arrive ! répondis-je en descendant.

— La voiture, s'il te plaît, me demanda-t-il. Cyrus, vous aiderez le docteur à se préparer pour une soirée en ville ?

Cyrus acquiesça et je dévalai l'escalier pour aller atteler Gwendolyn à la calèche. Lorsque j'amenai la voiture devant la grille, les autres sortaient de la maison. Je remis les rênes à Cyrus et, pendant que les invités montaient dans la calèche, le Dr Kreizler me recommanda de faire bon usage de ma soirée et de me coucher de bonne heure.

Je ne pus retenir un rire en les regardant s'éloigner.

8

L'impatience qui m'avait habité tout l'après-midi se remit à me ronger les entrailles. Je descendis à la cuisine annoncer à Mrs Leshko qu'elle pouvait rentrer chez elle, que je me chargerais de ranger le salon. Elle me gratifia d'un sourire radieux, faillit m'arracher une joue en la pinçant pour exprimer sa gratitude, puis rassembla ses affaires et partit. Je retournai au salon, remis les bouteilles sur le chariot, portai les verres en bas pour les laver. Je passai ensuite plusieurs heures dans ma chambre à potasser l'histoire de la Rome antique en fumant un demi-paquet de cigarettes, m'interrompant de temps à autre pour explorer notre nouvelle glacière en quête de quelque chose à grignoter, faire nerveusement les cent pas et me demander si le docteur accepterait de nous aider à retrouver la petite Ana Linares.

Après avoir déposé les autres à leurs domiciles respectifs, le Dr Kreizler rentra vers minuit. C'était tôt pour leur petite bande, mais, ces dernières semaines, le docteur ne s'était autorisé aucune distraction aussi longue, et je vis dans l'heure de son retour un signe de bon augure. Quand je l'entendis entrer — Cyrus était à l'écurie, où il s'occupait de Gwendolyn —, je quittai ma chambre pour me rendre au salon, où je savais qu'il était en train de se servir un dernier verre. J'avais pris la précaution de me mettre en chemise de nuit et peignoir, et en descendant lentement l'escalier, je passai une ou deux fois les mains dans mes cheveux pour les ébouriffer. Je fis également de mon mieux pour prendre un air endormi, ouvrant grande la bouche sur un bâillement silencieux au moment où je pénétrais dans le salon. Je trouvai mon protecteur assis dans un fauteuil, un petit verre de cognac à la main, lisant de nouveau la lettre de Mr Roosevelt. Il leva les yeux à mon entrée.

— Stevie, qu'est-ce que tu fais encore debout ? Il est tard.

— Minuit seulement, marmonnai-je en me dirigeant vers la fenêtre. J'ai quand même dû m'assoupir…

Il eut un petit rire.

— Bien essayé mais un peu transparent, Stevie.

Je ris moi aussi et haussai les épaules. Posant son verre, le docteur alla se poster à l'autre fenêtre.

— Tu te rends compte de ce qu'ils veulent que je fasse ? demanda-t-il au bout d'un moment.

Je devais m'attendre à la question, puisque j'y répondis sans guère hésiter :

— Oui oui. Très bien.

— Et depuis combien de temps es-tu au courant ?

— Miss Howard m'en a parlé hier soir.

Il hocha la tête, sourit brièvement, continua à regarder par la fenêtre.

— Je ne sais pas si j'en suis capable.

Je haussai de nouveau les épaules.

— A vous de décider. Je comprendrais, avec ce qui s'est passé…

— Oui. Nous avons bien failli te perdre, la dernière fois.

Sa réponse me surprit : persuadé que Mary Palmer était au cœur de ses pensées quand il considérait l'affaire Linares, j'avais totalement oublié qu'au cours de l'épisode qui avait coûté la vie à la pauvre Mary, j'avais eu un sérieux accrochage avec le Faucheur — et Cyrus également, fait que je m'empressai de rappeler au docteur.

— Cyrus est un adulte, répondit-il. S'il est prêt à courir les risques que cette affaire implique, libre à lui. Dieu sait que l'affaire Beecham lui fournit un excellent point de référence. (Il se tut, poussa un long soupir fatigué.) Mais toi, c'est différent.

— Jamais j'aurais cru… commençai-je.

105

— Je sais. Tu n'as pas eu beaucoup de temps pour apprendre que tu es important. Mais tu l'es, Stevie. Mary aussi l'était, je n'ai pas besoin de te le rappeler. Mais elle... elle n'est plus là.

C'était tout ce qu'il pouvait supporter de dire à son sujet — et plus qu'il ne m'en avait jamais dit.

— Ça paraît toujours pas normal, murmurai-je, laissant les mots s'échapper avant d'avoir eu le temps de réfléchir. Son absence, je veux dire.

— Non. Et cela ne paraîtra jamais normal. (Il tira sa montre de son gousset, la fit osciller d'une manière étrange pour lui, comme s'il ne savait comment exprimer ce qui habitait son esprit.) Je... je n'aurai sans doute pas d'enfants, Stevie. Des enfants à moi, je veux dire. Mais si je devais avoir un fils, je ne pourrais que souhaiter qu'il ait ton courage. Dans tous les domaines. (Il rangea sa montre.) Je ne puis te mettre de nouveau en danger.

— Ouais, je comprends. Mais... (Les mots commençaient à me poser un problème à moi aussi.) Mais j'ai été en danger toute ma vie avant de venir habiter chez vous. C'est pas une affaire, du moment qu'il y a une bonne raison. Et là... vous avez vu la photo, la petite fille. Vous savez ce qui pourrait arriver. Je ne voudrais pas que vous disiez non à cause de moi. Si je vous gêne, vous pouvez, je sais pas, m'envoyer quelque part. Mais vous devez aider les autres. Parce que, d'après le sergent Lucius, cette affaire pourrait devenir énorme, et salement vilaine.

Le docteur sourit, me lança un regard inquisiteur.

— Quand a-t-il dit ça ?

Je me frappai le front du bout des doigts.

— Oh ! D'accord, fis-je en riant. Hier soir.

— Ah...

Pendant un moment assez long (mais qui ne put durer en fait plus de quelques minutes, pas assez pour que Cyrus en ait terminé à l'écurie), nous restâmes à contempler Stuyvesant Park.

— Les inspecteurs ont trouvé l'arme ce matin, finit par dire le docteur. Ils t'en ont parlé ?

Tout excité, je me tournai vers lui.

— Non, mais Mr Moore m'avait dit qu'il y avait du nouveau. Qu'est-ce que c'était, un bout de tuyau ?

— Ton instrument favori, confirma-t-il, ouvrant son étui à cigarettes. On l'a retrouvé sous un banc, près de l'obélisque. Les Isaacson l'ont saupoudré de céruse et ont relevé des empreintes digitales. Il y avait aussi un peu de sang, mais impossible de dire de qui ou même de quoi il provenait. Il reste beaucoup à faire dans ce domaine de la police scientifique, j'en ai peur… (Il alluma une cigarette, souffla la fumée vers la fenêtre ouverte.) Qui diable enlèverait la fille d'un diplomate espagnol sans chercher ensuite à en tirer profit d'une manière ou d'une autre… ?

Un sourire me monta aux lèvres.

— Alors, vous allez les aider ?

Il poussa un autre soupir.

— Je suis confronté à un dilemme, me semble-t-il. Je n'ai aucune envie de t'envoyer en lieu sûr, Stevie, mais je ne saurais être la cause de nouveaux dangers pour toi.

Il tira une longue bouffée de sa cigarette avant de me demander :

— Dis-moi, quelle solution proposerais-tu ?

— Moi ?

— Oui. Comment devrais-je régler le problème, d'après toi ?

— Vous devriez… commençai-je, cherchant mes mots. Vous devriez faire comme vous avez toujours fait. Etre mon ami. Croire que je sais me débrouiller seul. Parce que je sais… aussi bien que les autres membres de l'équipe, en tout cas, ajoutai-je avec un petit rire.

Il sourit et s'approcha de moi pour m'ébouriffer les cheveux.

— Exact, reconnut-il. Et exprimé avec ton respect habituel pour tes aînés…

Nous entendîmes la porte d'entrée s'ouvrir et se refermer, puis Cyrus monter l'escalier en bondissant. Lorsqu'il me découvrit dans le salon, il s'arrêta sur le seuil, comme par souci de discrétion, mais le docteur lui fit signe d'entrer.

— Autant que vous soyez vous aussi au courant, Cyrus. Nous allons, semble-t-il, reprendre nos activités investigatrices, annonça-t-il en écrasant sa cigarette dans un cendrier. Si vous le souhaitez, s'entend.

— Avec grand plaisir, monsieur.

— Vous veillerez sur notre jeune ami, n'est-ce pas ? Apparemment, il traîne déjà dehors à des heures indues avec les sergents enquêteurs… (Le docteur leva les yeux vers le grand Noir.) Vous ne seriez pas au courant ?

Cyrus sourit, croisa les bras, fixa le plancher.

— Oui, docteur, vaguement.

— C'est bien ce que je pensais, dit l'aliéniste en se dirigeant vers l'escalier. En tout cas, moi, j'ai besoin de dormir. Le sommeil sera peut-être une denrée rare, dans les prochains jours. (Il s'arrêta avant de monter les marches et se tourna vers nous.) Soyez prudents, tous les deux. Dieu sait où cette affaire peut conduire…

Bredouillant, Cyrus et moi nous engageâmes solennellement à faire preuve de prudence, mais après que le docteur eut disparu dans l'escalier, nous ne pûmes nous empêcher d'échanger un sourire.

9

Le Dr Kreizler téléphona le lendemain matin à Miss Howard pour l'informer de sa décision et lui demander d'arranger une entrevue le soir même au 808, Broadway, avec la *señora* Linares afin qu'il puisse interroger personnellement sa cliente. Miss Howard rappela peu après pour annoncer qu'elle avait pu fixer un rendez-vous à huit heures et demie. Le docteur se retira ensuite dans son bureau pour rassembler ses idées sur l'affaire et entamer ses recherches. De temps à autre, il nous dépêchait, Cyrus ou moi, dans diverses librairies et bibliothèques pour lui rapporter un livre, une revue. Ces activités faillirent me détourner d'une mission autrement importante : placer nos paris, à Mr Moore et à moi, dans la première vraie grande course de la saison, le Suburban Handicap de l'hippodrome du Jockey Club de Coney Island, à Sheepshead Bay. En jonglant avec mon emploi du temps, je réussis à tout mener à bien, et nous terminâmes la journée, Mr Moore et moi, avec des gains tout à fait coquets.

Vers huit heures moins le quart, le docteur annonça que nous ferions bien de nous préparer à partir parce qu'il voulait aller là-bas à pied. Il prétendit vouloir profiter du beau temps, mais je pense que l'idée de retourner au 808 le rendait plus nerveux qu'il ne l'avait cru. La marche le calma, cependant, et le temps que nous arrivions à notre ancien quartier général, le soleil commençait à se coucher. La lumière dorée qui colorait les toits rendait difficile d'imaginer que nous nous aventurions dans quoi que ce soit de dangereux.

Le Dr Kreizler entra au 808 comme nous l'avions fait nous-mêmes deux jours plus tôt : lentement, précautionneusement, en laissant les souvenirs faire leur effet avant de dire quoi que ce soit. Dans l'ascenseur qui nous hissait au cinquième étage, il régnait un silence absolu, mais lorsque le docteur vit la pancarte que Miss Howard avait fixée sur la porte, il eut un petit rire et secoua la tête.

— Euphémisme tout à fait approprié, murmura-t-il. Sara connaît sa clientèle…

Ce fut ensuite la grande salle, où nous trouvâmes Miss Howard et la *señora* Linares de nouveau assises dans les fauteuils. La *señora* portait la même tenue noire ; sa voilette relevée montrait que ses blessures n'avaient que peu cicatrisé depuis la fois précédente. Elle parut soulagée de rencontrer le Dr Kreizler et, dès le début de leur conversation, elle s'ouvrit davantage qu'elle ne l'avait fait avec Mr Moore et les Isaacson. Quant au docteur, il garda la plupart du temps son attention fixée sur la visiteuse, bien que, parfois, un bref regard autour de la pièce m'indiquât qu'il songeait aussi à d'autres choses — des choses qui n'étaient pas encore assez éloignées dans le temps pour sembler vraiment révolues…

L'entrevue avec la *señora* dura un peu plus d'une heure et comporta naturellement des questions que la plupart des gens auraient jugées sans aucun rapport avec l'affaire : sur sa famille, son enfance, le lieu où elle avait grandi, comment elle avait rencontré son mari, pourquoi elle l'avait épousé. Puis il l'interrogea plus précisément sur l'état de leur couple ces deux dernières années. L'Espagnole répondit de bonne grâce à ces questions, bien qu'elle n'en saisît manifestement pas l'objectif. Je crois que le docteur aurait continué longtemps avec un sujet aussi docile, mais quand elle s'aperçut qu'il était plus de neuf heures et demie, elle devint nerveuse, agitée, expliqua qu'elle n'avait pas eu le temps de trouver un bon prétexte pour sortir et qu'elle devait se hâter de rentrer. Cyrus la mit dans un fiacre et remonta au cinquième étage au moment précis où l'obscurité descendait vraiment sur la ville.

Pendant les quelques minutes d'absence de son serviteur, le docteur parcourut silencieusement la pièce, songeant peut-être à ce qu'il venait d'entendre, évoquant peut-être des souvenirs, faisant peut-être un peu des deux. Quoi qu'il en soit, personne n'envisagea même de l'interrompre. Seul le bruit du retour de l'ascenseur le tira finalement de sa méditation. Il leva la tête, le regard vide, se tourna vers Miss Howard, qui avait allumé une petite lampe électrique et était assise au bord de la flaque de lumière qu'elle projetait.

— Sara, qu'est devenu notre tableau ?

Souriant d'une oreille à l'autre, elle courut presque vers le paravent japonais, saisit le grand tableau noir à roulettes et l'amena devant les bureaux. De toute évidence, il avait été récemment nettoyé.

Il s'en approcha, examina la surface vierge, puis ôta sa veste, prit un bâton de craie flambant neuf, le cassa en deux et, avec de grands gestes vifs, comme pour taillader le tableau, écrivit en haut les mots *explications politiques possibles*. Agitant le morceau de craie à l'intérieur de sa main à demi close, il se tourna vers nous.

— Nous commençons par le futile, j'en ai peur, déclara-t-il. La première tâche qui nous attend, c'est explorer toute éventuelle dimension politique de ce crime — bien que je doive vous dire, avant d'aller plus loin, que je ne crois pas qu'il y en ait une.

Mr Moore se glissa machinalement derrière l'un des bureaux en demandant :

— Tu gobes l'idée que l'identité de l'enfant n'est qu'une coïncidence, Kreizler ?

— Je ne « gobe » rien, John, mais je pense, comme les sergents l'ont suggéré, que la victime a été choisie au hasard. Et j'ajoute que si notre objectif est, comme je le suppose, de restituer le bébé à sa mère, le caractère fortuit de ce choix est des plus inquiétants… (D'un seul ample mouvement, il dessina un cercle au centre du tableau.) Même toi tu le comprendras, Moore, poursuivit-il, toute tentative d'explication politique aboutit à un cercle logique qui ne conduit nulle part. Nous partons d'ici, dit-il, indiquant l'emplacement du chiffre 12 sur une montre. L'enfant a été enlevée de la façon dont la *señora* le raconte — je ne pense pas qu'on puisse douter qu'elle dise la vérité sur ce point. C'est une personne solide, mentalement saine. Sa venue ici en est la preuve. Si nous avions affaire au genre de femme névrosée qui cherche désespérément à susciter attention et sympathie…

Il s'interrompit brusquement, fixa la fenêtre.

— Et de telles créatures existent, dit-il au bout d'un moment, reprenant le fil de son exposé. Si tel était le cas, nous ne lui offririons guère l'auditoire souhaité. Non. Son passé, sa position sociale, sa mentalité, tout laisse penser qu'elle dit la vérité. Donc, l'enfant a bel et bien été enlevée, et la mère frappée à la tête. Par un expert, si nous acceptons l'hypothèse politique de Moore.

— Un expert qui choisit d'opérer en plein jour, dans un lieu très fréquenté, fit Lucius d'un ton dubitatif en ouvrant un petit carnet pour prendre note de la discussion.

— Ah ! cher inspecteur, je partage votre scepticisme, déclara le docteur, mais nous ne devons pas éliminer cette hypothèse sur la base d'une simple intuition. (Il écrivit d'une main rapide *un enlèvement par un professionnel pour un mobile politique* en haut du cercle.) Après tout, le ravisseur pourrait être un homme d'un courage et d'un orgueil rares qui se plaît à relever le défi de travailler dans des circonstances excessivement dangereuses…

— Avec un bout de tuyau, ajouta Marcus, d'un ton ouvertement sarcastique.

— Avec un instrument dont il peut facilement se débarrasser, afin que la police ne le trouve pas sur sa personne au cas où il se ferait arrêter pour une raison quelconque. Après tout, notre jeune ami assis sur l'appui de la fenêtre portait ce genre d'arme précisément pour cette raison. N'est-ce pas, Stevie ?

Un coup d'œil circulaire me révéla que tous les regards convergeaient vers moi.

— Euh, ouais, bredouillai-je. (Comme ils continuaient à me fixer, je commençai à me sentir mal à l'aise.) Hé, mais je le fais plus ! protestai-je, ce qui déclencha quelques rires.

— Donc, un professionnel, reprit le docteur, détour-

112

nant de moi les feux de la rampe. Qui aurait à peu près la taille de sa victime, et la main particulièrement légère. (Il se plaça à droite du cercle.) Mais qui l'aurait engagé ? Moore, c'est toi qui défends cette hypothèse, livre-nous tes candidats.

— Ils ne manquent pas, répondit le journaliste de son bureau. Beaucoup de gens ici aimeraient provoquer un incident diplomatique entre les Etats-Unis et l'Espagne en ce moment, à commencer par les partisans d'une guerre avec ce pays…

— Fort bien, dit Kreizler, en inscrivant *citoyens américains partisans de la guerre* sur le tableau. Qui déclenche la guerre, ils s'en moquent, du moment que c'est nous qui la terminons…

— Exactement, approuva Mr Moore, fronçant cependant les sourcils. Quoique je me demande si ces gens souhaiteraient donner des Américains une image aussi barbare…

— Qui d'autre ?

— Eh bien, les Cubains. Les exilés vivant à New York. Eux aussi favoriseraient tout ce qui pourrait provoquer une guerre.

— Le Parti révolutionnaire cubain, dit Marcus. Il a un bureau dans Front Street, près des quais de l'East Side. Dans un vieil immeuble décrépit, au troisième étage. Lucius et moi pouvons aller les secouer un peu demain, si vous voulez.

— Je suis d'avis qu'il serait plus utile de le faire dès ce soir, répondit le docteur. Si les Cubains détiennent l'enfant, il est probable qu'ils régleront son sort en pleine nuit plutôt que dans la journée.

Les mots *révolutionnaires cubains* prirent également place dans la partie droite du cercle.

— Ensuite, il y a les Espagnols eux-mêmes, poursuivit Moore. Personnellement, ce sont mes suspects préférés : ils enlèvent l'enfant sans mettre la mère au courant de la machination, parce qu'ils estiment qu'elle ne serait pas à la hauteur de la situation.

— Et ils n'annoncent pas l'enlèvement ? objecta Miss Howard. Ils tendent un piège à notre pays mais ne referment pas la trappe ?

— Ils attendent peut-être le bon moment. Tu connais la situation à Washington, Sara. Tu l'as dit toi-même, McKinley cherche encore à éviter cette fichue guerre. Ils attendent peut-être qu'il ne puisse plus y couper.

— En ce cas, ils auraient pu enlever l'enfant plus tard, suggéra Miss Howard. Ou plus tôt : l'hystérie guerrière était plus forte au printemps que maintenant.

— Ils ont peut-être mal programmé leur plan, proposa le Dr Kreizler, qui écrivit sur le tableau *bellicistes espagnols*. On ne peut pas dire que l'Espagne soit dirigée par des génies en ce moment. Ceux qui prônent la guerre sont des psychopathes sadiques comme Weyler... (il parlait de l'infâme général Weyler, gouverneur général de Cuba, qui avait inauguré la politique consistant à mettre les paysans cubains dans ce qu'on appelait des «camps de concentration», où ils ne pouvaient aider les rebelles et mouraient comme des mouches de faim et de maladie)... ou des monarchistes égarés rêvant de l'époque des *conquistadores*.

Le docteur s'écarta du tableau et conclut :

— Voilà qui complète la liste des suspects. L'un de ces groupes engage un professionnel, qui enlève l'enfant ; l'enfant est emmenée dans une cachette. Par... ?

— La femme du métro, répondit aussitôt Miss Howard. La nurse. A moins que la *señora* se soit trompée en croyant reconnaître le bébé.

— Avec une autre femme, je dirais «peut-être». Mais elle ? Non. Elle a eu assez de courage et de présence d'esprit pour venir ici et discuter de l'affaire en détail, tout en sachant ce qu'elle risquait si son mari venait à l'apprendre. Ce n'est pas une femme portée à la mythomanie ou à l'hystérie. Non, quand elle dit qu'elle a vu l'enfant, je la crois.

Se penchant vers le bas du cercle, mon mentor écrivit *la femme du métro :*, le deux-points indiquant qu'il avait l'intention d'ajouter quelque chose.

— Très bien, John, explique-nous le rôle de cette femme mystérieuse dans un contexte politique, poursuivit-il.

Mr Moore parut pris de court.

— Eh bien, c'est... c'est simplement ce que Sara vient

de dire, une nurse. Elle était vêtue comme une gouvernante, d'après la *señora*. Probablement une autre professionnelle, engagée pour garder l'enfant...

— Tâche dont elle s'acquitte dans la dernière voiture du métro aérien de la Troisième Avenue au milieu de la nuit ? Ça ne tient pas debout, John, et tu le sais. Quoique j'aie tendance à penser comme toi qu'il s'agit bien d'une professionnelle. (Il écrivit les mots *gouvernante ou nurse*.) Mais pour des raisons tout à fait différentes.

— Elle prenait peut-être le métro pour se rendre chez les Cubains, s'entêta le journaliste.

— John, quand on a les moyens d'engager un kidnappeur et une nurse, on peut leur payer un fiacre, fit observer Miss Howard d'un ton condescendant.

— Tu as rencontré les révolutionnaires cubains, Sara ? répliqua Moore, avec une condescendance égale. Moi, oui. C'est un groupe minable s'il en est. Quelle que soit la somme que Hearst dilapide pour propager la fièvre guerrière, il ne leur en accorde pas une grande partie.

— Sur ce point, John a raison, le soutint Marcus. Ils sont peut-être à court d'argent.

— Ce qui n'explique pas ce qu'elle faisait dans le métro, rappela le docteur. L'objectif est de cacher l'enfant, non ? Pas de l'exhiber devant la moitié de la ville. Il doit y avoir une raison pour laisser les gens la voir — une raison ayant une dimension politique.

Lucius prit la parole :

— A vrai dire, il n'y en a qu'une.

— Oui ?

— Ils voulaient qu'on la voie.

— Exact. Merci, sergent. C'est en effet la seule possibilité. (Les mots *montrer délibérément* apparurent sur le tableau.) Quelqu'un, quelque part — peut-être même la *señora* —, était censé voir l'enfant, pour que les ravisseurs puissent prouver qu'ils la détiennent et qu'ils ne plaisantent pas. Et l'endroit le plus indiqué pour la montrer, c'est un lieu très fréquenté. Nous arrivons donc à notre destination finale... dit le docteur en se plaçant à gauche du cercle. Ayant apporté la preuve qu'ils détiennent l'enfant, les ravisseurs font connaître leurs exigences. Pourtant, la *señora* Linares semble croire qu'ils n'en ont rien fait.

— Son mari et le consul Baldasano lui mentent peut-être, avança Lucius. Ils reçoivent les exigences, ils n'ont pas l'intention de les satisfaire, et, pour éviter tout grabuge, ils mentent à la mère.

Le Dr Kreizler écrivit *exigences :* d'un air pensif.

— Oui. Là encore, Lucius, c'est la seule possibilité, à moins que Moore n'ait raison et qu'ils n'attendent le bon moment. Mais qu'ils attendent ou qu'ils aient essuyé un refus, qu'est-ce que chaque camp souhaite ? Un enlèvement pour une simple rançon est à exclure, parce qu'il est peu probable que les Espagnols ne satisferaient pas à des exigences purement financières. Nous devons nous en tenir à la dimension politique. Ce qui signifie quoi ?

— Eh bien, dit Mr Moore, les bellicistes américains et les Cubains ne veulent qu'une chose : la guerre. Ce n'est pas une question d' « exigences » en tant que telles.

Le docteur fit volte-face, pointa un index accusateur vers son vieil ami.

— Précisément. Merci, Moore, d'éliminer deux des suspects que tu as toi-même désignés.

Il se tourna de nouveau vers le tableau, écrivit *guerre* en dessous d'*exigences :*.

— De quoi tu parles, Kreizler ? fit le journaliste, l'air perdu.

— Tu enlèves un enfant, ton but est de provoquer un incident diplomatique. Seule sa disparition compte ; après quoi, l'enfant lui-même n'a plus aucune importance.

Miss Howard acheva la démonstration :

— Et dans ce cas, pourquoi est-il encore en vie ?

— Exactement, Sara. Pour les va-t-en-guerre américains et les Cubains, laisser l'enfant en vie ne présente que des dangers. Si l'un de ces groupes était responsable de l'enlèvement, la petite Linares serait déjà au fond de l'eau, ou en morceaux, comme le corps découvert dimanche soir par les sergents. De tous les suspects politiques, seuls les Espagnols auraient intérêt à garder le bébé en vie — mais ils auraient aussi intérêt à le garder caché. Et donc… un cercle, conclut le docteur. Ne menant nulle part. Le temps révélera peut-être que c'était la bonne hypothèse, mais... (Il s'interrompit, considéra son dessin, inclina la tête vers Lucius.) Inspecteur ?

— Oui, docteur ?

— Vous l'avez recopié ?

— Oui.

— Bien. Gardez-le, au cas fort improbable où nous devrions nous y reporter.

— Que voulez-vous dire, Dr Kreizler ? demanda Marcus.

Mon employeur prit une éponge, entreprit d'effacer ce qu'il avait écrit.

— Je veux dire que tout cela n'est que fariboles !

Lorsqu'il s'écarta, il ne restait que deux groupes de mots sur le tableau : *un enlèvement* en haut, et *la femme du métro : gouvernante ou nurse* en bas.

— Supprimez tous les détails improbables du cercle et il ne nous reste plus qu'une seule configuration géométrique bien plus utile... (Lentement, il traça un trait reliant les mots du haut à ceux du bas.) La ligne droite.

Nous écarquillâmes les yeux : il semblait y avoir beaucoup d'espace vide sur le tableau, tout à coup. Mr Moore soupira, allongea les jambes sur son bureau.

— Qu'est-ce que tu veux dire, au juste ?

L'aliéniste tourna vers nous un visage soudain assombri.

— Je comprends que tu cherches à imposer une explication politique de ce crime, John, parce que l'autre terme de l'alternative est bien plus inquiétant. Il est aussi bien plus probable, cependant.

Il ouvrit son étui en argent, en proposa le contenu tour à tour à Miss Howard, Marcus et Mr Moore. Je mourais d'envie d'en griller une moi-même, mais il me faudrait attendre. Après qu'ils eurent tous allumé leur clope, le docteur se mit à faire les cent pas, comme à son habitude.

— Je pense que l'analyse que les sergents enquêteurs ont faite des indices est, comme toujours, irréprochable. Selon toute probabilité, la *señora* Linares a été assaillie par une femme. L'usage d'un morceau de tuyau trouvé sur les lieux et les circonstances de l'acte — un endroit très passant, en plein jour — indiquent une réaction spontanée. Et cette spontanéité a quelque chose de terrifiant.

Que cette femme n'ait pas blessé la *señora* plus gravement s'explique par les limites de ses propres forces, non par une quelconque habileté professionnelle.

— D'accord, grommela Mr Moore, bien qu'il ne parût manifestement pas convaincu. Dans ce cas, je n'ai qu'une question à te poser, Kreizler, mais elle est de taille : pourquoi ?

— Pourquoi, en effet, dit le docteur, qui inscrivit le mot dans la partie gauche du tableau. Une femme enlève un enfant, elle ne demande pas de rançon et, quelques jours plus tard, on la voit dans un lieu public, s'occupant de la petite fille comme si… comme si… répéta-t-il, cherchant les termes appropriés.

Ce fut Miss Howard qui les lui fournit :

— Comme si c'était la sienne.

Il posa un instant ses yeux noirs étincelants sur la « détective ».

— Comme toujours, messieurs, le point de vue féminin de Sara va droit au cœur de la question. Comme si l'enfant était le sien, oui. Réfléchissez : parmi tous les enfants de New York, cette femme, quelle qu'elle soit, a réussi à enlever celui dont la disparition pourrait causer une crise internationale. Considère un moment la chose, Moore : si l'affaire n'a pas de dimension politique, qu'est-ce que cela nous apprend ?

— Qu'elle n'avait pas répété avant le spectacle, voilà ce que ça nous apprend.

— Ce qui signifie ?

Ce fut au tour de Cyrus d'intervenir :

— Ce qui signifie, avec votre permission, Mr Moore, que, face à la situation, elle n'a pu qu'obéir à l'impulsion du moment. (Il esquissa un sourire, baissa les yeux.) Une réaction que je connais par expérience…

— Exactement, Cyrus, dit le docteur, qui écrivit rapidement quelque chose sous le mot *pourquoi ?*. Merci. Cela signifie qu'elle a agi sous l'effet d'une envie spontanée qui exclut toute possibilité non seulement de maîtrise de soi mais aussi de préméditation. Ou, pour reprendre les termes de Moore, de répétition avant le spectacle. Qu'est-ce qui pourrait motiver une telle imprudence ?

— Désolé de débiter une évidence, fit Marcus, mais elle avait apparemment envie d'un bébé.

— Très juste, dit le docteur, ajoutant l'idée dans la colonne *pourquoi ?*.

Il effaça les mots du bas du tableau, les récrivit en haut. Il y avait maintenant trois colonnes sur le tableau : *pourquoi ?*, *un enlèvement*, *la femme du métro : gouvernante ou nurse*, avec de la place à droite pour une quatrième.

— Mais pas n'importe quel bébé. Elle voulait *ce* bébé, précisa Lucius.

— Et de toutes ses forces, renchérit Miss Howard.

— Très bien, commenta le docteur, qui écrivit *le bébé Linares* dans le coin supérieur droit. Mais ralentissez, nous allons trop vite. (Il recula, examina le tableau.) Cela commence à prendre tournure, murmura-t-il, éteignant sa cigarette d'un air satisfait. Oui, sergent, elle veut le bébé Linares. Mais comme John l'a fait remarquer, elle ne pouvait savoir *qui* était cet enfant — et votre propre analyse démontre le caractère spontané de l'acte. Conjuguez ces éléments, qu'en concluez-vous ?

Lucius accorda à la question quelques secondes de réflexion.

— Que ce qui compte, ce n'est pas *qui* est l'enfant Linares mais *ce* qu'elle est.

— Ce qu'elle est ? répéta Moore, dérouté et visiblement pas tout à fait convaincu de l'utilité de l'exercice. C'est un *bébé*, voilà tout.

— Paroles de célibataire endurci, s'esclaffa Miss Howard. Chaque bébé est différent, John, il a sa personnalité. Et le caractère de l'enfant peut nous apprendre des choses sur le caractère de la ravisseuse.

— *Brava !* s'exclama le docteur, passant du côté droit du tableau. Continuez, Sara : c'est à vous de nous guider, ici.

Elle se leva, se mit à aller et venir devant le tableau.

— Eh bien… nous savons qu'Ana est un bébé heureux. D'une nature joyeuse. Bruyante, peut-être, mais d'une façon qui charme les gens.

— Poursuivez, poursuivez, l'incita le docteur en griffonnant.

— En outre, c'est une enfant en bonne santé. Et très

éveillée. A un âge précoce, elle s'intéresse à des choses que nous considérons comme des œuvres d'art, mais qui sont pour elle intrigantes. Elle fait preuve de sensibilité.

— Pour l'amour de Dieu, tu parles d'elle comme d'une personne, grommela Mr Moore.

— C'est une personne, John, déclara l'aliéniste sans cesser d'écrire. Aussi difficile que cela puisse être pour toi de l'imaginer. Quoi d'autre, Sara ?

— Simplement que... que la personnalité de cette enfant en faisait une cible logique. Son caractère sociable devait retenir l'attention — l'attention admirative — de la plupart des gens...

— Mais susciter la convoitise d'une seule personne, intervint Marcus, rejetant un nuage de fumée qui fit tousser son frère. Oh, excuse-moi, Lucius, dit-il machinalement.

— Excellent, estima le docteur. Plus que suffisant pour un début. Maintenant, considérons le personnage obscur de la femme du métro à la lumière de ces observations. Nous avons déjà établi qu'elle n'avait pas délibérément recherché sa victime, qu'elle avait plutôt éprouvé une envie soudaine et irrépressible de s'emparer immédiatement de ce bébé. D'autres conclusions ?

— Elle n'a probablement pas d'enfants à elle, supputa Marcus.

— D'accord, approuva Kreizler, prenant note. Mais beaucoup de femmes n'en ont pas et s'abstiennent d'enlever ceux des autres.

— Elle ne peut peut-être pas en avoir, suggéra Miss Howard.

— Nous sommes plus près, là. Mais pourquoi ne pas en adopter un ? La ville regorge d'enfants non désirés.

— Elle ne peut peut-être pas non plus, dit Lucius. Un obstacle juridique, probablement un casier judiciaire, si on en juge par sa conduite !...

— Encore mieux, fit le docteur. Une femme physiquement incapable d'enfanter, légalement empêchée d'adopter...

— C'est plus profond que ça, murmura pensivement Miss Howard. Elle ne veut pas d'un enfant non désiré. Elle est attirée par cet enfant-là en particulier — un enfant on ne peut plus désiré. A juste titre, étant donné la bonne santé de l'enfant, son caractère gai et vif. Donc, si nous supposons que ces traits touchent une corde sensible...

Elle se tut. Le docteur l'invita à poursuivre :

— Oui, Sara ?

— Excusez-moi, dit-elle, sortant de sa rêverie. Il y a... quelque chose de tragique, dans cette histoire. Se pourrait-il qu'elle ait eu des enfants, et qu'elle les ait perdus — pour cause de maladie, par exemple ?

Il rumina un instant l'hypothèse avant de lâcher :

— Ça me plaît. Cela cadre avec la victime. La plupart d'entre nous — exception faite pour les cœurs endurcis comme Moore — éprouvons une attirance, inconsciente ou vague, quand nous voyons une enfant telle qu'Ana Linares. Une tragédie aurait-elle, chez cette femme, transformé cette attirance en désir irrésistible ? A-t-elle vu en Ana l'enfant heureux et en bonne santé qu'elle a toujours voulu ?

— Et auquel elle estime apparemment avoir droit, ajouta Marcus.

— Et les vêtements ? demanda son frère. Si la *señora* Linares a vu juste, si cette femme est une nurse ou une gouvernante...

— Ah ! sergent, vous lisez dans mes pensées, le coupa le Dr Kreizler. Car que venons-nous de décrire si ce n'est une femme que ses sentiments pousseraient à choisir une profession où l'on s'occupe d'enfants ?

— Oh, non, geignit Mr Moore, qui se leva et recula. Non, non, non, je subodore où cela va nous...

— Tout à fait, Moore ! repartit le docteur en riant. Mais pourquoi renâcler ? Tu as prouvé pendant l'affaire Beecham que tu étais positivement doué pour ce genre de travail !

— Je m'en moque ! rétorqua le journaliste, dont l'expression horrifiée n'était qu'à moitié feinte. J'ai détesté ça. Jamais je n'ai connu corvée aussi fastidieuse...

— Il n'en faudra pas moins commencer par là. Nous visiterons toutes les agences de gens de maison de la ville, ainsi que les hôpitaux, les foyers pour enfants trouvés, les salles d'accouchement. La femme est là, avec l'enfant, et si, comme je le crois, nous pouvons faire confiance aux yeux de la *señora* Linares, elle occupe un emploi quelque part dans ce secteur.

Le visage de Lucius s'était transformé en point d'interrogation.

— Mais, docteur… Nous n'avons même pas de nom, rien qu'une description verbale. Si nous avions une photographie, un portrait…

Mon maître posa le morceau de craie, épousseta de la main la poussière blanche sur son gilet.

— Et pourquoi pas ?

L'inspecteur parut plus déconcerté encore.

— Pourquoi pas quoi ?

— Avoir un portrait, répondit simplement le docteur. Après tout, nous avons un signalement précis. (Il récupéra sa veste en lin, l'enfila.) Apparemment, messieurs, la caractéristique essentielle de cette affaire vous a échappé. Que nous manquait-il dans l'affaire Beecham ? Quel est l'élément essentiel qui manque généralement dans la plupart des crimes de cette nature ? Un signalement précis du criminel. Cette fois, nous en avons un, et je suis persuadé que, mise à l'épreuve, la *señora* Linares nous livrera une description plus détaillée encore.

— Mais comment la traduirons-nous en une image visuelle ? voulut savoir Miss Howard.

— Nous laisserons ce soin à une personne qualifiée, répondit le Dr Kreizler. (Il tira sa montre d'argent, l'ouvrit, y jeta un coup d'œil.) J'aimerais assez quelqu'un comme Sargent, mais il est à Londres, et son prix serait exorbitant. Eakins ferait également l'affaire, mais il habite Philadelphie, et c'est encore trop loin, étant donné l'urgence de notre tâche. Notre adversaire peut quitter la ville à tout moment ; nous devons faire vite.

— Est-ce que j'ai bien compris, Kreizler ? dit Mr Moore, abasourdi. Tu as l'intention de faire faire le portrait de cette femme à partir d'une description ?

— Un dessin suffira, je pense, répondit le docteur en rangeant sa montre. L'art du portrait est infiniment complexe. Il y entre une bonne part de finesse psychologique. Je ne vois pas pourquoi un peintre qui passerait un temps suffisant avec la *señora* ne parviendrait pas à une ressemblance acceptable. La première chose à faire, c'est dénicher l'artiste adéquat. Et je crois savoir où obtenir des références. (Il regarda dans ma direction.) Stevie ? Si nous rendions visite au Révérend ? Je pense qu'il doit être chez lui et en plein travail, à cette heure. A condition qu'il ne se soit pas lancé dans une de ses expéditions nocturnes…

— Pinkie ? demandai-je en sautant de l'appui de fenêtre.

Le regard de Marcus alla de ma personne à celle du docteur.

— Pinkie ? Le Révérend ?

— Un de mes amis, dit l'aliéniste. Albert Pinkham Ryder. Il a de nombreux surnoms. Comme la plupart des excentriques.

— Ryder ? Ce n'est pas un portraitiste, objecta Mr Moore. Et il lui faut des années pour finir une toile.

— C'est vrai, mais il a un jugement sûr. Il pourra nous recommander quelqu'un. Si tu veux nous accompagner, Moore, et vous aussi, Sara.

— Avec joie, acquiesça Miss Howard. Son œuvre est fascinante.

— Hmm, oui. Ses appartements et son atelier vous fascineront peut-être moins, j'en ai peur.

— Ne compte pas sur moi, dit Moore. Cet endroit me donne la chair de poule.

— Comme tu voudras, fit le docteur avec un haussement d'épaules. Sergents, navré de vous imposer une tâche probablement inutile, mais il faut quand même, comment disiez-vous ?…

— Aller secouer les Cubains, répondit Lucius, dont la mine révélait qu'il y avait peu de choses qu'il aimerait moins faire. Oh ! ce sera un plaisir… Haricots noirs, ail et discours dogmatiques. Enfin, comme je ne parle pas espagnol, au moins je ne comprendrai pas ce qu'ils racontent…

— Je suis désolé, s'excusa le docteur, mais nous devons couvrir toutes les possibilités. Et le plus vite possible.

Nous nous dirigions tous vers la porte quand Marcus, qui fermait la marche, murmura :

— Une dernière chose, docteur. Le *señor* Linares…

Nous présumons tous — et j'approuve sans réserve cette hypothèse — que l'enlèvement a été commis par quelqu'un ignorant l'identité du bébé...

— Oui, Marcus ?

— En ce cas, pourquoi Linares cherche-t-il à le cacher ? demanda l'inspecteur, dont les traits reflétaient une inquiétude sincère. Quelles que soient ses particularités psychologiques, la femme que nous décrivons est selon toute probabilité de nationalité américaine. Ce fait pourrait être aussi utile pour le gouvernement espagnol qu'un enlèvement politique. Pourquoi ne s'en sert-il pas ?

Mr Moore tourna un visage à l'expression quelque peu hautaine vers son ami.

— Eh bien, Kreizler ?

Le docteur regarda le sol, hocha plusieurs fois la tête en souriant.

— J'aurais dû me douter que ce serait vous qui poseriez la question, Marcus.

— Désolé. Mais, comme vous dites, nous devons couvrir tous les angles.

— Ne vous excusez pas. J'espérais simplement éviter cette question parce que c'est la seule pour laquelle je n'ai pas même un début de réponse. Et si nous devions trouver cette réponse, nous découvririons aussi, je le crains, certains faits déplaisants, et dangereux. Je ne pense pas cependant que nous devions laisser ces considérations retarder notre action.

Le policier soupesa l'argument puis marqua son accord d'un léger hochement de tête.

— C'est un fait que nous devons néanmoins garder à l'esprit.

— Nous n'y manquerons pas, Marcus, nous n'y manquerons pas... (L'air pensif, le docteur s'accorda un dernier tour de la pièce, s'arrêta devant une fenêtre.) Dehors, quelque part, au moment même où nous parlons, une femme tient dans ses bras sans le savoir un enfant qui pourrait devenir un terrible instrument de destruction, aussi dévastateur, dans son innocence, que la balle d'un assassin ou la bombe d'un fou. Et, pourtant, ce que je crains le plus, c'est la dévastation qui a déjà frappé l'esprit de la ravisseuse. Oui, nous serons attentifs aux dangers du monde extérieur, Marcus, mais, cette fois encore, nous devrons essentiellement nous efforcer de percer à jour la psychologie et l'identité de notre adversaire. Qui est-elle ? Qu'est-ce qui l'a créée ? Et, surtout, finira-t-elle par tourner contre l'enfant la fureur qui l'a poussée à commettre cet acte ? Je crains qu'elle ne le fasse tôt ou tard, conclut-il en nous regardant. Et plus probablement tôt que tard...

10

Il m'a toujours semblé qu'il y a sur cette terre deux sortes de gens : ceux qui sont fascinés par les types bizarres et ceux qui ne le sont pas. Je crois que, à la différence de Mr Moore, j'ai toujours fait partie des premiers. C'était une obligation, je présume, pour aimer vivre dans la maison du Dr Kreizler, car les personnages qu'il y faisait défiler — y compris les grosses têtes comme Mr Roosevelt — comptaient parmi les êtres les plus singuliers que vous pouviez rencontrer à l'époque. Et parmi tous ces êtres étranges mais intéressants, nul n'était plus bizarre que l'homme que je me plaisais à appeler Pinkie — Mr Albert Pinkham Ryder.

Cet homme aimable et doux, avec une longue barbe et des yeux perçants, pour qui l'art était autant une religion qu'une profession, faisait penser à un moine ou un prêtre, raison pour laquelle ses amis l'appelaient le Révérend ou Mgr Ryder. Il vivait au 308, 15ᵉ Rue Ouest, et passait la plupart de ses nuits à travailler ou à faire de longues marches dans la ville — ses rues, ses parcs, et même ses faubourgs —, étudiant le clair de lune et les ombres qui peuplaient tant de ses tableaux. C'était une âme solitaire, un reclus, de son propre aveu, qui avait grandi dans le vieux et sinistre port baleinier de New Bedford, Massachusetts. Il était né d'une mère quaker et n'avait eu que des frères pour compagnie, ce qui expliquait que son comportement à l'égard des femmes constituait l'une de ses plus singulières bizarreries. Oh ! il était poli, d'une manière qui aurait même paru chevaleresque si elle n'avait été aussi étrange. Il y avait eu par exemple la fois où, entendant dans son immeuble une voix de contralto magnifique, il avait aussitôt cherché la femme à qui elle appartenait pour la demander en mariage. Cette femme était une bonne chanteuse, certes, mais dans la rue et au poste de police du quartier, on la connaissait aussi pour d'autres talents, et ce n'est que grâce à l'intervention d'un groupe de ses amis que le pauvre vieux Pinkie échappa à ce qui aurait probablement été une arnaque d'envergure.

Aimant les enfants — il était lui-même une sorte de grand gosse étrange —, il était toujours content de me voir (on ne peut en dire autant de certains autres amis du docteur). En 1897, il était assez connu des amateurs d'art pour vivre à sa guise — c'est-à-dire comme un rat sur une décharge. Il ne jetait jamais rien, ni un morceau de carton, ni un bout de ficelle, ni un tas de cendres, et son appartement avait quelque chose d'effrayant pour la plupart des gens. Mais sa douceur, son amabilité tranquille et l'attrait indéniable de ses toiles brumeuses, rêveuses, compensaient plus que largement cette manie, surtout pour un garçon du Lower East Side tel que moi, qui avais l'habitude de voir les ordures s'entasser dans un appartement. Comme il partageait en outre mes goûts en matière culinaire — il avait toujours un ragoût qui mijotait sur son réchaud et, quand il sortait, ses préférences allaient aux huîtres, au homard, aux haricots à la sauce tomate dans un restaurant des quais —, son adresse était une destination à laquelle j'étais toujours ravi d'accompagner le docteur.

Nous n'étions que trois — Miss Howard, le docteur et moi — à faire le pèlerinage ce soir-là puisque Cyrus (qui admirait les tableaux de Pinkie mais n'appréciait guère, comme Mr Moore, sa façon de vivre) s'était excusé pour jouir d'une bonne nuit de sommeil. L'immeuble de Pinkie, situé dans la 15e Rue, juste à gauche de la Huitième Avenue, était semblable à des milliers d'autres bâtisses du quartier : une vieille maison en brique transformée en appartements. Notre fiacre remonta vers le nord de la ville avec le flot de circulation se dirigeant à cette heure vers le Tenderloin puis s'en écarta pour nous faire découvrir une petite lampe à pétrole éclairant la fenêtre de devant du peintre.

— Ah! il est chez lui, dit le Dr Kreizler. (Il régla le cocher puis prit le bras de Miss Howard.) Sara, il faut que je vous prévienne : je sais que vous exécrez la galanterie, mais je vous conjure de faire une exception pour Ryder. Chez lui, elle est parfaitement innocente, parfaitement sincère. Il ne l'utilise pas pour maintenir la femme dans un rôle d'être fragile et faible, je vous l'assure.

Elle hocha la tête d'un air à demi convaincu tandis que nous montions les marches du perron.

— J'accorde à tous le bénéfice du doute, mais si cela devient insultant...

— C'est équitable. Stevie, si tu courais prévenir Ryder qu'il a de la visite?

Je me ruai dans l'immeuble, montai l'escalier obscur jusqu'à l'appartement de Pinkie, frappai vigoureusement à la porte en appelant d'une voix forte. Je savais que quelquefois, quand la fièvre de la création le tenait, il n'ouvrait pas même aux amis, mais j'étais sûr qu'il me ferait bon accueil.

— Mr Ryder? criai-je. C'est Stevie Taggert, avec le docteur!

J'entendis à l'intérieur le genre de bruissement que fait un écureuil quand il se faufile dans un tas de feuilles mortes, puis des pas lourds se dirigeant vers la porte. Les pas s'arrêtèrent et, après un long silence, une voix profonde, à la fois lente et un peu taquine, demanda :

— Stevie?

— Oui, m'sieur.

Un verrou tourna ; la porte s'écarta de moi et une forme corpulente s'avança pour en remplir l'encadrement. Je distinguai d'abord la barbe, puis le front haut et luisant, enfin les yeux, d'une couleur — marron clair ou bleus — que je n'étais jamais parvenu à définir.

— Saluuut, Pinkie ! claironnai-je en entrant.

Je passai entre des piles de livres, de journaux, de... détritus, pour gagner le fond de l'appartement, où se trouvaient l'atelier et la marmite de ragoût. L'artiste me sourit à sa façon particulière, que le Dr Kreizler qualifiait toujours d'«énigmatique».

— Salut, jeune Stevie, répondit-il, essuyant avec un chiffon ses mains tachées de peinture. (Bien qu'il vécût à New York depuis des années, il avait gardé le parler désuet de la Nouvelle-Angleterre.) Quel bon vent t'amène à cette heure dans ces confins?

— Le docteur me suit, annonçai-je.

Les murs étaient couverts de toiles sans cadre qui, pour un œil non exercé, semblaient achevées : magnifiques paysages dorés, mers sombres et agitées (ce que les amateurs appelaient des «marines»), scènes inspirées par les poèmes, les drames et les mythes qui fascinaient le vieux Pinkie. Il était lui-même poète et, comme je le disais, les tableaux qu'il avait tirés de *la Forêt d'Arden* ou de *la Tempête* auraient paru terminés à n'importe qui d'autre. Mais Pinkie n'arrivait jamais à décider qu'une œuvre était finie, et il la fignolait pendant des années (comme Mr Moore en avait fait la remarque), avant de l'abandonner à un client exaspéré qui l'avait payée depuis longtemps.

Empoignant un ustensile en bois, je m'octroyai une bonne cuillerée du copieux ragoût de mouton que Pinkie avait récemment adouci avec des pommes fraîches, puis je fis le tour de l'atelier.

— Belle récolte, Pinkie! lui criai-je. Il y en a combien de vendues?

— Suffisamment, répondit-il de la pièce de devant.

Entendant les voix de mon maître et de Miss Howard, je ressortis en toute hâte de l'atelier pour assister au rituel auquel Pinkie se livrait chaque fois qu'une femme pénétrait dans sa tanière.

— Je suis profondément honoré, mademoiselle, assura-t-il en s'inclinant. Par ici, je vous prie…

Il entreprit de déblayer le passage jusqu'à l'unique fauteuil qu'il possédait, un vieux siège défoncé mais confortable installé près de la fenêtre. Après avoir débarrassé le sol, il déroula devant le fauteuil un petit tapis d'Orient pour que la visiteuse puisse y poser les pieds une fois assise, telle une reine bohémienne sur un trône. En temps ordinaire, Sara n'était pas femme à tolérer pareil traitement, mais, venant de Pinkie, ces attentions étaient si sincères qu'elles désamorçaient les réactions habituelles.

— Ma foi, Albert, tu as l'air en forme, dit le docteur d'un ton jovial. Un peu enflé par endroits, peut-être. Comment vont les rhumatismes ?

— Toujours en embuscade, répondit Pinkie avec un sourire. Mais j'ai un traitement à moi. Puis-je vous offrir quelque chose à manger ? ou à boire ? De la bière ? de l'eau ?

— Un verre de bière, volontiers, acquiesça le docteur, coulant un regard à Sara. La soirée est agréable, bien que pas aussi fraîche que je l'aurais cru.

— Oui, de la bière, s'il vous plaît, accepta-t-elle.

Le peintre leva un long doigt nerveux pour signifier qu'il n'en avait que pour une minute et partit en direction du fond de l'appartement. Entendant un curieux clapotis, je baissai les yeux et découvris qu'il avait aux pieds des chaussures trop grandes, remplies de paille et de ce qui semblait bien être de la bouillie d'avoine.

— Dites, Pinkie, fis-je en le suivant, vous savez que vous avez de la bouillie d'avoine dans vos godasses, je suppose.

— Souverain contre les rhumatismes, répondit-il. (Il alla prendre quelques bouteilles de bière, passa à l'eau froide trois verres d'allure suspecte.) La marche est devenue un peu pénible pour moi, ces derniers temps. Paille et bouillie d'avoine, voilà le remède, déclara-t-il en repartant pour la pièce de devant.

— Okay, dis-je, toujours dans son sillage. Vous devez le savoir : y a personne à New York qui marche autant que vous.

Accompagné par de petits chuintements, il posa les bouteilles et les verres sur un vieux casier en bois faisant office de table, servit ses visiteurs et lui-même.

— A votre santé, Miss Howard, dit-il, levant son verre. «Je contemple ta jeunesse, jolie jeune fille/ Je la contemple et je songe/ Que si j'étais une fée/ De ma baguette magique j'écarterais/ Tout sort funeste et protégerais tes années à venir/ Des pluies de larmes/ Par l'éclat d'un arc-en-ciel.»

— Bien dit, Albert, le complimenta le docteur, qui

leva lui aussi son verre et but une gorgée. C'est de toi ? demanda-t-il, bien qu'il connût sans doute la réponse.

Le peintre inclina humblement la tête.

— Médiocre, mais de moi, dit-il. Et convenant parfaitement à la personne qui t'accompagne.

Miss Howard parut sincèrement émue.

— Merci, Mr Ryder. C'était charmant, déclara-t-elle.

Sachant qu'il se passionnait lui aussi pour les courses, je m'enquis :

— Vous avez touché, hier, dans le Suburban ?

— Je n'ai pas eu le temps de parier, répondit-il, l'air à la fois déçu et excité. C'est curieux que tu me parles de courses, Stevie...

Il leva le même long doigt, nous fit signe de le suivre dans son atelier.

— Etrange coïncidence, vraiment ! reprit-il. Je travaillais justement sur quelque chose... Un tableau avec une histoire derrière, pourrait-on dire. Il y a quelques années, un serveur de ma connaissance a joué les économies de toute une vie — et perdu. Désespéré, il s'est tiré une balle dans la tête.

— C'est affreux, murmura Miss Howard, qui semblait envoûtée par le charme des toiles qui l'entouraient.

— Oui. Ce drame a déclenché quelque chose dans mon esprit, je ne saurais vous dire quoi au juste, mais je veux vous montrer le résultat, car je pense qu'il offre des possibilités.

Il nous conduisit dans un coin de la pièce, devant un grand chevalet sur lequel était posée une toile de soixante centimètres sur un mètre environ, couverte d'un léger morceau de tissu maculé de peinture. Pinkie alluma une lampe à gaz proche, régla la flamme, s'avança vers le chevalet.

— Elle est loin d'être terminée, remarquez bien, mais...

Il ôta le tissu, découvrant l'un des plus étranges tableaux qu'il m'ait été donné de voir.

Il représentait un champ de courses ovale et raboteux, entouré d'une clôture grossière. Sur le sol boueux, devant la piste, ondulait un gros serpent à l'air menaçant ; au loin, des collines nues et un ciel si sombre qu'on n'au rait su dire si c'était le jour ou la nuit; et sur la piste même, un cavalier solitaire — la Mort, la Faucheuse en personne —, montant à cru et chevauchant dans la mauvaise direction.

Si la plupart des tableaux de Pinkie étaient mystérieux, celui-là était carrément sinistre — effrayant, même. Le docteur et Miss Howard étaient cependant manifestement impressionnés, car leurs yeux brillaient de fascination.

— Albert, c'est remarquable, dit lentement mon employeur. Difficilement supportable mais superbe.

Pinkie se dandina d'un pied sur l'autre dans sa bouillie d'avoine, parut plus gêné encore quand Miss Howard renchérit :

— Extraordinaire. Vraiment… Ensorcelant, à sa manière…

— J'ai décidé de l'appeler simplement *le Champ de courses*, signala le peintre.

Je fis aller mon regard de l'un à l'autre, le ramenai finalement sur le tableau.

— Je comprends pas, marmonnai-je.

Pinkie me sourit, caressa sa barbe.

— Voilà ce que j'aime entendre. Et qu'est-ce que tu ne comprends pas, jeune Stevie ?

— C'est quoi, ce serpent ?

— Qu'est-ce qu'il signifie pour toi ?

— Faudrait qu'il soit drôlement rapide, pour rester à la hauteur du cheval.

Pinkie parut trouver ma réponse satisfaisante. Encouragé, je continuai :

— A propos du cheval, il court dans le mauvais sens, vous devez le savoir.

— Oui.

— Et le ciel ? C'est censé être le jour ou la nuit ?

Plissant ses yeux à la couleur étrange, il répondit :

— Sais-tu que je ne m'étais jamais posé la question ?

— Ouais, fis-je, accordant au tableau un nouveau coup d'œil. Désolé, Pinkie, mais il me fiche la trouille. Je préfère l'autre, là-haut.

Je tendis le doigt vers une toile richement colorée représentant une jolie jeune fille aux cheveux blond rose. Sombre, oui, mais réconfortant.

— Ah ! ma *Petite Servante d'Acadie*. Oui, je l'aime assez, moi aussi, et elle est presque terminée. Tu as un œil excellent, jeune Stevie, me complimenta-t-il. (Il couvrit de nouveau le tableau déconcertant, avant de se tourner vers le docteur.) Dis-moi, Laszlo, es-tu venu simplement pour t'enquérir de ma santé ou pour quelque autre raison ? Je pencherais pour la deuxième hypothèse.

Kreizler détourna les yeux, un peu embarrassé.

— Pas très aimable, mais exact, avoua-t-il. Je vous l'ai dit, Sara, Albert aurait fait un excellent psychologue. (Pinkie éteignit la lampe et nous reconduisit dans la pièce de devant.) En fait, nous sommes venus solliciter une recommandation.

— Une recommandation ?

— Nous avons besoin d'un portraitiste, expliqua le docteur tandis que Miss Howard reprenait place sur son trône infesté de puces. Quelqu'un qui pourrait faire un portrait sans modèle, d'après une description détaillée.

Pinkie eut l'air intrigué.

— La requête est insolite, Laszlo.

— L'idée est de moi, à vrai dire, Mr Ryder, intervint Sara.

A bon escient, car alors que l'artiste aurait peut-être flairé quelque chose dans une proposition formulée par un homme, il la prendrait comme parole d'évangile venant d'une femme, qui plus est jeune et jolie.

— C'est, ou plutôt, c'était un membre éloigné de ma famille, continua-t-elle. Elle est morte brutalement. En mer. Nous nous sommes aperçus que nous n'avions pas de portrait d'elle, pas même une photographie. Ma cousine et moi — elle vit en Espagne, comme notre parente défunte — regrettions devant le Dr Kreizler de ne pas avoir une image d'elle pour nous aider à conserver son souvenir, et il nous a signalé qu'il serait peut-être possible de faire faire son portrait d'après description.

Elle but un peu de bière avec infiniment de grâce avant de demander :

— Qu'en pensez-vous ? J'ai la plus vive admiration pour votre œuvre, et votre avis serait déterminant.

Pinkie tomba droit dans le panneau : saisissant les revers de sa veste élimée, il se redressa pour atténuer la voussure de son dos, et se mit à marcher comme s'il était chaussé de superbes mocassins en cuir et non de vieux godillots bourrés de paille et de bouillie d'avoine.

— Je vois, fit-il, songeur. Une idée intéressante. Il y a beaucoup d'excellents portraitistes à New York. Dans des circonstances ordinaires, je vous conseillerais Chase. Tu le connais, Kreizler?

— William Merritt Chase? Nous n'avons fait que nous croiser, mais je connais son œuvre. Tu as raison, Albert, excellent choix.

— En fait, je ne pense pas. Si le sujet est une femme… et s'il faut travailler uniquement d'après description… Je crois qu'il vaudrait mieux que vous choisissiez une femme.

La suggestion amena sur les lèvres de Sara un sourire qui n'avait rien d'artificiel.

— Quelle excellente idée, Mr Ryder! s'exclama-t-elle, adressant au docteur un regard appuyé. Et si originale… (L'aliéniste leva les yeux au plafond, détourna la tête.) En connaîtriez-vous une, par hasard?

— Mes confrères se gaussent souvent de moi parce que je me fais un point d'honneur de voir le travail d'autant d'artistes que je peux, répondit Pinkie. Quels que soient leur origine sociale ou leur sexe. J'estime qu'il y a quelque mérite dans tout tableau sérieux, quel que soit le peintre. Pour répondre à votre question, oui, je crois avoir la personne qu'il vous faut. Elle s'appelle Cecilia Beaux.

Miss Howard inclina légèrement la tête, comme si ce nom lui rappelait quelque chose.

— Avez-vous entendu parler d'elle? demanda Pinkie, prêt à être impressionné.

— Il me semble connaître ce nom, répondit-elle, fouillant sa mémoire. Est-ce qu'elle n'enseignerait pas?

— Si fait. A la Pennsylvania Academy, où un brillant avenir lui est promis.

Elle plissa le front.

— Non. Ce n'est pas…

— Elle donne aussi un cours privé. Deux fois par semaine, à New York. C'est d'ailleurs ce qui m'a fait penser à elle.

— Où le donne-t-elle ?

— Chez Mrs Cady Stanton.

— Bien sûr ! fit Miss Howard, dont le visage s'éclaira. Mrs Cady Stanton et moi sommes de vieilles amies. Je l'ai entendue parler de Miss Beaux, et en termes très louangeurs.

— A juste titre, jugea Pinkie. Il y a dans le travail de cette femme une qualité… Elle voit jusqu'au cœur même de la personnalité de son sujet, je ne saurais mieux dire. Elle est très appréciée en Europe et le deviendra ici aussi avec le temps. Des portraits remarquables, vraiment — surtout de femmes et d'enfants. Oui, plus j'y pense, plus je suis convaincu que c'est le peintre qu'il vous faut.

— Et je peux la joindre par Mrs Cady Stanton, assura Miss Howard en regardant le Dr Kreizler. Dès demain matin.

— Dans ce cas… dit le docteur, levant de nouveau son verre. Notre problème est résolu. Je savais que nous avions raison de nous adresser à toi, Albert : tu es un dictionnaire vivant.

11

Le lendemain matin, Miss Howard téléphona pour annoncer qu'elle avait pris contact avec Mrs Elizabeth Cady Stanton, la célèbre militante qui, depuis un demi-siècle, combattait pour les droits des femmes. Apparemment, Miss Howard connaissait et admirait depuis l'enfance cette femme qui tenait à accoler son nom de jeune fille à celui de son époux. Comme Mrs Cady Stanton avait de la famille dans l'Hudson Valley, non loin de la résidence familiale des Howard, Sara avait fait très tôt sa connaissance par l'intermédiaire d'amis communs. Elle prévint le docteur qu'utiliser la suffragette pour rencontrer Miss Cecilia Beaux ne manquerait pas d'entraîner des complications, car la vieille toupie sagace était parfaitement au courant des relations personnelles et professionnelles de Sara. Mrs Cady Stanton savait par exemple que celle-ci n'avait perdu récemment aucun parent, ce qui interdisait à notre amie d'utiliser de nouveau le mensonge fait à Pinkie. Elle savait aussi que Miss Howard était détective, et elle fut aussitôt captivée par une histoire derrière laquelle elle soupçonnait quelque intrigue — captivée au point qu'elle demanda carrément à assister à la séance de dessin que Miss Howard avait programmée pour jeudi soir, au 808, Broadway. Dans l'impossibilité de répondre aimablement à la militante de s'occuper de ses propres affaires, Sara fut contrainte d'accepter.

Entre-temps, la *señora* Linares lui avait envoyé un mot

expliquant que son mari avait des soupçons sur ses absences, et que c'était probablement la dernière fois qu'elle pourrait s'échapper du consulat : les renseignements dont nous avions besoin, il faudrait absolument les obtenir jeudi soir. Quant aux sergents enquêteurs, la visite chez les Cubains n'avait donné aucun résultat et ils en étaient revenus convaincus que personne, au sein du Parti révolutionnaire, n'avait assez de cervelle pour organiser l'enlèvement d'Ana Linares. Recevant cette petite confirmation de sa théorie selon laquelle l'enfant avait été kidnappée par une femme agissant seule, le docteur monta à son bureau le mercredi après-midi. Le lendemain matin, il n'en était toujours pas ressorti. On lui portait à manger sur un plateau, et il avait strictement recommandé qu'on ne le dérange pas. Le jeudi, Mr Moore et Miss Howard passèrent vers deux heures afin de mettre au point une stratégie pour la séance du soir. En apprenant que le docteur était enfermé dans son bureau, ils me demandèrent ce qui se passait, ce à quoi je répondis que je n'en savais rien, puisque je ne l'avais pas vu depuis vingt-quatre heures.

Lorsque Mr Moore frappa à la porte du bureau, il obtint en retour un ferme « Allez-vous-en, s'il vous plaît ! ». Il me regarda mais je ne pus que hausser les épaules.

— Kreizler ? insista-t-il. Que se passe-t-il, sacrebleu, tu es là-dedans depuis deux jours. Il est temps de nous préparer pour le portrait !

Un long grognement exaspéré précéda l'ouverture de la porte. Le docteur apparut en veste d'intérieur et pantoufles, le nez dans un livre.

— Oui, et je pourrais aussi bien y passer deux ans avant de trouver quoi que ce soit d'utile.

Il leva vers nous un regard vide et nous fit signe d'entrer.

Trois des murs de la pièce étaient recouverts par des boiseries et des rayonnages d'acajou, le quatrième étant percé d'une fenêtre devant laquelle se trouvait le bureau du docteur. Partout des livres ouverts, des revues, des monographies — certains qui semblaient avoir été posés avec soin, d'autres qu'on avait manifestement jetés çà et là.

— Je m'efforce de rassembler des documents qui nous permettraient de nous familiariser avec les particularités psychologiques inhérentes aux relations femme-enfant. Et je suis déçu par mes confrères — ce n'est d'ailleurs pas la première fois.

Mr Moore débarrassa le sofa de diverses publications pour s'y laisser tomber.

— Bonne nouvelle, dit-il, l'air enchanté. Au moins, cette fois-ci, nous n'aurons pas de leçons à potasser.

Il faisait allusion à l'affaire Beecham, pendant laquelle le docteur avait fait lire à tous les membres de l'équipe non seulement les ouvrages fondamentaux de l'époque dans le domaine de la psychologie, mais aussi des articles de spécialistes s'appliquant particulièrement à l'enquête. Rude tâche, car peu de gens au monde savent parler pour ne rien dire comme le psychologue ou l'aliéniste moyens.

— A supposer que tu aies retenu ne serait-ce qu'une partie de ce que tu as appris l'année dernière, répondit le docteur d'un air dégoûté, alors, non, il ne reste pas grand-chose à étudier. C'est aberrant. Des hommes rationnels, parfaitement sensés, se mettent à débiter des sornettes quand ils abordent l'instinct maternel. Ecoutez l'auguste Herr G.H. Schneider, un des auteurs préférés de James. (Mr Moore avait fréquenté Harvard avec le docteur et suivi également, quoique brièvement, les cours du célèbre professeur.) «Dès que la femme devient mère, ses pensées, ses sentiments, tout son être est transformé. Jusque-là, elle ne songeait qu'à son bien-être, à la satisfaction de sa vanité ; le monde lui semblait fait uniquement pour elle… A présent, poursuivit Kreizler, la voix empreinte de sarcasme, le centre du monde, ce n'est plus elle mais son enfant. Elle ne pense plus à sa propre faim, elle doit d'abord s'assurer que l'enfant est nourri. Elle montre une patience infinie envers ce bébé qui piaille sans arrêt, alors qu'auparavant tout son discordant, tout bruit désagréable la rendait nerveuse. » Sara, je vous le demande, avez-vous jamais entendu pareilles stupidités ?

Le visage de Miss Howard prit une expression résignée.

— C'est l'opinion généralement répandue, j'en ai peur, dit-elle.

Remarque qui ne désarma pas mon mentor :

— Oui, mais écoutez la suite : « Ainsi en va-t-il, du moins, chez les mères élevées naturellement qui, hélas ! semblent se faire de plus en plus rares. » Mais examine-t-il ensuite les particularités mentales de ces mères élevées *non naturellement* de plus en plus nombreuses ? Il n'en fait rien ! explosa-t-il en rejetant l'ouvrage.

Apparemment, des rouages s'étaient mis à tourner dans la tête de Miss Howard pendant la diatribe de son hôte.

— Docteur… commença-t-elle.

Mais il n'avait pas terminé. Saisissant un autre livre, il mugit :

— Et James lui-même : « L'amour parental est un instinct plus fort chez la femme que chez l'homme. Le dévouement passionné d'une mère pour un enfant malade ou mourant constitue peut-être le spectacle moral le plus beau que nous offre la vie humaine. » Et là s'arrête la discussion ! Que diraient ces grands esprits, je me le demande, si je les confrontais aux dizaines de cas que j'ai étudiés de femmes qui battent leurs enfants, qui les affament, qui les poussent dans un four allumé, ou qui les tuent, tout simplement ! C'est inconcevable !

— Oui, docteur, essaya de nouveau Sara, mais je me demande… Ne peut-on trouver quelque utilité à ces conceptions pleines de préjugés ?

— Uniquement par inférence, Sara, maugréa Kreizler. (Il laissa tomber le livre qu'il tenait sur une pile d'autres bouquins puis reprit le premier.) Un simple et bref commentaire de Schneider est éclairant : « Elle — la mère — a transféré tout son égotisme sur l'enfant. »

— Oui, précisément. Supposons que vous soyez l'une de ces mères élevées anormalement, une femme qui a perdu ses propres enfants et ne peut plus en avoir : n'auriez-vous pas envie de vous en procurer un d'une manière ou d'une autre, ne serait-ce que pour prouver que vous êtes capable de vous acquitter convenablement de ce que la société perçoit comme la fonction féminine essentielle ?

L'air sidéré, le docteur jeta l'ouvrage de Schneider sur celui de James.

— Et dans un contexte individuel adéquat, cette envie pourrait croître jusqu'à détruire les fonctions inhibitrices normales... murmura-t-il, hochant lentement la tête. Mais où étiez-vous passée ces deux derniers jours, mon oracle de la psyché féminine ? (Il s'approcha, posa les mains sur les épaules de Sara.) Il m'a fallu Dieu sait combien d'heures de lecture inutile pour parvenir à cette conclusion !

Il alla à la porte, cria dans le couloir :

— Cyrus ! Faites couler mon bain, s'il vous plaît, et préparez-moi des vêtements propres ! (Il revint à Miss Howard.) La dernière fois que nous avons travaillé ensemble, Sara, nous avons étudié les lois connues de la psychologie. Cette fois, les préjugés de notre société nous contraindront, je crois, à en écrire de nouvelles. Restez constamment disponible, car c'est de votre point de vue que nous aurons le plus besoin. Les autres pourront...

Il fut interrompu par des ronflements provenant du sofa. Nous nous retournâmes tous pour voir Mr Moore somnoler.

— Eh bien, soupira le docteur, disons simplement que certains autres avis seront beaucoup moins importants. Laissons-le dormir pour le moment : avec un peu de chance, nous l'enverrons arpenter les rues dès demain.

Une fois que l'aliéniste se fut lavé et habillé, nous découvrîmes que l'unique moyen de réveiller tout à fait Mr Moore, c'était de lui offrir un déjeuner tardif au restaurant Delmonico de Madison Square. Depuis quelque temps, le Dr Kreizler fréquentait moins cet établissement parce que Mr Charlie Delmonico, pour suivre le mouvement de la mode et de l'argent vers la partie nord de la ville, avait récemment ouvert un autre restaurant dans la 44ᵉ Rue et, bien qu'il jurât n'avoir aucune intention de fermer celui de Madison Square, le docteur savait que ce n'était qu'une question de temps. Il lui retirait donc en partie sa clientèle (jamais il n'aurait pu l'en priver totalement) en guise de protestation.

Cyrus et moi accompagnâmes les autres à pied jusqu'à Madison Square. Si nous ne mangions jamais à la table du docteur — c'eût été impensable, à l'époque —, nous participions cependant au festin : je m'étais fait un ami de Mr Ranhofer, le chef suisse qui régnait en tyran sur les cuisines, et j'obtenais généralement de lui deux gamelles de mets délicieux que nous dégustions dans le parc.

A l'entrée principale, où Charlie Delmonico accueillait les clients, Kreizler tendit la main au restaurateur en annonçant, à demi sérieusement : «Je ne vous adresse plus la parole, Charles.» Une fois que Kreizler et ses invités furent entrés, je courus à la porte de derrière.

Me faufilant entre des hommes chargés de cageots de légumes et de fruits, de palettes de poissons et de quartiers de viande, je passai par une entrée sombre et me retrouvai dans la cuisine en brique où des dizaines de casseroles et de poêles pendaient au plafond voûté. J'entendis la voix sonore de Mr Ranhofer se répercuter sur les murs carrelés :

— Non, non, non, espèce de porc ! Je ne donnerais pas ça à manger à un animal ! Tu n'apprendras donc jamais ?

L'objet de son courroux — je le découvris bientôt — était un jeune pâtissier qui prenait ces insultes fort à cœur et semblait sur le point de s'effondrer. Mr Ranhofer — énorme corps rond enveloppé de blanc, grosse moustache hérissée de même couleur — se calma un peu en s'approchant du jeune homme.

— Viens que je te montre… mais une seule fois !

Je parcourus du regard l'immense salle où une trentaine de cuisiniers et marmitons s'affairaient en beuglant à tue-tête — parfois sans s'adresser à personne en particulier, autant qu'on pût en juger. Des flammes aux couleurs diverses s'échappaient par moments des fourneaux et une centaine d'odeurs différentes — certaines alléchantes, d'autres simplement curieuses — se fondaient en une seule, impossible à identifier. On se serait cru dans un des asiles d'aliénés que j'avais visités avec le docteur — à cette différence près qu'en haut, dans les salles élégantes, les clients payaient un prix exorbitant pour ce qui sortait de cette maison de fous.

Quand une ouverture s'offrit enfin, je tirai sur le tablier du chef en criant :

— Hé ! Mr Ranhofer !

Il se retourna et, après un bref sourire, fronça les sourcils.

— Je t'en prie, Stevie, pas aujourd'hui ! C'est de la folie… de la folie !

— Ouais, je vois. Qu'est-ce qui se passe ?

— Il me tuera, ce Charles ! Trois déjeuners privés et, pour suivre, un dîner de quatre-vingts couverts ! Comment veut-il que je fasse ?

— Ah ! vous y arriverez, fis-je d'un ton rassurant. Vous y arrivez toujours, pas vrai ? C'est pour ça que vous êtes le chien de tête de la meute des cuisines.

C'est comme ça que je l'eus. Il sourit de nouveau, s'écria :

— Franz ! Deux gamelles, avec le crabe ! Tout de suite ! (Il essuya ses mains à son tablier en surveillant son armée puis revint à moi.) Sauve-toi, Stevie, je n'ai pas le temps de bavarder aujourd'hui… (Quelque chose accrocha son regard.) Arrête, toi ! Non, mais quel imbécile !

Je pris les gamelles des mains du dénommé Franz, qui gardait un œil sur son patron comme s'il se demandait quand viendrait son tour de se faire enguirlander. En ressortant, je chipai deux fourchettes et autant de serviettes puis empruntai le même couloir, plus embouteillé encore de livreurs.

Cyrus m'attendait sur un banc du Madison Square Park, derrière une longue file de fiacres stationnés dans la Cinquième Avenue. Je lui remis une gamelle, une fourchette et une serviette puis m'assis par terre à côté de lui. Nous parlâmes de Merle Spotswood en mangeant le crabe — cuit comme je l'aime, à la poêle, avec simplement un peu de beurre — accompagné de riz aux bananes et de salade italienne. Repas succulent, que j'appréciai d'autant plus qu'il était gratuit. Après quoi, je m'étendis dans l'herbe et fumai une cigarette.

— Cyrus, dis-je, contemplant le ciel à travers les branches d'arbres, tu crois que le docteur attendra encore longtemps avant de virer Mrs Leshko ?

— Je ne sais pas, mais ça ne peut plus durer comme ça.

J'attendis un moment avant d'exprimer ce que j'avais

en tête depuis que Pinkie m'avait montré sa *Petite Servante d'Acadie.*

— Cyrus, tu crois que le docteur pourrait engager Kat ? Comme bonne, je veux dire.

Le silence qui suivit me signifia clairement ce que pensait mon ami, et qu'il traduisit bientôt en mots :

— Il faudrait que Kat ait envie de ce travail, Stevie. Elle a de grands projets pour elle-même. Je doute qu'elle soit intéressée.

— Ouais, sûrement pas. Je pensais simplement…

— Je sais, dit-il d'un ton compréhensif. Tu peux demander au docteur, mais je te le répète, il faudrait qu'elle ait envie de ce travail.

Je n'insistai pas et, après quelques minutes de silence, nous passâmes à d'autres sujets de conversation.

Il était plus de quatre heures quand le Dr Kreizler, Mr Moore et Miss Howard sortirent de chez Delmonico, l'air accablés. Mon employeur passa rapidement devant Cyrus et moi avec un sec « Nous rentrerons à pied ». Je traînai délibérément les pieds, de même que Cyrus et Sara, laissant Moore et le docteur prendre un peu d'avance. Je n'osais pas demander ce qui s'était passé mais Miss Howard dut lire la question sur mon visage.

— C'était horrible, murmura-t-elle. La nouvelle de l'enquête sur la gestion de l'Institut s'est répandue. Même des gens qu'il considérait comme des amis lui ont tourné le dos. C'était comme si nous n'étions pas là. Heureusement qu'il y avait Charlie, sinon, cela n'aurait pas été supportable.

Réaction prévisible, je suppose, de la part de ceux qui se disent membres de la « bonne société ». Le docteur feindrait sans doute de n'en avoir cure, mais je savais que cette attitude l'ulcérait profondément. J'espérais seulement que le trajet à pied jusqu'au 808 suffirait à Mr Moore pour ramener l'attention de son ami sur notre objectif.

Il y parvint, du moins autant qu'on pouvait raisonnablement l'escompter. En arrivant à l'immeuble de briques jaunes, nous trouvâmes les Isaacson qui nous attendaient, et le docteur se mit aussitôt à leur parler de l'affaire. Quand nous pénétrâmes dans la salle du cinquième étage, la discussion portait sur la façon de présenter la séance de dessin à nos invitées. Miss Howard avait recommandé à la *señora* Linares de ne rien dire des événements, mais ce « rien » ne suffirait pas à satisfaire la fort curieuse Mrs Cady Stanton. Sara avait un moment envisagé de prétendre que le sujet du portrait était une vieille amie — voire une parente — de la *señora*, mais cela n'expliquerait pas les hématomes de cette dernière. Et Mrs Cady Stanton ne manquerait pas de poser des questions à ce sujet puisque les brutalités conjugales étaient un sujet sur lequel elle donnait des conférences depuis des dizaines d'années. En fait, précisa Miss Howard, d'autres militantes des droits de la femme lui reprochaient souvent d'accorder autant d'importance au combat pour faire disparaître les causes de la violence au foyer (notamment l'alcoolisme) et assouplir la législation sur le divorce qu'à la lutte pour le droit de vote des femmes. Je dois avouer que je comprenais son point de vue : dans mon ancien quartier, la plupart des femmes se fichaient comme d'une guigne de l'élection du président, trop occupées qu'elles étaient à tâcher de survivre aux brutalités de leurs maris.

Quoi qu'il en soit, Miss Howard et Mr Moore en étaient encore à choisir le mensonge qu'ils serviraient à Mrs Cady Stanton quand le docteur suggéra de renoncer au subterfuge et de dire à la vieille dame la vérité, ou plutôt presque toute la vérité : point besoin de préciser qui, exactement, était la *señora* Linares, ni de parler de sa fille. Nous pouvions simplement expliquer qu'elle avait été attaquée par une autre femme dans Central Park, et dépouillée. Si Mrs Cady Stanton cherchait à en savoir davantage, nous verrions bien.

L'idée ne plut pas beaucoup à Sara, qui capitula uniquement quand le bourdonnement d'un système électrique relié à un bouton du hall de l'immeuble nous avertit que la femme du secrétaire particulier du consul était arrivée. Lorsque Miss Howard descendit pour accueillir notre première invitée, elle demeurait convaincue que Mrs Cady Stanton chercherait précisément à « en savoir davantage ».

La *señora* était assez nerveuse quand elle sortit de l'as-

144

censeur, persuadée qu'elle était d'avoir été suivie, par son mari ou quelqu'un d'autre. On envoya Cyrus inspecter les environs, mais il ne repéra personne qui eût l'air de surveiller le 808. La nouvelle rassura un peu l'Espagnole, qui se concentra sur les instructions du docteur concernant ce qu'elle était censée dire et ne pas dire devant les autres femmes. Un second bourdonnement la fit de nouveau céder à la panique, et Mr Moore resta auprès d'elle pour tenter de la calmer cependant que Miss Howard descendait chercher le peintre prometteur et la légende vivante.

12

Aucun de nous ne savait à quoi s'attendre quand nous entendîmes l'ascenseur remonter en grondant. Pour ma part, j'imaginais qu'une sorte de virago empestant la naphtaline ferait irruption dans la pièce telle une des Furies. Je fus donc plutôt surpris — et les autres aussi, à en juger par l'expression de leur visage — quand une dame d'allure fort respectable, mais vêtue à la dernière mode, franchit avec grâce la porte, les cheveux soigneusement coiffés en boucles serrées. La fine dentelle couvrant son cou et sa poitrine s'ornait d'un joli camée. Un instant, je la pris pour le peintre : d'après ce que j'avais vu des militantes pour les droits de la femme, elles n'étaient guère portées sur les dentelles et les bijoux. Mais je m'aperçus alors que les cheveux étaient blancs comme neige, la peau pendante et ridée, et je sus qu'elle était trop vieille pour être l'étoile montante du monde de l'art dont Pinkie avait parlé. Les yeux, toutefois, avaient quelque chose d'alerte et de jeune qui m'incita à penser que si cette dame était grand-mère, on n'avait nulle envie de la traiter comme telle. Elle portait une canne à pommeau de cuivre mais se tenait droite et fière comme la vieille combattante qu'elle était : Mrs Elizabeth Cady Stanton, la seule femme qui avait eu l'audace de récrire la Bible d'un point de vue féminin.

Derrière elle venait une dame plus jeune qui aurait pu être la sœur aînée de Miss Howard, tant leur mise et leurs manières se ressemblaient. Miss Cecilia Beaux avaient des traits plus élégants que beaux, des yeux clairs hypnotiques. Elle était vêtue d'une blouse toute simple avec un petit ruban autour du cou, d'une légère tunique de lin et d'une jupe assortie. Les points communs entre les deux femmes ne s'arrêtaient pas à l'apparence extérieure puisqu'elles bavardaient déjà comme de vieilles amies, Miss Howard racontant au peintre notre visite chez Pinkie, Miss Beaux évoquant une expérience similaire. J'appris en outre par la suite qu'elles étaient toutes deux issues de familles riches (Hudson Valley pour la première, Philadelphie pour la seconde) qui désapprouvaient totalement leur façon de vivre peu conventionnelle.

Après les présentations, je me retirai prestement sur mon appui de fenêtre et ne dis plus un mot. A la façon dont Mrs Cady Stanton examinait tour à tour chacun de nous, on devinait qu'elle s'efforçait d'évaluer la situation, sans grand succès d'ailleurs. Tandis que Miss Beaux préparait son matériel à dessin et installait une chaise près de la *señora*, Sara récita la version fabriquée — ou, comme le docteur préférait dire, incomplète — de ce qui était arrivé à Isabella Linares. En l'écoutant, Mrs Cady Stanton fronça les sourcils mais ce fut d'un ton aimable qu'elle fit observer :

— Une autre femme, dites-vous, Sara ? C'est inhabituel... Et le mobile était l'argent ?

Mr Moore tenta d'émousser les questions par un déploiement de charme :

— A New York, chère madame, le mobile est généralement l'argent, et il se passe très peu de choses dans cette ville qu'on puisse qualifier d'« inhabituelles », je le crains.

Instantanément, l'expression de la militante se fit plus froide et elle tourna un œil sévère vers le journaliste.

— Vraiment, Mr... Moore, n'est-ce pas ? J'ai longtemps vécu à New York, pas toujours dans les quartiers les mieux fréquentés, et je crois pouvoir affirmer qu'une femme qui en agresse une autre dans Central Park est un événement rare. Peut-être que l'un de ces policiers le confirmera.

Elle inclina la tête en direction des Isaacson qui, tout en ne sachant trop comment lui répondre, paraissaient agacés qu'on ne leur donne pas leur grade de sergent enquêteur.

— Eh bien… fit Lucius, tirant son mouchoir pour s'essuyer le front. Je ne… c'est-à-dire…

— Rare, mais pas sans précédent, finit par répondre Marcus, faisant montre d'autant d'assurance qu'il était possible en pareille situation.

— Vraiment ? répéta la vieille dame, que la réponse ne satisfaisait pas. J'aimerais qu'on me donne quelques exemples…

Pendant cette petite passe d'armes, Miss Howard s'était retirée dans un coin de la pièce avec les deux autres femmes, et la *señora* avait commencé à décrire au peintre son assaillante. Voyant dans la discussion un moyen de tenir Mrs Cady Stanton à l'écart, le docteur intervint :

— Madame, si vous avez un jour ou deux, je me ferai un plaisir de vous dresser une liste de cas comportant une agression violente commise par une femme.

Elle se tourna vers lui.

— Par une femme contre une autre femme ? lui renvoya-t-elle, incrédule.

— Filles contre mères, sœurs contre sœurs, rivales dans le cœur d'un homme… et, bien entendu, mères contre filles, répondit Kreizler, qui prit son étui en argent. La fumée vous dérange ? Voulez-vous une cigarette ?

— Non, merci. Mais allez-y.

Elle l'observa un moment, tendit un doigt vers lui au moment où il allumait sa cigarette.

— J'ai entendu parler de vous, docteur. J'ai lu plusieurs de vos livres. Vous vous spécialisez dans la psychologie du criminel et de l'enfant.

— Exact.

— Mais pas dans celle de la femme. Comment se fait-il qu'aucun psychologue ne prenne la femme comme domaine de spécialisation ?

— C'est curieux, je me posais récemment la même question…

— Permettez-moi d'y répondre, dit la suffragette, qui changea de position dans son fauteuil pour faire face au docteur et lui administrer un exposé. Les psychologues n'étudient pas le comportement de la femme parce que l'écrasante majorité d'entre eux sont des hommes, et qu'ils finiraient par découvrir qu'à la racine des conduites que vous venez d'évoquer se trouvent l'asservissement de la femme à l'homme et les violences masculines qu'elle subit.

Elle s'interrompit et reprit sur un ton plus amical :

— Vous-même, vous avez traversé des eaux plutôt brûlantes, ces derniers temps. Et je sais pourquoi. Vous cherchez à expliquer les actes des criminels par ce que vous appelez — comment, déjà ? — leur « contexte individuel ». Mais les gens ne veulent pas de vos explications, qu'ils considèrent en fait comme des excuses.

— Et qu'en pensez-vous ?

— Je pense qu'aucune femme ne vient en ce monde avec le désir de faire autre chose que ce à quoi la nature la destine — procréer et nourrir. Mères de l'espèce, les femmes possèdent un pouvoir créateur de nature divine. Quand ce pouvoir est perverti, vous pouvez être sûr qu'un homme est à l'œuvre, quelque part.

— Vos propos sont persuasifs, mais je trouve les idées qu'ils recouvrent un peu difficiles à admettre. Les femmes constitueraient-elles une espèce séparée, inaccessible aux émotions qui font agir les autres êtres humains ?

— Pas inaccessible, docteur, loin de là. Plus profondément touchée par ces émotions, en fait. Et par leurs causes. Qui sont plus profondes qu'un homme, même aussi instruit et progressiste que vous, ne le soupçonne.

— Réellement ?

Mrs Cady Stanton hocha la tête, porta une main à ses boucles blanches comme l'eût fait n'importe quelle femme. Curieusement, pour une personne de son âge et de son opinion, elle ne parut pas du tout embarrassée par cette brève manifestation de vanité.

— Je suis d'accord avec une partie de vos travaux, docteur. Une grande partie, en fait. Votre seul problème, autant que je puisse en juger, c'est que vous ne poussez pas assez loin votre notion de « contexte ».

Avec autorité, elle posa les deux mains sur le pommeau de sa canne.

149

— Que pensez-vous de l'influence de la période prénatale sur la formation de l'individu ? demanda-t-elle.

— Ah ! oui. L'un de vos thèmes favoris.

— Vous contestez l'idée ?

— Chère madame, sur le plan clinique, rien ne prouve qu'une mère — au-delà de l'effet de sa propre condition physique — conditionne la formation du fœtus qu'elle porte en elle.

— Erreur, cher monsieur ! Vous ne sauriez vous tromper davantage. Pendant les neuf mois de vie prénatale, la mère imprime chacune de ses pensées, chacune des sensations de son corps à l'être malléable qui vit en elle !

Le docteur commençait à ressembler au général Custer au moment où ses soldats vinrent l'avertir qu'il y avait finalement un peu plus d'Indiens que prévu. Mrs Cady Stanton l'entraînait dans une discussion interminable qu'il avait lancée comme une simple diversion mais qui s'était rapidement transformée en véritable débat. Au bout d'une dizaine de minutes, je n'y compris plus grand-chose, essentiellement parce que je n'écoutais plus avec attention : j'avais envie d'aller voir ce que donnaient les efforts des trois autres femmes. Sans me faire remarquer, je descendis de mon appui de fenêtre et, longeant le mur, me dirigeai vers elles. En approchant, j'entendis la *señora* Linares :

— Non… non. Moins prononcé, le menton. Et les lèvres un peu plus fines… Oui, comme ça…

— Je vois, fit Miss Beaux, fixant de son regard électrique le grand bloc à dessin qu'elle tenait devant elle. D'une manière générale, diriez-vous que ses traits étaient plus anglo-saxons que latins ?

Isabella Linares réfléchit, acquiesça de la tête.

— Je n'y avais pas songé sous cet angle, mais elle avait effectivement un visage très américain, de ceux qu'on croise dans les régions les plus anciennes de ce pays — la Nouvelle-Angleterre, peut-être.

Je me glissai près de Miss Howard, regardai le dessin : il était encore aussi flou qu'un tableau de Pinkie, bien que, par endroits, Cecilia Beaux fût parvenue à des lignes plus nettes. Le visage qui prenait forme était — comme la *señora* l'avait indiqué — anguleux, non sans attrait mais dur, comme ceux qu'on pouvait rencontrer dans une bourgade du Massachusetts ou du Connecticut.

S'apercevant de ma présence, Sara sourit et murmura :

— Salut, Stevie.

Puis elle coula un regard malicieux vers le centre de la pièce, où le docteur et Mrs Cady Stanton poursuivaient leur joute.

— Je parie que tu meurs d'envie de fumer.

— C'est rien de le dire, soupirai-je.

J'observais les mains délicates de Miss Beaux qui se mouvaient avec précision et rapidité au-dessus du bloc. Elle traçait un trait, repassait dessus en appuyant plus fort, ou l'atténuait en l'ombrant, selon le cas, ou l'effaçait totalement si la *señora* secouait la tête. L'artiste sentit mon regard et sourit.

— Salut, dit-elle, murmurant elle aussi. Tu es Stevie, n'est-ce pas ?

Je ne pus que hocher la tête. A la vérité, je crois que j'étais un peu amoureux d'elle.

— On dirait qu'ils s'amusent bien, là-bas, fit-elle, continuant à dessiner, mais tournant de temps en temps vers moi son sourire délicat et ses yeux extraordinaires. De quoi parlent-ils ?

— J'ai pas tout à fait compris, répondis-je, mais Mrs Cady Stanton lui tape sur le système, c'est sûr.

— Elle était si impatiente de le rencontrer. Elle est souvent comme ça avec les gens qu'elle trouve fascinants : elle a tellement envie d'échanger des idées qu'elle finit par provoquer une dispute.

— Je crains qu'il ne m'arrive d'en faire autant, reconnut Miss Howard.

— Moi aussi ! fit le peintre. Et je passe ensuite des jours à me le reprocher. En particulier avec les hommes. La plupart d'entre eux ont une attitude si condescendante que lorsqu'on en rencontre un qui pourrait être différent, on le submerge sous une avalanche d'opinions.

— Et en véritables rocs qu'ils sont, ils courent se cacher derrière une troupe de ravissantes oies sans cervelle…

— Oh ! c'est exaspérant, dit Miss Beaux, qui se tourna de nouveau vers moi. Et toi, Stevie ?

— Moi, mademoiselle ?

— Oui. Que penses-tu des jeunes femmes ? Tu aimes mieux qu'elles soient intelligentes, ou qu'elles modèlent leurs opinions sur les tiennes ?

Ma main se porta à mon front et se mit à tordre nerveusement une mèche de cheveux. Dès que j'en pris conscience, je m'arrêtai aussitôt.

— Je... je ne sais pas. Je... je ne connais pas beaucoup de...

— Stevie ne supporterait pas une idiote, répondit pour moi Miss Howard, posant une main rassurante sur mon bras. Vous pouvez en être sûre.

— Je n'en ai jamais douté, déclara aimablement Cecilia Beaux avant de revenir à Mrs Linares. Maintenant, *señora*, les yeux. Vous dites que c'est ce qui vous a le plus frappée en elle ?

— Oui. C'est le seul trait qui m'a paru un peu exotique — des yeux de fauve, ainsi que je l'ai dit à Miss Howard. Presque... Connaissez-vous les antiquités égyptiennes du Metropolitan Museum ?

— Bien sûr.

— Ils avaient quelque chose qui rappelait ces œuvres d'art. Ils n'étaient certes pas immenses, mais leurs cils, lourds et sombres, donnaient une impression de grandeur. Ensuite, leur couleur — ambre, je dirais, presque dorée...

Je regardai les mains de Miss Beaux se mettre au travail sur la partie supérieure du dessin et sursautai en entendant le docteur m'appeler.

— Stevie ! Qu'est-ce que tu fais là-bas ? Viens, Mrs Cady Stanton voudrait te parler !

— Me parler ? bredouillai-je, espérant qu'il y avait erreur.

— Oui, te parler, répéta-t-il avec un sourire. Viens donc !

Après avoir adressé à Sara le dernier regard d'un condamné, je me traînai jusqu'au fauteuil où Mrs Cady Stanton était assise. Elle lâcha sa canne pour prendre mes mains dans les siennes.

— Voyons, jeune homme, vous êtes l'un des protégés du docteur, n'est-ce pas ? m'interrogea-t-elle en scrutant mon visage.

— Oui, m'dame, répondis-je, sans enthousiasme.

— D'après lui, vous avez eu une vie agitée, malgré votre jeune âge. Dites-moi… (Elle se pencha vers moi, si près que je discernai de petits poils blancs sur ses vieilles joues.) Vous en voulez à votre mère ?

La question me prit au dépourvu et je regardai le docteur. Il hocha la tête comme pour me dire : Vas-y, réponds ce qui te chante.

— Si je… ? commençai-je. (Je m'interrompis pour réfléchir.) Je sais pas si lui en vouloir est le mot. Elle m'a initié au crime, ça, c'est sûr.

— Parce qu'un homme l'y a forcée, sans aucun doute, avança la vieille dame.

— Ma mère a eu des tas d'hommes, mais je crois pas qu'un seul l'ait jamais forcée à faire quoi que ce soit. Elle m'a mis au travail parce qu'elle avait besoin de se ravitailler. En alcool, d'abord, et puis en drogue.

— Que des hommes lui fournissaient.

— Si vous le dites, m'dame, fis-je avec un haussement d'épaules.

— Il ne faut pas lui faire trop de reproches, Stevie. Même les femmes riches n'ont que peu de choix dans ce monde. Les femmes pauvres n'en ont pas du tout.

— Peut-être, convins-je. Vous savez mieux que moi. Mais, comme j'ai dit, je crois pas que je lui en veux vraiment. Simplement, la vie est devenue plus facile quand j'ai cessé de la voir.

— Sage déclaration, mon enfant, fit-elle d'un ton grave. (Elle s'anima, me secoua les bras.) Je parie que tu étais un garnement avant de connaître le docteur. Mes trois aînés étaient des garçons, ils m'en ont fait voir de toutes les couleurs ! Plus personne dans le quartier ne m'adressait la parole à cause de leurs méchants tours. (Elle lâcha mes mains.) Cela ne modifie en rien mon opinion, Dr Kreizler…

Pendant qu'elle se relançait dans un long discours, je me tournai vers mon maître, qui me sourit et m'indiqua d'un signe de tête que je pouvais retourner avec le trio.

Il fallut à peu près deux heures à Miss Beaux pour compléter son dessin, et je passai ce temps assis auprès des trois femmes, répondant quand on me parlait, mais observant la plupart du temps en silence le travail du peintre. C'était un processus étonnant : les mots sortaient de la bouche de la *señora* Linares, pénétraient dans les oreilles de Miss Beaux et se transformaient en mouvements de la main, parfois très fidèles aux souvenirs de la *señora*, parfois moins. Miss Beaux usa une gomme et émoussa les pointes d'une poignée de crayons à mine tendre mais, vers huit heures, un visage réellement vivant était apparu sur la feuille de papier. En nous rassemblant autour d'elle pour admirer son travail, nous tombâmes dans un silence stupéfait qui confirma ce que la *señora* Linares nous avait déclaré à l'origine : c'était un visage qu'on ne risquait pas d'oublier.

L'Espagnole s'était rappelé d'autres détails de la physionomie de la ravisseuse quand elle avait vu ses souvenirs prendre forme sous ses yeux, comme le docteur l'avait supposé, et la femme qui, du bloc à dessin, nous renvoyait nos regards correspondait à tous les adjectifs qu'Isabella Linares avait utilisés pour la décrire. La première chose qu'on remarquait, c'était indéniablement les yeux, ou peut-être devrais-je dire l'expression des yeux : affamée, avait dit la *señora*, et on y lisait bel et bien de la faim. Mais les yeux de félin avaient une autre expression, qui ne m'était que trop familière, et que je ne voulais pas nommer. Je l'avais vue chez ma mère quand elle cherchait à obtenir quelque chose de moi ou d'un de ses jules ; ou chez Kat, lorsqu'elle exerçait son métier. C'était de la séduction, la promesse silencieuse que si vous faisiez pour elle quelque chose que vous saviez pourtant être mal, elle vous accorderait en retour l'attention et l'affection dont vous aviez si grand besoin. Le reste du visage — elle devait avoir une quarantaine d'années — avait dû être très joli, autrefois, mais il était à présent tiré, durci par de pénibles années d'expérience, à en juger par la mâchoire crispée. Le nez était petit, les narines dilatées par la colère, les lèvres pincées, avec de petites rides aux coins de la bouche ; les pommettes hautes laissaient deviner la forme du crâne et me firent aussitôt penser à la Mort sur son cheval dans le tableau de Pinkie.

Ce visage correspondait à toutes les hypothèses que le

docteur et les autres avaient émises : une femme dure, désespérée, qui avait vu en son temps trop d'horreurs et était maintenant prête à en commettre. Pinkie lui non plus ne s'était pas trompé dans sa prédiction : Miss Beaux, sans avoir jamais vu son sujet, avait pénétré jusqu'au cœur même de sa personnalité.

Je crois que tous — y compris le peintre — nous étions bouleversés par ce qu'elle avait créé. En tout cas, la *señora*, qui hochait lentement la tête, assise au bord de son fauteuil, donnait l'impression d'être au bord des larmes. Le silence ne fut rompu que lorsque Mrs Cady Stanton déclara :

— Messieurs, vous avez devant vous un visage que la société de l'homme a endurci à jamais...

Miss Howard se leva, prit la vieille dame par le bras.

— Oui, absolument, approuva-t-elle. Mais je ne m'étais pas rendu compte qu'il était si tard. Vous devez mourir de faim, Mrs Cady Stanton, et vous aussi, Cecilia. (Elle se tourna vers le peintre pour lui serrer la main.) Je parlais sérieusement : j'aimerais beaucoup assister à votre cours, ou simplement déjeuner avec vous.

Miss Beaux s'anima, soulagée, me sembla-t-il, d'échapper à ce qu'elle avait elle-même créé.

— Avec plaisir, Sara. C'était vraiment fascinant.

Mon amie entraîna les deux femmes vers l'entrée. Au moment de monter dans l'ascenseur, la suffragette se tourna vers mon maître.

— Je suis sûre que nous nous reverrons, nous aussi, docteur. Cette discussion a été fort éclairante pour moi — et pour vous aussi, je l'espère.

— Tout à fait, assura-t-il poliment. Miss Beaux, dit-il au peintre en tirant un chèque de sa poche, j'espère que vous trouverez la somme acceptable. Miss Howard m'a communiqué vos tarifs habituels mais vu le caractère insolite des circonstances et votre empressement à nous aider...

Les yeux de la jeune femme s'agrandirent quand elle déchiffra le chèque.

— C'est... c'est vraiment très généreux. Je ne sais pas si cela mérite...

— Ne dites pas de sottises. Ce que vous avez fait pour nous est inestimable.

La grille se referma sur les trois femmes, et la cabine descendit dans un bourdonnement. Je poussai un soupir.

— Pas fâché de voir partir cette vieille chouette, grognai-je.

— Quelle bavarde ! fit Mr Moore, qui alla s'étendre sur le divan. Un vrai moulin à paroles.

— Oui. C'est dommage, commenta le docteur. Si le destin et notre société ne l'avaient pas contrainte à restreindre son champ intellectuel en adoptant un programme politique, elle aurait pu avoir un esprit scientifique de première grandeur. (Il alla s'agenouiller près de la dernière invitée.) *Señora*, je n'ai pas besoin de vous demander si le dessin est ressemblant — votre visage me donne la réponse. Mais y a-t-il quelque chose que je pourrais faire pour vous ?

Les lèvres d'Isabella Linares tremblèrent quand elle répondit :

— Ma fille. Retrouver ma fille. (Elle détacha enfin ses yeux du dessin, prit son sac et son chapeau.) Je dois partir, il est tard. Je ne pourrai plus revenir. (En se levant, elle adressa au docteur un dernier regard implorant.) Vous pensez que vous pouvez réussir ?

— Je pense que nous avons maintenant de bonnes chances, déclara-t-il en lui prenant le bras. Cyrus ?

Le grand Noir se leva, prêt à accompagner la *señora* jusqu'à un fiacre pour la dernière fois. Elle murmura ses remerciements à chacun de nous puis monta dans l'ascenseur avec Cyrus quand Miss Howard ramena la cabine. Voyant son état, Sara passa un bras autour de ses épaules, et Isabella Linares finit par éclater en sanglots. L'ascenseur redescendit vers Broadway.

Les sergents enquêteurs retournèrent examiner le dessin.

— Cette Beaux a un avenir assuré dans les avis de recherche, avança Marcus. Si ça ne marche pas côté art...

— Remarquable, estima Lucius. J'ai vu sur l'« album de famille », au Central, des photos qui ne sont pas aussi bonnes.

Le docteur partageait son avis :

— Remarquable, en effet. A propos de photos, messieurs, il nous en faudra une douzaine de ce dessin. Dès que vous pourrez...

— Elles seront prêtes demain matin, promit Marcus, qui roula la feuille de papier pour l'emporter. Et nous aussi.

— Moi pas, protesta Mr Moore du divan.

Mon mentor chercha à l'amadouer :

— Allons, Moore, c'est ça le vrai travail d'enquête : tu es le fantassin, le héros méconnu...

— Je préfère être le héros célèbre, pour changer. Pourquoi ne fais-tu pas le porte-à-porte, toi ? Ça...

Il s'interrompit quand Cyrus entra, soutenant Miss Howard par la taille. Elle tenait encore sur ses jambes mais semblait sur le point de défaillir. Nous nous précipitâmes ; le docteur commença à l'examiner.

— Cyrus ! Que s'est-il passé ?

— Je... je n'ai rien, murmura Sara, s'efforçant de reprendre sa respiration. Une frayeur, c'est tout...

— Une frayeur ? dit Moore. Une satanée frousse, pour te mettre, toi, dans cet état. Qu'est-ce que c'était ?

— Nous venions de mettre la *señora* dans un fiacre et nous revenions vers le hall, expliqua Cyrus, glissant une main dans la poche intérieure de sa veste. Ceci s'est planté dans l'encadrement de la porte près de la tête de Miss Howard, au moment où nous sommes entrés...

Tendant sa grosse main, il nous montra l'un des plus curieux poignards que j'aie jamais vus : manche gainé de cuir, garde en fer grossier, lame étincelante formant une succession de S, comme un serpent. Lucius prit la chose, la tint à la lumière.

— Vous pensez qu'on cherchait à tuer l'un de vous ? demanda-t-il.

— Difficile à dire, sergent. Mais...

— Mais ? répéta Marcus.

— A la façon dont il s'est fiché avec précision dans le chambranle, je dirais que non. Celui qui l'a lancé a voulu faire peur. Rien de plus.

— Ou rien de moins, fit le docteur, prenant l'arme. La *señora* avait eu l'impression d'être suivie en venant ici...

— Vous n'avez vu personne ? demanda Mr Moore à Cyrus.

— Non, monsieur. Un jeune garçon tournant le coin de la rue, mais ça ne peut être lui. Du travail d'expert, si vous voulez mon avis.

Le docteur rendit le poignard à Lucius.

— Un expert… donnant un avertissement. La lame est particulière… Vous connaissez ce type de couteau ?

— Oui, dit l'inspecteur en fronçant les sourcils. Malheureusement. On appelle ça un kriss. C'est l'arme des Manillais, ils lui attribuent des pouvoirs magiques.

— Alors, la *señora* Linares avait raison, conclut le Dr Kreizler. Son mari sait qu'elle vient ici. Nous ne pouvons qu'espérer qu'il ignore pourquoi, et qu'elle saura inventer une histoire à laquelle il croira.

— Attendez, intervins-je. Comment vous pouvez être sûr qu'elle ne se trompe pas ? Et c'est quoi, d'ailleurs, ces « Manillais » ?

— Des pirates, des mercenaires, répondit Marcus. Ils tirent leur nom de la capitale des Philippines.

— Ouais ? Et alors ?

Le docteur récupéra le kriss avant de me fournir la suite de l'explication :

— L'archipel des Philippines est l'une des plus importantes colonies de l'Empire espagnol. Un joyau très estimé de la Couronne de la régente… (Il alla au centre de la pièce, examina de nouveau le poignard.) Il semble que ce soir nous avons gagné un avantage — mais nous en avons perdu un. (Il posa sur chacun de nous un regard grave.) Nous devons agir.

13

Si l'étrange couteau philippin ne fit aucun mal à
Miss Howard ni à Cyrus, il porta un coup mortel aux réticences de Mr Moore pour se mettre au travail. Il connaissait Miss Howard depuis l'enfance (la famille de Sara
avait une maison à Gramercy Park, en plus de la propriété
de l'Hudson Valley) et, bien qu'elle fût prompte à soutenir qu'elle n'avait besoin d'aucun homme pour la protéger — ce qui était parfaitement vrai —, il n'appréciait
pas du tout l'idée que des Philippins fous de rage la suivent un kriss à la main. Et le vendredi matin de bonne
heure, il entra au 808 tambour battant avec une longue
liste de toutes les agences de la ville proposant des gardes
d'enfants ou des nurses. Il avait annoncé à ses patrons du
New York Times qu'il serait absent pour un temps indé-
terminé et que, si cela ne leur plaisait pas, ils pouvaient
le virer. Ceux-ci n'avaient pas été surpris par cette déclaration car au journal Mr Moore passait pour un personnage fantasque, mais comme les scoops qu'il rapportait
régulièrement valaient bien l'effort de tolérer sa conduite
capricieuse, ils le mirent en congé illimité. (Deux ou trois
fois seulement, il était allé assez loin pour se faire renvoyer du *Times*, et à chaque fois l'exil n'avait été que
temporaire.)

Les inspecteurs, Miss Howard et Mr Moore se répar-
tirent les agences de la liste et les photographies du dessin de Miss Beaux puis s'en allèrent chacun de leur côté,
prêts pour de longues journées d'investigations frus-

trantes dans des établissements souvent dirigés par des personnes peu coopératives. Dans la maison de la 17e Rue, nous savions tous que l'enquête prendrait du temps, et que ce temps passerait plus vite si nous l'occupions par une activité constructive. Pour le docteur, cela consista à retourner s'enfermer dans son bureau, à éplucher d'autres ouvrages psychologiques pour tenter de déterminer un profil hypothétique correspondant à la femme que nous traquions. Les cris, jurons et imprécations qui s'échappaient de temps en temps de la pièce indiquaient cependant qu'il n'arrivait pas à aller beaucoup plus loin que les jours précédents. Quant à Cyrus, les sergents lui avaient demandé de préparer discrètement des rapports sur chacun des collaborateurs du docteur à l'Institut puisqu'ils devaient concilier cette enquête avec l'affaire Linares. Nul mieux que Cyrus ne connaissait les assistants du Dr Kreizler, et il mit à profit notre attente pour rédiger une série de textes très détaillés.

En ce qui me concerne, j'avais été frappé, après l'incident du poignard des Philippines, par mon ignorance sur ces îles, leur emplacement et leur importance pour l'Empire espagnol. Je demandai donc au docteur de me procurer quelques bouquins et monographies qui m'aideraient à saisir le différend entre l'Espagne et les Etats-Unis. Ravi de mon intérêt sincère, mon maître satisfit à ma requête ; je portai les documents à ma chambre et me plongeai dedans.

Ils m'absorbèrent tellement que le samedi soir je les potassais encore — deux jours d'étude d'affilée, c'était quelque chose que je n'étais jamais parvenu à m'imposer au cours des deux ans passés au service du docteur. Alors que le soir descendait, accompagné d'un orage venu du nord-ouest, je me rendis soudain compte que la semaine touchait à son terme et me rappelai que Kat devait quitter le boui-boui de Frankie pour s'installer au QG des Dusters dès lundi. Après avoir vérifié que le docteur était toujours enfermé dans son bureau, je prévins Cyrus que je sortais, et j'entamai une longue marche sous l'averse pour retourner à mon ancien territoire de chasse, près du carrefour de Baxter et Worth.

Le bouge appelé Chez Frankie, situé au 55, Worth

Street, était un endroit sinistre où j'avais fait la connaissance de Kat, six mois plus tôt. Il offrait comme principales attractions des combats sanglants entre chiens et rats dans une fosse profonde, une kyrielle de filles encore plus jeunes qu'ailleurs dans l'arrière-salle, et un mélange de rhum, de benzène et de copeaux de cocaïne. Durant ma période criminelle, je n'y avais pas passé beaucoup de temps mais je connaissais pas mal de gens qui le fréquentaient assidûment. Je dois dire que ma rencontre avec Kat m'avait amené à me plonger plus que je ne l'aurais probablement dû dans la violence et la misère noire du lieu.

Cette Kat... Un an environ avant que je fasse sa connaissance, elle était arrivée en ville avec son père, arnaqueur de bas étage qui se soûla une fois de trop et tomba un soir d'hiver dans l'East River. Après sa mort, Kat avait essayé pendant quelques mois de gagner sa vie honnêtement en vendant des cornets de maïs grillé chaud avec un vieux landau qu'elle poussait dans les rues du centre — boulot qui n'était pas aussi facile qu'il y paraît. Les vendeuses de maïs grillé posaient un problème intrigant : la plupart d'entre elles n'étaient pas des prostituées mais, pour une raison quelconque, le New-Yorkais moyen et plus encore les provinciaux étaient persuadés du contraire. Nul ne savait d'où venait cette idée. Le docteur voyait une explication dans les « associations subconscientes » que faisaient la plupart des gens au sujet de jeunes filles vendant dans la rue quelque chose de « chaud » ayant une forme que les aliénistes qualifient de « phallique ». Le fait est qu'une grande partie des hommes qui achetaient du maïs à ces filles avaient l'impression de marchander en fait leurs faveurs sexuelles, et, lorsque Kat s'avisa qu'elle pourrait gagner bien plus d'argent en monnayant ces faveurs, elle sauta sur l'occasion. Je ne la juge pas ; aucun de ceux qui ont connu la rue ne la jugerait. On se ruine la santé, toute la journée dans le froid, les pieds nus, à essayer de vendre du maïs, sans même gagner de quoi se payer un lit dans l'un des plus épouvantables asiles de nuit de la ville.

Les premiers temps où elle se prostituait, Kat trouvait ses clients dans la rue mais elle finit par racoler chez

Frankie, parce que la clientèle des gosses était plus sûre, plus régulière et, comme elle disait, beaucoup moins douloureuse pour ses entrailles. Je fis sa connaissance par hasard, un jour que j'étais passé voir un vieux pote. Etrange et triste ce qu'une année dans la rue, une année à se vendre, peut faire d'une fille de la campagne : quand nous nous rencontrâmes, elle était d'une totale impudence, ayant acquis en peu de temps plus d'expérience du monde que n'importe quelle personne ordinaire en toute une vie. Je tombai peut-être amoureux d'elle en la voyant, je ne sais pas, mais si ce ne fut pas immédiat, ce ne fut pas longtemps après. J'avais peut-être envie de voir un des malheureux gosses de Chez Frankie s'en sortir, puisque j'avais découvert par moi-même que c'était possible. Balivernes romantiques d'adolescent, bien sûr, mais il existe peu de choses aussi fortes dans cette vie.

Elle me faisait payer le temps que je passais avec elle — elle y était obligée, disait-elle, pour ne pas contrarier Frankie —, mais la plupart du temps, nous nous contentions de bavarder dans la pièce du fond. Elle me parlait de la vie avec son père, passant d'une bourgade à une autre, toujours à un cheveu de se faire arrêter par la police locale. Je lui parlais de ma vieille, de ma carrière dans la pègre et de la vie en général pour un gamin de New York. Des mois s'écoulèrent avant qu'il y eût quoi que ce soit de sexuel entre nous, et cela arriva uniquement parce que Kat s'était soûlée avec la gnôle trafiquée de Frankie. Ce fut un épisode difficile pour moi parce que je ne savais rien de ces choses et que Kat, déjà experte, s'amusait de mon ignorance et de ma gêne. Quand ce fut terminé, elle déclara que ce n'était pas mal, mais cela ne ressemblait à rien de ce que j'avais rêvé. Nous ne recommençâmes jamais mais nous restâmes amis, même si mes tentatives répétées pour lui faire quitter ce métier la mettaient quelquefois en colère.

En marchant vers le centre, cette nuit-là, je passai par les rues où j'avais vécu autrefois et qui m'apparurent plus que jamais pour ce qu'elles étaient : l'une des plus horribles successions de taudis de la ville. Comme, du fait de la pluie, la plupart des gens restaient chez eux, je ne craignais pas trop de me faire estourbir, et je tournai bientôt le coin de Worth Street. Les samedis soir étaient particulièrement « chauds » chez Frankie. En approchant, je vis des gamins entrer et sortir, à divers degrés de l'ivresse ou de l'abrutissement causé par la drogue. Je descendis les marches menant à la salle en sous-sol, saluai divers gosses que je connaissais, tombai sur Gros-Blair, le garçon que j'avais vu sur les quais au début de la semaine. Il me raconta que les flics les avaient gardés toute la nuit, ses amis et lui, sans rien d'autre sur eux que leurs pantalons mouillés, mais qu'ils les avaient libérés le lendemain matin. Toute la semaine, ils avaient rigolé en lisant dans le journal que « le corps sans tête » était l'œuvre d'un étudiant en médecine ou d'un anatomiste fou : même le demeuré qu'ils appelaient Slap se rendait compte que cette histoire n'était que du vent.

A l'intérieur, la fumée était si épaisse qu'on ne distinguait pas le mur du fond. Aux cris excités des gosses plaçant leurs paris, aux grondements et aux aboiements d'un chien, aux couinements des rats, je déduisis qu'il y avait un combat acharné dans la fosse. Je ne m'arrêtai pas pour regarder — ce genre de spectacle me donnait la nausée — et passai dans la salle du fond, m'approchant de la porte de la petite chambre que Kat partageait avec deux autres filles. Je frappai, entendis un gloussement puis la voix de Kat :

— Allez, entre, mais si c'est pour te payer du bon temps, t'arrives trop tard !

J'ouvris. Kat se tenait devant une petite valise en osier posée sur le matelas défoncé. Les deux autres filles, que je connaissais, étaient en train de boire. Manifestement, elles avaient commencé à écluser de bonne heure et Kat, à en juger par son air, n'avait pas beaucoup de retard sur elles. Elle sourit, s'approcha, me passa les bras autour du cou.

— Stevie ! s'exclama-t-elle, l'haleine empestant le benzène, t'es venu à ma soirée d'adieu, c'est gentil !

Je la pris gauchement dans mes bras, et l'une des deux autres filles me lança :

— Vas-y, profites-en pendant que tu peux encore !

— Betty, dis-je en lui tendant deux dollars, si t'emmenais Moll jouer à courir autour du bar ?

— Pour deux sacs ? fit-elle, fixant les billets comme si c'était la Réserve fédérale. D'accord, chéri. Kat, ajouta-t-elle en sortant, fais-lui un spécial, pour son dernier coup !

Kat éclata de rire pendant que la porte se refermait sur ses deux copines.

— Je blague pas, c'est vraiment gentil d'être venu, Stevie, me dit-elle en posant sur moi un regard vitreux. (Elle parut soudain se rappeler quelque chose, laissa ses bras retomber.) Ah ! non, attends. Je suis en rogne contre toi. T'as failli me faire paumer mon client, l'autre soir, avec ton fouet. Pourquoi t'as fait ça ? Il était vieux, il me fallait juste quelques minutes pour le rendre heureux. Des boulots faciles comme ça, c'est dur à trouver, tu sais.

— Ce sera plus dur chez les Dusters, répliquai-je.

— Naaan. Je pourrai choisir mes clients, là-bas. Mon nouveau jules me l'a dit.

— Ton nouveau jules ? C'est qui ?

— Ding Dong, m'assena-t-elle, les mains sur les hanches. Qu'est-ce que tu dis de ça, monsieur le garçon de courses ?

— Ding Dong… murmurai-je, consterné. Kat, tu peux pas…

— Pourquoi pas ? Tu le trouves trop vieux ? Le fait est qu'il aime les petites jeunes, il me l'a dit. Et comme il fait partie de ceux qui ont lancé la bande, je serai protégée dans toute la ville. Je ferai de passe à personne s'il en a pas donné d'abord l'autorisation.

Je restai un moment silencieux. J'avais croisé plusieurs fois ce Ding Dong quand j'étais avec Butch le Fou. Il dirigeait la troupe auxiliaire de mômes des Hudson Dusters (dont le territoire comprenait le West Side et les quais, sous la 14e Rue). Son système était simple et brutal : il transformait les enfants en drogués et contrôlait leur ravitaillement en cocaïne. Les Dusters étaient tous ce qu'on appelait des « renifleurs » : ils aspiraient par le nez la cocaïne en poudre, quelques-uns s'injectant même la drogue. Cela les rendait imprévisibles, violents, et la plupart des autres bandes les évitaient puisque, de toute façon, aucune partie de leur territoire n'était importante. Ils étaient chouchoutés par les riches bohèmes qui parta-

164

geaient leur goût pour la coco et venaient s'encanailler dans leur quartier général, un vieux rade de Hudson Street. Il n'était pas rare de voir, spectacle affligeant, leur chef Goo Goo Knox encensé par les poèmes et les chansons troussés par des imbéciles instruits mais égarés.

Le sang que j'avais remarqué sur le gant de Kat la nuit où je l'avais rencontrée dans Christopher Street m'avait fait comprendre comment les Dusters l'avaient recrutée. J'en eus une nouvelle preuve quand elle s'assit sur le lit et me tendit une boîte à pilules remplie de fine poudre blanche.

— Ça te dit ? me proposa-t-elle de ce ton à demi honteux qu'ont tous les drogués quand ils ne peuvent s'empêcher de puiser dans leur réserve devant une autre personne. Je peux en avoir autant que je veux.

— J'en doute pas. Ecoute, Kat, j'ai une idée qui pourrait te sortir de tout ça, dis-je en m'asseyant à côté d'elle sur le lit. Le docteur a besoin d'une bonne. Je crois que j'arriverai à le convaincre si t'es prête à...

Elle m'interrompit en inspirant bruyamment une partie de la poudre répandue sur son poignet. La brûlure de la drogue la fit grimacer puis son visage se détendit et, finalement, elle partit d'un grand rire.

— Une bonne ? Stevie, t'es pas sérieux ?

— Pourquoi pas ? Ça te donnerait un toit, un travail sûr...

— Ouais, et je vois d'ici ce que je devrai faire avec ton docteur pour le garder.

Lui saisissant le poignet, je fis tomber ce qui restait de cocaïne.

— Dis pas ça, grondai-je, les dents serrées de colère. Parle jamais plus du docteur comme ça, parce que t'as jamais rencontré quelqu'un comme lui.

— Stevie, bon Dieu ! cria-t-elle, s'efforçant de récupérer la cocaïne que j'avais renversée. Tu... tu comprendras jamais, hein ? Des types comme ton docteur, j'en rencontre depuis que je suis dans cette ville, et j'en suis malade ! Des vieux messieurs prêts à t'aider, ouais, j'en ai rencontré, mais ils demandent toujours quelque chose en échange. Et j'en ai marre ! Je veux un homme, Stevie, un homme à moi, et ce sera Ding Dong ! Lui, c'est pas un gamin, c'est pas un gosse à la tête farcie d'idées idiotes... (Elle s'arrêta, reprit sa respiration.) Ah! excuse-moi. Je t'aime bien, tu le sais. Mais je serai quelqu'un, un jour — peut-être, je sais pas, danseuse de revue, ou actrice, et mariée à un riche. Mais pas bonne, pour l'amour du Ciel. Des bonnes, j'en aurai... plein!

Je me levai, me dirigeai lentement vers la porte.

— Ouais, marmonnai-je, c'était juste une idée...

Elle me suivit, m'enlaça de nouveau.

— Une idée gentille, mais pas pour moi, Stevie. Si t'es bien là-bas, tant mieux. Mais c'est pas une place pour moi.

— Unh-hunh... fis-je, hochant la tête.

Elle prit mon visage entre ses mains, le tourna vers elle.

— Tu pourras passer me voir de temps en temps, mais faudra que tu sois raisonnable. Je suis la fille de Ding Dong, maintenant. D'accord?

— Ouais... d'accord.

Je tendis le bras pour ouvrir la porte. Quand je me retournai, elle souriait.

— Tu m'embrasses pas pour me dire au revoir?

Mon désir l'emportant sur mes réticences, je me penchai vers elle, mais, au moment où mon visage s'approchait du sien, une grosse goutte de sang coula d'une de ses narines. Kat se détourna vivement, essuya le sang avec sa manche.

— Bon Dieu! Ça arrive toujours quand...

Je ne pus en supporter davantage.

— Au revoir, Kat, murmurai-je, avant de sortir en courant.

Sans m'arrêter, je traversai le bar, passai près de la fosse des parieurs et me retrouvai dans la rue. Des gosses dont je ne pouvais distinguer les traits m'appelèrent mais je continuai à courir, de plus en plus vite, les larmes aux yeux.

Lorsque je fis enfin halte, je m'aperçus que j'étais près de l'Hudson et je gagnai rapidement les quais, où l'odeur réconfortante du fleuve m'empêcha de m'effondrer en sanglots. Je me raisonnai : c'était idiot de me tourmenter ainsi pour Kat — personne ne lui pressait un pistolet sur la tempe pour la forcer à suivre le chemin qu'elle prenait. Elle l'avait choisi. Je dus bien me répéter ces mots un millier de fois en regardant les bateaux, les barques et les ferries sillonner les eaux de l'Hudson. Ce ne furent pourtant pas mes propres exhortations qui finirent par m'apaiser. Non, ce fut le fleuve lui-même, dont la vue me faisait toujours penser qu'il y avait quand même de l'espoir. Il a ce pouvoir, l'Hudson, comme tous les autres grands fleuves, j'imagine : donner le sentiment profond que les activités que les êtres humains mènent sur les berges sont passagères, et que ce n'est pas elles qui écriront, au bout du compte, le grand récit de cette planète…

Je rentrai chez le docteur à plus de trois heures et montai me coucher, titubant de fatigue. La porte de son bureau était ouverte et celle de sa chambre fermée, ce qui indiquait qu'il avait peut-être enfin trouvé le sommeil. Je remarquai alors un trait de lumière au bas de la porte. Quand je passai sur le palier, je vis la lumière disparaître, mais le docteur ne sortit pas pour me demander d'où je venais ni pourquoi je rentrais si tard. Peut-être que Cyrus l'avait deviné et l'en avait averti ; peut-être qu'il respectait simplement ma vie privée. Quoi qu'il en soit, je ne fus que trop heureux de pouvoir me réfugier dans ma chambre, fermer la porte et me laisser tomber sur le lit.

Il ne s'était sans doute écoulé que quelques heures quand quelqu'un m'éveilla en me secouant. J'étais encore habillé et il me fallut un moment pour sortir d'un sommeil profond. Je reconnus la voix de Cyrus avant même de voir son visage :

— Stevie ! Debout, nous devons sortir !

Je me redressai soudain, persuadé que j'avais oublié une de mes tâches — mais du diable si je me rappelais laquelle.

— Voilà, voilà, fis-je d'une voix ensommeillée en enfilant mes chaussures. Je prépare les chevaux…

— Je l'ai fait, me coupa Cyrus. Change-toi, nous devons rejoindre les autres.

J'allai prendre une chemise propre dans la commode.

— Pourquoi ? Qu'est-ce qui se passe ?

— Ils ont trouvé qui c'est.

Je laissai tomber par terre la pile de vêtements que je venais de prendre dans le tiroir.

— La femme du dessin, tu veux dire ?

— Exactement. Et d'après Miss Howard, ils ont aussi découvert plein de détails intéressants. Nous avons rendez-vous au musée.

Comme je demeurais planté devant la commode, Cyrus me tendit une chemise en disant :

— Allez, mon garçon, réveille-toi. Tu conduis.

14

Lorsque la calèche quitta la Cinquième Avenue pour s'engager dans Central Park et tourna à droite dans l'allée carrossable du Metropolitan Museum, je compris pour la première fois combien la femme que nous soupçonnions d'avoir enlevé le bébé Linares devait être folle, téméraire ou désespérée. Le chantier de la nouvelle aile du musée occupait tout l'espace, de la 81ᵉ à la 83ᵉ Rue. Vers l'ouest, à l'intérieur du parc, la masse carrée de briques rouges des trois ailes existantes s'étendait sur l'équivalent d'un autre pâté de maisons. Le Metropolitan était de style bâtard — gothique et Renaissance pour les trois autres ailes, « beaux-arts », comme on disait, pour le nouveau bâtiment de la Cinquième Avenue — mais, aussi différentes que fussent les diverses parties du musée, même la première aile n'était pas beaucoup plus ancienne que celle dont la construction était en cours. En conséquence, les arbres et les buissons n'avaient eu que peu de temps pour pousser dans ce secteur du parc, et une bonne partie de ce qu'on avait planté avait été arraché pendant les travaux. Quand les sergents inspecteurs déclaraient que le crime avait été commis en plein jour, dans un endroit fréquenté et bien en vue, ils avaient parfaitement raison. Le seul objet qui atteignît quelque hauteur dans le voisinage, c'était l'obélisque égyptien se dressant derrière l'entrée principale — bientôt latérale — du musée, et la *señora* Linares avait été assommée au moment où elle y arrivait : comme je viens de le souligner, l'enlèvement avait été un acte audacieux, désespéré ou dément, selon l'angle sous lequel on choisissait de le voir.

Pendant le trajet — que j'avais effectué le plus rapidement possible —, le docteur m'avait lu les nouvelles publiées en première page du *Times* : les rebelles cubains avaient massacré l'escorte d'une diligence de La Havane, tandis que le gouvernement prétendait avoir tué l'un des principaux chefs de la rébellion au cours d'un autre engagement. (La première information se révéla exacte, la seconde tenait plus du désir pris pour la réalité.) Il nous était cependant difficile de nous intéresser à tout autre sujet que l'affaire en cours, et quand je lançai Frederick au galop devant les églises du haut de l'avenue, où les familles riches de Mansion Row venaient d'assister à la première messe, je semai la panique dans un groupe de gens convaincus qu'un dimanche, à cette heure matinale, ils pouvaient traverser tranquillement en pensant à autre chose. J'eus droit aux cris de colère et même aux jurons des messieurs et dames dont j'avais aspergé la tenue dominicale de crottin et de pisse de cheval. Je ripostai par quelques mots bien sentis sans même ralentir, et nous nous arrêtâmes juste avant onze heures devant les marches du Metropolitan.

En temps ordinaire, le Dr Kreizler aurait tenu à aller inspecter sur le chantier l'état d'avancement de la nouvelle aile : Richard Morris Hunt, architecte du projet à l'origine, décédé depuis deux ans, avait compté parmi les amis du docteur, de même que son fils, qui avait repris la direction des travaux. Mais les choses étant ce qu'elles étaient, mon maître sauta de la calèche et monta au pas de charge les marches du musée, passa entre une paire de grosses lampes en fer et franchit l'entrée carrée de granite. Cyrus lui emboîta le pas, me laissant m'interroger sur ce que je devais faire de la voiture. Avisant un autre cocher, je lui proposai cinquante *cents* pour la garder — quelques minutes, tout au plus, prétendis-je. C'était au-dessus du prix habituellement demandé pour un tel service, que je rendais moi-même parfois, et l'homme empocha volontiers l'argent. En gravissant à mon tour les marches, je levai les yeux vers les murs de briques rouges, les entrées de granite gris, le haut toit pointu du bâtiment, et j'éprouvai ce que je ressentais toujours quand nous venions dans cet endroit : l'impression de pénétrer dans une sorte de temple dont les rites m'avaient paru autrefois aussi étranges que ces hindous à la tête prise dans une serviette, mais que je comprenais de mieux en mieux maintenant que je vivais sous le toit du Dr Kreizler.

Les galeries situées juste après l'entrée abritaient ce qui constituait à mes yeux les pièces les plus ennuyeuses du musée : les sculptures, les vieilles (je devrais dire « anciennes ») poteries, et les objets égyptiens. Le docteur supposait qu'étant donné la description que la *señora* Linares nous avait faite de la ravisseuse, c'était dans cette dernière salle que nous trouverions nos amis. Effectivement. Mr Moore et Miss Howard contemplaient le visage sculpté et peint d'une Egyptienne, le comparaient au dessin de Miss Beaux et hochaient la tête, estimant, semblait-il, que les yeux étaient ressemblants. Je remarquai que le journaliste, pour une raison quelconque, ne pouvait retenir de temps à autre un rire nerveux. Les sergents, pour leur part, examinaient une petite liasse de papiers avec le plus grand sérieux. Lucius s'avança à notre rencontre.

— C'est une identification aussi formelle que possible, annonça-t-il, tâchant de maîtriser son excitation, mais apparemment sur le point de jaillir hors de ses vêtements moites de sueur.

— Stupéfiant, renchérit Marcus. D'après un dessin ! Docteur, si nous parvenons jamais à faire accepter cette idée dans le service, cela changera tout le processus d'identification et de recherche...

Miss Howard et Mr Moore nous rejoignirent.

— Docteur, il nous a fallu quelques jours... commença-t-elle.

— Tu ne le croiras jamais ! la coupa le journaliste, émettant de nouveau son curieux rire. C'est trop fort, Laszlo, tu n'y croiras jamais !

— Je ne risque pas d'y croire si personne ne me dit ce que c'est, repartit mon maître, secouant la tête avec impatience. Moore, reprends-toi, je t'en prie.

171

Mr Moore s'éloigna, étouffant un nouvel accès d'hilarité, laissant à Marcus le soin de nous faire la révélation.

— Si je vous disais, docteur, que l'année dernière, au moment même où nous enquêtions ensemble sur l'affaire Beecham, la femme que nous cherchons travaillait au bout de votre rue ?

Je sentis ma mâchoire tomber, je vis celles de Cyrus et du docteur faire de même. Mais tout abasourdis que nous étions, nous comprenions parfaitement de quoi parlait l'inspecteur.

— Vous voulez dire à l'hôpital ? murmura le Dr Kreizler, fixant une momie sans la voir. La maternité ?

Lucius sourit d'une oreille à l'autre.

— La Maternité de New York. Dont le principal bienfaiteur était et est encore…

— Morgan, fit le docteur dans un souffle. Pierpont Morgan.

— Ce qui signifie, enchaîna Miss Howard, que pendant que vous étiez… reçus dans la maison de Mr Morgan, cette femme, payée par lui, s'occupait des mères et des nouveau-nés dans sa maternité. (Elle désigna Mr Moore d'un mouvement de tête avec une expression indiquant qu'elle avait des doutes sur sa santé mentale.) C'est ce qui le fait rire — ça et la fatigue. Il est dans cet état depuis notre découverte, et je sais comment l'en sortir.

L'amusement du journaliste était compréhensible. Si le soulagement d'avoir identifié notre proie contribuait à l'accentuer, il découlait essentiellement du fait que cette femme était au service — même indirectement — du grand financier qui avait joué un rôle crucial, et parfois contrariant, dans notre enquête sur les meurtres de Beecham. Voyez-vous, pendant cette enquête, Mr Moore et le docteur avaient été enlevés et conduits à la résidence de J. Pierpont Morgan, et, bien que l'« entrevue » eût été utile pour notre cause, elle avait laissé aux deux hommes des sentiments mitigés à l'égard du plus puissant homme d'affaires, banquier — et philanthrope — du pays.

Parmi ses nombreuses autres activités charitables, Mr Morgan avait été la principale source de financement pour le transfert de la Maternité de New York dans une vaste bâtisse appartenant auparavant à Hamilton Fish, et sise, comme l'avait indiqué Marcus, non loin de la propre maison du docteur, au coin de la 17e Rue et de la Deuxième Avenue. Des âmes peu charitables mais bien informées prétendaient que Morgan avait rendu cet agrandissement possible dans l'unique but d'avoir assez de lits pour accueillir toutes ses maîtresses. Quoi qu'il en soit, la maternité était l'un des rares établissements médicaux s'occupant d'enfants avec lesquels le Dr Kreizler n'avait aucun contact : en partie parce qu'elle était principalement destinée aux filles mères miséreuses et à leurs bébés, qui n'entraient pas dans le domaine de spécialisation du docteur, mais surtout parce qu'elle était dirigée par James W. Markoe, qui se trouvait être le médecin personnel de Mr Morgan.

Remarquable série de coïncidences, diront certains, mais le New-Yorkais de naissance sait que, comme le monde, sa ville est petite, et que de telles choses arrivent assez souvent. Si le docteur eut besoin d'une bonne trentaine de secondes pour digérer toutes ces informations, il ramena bien vite son esprit sur des détails concrets :

— Vous dites qu'elle y travaillait l'année dernière. Je suppose donc qu'elle a été congédiée, ou qu'elle a donné sa démission.

— Un peu des deux, répondit Marcus. Et dans un climat de soupçon, pour user d'un euphémisme. (De la liasse qu'il tenait à la main, il tira une feuille.) Le Dr Markoe n'était pas à la maternité ce matin et, lorsque nous l'avons joint chez lui, il a refusé de nous apporter son aide. Nous aurions pu insister, nous rendre chez lui à titre officiel, mais nous avons eu le sentiment qu'un peu de liquide distribué parmi les infirmières serait plus efficace. Nous ne nous trompions pas, et voici ce que nous avons découvert, conclut-il en montrant la feuille, qui était couverte de notes. Pour commencer, toutes les infirmières qui travaillaient à la maternité l'année dernière sont absolument certaines de l'identité de la femme du dessin. Elle s'appelle Elspeth Hunter.

L'inspecteur marqua une pause d'une seconde — une longue seconde, de celles que j'avais appris à connaître avec l'affaire Beecham. Quand une personne inconnue, sans nom, que vous recherchez — sans même être sûr à cent pour cent qu'elle existe —, cesse d'être un faisceau de descriptions et d'hypothèses pour devenir un individu en chair et en os, vous éprouvez un sentiment étrange, effrayant : vous êtes soudain sûr d'être lancé dans une course aux enjeux très élevés dont vous ne pourrez sortir que gagnant ou complètement fauché.

— D'autres renseignements ? s'enquit le docteur.

— Les infirmières ne savaient rien, répondit Marcus, mais nous avons pu combler quelques trous avec son dossier.

— Son dossier au Central, précisa Lucius.

— Des antécédents criminels, alors ?

— Plutôt des accusations, reprit Marcus.

Avant qu'il puisse poursuivre, une nuée de mioches conduits par plusieurs gouvernantes envahit la salle, se ruant bruyamment vers les vitrines des momies.

— Allons en haut, décida aussitôt le docteur.

Nous nous dirigeâmes vers l'un des escaliers en fer forgé et nous montâmes prestement jusqu'aux galeries de tableaux. Traversant les salles d'un pas rapide, nous arrivâmes à celle — déserte — qui était consacrée à la peinture américaine.

Le docteur alla s'asseoir sur une banquette devant l'immense toile de Leutze, *Washington franchissant le Delaware*. Il tourna la tête dans la direction d'où nous étions venus en entendant quelqu'un approcher, mais ce n'était que Mr Moore, encore secoué de rires.

— Continuez, Marcus.

Le sergent extirpa d'autres feuilles de sa liasse.

— Nous avons... emprunté le dossier de Mulberry Street. Apparemment, le Dr Markoe a porté des accusations contre Mrs Hunter — elle est mariée, à propos — après que plusieurs infirmières eurent exprimé des soupçons troublants au sujet des patients dont elle s'occupait.

Mr Moore nous rejoignit et, ayant entendu les derniers mots de Marcus, il prit une expression grave, si soudainement que j'en fus inquiet : un changement d'humeur aussi subit ne pouvait qu'annoncer des choses affreuses.

— Prépare-toi, Kreizler, murmura-t-il.

Le docteur se contenta de lever une main dans sa direction.

— Des patients ? Vous voulez parler des mères ?

— Pas des mères, dit Miss Howard. De leurs bébés.

— Pendant les huit mois qu'elle a passés à la maternité, développa Marcus, l'infirmière Hunter se serait occupée d'un nombre anormalement élevé d'enfants qui sont morts — pour la plupart quelques semaines seulement après leur naissance.

— Morts ? répéta le Dr Kreizler, sidéré, comme si la cheville carrée de l'information qu'on venait de lui livrer n'entrait pas dans le trou rond de l'idée qu'il s'était forgée dans son esprit. Morts, dit-il, fixant un moment le sol. Mais... comment ?

— Difficile à dire au juste, répondit Marcus. Le rapport de police n'entre pas dans les détails. Les infirmières, si. Elles affirment que les enfants — quatre cas sur lesquels elles sont toutes d'accord, et quelques autres plus douteux — étaient en parfaite santé à leur naissance mais ont rapidement souffert de troubles respiratoires.

— Crises inexplicables provoquant, à chaque fois, une cyanose, précisa Lucius.

— Hein ? fis-je.

— Coloration bleuâtre des lèvres, de la peau et du dessous des ongles, expliqua-t-il patiemment. Causée par la réduction du taux d'hémoglobine dans les petits vaisseaux sanguins — ce qui indique une forme quelconque de suffocation. (Il se tourna de nouveau vers le docteur.) Il y avait généralement deux ou trois crises préliminaires avant celle pendant laquelle l'enfant expirait. Mais voici la clé : chaque fois qu'un enfant mourait, soit l'infirmière Hunter le portait précipitamment à un médecin, soit elle était seule avec lui dans une salle.

Le Dr Kreizler continuait à fixer le parquet.

— Les médecins ont-ils établi un lien entre ces événements ?

— Vous savez comment les choses se passent dans ce genre d'institutions, répondit Miss Howard. Dans certains cas, les mères avaient déjà quitté l'hôpital, abandonnant leur enfant. Dans de telles circonstances, il y a un taux de mortalité élevé, et aucune des personnes responsables ne se risque à poser de questions. Le Dr Markoe est allé à la police uniquement parce que les autres infirmières ont attiré son attention sur les faits. Non que ce soit un incapable, mais…

— Mais quand on a un bébé mort, trop peu de lits et trop peu d'infirmières, pour commencer on expédie le corps à la fosse commune et on passe au cas suivant, déclara Mr Moore.

— En fait, dit Marcus, les médecins trouvaient plutôt… héroïques, d'une certaine façon, les efforts déployés par Mrs Hunter pour sauver les enfants cyanosés. Il leur semblait qu'elle se battait inlassablement pour prolonger leur vie.

— Je vois… fit le docteur. (Il se leva, alla scruter les yeux de l'un des rameurs transis du général Washington.) Mais dans ce cas, pourquoi les autres infirmières en sontelles venues à la soupçonner ?

— Eh bien, dit Marcus, elles ont relevé les similarités que présentaient les différents cas et ont estimé qu'elles étaient trop nombreuses pour qu'il puisse s'agir de coïncidences.

— Mrs Hunter était-elle particulièrement impopulaire ?

— Cela pose un problème, reconnut le sergent de mauvaise grâce. Elle était, semble-t-il, très autoritaire, toujours en rivalité avec ses collègues, et gardait rancune à quiconque la contrariait.

Mon maître hocha la tête.

— Selon les infirmières, en tout cas. Je crains, Marcus, qu'il ne faille prendre ces déclarations avec certaines réserves : la profession médicale engendre des jalousies mesquines et des luttes intestines dans toutes ses branches.

— Vous répugnez à croire les infirmières ? demanda Miss Howard.

— Non, pas exactement, mais… Poursuivez, sergent.

Marcus haussa les épaules.

— Comme l'a dit Sara, les infirmières ont fait un esclandre dans le bureau du Dr Markoe. Il est allé à la police, qui a convoqué Mrs Hunter. Elle a farouchement nié, elle était dans une telle colère qu'elle a immédiatement démissionné. Et ce n'était pas comme si on pouvait prouver ces crimes — à supposer qu'il y ait bien eu crimes. Apparemment, il s'agissait à chaque fois de mort subite du nourrisson et, selon la version d'Elspeth Hunter, elle a maintenu les enfants en vie aussi longtemps qu'elle l'a pu. Markoe avait tendance à la croire, mais… il doit se soucier du financement de la maternité. Il ne peut se permettre le moindre scandale.

— C'est vrai, Marcus, convint le Dr Kreizler, levant cependant un doigt en guise d'avertissement. Mais rappelez-vous qu'on peut interpréter les faits dans le sens des dénégations de Mrs Hunter.

— Le Dr Markoe, comme je viens de le dire, fut apparemment de cet avis. Après la démission de l'infirmière, il n'a pas donné suite et la police n'a rien pu faire. Elspeth Hunter est rentrée dans ses foyers.

Le docteur prit sa respiration avant de demander :

— Et avons-nous une idée de l'endroit où ils se trouvent ?

— Oui, ou, du moins, où ils se trouvaient, dit Lucius. C'est dans le rapport de police, hmm… (il prit une feuille à son frère)… 39, Bethune Street. Dans Greenwich Village.

— Près du fleuve, précisai-je.

— Il faudra vérifier, bien que, selon toute probabilité, elle ait dû déménager, dit le docteur. (Il retourna à la banquette, leva un regard consterné et un peu amer vers un mur entier de portraits de la première période américaine.) Morts… répéta-t-il, comme s'il se refusait encore à l'accepter. Disparus, je comprendrais, mais morts…

Miss Howard alla s'asseoir près de lui.

— Cela ne semble pas particulièrement cohérent, n'est-ce pas ?

— C'est plus que cela, Sara, dit-il, écartant les mains dans un geste résigné. C'est un véritable paradoxe… (Dans le silence qui suivit, on entendit les enfants rire et crier, en bas. Puis il se redressa.) Sergents, pourquoi, après toutes ces découvertes, nous avoir fait venir ici ?

— L'endroit nous a paru aussi bon qu'un autre pour essayer d'en saisir le sens, répondit Lucius. Nous n'avons pas encore eu la possibilité de ratisser soigneusement le secteur, ni de retracer le chemin que la nommée Hunter a dû suivre. Alors, comme c'est dimanche et qu'il n'y a pas grand-chose d'autre que nous pouvons faire...

— Exact, approuva le Dr Kreizler. Autant déterminer ce que la méthode mécanique a à nous offrir. Selon la *señora* Linares, l'enfant aimait visiter la galerie des sculptures, n'est-ce pas ?

— Oui, confirma Lucius. Au rez-de-chaussée, dans l'aile nord.

— Alors, allons-y. Sergent, auriez-vous l'obligeance de...

— Prendre des notes pour le tableau, acheva Lucius, tirant de sa poche son petit carnet. Bien sûr, docteur.

Nous redescendîmes vers ce que les directeurs du Metropolitan aimaient appeler la « galerie des sculptures », mais où en fait, comme le docteur me l'avait expliqué lors d'une de nos premières visites au musée, la plupart des pièces exposées étaient des moulages en plâtre de statues célèbres appartenant à d'autres musées du monde entier. Cela expliquait la blancheur éclatante de nombre d'entre elles, ainsi que la façon dont on les avait placées l'une près de l'autre, quasiment comme dans une remise. En tout cas, elles me touchaient assez peu — comme le bric-à-brac de l'aile sud — et je doute que j'aurais éprouvé quoi que ce soit de plus devant les originaux. Des déesses, des dieux grecs et romains, des monstres et des rois (des morceaux, en tout cas) ; des bêtes étranges et des hommes de Babylone aux yeux vides, ainsi que des nus, des calices et des vases d'un peu partout... Je n'arrivais pas à comprendre ce qu'un bébé de quatorze mois pouvait leur trouver de si amusant. Mais la question essentielle, m'apparut-il en écoutant les autres échanger des idées, c'était ce qu'ils signifiaient pour Elspeth Hunter.

— A condition, bien entendu, qu'elle ait effectivement repéré la *señora* et Ana ici, dit Mr Moore, et non dans le parc.

— Bravo, John, tu appelles l'enfant par son nom, il y a du progrès, le taquina Miss Howard. Mais j'ai bien peur que ton objection ne soit irrecevable. Si nous partons de l'hypothèse que c'est le comportement joyeux et bruyant d'Ana qui a attiré au départ l'attention de la ravisseuse, il semble probable qu'elle l'aura remarquée ici, dans la salle préférée de l'enfant.

— L'argument de Sara est solide, déclara le docteur. Pour une raison ou une autre, cet endroit était le terrain de jeux favori de la petite Linares. Mais qu'est-ce qui pouvait y attirer une infirmière remerciée, je me le demande. (Il parcourut du regard ce qui, à mes yeux, ressemblait à un mélange de mausolée et de ménagerie.) Qu'est-ce qu'Elspeth Hunter trouvait de si fascinant dans cette salle ?

La question demeura sans réponse et flotta dans l'air une bonne quinzaine de minutes jusqu'à ce que tout le monde reconnaisse ne pas en avoir la moindre idée et décide de se rendre à l'endroit que l'infirmière avait sans doute visité ensuite : le chantier de construction proche de la Cinquième Avenue, où elle avait probablement ramassé son tuyau de plomb. En ressortant de l'aile nord, j'adressai un signe à mon collègue cocher pour lui faire savoir que nous n'en avions plus pour très longtemps, puis je me portai à la hauteur du docteur et de Miss Howard, qui suivaient l'allée pavée, tandis que les Isaacson, Mr Moore et Cyrus se déployaient pour examiner l'herbe et les débris conduisant au chantier proprement dit. Ce n'était guère plus qu'un immense trou dans le sol, à ce stade.

— Avez-vous vu les plans de la nouvelle aile ? demanda Sara.

— Hmm ? fit le docteur, encore absorbé par d'autres questions. Oh. Oui, le vieux Hunt m'avait montré les plans originaux avant de mourir. J'ai vu également la toute dernière mouture du fils, très spectaculaire.

— Oui, dit-elle. Un de mes amis travaille pour leur cabinet, il me les a montrés. Ce sera vraiment grandiose — beaucoup de statues.

— De statues ?

— Pour orner la façade.

— Ah oui.

— Je donne l'impression de passer du coq à l'âne, s'esclaffa Miss Howard, mais il y a un rapport avec ce dont nous venons de discuter. Toutes les statues symboliques destinées à la façade — les quatre principales disciplines artistiques, les quatre grandes périodes de l'art — sont des personnages féminins. L'avez-vous remarqué ? Seuls les petits médaillons de pierre seront masculins — des portraits de grands artistes.

— Je devine votre idée, Sara, dit-il en se rapprochant d'elle.

— Une idée rebattue, je le crains. Les symboles sont des femmes, les personnes réelles des hommes. Il en va de même pour les statues de la galerie de l'aile nord. Çà ou là une déesse, ou un idéal de beauté et de féminité né généralement dans une tête masculine — voilà pour les femmes. Mais les personnages qui ont un nom, les êtres réels retenus par l'histoire ? Tous des hommes. Qu'est-ce que cela apprend à une jeune fille quand elle grandit ?

— Rien d'utile, reconnut le Dr Kreizler. (Il pressa avec affection le bras de Sara, eut un sourire d'excuse.) Et l'effet cumulatif sur des milliers d'années ne fait qu'aggraver considérablement les choses. Des femmes sur un piédestal... Le changement arrive, cependant. Avec la lenteur d'un glacier, j'en conviens, mais il arrive. Vous ne resterez pas idéalisées à jamais...

— Une idéalisation perverse ! dit-elle en levant sa main libre. Elle renferme autant de dénigrement que de vénération. Ecoutez, docteur, je ne cherche pas à avoir une conversation purement philosophique mais à réfléchir à ce qui a amené la femme Hunter dans cet endroit. Rappelez-vous toutes ces statues. Les Babyloniens et les Assyriens, avec leur Ishtar, mère de la terre, et en même temps déesse de la Guerre, une garce cruelle et... Oh ! pardon, Stevie !...

— Comme si j'avais jamais entendu pire, fis-je en riant.

Elle me sourit et poursuivit :

— Les Grecs et les Romains, avec leurs déesses lancées dans d'éternels complots. Ou Kali, la déité hindoue, la « divine mère », qui sème la mort et la violence. On retrouve toujours deux visages.

Le Dr Kreizler plissa les yeux.

— Vous pensez aux contradictions apparentes dans la conduite d'Elspeth Hunter ?

Sara hocha la tête, mais lentement.

— Oui, répondit-elle. Quoique je ne saisisse pas bien le lien. La *señora* Linares dit que dans le métro cette femme semblait véritablement prendre soin d'Ana. Mais elle ajoute qu'elle avait l'air d'un prédateur. Nous savons maintenant qu'elle était infirmière et travaillait dans l'une des branches les plus difficiles — et admirables — de sa profession. Les médecins voient en elle une héroïne, pour les autres infirmières elle est une meurtrière...

Cyrus courut vers nous au petit trot, les trois autres marchant derrière lui.

— Rien d'intéressant ici, docteur. Le sergent inspecteur veut quand même qu'on traverse.

— Bien. Dites-lui que nous sommes à sa disposition, répondit mon maître. Sara, mettez votre idée de côté — moi aussi, j'ai le sentiment qu'il y a du vrai là-dedans, même si c'est encore très vague.

Après que les Isaacson et Mr Moore nous eurent rejoints, Lucius, qui continuait à prendre des notes, se plaça au centre de notre petit cercle.

— Bien, dit-il, montrant les marches du Metropolitan. La *señora* Linares sort du musée avec Ana vers cinq heures. (Il indiqua ensuite l'énorme fosse du chantier.) Les ouvriers sont partis, ou en train de partir. C'est jeudi, ils doivent revenir le lendemain matin, ils ne prennent pas la peine de nettoyer et de ranger comme ils le feraient la veille d'un week-end, et le chantier est sans doute plus encombré que maintenant.

Il se dirigea vers un tas de matériel de plomberie en partie caché par une clôture en bois.

— Elspeth Hunter sait déjà ce qu'elle va faire, reprit Lucius. Du moins, en gros. Elle cherche une arme, repère les tuyaux à travers la clôture. Cela l'entraîne dans une direction opposée à celle de la *señora*, ce qui explique-rait pourquoi la victime choisie ne la remarque à aucun moment. (Il repartit vers le monument égyptien, et nous lui emboîtâmes le pas.) Elle prend son temps, elle laisse Mrs Linares arriver à l'obélisque. C'est le seul endroit du coin qui soit dissimulé par des arbres — sa seule occa-sion de frapper, si elle se soucie un tant soit peu des témoins. Il est un peu plus de cinq heures. Dans un quart d'heure, une demi-heure, des gens traverseront le parc pour rentrer du travail, ou simplement pour prendre le frais. Il faut qu'elle agisse vite.

Nous étions arrivés aux bancs entourant à la manière d'un octogone l'obélisque de granite rouge haut d'une vingtaine de mètres, offert en 1881 aux Etats-Unis par le sultan d'Egypte, précisa le sergent.

— L'infirmière s'approche par-derrière au moment où la *señora* s'apprête à s'asseoir, elle la frappe, elle saisit l'enfant et elle s'enfuit... Dans quelle direction ? s'interrogea l'inspecteur en regardant autour de lui. Par la Cinquième Avenue, c'est le plus rapide, mais elle n'a peut-être pas envie qu'on la voie. Et pour retourner à Bethune Street, elle doit passer dans le West Side pour attraper le métro aérien de la Sixième ou de la Neuvième Avenue, à supposer qu'elle se déplace habituellement en métro.

— Le fait qu'elle ait perdu son emploi suggérerait le métro par nécessité économique, argua Marcus.

— Oui, mais la *señora* l'a vue sur la ligne de la Troisième Avenue, intervint Mr Moore. Ce qui suggérerait qu'elle a quitté Bethune Street.

— Peut-être, John, convint le docteur, les yeux sur l'obélisque. Sara et moi venons d'avoir une discussion qui pourrait...

Il se tut, s'approcha lentement du monument, tendit la main vers une crevasse située à la base du bloc de pierre, arrêta son geste.

— Sergents ? Venez, je vous prie. On dirait qu'il y a quelque chose, là-dedans...

Les Isaacson le rejoignirent. Marcus tira une pince métallique de sa poche, examina l'intérieur de la crevasse, y glissa lentement la pince, saisit quelque chose, le retira : une petite boule de tissu en coton léger.

Il la posa sur le sol, près de la base de l'obélisque, enfila une paire de gants très minces. Nous fîmes tous cercle autour de lui quand il commença à étaler le tissu jaune et blanc, souillé, humide. La forme de l'objet le rendit bientôt identifiable.

— On dirait... un petit bonnet, murmura Moore.

— Un bonnet de bébé, dit Miss Howard, indiquant les

deux cordons délicatement tressés destinés à attacher la coiffe sous le menton, et le bord de dentelle blanche.

— Il y a autre chose, fit observer Marcus. (Il aplatit le fond du bonnet pour révéler une fine broderie dorée.) A... N... A, lut-il. On dirait qu'elle a bel et bien pris la direction du West Side. En chemin, elle s'est débarrassée du bonnet — peut-être le seul vêtement permettant d'identifier le bébé.

— Pas de conclusion hâtive, Marcus, lui recommanda son frère. Elle a fort bien pu cacher l'objet ici et repartir dans l'autre direction.

— Je ne sais pas, dit Mr Moore, qui se tenait entre l'obélisque et les bancs. Cela représenterait un détour d'une dizaine de mètres, donc du temps perdu. En allant vers l'est, elle aurait facilement trouvé d'autres endroits où le cacher, à commencer par le chantier.

— Bien raisonné, Moore, le complimenta le docteur. En outre, l'endroit où elle a choisi de le cacher est en lui-même révélateur.

— Que voulez-vous dire ? demanda Marcus.

Ce fut cependant vers Miss Howard que mon patron se tourna :

— L'obélisque de New York fait partie d'une paire. L'autre est à Londres. Vous savez comment on les appelle, Sara ? « Les aiguilles de Cléopâtre. » Un danger mortel, cette reine.

Miss Howard comprit, enchaîna :

— Et qui fut pourtant la Mère de l'Egypte en son temps. Sans parler de la maîtresse de César et de Marc Antoine — elle a même porté l'enfant de César.

— Césarion, fit le docteur, hochant la tête.

— Qu'est-ce que vous racontez, vous deux ? grommela Mr Moore.

Kreizler n'en continua pas moins à s'adresser à la jeune femme :

— Supposons que le paradoxe apparent ne soit pas une question, mais sa réponse. Quelque chose relie les deux facettes du personnage, les deux côtés de la pièce. Nous ne savons pas encore quel est l'élément connecteur, mais la connexion existe. Et nous n'avons pas tant affaire à une incohérence qu'à une unité perturbée. A divers aspects d'un état, à des stades, reliés entre eux, d'un processus unique...

Le visage de Miss Howard s'assombrit.

— Alors, il ne nous reste que peu de temps.

Le docteur exprima son accord d'un bref regard puis s'écria :

— Marcus ! Ces enfants dont Elspeth Hunter s'occupait, combien de temps s'est-il écoulé en moyenne entre leur naissance et leur mort, m'avez-vous dit ?

— Pas plus de quelques semaines.

— Laszlo, fit Mr Moore, de ce ton bougon qu'il prenait quand il sentait qu'il se faisait mentalement distancer. Veux-tu bien me dire de quoi vous parlez ?

Mon employeur continua à l'ignorer et compta sur ses doigts.

— Elle a enlevé l'enfant un jeudi — il y a dix jours... Vous avez raison, Sara. Cette femme entre peut-être dans une nouvelle phase critique. Stevie ! Nous pouvons prendre tout le monde dans la calèche ?

— Pas pour rouler vite, répondis-je. Le problème, c'est que je ne vois pas de fiacre...

— Je ne veux pas de fiacre, coupa-t-il. Je veux que nous restions ensemble et que nous profitions du trajet pour discuter.

— Alors, on pourrait aller au trot, estimai-je. Frederick s'est reposé pendant deux jours, il est en forme.

— Va le chercher, tout de suite !

En filant vers la calèche, j'entendis Mr Moore demander ce qui se passait et le docteur lui répondre qu'il aurait toutes les explications en chemin. J'amenai la voiture ; Cyrus grimpa à côté de moi tandis que Miss Howard se glissait entre Lucius et le docteur sur la banquette. Marcus et Mr Moore se perchèrent sur les marchepieds comme les inspecteurs l'avaient fait lors de notre expédition avec le fiacre « réquisitionné ».

— Où on va ? demandai-je, quasiment sûr pourtant de connaître la réponse.

— 39, Bethune Street, dit Kreizler. Avec un peu de chance, la nommée Hunter et son mari y habitent encore — et s'ils ont déménagé, les nouveaux locataires sauront peut-être où !

— Ce sera plus rapide si je coupe par le parc, et si je prends certains raccourcis, proposai-je.

— Alors, vas-y ! cria le docteur.

Je fis claquer les rênes sur la croupe de Frederick et descendis la route du parc en direction du sud.

15

Frederick venait de quitter la route pour la vaste étendue herbeuse de Sheep Meadow (effort discutable, je le sais, mais un raccourci est un raccourci) quand le Dr Kreizler commença à parler à ses amis rassemblés :

— Lorsque nous avons entrepris nos premières investigations ensemble, nous sommes partis de l'idée que l'esprit d'un criminel peut être médicalement sain et qu'il s'est formé comme celui de n'importe quelle autre personne, à travers le contexte de l'expérience individuelle. Au cours des douze derniers mois, je n'ai rien noté sur le plan professionnel qui me convainque que le taux de maladie mentale chez les criminels serait plus élevé que je ne le pensais alors. Rien non plus de ce que j'ai entendu sur la dénommée Hunter n'indique qu'elle souffre de *dementia praecox* (c'était le terme que les aliénistes utilisaient à l'époque pour ce qu'ils commencent aujourd'hui à appeler « schizophrénie ») ou d'une quelconque maladie mentale moins grave. Elle est impulsive — à l'excès, mais l'impulsivité, comme l'extrême colère ou la mélancolie, ne traduit pas en soi une maladie de l'esprit. Le fait qu'elle soit aussi capable de raisonnements complexes, en particulier dans des laps de temps courts, étaie l'hypothèse que nous avons affaire à une personne tout à fait saine d'esprit...

Mr Moore secoua la tête, tourna les yeux vers Central Park West quand nous retrouvâmes la route.

— Pourquoi est-ce que je me surprends à regretter de

ne pas avoir affaire à une folle, cette fois ? dit-il dans un soupir.

— Vous avez de bonnes raisons pour cela, John, lui répondit Lucius. Les détraqués sont parfois dangereux, mais beaucoup plus faciles à retrouver. (Il griffonna une note sur son carnet.) Je vous en prie, poursuivez, docteur.

— Nous partons donc de l'idée que cette femme est saine d'esprit, qu'elle a enlevé un enfant et en a peut-être tué d'autres, pour des raisons que nous pouvons postuler.

— Mais que ferons-nous d'elle si nous la pinçons ? voulut savoir Marcus. Vous vous en prenez à une vache sacrée, docteur. Quel que soit le nombre de femmes qui zigouillent les gosses dans les maternités, de matrones qui font fortune en pratiquant des avortements très cher payés, de mères qui tuent leur progéniture pour Dieu sait quelle raison, les gens n'aiment pas qu'on leur mette sous les yeux des cas où les relations entre femmes et enfants sont autre chose que saines et enrichissantes. Vous avez entendu Mrs Cady Stanton, l'autre soir. C'est l'opinion majoritaire : si les femmes agissent mal envers les enfants, soit elles sont folles, soit les hommes sont derrière, quelque part. Et…

Le Dr Kreizler agita une main impatiente pour interrompre Marcus.

— Je sais, je sais, sergent, mais notre tâche consistera, cette fois encore, à ne pas tenir compte de l'opinion générale et à nous attacher aux faits. Or le fait essentiel est le suivant : nous sommes confrontés à une femme dont le comportement comprend des attitudes et des actes qui semblent diamétralement opposés. Les uns protecteurs, les autres destructeurs, voire meurtriers. Si nous postulons qu'elle est saine d'esprit, nous devons les relier.

— Dur, lâcha Mr Moore. Très dur.

— Pourquoi, John ? lui renvoya le docteur alors que nous quittions la verdure réconfortante du parc pour passer devant l'Ecole d'équitation et nous mêler à une circulation fort clairsemée autour du Columbus Monument. Qui d'entre nous peut nier que cohabitent parfois en lui des envies et des desseins contradictoires ? Toi-même, par exemple. Ne t'arrive-t-il pas souvent de sortir et d'ingérer d'énormes quantités de poison sous forme d'alcools coûteux, tout en inhalant dose sur dose d'un alcaloïde toxique appelé nicotine… ?

— Et qui m'accompagne très souvent ? riposta le journaliste, indigné.

— Là n'est pas la question. Parfois, après ces accès d'autodestruction marginale, tu passes des heures à te soigner, à te dorloter comme un enfant. Y a-t-il de la cohérence dans tout cela ?

— D'accord, d'accord, capitula Moore avec agacement. Mais il y a un fossé entre railler mes mauvaises habitudes et montrer qu'une femme peut avoir une attitude protectrice — être infirmière dans une maternité, grands dieux ! — *et* nourrir le désir de tuer des bébés *et* être saine d'esprit, tout cela en même temps.

— Vos recherches vous ont-elles aidé un tant soit peu ? demanda Lucius.

— Je crains que non, répondit le Dr Kreizler, du ton sombre avec lequel il parlait de ce sujet depuis des jours. Je l'ai dit à Sara, il y a fort peu de choses sur la question dans les ouvrages de psychologie actuels. Kraft-Ebbing et Freud parlent tous deux volontiers de la dimension sexuelle des relations d'une mère avec ses enfants, en particulier s'il s'agit de garçons. Ces auteurs vont même jusqu'à évoquer le désir chez l'enfant de détruire ses parents, au sens propre comme au sens figuré, là encore plus particulièrement pour les garçons — le phénomène œdipien. D'autres ont exploré la question des violences commises par des hommes sur des enfants, quoique généralement dans le cadre d'une étude plus vaste des effets secondaires de l'alcoolisme et de la toxicomanie. Mais j'ai cherché en vain une étude sérieuse sur les violences exercées par des femmes à l'encontre d'enfants dont elles ont la charge, qu'ils soient à elles ou à quelqu'un d'autre. L'opinion qui prévaut est qu'il s'agit soit de cas extrêmes, soit de manifestations retardées de folie *post partum*, soit, quand ces explications ne peuvent s'appliquer, de maladies mentales d'étiologie inconnue. J'ai bien peur que, dans ce domaine, les archives juridiques soient plus éclairantes que les ouvrages de psychologie.

— Vraiment ? s'étonna Marcus, qui avait étudié le

droit avant d'entrer dans la police. Une pensée progressiste chez les juristes, voilà qui nous change…

— En effet. Je ne veux pas dire qu'on a procédé à une étude systématique du phénomène dans les milieux juridiques ou judiciaires. Mais les tribunaux sont bien forcés de prendre acte des réalités qui leur sont soumises — et ces réalités, trop souvent, comportent des cas de mères, de gouvernantes et autres femmes adultes se livrant à des violences sur des enfants. Souvent en bas âge.

— Si je ne me trompe, reprit Marcus, l'infanticide, dans notre système judiciaire, est généralement associé à deux causes : la misère et la conception illégitime.

— Exact, mais il y a eu des cas, dont quelques-uns fort célèbres, dans lesquels la femme n'était ni pauvre ni fille mère. Et l'on n'a pas pu non plus pousser discrètement l'affaire sous le tapis en alléguant une forme inconnue de maladie mentale. Vous vous rappelez Lydia Sherman ?

En entendant ce nom infâme, lancé au moment précis où nous traversions la 42ᵉ Rue pour gagner la Huitième Avenue, les Isaacson et Miss Howard se rapprochèrent du docteur, l'air fasciné.

— Lydia Sherman, fit Lucius d'un ton nostalgique, la Reine des empoisonneuses » !… Ça, c'était une affaire…

— Nous ne saurons jamais exactement combien de personnes elle a assassinées, dit Marcus sur le même ton. Peut-être des dizaines…

Miss Howard ramena la conversation sur nos préoccupations immédiates :

— Dont un certain nombre d'enfants, y compris les siens. Elle n'était ni miséreuse ni fille mère quand elle les a empoisonnés.

— Exactement, Sara, dit le docteur. Elle a trucidé le père puis, désirant se remarier, a trouvé que ses enfants constituaient un « obstacle », pour reprendre ses termes. Les journaux ont beaucoup parlé de l'affaire, mais pour les aliénistes de l'époque comme pour ceux des années suivantes, c'est comme si elle n'avait jamais eu lieu. Même si beaucoup d'entre eux l'ont déclarée saine d'esprit au procès — et il y a vingt-cinq ans de cela.

— Navré de briser une si belle unanimité, fit Mr Moore, mais Lydia Sherman n'était pas infirmière, c'était une femme cupide et menteuse…

— Oui, John, acquiesça Miss Howard, mais aussi la preuve vivante que le hasard de naître femme n'implique pas nécessairement un talent particulier pour s'occuper des enfants — ni même une inclination pour ce genre de chose.

— En nous appuyant sur son exemple et d'autres semblables, enchaîna le docteur, nous pouvons faire litière des sornettes sentimentales du professeur James sur l'instinct parental qui serait plus fort chez les femmes que chez les hommes, sur la noblesse de la mère soignant son enfant malade. Les enfants de Lydia Sherman étaient certes souffrants, mais c'est elle qui les avait rendus malades en les empoisonnant à l'arsenic, et les « nobles » soins qu'elle leur administra consistèrent à augmenter les doses de poison. Non, je reviens sans cesse à cette brève remarque sur laquelle je suis tombé il y a quelques jours…

Sara devina à quoi il faisait référence :

— Les propos de Herr Schneider sur l'égotisme maternel…

Mon mentor hocha la tête.

— Je précise pour les autres : Schneider note que la mère, après l'accouchement, transfère, je cite, « tout son égotisme sur l'enfant ».

— En quoi est-ce censé nous aider ? maugréa Mr Moore. Elspeth Hunter n'était pas la mère des enfants de la maternité, ni de la petite Linares, que je sache !

Ce fut Lucius qui lui répondit :

— Mais la façon dont elle a enlevé Ana indique qu'elle estimait peut-être… Quelle était ta formule, Marcus ? Avoir droit à cet enfant ?

— Exact, dit le docteur, qui referma son étui à cigarettes avec un claquement. N'oublie pas non plus son attitude dans le métro : elle s'occupait de l'enfant comme si c'était le sien. De tels liens se nouent souvent entre infirmières et malades, surtout quand il s'agit d'enfants. Indubitablement, Elspeth Hunter n'est pas le genre de femme à laisser ce que Sara appelle le « hasard de la naissance » l'empêcher d'éprouver des sentiments maternels, et singulièrement possessifs, à l'égard des enfants d'autrui. C'est évident, John.

— Oh, fit le reporter du *Times*, qui alluma un de ses propres clopes. Désolé que cela m'ait échappé.

Je l'entendis souffler un jet de fumée avant de reprendre d'un ton plus appuyé :

— Mais tu fais une confusion, Kreizler. Admettons que tout ce que tu prétends soit vrai, qu'elle éprouve ce genre de sentiments envers n'importe quel enfant dont elle se toque : pour une raison quelconque, elle « transfère son égotisme sur lui ». Bien, mais à la différence de l'exemple, si délicat, de mes habitudes personnelles, elle part d'une attitude protectrice et passe à une attitude destructrice. Aucun de ces gosses n'est malade quand elle met la main dessus, mais ils finissent tous morts. Que s'est-il passé ? Ils n'étaient pas un « obstacle », comme les enfants de Lydia Sherman, elle avait elle-même choisi de s'attacher à eux. Alors, que s'est-il passé ?

— Excellent, Moore, approuva le docteur. C'est le véritable mystère de cette affaire. Cette femme investit tout sentiment de sa propre valeur dans ces nouveau-nés, et pourtant elle les détruit. Que se passe-t-il ?

— Pourrait-il s'agir d'une forme de suicide indirect ? avança Lucius.

— Non, trop simple, répondit Miss Howard. Sans vouloir vous offenser, Lucius. Combien de fois peut-on se tuer, même par procuration ? Je pense… je pense que nous devons nous en tenir aux idées dont nous discutions au musée, docteur. La dualité : la femme à la fois créatrice et destructrice.

En réponse au « *Quoi ?* » collectif que poussèrent tous les autres, Sara et mon maître résumèrent les idées qu'ils avaient échangées à l'intérieur du Metropolitan.

— Vous voulez dire qu'une partie de cette femme s'identifie à une figure féminine destructrice ? demanda l'aîné des inspecteurs.

— Pourquoi pas ? dit Miss Howard. Il ne vous est jamais arrivé de vous identifier à une figure masculine destructrice, Marcus ?

— Si, bien sûr, mais…

Je n'eus pas besoin de tourner la tête pour savoir que mon amie secouait la tête.

— Mais vous, vous étiez un garçon, fit-elle, avec une certaine amertume. Et les filles n'ont pas de pulsions destructrices, n'est-ce pas, et elles ne rêvent donc jamais d'avoir le pouvoir de les satisfaire. C'est bien cela ?

— Dit de cette façon, ça paraît assez stupide, bredouilla le sergent, tout penaud.

— En effet, repartit froidement Miss Howard.

— Et ça l'est, renchérit le docteur. Toutes mes excuses, inspecteur, mais comme Sara m'y a moi-même incité, considérez l'exemple paradoxal que nous offre l'éducation des jeunes filles. On leur apprend qu'elles appartiennent à un sexe de douceur et de protection ; on ne fournit aucun exutoire à leur colère, à leur agressivité. Pourtant, elles sont humaines et, comme Sara le fait remarquer, il est tout bonnement stupide de croire qu'elles n'éprouvent aucun sentiment de colère, de haine, d'hostilité. En outre, elles entendent parler par des sources indirectes — la mythologie, l'histoire — de déesses cruelles et de reines impudiques à qui leur pouvoir suprême permet de s'abandonner à la fureur destructrice. Quelle conclusion tireriez-vous de tout cela ?

Après un silence, Lucius dit à voix basse :

— Une main de fer dans un gant de velours...

— Sergent, jamais je n'avais entendu dans votre bouche une formule aussi proche de la poésie, fit gentiment observer le docteur. Elle est de vous ?

— Oh. Non, je... je crois que je l'ai entendue quelque part, dit le policier en se tortillant un peu.

— Elle convient admirablement. Une rage mortelle, cachée sous un voile qui reproduit le plus fidèlement possible l'idée que notre société se fait du comportement féminin idéal, ou tout au moins acceptable.

— Fort bien, fit Mr Moore avec impatience, mais cela ne répond toujours pas à la question : pourquoi, si vous éprouvez cette colère cachée, décidez-vous de devenir mère, ou infirmière dans une maternité, ou d'enlever l'enfant d'une autre pour vous en occuper comme si c'était le vôtre ? Je ne vois pas beaucoup de colère dans ce comportement.

— Pas à ce stade, John, dit Miss Howard. Prendre soin de l'enfant est la manifestation de la première facette de sa personnalité — celle qui est acceptable, celle qui satisfait à l'opinion générale : les femmes sont censées être protectrices, et elles ne remplissent pas leur rôle fondamental quand elles ne le sont pas. C'est là que se produit le transfert d'ego.

— D'accord, soupira le journaliste. Mais où commence cette histoire de « méchante déesse » ?

— Laisse-moi te donner un exemple, John, proposa l'aliéniste. Tu es une femme de ce genre. Tu as peut-être eu des enfants à toi, mais tu les as perdus. La maladie, la malchance, toutes sortes de malheurs dont tu es ou non responsable, mais qui t'ont laissé le sentiment que ton rôle essentiel dans la vie et dans la société t'a été arraché. Tu te sens complètement inutile, y compris pour toi-même. Alors, tu trouves d'autres moyens de t'occuper d'enfants. Tu deviens nurse, ou infirmière. Mais il se passe quelque chose qui menace ta capacité retrouvée à remplir tes fonctions primordiales. Quelque chose qui te met dans une telle rage que tu t'estimes en droit, comme le dit Marcus, de devenir la déesse courroucée, primitive, celle qui prend la vie aussi bien qu'elle la donne.

— Et c'est quoi, ce quelque chose ? grogna Mr Moore avec impatience.

Nous étions dans la 23ᵉ Rue et nous passions devant le vieux bâtiment délabré du Grand Opéra. Vissée à la façade, côté Huitième Avenue, une enseigne immense et laide composée d'ampoules électriques annonçait le type de spectacle qu'on donnait maintenant dans cette salle : VARIÉTÉS.

— Ah, cher vieux Grand Opéra, soupira le docteur, d'un ton qui m'incita à me demander s'il était vraiment nostalgique ou s'il taquinait son ami. On y donnait des représentations absolument fastueuses, autrefois…

— Kreizler ! tonna Mr Moore, qui atteignait ses limites. Qu'est-ce que c'est ?

La voix du docteur resta calme :

— Sara ?

— Il n'y a, à vrai dire, qu'une seule explication, affirma-t-elle. Les enfants ne coopèrent pas. Du moins, de son point de vue. Elle essaie de les nourrir mais ils ne l'acceptent pas. Ils pleurent. Ils ont des problèmes de santé. Ils rejettent sa tendresse et ses soins, quels que soient ses efforts. Elle se dit que c'est de leur faute. Forcément. Parce que l'autre terme de l'alternative…

Mr Moore prit le relais :

— L'autre terme de l'alternative, c'est reconnaître qu'elle ne sait pas s'occuper d'eux. (Il émit un petit sifflement.) Seigneur… Vous voulez dire que cette femme a structuré sa vie autour de quelque chose dont elle serait incapable ?

— Vu la façon dont elle a probablement été élevée, elle n'a pas le choix, déclara le docteur. En cas d'échec, elle doit recommencer, avec un autre candidat.

— John, dit Miss Howard, je me demande si tu comprends à quel point c'est difficile, insupportable, d'être une femme et d'admettre que tu n'as aucun talent pour la maternité, dans cette société. Dans n'importe quelle société. Comment la plupart des femmes pourraient-elles s'avouer une chose pareille ? Oh ! on peut toujours prétendre qu'on ne veut pas être mère… mais révéler à tous qu'on en est incapable ?

Mr Moore dut s'accorder une minute de réflexion. Lorsqu'il revint dans la conversation, ce fut sans grande délicatesse :

— Mais… bon, enfin, pourquoi elle ne peut pas ? Qu'est-ce qui ne va pas, chez elle ?

Je crus entendre le déclic du Derringer qu'on arme, mais ce n'était que Miss Howard claquant la langue.

— Tu es vraiment imbuvable, quelquefois, John ! lui lança-t-elle. Quel esprit éclairé tu fais ! « Qu'est-ce qui ne va pas chez elle ? » Ah, tu mériterais…

Elle ferma le poing mais le Dr Kreizler lui saisit le bras.

— Moore, si par « Qu'est-ce qui ne va pas chez elle ? » tu demandes quel contexte a pu produire une telle femme, c'est précisément ce que nous devons déterminer. Et nous n'avancerons pas en supposant un défaut ou une lacune chez elle. Rappelle-toi : nous devons nous efforcer, comme dans notre dernière enquête, de voir la situation avec ses yeux.

— Oh, fit le journaliste, d'un ton qu'on pouvait qualifier de contrit. Oui. D'accord.

— Nous traversons la 14ᵉ Rue, annonça Lucius. Bientôt Bethune Street.

Abandonnant la Huitième Avenue pour Greenwich Street, nous passâmes devant les conserveries aux volets clos du quartier des abattoirs, où l'odeur du sang imprégnait les pavés et les bâtiments depuis tant d'années qu'on la remarquait même par un dimanche après-midi agréablement frais. Ce n'était pas précisément de bon augure. Après Horatio Street, les bâtiments industriels cédèrent la place à de coquettes maisons de deux ou trois étages. Des arbres d'âges et de dimensions variés bordaient la rue, et certaines de leurs branches, qui s'avançaient au-dessus de la chaussée, avaient été brisées à leur extrémité par les voitures.

En chemin, nous commençâmes à discuter de la stratégie à adopter quand nous serions au 39, Bethune Street. Première décision, prise sur la suggestion du docteur, arrêter la calèche et relever la capote. Puisque nous n'irions pas tous frapper à la porte des Hunter — cela eût semblé un peu ridicule —, il valait mieux que ceux qui resteraient en arrière ne soient pas visibles. C'est-à-dire moi, Cyrus et au moins une autre personne. Au moment où nous redémarrions, il apparut que Miss Howard était le seul choix logique. Tout le monde fut d'avis que les sergents enquêteurs devaient prendre la tête de l'expédition et que le docteur les accompagnerait : si Elspeth Hunter et son mari habitaient encore au 39 et se trouvaient chez eux, le mieux serait de laisser les Isaacson intervenir en tant que policiers, la petite Linares étant probablement quelque part dans la maison et facile à retrouver. Et au cas où l'enfant aurait besoin de soins médicaux, le docteur serait là.

Si les Hunter vivaient toujours là mais n'étaient pas chez eux, les sergents interrogeraient les voisins sur l'heure probable de leur retour pendant que les autres surveilleraient les environs. Enfin, s'ils avaient déménagé, Lucius et Marcus montreraient leur plaque aux nouveaux occupants pour leur faire dire où étaient partis leurs prédécesseurs.

Comme il n'y avait pas de place pour cacher quatre personnes dans la calèche, il fut décidé que Mr Moore accompagnerait aussi les inspecteurs. Miss Howard fut d'abord vexée de ne pas faire partie de la délégation, mais le docteur expliqua que, compte tenu de la personnalité présumée de l'infirmière, la présence d'une autre femme compromettrait le succès de l'entreprise. Ne pouvant rien opposer à cet argument, Sara céda. En guise de consolation, je lui promis de garer la voiture juste en face de l'entrée de la maison pour que, bien que hors de vue, nous puissions, elle, Cyrus et moi, assister à tout ce qui se passerait quand Elspeth Hunter ouvrirait la porte — si elle l'ouvrait.

Au total, l'affaire s'annonçait plutôt simple et, au moment où nous tournâmes dans Bethune Street, je commençais à me demander si nous n'aurions pas pu nous passer de toutes ces discussions philosophiques : les sergents entreraient dans la maison, ils récupéreraient l'enfant si elle était là, la rendraient discrètement à sa mère. Affaire réglée, pourrait-on dire.

Je ne tardai pas à découvrir que c'est exactement ce que les aliénistes entendent quand ils parlent de « fantasmes ».

16

Le 39, Bethune Street était une bâtisse en briques rouges à deux étages ornée de jardinières dans lesquelles des végétaux étiolés faisaient de gros efforts pour mériter le nom de fleurs. Cela aurait dû me mettre la puce à l'oreille : le mois de juin avait été frais, humide, mais nous avions eu aussi de belles journées de chaleur et de soleil, et il n'y avait aucune raison pour que ces plantes soient en si piteux état — à moins, bien sûr, qu'on ne sût pas s'occuper d'elles. Quoi qu'il en soit, je fis faire demi-tour à la calèche et l'amenai devant la maison, située côté sud de la rue, puis m'arrêtai juste après les deux ou trois marches basses conduisant à la porte d'entrée. Mr Moore et Marcus sautèrent de leur perchoir, permettant ainsi au docteur et à Lucius de descendre. Cyrus et moi prîmes leurs places à l'intérieur et, avec Miss Howard, nous inspectâmes les lieux par la petite plaque de verre cousue à l'arrière de la capote. Sur le trottoir, les deux sergents enquêteurs boutonnèrent leur veste, préparèrent leur insigne et s'efforcèrent de prendre leur air le plus professionnel, cependant que mon maître et son ami leur emboîtaient le pas. Tous gravirent le perron et Marcus frappa sèchement à la porte.

— Nous y sommes... fit Miss Howard à voix basse.

Quelques minutes s'écoulèrent ; Marcus cogna de nouveau. J'entendis quelqu'un crier de l'un des étages — une voix sifflante et plaintive qui devait appartenir à un homme d'une cinquantaine d'années. La voix se tut; Marcus frappa une troisième fois.

La porte s'ouvrit brusquement. Une forme féminine rebondie en robe à motifs rouges et tablier gris s'avança dans l'encadrement. Le rouge de la robe montait jusqu'à un col de dentelle noire au-dessus duquel nous découvrîmes un visage dont nous avions les traits gravés dans notre mémoire.

C'était la femme du portrait de Miss Beaux; la femme dont nous connaissions déjà l'histoire; l'infirmière Elspeth Hunter en personne.

— Seigneur, murmura Cyrus à côté de moi. (Me tournant un instant vers lui, je vis son expression étonnée et perplexe.) Ce serait si facile… ?

En haut du perron, à moins de quatre pas de nous, les yeux d'or de l'infirmière passaient d'un visage à l'autre, observant les visiteurs avec une intensité révélatrice des efforts produits par son cerveau pour résoudre toute une série de problèmes. Elle essuya ses mains à son tablier et, au moment précis où j'attendais une réaction de stupeur ou d'effroi, elle eut un lent sourire empreint de timidité et de coquetterie.

— Eh bien… commença-t-elle d'un ton aussi complexe que son expression, tandis que ses mains se levaient pour recoiffer une magnifique chevelure marron. Me voilà très demandée, d'un seul coup. Que puis-je faire pour vous, messieurs?

Si l'accent n'avait pas la lenteur de la Nouvelle-Angleterre, il évoquait néanmoins la campagne. Marcus s'approcha.

— Bonjour. Ai-je raison de supposer que vous êtes Mrs Elspeth Hunter?

— Oui, répondit-elle, examinant l'inspecteur avec une moue. Vous supposez juste, Mister…

Il montra son insigne.

— Sergent Marcus Isaacson. Police de New York.

L'infirmière le regarda sans ciller. Si elle était bien celle que nous recherchions, elle avait autant d'aplomb que tous les malfrats que j'avais fréquentés pendant mes années dans la profession.

— Je vois, dit-elle, du même ton vaguement agui-cheur. Et là, ce sont vos troupes, sergent ?

Elle tourna son sourire vers Lucius, l'accentua.

— Je, euh, bredouilla celui-ci, je suis le sergent Lucius Isaacson. Egalement de la police de New York.

— Vous ne seriez pas frères ? demanda-t-elle, faisant passer ses yeux dorés d'un policier à l'autre. C'est mer-veilleux ! Et on vous laisse travailler ensemble, en plus ! Mais vous ne ressemblez pas à l'idée que je me faisais d'un inspecteur. Pour moi, tous les policiers new-yorkais s'appellent Mahoney et ont des moustaches en guidon de vélo...

Les Isaacson eurent un rire poli : ce n'était pas préci-sément le genre de plaisanterie qu'ils appréciaient. L'ex-pression de l'infirmière se fit moins joueuse quand son regard se porta sur Mr Moore et le docteur.

— Et ces messieurs ? Ils ne sont pas de la police, quand même...

— Non, répondit Marcus. Ils nous... aident sur une affaire. Mr John Schuyler Moore et le Dr Laszlo Kreiz-ler.

Une admiration qui ne semblait pas feinte se peignit sur le visage d'Elspeth Hunter.

— Je... je ne sais que dire. Je connais vos recherches, naturellement, docteur. Voyez-vous, j'ai travaillé comme infirmière à la Maternité de New York, à quelques cen-taines de mètres de votre...

— Je sais, coupa froidement l'aliéniste, visiblement agacé par la longueur du préambule.

— J'espère que vous ne me tiendrez pas rigueur de cela, poursuivit-elle néanmoins. Je sais ce que le Dr Mar-koe pense de... enfin, j'ai lu quelques-unes de vos mono-graphies, elles m'ont vivement intéressée...

Le Dr Kreizler inclina légèrement le buste. Bien que, de toute évidence, il sût qu'elle cherchait à lui plaire, il n'en était pas moins évident qu'elle y était parvenue. Quand les yeux de l'infirmière se posèrent sur Mr Moore, son visage se figea quelques secondes puis elle reprit son attitude flirteuse, qui se fit pour lui quasiment racoleuse.

— Et Mr Moore... ?

Il sourit, abattant ses cartes comme l'amateur qu'il n'était assurément pas.

— *New York Times*, déclara-t-il en tendant la main.

Sous la capote de la calèche, Miss Howard émit un sifflement étonné.

— Ça alors, murmura-t-elle. Quatre sur quatre... Elle est forte.

— C'est quoi, cet accent ? dis-je. J'arrive pas à le situer. C'est pas la Nouvelle-Angleterre mais c'est pas d'ici non plus.

— Non, répondit Sara. Plutôt le nord de l'Etat, du côté de chez moi, peut-être un peu plus haut. Oui, j'ai déjà entendu ce genre d'accent...

Sur le perron, le docteur s'éclaircit la voix :

— Je crois, sergent, que nous ferions bien d'en venir aux faits.

— Oh, fit Marcus. Oui. Mrs Hunter, nous avons lieu de croire...

— Je vous en prie, dit l'infirmière, le gratifiant d'un nouveau sourire enjôleur et tendant la main vers l'intérieur de la maison. Quelle que soit la raison de votre visite, nous serons mieux devant une tasse de thé pour en discuter.

Avec un parfait ensemble, les quatre hommes plantés sur les marches et les trois d'entre nous restés dans la voiture échangèrent des regards médusés. Nous avions échafaudé tant de plans pour pénétrer dans la place et vérifier si le bébé Linares s'y trouvait que cette invitation tout à trac nous fit l'effet d'une ruade dans la poitrine.

— Quoi ? fit Miss Howard, quand elle fut capable de parler.

— Du thé ? fit Cyrus, aussi stupéfait qu'elle.

Je ne trouvai qu'une chose à dire :

— J'espère qu'ils ne seront pas assez bêtes pour le boire.

Sur le seuil de sa porte, l'infirmière attendait une réponse que Lucius réussit finalement à lui fournir :

— Madame, je ne sais si vous comprenez bien la nature de...

— Sergent, l'interrompit-elle, d'un ton à la fois maternel et taquin, j'ai eu suffisamment d'ennuis ces dernières années, vous le savez sans doute, pour comprendre que le motif de votre visite ne saurait être agréable. Je propose simplement qu'elle se déroule le plus courtoisement possible, c'est tout.

Abasourdi, Lucius se tourna vers le docteur, qui considéra l'affaire un court instant, le visage impassible, puis haussa les épaules et fit au sergent un signe de tête comme pour dire : Si elle veut nous faciliter les choses…

Dans la calèche, Miss Howard lâcha une exclamation étouffée.

— Mon Dieu, ils entrent !

Les quatre hommes pénétrèrent effectivement l'un après l'autre dans la maison, le docteur fermant la marche. Au moment où il franchissait la porte, Elspeth Hunter lui tapota l'épaule et s'adressa de nouveau à lui avec un respect qui semblait sincère :

— Docteur…

Il s'arrêta et elle regarda non pas dans notre direction mais droit sur nous.

— Vous ne souhaitez pas que vos amis viennent aussi ? Je ne voudrais pas paraître grossière…

Un instant désarçonné, le Dr Kreizler répondit :

— Ah. Non, je ne crois pas. Ce sont mes domestiques, voyez-vous. Ils sont très bien là-bas.

Sur ce, il entra.

L'infirmière regarda brièvement vers l'Hudson River puis vers l'est, leva un bras comme pour faire signe à quelqu'un, et fixa de nouveau ceux d'entre nous qui étaient restés dans la calèche. Plus de sourire ni de respect. Pour la première fois, je discernai une cruauté sauvage, meurtrière, dans ces yeux dorés. A eux seuls, ils auraient suffi à m'inquiéter mais, quand je regardai au bout de la rue pour savoir à qui Elspeth Hunter avait fait signe, mon inquiétude se transforma soudain en frayeur.

Plusieurs silhouettes se dirigeaient vers nous de cette démarche agitée qui trahit le « renifleur » endurci. Un adulte, et quelques garçons ayant deux ou trois ans de plus que moi. De taille moyenne, l'homme marchait en plastronnant tandis que les gosses — tous vêtus de haillons — balançaient des bâtons et de vieux manches de hache d'une manière qui indiquait clairement qu'ils cherchaient la bagarre et pensaient l'avoir trouvée. Lorsqu'ils se rapprochèrent, je distinguai les détails du visage de l'adulte — son sourire tordu, pervers, ses yeux brillants — et je me rendis compte avec un frisson de peur que je le connaissais.

C'était Ding Dong, aussi bourré de cocaïne qu'à son ordinaire. Les garçons qui le suivaient semblaient à peu près dans le même état. Et, comme l'infirmière, ils nous fixaient avec une expression ne présageant rien de bon.

Je me laissai aller en arrière et voulus lancer un cri d'alarme mais, pour une raison quelconque, je ne pus que grommeler :

— Et merde !

17

— Qui sont-ils ? demanda Miss Howard, que mon bref accès de vulgarité avait détournée de la maison de l'infirmière.

— Des amis à toi, Stevie ? s'enquit Cyrus d'une voix sereine.

En prononçant ces mots, il glissa à sa main droite le coup-de-poing américain qu'il portait généralement dans une poche de sa veste.

— Pas vraiment, répondis-je. Je connais le singe qui mène le groupe. C'est Ding Dong, il s'occupe des mômes qui bossent avec les Hudson Dusters.

— *Ding Dong ?* fit Sara, souriant malgré sa nervosité. Ce n'est pas son vrai nom, quand même ?

— Si, si. Et il a sonné les cloches dans assez de crânes pour l'avoir amplement mérité…

— Qu'est-ce qu'ils peuvent bien nous vouloir ? s'interrogea-t-elle, tandis que sa main disparaissait — à mon grand soulagement — sous un pli de sa robe.

— Je sais pas, mais j'ai l'impression que la Hunter leur a fait signe. En tout cas, Miss Howard, vous avez intérêt à tenir prêt votre pétard.

Les Dusters se rapprochaient, et le sourire à demi dément de Ding Dong — que tant de femmes (dont Kat, semblait-il) trouvaient inexplicablement irrésistible — ne fit que s'élargir quand il inspecta la calèche et s'aperçut que je faisais partie de ses occupants. Je m'efforçai d'éviter son regard et de garder le mien sur les autres. N'appréciant guère l'expression mauvaise avec laquelle les trois jeunes lorgnaient Frederick, je ravalai ma peur juste avant qu'ils parviennent à notre hauteur, sautai de la calèche et courus saisir la bride de l'animal.

Ding Dong s'arrêta en face de moi, posa les mains sur ses hanches au moment où Cyrus, descendu lui aussi, contournait prudemment le cheval côté trottoir.

— On m'l'avait dit, s'esclaffa le Duster, dont les yeux devenaient de plus en plus fous à chaque instant, on m'l'avait dit mais je voulais pas le croire : le Stevepipe qui fait le garçon de courses ! Ça te plaît de ramasser la merde de ton canasson, Stevie ?

Mes yeux passèrent de Ding Dong à son escorte.

— Ça me plairait moins de ramasser la tienne, ripostai-je.

Deux des garçons armés d'un bâton firent un pas vers moi mais leur chef tendit le bras en riant.

— T'as toujours été fort en gueule, Stevie. T'étais même pas trop mauvais pour la castagne quand t'avais un tuyau de plomb à la main. Je suppose que t'en as pas, aujourd'hui ?

Avant que je puisse répondre, Cyrus apparut de l'autre côté de la tête de Frederick.

— Il n'en a plus besoin, déclara mon ami, la main droite dans la poche de sa veste. Si tu nous disais ce qui t'amène ?

Le sourire de Ding Dong s'épanouit quand il considéra le grand Noir.

— Il est costaud, ton négro, Stevie. Tu l'as trouvé dans quelle ménagerie ?

Ding Dong et ses gars ricanèrent. Convaincus que l'insulte inciterait Cyrus à porter une attaque, ils parurent déçus de constater qu'il n'en était rien.

— Qu'est-ce que tu veux, Ding Dong ? lui lançai-je.

Les Dusters cessèrent de sourire et firent un pas vers nous.

— La question, c'est plutôt qu'est-ce que tu veux *toi*, Stevie. Qui c'est qui t'envoie fouiner autour de cette baraque ?

— Ça t'intéresse ? Pourquoi ?

Il haussa les épaules.

— Territoire Duster, disons.

— Ouais, à d'autres. C'est quoi, la vraie raison ?

Le sourire de Ding Dong revint.

— T'as toujours été malin, petit salaud. P't-êt' que j'ai pas aimé que tu me pètes le bras, la dernière fois qu'on s'est vus…

— Tu savais pas que j'étais dans cette calèche quand t'as commencé à descendre la rue, dis-je, réfléchissant à voix haute. La femme de la maison t'a fait signe. Pourquoi ?

Les trois jeunes commencèrent à frapper de leur gourdin leur main ouverte tandis que Ding Dong marchait lentement vers moi.

— T'occupe pas de la dame, t'entends, Stevepipe ? Un avis que je te donne : évite-la, évite cette maison.

Il y a des jours où ceux d'entre nous qui sont nés avec la langue bien pendue ne parviennent pas à la contrôler. Une seconde je pensai à Kat, puis j'adressai au Duster, moi aussi, un petit sourire fielleux.

— Me dis pas que c'est une de tes filles, Ding Dong. La seule femme de plus de quatorze ans à laquelle tu touches, c'est ta mère.

Il cessa de sourire, expédia son poing en direction de ma tête. J'esquivai, passai sous Frederick et tendis le bras vers le fouet posé sur le siège du cocher. Ding Dong me poursuivit ; Cyrus se planta devant les trois jeunes, agitant son poing américain, mais avant qu'un seul coup soit échangé Miss Howard sauta sur le sol, saisit Ding Dong par les cheveux et pressa durement le canon court du Derringer contre sa tempe.

— Arrêtez ! cria-t-elle aux autres Dusters. Fichez le camp, nous sommes ici pour une affaire qui concerne la police !

Ding Dong avait trop de jugeote pour essayer de s'emparer de l'arme, mais il lâcha :

— La police ? Une fille, un nègre et un môme ? Je suis né le matin, frangine, mais pas hier matin…

La douleur le fit grogner quand Miss Howard le frappa avec la crosse du pistolet.

— Un mot de plus et j'envoie une balle de 41 faire le tour de ton crâne vide, menaça-t-elle, enfonçant le canon du Derringer dans l'oreille du « renifleur ». Dis à tes amis de déguerpir !

Grimaçant de souffrance, Ding Dong hocha la tête.

— Okay, les gars, j'crois qu'on s'est fait comprendre. Pas la peine d'insister…

Les autres Dusters reculèrent à contrecœur et Cyrus laissa retomber sa main droite. Je continuai cependant à brandir le fouet car je connaissais cette engeance mieux que mes amis et je savais que nous ne serions pas en sécurité avant qu'ils soient hors de vue. Sara poussa Ding Dong vers ses potes d'un geste brutal qui le fit trébucher puis sourire de nouveau.

— Dure, la petite garce, hein ? Je m'en rappellerai. Et vous, rappelez-vous ce que j'vous ai dit : venez pas traîner autour de cette maison et… Jimmy !

D'un mouvement vif qu'ils avaient dû roder maintes fois dans des situations semblables, l'un des Dusters lança son manche de hache à son chef qui, passant devant, abattit le plat du bois sur la croupe de Frederick. Le hongre se cabra de douleur, les Dusters se ruèrent tous sur Cyrus, qui se trouvait seul à gauche du cheval. Ding Dong réussit à le toucher aux côtes, un des jeunes lui enfonça son gourdin dans la poitrine. Le nommé Jimmy, à présent désarmé, fit les frais de l'opération en prenant le coup-de-poing américain dans la figure, et Cyrus évita dans le même geste le manche de hache du troisième voyou.

Miss Howard, qui avait fait le tour de Frederick, menaçait de tirer. De mon côté, j'étais repassé sous le ventre du cheval et, de mon fouet, je gravai une jolie petite entaille dans la joue gauche de Ding Dong, qui tomba sur un genou. Avant que je puisse me féliciter de mon adresse, je vis qu'un des Dusters, suicidaire, se ruait sur Miss Howard, empêchée de ce fait de viser les autres. L'un d'eux leva son gourdin pour assener à Cyrus un coup qui pouvait être mortel.

— Cyrus ! hurlai-je en m'élançant.

Je savais que j'arriverais trop tard : le manche allait fracasser le crâne de mon ami. Mais les yeux du jeune voyou s'arrondirent et sa bouche s'ouvrit, donnant à son visage une expression perdue. Il parvint cependant à crier

«Ding Dong ?», comme une question, avant de s'écrouler.

Tous s'interrompirent pour le regarder. Seul du groupe tourné vers la portion de rue s'étendant derrière le Duster qui venait de s'effondrer, je vis un petit Noir — une dizaine d'années environ, à en juger par sa taille, les cheveux crépus et vêtu de vêtements trop grands pour lui — disparaître au croisement.

Ding Dong se pencha vers le jeune garçon allongé sur le sol ; Miss Howard finit par faire reculer son Duster sous la menace du Derringer, et Cyrus ramena le bras en arrière pour faire de nouveau tâter à Jimmy du coup-de-poing américain. Le voyou eut l'intelligence de détaler. Ding Dong retourna le corps du Duster inconscient, tira quelque chose de son mollet.

— Qu'est-ce que c'est que ce... ? marmonna-t-il.

Tenant à la main un morceau de bois d'une trentaine de centimètres, il leva les yeux vers moi, persuadé que je m'en étais servi pour frapper son gars.

— Qu'est-ce tu lui as fait, Stevie, salaud !

Il se jeta sur moi, mais Sara tira un coup de feu en l'air. L'avertissement suffit aux Dusters, qui supposèrent avec raison qu'elle était à présent assez furieuse pour réserver la prochaine balle à l'un d'entre eux. La misérable petite meute de chiens fous se regroupa pour soulever le jeune garçon évanoui, et Ding Dong lança le morceau de bois à mes pieds.

— J'm'en souviendrai, Stevie, dit-il d'un ton calme, sans sourire. J'm'en souviendrai quand j'en mettrai un bon coup à Kat ce soir !

Ce fut mon tour de me ruer sur lui, mais Cyrus referma ses bras puissants autour de moi et je ne pus que regarder Ding Dong s'éloigner avec ses gars dans Greenwich Street.

— Et toi, rappelle-toi ! l'entendis-je crier de loin. Laisse cette femme tranquille !

La détonation avait fait sortir les Isaacson, le docteur et Mr Moore. Sur le pas de sa porte, l'infirmière feignait la stupeur horrifiée. Nous parvînmes tous à nous calmer — quoique, dans mon cas, ce ne fût pas sans mal — et lorsque mon maître interrogea Sara, elle répondit simplement :

— Plus tard, docteur. Je présume que l'enfant n'est pas dans la maison ?

Il la regarda, l'air un peu surpris.

— Vous avez raison. Mais comment l'avez-vous deviné ?

— Cette affaire est plus compliquée qu'il n'y paraît, répondit-elle. Et nous ferions bien de partir d'ici. Tout de suite.

Le docteur hocha la tête et les quatre hommes retournèrent auprès de l'infirmière, qui s'était avancée sur le trottoir.

— Y a-t-il des blessés parmi vous ? s'enquit-elle avec sollicitude. Si je puis vous aider, j'ai des pansements à l'intérieur…

— Non, Mrs Hunter, répondit le docteur sans aménité.

— Il y a quelques individus très dangereux dans le quartier, déclara l'infirmière. (Son regard se noua au sien assez longtemps pour signifier qu'elle pensait sincèrement ce qu'elle allait dire :) Vous devriez peut-être partir avant qu'ils reviennent en nombre…

Le Dr Kreizler scruta ses yeux.

— Oui. Peut-être.

— En route, tout le monde ! cria Marcus. Si je connais les Dusters, ils reviendront, et en force.

Nous prîmes tous le chemin de la calèche — tous, à l'exception du docteur, qui continuait à fixer l'infirmière, attendant qu'elle ajoute quelque chose. Elle ne flancha pas sous son regard. Au bout de quelques secondes, elle haussa simplement un sourcil, sourit et minauda :

— Je suis navrée de n'avoir pu vous aider dans votre enquête.

— Oh ! mais vous nous avez beaucoup aidés, assura le docteur. (Il fit un pas vers elle et elle recula d'autant, donnant pour la première fois l'impression de ne pas maîtriser complètement la situation.) Notre visite a été fort instructive. Et nous poursuivrons nos recherches, soyez-en sûre.

Lorsqu'il la quitta enfin pour nous rejoindre, je vis une expression de rage meurtrière envahir le visage d'Elspeth

Hunter. Elle fit demi-tour, franchit la porte et la claqua derrière elle.

Mr Moore grimpa à côté de moi, laissant sa place à Cyrus pour que le docteur examine en chemin les côtes et la poitrine du grand Noir. Il présentait des contusions mais pas de fractures, grâce aux muscles énormes qui protégeaient ses os. Il avait eu de la chance —nous en avions tous eu, si l'on considère à qui nous avions eu affaire. Quant à la raison pour laquelle Ding Dong et les Dusters s'intéressaient à Elspeth Hunter ou à sa maison, ce n'était naturellement qu'une des questions qui avaient surgi inopinément, telles des goules, pendant notre bref passage à Bethune Street. Les adultes ne tardèrent pas à décider qu'ils avaient besoin de quelques verres bien tassés, et peut-être aussi d'un peu de nourriture, pour commencer à faire le tri des événements. A une matinée fort plaisante avait succédé un après-midi ensoleillé, avec un vent du nord qui maintenait la température sous la barre des vingt degrés. Dans ces conditions, nous résolûmes de retourner à la terrasse du Café Lafayette pour nous repaître d'un excellent déjeuner et du récit de nos exploits.

18

Lorsque nous nous assîmes à la terrasse ombragée de verdure du Café Lafayette, nous étions tous suffisamment remis de nos émotions pour sourire et même rire un peu de ce que nous venions de vivre.

— Bon ! fit Miss Howard, qui poussa un grand soupir en prenant le menu que lui tendait notre serveur. Cela m'ennuie beaucoup d'être la première à poser des questions stupides, mais si Ana Linares n'est pas dans la maison des Hunter, où est-elle ?

— Je ne sais pas, répondit Marcus. A nous tous, nous avons inspecté les moindres recoins...

— Y compris la cave, ajouta Lucius par-dessus son menu.

— ... et nous n'avons pas trouvé trace d'un bébé, acheva son frère.

— Etant donné ce qui vous est arrivé dans la rue, dit Mr Moore en s'emparant de la carte des vins, la seule hypothèse à laquelle je pense, c'est que les Dusters sont mêlés à cette affaire et cachent le bébé quelque part.

Assis par terre, parmi les arbustes en pots qui bordaient la terrasse, je levai vers le journaliste un regard étonné.

— Les Dusters ? Dans un coup pareil ?

— Pourquoi pas ? Tu crois qu'ils ne s'abaisseraient pas à pratiquer le kidnapping, Stevie ?

Un peu dérouté, je cherchai du regard le soutien du docteur, mais il fixait le plateau de la table.

— Ben, fis-je, hésitant, c'est pas que ça les gênerait,

non, mais ils sont... trop bêtes pour ça, voilà. Ou trop cinglés.

Lucius opina du chef pour m'approuver.

— Stevie a raison. Ni l'organisation ni l'ingéniosité ne sont le fort des Dusters. C'est la raison pour laquelle les autres bandes les laissent tranquilles : ils ne contrôlent aucun trafic qui ferait concurrence à d'autres ou que d'autres voudraient s'approprier. Ce sont des drogués, des brutes, ils sont incapables de monter un enlèvement et de demander une rançon.

Sans relever la tête, le docteur affirma :

— L'enfant est dans la maison de cette femme. J'en mettrais ma tête à couper.

— Voyons, Kreizler, tu étais là ! Elle nous a laissés fouiner partout, argua Mr Moore.

— Et ? demanda Miss Howard.

— Et la seule autre personne qui vive dans cette maison, c'est son mari. Il doit avoir quinze ans de plus qu'elle et il est invalide. Blessé pendant la guerre de Sécession, il ne s'est jamais vraiment remis, semble-t-il.

— Il s'est remis, déclara le docteur. Du moins, de ses blessures. La seule séquelle que la guerre lui ait laissée, c'est une toxicomanie.

Marcus parut sidéré.

— Mais il est cloué au lit. Sa femme dit qu'il...

— Cette femme serait incapable de dire un mot de vrai même si sa vie en dépendait. Quant à son état, si j'étais aussi bourré de morphine que lui, je serais cloué au lit, moi aussi. Vous n'avez pas remarqué les marques sur ses bras, et l'odeur dans la chambre ?

— Si, répondit Lucius, ce qui lui valut un regard irrité de son frère. Enfin, cela crevait les yeux, Marcus : cet homme se drogue depuis des années.

— Avec l'aide de sa femme, je n'en doute pas, ajouta le docteur. La bonne infirmière.

— Et elle ? demanda Miss Howard. Comment était-elle quand vous êtes entrés ? Parce qu'elle s'est jouée de vous comme de nouveau-nés, sur le perron.

Les autres eurent l'air embarrassés mais le docteur cessa de plisser le front et lâcha un rire bref.

— Très juste, Sara ! J'avais conscience de ce qui se

passait mais je n'arrivais pas à l'empêcher, du moins au début.

— Comment s'est-elle comportée ? insista Miss Howard.

— Eh bien… commença Mr Moore, reposant menu et carte des vins. (Malgré son ton assuré, il hésita un instant avant de poursuivre.) Sara, je sais que tu détestes que les hommes châtient leur langage en ta présence, alors, je serai direct : je n'aurais su dire si cette femme voulait me faire l'amour ou la peau…

Lucius recracha un peu de l'eau qu'il était en train de boire en direction d'une table, par bonheur inoccupée. Tout le monde éclata de rire et, lorsque le garçon s'approcha, il eut toutes les peines du monde à prendre nos commandes. Il finit par rire lui aussi, sans savoir pourquoi, et riait encore quand il retourna aux cuisines.

— John, Seigneur Dieu, fit Miss Howard, tentant de retrouver son sérieux, c'est vrai que je vous ai demandé à tous de ne pas me ménager, mais…

— Vous ne pouvez pas jouer sur les deux tableaux, ma chère Sara, intervint mon maître qui, riant encore, tapota le dos de son ami. Moore, tu gaspilles ton talent au *Times*. Ta description est aussi juste que haute en couleur et impubliable. Elspeth Hunter est un nœud de paradoxes apparents — dont certains ont indiscutablement une dimension mortelle.

Marcus sécha ses larmes de rire avec sa serviette avant de demander :

— Vous croyez vraiment que l'enfant se trouve dans la maison, docteur ? Bien que nous l'ayons fouillée de fond en comble, avec la bénédiction de l'infirmière ?

Le serveur apportait du vin blanc pour les adultes et une bouteille de *root beer* [1] Hires pour moi lorsque Laszlo Kreizler répondit :

— Je n'emploierais pas le mot « bénédiction » pour cette créature, Marcus. Et rappelez-vous : nous n'avons fouillé que les parties visibles de la maison.

L'inspecteur sembla plus perplexe encore.

— Que voulez-vous dire ?

1. Boisson gazeuse à base d'extraits végétaux. *(N.d.T.)*

Ce fut à Lucius que le docteur adressa néanmoins sa question :

— Sergent, comment savoir si le 39, Bethune Street n'a pas récemment fait l'objet de travaux dont nous n'aurions pas vu la trace ?

Le policier haussa les épaules, but une gorgée du vin que Mr Moore lui avait servi.

— Il aurait fallu un permis de construire, pour des travaux importants. On peut consulter les dossiers à la mairie, ce n'est pas compliqué.

— Kreizler, tu penses vraiment que cette femme a fait construire une pièce secrète dans la maison et qu'elle y cache l'enfant ? lança le journaliste à son ami avec un sourire moqueur.

Ignorant la pointe, le docteur continua à interroger Lucius :

— Mais les dossiers seraient-ils précis ? Sur les travaux effectués, je veux dire.

— Assez, oui. En tout cas, ils nous donneraient au moins une indication. Pourquoi ?

Le docteur se tourna alors vers Mr Moore, qui fixait avec une détermination farouche l'énorme plat d'argent couvert d'huîtres que le serveur avait posé au milieu de la table.

— Pas question, Kreizler, signifia-t-il. J'ai usé mes semelles pendant des heures, je ne vais pas recommencer parce que tu t'es mis en tête une idée abracadabrante digne d'un feuilleton...

— Ne t'inquiète pas, Moore, tu auras Sara pour compagnie.

Miss Howard, qui venait de prendre une huître, ne parut pas ravie mais poussa un soupir résigné.

— En outre, je doute fort que vous apprécieriez davantage l'autre mission qui doit être entreprise, et pour laquelle vous ne possédez pas les attributs officiels nécessaires...

— Oh oh, fit Lucius, inquiet.

— Une autre expédition pour, comment dites-vous, Marcus ? « secouer » un peu les Dusters, confirma le docteur. Nous devons absolument découvrir pourquoi ils portent un intérêt aussi vif à ce qui se passe au 39,

Bethune Street et dans les environs. Je vous suggère de faire des rondes dans leur quartier pendant quelques nuits, de harceler deux ou trois des membres les moins dangereux de la bande. Sans recourir au troisième degré qu'affectionne notre vieil ami l'inspecteur Byrnes, la menace d'un tel traitement pourrait...

— Je vois, dit Marcus. Cela ne devrait pas poser de problème. (Il se tourna vers son frère.) Mais n'oublie pas ton revolver...

— Evidemment! protesta Lucius, mal à l'aise. Et vous, docteur? Vous allez poursuivre vos recherches psychologiques?

— Oui, si je pense que cela peut nous aider, répondit le Dr Kreizler, qui avala une huître et une gorgée de vin. Dans ce contexte, il serait peut-être également utile d'interroger une ou deux femmes de Blackwell's Island, mais il y a un autre mystère qui me préoccupe dans l'immédiat. (Il se tourna vers Cyrus puis baissa les yeux pour me chercher.) Stevie, viens un peu ici. Où est le morceau de bois que Ding Dong a trouvé fiché dans la jambe du Duster?

J'avais totalement oublié ce détail. Je levai un doigt, sautai par-dessus la rambarde en fer de la terrasse, courus à la calèche, regardai sous le siège du cocher. Par chance pour moi, le bâton s'y trouvait encore. Je rapportai l'objet, à la fois simple et étrange, au docteur.

— Nous sommes devant une coïncidence troublante, dit-il en examinant le morceau de bois. Le soir où le poignard philippin s'est enfoncé dans l'encadrement de la porte du 808, Broadway, Cyrus n'a vu personne hormis un jeune garçon tournant le coin de la rue.

— C'est exact, confirma le grand Noir. Un enfant d'une dizaine d'années.

— Stevie, tu dis avoir vu disparaître un enfant du même âge, à peu près, juste après que le Duster s'est effondré?

— Ouais. Mais ce gosse-là était noir, j'en suis sûr.

Le docteur hocha la tête et je pris prestement une dernière huître avant que les autres finissent le plat.

— Cyrus? Auriez-vous une idée de l'appartenance ethnique de l'enfant que vous avez vu?

— Il faisait trop sombre. Mais il aurait pu être noir, ce n'est pas exclu.

— Son accoutrement ?

— Celui de tous les gosses de rue, répondit Cyrus avec un haussement d'épaules. Des vêtements informes, dont plus personne ne veut.

— Ou trop grands pour lui, pour reprendre les termes de Stevie ?

— On pourrait dire cela.

Mon maître hocha de nouveau la tête, sans pourtant que son visage reflète une certitude, puis reporta son attention sur le bâton.

— Deux enfants ou un seul — le même — sont donc apparus à des moments cruciaux de cette enquête. La première fois, il s'agissait d'une agression, ou à tout le moins d'un avertissement. La seconde, au contraire... (Il s'interrompit, fronça le nez au-dessus de sa moustache, comme un lapin.) Qu'est-ce que c'est que ça ?

— Ça, quoi ? fit Moore, tandis qu'un serveur emportait le plat vide.

— Cette... odeur, répondit l'aliéniste. (Il agita la pointe du bâton sous ses narines.) Hmm... Oui, aucun doute, du chloroforme... (Il renifla de nouveau.) Et quelque chose d'autre...

Incapable d'identifier l'autre odeur, il tendit l'objet à Lucius, manquant renverser l'assiette de saumon grillé que le garçon posait devant le policier.

— Vous avez une idée, sergent ?

Lucius prit le bâton, le tint à distance de son poisson accompagné de haricots verts et de pommes de terre et approcha son nez du bout pointu.

— Oui... dit-il, songeur. Je sens le chloroforme. Et l'autre... (Son visage s'éclaira soudain.) Stevie, à ton avis, est-ce que le Duster était mort quand ils l'ont emmené ?

— Mort ? Non. Dans les pommes, oui, mais... il respirait normalement, je crois...

Je pris des mains du serveur mon plat favori — un steak-frites — et retournai m'asseoir parmi les arbustes. Lucius huma le bâton une fois de plus avant de le passer à son frère.

— Dans ce cas, celui qui a utilisé cette arme était aussi expert que l'homme au couteau.

Marcus hocha la tête en reniflant à son tour le bâton.

— Noix vomique, murmura-t-il, si intrigué qu'il ne prêtait aucune attention aux poussins rôtis à l'estragon qui fumaient devant lui.

— Quoi ? s'exclama Miss Howard, qui se pencha pour regarder le bâton.

— Ce qui explique le chloroforme, commenta Lucius avant d'attaquer son plat.

Mr Moore, qui, quelques secondes plus tôt, paraissait tout à fait satisfait de la truite aux amandes que le serveur lui avait apportée, laissa tomber ses couverts de frustration.

— Bon, fit-il d'un ton irrité, revoilà le crétin de la bande qui pose ses questions : de quoi parlez-vous, s'il vous plaît ?

— De noix vomique, répondit Sara. Un des végétaux qui contiennent naturellement de la strychnine.

— C'est ça ! s'écria le docteur avec un claquement de doigts. De la strychnine. J'étais sûr de connaître cette odeur.

— Soluble dans l'eau, peu soluble dans l'alcool, et très soluble dans le chloroforme, précisa Lucius. Si notre homme avait l'intention de neutraliser et non de tuer, il savait exactement quelles quantités mélanger. Et ce n'est pas facile.

— Pourquoi ? demandai-je en mâchonnant mon steak.

— Parce que la strychnine est plus puissante que d'autres drogues utilisées dans le même but, expliqua Marcus, qui tendit le bâton à Miss Howard et sembla enfin remarquer ses poussins. Le curare, par exemple, est un mélange de diverses substances, dont la strychnine, ce qui le rend plus facile à doser. Mais sous sa forme pure, la strychnine est très délicate à manier. Les gens s'en servent pour exterminer la vermine. C'est plus efficace que l'arsenic.

— Etes-vous absolument sûr que c'est bien de la strychnine ? dit le docteur.

— L'odeur est caractéristique, assura Lucius. Et la présence de chloroforme comme solvant en donne confirmation. Je peux l'emporter chez moi pour l'analyser, si vous voulez. C'est simple. Un peu d'acide sulfurique, du bichromate de potassium...

Mr Moore cessa de dévorer sa truite pour grommeler :

— Oh oui, je fais ça tout le temps...

— Très bien, dit le docteur. Pour le moment, supposons que vous ayez raison, sergent. Pourriez-vous nous dire, au débotté, qui saurait préparer ce poison ?

— Ce bâton ressemble à une sorte de trait, ou de flèche, répondit Lucius.

— Oui. C'est aussi ce que je pensais.

— Quant à vous dire quels indigènes utilisent de la strychnine pure pour la chasse, ou même pour la guerre...

— Ce sera ma propre mission pour demain, déclara le docteur, se frottant les mains au-dessus de ses pâtés de crabe.

— Ah, ah ! triompha Mr Moore. Enfin un commentaire énigmatique que je peux décrypter : tu vas rendre visite à Boas !

— Exactement. Je suis sûr qu'il sera ravi de nous offrir de nouveau ses services.

Le Dr Franz Boas, autre ami proche de mon maître, dirigeait le département d'anthropologie du Muséum d'histoire naturelle et nous avait aidés lors de l'enquête sur l'affaire Beecham, l'année précédente. Comme le Dr Kreizler, Boas était allemand d'origine mais avait émigré à un âge plus avancé. Il avait étudié la psychologie avant de passer à l'anthropologie une fois arrivé aux Etats-Unis. Chaque fois qu'il venait à la maison, la salle à manger était le théâtre de discussions animées, et parfois très vives, pendant lesquelles le Dr Boas se mettait à parler allemand. Mon mentor l'imitait aussitôt, ce qui m'empêchait de savoir à quel propos ils braillaient comme des sauvages. C'était cependant un homme gentil, ce Dr Boas, et comme la plupart des vrais génies, il ne laissait pas son cerveau faire de lui ce qu'on pourrait appeler un snob de l'intelligence.

— Je lui montrerai le poignard et le projectile, reprit le docteur, je lui raconterai l'histoire du ou des garçons que nous avons repérés quand ces armes ont été utilisées.

Il aura peut-être une suggestion à nous faire. J'avoue que cette histoire me dépasse.

Le bruit de mastication qui s'éleva de la table indiqua que nous étions parvenus aux limites de ce que nous pouvions tirer des événements de la matinée. Pendant un moment, chacun se contenta de manger et de boire, puis le silence fut rompu par Miss Howard.

— Pour une femme qui aurait agi à l'origine sur une impulsion, dit-elle en jouant avec ses fraises au chocolat chaud, Elspeth Hunter semble avoir soigneusement dressé ses plans afin d'échapper à une arrestation. (Elle but une gorgée, mordit dans un fruit.) Autre paradoxe, je suppose, docteur...

— En effet, Sara. Mais rappelez-vous, et rappelez-vous tous, ces paradoxes ne constituent pas une contradiction. Ils font partie d'un unique processus. A la manière d'un serpent qui se propulse vers l'avant en poussant de côté contre le sable, d'abord à gauche puis à droite, l'infirmière Hunter poursuit ses buts désespérés. Elle est impulsive puis calculatrice. Flatteuse et aguichante, puis mortellement menaçante. Femme en apparence respectable, qui s'occupe d'un mari invalide, et entretient nonobstant des relations avec une bande de dégénérés d'une violence insensée. Même un tueur obsessionnel comme John Beecham a eu un parcours qui semble presque linéaire et cohérent comparé à celui de cette femme. Nous nous trouvons à maints égards en territoire plus étrange encore avec Elspeth Hunter. Et avec moins de cartes...

Le repas prit bientôt fin. Comme on était dimanche et que toutes les sources d'informations possibles mentionnées par le Dr Kreizler étaient fermées, chacun rentra chez soi prendre un peu de repos. De retour à la 17e Rue, je rangeai la calèche et restai à l'écurie pour mettre un peu de baume sur la croupe de Frederick, à l'endroit où Ding Dong l'avait frappé.

Le coup n'avait pas laissé de marque profonde mais, à la façon dont le cheval réagissait, je pouvais dire qu'il souffrait encore, et je lui murmurai des mots apaisants. En appliquant la pommade, je promis silencieusement à

Frederick de rendre un jour la pareille à Ding Dong. Avec intérêts…

Pris dans ces sombres pensées, j'entendis à peine Cyrus pénétrer dans l'écurie. Il s'approcha, caressa l'encolure du hongre en le regardant dans les yeux puis me demanda :

— Il va bien ?

— Ouais, répondis-je, c'est pas très grave. Il a eu plus peur qu'autre chose.

Je relevai la jambe arrière gauche de Frederick et grattai la boue séchée prise sous son fer.

— C'est un vieux coriace, dit Cyrus, gratifiant d'une caresse légère les naseaux de la bête.

A la façon dont il s'approcha ensuite de moi, je devinai qu'il avait quelque chose en tête.

— Miss Howard n'a pas entendu. Ce que Ding Dong a dit à propos de Kat…

Mon cœur battit plus vite, mais je continuai à gratter.

— Tu crois ?

— Elle était trop loin. Et trop occupée.

Quand Cyrus s'accroupit à côté de moi, je lui jetai un bref regard et lus sur son large visage de la curiosité mais surtout de la sympathie.

— Moi, j'ai entendu.

— Ah.

Ce fut tout ce que je trouvai à répondre.

— Tu veux en parler, Stevie ?

Je m'efforçai, sans grand succès, de rire d'un air détaché.

— Y a pas grand-chose à dire. Elle est devenue sa poule. Je lui avais parlé, tu sais, de mon idée de la faire travailler ici. Mais t'avais raison. Elle a d'autres projets…

Cyrus émit un petit grognement signifiant qu'il comprenait la situation, posa une main sur mon épaule.

— Tu as besoin de quelque chose ?

— Non, fis-je, les yeux toujours fixés sur le sabot. Ça ira, je finis simplement de m'occuper de Frederick.

— Ecoute… Il n'y a aucune raison pour que le docteur soit mis au courant de cette histoire. A mon avis, elle n'a aucun rapport avec l'affaire.

— D'accord, murmurai-je, accordant à mon ami un autre bref regard. Merci, Cyrus.

Il hocha la tête, se releva, sortit lentement de l'écurie.

Pendant quelques minutes, je continuai à enlever du sabot de mon cheval la boue à présent amollie par mes larmes silencieuses.

19

C'est curieux comme on peut se coucher un soir convaincu d'une chose et se réveiller le lendemain matin pour découvrir la preuve du contraire...

En glissant dans le sommeil peu après la tombée de la nuit, dimanche soir, j'étais absolument sûr de ne plus jamais revoir Kat : même si mon cœur avait supporté d'aller la voir chez les Dusters, mes rapports avec Ding Dong depuis notre balade à Bethune Street rendaient une telle visite très périlleuse. L'idée que la porte de notre étrange relation s'était soudain refermée me plongea tour à tour dans la colère et l'affliction pendant tout le dimanche. Mon humeur devint en fait si sombre que le docteur — tout préoccupé qu'il fût par l'affaire — éprouva le besoin de monter à ma chambre pour prendre de mes nouvelles. Je ne lui donnai pas la vraie raison de mon abattement, et de son côté, il sentit que je lui cachais quelque chose, mais il n'insista pas, et m'assura que les choses iraient mieux après une bonne nuit de sommeil.

Lorsque je m'éveillai, le lundi, à huit heures et demie, le Dr Kreizler et Cyrus s'apprêtaient à partir pour le Muséum d'histoire naturelle. Mrs Leshko étant une fois de plus en retard, Cyrus avait préparé le café, tâche dont il s'acquittait avec plus de bonheur que notre cuisinière russe. Nous nous assîmes tous les trois dans la cuisine devant de grands bols d'une excellente décoction sud-américaine, et mon maître essaya d'égayer mon humeur en lisant à voix haute un article du *Times* sur les nouveaux développements du «mystère du corps sans tête». On avait retrouvé la partie inférieure du torse du cadavre toujours non identifié — emballée dans un morceau de la même toile cirée rouge — flottant près d'Undercliff Avenue, à l'autre bout de Manhattan. La police — son hypothèse d'un anatomiste ou d'un étudiant fou s'acharnant sur un cadavre avait été rejetée par le coroner lui-même après qu'il eut relevé une douzaine de blessures au couteau et deux trous percés par un calibre 32 dans diverses parties du corps — avait changé de version et entretenait la panique et l'émotion en affirmant que le mort était un des deux fous qui s'étaient échappés de l'asile de King's Park, Long Island, deux semaines plus tôt. Cette histoire, nous le savions tous, se révélerait aussi fausse que la première, mais quelle que fût l'identité du malheureux dont le corps avait été éparpillé dans toute la ville, le tapage fait autour de cette affaire ne pouvait que nous aider à mener plus tranquillement notre enquête.

Le docteur et Cyrus partirent avec Gwendolyn et la calèche un peu avant neuf heures. Bien qu'une visite au Muséum m'eût, en d'autres circonstances, enchanté, la matinée était si grise, et mon humeur si maussade, que je trouvai l'idée d'attendre à la maison plutôt réconfortante. En outre, il fallait bien que quelqu'un reste pour savoir ce qu'il était advenu de Mrs Leshko. J'accompagnai donc mon maître et Cyrus à la calèche, les regardai partir et jetai un coup d'œil au ciel brumeux avant de retourner vers la maison. Je venais d'ouvrir la porte quand une voix me murmura :

— Stevie !

Elle provenait de l'autre côté de la haie bordant le côté est du petit jardin de devant du docteur. Je refermai la porte, m'approchai de la haie, me penchai et découvris...

... Kat. Accroupie, blottie contre le flanc de la maison voisine, les vêtements froissés, les cheveux emmêlés, l'image même de l'épuisement. Je n'aurais pas été plus stupéfait si j'avais vu un spectre, ou une des légendaires sirènes, tant je m'étais résigné, ces dernières heures, à ne plus jamais la revoir.

— Kat ? fis-je, m'efforçant de ne pas crier. Qu'est-ce que tu fous ici ? T'es là depuis combien de temps ?

Je fis le tour de la haie, m'accroupis à côté de mon amie, dont le regard inspectait nerveusement la rue, plus sans doute pour ne pas croiser le mien que pour repérer un éventuel danger.

— Depuis quatre heures du matin, dit-elle. Enfin, je crois.

Les larmes aux yeux, elle se mit à renifler et, lorsqu'elle essuya son nez avec un vieux mouchoir crasseux, la morve y laissa une trace sanglante.

— Mais pourquoi ?

Elle haussa les épaules, l'air pitoyable.

— Fallait que je me sauve, il était comme fou, hier soir. En fait, j'crois qu'il est vraiment fou, par moments...

— Ding Dong ? fis-je.

Elle acquiesça d'un signe et je baissai les yeux.

— C'est de ma faute, murmurai-je.

Elle secoua la tête vivement, des larmes coulèrent des yeux bleus qui refusaient toujours de me regarder.

— Non, c'est pas à cause de toi. Enfin, c'est pas la raison principale... (Un sanglot finit par lui échapper.) Stevie, il a trois autres régulières — trois ! Et je suis la plus vieille ! Il m'avait pas dit ça !

Je ne savais que répondre. La nouvelle ne m'étonnait pas, mais je m'abstins de le signaler.

— Vous... vous êtes disputés ?

— On s'est castagnés, oui ! Je lui ai balancé que j'accepterais jamais de passer après une petite salope de douze ans. Mais maintenant, toutes mes affaires sont là-bas...

Je souris.

— Kat, t'as juste deux robes, un manteau et un châle...

— Et le vieux portefeuille de Papa ! protesta-t-elle. Avec la photo de ma mère dedans, il est là-bas aussi !

— C'est pas ça le plus dur, hein ? dis-je, la prenant par le coude pour la forcer à me regarder. Il veut plus te filer de coco, c'est ça ?

— Le salaud ! cria-t-elle, secouée par un nouveau sanglot. Il sait que je peux plus m'en passer maintenant, il avait juré qu'il me ravitaillerait toujours ! (Elle finit par tourner vers moi un regard pathétique, se jeta contre ma poitrine.) Stevie, je deviens dingue tellement j'ai mal...

J'enlaçai ses épaules tremblantes.

— Viens, allons à l'intérieur. Un bon café fort te soulagera un peu.

Je la relevai, la portai à demi jusqu'à la porte, devant laquelle elle s'arrêta, l'air apeurée.

— Ils... ils sont tous partis? demanda-t-elle, levant les yeux vers les fenêtres du salon. J'ai attendu, je voulais pas te causer des ennuis.

— Ils sont partis, la rassurai-je. Mais j'aurais pas eu d'ennuis. Le docteur est pas comme ça.

Kat eut un petit grognement dubitatif en entrant.

Je la conduisis à la cuisine, lui servis un bol du café de Cyrus, et je vis ses yeux s'arrondir tandis qu'elle examinait les lieux en buvant. J'avoue que l'idée me revint alors de la faire entrer au service du docteur et je la conduisis au salon pour qu'elle soit plus impressionnée encore. Revigorée par le café, elle se déplaçait plus vaillamment et souriait même, émerveillée par la splendeur des lieux — et plus étonnée encore que je puisse y vivre.

— Il doit te tuer au boulot, marmonna Kat, qui ouvrit le coffret à cigarettes en argent posé sur le dessus de la cheminée de marbre.

— C'est pas le travail qui est dur, répondis-je, m'asseyant dans le fauteuil du docteur comme si j'étais le maître de maison. Il me fait étudier.

— Etudier? répéta Kat, avec une moue de dégoût. Pour quoi faire?

Je haussai les épaules.

— Il dit que si je veux avoir un jour une maison comme ça, c'est le seul moyen.

— A qui il croit la faire? Je parie que c'est pas en étudiant qu'il en est arrivé là...

Je haussai de nouveau les épaules pour ne pas avoir à reconnaître que le docteur était issu d'une famille riche.

— Mais j'comprends que tu te plaises ici, reprit Kat en poursuivant son examen des lieux. C'est drôlement mieux qu'Hudson Street, ça, c'est sûr...

Ces mots firent naître dans ma tête une pensée qui

aurait dû y surgir dès que j'avais découvert Kat, si mon inquiétude pour elle ne m'avait, comme d'habitude, embrouillé l'esprit.

— Kat, depuis combien de temps t'as tes entrées chez les Dusters ? demandai-je lentement.

Elle s'assit dans le fauteuil d'en face, les bras autour de sa poitrine, comme si elle avait froid.

— Je sais pas, un mois, environ…

— Alors, tu dois bien connaître ceux qui la fréquentent ?

— Les habitués, oui. Mais tu connais l'endroit : tous les soirs, y a des rupins qui débarquent d'un peu partout. La moitié de la ville y est passée à un moment ou à un autre.

— Mais les habitués, tu les reconnaîtrais ?

— Probable. Pourquoi tu me demandes ça, Stevie ? T'as l'air tout drôle d'un seul coup.

Je fixai le tapis quelques secondes avant de saisir la main de mon amie.

— Viens avec moi…

Je pris la direction de l'escalier, entraînai Kat vers le bureau du docteur. Les doubles rideaux étaient encore fermés dans la pièce aux boiseries sombres. Je trébuchai une ou deux fois en allant à la fenêtre, tirai sur le cordon des rideaux et constatai que c'étaient des piles de livres qui avaient failli me faire tomber : le désordre était encore plus grand que la semaine précédente. Kat regarda autour d'elle, plissa le nez.

— Cette pièce-là, elle me plaît moins, dit-elle, déroutée. Qu'est-ce qu'il peut bien faire avec autant de livres, d'ailleurs ?

Je ne répondis pas, trop occupé que j'étais à fouiller dans les papiers du bureau, cherchant quelque chose, espérant que les sergents enquêteurs en avaient au moins laissé une copie…

Sous un volumineux ouvrage du Dr Kraft-Ebbing, je trouvai la chose : l'une des photographies du dessin que Miss Beaux avait fait de l'infirmière. Je m'approchai de la fenêtre, fis signe à Kat de me rejoindre.

— T'as déjà vu cette femme ?

— Bien sûr. C'est Libby.

— Libby?

— Libby Hatch. Une des greluches de Goo Goo, répondit Kat, se référant à Goo Goo Knox, le chef des Dusters. Qu'est-ce que ton copain docteur fabrique avec un portrait de Libby? Et un bon, en plus.

— Libby Hatch, murmurai-je.

Je regardai par la fenêtre pendant quelques secondes — le temps de me rendre compte que cette affaire, comme Miss Howard l'avait souligné la veille, était bien plus complexe qu'il n'y paraissait. Je saisis de nouveau la main de Kat.

— Viens!

Elle sautilla derrière moi telle une poupée de chiffon quand je courus vers la porte, fis volte-face, retournai au bureau, ouvris un carnet d'adresses relié cuir.

— Stevie! geignit-elle. Arrête de me tirer dans tous les sens! Je suis pas précisément en forme, tu sais!

— Désolé.

J'ouvris le carnet à la lettre *I*, trouvai le numéro, repartis vers la porte, Kat toujours en remorque.

— Aïe! cria-t-elle. Stevie, tu m'écoutes?

Sans répondre, je redescendis à la cuisine, poursuivis jusqu'à l'office et, lâchant enfin la main de Kat, décrochai le téléphone. Quelques secondes plus tard, je donnai à l'employée le numéro des sergents, ou plutôt celui de la maison de leurs parents, située au bout de la 2e Rue, entre la Première et la Deuxième Avenue, près du vieux Marble Cemetery et non loin de deux ou trois synagogues.

Après la sonnerie, une voix de femme répondit, beuglant dans l'appareil comme tous ceux qui le considéraient encore comme une invention extraordinaire.

— Hallo? dit-elle. Qui *ist da*?

— Je voudrais parler à l'un des inspecteurs, s'il vous plaît.

Kat, recula, l'air inquiet.

— Stevie, tu vas pas me balancer aux flics, quand même?

— Mais non. Il s'agit… d'affaires, déclarai-je, ravi d'utiliser ce mot devant elle. Sers-toi un autre café. On a aussi une glacière, si tu veux…

Je m'interrompis en me rendant compte que la femme, à l'autre bout du fil, me criait :

— Lequel inspecteur ? Lucius ou Marcus ?

— Hein ? Oh, n'importe lequel, c'est pareil.

— Marcus pas là ! Quartier général ! Je chercher Lucius ! Qui le demande ?

— Dites que c'est Stevie.

— Stevie ? répéta-t-elle, pas très impressionnée. Stevie *was* ?

— Docteur Stevie ! répliquai-je, agacé.

Kat, qui faisait l'inventaire du contenu de la nouvelle glacière, eut un petit rire.

— Les affaires, hein ? fit-elle en me coulant un regard oblique. Bien sûr...

— *Ach ! Doktor* Stevie ! brailla la femme, satisfaite. *Ein* moment, s'il vous plaît !

Elle reposa le téléphone avec un claquement qui faillit me crever le tympan.

— Bon Dieu, maugréai-je, ils sont tous cinglés, dans cette famille...

Quelques secondes plus tard, le téléphone se remit à émettre des bruits bizarres puis j'entendis le sergent parler, mais pas dans l'appareil :

— Non, *Mama*, Stevie, n'est pas le docteur, il est simplement son... S'il te plaît, *Mama*, laisse-moi tranquille !

Je captai des protestations inintelligibles de la femme, puis de nouveau la voix de Lucius :

— Mama, s'il te plaît ! (Il prit sa respiration, poussa un soupir.) Stevie ?

— Oui.

— Désolé, elle n'arrive pas à comprendre comment fonctionne cet appareil, et je crois qu'elle ne comprendra jamais. Que se passe-t-il ?

— J'ai du nouveau, et je crois que ça vous facilitera le boulot, à votre frère et à vous. Vous pouvez passer ?

— Moi, je peux venir. Je viens de terminer l'analyse de l'échantillon prélevé au bout de la flèche. C'est bien de la strychnine, à propos. Mais Marcus est parti fouiner au Central avant de passer à l'Institut. Pourquoi ?

— Vous feriez bien de lui dire de venir aussi. Ce que j'ai trouvé... je crois que c'est important.

— Où est le docteur ?

— Il est déjà au Muséum, avec Cyrus. Ils devraient pas tarder.

— Je saute dans un fiacre, je passe prendre Marcus à l'Insti… Non, *Mama*, c'est un produit chimique que tu sens, il n'y a rien à nettoyer… Pardon, je me sauve avant que ma mère explose. J'arrive dans une demi-heure.

Je raccrochai, retournai dans la cuisine où Kat s'apprêtait à faire frire dans une grande poêle des œufs et des harengs.

— Tu… tu sais faire la cuisine ? m'étonnai-je.

— Tu crois qu'on avait des domestiques, Papa et moi ? Je lui faisais toujours à manger. Des œufs aux harengs, ça, c'est un petit déjeuner !

Elle voulut casser un œuf au-dessus de la poêle mais ses mains tremblaient tellement qu'elle dut y renoncer.

— Stevie, dit-elle à voix basse, sans me regarder, ton copain docteur, il aurait pas… Est-ce qu'il voit des malades ici ?

— Non non, fis-je, sachant pertinemment ce que la question signifiait. Pas de ça ici, Kat.

— C'est parce que… (Sa main trembla de nouveau, ses yeux s'emplirent de larmes.) Je sais pas si j'arriverai à casser les œufs…

Une pensée émergea dans mon esprit, quelque chose que le docteur avait dit un jour quand j'étais à l'Institut et qu'il s'occupait d'un gosse en plus piteux état encore que Kat — quelque chose sur ce qu'un sevrage brutal pouvait faire à l'organisme. Il conservait peut-être un peu de cocaïne dans la petite salle de consultation qu'il avait installée en bas, près de l'entrée, mais je n'avais pas l'intention d'en faire profiter Kat. Pourtant, quand elle poussa un faible cri et se laissa tomber sur une chaise en se tenant le ventre, je courus à la salle de consultation, ouvris une vitrine en verre contenant une série de fioles. Mon regard tomba sur une bouteille d'élixir parégorique. Je savais qu'on en donnait aux bébés souffrant de coliques et j'en conclus que cela ne pouvait faire de mal à Kat. Je retournai précipitamment à la cuisine, tendis la fiole à mon amie en m'agenouillant devant elle.

— Tiens, essaie ça.

Une main sur le ventre, elle gémit, avala une longue gorgée du médicament puis écarta vivement la fiole de sa bouche et tira la langue.

— Eurk ! Qu'est-ce que c'est que ce truc ?

— Quelque chose pour calmer ton mal de ventre.

— Il me faut de la coco ! exigea-t-elle, frappant du pied.

— Kat, y en a pas ici. Essaie de rester calme. Bois encore un peu...

Quand j'approchai la fiole de ses lèvres, elle secoua la tête pour refuser le remède au goût infect mais, après une autre gorgée, elle parut se détendre.

— Ça va mieux ?

Elle hocha lentement la tête.

— Un peu. Ouuuh... (Elle ôta enfin la main de son ventre, aspira une longue goulée d'air et se leva.) Ouais, ça va mieux.

— On pourrait peut-être manger un morceau, alors ? proposai-je en la poussant vers le fourneau. Je suis toujours pas convaincu que tu sais vraiment faire la cuisine...

Kat s'esclaffa, et cette fois, quand elle saisit un des œufs, ses mains ne tremblaient plus.

— Attends un peu, dit-elle, cassant la coquille brune sur le bord de la poêle d'une main experte. Tu vas te régaler. (Elle grimaça, se tourna vers la table.) Redonne-moi un peu de ton truc, tu veux ? Ça a un goût dégueulasse mais ça fait de l'effet...

En préparant les œufs aux harengs, elle prit non pas une mais plusieurs gorgées de l'élixir, et son état s'améliora considérablement. La demi-heure qui suivit fut l'un des moments les plus heureux que je me rappelle avoir passé en sa compagnie. Mangeant, bavardant, riant comme deux jeunes gens ordinaires, nous oubliâmes temporairement ce qui l'avait conduite à la maison du docteur.

En fait, je fus un peu déçu quand la sonnette de la porte d'entrée finit par tinter, un peu après dix heures. Je venais de laver nos assiettes et Kat, qui avait allumé une cigarette, rêvait à voix haute du jour où elle aurait elle aussi une grande et belle maison. S'adressant à moi comme si j'étais son maître d'hôtel, elle me signifia de répondre au visiteur que « Madame » ne recevait pas ce matin. Elle se redressa cependant sur sa chaise quand je revins dans la cuisine avec les deux inspecteurs : elle n'arrivait pas à se convaincre tout à fait que leur venue n'avait rien à voir avec elle. Je les présentai à Kat et installai tout ce beau monde dans le salon avant de retourner chercher le portrait de l'infirmière dans le bureau du docteur. En redescendant, je trouvai les deux policiers lancés dans une de leurs querelles puériles sur la proportion exacte de produits chimiques qu'il convenait d'utiliser dans l'analyse que Lucius avait effectuée le matin même. Assise au bord de son fauteuil, Kat les observait d'un œil perplexe en se demandant — je n'en doutais pas — à quel genre de flics elle avait affaire.

— Allons-y, fis-je, montrant la photographie du dessin à mon amie. Kat, dis aux sergents qui est cette bonne femme.

Elle nous considéra un instant puis bougonna :

— Je te l'ai déjà dit.

— Ouais, mais dis-leur à eux, maintenant, lui intimai-je dans un murmure. Ne t'en fais pas, tu n'auras pas d'ennuis.

— Je connais le refrain, marmonna Kat à mi-voix. (Elle finit cependant par se tourner vers les Isaacson.) Elle s'appelle Libby Hatch. C'est la… enfin, elle et Goo Goo…

— Goo Goo Knox ? coupa Marcus. Le chef des Hudson Dusters ?

— Tout juste. C'est sa gonzesse. Une de ses gonzesses, en tout cas. Il en a plein, ce fils de… (Elle se reprit à temps.) Mais en ce moment, c'est sa préférée.

— Libby Hatch ? dit Lucius, prenant le portrait. Vous êtes sûre ?

— Bien sûr que j'suis sûre ! J'ai des yeux, non ?

Le policier la fixa un instant avant de poser sa question suivante :

— Vous ne sauriez pas, par hasard, où vit cette Libby Hatch ?

— Au coin de la rue du QG des Dusters. Bethune Street. Elle est mariée à un vieux type à moitié mort, alors, il faut bien qu'elle se débrouille toute seule. Goo Goo a fait mettre leur baraque sous la protection de la bande : le premier qui tourne autour, il se retrouve dans le fleuve. Et pas pour nager, si vous voyez ce que je veux dire.

Lucius allait poursuivre, mais Marcus leva un doigt.

— Miss Devlin, vous voulez bien nous excuser un moment, tous les trois ?

— Ouais, bien sûr, répondit-elle, plus perplexe encore. Stevie, je pourrais peut-être descendre reprendre un peu de ce médicament...

— Bonne idée.

Elle adressa aux inspecteurs un sourire hésitant :

— Juste un peu mal au ventre. Je reviens tout de suite.

Ils la regardèrent sortir de la pièce et Lucius, tout excité, ouvrit de nouveau la bouche, mais son frère le devança une fois de plus :

— Stevie, pourquoi devrions-nous faire confiance à cette fille ?

La question me prit un peu au dépourvu.

— Pourquoi ? Ben... parce que c'est une amie à moi. Je la connais depuis... longtemps. Pourquoi vous lui feriez pas confiance ?

Il me regarda droit dans les yeux.

— Parce que c'est une prostituée et une droguée.

Un instant froissé dans mon orgueil, je compris cependant que Marcus cherchait uniquement à s'assurer qu'on ne nous abusait pas. Baissant les yeux, je répondis :

— Ça fait pas d'elle une menteuse, sergent. Je me porte garant de Kat.

— Droguée, je comprends, dit Lucius à son frère. Les indices sont assez clairs. Mais qu'est-ce qui te fait croire qu'elle se prostitue ?

— Une fille de cet âge ? Qui vit chez les Dusters ? Ce n'est pas un asile de nuit, leur QG...

— Hmm, c'est juste, convint Lucius. Mais elle sait où habite Elspeth Hunter. Et qu'est-ce qu'elle gagnerait à nous raconter tout ça ? Moi je dis que nous devons la croire, d'autant que ça nous facilitera beaucoup la vie.

— Comment ça ? demanda Marcus.

Ce fut néanmoins vers moi que Lucius se tourna.

— Stevie, tu penses que cette fille accepterait de nous rendre… un service ?

— Un service, probablement pas. Nous, enfin, je lui ai attiré quelques ennuis, hier. Et de toute façon, elle n'a pas mené une vie qui la pousse à rendre service. Mais s'il y a quelque chose pour elle en contrepartie… Ouais, je pense qu'on pourrait lui demander. A condition que ce soit pas dangereux pour elle, ajoutai-je aussitôt.

— Ça ne devrait pas l'être, assura l'inspecteur.

— Lucius, qu'est-ce que tu mijotes ? demanda Marcus.

A cet instant, Kat remonta de la cuisine et se rua dans le salon.

— Stevie ! Y a des gens qui viennent d'entrer dans la maison !

— T'en fais pas. C'est sûrement la femme de ménage, dis-je en me dirigeant vers l'escalier.

— Non, c'est deux hommes. Ton docteur, sûrement ! Je devrais pas être ici, il va te flanquer une correction !

Me penchant au-dessus de la rampe, je constatai qu'il s'agissait bien du docteur, accompagné de Cyrus, et je pressai doucement le bras de Kat.

— T'en fais pas, répétai-je, à demi amusé par sa peur. Il se passera rien, je te l'ai dit, il est pas comme ça.

— Mais on a mangé sa bouffe, et j'ai pris le médicament…

— Calme-toi, la raisonnai-je, cependant que le docteur commençait à monter d'un pas vif. Retourne au salon, tout ira bien.

Elle hocha la tête avec réticence mais ne bougea pas et, quand le Dr Kreizler parvint en haut des marches, elle se réfugia derrière mon épaule, écarquillant les yeux devant les longs cheveux bruns de mon maître, ses yeux noirs, les vêtements sombres qu'il portait, même en été. Je souris. J'avais totalement oublié combien il pouvait paraître imposant — voire effrayant — lorsqu'on le rencontrait pour la première fois.

— Stevie ! me lança-t-il d'un ton satisfait. Nous rentrons plus tôt que je ne l'avais espéré. Apparemment, cette branche de l'anthropologie n'en est qu'à ses balbutiements : il a fallu la moitié de l'équipe de Boas, renforcée de quelques étudiants de Columbia, pour analyser l'objet, et leur explication n'est que partielle. C'est effectivement une flèche, utilisée dans les îles du sud-ouest du Pacifique, bien qu'il reste quelque incertitude quant à… (Il s'interrompit en découvrant la petite souris qui se cachait derrière moi.) Tiens donc. (Il sourit mais ralentit son pas.) J'ignorais que tu avais de la compagnie, Stevie. Mes excuses pour une intrusion aussi brutale.

Cyrus monta à son tour en m'appelant :

— Stevie ? Tu vas bien ? J'ai trouvé une fiole à moitié vide d'élixir parégorique dans la cuisine… (Lui aussi avisa la visiteuse.) Oh. (Il esquissa un sourire, inclina la tête.) Bonjour, Kat, dit-il, d'un ton amène mais pas précisément chaleureux.

— Mr Montrose, fit une toute petite voix derrière moi.

Les Isaacson sortirent du salon.

— Ah ! les sergents aussi, dit mon maître. Parfait, nous gagnerons du temps. Stevie, tu ne me présentes pas ?

— Non. Enfin, si.

Kat sortit de sa cachette, tendit la main comme si elle craignait que le docteur la lui arrache d'un coup de dents.

— Katharine Devlin, m'sieur, débita-t-elle d'un seul jet. (Il avait à peine touché sa main qu'elle la retira et se replaça derrière moi.) Stevie m'avait pas invitée, m'sieur, je suis venue de moi-même.

— Les amis de Stevie sont toujours les bienvenus, déclara-t-il simplement. Mais je pense que nous serions tous plus à notre aise dans le salon, vous ne croyez pas ?

Je sentais les petits seins de Kat monter et descendre à un rythme rapide tandis qu'elle se pressait contre moi.

— J'crois que je ferais mieux de partir, murmura-t-elle.

Je la retins.

— Kat, tout va bien, affirmai-je de nouveau. Viens, je veux que tu répètes au docteur ce que tu m'as dit. Et les inspecteurs ont quelque chose à te demander.

À contrecœur, elle suivit tout le groupe au salon, sans jamais toutefois s'écarter de mon dos. Ses yeux bleus demeuraient fixés sur le docteur : elle s'était convaincue avant même de le voir qu'il n'était pas «réglo», et son attitude aimable ne faisait que renforcer ses soupçons. Il alla à la cheminée, prit une cigarette, en offrit une à Marcus et alla s'asseoir dans son fauteuil.

— Je vous en prie, dit-il, indiquant à Kat un vieux (je devrais dire antique) divan français, asseyez-vous.

Je devinai que l'attitude de mon amie l'amusait presque autant que moi mais, par gentillesse, il n'en laissa rien paraître. Elle hocha la tête, s'assit et faillit me casser le bras en tirant sur ma chemise pour me faire choir à côté d'elle. Blottie contre moi, elle laissa son regard apeuré quitter enfin le docteur pour regarder ce que faisaient les policiers.

— Miss Devlin nous a apporté des informations fort intéressantes, annonça Lucius à mon maître en lui tendant la photographie. Il semble qu'elle connaisse plus ou moins Elspeth Hunter.

Les yeux du Dr Kreizler prirent un éclat qui rendit Kat plus nerveuse encore quand il les tourna vers elle.

— Vraiment, Miss Devlin ? Vous connaissez cette femme ?

— Je sais pas de quoi il parle, lui, répondit-elle, indiquant Lucius d'un bref mouvement du menton. Mais si vous voulez dire Libby Hatch, alors, ouais, je la connais.

— Kat passe une partie de son temps chez les Dusters, ajoutai-je, pour lui éviter d'avoir à s'expliquer. Elle connaît l'infirmière sous le nom de Libby Hatch, et d'après elle, c'est une des filles de Goo Goo.

— Goo Goo ? Ah ! oui, Knox, l'homme fort des Dusters. Franchement, on ne peut que spéculer sur la quantité de cocaïne que les membres de cette bande doivent ingérer pour inventer des noms aussi absurdes.

Kat émit une sorte d'aboiement bref que je pris pour un cri d'alarme mais, en me retournant, je m'aperçus qu'elle souriait, et que l'aboiement était une sorte de rire. Pour la première fois, elle me parut disposée à croire que le docteur était « réglo ». Il fit écho à son rire, sans doute pour la rassurer tout à fait.

— Ainsi donc, Miss Devlin, poursuivit-il (et je pus voir que Kat aimait qu'on l'appelle ainsi), selon vous, la femme du portrait entretiendrait des rapports sentimentaux avec Knox ?

— C'est sa préférée en ce moment, répondit Kat.

— Vraiment ?

— Et Knox a fait placer la maison de Bethune Street sous sa protection personnelle, ajouta Lucius.

— Ah ? Pour quelle raison, à votre avis, Miss Devlin ?

Elle haussa les épaules.

— Il est complètement obsédé, le Goo Goo, et d'après ce que j'ai vu, Libby aussi. Ils passent des heures en haut, dans sa piaule, des fois, ça devient un peu dingue, je l'entends. Elle, comment dire, elle danse pour lui...

— Elle danse, répéta le docteur, un tantinet dérouté.

Gênée, Kat regarda par la fenêtre.

— Vous voyez ce que je veux dire : elle danse. Il fait venir l'orchestre près de la porte et... elle danse.

L'aliéniste finit par comprendre que Kat se référait à une pratique à laquelle on donnait à l'époque diverses appellations et que l'on désigne aujourd'hui pour ce qu'elle est : l'effeuillage.

— Je vois, dit-il. Excusez mon ignorance, Miss Devlin.

— Y a pas de quoi, m'sieur, répondit-elle fort respectueusement. Vous pouviez pas savoir. En tout cas, comme je disais, en ce moment, c'est la seule de ses greluches qui arrive à le suivre. On peut dire qu'elle se donne à fond, Libby...

— Libby, répéta doucement le docteur, en faisant rebondir ses jointures contre sa bouche. Libby... (Il se tourna vers les inspecteurs.) Un pseudonyme ?

Marcus soupesa l'hypothèse puis haussa les épaules.

— Ce pourrait être un diminutif d'Elspeth — il est probable qu'elle en a un : Elspeth fait plutôt archaïque.

— Et Hatch pourrait être son nom de jeune fille, suggéra Lucius. Elle l'utilise quand elle ne veut pas qu'on l'identifie. Vous n'avez guère de chance d'obtenir un poste d'infirmière si le bruit court que vous dansez pour Goo Goo Knox. Mais il y a ici une considération plus importante, docteur. (Il s'approcha de lui, jeta un bref coup d'œil à Kat.) A ce point de nos recherches, nous avons besoin de deux choses. Un, prouver que l'enfant se trouve dans la maison de l'infirmière ; deux, établir sa culpabilité dans l'agression de Central Park. (Il adressa à

Kat un autre regard, assorti d'un sourire amical.) Je crois que Miss Devlin peut nous aider sur ces deux points.

Elle se tourna vers moi et me reprocha à voix basse :

— T'avais promis qu'y aurait pas d'ennuis...

— Y en a pas, Kat, assurai-je. Pas pour toi.

— Alors, c'est quoi, ces histoires de gosse et d'agression ?

— N'ayez crainte, intervint le docteur, vous ne risquez absolument pas d'y être impliquée. Les sergents enquêtent sur une affaire et nous essayons simplement de les aider. Nos motifs sont aussi simples que cela.

Kat grogna, lui lança un regard méfiant.

— Je veux pas être mêlée à une enquête de police. Surtout si Goo Goo est dans le coup. Ce gonze, il vous fout une dégelée qui vous laisse à demi mort aussi facilement qu'il vous dit bonjour, même quand il a pas reniflé de poudre.

— Nous pourrions envisager aussi l'aspect matériel des choses, intervint Marcus avec tact.

— De l'argent, vous voulez dire ? lui renvoya-t-elle. (Il acquiesça.) L'argent vous sert à rien à l'hôpital. Au fond du fleuve non plus.

— Et si c'était une somme assez importante pour que vous ne soyez plus jamais obligée de retourner à Hudson Street ? fit le docteur.

Le visage de Kat se ferma.

— Si je double les Dusters, y aura pas un endroit dans cette ville où je pourrai me cacher...

— Vous êtes si attachée à New York ? Vous avez peut-être de la famille dans une autre région ?

— Et je vous assure, nous ne vous demanderons rien de dangereux, promit Lucius.

— Tout est dangereux avec cette bande de dingues, répliqua vivement mon amie. (Elle considéra de nouveau le docteur.) J'ai bien une tante à San Francisco. Elle est chanteuse à l'Opéra.

— Vraiment ? fit-il avec ferveur. Ils ont une troupe très prometteuse, là-bas. Elle est soprano ? mezzo ?

— Chanteuse, voilà ce qu'elle est, répondit Kat, qui ne savait manifestement pas de quoi il parlait. Elle m'a écrit une fois, après la mort de Papa, pour dire qu'elle pourrait aussi me faire travailler comme chanteuse. Je sais chanter — Stevie m'a entendue.

Des yeux, elle chercha mon approbation et je hochai vigoureusement la tête, même si je n'avais jamais fait grand cas de sa voix. Mais j'ai une oreille déplorable et peut-être qu'après tout elle savait chanter.

— En ce cas, un billet pour San Francisco, offrit le docteur, par mer ou par chemin de fer, à votre guise et, disons quelques centaines de dollars pour... vous acclimater. (Jamais je n'avais vu Kat ouvrir d'aussi grands yeux.) Tout cela en échange... (Le docteur s'interrompit, se tourna vers Lucius.) En échange de quoi, au juste ?

— Un article vestimentaire pourvu de boutons, répondit le policier.

Kat le dévisagea, bouche bée.

— Un article vestimentaire ? Des fringues, c'est ça ?

— Oui, mais de préférence un vêtement d'extérieur. Un manteau, une veste, ce serait l'idéal.

— J'y suis, fit Marcus en se frappant le front. Bien sûr !

Kat les regarda comme s'ils étaient encore plus fous qu'elle ne l'avait cru de prime abord.

— Un manteau ou une veste, dit-elle.

— Avec des boutons, précisa Lucius, hochant la tête.

— Avec des boutons, répéta Kat, hochant la tête à l'unisson. Quel genre de boutons ?

— Des grands. Plus ils seront grands, mieux ce sera.

— Et plats, si possible, ajouta Marcus.

— Exactement, acquiesça son frère.

Kat les regarda de nouveau, ouvrit la bouche, la referma, se tourna vers moi, revint aux inspecteurs. Ses yeux bleus se plissèrent tandis que sa bouche se relevait en un léger sourire.

— Attendez voir si j'ai pigé : vous voulez que je fauche une des vestes de Libby Hatch. Avec de grands boutons plats. Et en échange, vous me filez un billet pour San Francisco, plus de l'argent pour m'aider à m'installer ?

— C'est apparemment ce que nous proposons, confirma le Dr Kreizler, qui considéra lui aussi les Isaacson avec une certaine perplexité.

— Ils sont sérieux ? me demanda Kat.

— En général, répondis-je avec un sourire.

L'idée que Kat quitterait New York ne m'enchantait pas, mais la nécessité de la soustraire à Ding Dong, aux Dusters et à tout ce que cette vie impliquait passait avant toute autre considération.

— Allez, c'est pas un problème, pour toi, arguai-je. Piquer une veste ? Tu pourrais le faire en dormant...

Elle me gifla durement la jambe.

— C'est pas une raison pour le chanter sur les toits, Stevie Taggert ! (Elle regarda les autres, se leva.) Bon, les gars, euh, messieurs, c'est d'accord. Ça prendra peut-être un jour ou deux...

— Le plus tôt serait le mieux, dit le docteur, se levant lui aussi et lui tendant la main. Mais un jour ou deux, c'est parfait.

Elle lui serra la main beaucoup moins timidement cette fois et sourit.

— Alors, je ferais bien de m'y mettre ! (Elle se tourna vers moi et prit un air de femme du monde, comme elle l'avait fait dans la cuisine.) Stevie, mon cher, si tu veux bien avoir...

Elle s'interrompit, faute de trouver le mot.

— L'obligeance de te raccompagner, achevai-je pour elle. Ouais, naturellement.

Le docteur me tendit quelques dollars.

— Mets cette jeune personne dans un fiacre, Stevie. Miss Devlin, ce fut un plaisir, déclara-t-il en s'inclinant. J'attends avec impatience l'heureuse conclusion de notre collaboration... quoi que puisse être son objet, ajouta-t-il en coulant un regard à Lucius.

Je pris Kat par le bras et l'entraînai dehors.

Sur le trottoir, elle se mit à sauter sur place comme un enfant de quatre ans.

— Stevie ! criait-elle quasiment, je vais en Californie ! Tu te rends compte ? Moi, à San Francisco ?

— T'as vraiment une tante qui est chanteuse d'opéra ? demandai-je, tandis qu'elle m'étranglait presque en passant ses bras autour de mon cou.

— Ben, plus ou moins. Elle travaille à l'Opéra, en tout cas. Et elle sera chanteuse un jour, elle me l'a dit.

— Ouais ouais, fis-je, pas tout à fait convaincu. C'est pas une grue, j'espère ?

— Non, c'est pas une grue, merci, Stevie ! Et j'en serai pas une non plus : c'est fini, ça ! Ma vie va changer, Stevie, changer ! Et tout ce que j'ai à faire, c'est faucher une veste à Libby Hatch ! Faucher une veste à une femme qu'a du mal à garder ses fringues sur le dos !

Quand nous arrivâmes au coin de la rue — juste en face de la Maternité de New York, notai-je — et que j'eus hélé un fiacre, tout le visage de mon amie se plissa dans un effort de concentration.

— Pourquoi tu crois qu'ils veulent cette veste ? Le docteur et les autres ? Ils sont drôles, ces deux-là, pour des flics...

— Je sais pas, répondis-je, me rendant soudain compte que je l'ignorais. Mais je vais leur poser la question, tu peux en être sûre. (Je me tournai vers elle quand elle ouvrit la petite portière de la voiture.) Ça ira, tu penses ? Je veux dire : pour Ding Dong...

— Lui ? Il aura du pot s'il réussit à me voir avant que je liquide cette affaire. Qu'il reste avec ses mômes de douze ans — moi je vais en Californie !

— Tu devrais écrire à ta tante d'abord, conseillai-je. Pour être sûre qu'elle est encore là-bas et que tout va bien.

— J'y ai déjà pensé, je le ferai ce soir, dit Kat. (Avant de monter dans le fiacre, elle me serra contre elle et murmura à mon oreille :) Merci, Stevie, t'es un vrai ami. (Elle s'écarta de moi, regarda en direction de la maison du docteur.) Et t'avais raison, pour ton patron, c'est un type bien.

J'avais une envie folle de l'embrasser mais elle monta dans la voiture et agita les dollars que je lui avais remis.

— Cocher, Hudson Street ! Et prenez votre temps, que je profite du voyage !

L'homme fit claquer son fouet, Kat m'adressa un petit salut et tourna sur elle-même pour regarder l'avenue, comme si la ville lui appartenait.

Quand le fiacre disparut au coin de la rue, je courus vers la maison, impatient d'apprendre pourquoi les sergents enquêteurs voulaient tellement cette veste.

20

En rentrant, je faillis percuter le Dr Kreizler, qui se
tenait devant sa petite salle de consultation, la bouteille
d'élixir parégorique à la main. Il me fit la leçon : je n'aurais pas dû prendre sur moi de dispenser des narcotiques,
car ce remède était un opiat, ce qui expliquait pourquoi
il était aussi efficace pour les bébés atteints de coliques
que pour la malheureuse Kat. Ce sermon, mérité et
cependant déplaisant, fut interrompu par la sonnette de la
porte d'entrée. Ses deux tonalités, produites par un petit
marteau électrique heurtant deux longs tubes dans le vestibule, étaient particulièrement bruyantes lorsqu'on se
trouvait à proximité, et elles nous firent donc sursauter,
le docteur et moi. Il reboucha la bouteille et la rangea en
ajoutant simplement :

— J'espère que nous nous comprenons, Stevie.

Avant même qu'il ouvre la porte, j'entendis la voix de
Miss Howard protester à travers l'épais panneau de bois,
celle de Mr Moore marmonnant en réponse quelques
mots qui la firent de nouveau vitupérer. Lorsque mon
maître ouvrit, elle se précipita dans le hall, écarlate et
courroucée, mais souriant un peu malgré elle.

— John, je te prie de cesser. Le travail est terminé, ne
continue pas à...

Mr Moore la suivit en bondissant comme un satyre et
en la lorgnant d'un air lascif qui me parut à demi feint
seulement.

— Ça m'est égal, rétorqua-t-il. Deux heures dans ce trou, je vais te faire payer…

Le Dr Kreizler les considéra tous deux avec consternation.

— Il est un peu tard dans la saison pour une fièvre printanière, Moore. Qu'est-ce qui te prend ?

— Vous n'auriez pas un sédatif, docteur ? réclama Miss Howard. John a décidé qu'en se conduisant comme un porc lubrique ce matin au Bureau des archives, il couperait peut-être à la corvée. Il me harcèle depuis…

— Oh ! je n'ai même pas encore commencé, repartit le journaliste, faisant un pas vers elle. Je vais te montrer ce que c'est, « un porc lubrique »…

— Moore, fit le docteur, saisissant son ami au collet. Je t'aurais cru au-dessus de telles sottises. Reprends-toi, s'il te plaît. Nous avons eu connaissance de nouveaux éléments importants, et maintenant que vous êtes là, nous pouvons tous aller au 808 y réfléchir ensemble.

— Bon, dit Mr Moore, les yeux fixés sur Miss Howard. Je peux attendre…

Elle se tourna vers le grand miroir de l'entrée et resserra son chignon.

— Je crains fort d'être un jour réduite à te tirer dessus, John. Tu as encore le dessin ?

— Oui, oui, dit-il, se redressant et mettant enfin un terme à sa plaisanterie. (Il prit dans une poche intérieure de sa veste une feuille de papier pliée en quatre.) Deux heures, Kreizler, dans ce tombeau moisi — tu sais qu'on y gardait les prisonniers pendant la Révolution ? Et tout ce qu'on rapporte, c'est un malheureux dessin au crayon.

— Alors, vous avez trouvé quelque chose, conclut le docteur, insensible aux gémissements de son ami. Aux Archives ?

— Rien qu'une copie du permis de construire. Les plans eux-mêmes ont — mystérieusement, bien sûr — disparu.

— Du nouveau sur tous les fronts, dit l'aliéniste, qui cria dans la cage d'escalier : Sergents ! Cyrus ! En route ! Stevie, tu t'occupes de Gwendolyn et tu nous rattrapes, si tu veux bien. Nous irons à pied, cela nous laissera le temps, aux sergents et à moi, de mettre les deux autres au courant des découvertes de ce matin.

— D'accord, répondis-je en me dirigeant vers la porte. Mais je veux être là pour entendre les inspecteurs expliquer le coup de la veste !

— Le coup de la veste ? fit Miss Howard, intriguée.

Les Isaacson et Cyrus étaient parvenus au bas de l'escalier.

— Retour au 808 ? demanda Marcus.

— En effet.

Ils sortirent en file indienne, Mr Moore fermant la marche.

— Ce n'est pas encore le moment de déjeuner, je suppose, l'entendis-je grogner. Je n'aurais jamais cru que le travail d'enquêteur aiguise tellement l'appétit. Pas étonnant que tant de flics soient obèses...

J'étrillai la jument plus rapidement que d'habitude et rangeai son harnais sans prendre la peine de le nettoyer, me promettant de le faire plus tard. Puis je sortis de l'écurie et, après avoir vérifié que la porte était bien fermée, je descendis la 17e Rue vers Broadway en cherchant mes amis dans la foule des travailleurs du lundi matin. Je les rattrapai finalement au moment où, venant d'Union Square, ils traversaient la 14e Rue. J'avais cependant un peu de retard sur l'horaire : le docteur et les inspecteurs avaient fini de raconter l'histoire de Kat deux rues avant, et j'avais manqué de peu le compte rendu de Miss Howard sur ce que Mr Moore et elle avaient trouvé aux Archives. Elle eut cependant l'amabilité de se détacher du groupe pour m'en faire un résumé.

Deux ans plus tôt, Elspeth Hunter et son mari, Micah, avaient effectivement sollicité et obtenu un permis de construire pour procéder à des travaux assez importants dans le sous-sol de leur maison. Mais comme les documents concernant la construction avaient disparu et que la copie du permis ne comportait que des généralités, c'était tout ce que nous pouvions savoir — encore devions-nous nous estimer heureux. Miss Howard avait cependant soumis Mr Moore à un véritable interrogatoire pour faire restituer à sa mémoire tout ce qu'il avait vu au sous-sol — que l'infirmière l'avait de fait encouragé à visiter. Convaincue qu'il y avait forcément un indice quelconque quelque part dans cette cave, Sara en avait dessiné le plan et noté les dimensions sur les indications du journaliste. Rien ne leur avait paru anormal, mais les inspecteurs remarqueraient peut-être un détail qui leur avait échappé.

Nous arrivâmes au 808, Broadway avant que Lucius eût expliqué ce qu'il voulait faire de la veste à gros boutons d'Elspeth Hunter (alias Libby Hatch), et le docteur décida d'attendre que nous soyons en haut pour l'interroger. Par les fenêtres du bureau, je remarquai qu'à l'ouest, au-delà de l'Hudson, les nuages s'épaississaient, chargés de ce qui pourrait bien se transformer en véritable pluie dans les prochaines heures. Chacun prit un siège, Lucius alla se planter devant le grand tableau noir, enferma un morceau de craie au creux de sa main et l'agita comme le faisait le Dr Kreizler : le policier avait pour mon maître une vive admiration qui le poussait parfois à se faire son émule dans les petites choses comme dans les grandes.

Réitérant, à l'intention de Mr Moore et de Sara, sa conviction que nous devions en priorité établir que l'infirmière détenait le bébé Linares et avait assailli la *señora* dans le parc, Lucius exposa la raison pour laquelle un objet aussi simple qu'une veste pouvait nous fournir les preuves nécessaires. L'explication sur les boutons, une fois que je l'eus entendue, me parut évidente, et je me serais botté le derrière de ne pas y avoir pensé : les sergents avaient relevé une série d'empreintes assez bonnes sur le tuyau de plomb trouvé près de l'obélisque, et ils avaient besoin des empreintes de l'infirmière Hunter pour comparer. Ils préféraient cependant éviter de dérober un objet chez elle parce qu'elle semblait du genre à remarquer la disparition du moindre verre, et la surveillance des lieux par la bande de Goo Goo Knox dictait elle aussi un autre choix. Un vêtement, donc, avec de grands boutons plats pour fournir de bonnes empreintes.

Restait à savoir pourquoi Lucius voulait une veste ou un manteau, un vêtement d'extérieur. Cette question nous introduisit dans un monde nouveau et mystérieux : l'identification des cheveux et des poils. Les techniques policières avaient progressé au point qu'on pouvait, avec un microscope, déterminer si tel poil était humain ou animal, s'il provenait de tel individu — à condition d'avoir un échantillon pour comparer. Or le bonnet d'enfant que le docteur avait découvert au pied de l'obélisque contenait des cheveux dont Lucius était sûr qu'ils appartenaient à Ana Linares : les cheveux de bébé sont, semble-t-il, très faciles à identifier puisque, pour reprendre les termes exacts de Lucius, « ils sont courts, de nature peu complexe, et présentent une pigmentation extrêmement fine ». Il nous fallait donc un autre échantillon des cheveux d'Ana, prélevé celui-là directement sur un vêtement de l'infirmière, et qu'on examinerait au « microscope de comparaison » du sergent, appareil binoculaire qui lui permettrait d'étudier les deux cheveux côte à côte. Mais pourquoi, voulions-nous tous savoir, Lucius pensait-il qu'un manteau ou une veste serait le vêtement le plus indiqué pour recueillir l'échantillon ? N'était-il pas plus logique de subtiliser une blouse, voire un article un peu plus intime ? La réponse du sergent fut intelligente, et digne de lui. Nous savions que l'infirmière, d'un toupet peu commun, avait déjà sorti le bébé en public : certaine de ne jamais se faire pincer pour l'enlèvement (puisqu'elle ne réclamait pas de rançon), elle saisissait sans doute toutes les occasions de montrer au monde qu'elle était capable d'avoir un enfant heureux et sain bien à elle. Chemisiers, jupes, dessous — tout cela, elle le portait chez les Dusters et Dieu sait où encore. Comme nous savions que le contact physique avec toute une variété de types ne l'effarouchait pas précisément, ces vêtements contiendraient probablement un grand nombre de poils divers que nous perdrions notre temps à trier. Or le temps pressait : si nous nous fondions sur son passage à la maternité, l'incapacité de l'infirmière à s'occuper de nouveau-nés ne tarderait pas à se manifester. Même un bébé aussi serein qu'Ana Linares commencerait à devenir plus grognon qu'à son habitude, et son humeur ne ferait que se détériorer. Si Elspeth Hunter tenait l'enfant pour responsable de l'échec de leurs relations (comme le pensait le Dr Kreizler), la petite Ana souffrirait bientôt elle aussi de crises respiratoires inexpliquées, dont l'une finirait par causer sa mort.

Un manteau, donc, ou, ce qui était plus vraisemblable en ce mois de juin relativement frais, une veste : un vêtement qu'elle ôterait immédiatement en pénétrant dans un lieu où se rassemblaient d'autres gens — ce qui réduirait le nombre de poils ramassés — mais qu'elle garderait sur elle quand elle porterait le bébé comme elle l'avait fait dans le métro aérien de la Troisième Avenue : étroitement serré contre sa poitrine.

Le raisonnement était astucieux, et quand le sergent acheva sa démonstration, tous — son frère compris — l'applaudirent des deux mains. Nous passâmes ensuite à la question du sous-sol. Miss Howard afficha sur le mur le dessin qu'elle en avait tracé, et le reste de l'équipe alla l'examiner de près. Suivit une série de questions détaillées auxquelles Mr Moore fut incapable de donner ne fût-ce qu'un début de réponse, bien qu'il ait eu accès au lieu.

— Je cherchais un bébé, pour l'amour du ciel ! plaida-t-il après que l'un de nous lui eut demandé s'il avait remarqué des parties de maçonnerie apparemment plus récentes. J'ignorais que j'étais censé faire un relevé archéologique ! C'est une cave ordinaire — avec une chaudière, des outils de jardin, un sol de terre battue. Je pense qu'il y avait aussi des étagères de conserves mais je n'en jurerais pas. Et les vestiges habituels d'une existence : de vieux meubles, quelques cadres…

— Selon cette disposition ? demanda le docteur, étudiant le dessin.

— Oui.

Avec un grognement déçu, mon maître reprit :

— Il n'y a certes rien de remarquable là-dedans. La solution, ce serait de retrouver l'entrepreneur qui s'est chargé des travaux.

— Oh, fit Miss Howard, dont les yeux s'écarquillèrent comme si elle repensait à quelque chose qui lui avait échappé. Mais… il est mort. Nous avons demandé.

Le docteur se tourna vivement vers elle.

— Il est quoi ?

— Mort, lâcha Mr Moore. Juste après la fin des travaux. Il était l'ami de l'employé du Bureau des archives à qui nous avons eu affaire.

Le docteur se massa les tempes et demanda :

— Cet employé vous aurait-il dit de quoi il est mort ?

— Hein ? fit Mr Moore, fouillant distraitement ses poches et ramenant au jour un vieux caramel au beurre mal remballé. Ah ! de quoi se sustenter !...

— Moore... grinça son ami avec irritation.

— Hmm ? Ah ! oui, l'entrepreneur... J'ai noté son nom, il était sur le permis de construire. (Il tira de sa poche un morceau de papier en suçant bruyamment son caramel.) Henry... Bates. Son bureau se trouvait à Brooklyn. Il est mort d'une crise cardiaque deux jours après la fin des travaux chez Elspeth Hunter. Je comprends ça : travailler pour cette femme me donnerait une attaque, à moi aussi.

Le docteur secoua la tête en soupirant.

— Vous pensez que c'est important ? lui demanda Miss Howard, un peu mal à l'aise.

— La coïncidence me paraît curieuse.

— Nous avons déjà eu une coïncidence dans cette affaire, rappela le journaliste avec un geste désinvolte. Tu ne peux pas à chaque fois en faire toute une histoire...

— Je n'en ferais rien du tout si c'étaient vraiment des coïncidences ! tonna le docteur. Marcus, je vous suggère de dénicher tout ce que vous pourrez sur un entrepreneur de Brooklyn nommé Henry Bates. Il avait peut-être une famille...

— Qui connaîtra son dossier médical, enchaîna l'inspecteur, notant le nom sur un carnet.

Miss Howard se frappa le front en gémissant :

— Bon sang. C'était évident, pourtant !...

— Pourquoi te mets-tu dans un tel état ? lui demanda Mr Moore. Le type est mort d'une crise cardiaque, et alors ?

— Moore, fit le docteur, s'efforçant d'être patient. Tu te souviens du Dr H.H. Holmes, le meurtrier dément dont l'existence tourmentait tant ta grand-mère, l'année dernière ?

— Bien sûr. Qui ne s'en souvient ? Il a trucidé je ne

sais combien de personnes dans son «château des tortures»...

— Exactement : son «château des tortures». Un dédale de pièces secrètes que Holmes lui-même avait conçues pour servir chacune un dessein sadique particulier.

— Eh bien ? Quel rapport ?

— Sais-tu quelle est la première chose qu'il a faite, une fois son château terminé ?

— Il a tué quelqu'un, j'imagine.

— Exact. Il a tué la seule personne au monde qui, en dehors de lui, connaissait les plans du lieu.

Le bruit de suçotement finit par cesser, et Mr Moore leva lentement la tête.

— Ce ne serait pas par hasard...

— Si. Son entrepreneur.

Le journaliste fit passer son regard d'un visage à l'autre puis, sur un brusque «Je file à Brooklyn», il s'élança vers la porte d'entrée avant l'avalanche de sarcasmes.

— Je vous accompagne, dit Marcus, en le suivant. Un insigne pourrait être utile.

— Il nous faut la cause exacte de la mort ! leur cria le docteur au moment où ils refermaient la grille de l'ascenseur. Ainsi que tous les détails qu'il aurait pu confier à sa famille sur les travaux, s'il avait une famille !

Quand la porte claqua derrière eux, il grommela d'un ton découragé :

— J'aurais dû m'en douter. C'est déjà difficile de le faire se concentrer sur quelque chose par temps froid, mais en été... (Il soupira, regarda de nouveau le dessin accroché au mur.) Le sous-sol... le sous-sol...

Miss Howard s'approcha de lui.

— Je suis désolée. C'est moi qui aurais dû y penser.

Le docteur s'efforça de se montrer bienveillant :

— Je doute que cela nous ait fait perdre beaucoup de temps, Sara. D'ailleurs, même si nous découvrons quelque terrible secret sur cette cave, la question demeure : que pouvons-nous faire ? Du fait de l'attitude du *señor* Linares, une intervention directe de la police est exclue — non seulement en raison du danger que cela représenterait pour la *señora*, mais aussi à cause de l'immunité diplomatique. Même si nous réussissions à convaincre les autorités d'entreprendre une enquête, elles ne s'opposeraient jamais aux desiderata d'un dignitaire étranger. Et pour notre propre groupe, un retour à Bethune Street comporterait un danger évident : un mot d'Elspeth Hunter, et nous nous retrouverions au fond du fleuve, comme le disait Miss Devlin. Se pose aussi la question de notre ami inconnu, le lanceur de flèche et de poignard...

— Vous n'avez rien découvert du tout à ce sujet ? demanda Lucius.

— J'ai reçu des éléments de réponse, auxquels il faut ajouter une conjecture — une conjecture assez bizarre — pour obtenir une explication vraisemblable. Nous sommes en présence de deux armes. La première est, comme vous l'avez souligné, sergent, la marque de fabrique des pirates, des mercenaires et des simples voleurs qui écument les quais de Manille. La seconde est plus obscure : une arme indigène, comme nous le supposions. A en juger uniquement par sa taille, nous pourrions situer son origine dans l'une des tribus pygmées du Pacifique, d'Afrique ou d'Amérique du Sud. C'est la strychnine qui nous permet d'être plus précis puisqu'on sait qu'elle n'est utilisée de cette façon que par les naturels de Java.

— Java ? fit Lucius. Mais Java se trouve dans les Indes orientales hollandaises, loin au sud-ouest des Philippines ! Cela ne cadrerait pas avec le kriss...

— Certes, sergent, mais vous devez garder à l'esprit que les quais de Manille sont un... un chaudron où bouillonne tout ce que des lieux aussi lointains que l'Europe, San Francisco ou la Chine comptent d'éléments criminels et violents. Un familier des quais pourrait apprendre à manier des armes venant de bien plus loin que Java, et si ses origines ethniques le prédisposaient à une arme particulière, il y aurait de bonnes chances pour qu'il l'adopte.

— Que voulez-vous dire ? demanda Miss Howard.

Le docteur s'éloigna enfin du dessin.

— Dans certaines régions isolées des Philippines, la

partie nord de l'île de Luzon, par exemple, et la péninsule de Bataan, vivent de petits groupes de pygmées. Les Espagnols et les Philippins les appellent *negritos,* mais ils se donnent eux-mêmes le nom d'Aeta. Ce sont les plus anciens occupants de l'archipel. On pense qu'ils sont venus du continent asiatique à l'époque où un pont de glace recouvrait encore cette partie du Pacifique. Leurs traits sont négroïdes, poursuivit l'aliéniste en se tournant vers Cyrus et moi, leur taille moyenne est d'environ un mètre quarante. Ce qui fait qu'on peut les prendre, de loin et dans ce pays...

— Pour des enfants de dix ans, termina Cyrus.

— Mon Dieu... murmura Miss Howard.

— Sara ? fit le docteur. Vous vous rappelez, je présume, un détail d'une de vos conversations avec la *señora* Linares ?

— Oui, répondit-elle d'une voix blanche, sans même lui demander comment il avait deviné. Son mari — il est issu d'une vieille famille de diplomates. Quand il était jeune homme, son père était en poste au cabinet du gouverneur général... à Manille...

Laszlo Kreizler hocha simplement la tête.

— Dans l'île de Luzon, précisa-t-il. Il y avait forcément un rapport. Les Aeta sont les parias de la société philippine. Si l'un d'eux, pour une raison quelconque, s'était retrouvé à Manille, le seul endroit, quasiment, où sa présence aurait été tolérée, c'est le port. Il y aurait apporté les techniques de chasse et de guerre de son peuple et aurait, selon toute probabilité, assimilé d'autres méthodes de combat indispensables à sa survie. En outre, comme de nombreux indigènes, les Aeta accordent une importance primordiale à la loyauté. Si l'un d'eux venait à entrer au service d'un homme occupant une position élevée ou à devenir son ami... Il vous appartiendra, Sara, de prendre contact d'une manière ou d'une autre avec la *señora* Linares afin de déterminer si son mari a eu un tel serviteur.

— Ce ne sera pas facile, fit-elle observer. Elle est étroitement surveillée, de jour comme de nuit.

— Alors, il vous faudra faire preuve d'imagination. Nous devons absolument savoir. La conduite du mystérieux petit homme est marquée par deux intentions apparemment contradictoires. Nous devons découvrir pourquoi pour savoir si nous avons une chance de le rencontrer de nouveau... (Il poursuivit sur un ton de nouveau empreint de découragement en retournant au dessin :) Rien de tout cela, je le crains, ne résout le problème de cette fichue cave... Comment y pénétrer ? Et, une fois à l'intérieur, comment découvrir la cachette et trouver l'enfant, si Elspeth Hunter l'y garde bien ?

Lucius grogna avant de déclarer :

— En maintes circonstances, je me ferais l'avocat des méthodes habituelles du Service, mais dans le cas présent... Que ne donnerais-je pas pour enfoncer la porte et descendre avec un bon vieux limier, pour lui faire flairer la cave...

Pendant une minute ou deux, tout le monde garda le silence et je demeurai assis sur mon appui de fenêtre, les genoux sous le menton, attendant qu'une idée vienne à quelqu'un. Dans de telles dispositions, il me fallut un moment pour remarquer que Cyrus se raclait la gorge en me regardant, avec une expression interrogative. N'ayant aucune idée de ce qu'il voulait dire, je fronçai les sourcils, haussai les épaules. Il jeta un coup d'œil aux autres pour s'assurer qu'ils continuaient à étudier le dessin, s'approcha de moi, se pencha comme pour regarder par la fenêtre.

— Tu te souviens de Hickie ? murmura-t-il, une main devant la bouche. Le fou d'animaux ?

— Hickie le Boche ? Ouais, je m'en souviens, pourquoi ?

— Et tu as vu la maison de cette femme ? Tu crois que tu pourrais y pénétrer ?

J'étais un peu choqué qu'il me pose cette question, car enfin, j'étais censé avoir tout oublié de mes mauvaises habitudes.

— Cette baraque ? Sans problème, mais...

Il me regarda droit dans les yeux.

— A toi de jouer, Stevie.

Il s'éloigna, me laissant un peu abasourdi.

— Mais, Cyrus... le rappelai-je, assez fort pour attirer l'attention du docteur.

— Stevie ? Tu as quelque chose à proposer ?

Je secouai la tête d'un air innocent.

— Non, monsieur.

— Si, dit Cyrus au mur.

— Non, répliquai-je du coin de la bouche.

— Bon, si c'est ce que tu veux...

— Qu'est-ce qu'il y a ? dit le docteur. Stevie, si tu as une idée sur la façon de sortir de cette impasse...

Je restai un moment assis à ruminer la chose puis me levai avec un grognement. Lançant à Cyrus un regard bougon, auquel il répondit par un large sourire, je rejoignis les trois autres devant le dessin.

— Euh, fis-je, ne sachant par où commencer, ce sera peut-être pas nécessaire de faire comme disait l'inspecteur Lucius. On pourrait arriver au même résultat sans trop de boucan. Si vous pensez qu'on peut détecter l'odeur du bébé dans la cave, même sans savoir au juste où cette femme l'enferme, c'est pas la peine de débarquer avec des flics et un chien. Quelqu'un a remarqué si les fenêtres de derrière ont quelque chose de particulier ?

— Oui, répondit Lucius. Elles sont munies de barreaux. Pas trop épais mais les intervalles sont plutôt étroits.

— Alors, faudrait un écarteur, estimai-je.

— Même avec un écarteur, il serait difficile de ménager une ouverture assez grande.

— Pour un adulte, oui. L'espacement des barreaux est généralement prévu pour ça. Mais...

Le docteur me regarda et parut hésiter entre l'excitation et la sévérité.

— Stevie... Serais-tu en train de suggérer que tu pourrais, toi, t'introduire dans cette maison ?

J'acquiesçai de la tête avec une extrême réticence.

— Y a des écuries juste à côté, je l'ai remarqué. Ça me fournirait un bon endroit où me cacher. J'écarte les barreaux, j'entre, je fouille la cave. Si je trouve le bébé, je le ramène.

— Et tu le trouves comment ? voulut savoir Lucius.

— J'ai un copain, commençai-je. (Sentant le regard du docteur sur moi, je rectifiai :) Enfin, j'avais un copain. Un gosse qui fait le monte-en-l'air, comme moi dans le temps. On l'appelle Hickie le Boche parce qu'il raconte qu'il viendrait d'une famille d'aristocrates allemands. À mon avis, il serait plutôt hollandais, quelque chose comme ça. Enfin, bref, il a un furet apprivoisé qu'il appelle Mike. Hickie le met dans un sac, quand il fait un coup. Mike peut se faufiler par de tout petits trous. Et je pourrais l'emmener là-bas, dis-je, montrant de nouveau le dessin. Il a un flair du tonnerre, cet animal.

— Mais comment sait-il ce qu'il cherche ? demanda Miss Howard.

— Hickie a un truc. Il met dans la cage de Mike quelque chose qui ressemble à ce qu'il a envie de faucher, ou qui a la même odeur, et il donne rien à manger au furet jusqu'à ce qu'il apprenne à le rapporter. Ça prend pas longtemps, en général. Quelques jours.

Lucius pesa un moment la question puis se tourna vers l'aliéniste.

— Docteur, cela pourrait marcher, dit-il d'un ton à la fois excité et maîtrisé, pour signifier qu'il avait conscience du risque.

— Ne faudrait-il pas trouver aussi un moyen d'éloigner les Hunter ? demanda Miss Howard.

— La femme seulement, répondis-je. Si elle passe son temps avec Goo Goo Knox, suffit d'attendre qu'elle sorte, un soir. Je pense pas que le mari s'occupe de l'enfant, s'il est aussi mal en point que vous le dites. Donc elle planque probablement l'enfant quelque part avant de s'en aller. J'entrerai par le rez-de-chaussée — la cuisine, sûrement. Ensuite, direct à la cave. Ils dorment en haut, non ? On a entendu le mari, de dehors.

— Oui, en haut, confirma Lucius.

— Alors, pas de problème. J'ai fait ce genre de coup plein de fois. Pas pour faucher un bébé, d'accord, mais quelle différence entre un sac de marchandises et un môme ?

Comme il n'y avait pas grand-chose à ajouter sur le boulot lui-même, je devinai ce qui allait suivre.

— Si vous voulez bien nous excuser, tous les deux, dit le docteur en me prenant par l'épaule pour m'entraîner vers le fond de la pièce.

Puis il croisa les bras, me regarda un instant et détourna les yeux.

— Stevie, il y a beaucoup d'aspects de ce plan qui me mettent mal à l'aise.

— Moi aussi, répondis-je simplement. Si vous avez une autre idée, je suis pour.

— C'est justement le problème. Nous n'en avons pas. Et tu le sais.

— Ouais. Mais pour commencer, c'est pas moi que j'ai eu — qui ai eu l'idée, c'est Cyrus. De toute façon, y a pas de quoi s'affoler. Vous me donnez un des sergents pour faire le guet, et si la calèche est prête à partir dans l'écurie, on s'en tirera très bien. En cas de problème, un pistolet et un insigne, ça devrait suffire pour neutraliser n'importe qui, mis à part les Dusters. Mais quand ils s'apercevront de quelque chose, on sera loin.

Il était impossible, naturellement, que le docteur accepte de bonne grâce que je me mette en danger ou que je retourne à ma vie de voleur, mais, à en juger par son expression, il savait que nous n'avions pas d'autre choix. Et vers deux heures, je repris le chemin de mon ancien quartier pour chercher Hickie le Boche et son furet.

21

Bien que l'après-midi fût frais pour un été new-yorkais, je m'attendais à trouver Hickie en train de nager quelque part dans l'East River, le long des quais : il aimait l'eau comme un poisson. De plus, qui dit navire dit cargaison, et le meilleur moyen de repérer ce que les bateaux avaient à offrir, c'était une innocente baignade. Non que Hickie prît généralement pour cible la marchandise des cargos ; comme je l'ai dit, c'était un cambrioleur, connaissant assez son métier pour opérer indépendamment de toute bande, mais suffisamment respecté pour pouvoir se joindre à un groupe en vue d'un coup particulier. Au total, c'était plutôt un solitaire, le Hickie — sauf quand il s'agissait d'animaux. Il vivait dans un sous-sol abandonné de Monroe Street, au nord du pont de Brooklyn, avec une ribambelle de chiens, de chats, d'écureuils, de ratons laveurs et Dieu sait quoi d'autre. Le seul exclu de son arche, c'était le rat — et il dressait ses compagnons à tenir cet animal à l'écart. Parce que, voyez-vous, quand Hickie n'avait que deux ou trois ans, ses parents immigrés, qui gagnaient leur vie en roulant des cigares, avaient été dépouillés et massacrés dans un taudis d'Eldridge Street. Plus de vingt-quatre heures s'étaient écoulées avant qu'on découvre le crime et le bambin, qui avait survécu largement le temps pour que les rats s'occupent des corps. Ayant vu ses propres parents à demi dévorés par ces bêtes, Hickie entama une longue campagne d'extermination de tous les rats qu'il rencontrait — ce qui, dans une ville comme New York, impliquait qu'il ne manquerait jamais d'occupation.

Comme de juste, cet après-midi-là, Hickie se baignait nu avec quelques autres garçons derrière la halle aux poissons de Fulton — grande bâtisse de planches à clin surmontée de trois petites tours. Deux schooners et un vapeur à aubes étaient amarrés près des nageurs, de même que le Fulton Ferry, dont l'embarcadère se trouvait près de la halle. Deux des plus jeunes enfants plongeaient du beaupré d'un des schooners, au risque de se briser le cou contre le quai, mais personne n'en avait cure, et surtout pas Hickie, qui m'avait souvent répété qu'un gosse qu'on laisse nager sans surveillance dans des eaux aussi dangereuses que celles de l'East River était tout à fait à même de décider où et quand il se fracasserait le crâne.

Je me frayai un chemin parmi les étals bruyants et odorants entourant la Halle puis fis le tour du bâtiment jusqu'à l'endroit où les mômes s'ébattaient dans l'eau éternellement sombre et agitée.

— Hé, Hickie ! appelai-je en voyant sa tête émerger à la surface. Si tu veux choper une pneumonie, t'as trouvé le bon moyen !

Son sourire révéla le trou que deux flics avaient laissé dans ses dents de devant.

— Qu'effe que t'en dis, Ftevie ? répondit-il, ses *s* sifflant dans la brèche. F'est un temps idéal pour fe baigner !

— Viens par ici. On va parler bizness. J'ai une proposition à te faire.

Rejetant ses cheveux noirs en arrière, il se mit à nager — avec une rapidité d'expert — vers l'endroit où j'étais assis.

— Y a la baignade, et y a le bizneff, dit-il en sortant de l'eau, éclair de peau pâle.

Il courut à son petit tas de vêtements, se sécha avec un chiffon qui avait peut-être été une serviette et s'habilla en un tournemain.

— Comment tu vas, Ftevie ? Fa fait un moment que je t'ai pas vu traîner dans le coin.

— Jc traîne plus, répondis-je, remarquant que sa voix avait mué. (Il avait probablement un an ou deux de plus que moi, mais il était petit pour son âge.) Je bosse. Les boulots honnêtes, ça occupe pas mal.

— F'est pour fa que j'y touche pas, déclara-t-il, vêtu maintenant d'une vieille chemise et d'un pantalon de laine soutenu par des bretelles.

Il enfila une paire de chaussures éculées, me serra la main, coiffa une casquette de mineur qu'il inclina sur un œil.

— Fi je peux pas aller piquer une tête dans l'eau quand j'en ai envie, la vie a pas de fenf. Qu'ef-ce qui t'amène, vieux ?

Je ramassai quelques cailloux, les jetai dans l'East River.

— T'as toujours Mike ?

— Mike ? Bien fûr, répondit Hickie, comme si j'avais parlé d'un membre de sa famille. M'en féparerai jamais ! F'est un tueur de rats fantaftique, f'te bête.

— Ça t'arrive de le louer ?

— Le louer ? (Il croisa les bras, se toucha le nez du bout du doigt en considérant la chose.) Non… Non, j'crois que j'y ai même jamais penfé. J'ai comme l'impreffion que j'ai pas le droit de faire fa. Mike est très indépendant, tu fais.

Il parlait sérieusement, et il n'aurait servi à rien d'essayer de lui faire comprendre qu'un furet n'est qu'un animal.

— Parce que j'aurais besoin de ses services, repris-je. Pendant une semaine, environ. Très bien payé.

L'index de Hickie continuait à tapoter son nez.

— Une femaine ? Ben… (Son visage s'éclaira.) Le mieux, f'est de lui demander ! Si tu lui bottes, fa voudra dire qu'il a envie de fe boulot, et alors là, loin de moi l'idée de lui mettre des bâtons dans les roues.

Je le regardai partir en direction du taudis où il vivait, petit capitaine d'industrie criminelle haut comme trois pommes, et, lui emboîtant le pas, je songeai qu'il aurait un brillant avenir tant qu'il garderait une longueur d'avance sur la poulaille.

Nous nous mîmes réciproquement au courant de ce que nous avions fait récemment pendant le trajet jusqu'à Monroe Street, l'un des plus vieux et des plus épouvantables quartiers pauvres de la ville. L'immeuble de Hickie, comme la plupart de ceux du coin, était une construction en bois branlante, vestige du siècle précédent, et ce qu'il appelait « sous-sol » ressemblait plutôt à une caverne. Nous y parvînmes en empruntant une ruelle encombrée de tas de cendres et de linge mis à sécher puis en descendant une volée de vieilles marches en pierre jusqu'à un espace de terre battue. L'endroit n'était éclairé que par la lumière à peine détectable d'une fenêtre sale percée en haut d'un mur, sur le devant. Une fois à l'intérieur, Hickie alluma une lampe à pétrole ; aussitôt, la caverne s'anima : des chiens jappant et bondissant, des chats crachant en direction des chiens, et des douzaines d'autres animaux plus petits qui, en se déplaçant, donnaient l'impression que les murs eux-mêmes étaient vivants. Hickie salua chacun d'eux avec chaleur, ce qui prit quelque temps. Ne sachant pas s'il s'en trouvait parmi eux qui présentaient un danger pour les étrangers, j'attendis prudemment à l'écart.

Au fond de la pièce, au-delà des quelques meubles que possédait Hickie, il y avait un vieil évier sous lequel une poubelle renversée avait laissé s'échapper son contenu. Du tas de détritus émergea un raton laveur qui coula à son maître un regard penaud.

— Willy ! cria Hickie. (Il se précipita vers la poubelle avec une telle rapidité que l'animal eut juste le temps de s'enfuir en grimpant le long de l'unique tuyau de l'évier.) Combien de fois il faut te le dire ? Plus d'ordures ! Tu te conduis comme fi je te donnais jamais à manger, fale petit ingrat !

Je ne pus retenir un rire.

— Hickie, c'est un raton laveur, enfin ! Qu'est-ce que t'espères ?

Les mains sur les hanches, il fixait l'animal d'un regard courroucé.

— J'efpère qu'il fe conduira avec un peu de courtoisie et de gratitude, finon, il retournera dormir dans la rue, voilà ! (Il alla allumer une autre lampe, la prit pour revenir vers moi.) Je l'ai appelé comme le Kaiser Wilhelm mais je peux pas dire qu'il a une conduite impériale, fa, non…

257

Hickie me fit signe de le suivre. Remarquant qu'un serpent de taille respectable rampait vers mes pieds, je décidai de braver les autres animaux et d'avancer vers le fond de la pièce. Mon ami grimpa sur une pile de malles, me lança :

— Allez, viens dire bonjour à Mike.

Dans l'obscurité, je discernai une structure en haut de la pile ; lorsque Hickie approcha la lampe, je pus voir que c'était une cage, fabriquée avec de vieilles planches et du grillage de poulailler. A l'intérieur, une ombre longue et mince tournait en rond, agitant derrière elle une queue de même longueur. Hickie s'assit sur une malle, posa la lampe.

— Mike, je t'ai amené un vieux pote qui a une proposition à te... Oh ! Mike ! s'exclama Hickie, dont le visage se fendit d'une oreille à l'autre. Ftevie, regarde fa !

Il souleva par la queue un rat mort gisant sur le dessus de la cage. L'animal portait des marques de dents et de griffes sur tout le corps, et une profonde blessure à la gorge.

— Qu'effe que tu dis de fa ? s'exclama Hickie, transporté de joie. Il a eu ce falaud à travers le grillage, nom de Dieu ! Y en a pas deux comme le vieux Mike pour tuer les rats !

Il jeta le cadavre par terre, ouvrit la cage et y prit le furet blanc et gris, long d'une soixantaine de centimètres. Les petits yeux noirs de l'animal se posèrent sur Hickie et parurent le reconnaître. Il roula sur le dos, puis se redressa et fila sur les épaules de son maître d'un long mouvement souple, comme s'il coulait d'une bouteille. Hickie éclata de rire et le furet redescendit sur ses genoux, gratta ses oreilles rondes et son museau effilé avec ses courtes pattes de devant, tourna vers moi les dagues de ses incisives acérées qui se détachaient sur la fourrure de sa mâchoire inférieure.

— Chatouille-moi, Mike, mon garfon ! cria Hickie, frottant le ventre de l'animal avec affection, et je t'en ferai autant !

Le furet se contenta de se laisser aller à la caresse et, au bout de quelques secondes, il devint assez calme pour que son maître le soulève.

— Ftevie, viens faire connaiffance avec Mike ! me lança Hickie. Mike, c'est Ftevie Taggert. Tu l'as déjà vu mais vous avez jamais été présentés. Ftevie… Mike…

Avant que je puisse réagir, il posa la petite bête sur ma poitrine.

— Alors, Mike ?

Le furet me fixa un instant puis se mit soudain à trottiner le long de mon bras, perçant ma chemise et piquant légèrement ma peau de ses griffes pointues. C'était une sensation troublante — pas réellement pénible mais étrange. Au bout de quelques secondes, les mouvements vifs de l'animal autour de mon cou et de mes épaules se firent si légers que je ne sentis plus qu'un chatouillement.

— Qu'est-ce… qu'est-ce qu'il fait, Hickie ? demandai-je en riant.

— Voyons, il apprend à te connaître.

Mike courut le long de mon autre bras, sauta sur une malle puis revint sur moi. Reniflant ma chemise de son museau toujours en mouvement, il fourra sa tête entre deux boutons — et disparut soudain à l'intérieur. Je sursautai en sentant une fourrure chaude et des griffes froides contre ma peau nue.

— Hickie ! glapis-je, mi-amusé, mi-effrayé.

— Oh ! fa, f'est rare, commenta mon ami avec enthousiasme. F'est le figne d'une grande affecfion. Tu t'es trouvé un coéquipier, Ftevie, vieux frère !

Quand le furet ressortit de ma chemise, je lui caressai doucement le dos et sentis battre son cœur, si vite qu'il semblait sur le point d'exploser, comme une petite machine à vapeur. Puis il se mit sur le dos pour m'inviter à lui gratter le ventre comme l'avait fait son maître.

— Mike, Mike, Mike, fit Hickie, feignant de désapprouver son attitude. Qu'effe que f'est que fe laifferaller ? Un peu de dignité, jeune homme ! (Riant de sa plaisanterie, il se tourna vers moi.) Y a des chevaux là où tu travailles, hein ?

— Ouais. On en a deux. Une jument et un hongre. Pourquoi, tu le sens ?

— Non, mais lui, oui, dit-il, indiquant Mike de la tête. L'odeur des chevaux, il adore fa. Et il t'aime bien, fa, f'est fûr. Alors, f'est quoi, ce boulot ?

J'ignorais ce que je pouvais révéler de l'affaire à Hickie mais je devais lui en brosser au moins les grandes lignes puisque j'aurais besoin de ses instructions pour préparer Mike à la tâche spécifique qui l'attendait. Je racontai donc que mon employeur et moi essayions de retrouver quelqu'un dont nous avions des raisons de croire qu'il était retenu contre son gré dans une certaine maison, dans une pièce fermée. Mike serait-il capable de détecter si la personne était effectivement dans la maison, et de trouver la bonne pièce ? Assurément, répondit Hickie. Ce serait en fait un jeu d'enfant comparé à certains boulots dont il s'était acquitté par le passé. L'interrogeant sur la préparation, je fus surpris d'apprendre combien ce serait simple : il suffisait d'avoir un vêtement de la personne recherchée, le plus intime possible pour qu'il soit très imprégné de son odeur. Mike était déjà si bien dressé que lorsqu'on mettait une odeur ou un objet particulier en rapport avec sa nourriture, il comprenait rapidement qu'il devait trouver quelque chose de semblable. Il ne faudrait que deux ou trois jours pour le préparer. Le mieux, selon Hickie, ce serait que je l'emmène tout de suite, pour qu'il ait le temps de s'habituer à moi. Je répondis que ça ne devrait pas poser de problème et demandai ce que mangeait exactement la petite créature.

— F'est un carnivore, mon Mike, déclara Hickie du ton péremptoire du savant. Mais va pas trop le gâter. Pas de châteaubriand ni de côtelettes d'agneau. Tu lui attrapes simplement quelques fouris, fi tu peux, finon un lapin fera l'affaire. Tu le nourris trois ou quatre fois par jour pendant le dreffage, pour qu'il comprenne fe que tu veux.

— Je l'emmène dans sa cage ?

— Bien fûr, bien fûr, dit Hickie, descendant la chose de la pile de malles. On va jufte la couvrir d'un morfeau de tiffu, parfe qu'il aime pas trop voir la firculafion.

Il se mit à fouiner dans les vieilleries de sa cave.

— Et pour l'argent ? C'est très bien payé, rappelai-je.

Il finit par trouver un morceau de bâche qu'il dut disputer à l'un de ses chiens, un bouledogue de taille moyenne.

— L'argent ? Laiffe-moi réfléchir... Beauregard, lâche, bon fang !

Il réussit à arracher la bâche au chien et, quand il revint près de la cage, je descendis à mon tour avec Mike.

— F'est une première, dit-il, prenant l'animal de mes mains et le regardant dans les yeux. Fais du bon travail et fois prudent, tu m'entends, mon garfon ? (Il embrassa Mike sur le crâne, le glissa dans la cage, la recouvrit.) Voyons... Elle représente beaucoup pour moi, fette bête...

A l'évidence, il attendait que je fasse une offre, et je m'exécutai :

— Cinquante dollars ? Pour la semaine ?

Je discernai dans son regard cette lueur qu'ont les marchandeurs quand on leur propose plus que ce qu'ils attendaient.

— Disons foixante-dix — jufte pour me tranquilliser, note bien — et je faurai que t'es vraiment le gentleman que j'ai toujours cru.

Nous nous serrâmes la main.

— Il faudra que tu m'accompagnes pour être payé, dis-je. J'ai pas une aussi grosse somme sur moi.

— Et je te laifferais pas prendre Mike fans voir où tu vas le mettre, ajouta Hickie. (Il souleva la cage et indiqua la porte.) Paffe devant, vieux.

En parvenant à la maison de la 17e Rue, nous découvrîmes que le docteur, Cyrus et Miss Howard étaient rentrés — mais Mrs Leshko ne s'était toujours pas montrée, et mon maître commençait à se demander s'il ne devait pas avertir la police. (Il n'en fit rien. Vers cinq heures et demie, elle finit par arriver d'un pas titubant, pestant contre les cosaques, le tsar de Russie et son mari. Le docteur lui dit simplement de rentrer chez elle et de revenir le lendemain matin.)

Hickie fut plus qu'un peu impressionné par l'endroit où j'avais atterri après des années de combines et de vols. Je crois que, pendant quelques secondes, le luxe de la maison du Dr Kreizler le fit se demander si l'honnêteté ne présentait pas, après tout, quelque intérêt. De son côté, il fit grosse impression, en particulier sur le docteur, qui s'intéressa vivement aux méthodes de dressage du jeune garçon.

— C'est assez remarquable, dit mon maître après que Hickie eut fait ses adieux à Mike dans ma chambre et fut reparti. Sais-tu, Stevie, qu'il y a en Russie un brillant physiologiste et psychologue — il s'appelle Pavlov, je l'ai rencontré pendant mon voyage à Saint-Péters-bourg — qui poursuit des recherches dans des directions semblables à celles de ton Hickie — les causes du comportement animal. Je pense qu'il tirerait grand profit d'une conversation avec ton ami.

— Ça risque pas d'arriver. Hickie aime pas trop quitter son quartier, même pour faire un coup. Et je crois pas qu'il sache lire ni écrire.

Le docteur posa une main sur mon épaule en riant.

— Je ne faisais qu'émettre une hypothèse, Stevie.

L'installation de Mike dans ma chambre me plaça dans une situation dont je n'avais jamais fait l'expérience. J'avais soudain un animal à moi, un compagnon, et pendant les jours suivants la nécessité de nourrir et de dresser le furet me dicta plus ou moins mon emploi du temps. C'était une responsabilité vivante, et si cette idée ne m'avait jamais séduit, je m'aperçus qu'elle ne me pesait pas trop. En fait, Mike devint le centre de mon attention et — par ses manières enjouées, affectueuses — une source de joie et d'amusement.

Il fallut plus d'une journée à Miss Howard pour prendre contact avec la *señora* Linares, une autre pour recevoir d'elle un vêtement de nuit de la petite Ana, et je passai le plus clair de ce temps à jouer avec Mike dans ma chambre, à lui chercher des souris dans notre cave, ou à lui parler comme si j'attendais des réponses. J'avais déjà vu des gens agir ainsi avec leurs bêtes mais, n'en ayant pas une moi-même, je n'avais jamais compris leur comportement. Au bout de quelque temps, je me surpris à chasser délibérément de mon esprit toute idée du départ de Mike.

Il ne manquait d'ailleurs pas d'événements pour me faire oublier cette perspective. L'inspecteur Marcus et Mr Moore réussirent à retrouver la veuve de Henry Bates, l'entrepreneur, et rapportèrent de Brooklyn des nouvelles troublantes : Mrs Bates déclara que son mari n'avait jamais été malade un seul jour de sa vie et qu'il avait le cœur solide comme un bœuf. De plus, il n'était pas mort un jour ou deux après la fin des travaux mais le jour même, et au 39, Bethune Street. Il avait eu une attaque juste après avoir bu une tasse de thé — corsée au whisky — avec la maîtresse de maison. L'infirmière avait elle-même rapporté ces faits au coroner et précisé que Bates s'était effondré au moment où, sortant de la maison, il avait soulevé un sac d'outils particulièrement lourd. Le coroner avait expliqué à la veuve que ce genre de chose arrivait, qu'il se pouvait que son mari ait eu une maladie de cœur qui ne s'était révélée qu'au dernier moment. Il lui avait demandé si elle souhaitait une autopsie pour en avoir confirmation, mais c'était une femme bigote et superstitieuse, qui s'inquiétait de ce qu'il adviendrait de l'âme du défunt si on prélevait son cœur de son cadavre.

Cette attitude extravagante n'incita pas Mr Moore et Marcus à avaler sans se poser de questions l'hypothèse qu'elle leur exposa ensuite — son mari avait été séduit par l'infirmière —, toute alléchante qu'elle leur parût. En revanche, quand elle déclara que la cliente du 39, Bethune Street avait exigé que Mr Bates embauche de nouveaux ouvriers et les licencie régulièrement, la raison de ce comportement leur sembla évidente : Elspeth Hunter voulait qu'il y ait le moins de gens possible au courant des détails des travaux. Le seul homme à les connaître, c'était Mr Bates, et le docteur comme l'inspecteur Lucius étaient convaincus qu'en fouillant soigneusement la maison des Hunter nous y trouverions probablement de la digitale pourpre séchée. L'infirmière la cultivait peut-être même dans son jardin. Quelle que fût la façon dont elle se procurait cette fleur — dont on tire un puissant médicament appelé digitaline, capable d'arrêter le cœur le plus sain —, Elspeth Hunter aurait facilement pu l'ajouter dans le thé et en couvrir l'odeur, inhabituelle, par l'arôme du whisky.

Il s'agissait là encore d'une « pure hypothèse », mais aucun de ceux qui avaient affronté le regard glacé des yeux dorés de l'infirmière n'aurait douté une seconde qu'elle fût capable d'un tel acte. L'idée que nous étions aux prises avec une femme dont nous avions de bonnes raisons de croire qu'elle avait tué non seulement une série de nouveau-nés mais aussi au moins un homme adulte avait de quoi effrayer. Il semblait en fait que chaque jour apportait une révélation qui nous montrait cette femme sous un jour bien plus dangereux que nous ne l'avions pensé. Cela ne contribuait pas à faciliter la préparation de notre expédition chez elle, mais hormis emporter plus d'armes à feu, et plus puissantes, nous ne pouvions pas faire grand-chose pour améliorer le plan lui-même. Et quand Miss Howard revint le jeudi matin avec une chemise de nuit d'Ana Linares, ma participation dans ce plan devint d'une actualité brûlante : je devais maintenant passer de longues heures à préparer Mike, puisque le succès de l'entreprise dépendait de son flair.

En même temps que la chemise, Sara nous apporta confirmation de l'hypothèse que le docteur avait remuée dans sa tête pendant et après sa visite au Muséum d'histoire naturelle : le *señor* Linares employait effectivement un indigène philippin. C'était un être effrayant qui donnait la chair de poule à la *señora* et qu'elle n'autorisait pas à dormir dans la maison, forçant le petit homme à coucher dans le jardin. Le pygmée, qu'on ne connaissait que sous le nom d'El Niño, était au service de la famille Linares depuis de nombreuses années, mais la *señora* ignorait quelles étaient exactement ses fonctions — encore que lorsque Sara lui parla de nos rencontres avec le personnage, elle pût s'en faire une meilleure idée. Les révélations de Miss Howard furent la source d'un surcroît de tension dans le couple Linares qui, semblait-il, était au bord de la rupture : la *señora* confia à sa « détective » que si elle n'avait été aussi fervente catholique, elle aurait déjà quitté son mari.

Pour couronner le tout, les titres à présent quotidiens du *Times* sur le « mystère du corps sans tête » commençaient à évoquer de plus en plus fréquemment, au grand dam de la police, l'hypothèse du drame conjugal de seconde zone émise dès le premier jour par le sergent Lucius. Le mardi, la version selon laquelle la victime était l'un des malades mentaux échappés de l'asile de

Long Island avait volé en éclats, et la police s'efforçait maintenant de faire croire que le crime était l'œuvre du boucher fou qui avait assassiné et pareillement découpé une jeune fille, Susie Martin, quelques années plus tôt. Cette hypothèse, offerte aux flics comme un cadeau de Noël par le médecin légiste qui s'était occupé de l'affaire Martin, eut une durée de vie encore plus brève : des parents et amis de personnes disparues défilèrent à la morgue pour examiner les morceaux du cadavre décapité, et, le mercredi, pas moins de neuf d'entre eux identifièrent les restes comme ceux de William Guldensuppe, masseur aux bains turcs de Murray Hill.

Les flics suivirent cette piste (de fort mauvaise grâce, je présume) et, le jeudi, ils avaient découvert non seulement que Guldensuppe vivait depuis longtemps avec son amie, une certaine Mrs Nack, dans un immeuble de l'Hell's Kitchen, mais que ladite amie s'était récemment entichée d'un autre locataire de l'immeuble, Martin Thorn. Les voisins avaient vu et entendu le trio se quereller ouvertement à ce propos. Les bourres retrouvèrent rapidement Mrs Nack qui, après une forte dose de ce bon vieux troisième degré, avoua qu'elle et Thorn avaient tué Guldensuppe ensemble et dépecé sa dépouille. Thorn restait cependant introuvable, et la police entretint l'intérêt de l'affaire en établissant des postes de contrôle dans les gares et les embarcadères de toute la ville.

Le vendredi, Kat nous fit savoir qu'elle s'était emparée d'une des vestes de Libby Hatch et qu'elle était prête à nous la remettre, mais qu'elle avait l'impression que Ding Dong se doutait de quelque chose. Elle souhaitait, pour cette raison, faire la livraison ailleurs qu'à la maison de la 17e Rue car les Dusters savaient apparemment que j'y vivais et que j'y travaillais. Je lui demandai d'apporter la veste le soir au 808, Broadway, où les sergents enquêteurs avaient installé leur équipement pour procéder aux analyses qui établiraient, une fois pour toutes, si l'infirmière Hunter avait enlevé Ana Linares et la gardait enfermée dans une cachette au 39, Bethune Street.

22

Kat arriva juste après le coucher du soleil, et je descendis avec le grand ascenseur pour aller la chercher. Elle sautillait d'un pied sur l'autre dans le hall en marbre de l'immeuble en fredonnant un air et remuait son corps en cadence. En entendant l'ascenseur, elle se retourna et, malgré la distance, je pus voir qu'elle était retombée dans son vice.

— Stevie ! s'exclama-t-elle avec un sourire troublant. J'ai la marchandise !

Elle me montra un paquet de papier marron entouré de ficelle.

A peine avais-je fait coulisser la grille qu'elle se coula à l'intérieur et se jeta contre moi, éclatant de rire sans raison.

— Kat, fis-je, tâchant de ne pas paraître aussi déçu — et même furieux — que je l'étais. Reprends-toi, d'accord ? C'est sérieux.

Elle fronça les sourcils d'un air moqueur.

— Oh, pardon, inspecteur !

Je refermai la grille et, quand la cabine commença à s'élever dans la pénombre, Kat m'enlaça, approchant ses lèvres de mon oreille.

— T'as pas envie de remettre ça, Stevie ? Dans l'ascenseur ? Ça fait longtemps…

J'abaissai la manette en position STOP, et l'ascenseur s'arrêta si brutalement que Kat partit à la renverse en poussant un petit cri.

— Tu crois que c'est une bonne idée de venir dans un état pareil ? lui lançai-je.

Ses yeux bleus prirent une dureté qu'accentuait la cocaïne.

— Me parle pas sur ce ton, Stevie Taggert ! J'ai pas passé toute la semaine à risquer ma peau pour vous avoir ce que vous demandiez, tes amis et toi ? Si je me laisse un peu aller maintenant que c'est fini, j'espère que tu me pardonneras, du haut de ta grandeur d'âme !

Je poussai un soupir irrité et indiquai le paquet.

— Donne-le-moi. Je te verrai plus tard, pour le billet et l'argent…

— Oh ! non, répliqua-t-elle, éloignant le paquet de ma personne. Je le connais, ce coup-là : je veux être payée maintenant. Si je te gêne, te bile pas, je vais pas m'éterniser. Votre équipe de drôles de types, elle m'intéresse pas, et j'ai envie de fêter ma chance ce soir avec des gars qui savent s'amuser !

Je saisis la manette, remis l'appareil en marche.

— Très bien. Si c'est ce que tu veux.

— Ce que je veux ? Dis plutôt ce que tu veux, toi. Ah là là, les airs que certains se donnent juste parce qu'ils se retrouvent de l'autre côté de la barrière…

La suite de la visite ne se déroula pas mieux. Furieuse, Kat ne prononça qu'un minimum de mots, mais il sautait aux yeux des autres comme aux miens qu'elle avait reniflé de la drogue et que c'était chez elle une habitude. Oh ! elle avait bien apporté le vêtement promis : nous ouvrîmes le paquet sur le billard, près des fioles de poudre et du microscope de comparaison des inspecteurs, et nous découvrîmes une veste ajustée de satin rouge sang, avec de grands boutons noirs et plats. Kat demanda à être payée immédiatement, et son humeur ne s'améliora pas quand le docteur répondit qu'elle devrait attendre que les sergents vérifient que la veste appartenait bien à la femme que nous connaissions sous le nom d'Elspeth Hunter. Kat déclara qu'elle attendrait qu'on prenne les empreintes, mais pas plus — d'ailleurs, elle ne voyait pas pour quelle autre raison nous voulions cette veste, et elle n'avait pas l'intention d'attendre pour le savoir. Après ce petit discours, elle se laissa tomber avec une expression renfrognée dans un des gros fauteuils.

Le relevé d'empreintes ne prit pas longtemps. Les boutons étant noirs, Marcus utilisa un pinceau à poils de chameau pour les recouvrir d'une fine poudre d'aluminium gris-blanc qui, lorsqu'il souffla dessus, laissa une marque claire de lignes ondulantes. Il compara cette marque à une photographie du tuyau de plomb que nous avions trouvé à Central Park et hocha la tête affirmativement. Sur ce, Kat se leva et s'approcha d'eux d'un pas vif.

— C'est bon ? demanda-t-elle d'une voix trop aiguë.

Le docteur, qui, je pouvais le voir, était préoccupé à la fois par l'état physique de Kat et son attitude, chercha à être cordial :

— C'est bon, en effet, Miss Devlin. Puis-je vous offrir quelque chose en guise de remerciement ? Café, thé…

— Mon argent et mon billet, réclama-t-elle en tendant la main. Merci beaucoup, m'sieur, pensa-t-elle cependant à ajouter. (Elle regarda dans ma direction, plissa les yeux.) Je voudrais pas abuser, ni gêner quelqu'un.

Le docteur fit aller son regard d'elle à moi, parut sur le point de répondre mais se contenta finalement de hocher la tête et tira une enveloppe de sa poche.

— Trois cents dollars en liquide, dit-il avec un sourire. Plus un billet pour San Francisco. Valable six mois… En première classe, précisa-t-il tandis que Kat lui arrachait quasiment l'enveloppe des mains. Pour vous exprimer notre gratitude.

L'attention radoucit quelque peu les sentiments de Kat à l'égard du docteur à défaut du mien.

— C'est… c'est vraiment très gentil de votre part, m'sieur. Merci. J'ai jamais voyagé en première classe. Mon papa, il disait toujours… commença-t-elle. (Elle se raidit, s'interrompit.) Faut que j'y aille, maintenant.

— Navré que vous ne puissiez rester, déclara le docteur. (Comme elle se tournait vers la porte, il prit une carte dans une autre poche de sa veste et la lui tendit.) Miss Devlin, je dirige une… une sorte d'école, dans le centre. Pour les jeunes gens qui ont envie, ou besoin, de changer de vie. Voici l'adresse et le numéro de téléphone.

Si vous repassez un jour par New York et que vous avez besoin d'une telle aide, je vous en prie, n'hésitez pas.

Le visage de Kat se ferma de nouveau, mais elle se força à sourire.

— Ouais, j'ai entendu parler de votre truc, docteur. Il paraît que vous le dirigez plus...

Je me hâtai d'intervenir :

— Kat, allez, viens, dis-je, l'entraînant vers la porte.

— Alors qui c'est qu'a besoin d'aide, de nous deux ? lança-t-elle par-dessus son épaule en direction de mon maître.

Je la poussai dans l'ascenseur, fermai la grille, faillis briser la manette en l'abaissant.

— T'avais aucune raison de le traiter comme ça, fis-je entre mes dents. Il essayait seulement de t'aider. Qu'est-ce que t'as, bon Dieu ? T'es incapable de laisser quelqu'un t'aider ?

— Je veux pas qu'on m'aide ! hurla-t-elle. Je veux me débrouiller toute seule, si ça ne te fait rien !

— Ah ! ouais ? Ben, on peut dire que ça te réussit !

— C'est peut-être ce que tu penses, mais moi, je suis pas un larbin, et je suis pas encore tombée à la baille complètement bourrée ! Alors, laisse-moi tranquille !

Elle se détourna, ravala un sanglot, ouvrit l'enveloppe.

— Je préfère compter, dit-elle, sans doute dans l'unique but de me froisser. (Elle examina d'abord le billet.) Hmm. Première classe. Je peux toujours le revendre et acheter... Hé, qu'est-ce qui est marqué, là, en tout petit ? *Strictement personnel... non remboursable...* Ça veut dire quoi ?

Plutôt échauffé moi-même, je lui assenai :

— Ça veut dire que tu peux pas le revendre à quelqu'un ni te faire rembourser l'argent par la compagnie...

Les mots étaient destinés à blesser et ils atteignirent leur but.

— Au cas où j'aurais raconté des bobards, pour avoir un peu plus de fric pour m'acheter de la coco, c'est ça ?

Nous étions arrivés au rez-de-chaussée. Je saisis la poignée de la grille mais, avant d'ouvrir, je me rappelai un dernier détail :

— On a besoin de savoir quand cette femme sera chez les Dusters.

— D'accord, répondit Kat d'un ton grinçant. Puisqu'y a que ça qui t'intéresse. Ils feront une grande fête demain soir, c'est l'anniversaire de Goo Goo. Elle y sera. Moi pas. Je peux partir, maintenant ?

Je lui ouvris la grille sans répondre. Elle me regarda un moment, secoua la tête et sortit.

— Adieu, Stevie, lâcha-t-elle avec une colère tranquille.

En temps ordinaire, je me serais précipité derrière elle, mais ce soir-là je n'en eus pas la force. Il y avait à cela des raisons multiples — certaines qui m'apparaîtraient assez rapidement, d'autres qu'il me faudrait des années pour comprendre véritablement. Encore aujourd'hui, je me demande si les choses n'auraient pas tourné autrement si j'avais…

Je m'accordai quelques minutes avant de remonter. En sortant de l'ascenseur, je vis que Miss Howard m'attendait ; tandis que les autres, rassemblés autour du billard, observaient le sergent Lucius penché sur son microscope, elle m'entraîna vers la fenêtre de devant.

— Stevie, tout va bien ?

Chassant un accès d'irritation à la pensée que tout le monde était au courant de mes démêlés sentimentaux, j'écartai les bras, essuyai la sueur de mon front.

— Oui, Miss. Ou tout ira bien, du moins.

Comme je gardais les yeux baissés, je n'aurais pu en jurer, mais je sentais que Sara scrutait mon visage.

— J'avais raison, à ton sujet, dit-elle. (Elle se tut, ce qui me fit relever la tête.) Jamais tu ne tomberais amoureux d'une idiote.

— Non, marmonnai-je. Je suis bien trop occupé à être un idiot moi-même.

— Non, fit-elle vivement en me touchant le bras. La façon dont Kat se conduit ne fait pas de toi un imbécile. Elle est intelligente, ton amie, intelligente et indépendante dans un monde qui la voudrait sotte et soumise. Elle est jolie, aussi. Assez jolie pour pouvoir prendre des risques en essayant de se faire une vie, et assez intelligente pour croire qu'elle saura éviter les dangers qui

270

accompagnent ces risques. Mais elle ne peut pas — personne ne peut. Et tous ses plans n'aboutissent qu'à une chose : lui faire mal, à elle bien plus qu'à toi.

Je frappai du poing l'encadrement de la fenêtre et, par pure frustration, posai une question dont je connaissais déjà la réponse :

— Elle aurait pu faire un autre choix si elle avait voulu, non ?

— Théoriquement, oui. Mais pose-toi la question, Stevie : si le docteur ne t'avait pas proposé un autre choix, est-ce que tu l'aurais fait tout seul ?

Je détournai les yeux, incapable de donner une réponse franche et ne sachant quoi dire d'autre. Par chance, Lucius Isaacson me dispensa de poursuivre la conversation :

— Oui, c'est ça... C'est ça ! s'écria-t-il d'une voix forte à l'autre bout de la pièce. Absolument identique ! (En me retournant, je le vis lever les yeux des oculaires jumeaux en cuivre, son visage luisant de sueur éclairé par un sourire d'enfant.) Elle y est, c'est clair. La petite est dans cette maison !

Marcus arracha quasiment son frère du fauteuil pour pouvoir regarder lui aussi dans le microscope, tandis que le docteur serrait la main de Lucius. Miss Howard et moi fîmes de même, puis nous attendîmes notre tour de jeter un coup d'œil dans l'étonnant appareil. J'avoue que je fus un peu déçu de ne découvrir que ce qui ressemblait à deux bouts de ficelle ou de corde, mais pour un œil exercé, il n'y avait aucun doute : c'étaient, grossis plusieurs centaines de fois, deux cheveux du même bébé, Ana Linares.

Nous avions donc enfin nos preuves, et avec elles un accès à l'action directe. Tout effrayé que j'eusse été ces derniers jours par cette perspective, j'envisageais à présent avec sérénité de laisser tout le reste de côté et de lancer les dés en misant sur l'intrusion chez Elspeth Hunter.

— Il ne nous manque plus maintenant que de savoir avec certitude quand cette femme s'absentera de la maison, conclut le docteur en se dirigeant vers le tableau noir.

— On le sait, lâchai-je. (A peine conscient d'avoir prononcé ces mots, je sentis sur moi tous les regards.)

Demain soir. C'est l'anniversaire de Goo Goo Knox. Elle ira sûrement chez les Dusters.

Le docteur posa sur moi un regard qu'on pourrait qualifier d'inquisiteur puis hocha lentement la tête.

— Très bien, demain soir, dit-il, se mettant à secouer son morceau de craie au creux de sa main. Demain soir, elle endossera sa deuxième personnalité, et nous offrira ainsi la possibilité d'explorer la première. La femme aux deux noms, aux deux visages, aux deux vies, a — inconsciemment — mis les deux moitiés de son être à l'œuvre, l'une contre l'autre. Espérons que notre tâche sera accomplie avant que ce conflit se termine... (Fixant le tableau de ses yeux noirs, l'aliéniste ajouta :) Nous devons interrompre celle qui sauve, avant que celle qui détruit ne parvienne à ses fins.

23

Vingt-quatre heures plus tard, tout n'était que ténèbres. J'étais étendu sur le plancher de la calèche avec le sergent enquêteur Marcus Isaacson, et Mike le furet qui s'agitait dans une sacoche que je portais à l'épaule. Nous étions tous trois couverts par une bâche qui masquait le peu de lumière passant par les fenêtres des écuries voisines du 39, Bethune Street, et qui retenait la chaleur moite de juillet. Une vingtaine de minutes plus tôt, Lucius avait amené la voiture en disant au garçon d'écurie qu'il avait à faire dans le quartier et qu'il serait de retour avant minuit. Puis il avait attaché un sac d'avoine au museau de Frederick et était reparti, tandis que l'homme retournait sur le trottoir regarder les feux d'artifice éclatant au-dessus de l'Hudson : la seule chose que nous avions oubliée, dans notre plan, c'était que le soir choisi pour notre expédition était la veille du 4 juillet, et que la ville grouillait de fêtards avinés qui lançaient des pétards et faisaient un tapage infernal. Nous finîmes cependant par estimer que la coïncidence tournerait à notre avantage puisque l'attention des policiers et de tous les habitants de la ville — y compris le garçon d'écurie — serait accaparée par la fête, soit pour la contrôler, soit pour y participer. Au total, un soir idéal pour une effraction.

Nous avions passé la journée en préparatifs de dernière minute : je préparais Mike et les autres me préparaient. Pour Mike, je ne me faisais aucun souci : l'association entre l'odeur de la chemise de nuit d'Ana Linares et la nourriture était à présent solidement ancrée dans son esprit. (Le fait que, désobéissant aux ordres de Hickie, j'avais commencé à lui donner à manger des morceaux d'une viande de premier choix achetée chez le boucher du quartier avait transformé son enthousiasme, déjà considérable, en véritable folie.) Quant à moi, j'étais confiant pour la partie effraction du plan. Je me tracassais cependant pour l'autre volet de l'opération : le docteur s'était mis en tête qu'en plus de récupérer le bébé, je prendrais mentalement note de tout détail pouvant l'aider à analyser la conduite de l'infirmière. Je comprenais son désir, et je tenais beaucoup à ne pas le décevoir. Mais il n'avait aucune idée — et je ne pensais pas pouvoir le lui expliquer — de ce qu'on ressent quand on franchit la frontière et qu'on envahit le territoire de quelqu'un d'autre. En ces instants, les activités intellectuelles de haute volée ne figurent certes pas en tête de votre liste de priorités.

Finalement, le soir venu, je montai dans la calèche avec les deux sergents. Au moment du départ, je lus beaucoup d'appréhension sur le visage du docteur, un peu aussi sur celui de Cyrus, mais Miss Howard et Mr Moore s'employèrent à les rassurer et, lorsque nous quittâmes la 17ᵉ Rue, tout le monde ne pensait plus qu'à nous encourager. Notre arrivée à l'écurie se passa sans problème — c'est du moins l'impression que nous eûmes, Marcus et moi, sous notre bâche — et cela facilita considérablement la première période d'attente. Le plan prévoyait que Lucius — armé du New Service Revolver, un calibre 32 sorti tout récemment de la fabrique de Mr Samuel Colt — surveillerait la maison des Hunter de l'entrée d'une usine, de l'autre côté de Washington Avenue. Quand il verrait Elspeth Hunter sortir, il retournerait à l'écurie, expliquerait qu'il avait oublié quelque chose, nous préviendrait que la voie était libre et irait reprendre sa faction. A onze heures quarante-cinq, il reviendrait à l'écurie, ce qui nous laisserait une heure et demie environ pour faire le travail — un temps plus que suffisant si tout se passait bien.

Nous restâmes allongés dans la calèche pendant une vingtaine de minutes, comme je l'ai dit, après le premier départ de Lucius. De temps en temps, nous entendions un attelage entrer ou sortir, mais nous ne remuâmes pas d'un pouce jusqu'à ce qu'on frappât trois petits coups discrets à la portière. Sans soulever la bâche, Lucius prit une mallette qu'il avait laissée sous le siège du cocher. Elle contenait un fusil de chasse Holland and Holland de gros calibre et une boîte de cartouches : Lucius voulait être ce soir-là pour faire le guet l'homme le plus lourdement armé du secteur — et dans ce quartier, à cette époque, ce n'était pas rien.

— Elle vient de partir, nous murmura-t-il à travers la bâche. La lumière est éteinte au deuxième étage, on dirait qu'elle a déjà mis le mari au lit. Elle est outrageusement maquillée et...

— Lucius ! s'impatienta son frère.

— Mmm ?

— Tu veux bien la fermer et sortir d'ici, s'il te plaît ?

— Oh. Oui. Le garçon d'écurie est dehors sur le trottoir. Je crois qu'il a bu.

— Est-ce que tu vas partir ?

— D'accord, d'accord...

Nous entendîmes des pas s'éloigner puis le silence, brisé de temps en temps par les détonations lointaines des pétards et des feux d'artifice.

— Bon, murmura Marcus au bout de quelques minutes, relevant un peu la bâche. Je jette un coup d'œil... (Il sortit la tête, la ramena dans notre cachette.) Personne, allons-y !

Presque sans un bruit, nous descendîmes de la calèche. Il faisait chaud mais pas trop — ce n'était pas encore la canicule —, et les vêtements sombres que nous portions étaient tout à fait supportables. J'avais aux pieds des mocassins légers, tandis que Marcus, pour le moment, marchait en chaussettes. Autour de son cou pendait une sacoche semblable à celle dans laquelle gigotait Mike, mais plus grande. Il y avait mis une paire de chaussures d'alpinisme, un écarteur de barreaux, un rouleau de corde, un pied-de-biche et un gros marteau. Dans un étui attaché à sa hanche, il portait une arme identique à celle de son frère mais avec un barillet de 38, pour avoir un peu de punch en réserve au cas où les choses tourneraient mal. Pour ma part, j'avais dans ma poche le Derringer Colt number one de Miss Howard, une demi-douzaine de balles calibre 41... et un bon vieux tuyau de plomb.

En sortant de la calèche, je constatai que Lucius l'avait garée près d'une des fenêtres de derrière de l'écurie, le plus loin possible de l'entrée et de l'employé. Il nous fut donc facile d'ouvrir la fenêtre et de nous glisser dans la ruelle, mais, lorsque nous eûmes fait silencieusement le tour du bâtiment, nous nous trouvâmes devant un mur de brique de trois mètres qui entourait le jardin de derrière des Hunter. Il semblait de construction récente — probablement pas plus de deux ans.

— On dirait qu'ils tenaient pas à être vus, fis-je, en considérant la muraille.

Marcus opina du chef, tira du sac la corde et les grosses chaussures.

— Je vais te faire la courte échelle et te pousser. Je garde un bout de la corde. Toi, tu te laisses redescendre avec l'autre, et tu trouves un endroit où l'attacher de l'autre côté.

Je glissai mon bout de la corde entre mes dents et répondis :

— Chi je chuis plus capable d'echcalader che mur chans qu'on me pouche, ch'est que je chuis rechté trop longtemps au chômage...

M'aidant des anfractuosités des pierres d'angle et d'une solide gouttière, je me hissai en haut du mur en moins de deux. J'aurais pu grimper plus vite si je n'avais pas cherché à éviter de trop ballotter Mike. Pas mal pour quelqu'un qui n'avait pas pratiqué depuis des années. De mon perchoir, j'avais une bonne vue sur les maisons qui s'adossaient à la ruelle et au jardin des Hunter. Seules deux ou trois fenêtres étaient éclairées, et faiblement, mais impossible d'être sûr que quelqu'un n'aurait pas soudain envie de regarder dehors — il fallait faire vite.

Sachant cela, Marcus avait enfilé rapidement ses chaussures cloutées et, tenant solidement la corde, il était prêt à soutenir mon poids. La corde attachée autour de la taille, j'entamai ma descente. Parvenu en bas, je courus à l'une des fenêtres de derrière, éprouvai la solidité des barreaux. C'était du costaud, mais pour le moment, ce fait jouerait à notre avantage. Je passai la corde autour des barres de métal de deux centimètres de diamètre, la nouai, tirai plusieurs fois : elles résisteraient au poids de Marcus. Je retournai au mur, claquai des doigts plusieurs fois.

C'était Marcus qui, lors de l'affaire Beecham, avait eu l'idée que le meurtrier devait être un excellent alpiniste, et lui-même était devenu assez bon à cet exercice pendant l'enquête. Je ne fus donc point surpris quand il escalada le mur sans bruit puis se laissa glisser de l'autre côté jusqu'à un massif de fleurs fort peu garni. Ni lui ni moi ne prîmes le temps de reprendre notre respiration ni d'examiner le jardin, mais, même en courant, je ne pus qu'être frappé par l'aspect désolé du lieu. Tout fleurissait partout dans la ville, mais ce jardin — des allées de pierres plates, quelques fleurs, des îlots de gazon et un lierre qui dépérissait sur le mur de brique — offrait l'image austère du début mars.

— C'est pas naturel, murmurai-je. Il devrait y avoir au moins des mauvaises herbes.

Marcus approuva d'un grognement, indiqua du menton la fenêtre, prit l'écarteur dans sa sacoche et me le tendit. L'appareil se composait de deux plaques métalliques montées sur des tiges d'acier reliées à une grosse vis centrale qu'on actionnait en insérant le pied-de-biche dans un trou et en tournant. Je le mis en position, donnai les premiers tours et vis les barreaux commencer à s'écarter, mais, au bout d'un moment, Marcus dut prendre le relais. Le métal émettait des grincements qui semblaient terriblement forts dans le silence. Bientôt l'ouverture fut assez grande pour que je puisse y passer la tête et les épaules — cela me suffisait.

Avant même que Marcus eût posé l'écarteur par terre, je m'étais à moitié glissé dans la maison. Je m'arrêtai cependant quand il me toucha l'épaule.

— Rappelle-toi, ne va pas là-haut, mais tout ce que tu remarqueras d'intéressant…

— Ouais. Je sais.

— Oh, j'oubliais le secrétaire dans la pièce de devant. Il était recouvert quand on a visité la maison…

— Sergent, on a déjà vu tout ça…

Il prit une longue inspiration, alla se tapir dans un coin sombre. Pendant ce temps, j'achevai de me couler à travers les barreaux puis je portai Mike à l'intérieur avec précaution. Me redressant, je constatai que j'étais dans la cuisine d'Elspeth Hunter.

La première chose que je remarquai, ce fut l'odeur — une odeur de renfermé, de moisi, pas assez forte pour lever le cœur, mais pénible quand même. La pièce donnait une impression générale de malpropreté qu'un grand nombre de mères des immigrés les plus pauvres que j'avais connus dans le Lower East Side n'auraient pas tolérée. Dans un coin, des insectes voletaient autour d'un seau débordant d'ordures. En passant devant l'évier crasseux, je regardai les casseroles et les poêles qui pendaient au-dessus, tendis le bras pour les toucher. Elles étaient couvertes d'une mince couche de graisse — pas vraiment sales, mais pas propres non plus.

Les autres m'avaient expliqué qu'un bref couloir reliait la cuisine à la pièce de devant, avec un passage ménagé sous l'escalier et qui devait conduire au sous-sol. J'allai dans la pièce de devant, chichement meublée : un fauteuil, un sofa, une chaise à bascule. Un manteau de cheminée en bois entourait l'âtre, un tapis poussiéreux et taché couvrait le sol. A gauche de la porte, j'avisai le secrétaire que Marcus avait mentionné, un meuble mal verni balafré d'entailles et de coups. Il n'était cependant pas couvert et je vis, derrière les portes vitrées de sa partie supérieure, quelques livres, de vieilles photographies — des daguerréotypes jaunis d'un homme et d'une femme ridés, des portraits plus récents et joliment encadrés de jeunes enfants. Parmi ces derniers, trois photos individuelles de bébés, et un groupe de trois gosses plus âgés.

Aucun d'eux ne souriait.

Je tirai sur l'abattant du secrétaire, le trouvai fermé. La serrure située en haut du panneau de bois semblait une invite — il ne m'aurait pas fallu une minute pour la crocheter —, mais je décidai de m'occuper d'abord de la partie plus sérieuse du travail. A pas de loup, je m'approchai de l'escalier, jetai un coup d'œil vers les étages pour m'assurer que tout était tranquille puis pris dans la poche de ma chemise une petite fiole d'huile de machine. Après en avoir enduit les gonds de la porte du sous-sol, je remis la fiole vide dans ma poche, m'essuyai les mains à mon pantalon, saisis la poignée, tournai et ouvris la porte sans un bruit.

L'escalier s'enfonçait dans le noir devant moi. Ayant déjà Mike à porter, je n'avais pas voulu m'encombrer d'une lampe, mais je m'étais muni d'une bougie et d'allumettes. Nous avions cependant noté que la lumière éclairant le perron était électrique, et nous supposions qu'il en allait probablement de même pour l'ensemble de la maison, puisqu'elle n'était pas très vaste. Une main contre le mur, je descendis donc lentement, mon regard s'accommodant à l'obscurité et cherchant une lampe. A mi-chemin, j'en distinguai une fixée au plafond, facile à atteindre de l'endroit où je me trouvais. Je remontai pour fermer la porte, allumai la lampe et recommençai à descendre.

J'avais à peine touché le sol de ciment que les mouvements de Mike à l'intérieur de la sacoche se firent plus agités et qu'il se mit à pousser de petits cris.

— Attends un peu, Mike, murmurai-je. Donne-moi une minute.

Un regard circulaire me révéla que la description de Mr Moore était assez fidèle : il n'y avait guère dans ce sous-sol qu'une chaudière, derrière un mur porteur en brique, des outils de jardin (rouillés, ce qui ne fut pas pour m'étonner), des chaises et une table, plus branlantes encore que celles d'en haut, une série de cadres, tous vides, des étagères supportant des bocaux de conserves. La seule erreur du journaliste concernait le sol, et elle était compréhensible : quoique de ciment, il était couvert d'une couche de suie et de poussière si épaisse qu'on pouvait facilement le prendre pour de la terre battue.

Aucune trace d'un bébé, aucune indication qu'un nouveau-né y ait jamais été gardé.

Les mouvements de Mike à l'intérieur de la sacoche devenaient frénétiques et je vis son museau pointer entre les deux fermoirs.

— D'accord, fils, à toi de jouer.

L'animal jaillit au-dehors, courut le long de ma jambe et sauta sur le sol, leva le museau, fila, fit une fois le tour de la chaudière. Il s'immobilisa quelques secondes, se dressa sur ses pattes de derrière, parcourut les lieux de ses petits yeux noirs puis disparut derrière un meuble, surgit de nouveau, traversa les cadres, grimpa sur une chaise.

Je plissai le front.

— Qu'est-ce qu'il y a, Mike?

Il refit le tour de la cave, aussi agité que le proverbial chien aveugle dans la boucherie : il sentait la chose mais ne pouvait la trouver. Parvenu devant le meuble à conserves, dont le fond s'appuyait sur le mur de brique, il sembla au bord de l'apoplexie. Il sauta sur l'une des étagères, passa derrière quelques bocaux, réapparut, passa au niveau supérieur d'un bond rapide, mais redescendit aussi vite et alla renifler les montants latéraux, les griffa, essayant apparemment de les écarter du mur.

Je ne sais combien de temps il me fallut pour comprendre — trop longtemps, en tout cas, car j'aurais dû deviner en découvrant les étagères. Après tout, les indices n'avaient pas manqué : le jardin désolé, la cuisine malpropre, la pièce de devant aussi accueillante que les baraquements du Foyer pour jeunes garçons —, sans parler des discussions sur la personnalité de l'infirmière auxquelles j'avais assisté.

— Attends un peu, grognai-je en m'approchant du mur. Des conserves? Elle croit rouler qui?

Je saisis un des bocaux, dévissai le couvercle en fer cerclé de caoutchouc, découvris une épaisse couche de moisi sur son contenu. Avec une grimace, je revissai hâtivement le couvercle, essayai plusieurs autres bocaux pris au hasard sur des étagères différentes. Après avoir constaté qu'ils étaient tous dans le même état, je reculai et restai un moment immobile, puis je baissai les yeux vers Mike, qui continuait à gratter de ses griffes le bas des planches.

— Je vois, fis-je, m'avançant de nouveau. Dans ce cas...

Je pris ma respiration, empoignai le montant de gauche, tirai pour écarter l'ensemble du mur et...

Et rien. Je fis une nouvelle tentative en y mettant toutes mes forces mais n'obtins pas un meilleur résultat. J'aurais tout aussi bien pu essayer de soulever la maison. Regardant autour de moi en quête d'une idée, je vis les outils de jardin rouillés et courus prendre une vieille houe. Je voulus glisser le fer entre le fond du meuble et le mur. Rien à faire. J'insistai, poussai de tout mon poids, parvins à insérer l'extrémité du fer, mais quand j'exerçai une pression, l'outil se brisa.

— Bon sang… grommelai-je.

C'était étrange, mais j'avais commis suffisamment de cambriolages pour savoir que, confronté à un coffre-fort qu'on n'arrive pas à forcer faute d'outils adéquats, on ne reste pas à s'interroger. Je soulevai Mike, qui labourait toujours le bois de ses griffes et qui résista quand je le fourrai dans la sacoche, comme s'il sentait qu'il n'avait pas accompli la besogne qu'on attendait de lui. Je retournai à l'escalier et posai un pied sur la première marche.

Des coups de feu. Je m'immobilisai, cherchant déjà comment expliquer ma présence. Je m'aperçus alors que ce n'étaient pas des coups de feu mais des pétards, qu'on avait fait éclater dans la rue. Tout près, à en juger par le bruit. Avec un soupir de soulagement, je me remis à monter, levai le bras pour éteindre la lampe, poussai prudemment la porte, qui tourna de nouveau silencieusement sur ses gonds.

Revenu dans la pièce de devant, j'entendis les rires d'une bande de gosses puis d'autres pétards explosèrent, détonations sèches sur le grondement sourd et lointain des feux d'artifice au-dessus du fleuve. Je regardai rapidement autour de moi — nous ne ramènerions pas le bébé ce soir, je le savais, mais je ne pouvais me résoudre à rentrer bredouille. Il devait bien y avoir quelque chose…

Quand mes yeux se posèrent sur le secrétaire, je me souvins de ce que Marcus avait dit : si Elspeth Hunter avait recouvert le meuble avant de les convier à entrer, il allait de soi qu'il contenait quelque chose qui pouvait nous être utile. Je m'approchai en tirant mes crochets de ma poche et je vins à bout de la serrure plus rapidement encore que je ne l'aurais cru.

Quand je soulevai l'abattant, je fus d'abord déçu : il n'y avait que des lettres rangées dans les petites cases en bois du bureau, des papiers épars sur un buvard usé.

Toutefois, avant de le refermer, je résolus de passer outre à mon instinct de voleur, qui me soufflait que ces choses étaient sans valeur, et je pris quelques-uns des papiers pour les lire.

Les premiers, portant l'en-tête de l'hôpital St Luke, étaient des lettres adressées à Elspeth Hatch au sujet d'un enfant nommé Jonathan. Dessous, il y avait une série de documents administratifs concernant apparemment ce même enfant, et enfin deux ou trois journaux, pliés et vieux de deux ans. Je revins aux formulaires d'admission sans savoir ce que je cherchais exactement. Ils étaient couverts d'une écriture peu lisible, de phrases compliquées…

Je réussis cependant à déchiffrer quelques mots qui m'arrêtèrent net. Au bas d'une des feuilles, à côté du mot DIAGNOSTIC, quelqu'un avait griffonné : difficultés respiratoires, cyanose.

Cela me suffit : je fourrai le tout sous ma chemise, refermai le secrétaire. J'étais sûr d'avoir déniché quelque chose, sûr de ne pas avoir perdu mon temps…

— Bouge pas, petit saligaud !

Je ne bougeai pas. Je m'étais déjà fait pincer et, quand on reçoit un ordre de ce genre, il vaut généralement mieux le suivre en attendant de voir à qui on a affaire. Levant les bras à demi, je me tournai lentement vers l'endroit d'où provenait la voix — l'escalier.

L'homme qui se tenait sur les marches devait être Micah Hatch. La cinquantaine, il portait une chemise de nuit blanche élimée d'où dépassaient deux jambes osseuses et blêmes. Son visage gris, barré d'une moustache mal taillée, avait l'expression démente et brumeuse du morphinomane. Il braquait sur moi d'une main incertaine une sorte de mousquet ; lorsque mes traits lui apparurent, il s'écria d'un ton incrédule :

— Toi ! (Il regarda nerveusement autour de lui en poussant de petits gémissements.) Toi ? répéta-t-il, avec moins d'énergie, cette fois. Où… où est Libby ? Libby ! (Il tourna de nouveau vers moi ses yeux effrayés.) Ça peut pas… ça peut pas être toi… C'est pas la bonne maison… Non, fit-il d'une voix plus forte, mais tout aussi terrorisé, c'est pas la bonne maison, et je t'ai déjà tué !

24

On m'a tenu des propos curieux dans ma vie, mais rien qui égale en étrangeté ceux de Micah Hunter. Le pauvre vieux fou croyait réellement qu'il m'avait tué, comme en témoignait la frayeur désespérée qui marquait son visage ravagé par la drogue. Mais la raison pour laquelle il le croyait, je n'en avais aucune idée.

Une autre série de pétards éclatèrent dans la rue et Micah Hunter fit volte-face, braquant son mousquet vers la porte.

— Alors, comme ça, t'es pas tout seul, sale *reb*[1] ! (Il épaula son arme avec une détermination farouche.) Allez, avancez, bande de salauds...

— Hunter !

Micah Hunter et moi tournâmes ensemble la tête vers le couloir, où avait résonné la voix du sergent.

— Hunter ! appela de nouveau Marcus par la fenêtre de la cuisine. Baissez votre arme, soldat ! C'est un ordre !

— C-capitaine ? bredouilla le vieil homme. Capitaine Briggs... ?

— Je vous ai dit de baisser votre arme ! Vous êtes blessé, vous n'êtes pas en état de vous battre ! Nous n'avons pas besoin de vous, retournez à l'hôpital !

— Je... comprends pas... Où est Libby ? gémit-il, regardant autour de lui. Je me sens mal...

1. Abréviation de *rebel*, qui désignait les sudistes pendant la guerre de Sécession. *(N.d.T.)*

— Allez, exécution, insista Marcus. Lâchez cette arme et direction l'hôpital !

— Mais je… commença Hunter, laissant le mousquet glisser le long de son flanc.

C'était ce que j'attendais. Je bondis dans le couloir, filai vers la fenêtre de la cuisine. Le vieillard me cria quelque chose que je ne saisis pas, mais rien n'aurait pu m'empêcher de me glisser entre les barreaux comme si c'était de l'eau. Marcus m'aida à passer de l'autre côté, entrelaça ses doigts pour me faire la courte échelle. Cette fois, je ne me souciais plus d'orgueil professionnel. Je me servis de la corde pour redescendre dans la ruelle, en saisis l'extrémité, cherchai des yeux autour de moi, avisai un tuyau terminé par un robinet. J'y attachai la corde, murmurai : « Allez-y ! » Les chaussures de Marcus crissèrent contre la brique quand il se hissa en haut du mur. Lâchant la corde, il se laissa simplement tomber de l'autre côté, les clous de ses semelles heurtant durement — et péniblement, à en juger par sa grimace — le sol en ciment de la ruelle.

— Récupère-la ! me dit-il, ce qui me fit supposer qu'il avait détaché l'autre bout de la corde.

Je tirai d'un coup sec et elle passa de notre côté avec un sifflement. Je l'enroulai rapidement en courant vers l'écurie, la passai à Marcus, qui la laissa choir dans sa sacoche. A la suite du sergent, j'enjambai la fenêtre, sautai à l'intérieur du bâtiment, grimpai dans la calèche et me coulai sous la bâche. Nous respirions tous deux aussi bruyamment que le petit Mike.

— Qu'est-ce qu'on fait ? demandai-je, incapable de murmurer tant j'étais hors d'haleine.

— Chut ! fit Marcus.

Pendant de longues secondes nous restâmes sans bouger, tendant l'oreille : des chiens aboyaient dans les jardins, derrière l'écurie, tandis qu'au loin Micah Hunter continuait à hurler des mots qu'il nous était impossible de distinguer.

— Nous ne risquons rien, chuchota le policier. Les gens du quartier doivent avoir l'habitude de l'entendre beugler. Ne cédons pas à la panique. (Il consulta sa montre.) Lucius devrait arriver dans une demi-heure. Reprends ta respiration et essaie de ne pas bouger.

Je pris plusieurs inspirations profondes en caressant Mike à travers la sacoche.

— Merde, finis-je par dire quand je pus le faire à voix basse. Quand je pense que ce vieux branque aurait vraiment pu me tirer dessus…

— C'est à cause du feu d'artifice, expliqua Marcus. Et de la morphine. Je parie qu'elle lui en donne une dose massive avant de sortir le soir. Si l'on est réveillé dans les deux heures qui suivent une injection aussi forte, on a généralement des hallucinations. Il s'est cru revenu à l'époque de la guerre — il t'a pris pour un jeune confédéré qu'il a dû abattre pendant les combats… Et le bébé ?

— Longue histoire, répondis-je. Il est bien dans la cave, on s'est pas trompés. Mais pour le récupérer, ce sera dur. Impossible, peut-être. Les étagères de conserves sont en fait une porte actionnée par un mécanisme que j'ai pas trouvé. Par contre, j'ai trouvé autre chose…

Je la bouclai en entendant des coups frappés sur le flanc de la calèche.

— Stevie ? Marcus ? Vous êtes là ?

— Oui. Tout va bien.

— J'ai entendu des cris, dit Lucius. Que s'est-il passé ?

— Plus tard, murmura son frère. Sors-nous d'ici.

— Et la petite ? Vous l'avez trouvée ?

— Lucius ! Sors-nous d'ici tout de suite !

Quelques secondes plus tard, la calèche se mit à rouler et, au bout de quelques minutes, Marcus estima que nous étions assez loin pour soulever la bâche. Le ciel au-dessus de l'Hudson flamboyait encore de feux d'artifice et, tout au long des quais, des groupes s'étaient formés pour les admirer. Sans nous arrêter pour profiter du spectacle, nous filâmes vers le 808, Broadway. Lucius brûlait de curiosité mais son frère le pria de garder ses questions pour lui jusqu'à notre arrivée. Je glissai une main sous ma chemise pour y pêcher les papiers volés, les tendis à Marcus puis allumai une cigarette et lui en offris une.

Déçus par le résultat de notre expédition, nous n'en appréciâmes que davantage l'accueil chaleureux du reste de l'équipe, dont la déception ne pouvait pourtant être moindre que la nôtre. Je crois que Marcus et moi, ruminant ce qui s'était passé, avions oublié qu'il aurait pu nous arriver bien pis, et le soulagement qu'exprimaient les visages de nos amis nous le rappela. Manifestement, notre échec comptait moins à leurs yeux que le fait que nous ayons survécu, et voir ce sentiment reflété sur leurs traits facilita, en retour, la relation de notre mésaventure.

Le docteur avait commandé un souper chez Delmonico et l'avait fait livrer à notre quartier général, ce qui acheva de rendre à Marcus sa joie de vivre. Quant à moi, je fus reconnaissant à mon maître d'avoir non seulement pensé à mon steak-frites mais d'avoir aussi demandé à Mr Ranhofer du filet de bœuf cru pour Mike. Mr Moore avait disposé les plats sur le billard, comme pour un buffet : olives et céleri, toasts aux anchois, faisan et pintade (présentés avec leurs plumes), gâteau de riz, petites meringues aux fruits, crème glacée napolitaine, le tout accompagné naturellement de champagne, de vin et de bière, sans oublier de la *root beer* pour moi. Tandis que les adultes se servaient, je m'installai sur mon appui de fenêtre avec mon steak-frites, la viande crue et Mike, qui semblait presque aussi affamé que moi. Un par un, les autres prirent place dans les fauteuils et nous commençâmes à passer en revue les étranges événements de la soirée. A la fin de notre récit, Marcus remit au Dr Kreizler les papiers que j'avais subtilisés, et je vis alors une ombre passer sur le visage de l'aliéniste.

— Qu'y a-t-il, docteur ? demanda Marcus, ouvrant une fenêtre pour laisser entrer une brise tiède en même temps que les bruits de la fête. D'après ce que j'ai pu voir, ces documents pourraient nous fournir les éléments dont nous avons besoin pour établir un schéma récurrent dans le comportement de cette femme.

— C'est possible, Marcus, répondit-il. Je ne puis encore le dire. En revanche, leur absence permettra sans doute à Elspeth Hunter de deviner qui a pénétré dans sa maison et pourquoi.

— Allons, Kreizler, dit Mr Moore, posant avec précaution une assiette surchargée sur le bras d'un des fauteuils. Si notre visite de dimanche n'était pas une déclaration de guerre en bonne et due forme, je ne vois pas ce qui pourrait l'être...

— Ce n'est pas l'hostilité envers nous qui m'inquiète, Moore. C'est que l'infirmière puisse rendre le bébé responsable de nos tentatives pour le sauver. Il semble qu'elle ait pour habitude de rejeter la responsabilité de tout ce qui va mal — dans sa propre vie comme dans celles des enfants qu'elle côtoie — sur les enfants eux-mêmes.

Le docteur retourna une des feuilles, poursuivit sa lecture. Soudain ses yeux s'agrandirent.

— Mon Dieu... fit-il, posant son assiette pour pouvoir examiner plus rapidement les autres documents. Mon Dieu...

— Qu'avez-vous trouvé ? demanda Miss Howard pour nous tous.

Il répondit par une autre question :

— Marcus, combien avez-vous lu de ces lettres ?

Le policier haussa les épaules en rongeant une côtelette d'agneau.

— Assez pour me faire une idée générale. Elle s'occupait d'un enfant nommé Jonathan, qui a connu plusieurs crises cyanotiques. La dernière a été fatale.

Le docteur tapota du doigt la pile de papiers.

— Oui. Mais il ne s'agissait pas de relations d'infirmière à malade. Les derniers formulaires d'admission mentionnent le nom de famille de l'enfant : Hatch. Jonathan Hatch. Son propre fils.

Bouche bée, je pensai aussitôt à la série de photos de bébés et d'enfants que j'avais vue dans le secrétaire.

— Elle n'était pas infirmière à St Luke, reprit le Dr Kreizler. Elle y a amené son enfant malade. Trois fois.

Marcus demeura un moment coi, l'os de sa côtelette à la main.

— Mais... j'ai simplement supposé...

Le docteur l'interrompit d'un geste, le mouvement de sa main signifiant « bien sûr, bien sûr » aussi clairement que sa voix l'eût fait. Il reprit sa lecture puis s'exclama de nouveau :

— Seigneur Dieu ! Elle donne comme lieu de travail le 1, 57e Rue Ouest...

Le verre de vin de Mr Moore se brisa sur le sol avec fracas.

— Jésus, Marie, Joseph ! C'est chez Corneil Vanderbilt !

Cyrus semblait légèrement intrigué :

— Mais n'avions-nous pas pris pour hypothèse que cette femme ne peut avoir d'enfant ?

L'aliéniste continua à agiter la main.

— Exact. Et rien ne vient... Attendez ! (Il prit les journaux sous la pile de papiers, les tendit à Cyrus.) Tenez, regardez si vous trouvez quelque chose là-dedans.

La bouche pleine de faisan, le grand Noir alla s'installer à l'un des bureaux, où il pourrait à la fois lire et manger. Pendant ce temps, mon maître continuait à examiner les documents de l'hôpital :

— Chacun des événements relatés s'inscrit parfaitement dans le schéma décrit par les autres infirmières de la maternité. Chaque fois que cette femme — que l'on appelle ici Mrs Libby Hatch — se présente à l'hôpital, le petit Jonathan, âgé de dix-huit mois, suffoque et est cyanosé. Chaque fois, la crise survient en pleine nuit : la mère prétend avoir été réveillée par ses hoquets, sa respiration haletante. Les deux premières lettres ont un ton mélodramatique : « Si vous n'aviez promptement confié l'enfant aux soins de professionnels, Mrs Hatch, écrit le médecin traitant, il serait sans doute décédé. L'angoisse qui vous étreignait tandis que vous attendiez d'être fixée sur son sort était poignante. » Qui a écrit des âneries pareilles ?

Pendant que le Dr Kreizler poursuivait sa lecture, je me souvins qu'il avait souvent travaillé avec des confrères exerçant à St Luke.

— Hmm... Dr J. Langham... connais pas.

— Il devrait écrire des romans de quatre sous, commenta Mr Moore, qui essuya avec une serviette le vin tachant le sol près de sa chaise. Le document ajoute quelque chose à propos de Vanderbilt ?

— Non, répondit le docteur. Mais Elspeth Hatch occupait, semble-t-il, un appartement proche de la 57ᵉ Rue — c'est pourquoi elle a conduit l'enfant à St Luke. L'hôpital se trouvait encore dans la 54ᵉ Rue, à l'époque. Voici quelques autres renseignements : pour l'âge, elle donne « 37 ans ». Profession : « Femme de chambre ». Lieu de naissance : « Stillwater, New York ». Quelqu'un sait où ça se trouve ?

Lucius tenta sa chance :

— Dans le nord de l'Etat ?

— Par rapport à ici, il n'y a pas grand-chose dans le sud de l'Etat, fit observer Miss Howard avec un sourire. Je connais cette ville, docteur, c'est sur l'Hudson, près de Saratoga. Exactement dans la région où j'avais situé ses origines, d'après son accent, rappela-t-elle avec une certaine fierté.

— Félicitations, Sara, dit le docteur. Espérons que vous serez aussi brillante pour les prochaines énigmes. Cyrus ? Quelque chose dans ces journaux ?

Le majordome ne répondit pas. Bien que son assiette fût encore à moitié pleine, il avait cessé de manger et regardait la feuille de papier jauni comme si elle annonçait sa propre mort.

— Cyrus ? répéta le docteur. Qu'est-ce qu'il y a ? Qu'est-ce que vous avez trouvé ?

Cyrus leva lentement la tête, parut regarder à travers le corps de son maître.

— Elle l'avait déjà fait...

— Fait quoi ? demanda Mr Moore.

Les autres, qui avaient compris, gardèrent le silence.

— Il y a quatre articles, dit Cyrus, se tournant vers le journaliste. Les trois premiers sont parus dans le *Journal* et le *World*. Ils portent sur un kidnapping commis en mai 1895. Un couple nommé Johannsen — épiciers dans la 55e Rue Est — avait un fils, Peter, âgé de seize mois. La mère s'est fait agresser dans une rue transversale alors qu'elle rentrait seule avec l'enfant. Le bébé a été enlevé, mais les parents n'ont jamais reçu de demande de rançon.

Le docteur saisit la pile de journaux, la feuilleta avidement.

— Et le dernier article ?

— Dans le *Times,* répondit Cyrus. C'est plutôt une notice nécrologique : « Jonathan Hatch, dix-huit mois. Arraché à l'amour de sa mère... »

— Sergent, dit le docteur à Lucius, sur les documents de l'hôpital, il doit y avoir une description de l'enfant...

Le policier alla prendre les papiers.

— Description, description... chantonna-t-il en les feuilletant. Ah! voilà. «Yeux : bleus. Cheveux : blonds...»

— Type scandinave, murmura le docteur. Ce n'est pas concluant à cet âge mais... Pourquoi garde-t-elle ces articles? Comme trophées? Comme mémento?

J'approchai un morceau de bœuf cru de la gueule de Mike en disant :

— Elle a sa photo... Dans le secrétaire. Un petit garçon blond, les yeux clairs. La photo paraît assez récente. Je veux dire : comparée à...

Je m'interrompis, saisi par les «implications» de ce que je m'apprêtais à déclarer. D'un ton calme, le docteur m'invita à poursuivre :

— Oui, Stevie?

— Comparée aux autres, achevai-je. Elle en a d'autres. Deux photos individuelles — des bébés, comme la petite Linares et celui-là. Et une de trois gosses ensemble. Plus âgés.

Il y eut un nouveau silence, que Mr Moore finit par rompre :

— Tu ne penses quand même pas... Pas tous...

— Je ne pense rien, répliqua le docteur en allant au tableau noir.

— Mais l'idée qu'elle ait pu... C'est...

— Anormal, lui souffla Marcus.

Tournant la tête, je découvris qu'il me regardait : il se rappelait, j'en étais sûr, le moment où nous avions traversé le jardin sinistre et désolé du 39, Bethune Street.

— Je vous prie instamment de ne plus employer ce mot, dit le docteur. Tous. Il n'apporte rien et détourne notre attention de faits plus importants. Nous avons ouvert une porte, pour nous retrouver face à d'autres portes. Quantité de nouvelles pistes et, probablement, de nouveaux crimes. Le pire est devant nous, je le crains.

Cette prise de conscience coupa l'appétit de tout le monde — excepté Mike, qui continuait à mâcher joyeusement sa viande. Je plaçai un doigt derrière son oreille, grattai sa fourrure douce.

— Rappelle-toi de ça, la prochaine fois que tu regretteras d'être un furet et pas un homme…

Sentant que ses troupes perdaient leur motivation, le Dr Kreizler retourna à son assiette et à son verre.

— Allons, allons, fit-il, avec plus d'entrain qu'il ne devait en avoir. Ce repas est trop succulent pour que nous le gâchions, et aucun de vous ne sera capable de travailler l'estomac vide.

— Travailler ? fit Mr Moore.

Le docteur avala un toast au foie gras avant de lui répondre :

— Absolument, Moore. Nous avons fait l'inventaire des informations recueillies pendant cette petite expédition. Il nous reste à les interpréter. Quand notre adversaire rentrera chez elle, elle comprendra sans aucun doute ce que nous cherchions et ajustera ses plans en conséquence. Le temps presse donc plus que jamais.

— Mais qu'est-ce qu'il y a à interpréter ? demanda le journaliste. Nous ne pouvons pas faire sortir la petite Linares, pas sans démolir à moitié la maison. Nous ne pouvons toujours pas nous adresser aux flics, et quand cette femme aura raconté à Goo Goo Knox ce qui est arrivé, nous passerons nos nuits à tenter d'échapper aux assauts de ces fichus Hudson Dusters ! A ton avis, qu'est-ce qu'on peut faire pour changer ça ?

Lucius releva la tête, tenta d'essuyer la sueur coulant de son front, finit par renoncer.

— Cette femme a remarquablement couvert ses arrières, docteur. Je me rends bien compte qu'on l'a déjà souligné, mais… L'affaire Beecham était bien plus… directe. Il nous défiait, et nous avions des choses à quoi nous raccrocher, des points de départ. Mais là… Chaque fois que nous pensons progresser, nous découvrons quelque chose de nouveau qui change tout le tableau.

— Je sais, sergent, je sais, répondit rapidement le docteur. Rappelez-vous une différence essentielle entre cette affaire et la précédente : une partie de Beecham voulait désespérément que nous l'arrêtions…

— La partie saine d'esprit, dit Mr Moore. Tu suggères donc que Libby Hatch est folle ? Parce que si elle l'est…

— Pas folle, John, rectifia le docteur. (Il retourna au tableau, écrivit *saine d'esprit* sous les deux noms de la femme.) Mais caractérisée par un manque de conscience de soi, de connaissance de soi si profond que son comportement devient parfois assez incohérent pour sembler dément. Par ailleurs, elle peut souvent faire preuve de cohérence : comme vous l'avez tous fait remarquer, elle a soigneusement dissimulé son jeu, cette fois.

— Cette fois ? répéta Marcus.

— Mmm, oui, cette fois, confirma le docteur.

Il but une gorgée de vin, traça un grand rectangle sous la partie du tableau intitulée *la femme du métro*, et écrivit au-dessus *crimes antérieurs*. Puis il griffonna rapidement les chiffres *1* à *6* à l'intérieur du rectangle et nota devant le *1* : *Peter Johannsen, 1895, enlevé en mai, devient Jonathan Hatch. Meurt de suffocation à St Luke en juillet.*

— Pourquoi n'aurait-elle pas été vigilante, cette fois ? poursuivit-il. On ne peut dire qu'elle ait manqué de pratique. Si nous interprétons correctement les éléments qui nous sont présentés, nous pouvons supposer que Libby Hatch considérait les six enfants que Stevie a vus en photo comme les siens — soit parce qu'ils étaient effectivement à elle, soit parce qu'elle les avait enlevés. Et nous pouvons présumer également qu'ils ont été ses victimes.

— Elle garde chez elle les portraits d'enfants qu'elle a assassinés ? fit Mr Moore.

— Ne prends pas cet air abasourdi, Moore. N'avons-nous pas déjà postulé qu'elle ne se tient pas pour responsable de leur mort ? De son point de vue, ils meurent malgré elle, non à cause d'elle : ces enfants sont des êtres imparfaits, capricieux, qui défient ses efforts maternels inlassables.

— Tout cela, nous l'avons établi, docteur, soupira Miss Howard, un peu abattue, alors qu'elle était toujours la dernière à désespérer. Mais en quoi cela peut-il nous aider ? Sur le plan pratique, je veux dire. Comment l'utiliser pour sauver un enfant dont le père se désintéresse — qui, en fait, nous envoie son macabre serviteur pour nous dissuader de le sauver ?

L'aliéniste se tourna vivement vers elle.

— Et que devrions-nous faire, Sara ? Abandonner l'affaire ? En sachant que la petite fille mourra bientôt ? En ignorant quelles conséquences politiques sa mort pourrait avoir ?

— Non, répliqua Miss Howard, aussi vivement que le docteur. Mais je ne vois plus par quel bout prendre cette affaire.

Il s'approcha d'elle, prit la tête de la jeune femme entre ses mains.

— Parce que votre façon de raisonner est comme vous-même, Sara : franche, directe. Pensez plutôt comme elle. Soyez oblique. Voire tortueuse. (Il prit son assiette, la lui tendit.) Mais surtout, mangez.

Marcus, qui avait fini son repas, se leva et désigna le tableau du goulot de sa bouteille de bière.

— J'ai saisi, je crois. Stevie et moi, quand nous sommes allés chez elle, nous avons vu des choses. Et nous avons compris des choses. Sur sa personnalité. Elle a peut-être soigneusement préparé son coup, mais cela ne change rien au fait qu'elle n'est pas la plus compétente des femmes, à maints égards.

— C'est vrai, ça, approuvai-je. Vous auriez dû voir sa cuisine — jamais j'y aurais mangé, pour tout l'or ou tout l'amour du monde. Et le jardin : un vrai cimetière.

— Continuez, nous encouragea le Dr Kreizler.

Le sergent s'octroya au préalable une rasade de bière.

— Il semble inconcevable qu'une femme comme elle ait pu commettre six crimes différents avec autant d'efficacité que celui-ci. Souvenons-nous aussi que ce que nous appelons son « habileté » tient en partie à la chance. Si elle ignorait totalement qui était la petite Ana Linares, elle ne pouvait savoir que le père de l'enfant refuserait de se mettre à sa recherche ou de prévenir la police. En réalité, elle a fait des erreurs. Simplement, nous n'avons pas été en mesure de les exploiter, mais cela ne doit pas nous empêcher de poursuivre nos efforts ailleurs — dans le passé, je veux dire.

— Oh ! c'est admirable, geignit Mr Moore. Cette affaire s'écroule et le sergent se prend maintenant pour H.G. Wells. Marcus, quand vous aurez construit votre petite machine à remonter le temps, nous y monterons tous et...

— Non. Attends, John, intervint Miss Howard, dont les yeux verts avaient retrouvé leur éclat habituel. Il a raison. Elle a forcément commis une erreur quelque part dans le passé, mais à l'époque, personne n'y a prêté attention. Si nous gardons l'affaire Linares en réserve pour le moment, et si nous creusons du côté des antécédents, nous nous approcherons d'elle par son angle mort, si je puis dire.

Le docteur approuva :

— Moore, regarde les pistes nouvelles que nous avons dénichées. Nous savons maintenant d'où elle vient. C'est un élément capital, que nous devons exploiter, car tous les tueurs de cette nature ont eu une conduite aberrante au début de leur vie. Et nous sommes presque certains du crime qu'elle a perpétré avant l'enlèvement de la petite Linares. A l'époque, on a cru à une mort naturelle, mais si nous interrogeons les médecins, si nous examinons les faits à la lumière de ce que nous savons maintenant, nous avons une très bonne chance de changer cette interprétation.

Mr Moore, qui avait écouté attentivement les arguments de son ami, semblait vouloir poursuivre la discussion, mais une idée lui vint à l'esprit :

— Sara, tu dis que sa ville natale se trouve près de Saratoga ?

— Stillwater ? fit-elle, légèrement agacée par cet apparent coq-à-l'âne. Oui, c'est à environ vingt-cinq kilomètres de Springs. Au bord du fleuve. Pourquoi, John ?

Il marqua une pause, leva un doigt.

— J'ai un ami qui a travaillé comme adjoint du district attorney de Manhattan. Il a grandi près de Saratoga. Il y a de ça quelques années, il a dû quitter New York pour retourner là-bas et il est entré dans les services du DA local. Ballston's Spa est toujours le chef-lieu du comté, n'est-ce pas ?

— Oui.

— Si cette Libby Hatch a enfreint la loi là-bas, Kreizler, c'est à Rupert Picton que nous devons nous adresser. C'est un procureur-né, il aime fouiner. Comme il est à présent en semi-retraite, il dispose de beaucoup de temps libre.

— Tu vois, John ? fit le docteur, levant son verre pour saluer son ami. Pas plus difficile que ça. Et n'oublions pas que nous avons établi un lien entre cette femme et les Vanderbilt au moment du dernier meurtre. Nous devons aussi enquêter dans cette direction.

A la mention de cette grande famille, le visage du journaliste rayonna d'une joie mauvaise, comme celui d'un gamin qui s'apprête à jouer avec les allumettes.

— Oui, et je veux en être, exigea-t-il. Corneil Vanderbilt, ce vieil hypocrite pompeux ! Je veux être là quand nous lui apprendrons que sa femme de chambre passait ses loisirs à enlever des enfants et à les tuer !

— Pas de conclusions hâtives, messieurs, les raisonna Lucius. Pour le moment, nous n'avons qu'un seul meurtre éventuel, et deux enlèvements sûrs.

— Oh, moi, je le sais, et vous aussi, Lucius, répondit Mr Moore. Mais Vanderbilt, lui, l'ignore. Je veux lui tordre le nez, à ce...

— Tu t'es parfaitement fait comprendre, John, le coupa le Dr Kreizler, et tu seras présent quand nous interrogerons Vanderbilt. Une question demeure... (Il se mit à arpenter la pièce, signe que nous avions surmonté nos doutes, et recommença à agiter son morceau de craie dans sa main.) Nous savons que Libby Hatch — comme nous devons désormais l'appeler — en viendra finalement à une crise fatale avec la petite Linares. Je crois aussi, après ce que Stevie et Marcus nous ont dit de l'état du mari, qu'elle le tue lentement à la morphine, de façon que sa mort semble due à la dégénérescence. Elle s'attirera ainsi la sympathie et l'admiration dont elle semble si friande, de l'avis de tous. La disparition du mari présenterait en outre quelques avantages annexes puisqu'elle toucherait la pension du défunt et hériterait d'une maison qui, je le soupçonne, appartient à cet homme — sans parler de la levée de toute entrave à ses rapports avec Knox. La question est la suivante : comment empêcher ces événements ? Si nous continuons à nous cacher d'elle, elle nous croira battus. Si, au contraire, nous lui faisons savoir que nous enquêtons sur son passé...

— Elle n'osera pas commettre un autre meurtre, finit Miss Howard. Du moins, pas tant que nous la harcèlerons.

— Envisagez-vous une déclaration directe, docteur ? voulut savoir Lucius. Je vous rappelle les propos de John concernant les Dusters : si elle apprend que nous la traquons, elle demandera à Knox de lâcher ses brutes sur nous.

— C'est donc vous qui ferez cette déclaration, sergent. Vous et Marcus. Non pas en votre nom personnel, mais au nom des services de police. Nous ne parviendrons peut-être pas à rendre cette enquête officielle, mais il n'y a aucune raison pour que Libby Hatch le sache, non ? Point besoin de mandats ni d'inculpations — la simple déclaration que nous connaissons ses antécédents et que nous la surveillons. Si vous donnez l'impression de parler pour toute la police, elle transmettra cette impression à Knox. S'ils sont violents, les Hudson Dusters ne sont ni ambitieux ni suicidaires, et je doute fort qu'ils compromettraient leur ravitaillement en cocaïne ou leur image romantique et bohème pour qui que ce soit, y compris la maîtresse actuelle de Knox.

— Il n'a pas tort, fit observer Marcus à son frère.

Le docteur rassembla les journaux et les documents, les brandit.

— Nous connaissons maintenant son passé. Du moins, certains pans. C'est ce qui nous manquait : une idée de ce qui sous-tend sa conduite actuelle. Un bout par lequel prendre cette affaire, comme dit Sara. Jusqu'ici, nous étions bloqués — en premier lieu par le manque de lignes directrices dans ma propre profession qui, comme le reste de notre société, souffre de myopie, nous empêchant de voir qu'une femme, une mère puisse être capable de tels crimes. Et nous avons avancé de manière chaotique, incertaine, essayant de découvrir sur cette femme des choses dont chacun de nous, en son for intérieur, souhaitait qu'elles soient inconnaissables ou fausses. Certes, nous connaissions son apparence physique, nous détenions des preuves de son comportement destructeur dans la période récente, mais en quoi cela nous aidait-il à progresser ? A présent, nous avons des détails spécifiques sur son passé, des clés. Et nous devons les utiliser sans attendre.

— Pas avant, toutefois, d'avoir rendu hommage à la personne dont le courage a permis cette avancée, déclara Miss Howard, levant son verre dans ma direction.

Je me tortillai, mal à l'aise, tandis que tous les autres se tournaient vers moi. Sur leurs visages, le découragement avait fait place à la confiance, à la détermination, et au sourire. L'un après l'autre, ils levèrent leur verre ou leur bouteille, ce qui, je l'avoue, m'embarrassa terriblement.

Je souris cependant un peu, moi aussi.

— A Stevie, reprit Sara. Qui a fait ce qu'aucun de nous n'aurait pu faire, parce qu'il a vécu ce qu'aucun de nous n'a vécu.

— A Stevie ! firent les autres en écho, s'approchant de moi comme une vague.

Je regardai Mike puis la fenêtre, plus gêné et ravi que je ne me rappelle l'avoir jamais été.

— D'accord, d'accord, marmonnai-je, levant les mains pour me protéger de leurs démonstrations d'affection et d'admiration. On a encore du boulot, l'oubliez pas...

25

Le dimanche, Mike le furet retourna chez Hickie et je n'eus plus de compagnon pour m'aider à oublier la scène déplorable sur laquelle nous nous étions séparés, Kat et moi. Mais le lundi matin, notre enquête prit un rythme plus rapide, et je fus bientôt trop occupé à conduire le docteur et les autres à travers la ville pour penser souvent à ce qu'elle pouvait bien fabriquer. Je savais qu'elle avait écrit à sa tante et qu'elle attendait une réponse avant de partir pour la Californie, et je ne pouvais qu'espérer qu'elle trouverait un moyen de me joindre avant son départ.

Le lundi matin, je conduisis le docteur et Mr Moore tout là-haut, à l'hôpital St Luke, qui avait quitté l'année précédente la vieille bâtisse de la 54ᵉ Rue pour cinq nouveaux bâtiments sis entre Amsterdam Avenue et Morningside Drive, dans la 114ᵉ Rue. Je les déposai à l'entrée d'un des pavillons — le Vanderbilt, par coïncidence —, où des infirmières en longue robe bleu ciel et tablier blanc s'efforçaient de ne pas perdre la petite coiffe blanche posée sur leur tête en montant ou en descendant d'un pas rapide l'escalier d'acier en colimaçon s'enroulant autour d'un petit ascenseur.

La visite ne se déroula pas aussi bien que mon mentor l'avait espéré : les médecins, chirurgiens et infirmières qui avaient soigné le « fils » de Mrs Libby Hatch deux ans plus tôt furent scandalisés quand il suggéra qu'elle avait pu assassiner le petit garçon, et il dut faire intervenir la direction de l'hôpital pour avoir accès aux archives. Celles-ci ne révélèrent rien de nouveau sur les visites de Mrs Hatch à l'hôpital. Comme les documents que j'avais dérobés chez elle, le dossier soulignait que pendant toute cette épreuve, elle s'était comportée avec un courage, une abnégation qui lui avaient valu la sympathie et l'admiration de tout le personnel.

Ce dernier détail intéressa particulièrement le docteur, comme il nous le confia sur le chemin du retour. En Allemagne, à l'époque, une série d'aliénistes, de psychologues et de spécialistes des nerfs (qu'on appelait « neurologues ») avaient découvert en étudiant l'hystérie que leurs patientes devenaient parfois aussi dépendantes de l'attention des médecins qu'un morphinomane l'était de sa drogue. Si Libby Hatch était dans ce cas, disait le Dr Kreizler, elle avait peut-être utilisé la maladie des enfants dont elle s'occupait (ou dont elle ne parvenait pas à s'occuper) pour satisfaire ce besoin. D'une pierre deux coups : elle dissimulait son incapacité maternelle et s'attirait en même temps l'attention et les éloges du corps médical.

Mr Moore avança l'idée que cela expliquait peut-être pourquoi Libby Hatch, ou Elspeth Hunter, avait traité le Dr Kreizler différemment des inspecteurs et de lui-même. Elle avait certes cherché à exploiter la faiblesse ou la vanité de chacun d'eux, mais il y avait quelque chose de plus dans son attitude respectueuse envers le docteur, qu'elle voulait peut-être sincèrement convaincre de son innocence. Cela expliquait la réaction furieuse de cette femme quand il n'avait pas répondu à son attitude cordiale et conciliante. En outre, poursuivit Mr Moore, si elle éprouvait effectivement un désir caché d'être approuvée par le Dr Kreizler, les sergents pourraient mentionner dans leur déclaration de guerre qu'il continuerait à participer à l'enquête — un ver à introduire dans son esprit, si l'on peut dire, pour contribuer à la désarçonner. Lorsque nous retrouvâmes Marcus et Lucius ce soir-là, ils approuvèrent de tout cœur ce raisonnement et décidèrent d'en faire usage.

Ils devraient toutefois enquêter au préalable — avec l'aide de Miss Howard — sur les bébés morts à la maternité, puisqu'ils souhaitaient disposer du plus de munitions possible quand ils affronteraient notre adversaire. Cette investigation annexe se révéla particulièrement ardue car il fut difficile, voire impossible dans certains cas, de retrouver les mères desdits bébés, et plus encore de les faire parler. La Maternité de New York, je l'ai dit, accueillait les pauvres et les filles mères, dont un grand nombre ne donnaient pas leur vrai nom à leur admission. C'était aussi le cas pour les femmes plus aisées qui venaient là pour cacher le fruit d'un adultère, ou qui avaient profité des joies du mariage en se dispensant des formalités. Il fallut des jours aux sergents et à Miss Howard pour trouver une femme qui voulût bien reconnaître que l'un des bébés morts était le sien. Et quand ils lui firent part de leurs soupçons, elle s'empressa de les mettre à la porte, de peur d'avoir des ennuis.

Pendant ce temps, le docteur et Mr Moore s'attelaient à la tâche suivante : être reçus par l'honorable Mr Cornelius Vanderbilt, celui que le journaliste avait appelé «Corneil». (Ce nom le distinguait de son grand-père, le vieux gredin qui avait fait connaître la famille, et de son propre fils, Cornelius III, qu'on appelait «Neily».) C'était un homme généreux, ce Cornelius II, quand il s'agissait d'œuvres de charité, mais c'était aussi le plus pharisien des New-Yorkais, et il ne tenait absolument pas à rencontrer quelqu'un d'aussi peu recommandable que Laszlo Kreizler. Pour faire admettre un membre de notre équipe dans l'immense maison — que les experts en architecture qualifiaient de «château Renaissance» — occupant toute la partie de la Cinquième Avenue située entre la 57e et la 58e Rue, il faudrait faire intervenir des tiers. En l'occurrence, Mr Moore devrait demander l'aide de ses parents, chose à laquelle il répugnait véritablement. Ils parvinrent à lui obtenir un rendez-vous le jeudi après-midi en lui recommandant, quel que soit le motif de sa visite, de ne mentionner en aucun cas le fils de Mr Vanderbilt, Neily, dont le vieux gentleman ne voulait plus entendre parler.

Le jeune homme avait eu le front d'épouser une femme que sa famille jugeait d'un rang social inférieur au sien. La bataille avait été si chaude que Cornelius II avait eu une attaque et avait rayé Neily, l'aîné de ses fils, de son testament. Après le mariage, le jeune homme avait filé en Europe avec son épouse. Ils n'étaient rentrés que récemment mais, pendant leur absence, la ville n'avait cessé de colporter toutes sortes de ragots sur leurs faits et gestes. La presse à scandale avait naturellement bondi sur l'affaire, prenant le parti de l'amour pour faire grimper les ventes. Une bonne part de la haute société avait aussi soutenu la cause du jeune couple car les familles new-yorkaises vraiment anciennes, comme celles de Mr Moore et de Miss Howard, considéraient ces nouveaux riches de Vanderbilt comme des indésirables faisant intrusion dans leur fête. Ces complications continuaient à miner Cornelius II, qui faisait désormais la navette entre son château de New York et sa résidence encore plus ridiculement prétentieuse de Newport. Une fortune de soixante-dix millions de dollars, une compagnie ferroviaire pour lui tout seul, et le vieil homme laissait l'escapade romantique de deux jeunes gens le pousser vers la tombe… On a parfois peine à comprendre les riches.

Quoi qu'il en soit, le jeudi après-midi, nous prîmes le chemin des beaux quartiers. La température n'avait cessé de grimper et, le 8 juillet, elle monta si vite qu'elle provoqua ce type d'averse d'été qui ne parvient ni à rafraîchir ni à nettoyer la ville. Protégés par la capote de la calèche, nous roulions entre des tas de crottin dont la canicule rendait l'odeur plus désagréable encore. Après Murray Hill, nous pénétrâmes dans le quartier des vastes résidences et nous passâmes devant les autres palais des Vanderbilt, tous édifiés au voisinage de celui de Cornelius II. Il m'a toujours paru que ces constructions avaient pour unique but de surpasser les précédentes, même si cela impliquait d'accumuler les ornements au point de verser dans le ridicule, ou simplement le disgracieux.

C'était plus particulièrement vrai pour le 1, 57e Rue Ouest : le rouge vif des briques contrastant avec le blanc des pierres calcaires utilisées pour l'encadrement des fenêtres et l'ornement de la façade était peut-être censé recréer le style Renaissance, mais pour moi, cela ressemblait plutôt à un chapiteau de cirque. L'annexe construite sur l'arrière de la maison par Richard Morris Hunt — celui-là même qui avait dessiné la nouvelle aile du Metropolitan Museum — était plus agréable au regard et pouvait même passer pour belle si on voulait bien oublier le reste. Mais la façade de la maison même, quand vous la découvriez en venant du centre, vous donnait le sentiment que vous vous apprêtiez à rencontrer un plaisantin de première grandeur. Ce qui était le cas, bien sûr. Dommage que Cornelius II lui-même ne comprît pas cette plaisanterie.

A quelques centaines de mètres de la 57e Rue, le bruit de notre voiture, et de celles qui nous entouraient, mourut tout à coup : de grandes plaques d'un revêtement quelconque — de l'écorce d'arbre, semblait-il — couvraient la chaussée pour que Mr Vanderbilt, souffrant, ne soit pas dérangé par les chevaux et les attelages passant près de chez lui. Cela peut paraître aujourd'hui incroyable qu'on repave une rue entière pour ne pas troubler le repos d'un seul homme, mais Cornelius II était pour la ville un personnage d'importance, en particulier à cause de ses œuvres philanthropiques. Bien entendu, ce n'était pas le bruit qui le rendait malade, comme le fit observer le Dr Kreizler. Vous auriez pu le mettre dans une pièce capitonnée, isolée par des cloisons de béton et de plomb, tant qu'il aurait pour lui tenir compagnie l'idée qu'il avait peu d'influence sur la conduite de son fils, son état ne cesserait de s'aggraver.

Quand nous arrivâmes au 1, 57e Rue Ouest, le docteur informa son ami que l'entrevue, si difficile à obtenir, n'avait pas pour but de «tordre le nez» de Mr Vanderbilt, comme il en avait exprimé l'intention. Ils diraient simplement au vieil invalide amer qu'ils essayaient de retrouver Mrs Hatch, qui pouvait être de quelque assistance dans une affaire dont s'occupait le docteur — rien d'autre. Mr Moore accepta de mauvaise grâce, et ils montèrent le perron en direction de la grande entrée en arcade. Après leur coup de sonnette, un valet de chambre vint ouvrir et annonça que Monsieur les attendait dans le «salon mauresque», au fond de la maison. Je devinai qu'il parlait d'un fumoir transformé en illustration pour *Les Mille et Une Nuits*, puisque telle était la mode à l'époque chez les gens riches. Je descendis de mon siège et, quand le domestique revint, je lui demandai si cela ne le dérangeait pas de surveiller un moment la calèche : j'avais une course à faire pour le docteur quelques rues plus bas. L'homme accepta et je courus vers le coin de la Cinquième Avenue. Parvenu derrière la résidence, près de la fort élégante porte cochère dessinée par Mr Hunt, je découvris qu'une grille en fer forgé assez haute me séparait du jardin. Passer par-dessus ne m'aurait posé aucun problème, mais la pluie n'ayant pas chassé tous les promeneurs, il fallait faire preuve d'une certaine prudence.

J'usai d'un vieux stratagème : les yeux levés vers le toit de la maison d'en face, à peine moins luxueuse que celle de Vanderbilt, je m'écriai en tendant le bras :

— Il va sauter !

Assurément les seuls mots qui puissent à coup sûr arrêter n'importe quel New-Yorkais et lui faire tourner la tête dans la direction indiquée. Les passants de la Cinquième Avenue ne faisaient pas exception et, pendant les quelques secondes d'inattention ainsi grappillées, j'escaladai la grille et courus me cacher derrière une des colonnes carrées de la porte cochère. Balayant du regard l'arrière de la maison, j'aperçus bientôt à l'extrémité ouest une fenêtre ouverte par laquelle des voix s'échappaient. Je pouvais facilement me dissimuler sur le côté le plus éloigné — ce que je fis, en jetant au passage un coup d'œil dans la pièce.

S'il existe un mot pour décrire le goût de la famille Vanderbilt, il ne figure pas dans mon vocabulaire. On pourrait peut-être dire qu'ils aiment en avoir « plus ». Plus de pierres, plus de fioritures, plus d'objets d'art, plus de nourriture. Et le « salon mauresque » que j'entrevis ce jour-là en fournissait un excellent exemple. Il ne suffisait pas que les boiseries soient aussi coûteuses que possible, ni gravées selon des motifs plus compliqués que les modèles arabes qui les avaient inspirées : non, il fallait encore qu'elles soient incrustées de matières précieuses, notamment — croyez-le si vous pouvez — de nacre. Si vous pouvez vous offrir ce genre de raffinement — et le faire exécuter par un décorateur aussi réputé que Louis

Comfort Tiffany —, il n'y a rien d'étonnant à ce que vous ayez une attaque quand votre gosse refuse de vous obéir. Sous un gigantesque lustre Tiffany en forme de bulbe suspendu au plafond haut, des fauteuils en velours étaient disposés devant une cheminée de marbre, sur plusieurs épais tapis persans. Le docteur et Mr Moore, assis dans deux de ces sièges, paraissaient minuscules dans cette pièce. En face d'eux, couvert d'une fourrure malgré la chaleur de juillet, Mr Vanderbilt avait l'air de ce qu'il était : un homme en train de mourir à petit feu. Son long visage et ses yeux perçants, capables d'intimider la plupart des gens, même à distance, reflétaient à présent une tristesse vaincue.

— Quelle raison pouvez-vous bien avoir de me demander ces informations ? disait-il d'un ton brusque.

Je m'accroupis contre le mur, écoutai la réponse de Mr Moore :

— Cette femme a été à votre service, Mr Vanderbilt. Du moins, elle vous désigne comme son employeur sur certains documents de l'hôpital.

— Et alors ? repartit le millionnaire, d'un ton qu'on pourrait poliment qualifier de condescendant. Oui, elle a travaillé ici. Quant à sa vie privée... elle était privée, précisément, et respectée comme telle. Elspeth Hatch était une domestique de confiance. Elle était entrée à mon service dès son arrivée en ville.

— C'est-à-dire ? risqua le docteur.

J'entendis le maître de maison pousser un soupir exaspéré, et Mr Moore s'empressa d'expliquer :

— Si l'affaire n'était aussi urgente, Mr Vanderbilt...

— Urgente ? coupa le vieillard. Pourtant, vous ne voulez pas me dire de quoi il s'agit.

— Secret professionnel, argua le Dr Kreizler. Je suis sûr que vous comprenez.

— Nous ne vous importunerions pas si nous pouvions faire autrement, dit Mr Moore.

— Au moins, vous reconnaissez que vous m'importunez, grogna le magnat. Si j'avais moins de considération pour votre famille, Mr Moore...

— Certainement, monsieur, fit le journaliste. Certainement.

Après un autre soupir agacé, Vanderbilt reprit :

— Nous avons engagé Elspeth Hatch... je dirais à l'été 1894. Peu après la tragédie. Nous avions appris son malheur par des amis vivant dans le nord de l'Etat, et ma femme a pensé qu'en lui offrant un emploi — nous avions besoin d'une femme de chambre, de toute façon — nous lui donnerions la possibilité de quitter sa maison et d'oublier le passé. Mrs Vanderbilt est une femme d'une compassion peu commune.

Suivirent quelques instants de silence pendant lesquels, supposai-je, le docteur et son ami échangèrent des regards en se demandant comment découvrir de quelle « tragédie » Vanderbilt parlait.

— C'était en effet très charitable à elle, finit par déclarer le docteur. Nul doute que cela a aidé Mrs Hatch à se remettre. Un changement de lieu constitue souvent un excellent antidote à une expérience malheureuse...

— Une expérience malheureuse ? gronda le vieil homme. Vos propres enfants abattus sous vos yeux par un dément ? Vous avez un penchant pour l'euphémisme, docteur, ou votre travail vous aurait-il rendu insensible ?

— Je... je n'ai certes pas voulu paraître insensible, répondit le docteur. Il se peut en effet que ma profession m'empêche de traiter... le meurtre (il prononça le mot prudemment, comme s'il s'attendait à une rectification, mais aucune ne vint) avec la considération adéquate.

Cette fois, Vanderbilt souffla plutôt qu'il ne grogna.

— C'est inévitable, je suppose. Quoi qu'il en soit, elle est venue ici quelques mois plus tard. Et elle a fait montre d'un zèle rare, compte tenu du fait que le sort de sa fille aînée demeurait incertain.

— Ah. Oui, bien sûr, fit Mr Moore. Et vous dites qu'elle a quitté votre service... ?

— Je ne l'ai pas dit. Mais elle nous a quittés en mai. Quand elle s'est remariée et qu'on lui a confié la garde de son neveu. J'ai proposé de lui rédiger des certificats — ils auraient été très élogieux —, mais elle a répondu qu'elle préférait devenir infirmière. Je lui ai dit que si je pouvais l'aider en quoi que ce soit dans ce domaine, elle ne devait pas hésiter à s'adresser à moi. Elle ne l'a jamais fait. Et voilà, messieurs, tout ce que je puis vous dire.

J'entendis une porte s'ouvrir puis une petite voix :

— Excusez-moi, Monsieur, mais Madame dit que c'est l'heure de vous reposer.

— Oui, j'arrive, répondit Vanderbilt. Messieurs, je dois obéir aux ordres de mon médecin. J'espère que vous réussirez à retrouver Mrs Hatch — bien qu'elle ait dû changer de nom, je présume.

— En effet, confirma Mr Moore. Merci de nous avoir reçus, Mr Vanderbilt. Vous avez été infiniment aimable. Vous partez bientôt pour Newport ?

— Demain, en fait. C'est pourquoi je dois prendre des forces. Je vais vous faire raccompagner...

— Ne prenez pas cette peine, nous trouverons, assura le docteur. Et merci encore.

Le mouvement général me donna le signal du départ : j'attendis qu'il n'y ait plus que quelques passants dans l'avenue puis je courus vers la grille, l'escaladai dans l'autre sens, atterris sur le trottoir et m'éloignai d'une allure désinvolte, comme si je sautais par-dessus des clôtures de millionnaire tous les jours et jusqu'à deux fois le dimanche.

J'arrivai à la calèche quelques secondes après que le Dr Kreizler et Mr Moore y furent parvenus, ce qui m'obligea à expliquer d'où je venais. En revanche, ils n'eurent pas à me résumer leur conversation avec Vanderbilt. Ma seconde entorse aux lois en une semaine ne plut pas beaucoup au docteur, mais le choc dû à ce qu'il avait entendu dans le salon mauresque estompait tout autre sentiment.

— Je déteste cette affaire, maugréa Mr Moore au moment où nous entamions notre retour vers le centre. Je la déteste ! C'est exactement ce que disait Lucius : chaque fois que nous pensons progresser, vlan ! un élément nouveau change totalement le tableau.

— Qu'est-ce qui te rend si sûr que le tableau a changé ? fit le docteur.

— Enfin, tu l'as entendu ! Les enfants de cette femme auraient été abattus sous ses yeux par un dément ! Qu'est-ce que cela veut dire ?

— Plusieurs choses, répondit l'aliéniste avec un haussement d'épaules. C'est peut-être vrai, c'est peut-être une pure invention.

— Kreizler ! s'exclama le journaliste, frappant de la main la portière de la voiture. Vanderbilt nous a dit qu'il en a été informé par des amis. Tu crois vraiment que cette femme s'amuserait à raconter des mensonges dans tout l'Etat pour gagner la sympathie des gens ?

— Pas dans tout l'Etat. L'événement a eu lieu dans sa ville natale, semble-t-il. S'il y a du vrai dans cette histoire, ton ami du bureau du district attorney devrait pouvoir nous en parler. Tu as réussi à le joindre ?

— Je lui ai écrit lundi, répondit Mr Moore d'un ton morne, sombrant dans une humeur assortie au temps. Et j'ai envoyé un télégramme mardi, mais je crois maintenant que je ferais bien d'en envoyer un autre, ou d'essayer de l'avoir au téléphone… Je déteste cette affaire… Et qu'est-ce que c'est, cette histoire de neveu dont on lui aurait confié la garde ?

— Là, il s'agit très probablement d'une invention. Ou, pour être plus explicite, d'un mensonge. Il fallait bien qu'elle invente quelque chose pour expliquer l'apparition soudaine du petit Johannsen dans sa vie.

— Oui, grommela Mr Moore, que cette explication ne réconforta nullement. Seigneur, j'ai l'impression d'essayer de percer à jour les machinations de trois personnes différentes…

— C'est vrai, approuva le docteur. Couche après couche…

Mr Moore s'enferma dans un mutisme qu'il rompait de temps à autre pour répéter : « Je déteste cette affaire. » Le Dr Kreizler tenta d'égayer son humeur en lui résumant la une du *Times*, mais les nouvelles n'étaient pas de nature à remonter notre moral. La police avait enfin capturé Martin Thorn, le coupable présumé du « mystère du corps sans tête ». Si nous avions quelque raison de croire que l'affaire continuerait à retenir l'attention un moment encore — les aveux du suspect contredisaient toutes les « preuves » et hypothèses de la police —, le répit ne durerait au mieux que quelques jours. Source d'inquiétude plus grave encore, le sénateur Henry Cabot Lodge, ami proche et allié politique de Mr Roosevelt à Washington, pressait publiquement le président McKinley de prendre des mesures énergiques contre l'Empire espagnol. Le parti belliciste américain s'impatientait, et cela ne présageait rien de bon pour notre enquête. Enfin, le *Times* publiait une information qui toucha davantage le docteur et son ami sur le plan personnel : Lillian Nordica, l'une de leurs cantatrices préférées, était dans un état critique à Londres. A l'article de la mort, même, selon le journal. Si nous découvrîmes par la suite que la nouvelle était fausse, le docteur n'en rejoignit pas moins Mr Moore dans un silence abattu.

Pendant notre retour, ni la pluie ni la puanteur des rues ne faiblirent, ce qui était très mauvais signe : cela annonçait une période vraiment pénible de l'été, ce que les journaux appellent une «vague de chaleur». Pendant la semaine qui suivit, la température ne descendit pas sous les vingt-cinq degrés et, même la nuit, la moiteur de l'air et l'absence de vent rendaient le sommeil quasiment impossible. Pour ne rien arranger, notre enquête se limita bientôt à rechercher une femme dont l'infirmière Hunter aurait soigné l'enfant à la Maternité de New York et qui accepterait de parler (travail fastidieux pour lequel je conduisis les inspecteurs et Miss Howard dans de sinistres quartiers de la ville ou, pire encore, en banlieue), et à attendre que le vieux copain de Mr Moore donne signe de vie. Le lundi suivant, certains d'entre nous commençaient à douter de l'existence de cet homme : le journaliste lui avait expédié non pas un mais deux télégrammes lui expliquant ce que nous cherchions, mais il n'avait toujours pas reçu de réponse.

Ajoutez à cela la peur, et vous obtiendrez un mélange particulièrement affligeant. Ce dernier sentiment fut d'abord causé par l'apparition occasionnelle dans notre quartier de membres des Hudson Dusters. Ils n'avaient pas un comportement menaçant, sans doute parce qu'ils ne tenaient pas à s'attirer des ennuis si loin de leur territoire, mais, de toute évidence, ils tenaient à nous rappeler qu'ils étaient là et que, flics ou pas flics, nous ferions mieux de nous occuper de nos affaires. Si inquiétantes soient-elles, ces apparitions n'étaient rien comparées à celles d'El Niño, le pygmée philippin du *señor* Linares, que plusieurs membres de notre équipe — moi compris — aperçurent à proximité de Stuyvesant Park. Comme les Dusters, le petit homme n'avait aucun geste agressif ni même menaçant, mais il était là et nous observait, probablement prêt à lancer poignard ou flèche si nos investigations se mettaient à progresser de manière spectaculaire.

Pendant ce temps, les frères Isaacson devaient aussi poursuivre leur enquête sur l'Institut du Dr Kreizler. Ils n'avaient fait état d'aucun progrès à quiconque, ils n'avaient pas même parlé de l'affaire — hormis la fois où ils avaient interrogé Cyrus sur le personnel, et où ils m'avaient demandé si j'avais remarqué dans la conduite de Paulie McPherson quoi que ce soit qui pût expliquer son suicide. Non, avais-je répondu, et à leur expression déçue j'avais conclu qu'ils n'avaient pas eu beaucoup plus de chance ailleurs.

Lundi 12, les inspecteurs revinrent à la maison de la 17e Rue avec une mine abattue. C'était en fin d'après-midi et la vague de chaleur continuait à accabler la ville. La canicule avait fait sa première victime ce jour-là, un enfant emmené à l'hôpital d'Hudson Street (non loin, pensai-je aussitôt en apprenant la nouvelle, de la maison où Libby Hatch vivait sous le nom d'Elspeth Hunter). Le docteur était dans son bureau, Cyrus s'occupait des chevaux à l'écurie, et moi, à la cuisine, j'aidais Mrs Leshko à ramasser les débris d'une demi-douzaine d'assiettes qu'elle avait fait tomber avec l'extrémité de son manche à balai au cours d'un nettoyage vigoureux mais destructeur.

Quand la sonnette retentit, je courus ouvrir, laissant une Mrs Leshko gémissante finir de ramasser les morceaux. En entrant, les sergents demandèrent aussitôt où se trouvait le docteur. Je répondis qu'il travaillait dans son bureau, et ils montèrent l'escalier d'un air grave, comme s'ils avaient longtemps espéré éviter ce moment mais devaient maintenant s'y résigner. Il n'était pas question que je rate la suite : après leur avoir laissé un peu d'avance, je leur emboîtai le pas et me ruai silencieusement vers la porte du bureau quand je l'entendis se refermer. A plat ventre sur le tapis, je collai l'œil à la fente, vis plusieurs paires de pieds parmi les piles de livres et de journaux.

— Désolé de vous déranger, docteur, entendis-je Marcus déclarer quand ses souliers s'immobilisèrent devant les pieds d'une des chaises, près du bureau. Mais nous avons pensé qu'il valait mieux vous mettre au courant de ce qui se passe pour… l'autre affaire.

Il y eut un silence, et l'une des bottines de Lucius se mit à frapper nerveusement le sol entre les pieds du sofa.

— Les nouvelles ne sont pas précisément mauvaises… mais nous ne pouvons pas dire non plus qu'elles sont bonnes.

Le docteur prit une longue inspiration.

— Alors, messieurs ?

— Autant que nous puissions en juger, reprit Marcus, il n'y a aucune raison de penser que le suicide du jeune McPherson ait été provoqué par quoi que ce soit, ou qui que ce soit, à votre Institut. Nous avons interrogé plusieurs fois tout le personnel, nous avons établi une chronologie des événements, de l'arrivée du garçon à sa mort. Rien n'indique qu'il ait été traité d'une façon qui aurait pu déclencher des tendances autodestructrices.

— Même les employés qui ne s'apprécient pas particulièrement, et il n'y en a guère plus de deux ou trois, ajouta prudemment Lucius, n'ont rien trouvé à reprocher au comportement de leurs collègues envers l'enfant. Quant à la famille, à supposer que McPherson était son vrai nom, nous n'en trouvons pas trace.

— J'ai moi-même fait des recherches, dit le docteur à voix basse. En vain.

— Nous avons examiné la corde dont il s'est servi, reprit Marcus, s'efforçant de prendre un ton plus optimiste. Elle ne correspond à aucune de celles que nous avons retrouvées sur place — rideaux, etc. Ce qui signifie qu'il l'avait apportée avec lui…

— Donc qu'il envisageait son acte avant même d'arriver à l'Institut, ajouta Lucius.

— Ce détail vous sera utile au tribunal, je pense, poursuivit son frère. Justement, à propos de la date du procès… Le juge Reinhart, qui était chargé de votre affaire, prend sa retraite à la fin du mois. Les dossiers dont il s'occupait ont été répartis entre divers magistrats — vous, vous êtes tombé sur Samuel Welles, j'en ai peur. (J'entendis un petit sifflement provenant sans doute du docteur.) Oui... Je crois savoir que vos chemins se sont déjà croisés.

— Plusieurs fois, répondit mon maître calmement.

— Nous ne le connaissons pas, mais il paraît qu'il est assez sévère, fit Lucius.

— Ce n'est pas ce qui me préoccupe. Il peut être sévère, oui, mais je l'ai vu aussi faire preuve d'indulgence. Et c'est là le problème. Il est imprévisible : je n'ai jamais pu prédire ses réactions avec assez d'exactitude pour structurer mon témoignage en conséquence. De plus, c'est un homme qui se contente de peu en matière de preuves, dans ce genre d'affaire. Si le ministère public choisit de bâtir un réquisitoire qui jette l'opprobre sur l'Institut...

— Ce qu'il ne manquera sans doute pas de faire, estima Marcus.

— ... alors, le simple fait que le jeune McPherson soit mort alors que j'en avais la charge pourrait suffire à Welles.

— Oui, soupira Lucius, dans un curieux mélange d'espoir et d'abattement. C'est pourquoi nous avons pensé qu'il valait mieux vous prévenir. Le procès a été retardé, à propos, Welles est en vacances jusqu'en septembre, et...

Un bruit de pas dans l'entrée me fit soudain relever la tête. Prenant conscience que le docteur et les Isaacson l'avaient probablement entendu eux aussi, je me levai d'un bond et filai vers l'escalier pour ne pas être surpris en train d'écouter aux portes. Un coup d'œil entre les barreaux me fit découvrir Mr Moore, Miss Howard et Cyrus montant rapidement les marches.

— Alors, où est-il? disait le journaliste, pantelant.

— Je crois que le docteur est dans son bureau, expliqua Cyrus, dérouté et pas spécialement ravi. Si vous voulez bien me dire...

— Non, non, coupa Mr Moore. Nous le lui dirons — nous le lui dirons tous! Venez, Cyrus, vous en êtes, vous aussi. Vous devez entendre!

Ils continuèrent à la même allure, Mr Moore grimpant deux marches à la fois.

— Stevie ! haleta-t-il en me voyant. Il est là-haut ? Dieu du ciel, j'ai traversé au pas de course la moitié de cette satanée ville...

— Franchement, John, fit Miss Howard, un peu essoufflée elle aussi, mais pas autant que Mr Moore. De ta maison à la mienne puis à celle du docteur, c'est loin de faire la moitié de la ville. Si tu prenais un peu d'exercice, de temps en temps...

— C'est un fait... avéré, hoqueta-t-il, que... trop d'exercice... nuit à la santé. J'en... suis la preuve vivante... Eh bien, Stevie ?

— Il est là-dedans, répondis-je, indiquant le bureau du menton. Avec les sergents enquêteurs.

La nouvelle revigora Mr Moore, qui commenta :

— Excellent... Ça nous évitera de recommencer à courir...

Il fonça vers la porte, entraînant les autres dans son sillage. A mon étonnement, il s'abstint de frapper et pénétra en trombe dans la pièce.

Le docteur leva les yeux de son bureau, stupéfait et, comme Cyrus, un peu froissé par ce manque total de politesse. Surpris eux aussi, les Isaacson se tournèrent vers le journaliste qui, appuyé au bouton de la porte, tentait de reprendre son souffle.

— Ça vient d'arriver... dit-il, montrant une enveloppe. Courrier spécial... De Rupert Picton... Décidément, je hais cette affaire !...

26

Mr Moore ouvrit l'enveloppe au moment où Cyrus, Miss Howard et moi rejoignions les autres dans le bureau. Respirant à fond, notre ami exténué déplia la feuille qu'elle contenait et commença à la lire, mais il n'était pas allé plus loin que « Moore, espèce de salaud ! » qu'il tomba à genoux, encore pantelant. Il tendit la lettre à Miss Howard — « Sara, lis-la, toi » —, rampa jusqu'au sofa et s'y effondra.

— Qu'est-ce qui lui prend ? demanda le docteur. Il est soûl ou on lui a tiré dessus ?

— Pire, répondit-elle. Il a couru. Mais peu importe, écoutez plutôt, la lettre est datée d'hier. « Moore, espèce de salaud ! Répugnant goret qui se vautre dans la boue… »

— Pas la peine de lire ce passage ! protesta le journaliste du sofa.

Miss Howard sourit et poursuivit :

— « … je multiplierais volontiers les épithètes si tes missives, que j'ai trouvées empilées sur mon bureau en revenant aujourd'hui des Adirondacks, n'avaient priorité. Plaisanterie mise à part, John, écoute-moi : si, dans ton infinie sagesse, tu as réussi à te retrouver effectivement mêlé à une enquête privée sur la femme qu'on connaissait ici sous le nom de Libby Hatch, sois aussi prudent que possible. Le récit que t'a fait Mr Vanderbilt est vrai, ou plutôt, c'est l'explication communément acceptée d'un crime horrible commis dans cette ville il y a un peu plus de trois ans. Les trois enfants auraient été assaillis par un fou, un vagabond noir que personne d'autre que Mrs Hatch n'a jamais vu. Deux sont morts, le troisième a survécu mais souffre depuis d'aphasie. Des recherches intensives n'ont pas permis de retrouver la trace du Noir, ni de quiconque l'ayant entrevu. Néanmoins, l'affaire n'est pas allée plus loin que l'enquête du coroner tant à cause de l'inventivité efficace de Mrs Hatch que du manque d'éléments pour étayer toute autre version. J'avais ma propre idée, et après ce que tu viens de traverser, tu devines dans quel sens elle allait.

« Quant aux autres points sur lesquels tu enquêtes, dis-tu, il m'atterrent mais ne me surprennent pas : cette femme est l'un des êtres les plus dangereux qui soient. Il est regrettable que je n'aie jamais réussi à en convaincre quiconque. Tu indiques dans ta lettre que tes investigations à New York sont dans une impasse. Vois-y un signe. Ne t'attaque plus directement à Libby Hatch, et si les gens avec qui tu travailles sont des enquêteurs un tant soit peu compétents, viens ici avec eux sans perdre un instant. Je connais naturellement le Dr Kreizler de réputation, et je serais ravi de faire sa connaissance.

« Informe-moi par câble si vous venez et quand. Les courses commencent le 28, il y aura peut-être quelques chevaux qui méritent attention. Mais je suis sérieux, John : n'essaie pas de battre cette femme avec une enquête officieuse. Même si tu avais toute la police derrière toi, je serais inquiet : elle trouverait un moyen de vous rouler tous et même de vous tuer, si besoin est. Ou tu abandonnes la partie, ou tu viens ici, et nous verrons ce que nous pouvons faire ensemble. Tout autre choix mènerait au désastre. Ton ami, Rupert Picton. »

Miss Howard replia la lettre, la glissa de nouveau dans l'enveloppe.

— C'est tout, dit-elle.

Le docteur demeura un moment immobile puis se tourna vers le sofa, où Mr Moore semblait à peu près remis.

— Un personnage haut en couleur, ton ami...

— Ne te laisse pas abuser par ses plaisanteries, dit le reporter, puisant une cigarette dans le coffret posé sur le bureau. C'est l'un des esprits juridiques les plus fins que j'aie jamais rencontrés. Il aurait pu faire une brillante carrière mais... Sa santé s'est détériorée, son couple s'est brisé. (Il alluma sa cigarette, l'air troublé.) Je n'ai jamais su les détails.

Cyrus prit la parole, perplexe lui aussi :

— Il laisse entendre que c'est elle qui a abattu les enfants ?

— Oui, répondit Miss Howard. Il en est même tout à fait sûr, semble-t-il.

— D'autres victimes à ajouter à la liste, fit Lucius.

J'interviens :

— C'est peut-être les mêmes que sur la photo que j'ai vue chez elle. Les trois gosses plus âgés...

— Ça concorderait, estima Lucius. On ne peut pas étouffer trois enfants assez grands pour se défendre — et pour parler, s'ils survivent.

— Cela ne cadre pas vraiment avec le schéma, objecta Cyrus. A notre connaissance, elle n'a tué que des nouveau-nés, parce qu'ils lui posaient problème à ce stade de la vie...

— Bonne remarque, le complimenta l'aliéniste, qui jouait avec un crayon. Mais la similarité essentielle demeure : les enfants ont été assaillis par une personne qui avait clairement l'intention de les tuer.

Marcus poussa un soupir.

— Si cette affaire n'était aussi horrible, je dirais qu'elle devient grotesque...

— Loin de là, répondit le docteur. Ces informations ne font que confirmer le caractère profondément enraciné des tendances de cette femme. Son passé est à l'image de son comportement actuel. (Il baissa la voix pour prononcer les mots qui lui tenaient lieu de devise.) La clé réside dans les détails... (Il se leva, contempla par la fenêtre le petit jardin s'étendant derrière la maison.) Et ces détails se trouvent ailleurs, pas ici. Si nous voulons réellement progresser, nous devons partir.

— Est-ce bien sage ? s'interrogea Lucius. Si nous quittons la ville, Libby Hatch pourrait penser que nous lui abandonnons le terrain... Et Dieu sait alors ce qui arriverait...

— Nous ne partirons pas avant que vous ayez eu une confrontation avec elle, sergent. Et dans votre mise en garde, vous pourrez ajouter que nous connaissons aussi ce crime. Espérons que cela la fera plus encore hésiter à agir. Si nous restons ici, nous ne sortirons pas de l'impasse. Le passé est notre voie d'accès à cette femme, et nous devons l'emprunter.

Marcus revint prudemment sur le problème de l'Institut :

— Et… l'autre affaire, docteur ? Cela ne vous gêne pas de quitter New York sans qu'elle soit réglée ?

L'aliéniste haussa les épaules.

— Comme vous l'avez tous deux souligné, je ne puis faire grand-chose avant l'audience. S'il y avait eu des secrets à déterrer, vous l'auriez fait, je le sais. Que je reste ou que je parte n'a que peu d'importance.

Je vis ce qui ressemblait à de l'amertume se refléter sur son visage quand il ajouta à mi-voix :

— J'avoue que je n'ai jamais été aussi las de cette ville. Et de ses habitants… (Il se ressaisit, se tourna vers nous.) Partir est peut-être la meilleure solution, à tous points de vue.

— Aucun doute, approuva joyeusement Mr Moore. Surtout compte tenu de notre destination. Saratoga est un paradis en cette saison. Et si vous ajoutez les… distractions…

Tout le monde sourit, sauf Miss Howard, qui ramassa un livre pour le lancer à la tête du journaliste.

— Nous savons tous pourquoi tu veux partir, John, mais tu n'auras que très peu de temps pour te livrer à tes turpitudes habituelles !

— Je parlais de nos heures de loisir ! protesta-t-il en s'abritant. Nous ne pouvons pas travailler jour et nuit, tu sais ! Et voyons les choses en face, Saratoga…

— Saratoga est une porcherie, acheva-t-elle à sa place, un lieu vulgaire et dégoûtant, où des hommes gras et riches s'adonnent au jeu, mentent à leur femme et remplissent les poches des proxénètes et des prostituées…

— On croirait entendre ton amie Nellie Bly, répliqua-t-il. D'ailleurs, je ne suis ni marié ni gras.

— Ce n'est qu'une question de temps. Quant à Nellie, tout ce qu'elle a écrit dans le *World* sur cette sentine de vices est vrai, et il fallait beaucoup de courage pour le dire.

— Oui, presque autant que pour épouser son millionnaire de soixante-quinze ans, riposta-t-il.

Miss Howard plissa les yeux, marqua un temps avant de répliquer :

— Mr Seaman n'a pas soixante-quinze ans.

— Non, il en a soixante-dix, corrigea distraitement Marcus. (Un regard de la jeune femme suffit à lui faire aussitôt regretter d'avoir ouvert la bouche.) Pardon, Sara, mais il a...

— C'est un miracle que l'espèce humaine existe encore, rétorqua-t-elle, furieuse, avec des singes comme vous pour assurer sa survie !

— Les enfants, les enfants ! intervint le docteur en frappant dans ses mains. Nous avons trop d'affaires urgentes à régler pour perdre notre temps en chamailleries. Nous sommes lundi soir. Quand pouvons-nous être prêts à partir ?

— Demain, répondit aussitôt Mr Moore, visiblement impatient d'arriver à Saratoga Springs où, comme l'avait dénoncé Miss Howard, le jeu et les femmes avaient depuis longtemps évincé la cure thermale comme principale source de revenus.

— Il nous faudra un peu plus de temps, à Marcus et à moi, prévint Lucius. Je ne crois pas que nous aurons du mal à convaincre le capitaine O'Brien que nous partons pour surveiller vos mouvements, docteur, mais nous avons pas mal de choses à régler, sans oublier la petite visite à Bethune Street.

— Très bien. Alors disons jeudi matin ?

Tout le monde approuvant la suggestion, mon maître feuilleta son exemplaire du *Times*.

— Nous pouvons prendre un vapeur à aubes jusqu'à Troy, et de là le train pour Ballston Spa. A toi d'arranger le reste, John.

— Aucun problème, assura Mr Moore. Un tramway électrique relie Ballston au centre de Saratoga. Un quart d'heure pour me retrouver devant le Canfield's Casino !

— Grand bien te fasse, lui lança Miss Howard d'un ton acide.

— Stevie ? m'appela le docteur. Demain matin, tu passes à la jetée de la 22ᵉ Rue pour voir quel bateau part jeudi matin. Essaie d'avoir des places sur le *Mary Powell*, si possible. Je préfère ses salons particuliers, et il est généralement moins bondé que les autres vapeurs qui font la ligne de jour.

— D'accord. Combien de salons ?

— Un seul devrait suffire, mais réserves-en deux, au cas où il continuerait à pleuvoir. Quant aux bagages, je vous recommande de prévoir un séjour d'un mois, au cas où. Moore, tu t'occupes des réservations d'hôtel avec Sara. Bien, ne perdons plus de temps.

La perspective de fuir New York en plein été ne tarda pas à produire ses effets habituels — un soulagement, une sorte de joie légère — malgré les faits inquiétants que nous avions appris de Mr Rupert Picton. Si nous devions poursuivre l'enquête sur l'épouvantable affaire Libby Hatch, il serait plus agréable de le faire dans le cadre verdoyant du nord de l'Etat que dans la fournaise de Manhattan.

C'est du moins ce que nous nous imaginions.

27

La maison de la 17ᵉ Rue bourdonna d'activité pendant les deux jours qui suivirent. Nous dûmes non seulement faire nos bagages mais aussi confier les chevaux à une écurie et fermer la maison pour ce qui pouvait être une absence prolongée. Il fallait aussi trouver quelqu'un pour s'en occuper de temps en temps, quelqu'un d'un tempérament moins impétueux — et si possible maîtrisant mieux l'anglais — que Mrs Leshko. Par l'intermédiaire de Cyrus, le docteur finit par proposer ce travail à l'un des gardiens de son Institut, et, par le même canal, l'homme accepta. La chance fut avec nous jusqu'au bout sur ce chapitre : quand nous prévînmes Mrs Leshko que nous partions, et que nous n'aurions pas besoin d'elle pendant notre absence, elle répondit — ou du moins, c'est ce que nous crûmes comprendre — que c'était aussi bien car elle ne pouvait plus assurer son service. Elle et son mari avaient décidé de partir tenter leur chance dans l'Ouest en ouvrant un restaurant dans une ville minière du Nevada. Le docteur, soulagé qu'elle lui eût épargné la corvée de la congédier, lui régla deux semaines de salaire, assorties d'une prime généreuse. Aucun de nous n'était cependant convaincu que Mrs Leshko réussirait grâce à ses talents culinaires. Nous avions tendance à croire que même les mineurs ne pouvaient avoir faim à ce point.

Le *Mary Powell* partait effectivement ce jeudi-là et je pus réserver deux salons. Sage précaution, semblait-il, car il ne cessa de pleuvoir tout la journée du mardi. Dans l'après-midi, Miss Howard et Mr Moore — qui échangeaient encore des piques sur la moralité des distractions de Saratoga — vinrent à la maison attendre avec nous les Isaacson, partis notifier à Libby Hatch ce que nous savions sur son compte. Nous passâmes quelques heures empreintes de nervosité dans le salon, où Cyrus essaya de calmer tout le monde en jouant doucement du piano, mais malgré ses efforts, la pluie et le vent, qui redoublaient, semblaient nous annoncer quelque catastrophe.

Nos craintes se révélèrent sans fondement. Les inspecteurs revinrent vers cinq heures, soulagés et un peu gais. La visite s'était déroulée aussi bien qu'on pouvait l'espérer : l'occupante du 39, Bethune Street avait refait son numéro de séduction, les invitant même à entrer, mais ils avaient tenu bon et débité leur déclaration sur le perron, sous la pluie et l'eau ruisselant du toit. Ils avaient énuméré tous les points que nous avions élaborés, vrais ou faux, commençant par affirmer que la police était au courant de ses agissements, déclarant ensuite que nous connaissions sa cachette « secrète » à la cave et que le docteur continuerait à leur servir de conseiller spécial pour cette affaire. Ils terminèrent en lui assenant qu'ils avaient percé à jour ce qui s'était passé à Ballston Spa trois ans plus tôt et qu'ils se rendaient là-bas pour confirmer leurs soupçons. Si quoi que ce soit arrivait à son mari, si l'on retrouvait mort un bébé correspondant au signalement d'Ana Linares, elle devait s'attendre à finir sur la chaise électrique, à Sing Sing. Certes, peu de femmes étaient exécutées aux Etats-Unis, mais avec un palmarès criminel aussi fourni que le sien, elle pouvait espérer accéder à ce club très fermé.

Lucius nous décrivit la réaction de Libby Hatch à ces propos. Abandonnant son numéro de tentatrice, elle avait protesté de son innocence, versant même quelques larmes, puis elle avait reproché aux sergents de ne pas comprendre les « circonstances atténuantes » (l'expression était de Lucius, pas d'elle) de ses actes. Finalement, la cruauté pure et simple avait éclaté dans ses yeux d'or. Ce fut le seul moment, nous dirent les deux frères, où ils redoutèrent la suite. Après tout, ils se trouvaient en plein cœur du territoire des Dusters, et vulnérables aux assauts de la bande — à supposer que Libby Hatch eût envie de laisser les nervis de son amant régler l'affaire au lieu d'abattre elle-même les deux hommes. Mais les Isaacson l'avaient prévenue qu'un grand nombre de leurs collègues savaient où ils étaient et ce qu'ils faisaient. S'ils ne rentraient pas, personne n'aurait de mal à comprendre pourquoi. Quand lui et son frère retournèrent au fiacre qui les attendait, précisa Marcus, il eut l'impression qu'un flot de haine pure s'échappait de l'entrée du n° 39. Ils entendirent la porte claquer puis un petit cri de rage s'élever à l'intérieur de la maison. Ils quittèrent cependant le quartier sans être inquiétés et firent halte en chemin juste assez longtemps pour calmer leurs nerfs avec un petit verre de rye et une bière — chose rare pour Lucius — à l'Old Town Bar, au coin de la 18e Rue et de Park Avenue.

Ainsi, la guerre avait été déclarée à notre ennemie, conclut Mr Moore, et de vive voix. Le docteur lui rappela aussitôt que considérer Libby Hatch comme notre « ennemie » n'aiderait pas notre enquête. Nous nous rendions dans le nord de l'Etat pour découvrir non pas ce qu'elle avait fait mais pourquoi elle l'avait fait, et bien qu'il fût difficile, compte tenu de tout ce que nous savions d'elle, de voir les choses comme elle-même les avait vues à l'époque où elle grandissait et devenait une mère, c'était une tâche primordiale. Si nous voulions comprendre ce qui l'avait poussée à commettre ses actes de violence passés et présents — de façon à pouvoir deviner ses plans —, nous devions cesser de lui accoler l'image de servante du Diable. Libby Hatch était une personne que des événements inconnus avaient rendue capable d'actes indicibles, et nous ne comprendrions jamais vraiment ces événements si nous ne les percevions pas avec les yeux de la jeune fille et de la jeune femme qu'elle avait été.

Propos sensés, et si le temps s'était quelque peu calmé le mercredi, il m'eût été plus facile d'être aussi raisonnable. Mais l'aube se leva ce jour-là sur un ciel noir, et toutes les fenêtres de la maison se mirent à trembler. A midi, une tempête venue du sud-ouest déferla non seulement sur la ville mais sur toute la partie est de l'Etat. A Matteawan — nous l'apprîmes plus tard —, les pluies firent se rompre plusieurs digues, et huit personnes périrent dans les inondations qui suivirent. Il est peut-être vrai que ce qui se passe dans le ciel n'est qu'un phénomène météorologique dépourvu de sens, mais l'idée que nous avions provoqué l'ire de quelque entité puissante me trotta dans la tête toute la journée pendant que nous procédions aux derniers préparatifs.

Le mercredi soir, la tempête continuait à faire rage et je n'avais toujours pas de nouvelles de Kat. A mesure que la nuit s'avançait, je songeais avec une appréhension croissante qu'elle partirait probablement pour la Californie pendant notre absence et, ne pouvant me joindre là-bas, conclurait que je me désintéressais totalement de son sort. Assis dans ma chambre, regardant d'un œil morne les éclairs et la pluie, les branches des arbres de Stuyvesant Park que le vent tordait dans un sens puis dans un autre, je sentais croître mon inquiétude. Avait-elle au moins un coin où dormir par un temps pareil ? Elle avait de quoi se payer une chambre convenable… à moins qu'elle n'eût déjà tout dilapidé en une orgie de coco ? Ding Dong avait-il découvert l'argent et forcé Kat à le lui remettre ? Pouvait-elle compter sur quelqu'un d'autre que moi pour l'aider ? Je l'espérais de tout cœur, car, aussi vives que soient mes craintes, je ne pouvais me résoudre à franchir la porte de ma chambre. Je tentai de me convaincre que c'était à cause du vent et de la pluie, mais une voix en moi répondit que j'avais passé beaucoup de nuits à errer dans les rues sous l'orage. Je fis valoir que c'était à *elle* de venir, pour une fois, si elle avait besoin d'aide. Je savais pourtant que, fâchée comme elle l'était au moment où nous nous étions séparés, elle ne ferait jamais le premier pas. En vérité, j'ignorais pourquoi j'étais incapable de partir à sa recherche.

Je découvris le lendemain matin en m'éveillant que la tempête s'était apaisée. Le soleil et une brise légère séchaient la ville, où la température était enfin retombée sous les vingt degrés. Il n'était pas encore sept heures et demie, mais la voiture que le docteur avait commandée pour nous conduire avec nos bagages à la jetée de la

22ᵉ Rue arriverait dans une demi-heure, et le *Mary Powell* devait appareiller à neuf heures. Je fis rapidement ma toilette, bouclai la petite et la grande valise que le docteur m'avait données et descendis.

Le Dr Kreizler et Cyrus étaient debout : le premier triait dans son bureau les livres et les revues qu'il voulait emporter, le second s'affairait dans la cuisine. Lorsque le café fut prêt, nous l'étions aussi. Nous rassemblions nos bagages dans l'entrée quand la voiture arriva. Son cocher, un vieil Allemand à qui le docteur s'adressa dans sa langue maternelle, nous aida à les charger, et nous fîmes nos adieux à la maison sans savoir quand nous franchirions de nouveau la petite grille en fer forgé du jardin.

Lorsque nous arrivâmes à proximité de la jetée, je passai la tête par la portière : le *Mary Powell* était à quai, devant une foule énorme. L'odeur du fleuve et la perspective de partir pour un lieu nouveau et excitant me fouettaient le sang, mais je ne me rendis compte de mon agitation que lorsque le docteur pressa ma tête entre ses mains en me disant que c'était le seul moyen d'empêcher mon crâne d'exploser.

Les autres passagers semblaient aussi soulagés que nous par le brusque changement de temps. La plupart d'entre eux n'emportaient cependant pas autant de bagages — des vapeurs comme le *Mary Powell* transportaient essentiellement des amateurs de croisière d'un jour — et nous n'eûmes aucun mal à trouver un porteur. Je proposai au docteur d'aider l'homme à décharger nos bagages et à les monter à bord pendant qu'il irait vérifier si les autres étaient arrivés. Cyrus et mon maître me laissèrent donc, et je commençai à charger les valises sur le diable du porteur italien avec l'aide du cocher allemand. Je ne comprenais pas un mot de ce que l'un et l'autre disaient, mais cela n'avait aucune importance : la vue du vapeur prêt à partir, des cheminées jumelles et des deux grosses roues à aubes latérales, symboles de puissance et de sûreté, conjuguée à l'excitation parcourant la foule joyeuse des passagers, me remplissait d'énergie et de joie.

C'est étrange comme les plus petites choses peuvent

changer votre humeur en un clin d'œil. Un bruit, une odeur infléchissent parfois vos pensées plus que des heures de conversation ou des années d'expérience. Pour moi, ce matin-là, ce fut de voir — d'entrevoir, à vrai dire — la personne que je souhaitais le moins rencontrer : Ding Dong.

Il était assis à une trentaine de mètres sur une pile de caisses, mais ses yeux étaient braqués sur moi. Son éternel sourire mauvais déformait ses traits. Dès qu'il sut que je l'avais remarqué, il sauta à terre, élargit son sourire et eut un mouvement obscène du pelvis et des mains.

Je reçus le message en pleine figure : Kat était retournée auprès de lui.

Groggy, je baissai les yeux, la bouche grande ouverte, puis une voix s'éleva quelque part dans ma tête : *Bien sûr qu'elle est retournée auprès de lui. Elle n'avait nulle part ailleurs où aller, à cause de toi...*

Lorsque je relevai la tête, Ding Dong avait disparu dans la foule. Vraisemblablement, il nous avait suivis depuis la maison et, satisfait de nous voir partir, avait voulu me dire au revoir avec un message personnel qui me meurtrirait le cœur autant que j'avais meurtri son visage. Il avait atteint son but. Je lâchai la valise que j'avais à la main, m'effondrai dessus, si étourdi que j'entendis à peine la voix familière — hors de ma tête, celle-là — qui m'appelait.

— Stevie !

C'était Mr Moore qui s'approchait, suivi d'un porteur.

— Stevie, répéta-t-il en s'agenouillant près de moi. Qu'est-ce qu'il y a ? Où est le docteur ?

— Ils... commençai-je, me secouant pour surmonter le choc. Ils sont déjà à bord. J'amène les bagages, avec les porteurs.

— Il s'est passé quelque chose ? On dirait que tu as vu un fantôme.

— Pas un fantôme. Les Dusters. Ils ont dû nous suivre.

Il se releva, inspecta le quai.

— Ils ne sont pas montés à bord ?

— Non. Ils sont repartis. C'était juste pour me... pour nous faire savoir qu'ils nous ont à l'œil.

324

— Hmm, fit-il. Viens. Avec un peu de chance, nous resterons absents assez longtemps pour qu'ils nous oublient complètement.

Je me mis debout et me dirigeai avec lui vers la passerelle du *Mary Powell*.

— Ça ne te ressemble pas de te laisser impressionner comme ça, reprit-il. Enfin, après cette bagarre, je comprends.

Sans répondre, je hochai la tête et tentai de redonner à ma respiration un rythme normal. J'y étais presque parvenu quand nous fûmes à bord, mais le poids de la culpabilité continuait à m'écraser.

Nous laissâmes nos porteurs nous précéder en direction de nos salons particuliers. Situés au milieu du bateau, côté bâbord, sur le pont supérieur, c'étaient des pièces magnifiques, avec des boiseries sculptées, des meubles superbes et des fenêtres qui nous offriraient une vue non seulement sur les falaises des Palisades peu après notre départ mais aussi sur les Catskills durant le voyage. Pour le moment, tout ce luxe me laissait froid. Une fois tout le monde installé, je marmonnai que j'avais envie d'explorer le bateau et je me glissai dehors.

Au bout du pont principal, juste avant les vastes salles à manger, je trouvai des toilettes et y pénétrai, sous le regard sceptique du vieil employé. Je m'enfermai dans un des cabinets, m'adossai au mur carrelé et allumai un clope en tâchant de chasser les pensées et les sentiments qui me déchiraient. Je n'avais pas beaucoup progressé quand j'entendis la voix de l'employé, de l'autre côté de la porte :

— Ces toilettes sont réservées aux messieurs.

— Ces toilettes sont réservées aux passagers, connard ! ripostai-je. Alors, fous le camp, si tu veux pas finir le voyage avec un bras cassé.

Je l'entendis pousser un soupir offensé mais il ne répondit pas. Me rappelant qu'il ne faisait que son travail, j'ajoutai d'un ton plus calme :

— T'en fais pas, je m'en vais tout de suite.

Je m'accordai une minute ou deux pour finir ma cigarette, jetai mon mégot dans la cuvette et sortis sans un regard pour l'employé.

Comme je grimpais de nouveau les marches de bois vers le pont supérieur, la sirène principale du bateau émit un meuglement : nous appareillions. Ne me sentant pas encore prêt à retrouver les autres, je montai sur le pont-promenade et poussai aussi loin que je pus, me glissant dans l'espace exigu entre le bastingage et la timonerie. J'étais côté tribord, et la masse du bateau m'empêchait de voir la foule restée sur la jetée. Le *Mary Powell* commença à s'écarter lentement du quai. Bientôt, il gagna le milieu du fleuve, où ses énormes roues se mirent à tourner avec un grondement qui ne parvint cependant pas à étouffer la petite voix dans ma tête :

Elle est pas comme toi. Elle a pas grandi à New York; elle a beau dire, elle a jamais compris cette ville. Et toi, t'es resté planté là, tu l'as laissée se fourrer de nouveau dans les ennuis, juste parce qu'elle t'embarrassait...

Perdu dans ces pensées amères, je sursautai quand j'entendis la voix du docteur derrière moi :

— Tu ne verras pas grand-chose de ce côté, me dit-il en me rejoignant près du bastingage. A moins que tu ne tiennes pas vraiment à voir la ville s'estomper derrière nous...

En me retournant, je découvris les quais de l'Hell's Kitchen, devant lesquels nous passions.

— Quelque chose comme ça, réussis-je à bredouiller.

Il hocha la tête et nous restâmes un moment silencieux.

— Nous arriverons bientôt aux Palisades, finit-il par dire. Nous allons de l'autre côté ?

— Ouais, bien sûr.

A bâbord, le paysage lointain changea sous nos yeux de manière aussi spectaculaire que si nous avions pénétré dans un autre monde. Sur notre gauche s'alignaient les petites maisons vieillottes de Weehawken, tandis que, devant, les faubourgs clairsemés d'autres bourgades composaient un tableau pareillement humble et paisible. Bientôt un manteau de végétation recouvrit totalement la berge, pour n'être brisé que lorsque nous parvînmes aux plaques géantes de roches brun et gris qui se dressent sur des kilomètres et qu'on appelle les Palisades. Ces falaises hautes d'une centaine de mètres étaient la première des nombreuses merveilles naturelles que l'Hudson avait à offrir au voyageur ; comme le fleuve lui-même, elles avaient pour effet de vous arracher aux soucis immédiats du monde humain.

Alors que nous contemplions les rochers, le docteur prit une longue inspiration et murmura :

— C'est une étrange affaire, Stevie. Etrange et déroutante. Notre esprit répugne à accepter de tels faits et possibilités... (Les yeux braqués vers les Palisades, il poursuivit :) Tu sais, quand j'y réfléchis, je ne puis m'empêcher de songer à ma propre mère. C'est curieux, tu ne crois pas ?

— Je... je sais pas. Ça dépend de ce qui vous fait penser à elle.

— Une prise de conscience. Je n'ai jamais pu comprendre pourquoi elle n'intervenait jamais lorsque mon père me battait. Même quand je n'avais que trois ou quatre ans et que j'étais totalement incapable de me défendre, elle ne faisait pas un geste.

Ses yeux semblaient interroger l'eau, la forêt, les roches, et il n'y avait pas trace d'apitoiement sur soi dans ce regard car le docteur méprisait ce genre de sentiment. Il posait simplement la question — et il avait tout lieu de s'interroger.

Dès son arrivée sur terre, les gens qui lui étaient le plus proches avaient été pour lui une source d'ennuis ou de chagrin, parfois des deux. Son père, riche éditeur allemand ayant émigré en Amérique après l'échec des révolutions de 1848 en Europe, avait eu de l'aversion pour son fils dès le départ. Bien qu'il fût un personnage estimé et admiré dans les milieux de la haute société, c'était chez lui un tyran et un ivrogne qui faisait tâter à sa femme hongroise et à ses deux enfants (car le docteur avait une sœur qui vivait en Angleterre) de ses mains ouvertes et de ses poings.

— Peut-être qu'elle savait pas ce qui se passait, suggérai-je avec un haussement d'épaules. Ou alors, elle avait peur qu'il la cogne encore plus fort que d'habitude si elle s'interposait.

Le regard du docteur me fit comprendre qu'il avait maintes fois envisagé cette possibilité.

— Qu'elle ne sût pas, c'est hautement improbable,

voire impossible, étant donné la nature violente de ses propres relations avec lui. Quant à ne pas vouloir encourir sa colère, elle la provoquait trop souvent délibérément pour que j'adhère à cette hypothèse. J'ai toujours su que la violence de mon père satisfaisait en elle une tendance perverse. Mais la violence envers ma sœur et moi ? Je ne crois pas qu'elle en tirait du plaisir. Non, depuis le début de cette affaire, une autre explication s'est présentée à moi : l'idée que, si ma mère aimait ses enfants, leur bien-être ne constituait pas pour elle une priorité. Et la vraie question n'est pas de savoir pourquoi il en était ainsi, mais bien plutôt pourquoi cette hypothèse était si difficile à accepter ou même à formuler — bref, pourquoi il a fallu cette affaire de meurtre pour m'y faire penser. Après tout, lorsqu'un homme n'accorde à ses enfants qu'une importance secondaire, on le critique parfois mais on trouve rarement sa conduite inhabituelle. Pourquoi aurions-nous une opinion différente quand c'est une femme ?

— Ben, parce que c'était votre mère, répondis-je machinalement. Chez une mère, c'est naturel.

— Une telle réponse dans ta bouche, Stevie ? fit le docteur avec un petit rire.

Me rendant compte de la stupidité de mes propos, je cherchai une échappatoire :

— On parlait pas de ma mère, là.

— Non. Dans ce genre de discussion, on ne parle jamais de la mère de qui que ce soit. On parle de ce que Sara appellerait une abstraction, un mythe. (Il prit son étui à cigarettes.) Est-ce que je t'ai jamais parlé de Frances Blake ?

— La femme que vous avez failli épouser à Harvard ?

— Celle-là même. Elle t'aurait étonné. Riche, ne ratant jamais une soirée ou une sortie ; assez intelligente mais trop ambitieuse sur le plan personnel pour prendre le temps de développer ses intuitions. Demande à Moore, il la détestait. (Il alluma une cigarette, sourit.) Comme j'ai fini par le faire. (Il rejeta la fumée et son visage prit une expression perplexe.) Elle n'était pas sans ressembler à ma mère, à maints égards...

— Qu'est-ce qui vous plaisait en elle ?

— Outre certains attraits évidents, elle avait un côté vulnérable, et cela lui permettait apparemment de comprendre la folie destructrice d'une bonne partie de ses actes. Dans ma naïveté de jeune homme, je croyais pouvoir renforcer ce trait jusqu'à ce qu'il devienne dominant.

— Vous vouliez la changer, alors ?

— Est-ce une critique que je décèle dans ta voix ? me demanda-t-il, riant de nouveau. Eh bien, tu as parfaitement raison. Je me suis comporté comme un idiot… Imagine : envisager d'épouser une femme rien que parce que tu la crois susceptible de changer. Elle en était incapable, bien sûr. Une vraie tête de coch… enfin, disons, une forte personnalité.

Je baissai les yeux vers les eaux de l'Hudson qui s'écartaient en écumant de l'étrave du vapeur. Une rafale de vent frais frappa le bateau et le docteur resserra le col de sa veste autour de son cou.

— Tout cela était inconscient, bien sûr, continua-t-il. Mais on peut être aussi bête inconsciemment que consciemment, n'est-ce pas ? (Il tira une bouffée de sa cigarette, tourna le dos au vent.) En prenant de l'âge, j'ai compris que mon attitude comportait quelque chose de plus néfaste que le simple désir de changer Frances. Je m'étais persuadé que si elle ne changeait pas, si elle continuait sa route vers la vie à laquelle ses propres désirs stupides la destinaient, ce serait en quelque sorte de ma faute.

— De votre faute ? fis-je, levant les yeux vers lui. Comment vous pouviez penser ça ?

Il haussa les épaules.

— Je ne le pensais pas, je le sentais. J'étais un jeune homme sans expérience, dont les relations avec sa propre mère avaient été un échec fondamental. Je ne pouvais m'empêcher d'endosser la responsabilité de cet échec, principalement à cause de ce que nous venons d'évoquer. Il n'est pas « naturel » d'accuser sa mère de fautes terribles. J'enfouis donc ces sentiments au fond de moi et je cherchai une autre femme dont je pourrais modifier la conduite. Par bonheur, une autre partie de moi-même, tout aussi primitive, me souffla que je ne pouvais sacrifier ma vie à une telle entreprise. Et je dis adieu à

Frances. (Le vent le fit frissonner.) Mais le procédé est intéressant : laisser une personne derrière soi pour la retrouver quelque part ailleurs. Dans une autre personne.

— Ouais, fis-je, émerveillé qu'il eût réussi — comme d'habitude — à parler de ce qui me tourmentait sans mentionner une seule fois mes problèmes.

Une pensée constructive me vint :

— C'est un peu comme ce qu'on fait avec ce boulot.

— Vraiment ?

— On laisse Elspeth Hunter à New York pour chercher Libby Hatch dans le nord de l'Etat. Sauf que là, c'est pas que l'une et l'autre se ressemblent, c'est que l'une est l'autre. Alors, peut-être que cette fois le procédé marchera, puisqu'il vise la bonne cible.

Il considéra la chose en finissant sa cigarette.

— Tu sais, Stevie, tu as peut-être un talent pour ce genre de travail. (Il regarda autour de lui, écrasa son mégot dans un seau de sable proche.) Le vent fraîchit. Nous avons commandé le petit déjeuner. Steak et œufs pour toi. Descends nous rejoindre quand tu seras prêt.

Il m'adressa un rapide regard, assorti d'un sourire tout aussi bref mais rassurant. Puis, claquant une fois des mains, il se dirigea vers l'escalier, la démarche incertaine sur cette partie tumultueuse de l'Hudson, et disparut.

Je me tournai vers les Palisades en portant la main à mon paquet de cigarettes mais décidai finalement de ne pas fumer. Le paysage était magnifique mais il le serait tout autant de notre salon, et je me rendis soudain compte que mon humeur changeait. Je n'avais plus envie d'être seul.

— Libby Hatch, dis-je, tambourinant des doigts sur le bastingage, t'as plus un seul endroit où te cacher…

Sans un regard pour l'eau qui bouillonnait derrière nous, je descendis à mon tour l'escalier.

Si j'avais tourné la tête dans cette direction, j'aurais aperçu une vedette à vapeur qui suivait le *Mary Powell* aussi vite que son petit moteur le lui permettait. Et si, ayant repéré cette embarcation, j'avais plissé les yeux pour l'examiner avec soin, j'aurais peut-être distingué la petite silhouette qui se tenait à sa proue — une silhouette dont j'aurais reconnu les traits sombres, les cheveux crépus et les vêtements trop grands. Malgré tous mes efforts, je n'aurais cependant pas vu les armes étranges que portait le mystérieux petit personnage, car cet arsenal, il le dissimulait jusqu'à ce qu'il soit prêt à frapper.

28

Quand j'étais venu vivre chez le Dr Kreizler et avais
commencé à étudier, entre autres nombreuses matières,
l'histoire de mon propre pays, il avait estimé que le
mieux était de commencer par le plus proche : l'histoire
de la ville et de l'Etat de New York. J'accompagnais
aussi le docteur quand il devait se rendre dans des péni-
tenciers et des asiles de fous situés dans la vallée de
l'Hudson, ou quand il allait à Albany témoigner devant
une commission ou une autre sur la façon dont l'Etat
devait traiter ses malades mentaux. Le paysage magnifique — quoique un peu effrayant — qui nous entourait
ce jour-là pendant notre très agréable croisière à bord du
Mary Powell ne m'était donc pas inconnu. Un sentiment
curieux, et que je n'avais jamais éprouvé lors des précédents voyages, s'insinua néanmoins en moi tandis que
nous remontions le fleuve. Je m'aperçus que j'avais plus
fortement conscience non seulement des montagnes brumeuses et des champs verts qui s'étendaient au-delà des
berges (sur lesquels l'amateur de jolies vues porte généralement son attention) mais aussi des villes serties dans
la campagne, et des nombreuses usines qu'on avait bâties
(et qu'on bâtissait encore) le long du fleuve. En d'autres
termes, la présence de l'homme dans ce qui, un siècle
plus tôt, je le savais, était encore une contrée sauvage
pesait lourdement sur mon esprit, pour une raison qui
m'échappait totalement.
Pendant tout le petit déjeuner, je me demandai ce qui

pouvait me faire voir les choses aussi différemment. Ce n'est qu'après être remonté sur le pont-promenade avec Miss Howard pour fumer une cigarette que je commençai à saisir un peu mieux mes sentiments : notre récente découverte du fait que Libby Hatch était née et avait grandi dans un cadre semblable changeait ma perception de la région que nous traversions et des gens qui l'habitaient. Ce n'était plus une contrée simple et tranquille où les gens vivaient au contact de la nature, loin de la laideur et de la violence de villes comme New York, c'était une succession de petits New York où certaines personnes avaient le même comportement décourageant, et dans certains cas écœurant, que tant de citadins. Je me surpris à faire le vœu que la nature sauvage régnant encore sur des montagnes comme les Catskills — qui se dressaient au loin sur ma gauche — reprenne possession de la terre et engloutisse les hideux petits nids d'êtres humains qui jalonnaient la vallée.

Mon rejet ne perdit rien de sa vigueur lorsque nous atteignîmes le cours moyen de l'Hudson, où les vastes résidences des vieilles familles hollandaises et anglaises parsemaient les flancs des collines, à notre droite. Mr Moore nous avait rejoints, et Miss Howard et lui s'abîmèrent dans une contemplation silencieuse de ces hauteurs. Je savais que chacun d'eux avait des raisons d'être triste puisqu'ils avaient passé la plus grande partie d'une enfance douce-amère dans la région. Chez lui, le paysage rappelait sans doute le souvenir de ce frère dont la mort l'avait tant affligé, ouvrant un fossé entre lui et les autres membres de la famille. (Il avait soutenu que c'étaient leurs manières hollandaises puritaines qui avaient poussé ce frère vers la morphine et l'alcool.) Miss Howard, de son côté, pensait probablement aux nombreux étés et automnes qu'elle avait passés à chasser, à tirer à la carabine, à mener, d'une manière générale, une existence de jeune garçon auprès d'un père adoré qui n'avait pas eu de fils (ni d'autre enfant en dehors d'elle) avec qui partager ses passions masculines. Ledit père était mort d'un mystérieux accident de chasse dans les bois quelques années plus tôt, et on avait parlé de suicide. Mais Miss Howard — que sa disparition avait frappée si durement qu'elle avait dû passer quelque temps dans un sanatorium — avait toujours combattu ces rumeurs.

Le *Mary Powell* fit une brève halte à Albany, ville animée enlaidie par de multiples fabriques, une voie de chemin de fer et des maisons d'ouvriers bordant le fleuve. Cette vue ne contribua pas à nous rendre d'humeur plus joyeuse. Beaucoup de passagers débarquant dans la capitale de l'Etat, il ne resta à bord que ceux qui faisaient le périple jusqu'au retour à New York et ceux qui, comme nous, s'arrêteraient à Troy. Entre Albany et Troy, seuls quelques kilomètres de rives demeuraient sauvages, et les usines fumantes devant lesquelles nous passions, les ouvriers misérables et sales qui en sortaient ne firent que confirmer mon idée que la campagne était de plus en plus contaminée par les désirs mesquins et brutaux de l'humanité.

Quant à Troy, c'était une ville prospère mais effroyable ; des dizaines d'usines et de cargos empoisonnaient le fleuve, dans l'unique but de fournir au reste du monde le dernier cri en matière de locomotive ou de matériel agricole. Lorsque nous quittâmes le *Mary Powell,* un superbe coucher de soleil était apparu au-dessus de la partie ouest de la ville, et je mourais d'envie de me perdre dans la campagne, de courir vers cette boule flamboyante, loin de la ville. Je fus donc grandement déçu, quand nous arrivâmes à la gare et aux bureaux de la Compagnie de chemin de fer du Delaware et de l'Hudson Canal, d'apprendre que la tempête de la veille avait aussi touché cette région et provoqué un déraillement entre Troy et Ballston Spa. Il nous faudrait attendre le lendemain pour poursuivre notre voyage, ce qui signifiait passer une nuit à l'Union Hotel — un établissement certes pas effroyable mais néanmoins décourageant pour un jeune homme qui brûlait de fuir la civilisation.

Le voyage en train du lendemain m'offrit quelque réconfort puisque, aussitôt après avoir laissé derrière nous Troy et ses environs, nous traversâmes des coins de campagne qui nous donnèrent une idée du charme magique que devait avoir cette partie de l'Etat avant que la civilisation la heurte de plein fouet comme un tramway fou. Nous longeâmes de vastes étendues boisées, vestiges, sans doute, de la forêt primitive, ainsi que deux grands lacs argentés, mais, chaque fois, nous ne tardions pas à voir apparaître un hameau ou une bourgade, indices que la vieille forêt était en train de perdre la bataille. Bientôt, le contrôleur de notre train annonça Ballston Spa et, quand nous pénétrâmes dans les faubourgs de la ville, mon humeur était plus maussade encore que la veille.

Cyrus avait emporté un petit guide de la région nord de l'Hudson dont il nous lut un passage tandis que nous nous acheminions lentement vers la fin de notre voyage : Ballston Spa, chef-lieu du comté de Saratoga, avait été autrefois réputé pour ses maisons de cure, mais, au siècle dernier, un grand nombre de sources s'étaient taries, et les établissements thermaux avaient été remplacés par des fabriques. Au début, ces grands bâtiments de brique avaient produit de la laine, du coton, du lin, ainsi qu'une curieuse hache d'armes ressemblant à un cimeterre turc (pour l'armée de l'Union, pendant la guerre de Sécession). Mais les usines avaient à leur tour connu des temps difficiles. La plupart d'entre elles avaient été construites au bord d'un torrent qui traversait la ville, le Kayaderosseras (vieux nom iroquois signifiant quelque chose comme «la rivière aux eaux tumultueuses»), mais on avait tellement déboisé dans les années qui suivirent que, en 1897, le Kayaderosseras n'était plus qu'un ruisseau incapable d'actionner quoi que ce soit. La fumée noire des fourneaux s'échappait maintenant par les cheminées des usines, qui continuaient à fabriquer des outils agricoles mais étaient surtout renommées pour leurs produits en papier.

Si le guide de Cyrus s'efforçait de présenter cette mutation de façon positive, on ne pouvait s'empêcher de conclure que, du fait de leur propre myopie, les habitants de Ballston Spa avaient en l'espace d'un siècle fermé la meilleure station thermale du Nord pour fabriquer ce qu'ils qualifiaient avec orgueil de «meilleurs sacs en papier du monde». Les vieux hôtels, ne pouvant rivaliser avec les établissements gigantesques et luxueux qui s'étaient ouverts à Saratoga Springs, avaient été convertis en pensions de famille pour les ouvriers ou brûlés.

La gare était située au pied d'une colline séparant la partie industrielle des quartiers rupins. En haut de ladite colline courait ce qu'un lourdaud en veine d'invention avait appelé High Street, la rue Haute, qui regroupait la plupart des églises et des services administratifs. Le bâtiment même de la gare était sans intérêt — le genre de construction longue et basse qu'on rencontre généralement dans ces villes — et les quelques personnes qui attendaient sur le quai semblaient toutes du même tonneau. A une exception près.

L'homme se tenait tout au bout du quai, comme s'il savait que Mr Moore aimait voyager à l'arrière des trains et nous aurait convaincus de l'imiter (c'était effectivement le cas). Tirant sur sa pipe comme si sa vie en dépendait, il passait alternativement la main sur une barbe et une moustache méticuleusement taillées ou dans une chevelure rousse coiffée avec le même soin, jetant des regards en tous sens et tournant en rond sur le quai comme s'il était en feu. Ses yeux, qui, comme je pus le constater plus tard, étaient d'un gris très clair, avaient une expression à la fois résolue et légèrement égarée. Il consulta sa montre pas moins de trois fois pendant que notre train ralentissait — pourquoi ? je n'aurais su le dire, puisque nous étions arrivés — et la remit chaque fois dans son gousset avec une moue inquiète. Je le perdis de vue lorsque nous nous frayâmes un chemin vers la porte de notre voiture, mais, pour une raison quelconque, je savais que c'était lui que nous étions venus voir.

Mr Moore se tourna vers nous quand le train pénétra dans la gare avec force grincements et gémissements.

— Bon, écoutez tous, dit-il d'un ton pressant. Surtout toi, Kreizler. Il y a un détail que j'ai négligé de vous révéler concernant Rupert, parce que je ne voulais pas vous décourager de lui confier l'affaire. Il est brillant mais... il est incapable de se taire, voilà.

— Qu'est-ce que tu veux dire, Moore ? S'il est d'une verbosité excessive...

— Non. Je veux dire qu'il est incapable de se taire.

— Bien sûr, s'esclaffa Marcus. Un juriste...

— Non, répéta Mr Moore avec plus de vigueur. C'est quelque chose d'une nature plus... physique. Il a vu des docteurs, à ce sujet. Il s'agit d'une sorte de compulsion ; j'ai oublié le nom qu'on lui donne.

— Logorrhée ? fit le docteur, l'air intrigué.

— Exactement, répondit son ami, claquant des doigts. Cela fait merveille au tribunal mais, dans la conversation, c'est parfois un peu trop. (Projeté contre la porte close de notre voiture quand le train s'arrêta brusquement, Mr Moore se dirigea vers le marchepied.) Je tenais à vous prévenir : Rupert est le plus aimable des hommes, mais les pensées ne cessent de surgir dans sa tête et de sortir par sa bouche. Alors ne prenez pas trop personnellement ce qu'il dit, d'accord ?

Nous le suivîmes sur le quai où Mr Picton continuait à faire les cent pas d'un air anxieux. En le voyant, Mr Moore s'écria d'un ton chaleureux :

— Picton ! Quelle tête tu fais, mon vieux ! On dirait que tu vas avoir des chatons !

— Votre train a du retard, répondit Mr Picton, souriant malgré une nervosité qu'il devait savoir évidente. Les trains sont toujours en retard, ces temps-ci. On parle de faire la guerre à l'Espagne et nous ne sommes pas fichus de faire arriver nos trains à l'heure ! Comment vas-tu, John ?

— Très bien, très bien, répondit Mr Moore, tandis que le reste de la troupe le rejoignait. Laisse-moi te présenter les autres. Miss Howard...

— Bonjour, Mr Picton, dit Sara, tendant la main. Je suis à l'origine de toute cette regrettable affaire, j'en ai peur.

— Pas du tout, Miss Howard, vous n'y êtes pour rien, assura Rupert Picton d'un débit rapide. C'est Libby Hatch qui a tout déclenché quand elle a versé pour la première fois un sang innocent, et qu'elle s'est aperçue qu'elle aimait ça. Vous, vous êtes à l'origine d'une enquête pour mettre fin à cette sinistre histoire, et vous avez tout lieu d'en être fière... ah ! et voilà le Dr Kreizler ! enchaîna-t-il. Je vous reconnais d'après les photos publiées avec vos monographies... fascinants, vos travaux, fascinants !

— Merci, Mr Picton. C'est très gentil à vous...

Mais l'homme se tournait déjà vers les inspecteurs.

— Et je présume que ces messieurs sont les sergents Isaacson ?

Marcus sourit, eut juste le temps d'ébaucher un « Oui, en ef... » avant d'être coupé :

— Ne m'attribuez pas un quelconque pouvoir de détection. Guère plus que de l'odorat, en tout cas. Je sens une vague odeur d'acide sulfurique...

Lucius coula à son frère un regard sombre en serrant à son tour l'active petite main.

— Désolé, Mr Picton. Si quelqu'un ne m'avait pas obligé à refaire cette analyse de strychnine juste avant que nous quittions New York...

— J'espère que vous avez emporté votre matériel, à ce propos. Nous en aurons besoin. Bien, occupons-nous de vos bagages...

Cyrus et moi, qui avions profité des présentations pour trouver un porteur, approchâmes de notre hôte par-derrière. Cyrus toussota une seule fois, mais cela suffit à faire sauter en l'air Mr Picton.

— Par tous les diables ! s'écria-t-il en se retournant. Qui êtes-vous ? Ah ! ne dites rien, John m'a parlé de vous dans sa lettre. Vous êtes le majordome du Dr Kreizler, exact ? Mr... euh...

— Puis-je vous présenter Mr Cyrus Montrose, intervint le docteur. Ainsi que Master[1] Stevie Taggert. Deux de mes collaborateurs.

Nous eûmes droit, l'un après l'autre, à sa vigoureuse poignée de main, puis il se recula et, mains sur les hanches, considéra notre petit groupe.

— Alors, c'est vous qui avez réussi à faire entrer la peur dans le cœur de cette meurtrière, hein ? Je dois vous exprimer mon admiration. Libby Hatch n'a jamais eu un seul motif d'inquiétude dans ce comté, je peux vous le dire. Portons vos bagages à ma voiture et allons chez moi. Nous devons nous mettre au travail le plus tôt possible ! Porteur ! Suivez-moi !

— Chez toi ? fit Mr Moore. Mais, Rupert, j'ai réservé des chambres à l'hôtel Eagle...

— Et j'ai annulé la réservation. Ma maison est assez

1. Titre donné au jeune garçon d'une famille riche. *(N.d.T.)*

grande pour accueillir un régiment, John ; j'y vis seul avec ma gouvernante. Il n'est pas question que vous logiez ailleurs !

Tandis que nous nous dirigions vers le vieux *surrey*[1] qui attendait devant la gare, Mr Moore revint prudemment à la charge :

— Tu es sûr, Rupert ? J'ai… j'ai entendu dire que tu n'allais pas très bien…

— Pas très bien ? rugit le petit homme roux. Je suis solide comme le dollar, plus solide, même, étant donné l'état actuel de notre monnaie. Oh ! je sais ce qu'on a dit à New York avant mon départ, et j'admets qu'à l'époque j'avais besoin de repos. Tu connais mon tempérament. Toujours sur les nerfs, je n'en disconviens pas. Mais ces rumeurs de dépression nerveuse ne visaient qu'à discréditer les accusations que je portais.

— Hum, je connais le procédé, dit le docteur, cependant que Mr Picton commençait à prendre les bagages sur le diable du porteur pour les charger dans sa voiture.

— Je n'en doute pas, Dr Kreizler ! Je n'en doute pas ! Et vous savez probablement aussi combien il vous épuise. Essayer de mettre un terme à ce qui se passait dans les services du district attorney m'a littéralement exténué, comme je le disais, et m'a mis les nerfs à vif. Mais rien à voir avec la folie, vous ne croyez pas ?

— Eh bien… commença lentement le docteur.

Trop lentement, visiblement, pour Mr Picton :

— Exactement ce que je veux dire ! Ah ! nous vivons dans un drôle de monde, où un homme est traité de fou uniquement parce qu'il dénonce la corruption générale ! Enfin, peu importe…

Après avoir lancé le dernier de nos sacs dans le *surrey*, Mr Picton se hissa sur le siège du cocher.

— En voiture, tout le monde. Mr Montrose, si vous n'y voyez pas d'objection, vous pourriez peut-être grimper sur le marchepied avec Master Taggert. Tenez-vous à la capote, nous n'allons pas loin.

— Ça me va ! m'écriai-je joyeusement en découvrant

1. Cabriolet à quatre roues très en vogue à la fin du XIXᵉ siècle. (*N.d.T.*)

que je commençais à apprécier ses façons farfelues de dire et de faire les choses.

— A la bonne heure ! Accrochez-vous, on y va !

Le cabriolet démarra mais nous étions à peine sortis de la cour de la gare que Mr Picton se relançait :

— Comme je le disais, docteur, toute cette affaire et ce que les gens ont raconté sur moi, ça n'a aucune importance, au bout du compte. Le monde roule vers l'abîme, et New York sera l'une des premières à basculer, si ce n'est déjà fait. C'est une des raisons pour lesquelles je suis revenu à Ballston : ici, il est possible de faire un peu de bien de temps à autre sans se soucier des magnats et des chefs.

Il tira de sa pipe quelques nuages de fumée dignes d'une cheminée en dirigeant son cheval dans une rue qui longeait le pied de la colline.

— Mais ne nous égarons pas, nous avons d'autres préoccupations pressantes, dit-il en regardant de nouveau sa montre. Pressantes, en effet ! Vous devez vous installer et vous sustenter. Mrs Hastings, ma gouvernante, s'occupera de vous. (Il secoua la tête.) Une affaire épouvantable. Elle et son mari ont tenu une mercerie pendant presque toute leur vie. Et puis, il y a deux ans, trois voyous du coin — à peine plus âgés que vous, Master Taggert — ont pillé le magasin pendant qu'elle était sortie. Ils ont battu le mari à mort avec une pelle. J'ai instruit l'affaire, et Mrs Hastings est entrée ensuite à mon service, plus par gratitude que pour autre chose, je crois.

— Par gratitude ? Parce que vous l'aviez aidée dans un moment difficile ? demanda Miss Howard.

— Parce que j'avais fait en sorte que ces trois lascars passent sur la chaise électrique ! Ah ! voilà ma maison, au bout de la rue.

Mr Picton possédait une résidence vaste comme un manoir au coin de Charlton et High Streets, pas très loin du tribunal, près de l'ancien établissement de cure Aldridge (transformé en pension de famille) et de la source Iron Railing, derniers vestiges des années fastes de la station thermale. A en juger par les quatre tourelles qui flanquaient la maison de Mr Picton et la large véranda qui entourait l'édifice, elle n'était pas aussi ancienne que beaucoup des résidences devant lesquelles nous étions passés. Mais ses dimensions mêmes lui donnaient quelque chose d'inquiétant, et je me demandai pourquoi un homme choisissait de vivre seul avec sa gouvernante dans une telle bâtisse. Les jardins de devant et de derrière étaient plantés de rosiers grimpants qu'on laissait pousser à leur fantaisie, et de deux ormes qui devaient être considérablement plus vieux que la maison elle-même, ce qui ne faisait que renforcer l'allure sinistre des lieux.

— Mon père l'a construite pour ma mère, expliqua Mr Picton. Il y a trente-cinq ans, elle passait pour le *nec plus ultra* du gothique victorien. Aujourd'hui… Comme je ne me suis jamais soucié de la mode, je l'ai plus ou moins laissée comme elle était. Mrs Hastings me presse de faire des travaux mais… Ah ! la voilà.

Une femme avenante et rondelette d'une soixantaine d'années, portant un tablier blanc sur une robe bleue, était sortie de la maison au moment où la voiture s'engageait dans le jardin. Mr Picton arrêta le *surrey* et adressa un geste à sa gouvernante.

— Mrs Hastings ! Vous voyez, je les ai trouvés sans problème ! Les chambres des tourelles sont prêtes, je suppose ?

— Oui, Votre Honneur, répondit-elle avec un grand sourire. Et le déjeuner vous attend. Soyez les bienvenus, c'est comme une bouffée d'air frais pour nous d'avoir des invités !

Après que Rupert Picton eut fait les présentations, je m'occupai des bagages avec Cyrus pendant que les autres pénétraient dans la maison.

— Alors ? murmurai-je. Qu'est-ce que t'en penses ?

— C'est un personnage, répondit mon ami. Mr Moore n'exagérait pas quand il disait qu'il adore parler…

— Moi, je l'aime bien, déclarai-je, me dirigeant vers la porte avec une première fournée de valises. (La vue des hauts murs et des tourelles sombres me fit m'arrêter.) Y a peut-être un ou deux fantômes dans la maison, fis-je à mi-voix par-dessus mon épaule.

Cyrus sourit, hocha la tête.

— Tu as toujours eu un faible pour les gens bizarres, me rappela-t-il. Mais ne me parle plus de fantômes.

Une partie du rez-de-chaussée du manoir de Mr Picton était occupée par un salon qui aurait pu servir de salle de conférence. Bourrée jusqu'à la gueule, pourrait-on dire, de meubles lourds, de sofas et de fauteuils couverts de velours disposés autour d'une cheminée en pierre sculptée assez haute pour qu'on puisse s'y tenir debout, la pièce offrait aussi le mobilier récréatif habituel — piano et table de jeu. Au centre de la maison s'élevait un escalier de chêne massif à côté duquel s'ouvrait une salle à manger qui reflétait l'encombrement du salon, avec ses chaises, ses dessertes et sa table du même style pesant. Aux étages, les chambres, situées dans les quatre tourelles, comme Mr Picton l'avait mentionné, donnaient dans le même gigantisme puisque chacune possédait une immense cheminée, et presque toutes une salle de bains. Quand j'arrivai au premier étage, les autres inspectaient déjà les lieux pour choisir leur chambre, et j'entendis notre hôte s'exclamer :

— Excellent choix, Miss Howard ! C'est vraiment la meilleure pièce de la maison. Vous avez une vue splendide sur le jardin et la rivière.

Au deuxième étage, les deux sergents se disputaient une autre chambre mais je me demandai ce qu'étaient devenus le docteur et Mr Moore, dont je portais les valises. L'écho étouffé d'une conversation me fit remonter un long couloir, au bout duquel je les trouvai dans une autre chambre.

— Kreizler, je te jure, je n'en sais rien, disait le journaliste au moment où j'arrivai à la porte. Et je crois qu'il n'en sait rien non plus. En tout cas, il ne m'a jamais parlé de...

— Il y a plusieurs maladies mentales qui pourraient expliquer son cas, dit le docteur. Et certaines sont dégénératives. Nous prenons de gros risques, avec cet homme, John.

— Laszlo, écoute-moi. Cela ne l'a jamais gêné dans son travail. On s'en moquait un peu dans les soirées, mais au tribunal, c'était un atout. Rupert est capable de submerger littéralement l'avocat de la défense, quand il se met à...

Mr Moore s'interrompit en me voyant sur le pas de la

porte et sourit, ravi sans doute que je mette fin à la discussion.

— Salut, Stevie. Tu n'aurais pas mes valises, par hasard ?

Ignorant la question, je me tournai vers le docteur et réitérai l'opinion que j'avais exprimée à Cyrus :

— Moi, je l'aime bien.

— Ah ! Tu vois ? triompha Mr Moore. Ne dit-on pas que les enfants et les chiens sont d'excellents juges de caractère ? Je ne crois pas me souvenir que les aliénistes aient réussi à se faire admettre sur la liste, dernièrement…

— Je vous assure que mon inquiétude ne se fonde aucunement sur la personnalité de cet homme, se défendit le Dr Kreizler. Il est direct, aimable — ce qui n'est pas mal pour un juriste. Je n'affirme pas non plus que son problème est à coup sûr d'origine mentale, ou émotive : plusieurs affections physiques pourraient en être cause.

— Alors, restons-en là pour le moment, proposa Mr Moore.

— Pour le moment, convint le docteur, qui prit ses valises puis inspecta mon cou et mes mains. Seigneur, Stevie, dit-il, mêlant le ton grondeur au rire, qu'est-ce que tu as fabriqué ? Débarbouillez-vous avant le repas, jeune homme.

Après avoir porté les bagages à l'intérieur avec l'aide de Cyrus, je pris possession d'une des chambres du deuxième étage, à côté de celles des sergents, et j'allai à la salle de bains me laver. Le bruit de l'eau dans la vaste pièce aux dalles de marbre me donna l'impression que je me trouvais près d'une cascade : tout dans cette maison était exceptionnellement grand et caverneux. Elle avait cependant cessé de m'effrayer. Si vaste et mystérieuse fût-elle, Mr Picton y créait un climat chaleureux par son comportement fébrile mais amical.

En redescendant vers le rez-de-chaussée et la salle à manger, où les autres s'étaient déjà rassemblés, je fis courir ma main sur la large rampe de l'escalier et songeai soudain qu'elle serait tout à fait adéquate pour une glissade. Je me penchai, inspectai le vestibule et, n'avisant personne, décidai d'essayer. J'enjambai la rampe sur le palier du premier étage, me donnai une petite poussée…

Une seconde et demie plus tard, je me retrouvai les bras en croix dans l'entrée. La rampe s'était révélée plus « adéquate » que je ne le pensais. Après en être tombé, j'avais atterri sur la carpette, laquelle avait glissé sur le parquet ciré, me précipitant contre la porte d'entrée. Le bruit fit sortir les autres de la salle à manger.

— Stevie ! fit le docteur, l'air interloqué. Qu'est-ce que… ?

— Ha ! lâcha notre hôte, qui se renversa en arrière pour rire tout son soûl. Elle glisse plus qu'on ne croit, hein ? (Il s'approcha pour m'aider à me relever.) Ne soyez pas gêné, Master Taggert, il m'est arrivé la même chose quand j'ai essayé pour la première fois, il y a de ça quelques années seulement ! Rien de cassé, j'espère ?

Je secouai la tête, sentis mon visage s'empourprer.

— Bon ! claironna-t-il. Alors, venez déjeuner. Après le repas, je vous montrerai quelques trucs pour freiner votre descente et épargner votre postérieur !

Mr Picton tint à conduire chacun de nous à sa place et insista pour que le docteur s'asseye au bout de la table.

— C'est votre enquête, argua-t-il quand le docteur protesta. Ne croyez pas un seul instant que je l'oublie. Nous aurons maintes occasions de discuter à cette table, et je veux que vous me considériez simplement comme votre dernier disciple.

— C'est fort aimable à vous, Mr Picton, répondit l'aliéniste en examinant attentivement notre hôte.

Celui-ci prit place au bout de la table, agita une clochette dont le tintement fit apparaître Mrs Hastings par une porte à battant menant à la cuisine. Elle portait le premier d'une longue succession de plats.

— Tout vient des fermes et des rivières de notre comté, précisa Mr Picton. John, il y a un bordeaux convenable sur cette desserte, si tu veux bien faire le service. (Pendant que Mr Moore se levait avec empressement, Rupert Picton se tourna vers moi.) Et un plein casier de *root beer* pour vous, Master Taggert. John m'a dit que vous en raffolez, et j'ai moi-même un penchant pour la chose.

Il parcourut la table des yeux tandis que ses invités commençaient à emplir leurs assiettes de poulet ou de truite, de petits pois et de jeunes carottes, leva son verre.

— Bienvenue à tous ! nous souhaita-t-il. (Il but longuement, les yeux mi-clos.) Maintenant, laissez-moi vous raconter ce que je sais de Libby Hatch…

29

— Elle est arrivée ici il y a un peu plus de dix ans, autant que je me souvienne, commença Mr Picton. De Stillwater.

— Oui, dit Miss Howard. Elle indique cette ville comme lieu de naissance dans les documents que nous avons vus.

— Vraiment ? s'étonna-t-il. Eh bien, c'est un mensonge de plus. J'ai examiné les registres d'état civil de toutes les villes de ce comté. Aucun ne mentionne une « Elspeth Fraser », nom qu'elle portait quand elle est arrivée ici. Elle a cependant réellement vécu à Stillwater, mais combien de temps, je l'ignore.

— Vous n'avez pas établi son véritable lieu de naissance pendant vos recherches ? demanda le docteur, un peu surpris.

— Vous partez du principe qu'on m'aurait autorisé à mener des recherches. L'affaire Libby Hatch, l'assassinat de ses enfants par un Noir fantôme, n'a jamais été plus loin que l'enquête du coroner : à l'époque, ni mes supérieurs ni le shérif n'ont estimé que cela méritait une investigation officielle.

— Il n'y a là rien d'inhabituel, malheureusement, fit observer Marcus. Je doute qu'un infanticide sur vingt aille plus loin que l'enquête du coroner. Ces crimes ont un caractère trop intime, on a trop de difficulté à savoir qui a fait quoi.

Mr Picton leva la tête de son assiette avec intérêt.

— On dirait que vous avez une formation en droit, inspecteur…

Comme Marcus venait de remplir sa bouche de petits pois, ce fut Lucius qui répondit :

— Mon frère voulait devenir avocat quand nous avons commencé à travailler dans la police. Moi, je me destinais à la médecine.

— Je vois, fit notre hôte. Votre analyse est correcte, bien que vos chiffres me paraissent un peu optimistes, dirais-je. Je serais étonné qu'on enquête réellement sur la mort d'un enfant sur cent. Et quand en plus une Blanche accuse un homme de couleur… Mr Montrose peut témoigner, j'en suis sûr, que les préjugés raciaux demeurent très vivaces dans le Nord.

Cyrus inclina légèrement la tête, comme pour signifier qu'il ne le savait que trop, et Mr Picton poursuivit :

— Je n'ai donc pas été réellement surpris que le district attorney et le shérif acceptent si volontiers la version des événements de Libby. Pour ma part, je reconnais que je n'avais pas encore conscience de l'influence que le passé de cette femme avait pu avoir sur les événements. Voyez-vous, Dr Kreizler, je n'avais pas eu connaissance de vos travaux — votre théorie du « contexte » — et je m'attachais surtout aux preuves matérielles.

Le docteur eut un petit haussement d'épaules courtois.

— Les preuves matérielles sont essentielles, Mr Picton. C'est pourquoi nous dépendons tellement des sergents enquêteurs. Mais il y a des crimes qui offrent peu d'indices de cette sorte et qu'on ne peut élucider qu'en étudiant en profondeur la vie personnelle des suspects.

Mr Picton mangeait avec de petits mouvements vifs, comme un oiseau.

— Oh, je suis complètement de votre avis maintenant, dit-il. Mais à l'époque, je le répète, je n'étais pas familier avec votre théorie. Pour moi, l'unique chose qui pouvait confirmer ou réfuter les affirmations de Mrs Hatch, c'était l'arrestation du mystérieux Noir, et j'insistai aussi longtemps que je le pus pour qu'on continue à le rechercher. Mais au bout d'un moment, le district attorney m'ordonna d'arrêter et d'oublier l'affaire. Les quelques informations que j'ai rassemblées sur Mrs Hatch pendant cette brève période pourraient cependant être utiles...

— Tout à fait, approuva le docteur. Sergent ?

Lucius avait déjà sorti son calepin :

— Je suis prêt.

L'aliéniste but une gorgée de vin.

— Oh, une dernière chose, Mr Picton. Y a-t-il en ville un magasin où nous pourrions acheter un tableau noir ?

— Un tableau noir ? De quelle dimension ?

— Aussi grand que possible. Et le plus rapidement possible.

Le magistrat réfléchit.

— Non... je ne vois pas... (Soudain, son visage s'éclaira.) Attendez. Mrs Hastings, voulez-vous téléphoner au lycée ? Dites à Mr Quinn que j'aimerais lui emprunter un de ses tableaux noirs.

— Un tableau noir ? répéta la gouvernante, faisant le tour de la table pour remplir les verres. Qu'est-ce que vous voulez en faire, Votre Honneur ?

— Mrs Hastings, je vous en prie, l'affaire est urgente. Et combien de fois faudra-t-il vous dire que je suis adjoint au district attorney, pas juge, et chez moi, pas au tribunal : vous n'avez vraiment pas besoin de m'appeler « Votre Honneur ».

— Hmm ! grogna-t-elle, repartant vers la cuisine. Comme si ces imbéciles de jurés auraient condamné ces voyous si vous ne les y aviez pas poussés !

Notre hôte eut un de ses sourires nerveux et tira sur sa barbe.

— Revenons au passé de Libby Hatch, du moins, aux bribes que j'ai fini par rassembler. Je vous disais donc qu'elle s'appelait Libby Fraser quand elle est arrivée ici. Elle a tâté de toutes sortes d'emplois en ville mais ça ne marchait jamais : elle était trop forte tête pour observer les règles de conduite de la compagnie du téléphone, elle exprimait trop crûment son avis sur le goût des clientes pour garder un poste de vendeuse au rayon vêtements féminins du grand magasin Mosher, ce qui limitait les possibilités restantes à divers emplois domestiques. Mais ce travail lui plaisait apparemment encore moins que les autres puisqu'elle perdit trois places de bonne en trois mois.

— Pourtant, Vanderbilt ne tarit pas d'éloges à son sujet, objecta Mr Moore.

— Oui, je l'ai noté dans ton dernier télégramme. C'est curieux. Ou elle jouait la comédie, ou le côté moins agressif de sa personnalité a pris un temps le dessus. Après tout, la plupart de ceux qui l'ont connue au début de son séjour à Ballston n'ont jamais vu en elle un être malfaisant, mais simplement une femme résolue à n'en faire qu'à sa tête. Tout le monde s'attendait à ce qu'elle change, cependant, quand elle accepta une place de gouvernante chez le vieux Daniel Hatch, le grippe-sous local — presque toutes les petites villes de la région ont un personnage de ce genre. Il vivait dans une grande bâtisse branlante en dehors de la ville, seul avec quelques domestiques. Il s'habillait de haillons, ne se lavait jamais, et le bruit courait qu'il cachait des billets de banque dans tous les coussins de la maison. Mauvais comme la gale, en plus, il renvoyait ses gouvernantes l'une après l'autre. Mais Libby sut le prendre et les surprises se succédèrent pendant les années qui suivirent.

— Les surprises ? fit le docteur.

— Au bout de quelques mois, le vieux grigou et sa gouvernante se fiancèrent. Le mariage eut lieu quelques semaines plus tard. En soi, cela n'était peut-être pas si étonnant : Libby Fraser venait de passer la trentaine, c'était une femme belle et encore jeune. Charmante, à certains égards, malgré ses manières impulsives. Et Hatch, ce vieux bouc tout ratatiné, avait vraiment beaucoup d'argent. Mais quand un enfant naquit, neuf mois après le mariage... Hatch avait soixante-treize ans, à l'époque. Et quand cette petite fille fut suivie par deux fils en une trentaine de mois... Comme vous l'imaginez, les langues allèrent bon train dans toute la ville. Certains y virent la main de Dieu, d'autres l'œuvre du Diable. Et puis il y avait ceux d'entre nous qui cherchaient une explication moins loin et se demandaient si Libby Hatch était animée de mauvaises intentions.

— De mauvaises intentions ? répéta l'aliéniste en fronçant légèrement les sourcils.

Mr Picton eut un rire, repoussa sa chaise sans avoir terminé son assiette, se leva, tira sa pipe de sa poche.

— J'oubliais que vous n'approuvez pas l'emploi de ce mot, Dr Kreizler.

— Disons plutôt que je le trouve ambigu.

— Parce que vous pensez qu'il contredit votre théorie du contexte, dit Mr Picton, qui se mit à faire le tour de la table en mordillant sa pipe. Vous serez peut-être surpris d'apprendre que je ne suis pas de votre avis sur ce point.

— Vraiment ?

— Vraiment ! Je pense comme vous qu'on ne peut pleinement comprendre les actes d'un être humain que si l'on a étudié le contexte de sa vie. Mais si ce contexte a engendré une personne tout simplement mauvaise ? Méchante, malfaisante, pernicieuse, pour ne donner que quelques définitions de Mr Webster.

— Je ne suis pas du tout sûr...

— Cette discussion n'est pas purement spéculative. Croyez-moi, Dr Kreizler, ce point sera essentiel si nous réussissons jamais à traîner Libby Hatch devant un tribunal ! affirma Mr Picton. (Il s'arrêta de marcher pour inspecter tour à tour nos assiettes, agitant la tête comme un rongeur apeuré.) Tout le monde a fini de manger ? La fumée ne dérange personne ? Non ? Bien ! (Il craqua une allumette sur son pantalon, tira sur sa pipe à petits coups secs.) Je disais donc... Je sais que ce que vous cherchez, c'est une explication au comportement criminel, pas une excuse, et j'admire vos recherches. Mais dans un cas comme celui-ci, dans une ville comme celle-ci, nous devrons veiller à formuler soigneusement nos explications pour qu'elles n'incitent pas la population ni le jury à voir Libby Hatch sous un jour favorable. Croyez-moi, ils auront déjà tendance à le faire, car ils rechigneront probablement à admettre les accusations portées contre elle. Toute explication psychologique devra viser uniquement à souligner que sa nature est mauvaise.

— Vous semblez tout à fait sûr que le mal existe, Mr Picton.

— Dans cette affaire ? Je n'en doute absolument pas ! Et quand je vous aurai montré certaines choses, je pense

que vous le croirez aussi. (Notre hôte consulta de nouveau sa montre.) Nous devons nous presser ! Pas de
temps pour le dessert, j'en ai peur — les sucreries, ce sera
pour plus tard, Master Taggert, avec une leçon de glissade sur la rampe !

D'un mouvement vif, il éloigna ma chaise de la table,
alla faire la même chose — avec plus de douceur, toutefois — pour Miss Howard, et tendit le bras vers la porte.

— Nous marcherons jusqu'au tribunal, puis nous
prendrons la voiture pour nous rendre dans les faubourgs
de la ville, reprit-il. Et là, Dr Kreizler, vous verrez et
entendrez des choses étonnantes. Sur la façon dont une
femme peut envoûter une ville entière. Lorsque vous
aurez vu et entendu la description détaillée — sans parler des effets — de sa technique et de ses actes, je crois
que vous changerez d'opinion concernant l'existence du
mal.

Ces propos excitant notre curiosité, nous nous hâtâmes
de le suivre dans l'entrée. Je remarquai que ses manières
agitées avaient quelque chose de contagieux car nous
nous étions tous mis à nous mouvoir et à parler plus rapidement. Tous, sauf le docteur, qui traversa le hall d'un
pas lent, l'esprit absorbé par l'affaire Libby Hatch mais
cherchant peut-être aussi à percer l'énigme que constituait notre hôte.

Si l'on en jugeait par les dimensions des maisons de
High Street, il sautait aux yeux qu'elles avaient eu la
faveur de la bonne société de la ville pendant des géné-
rations. Certaines résidences étaient encore plus vastes
que la demeure de Mr Picton, et celles qui étaient plus
petites compensaient généralement cette insuffisance en
étant très anciennes et en évoquant, par leur architecture
plus simple et cependant raffinée, l'époque où des Blancs
avaient pour la première fois fondé leurs projets lucratifs
sur l'énergie du courant du Kayaderosseras.

— Peu avant la naissance de son deuxième enfant, dit
Mr Picton au moment où nous sortions de son jardin,
Libby était encore la femme à l'humeur versatile que la
ville avait appris à connaître au fil des ans. Mais soudain
elle changea — radicalement. Elle devint une mère affectueuse et une épouse aimante, heureuse d'un sort que la

plupart des femmes n'auraient pas souhaité à leur pire ennemie.

— Ne se pourrait-il que ces sentiments aient été sincères ? demanda Miss Howard. Nul ne connaît jamais la réalité intime d'un couple, hormis les conjoints eux-mêmes, après tout. Peut-être avait-elle fini par s'attacher réellement à ce vieil homme.

— Ne l'écoute pas, Rupert, intervint Mr Moore. Elle essaie simplement de justifier le mariage de son amie Nellie Bly avec ce vieux fossile de Seaman.

Si nous avions tous connu un peu mieux Rupert Picton, je suis sûr que Sara aurait illico collé une baffe à son ami d'enfance. En l'occurrence, elle lui lança un de ses regards assassins.

— A dire vrai, il y a une partie de moi-même qui aimerait beaucoup être de votre avis, Miss Howard, avoua Mr Picton.

— Sara, dit-elle, je vous en prie.

— Je-je suis très honoré, bégaya-t-il en rougissant. Appelez-moi Rupert — à moins, bien sûr, que ce nom ne vous déplaise. Certaines personnes ne l'aiment pas. On peut m'appeler du nom qu'on veut, Moore vous le confirmera. Mais je me perds en digressions ! Oui, Sara, si je parvenais à croire que Libby Hatch a véritablement éprouvé de l'amour, au plus profond d'elle-même, pour son mari ou pour ses enfants, je ne serais plus hanté par cette affaire. Mais dites-moi ce que vous pensez des faits suivants : deux ans et demi environ après la naissance de son second fils, le caractère de Libby changea de nouveau, du jour au lendemain. La femme attachante que les habitants de la ville avaient peu à peu fini par accepter redevint ce qu'elle était avant. Pire, en fait : un être renfrogné et désespéré, une boule de nerfs. Personne ne s'expliqua cette transformation — jusqu'à ce que le bruit courût que Daniel Hatch était mortellement malade.

— Ce fut une surprise ? demanda le docteur. Il devait approcher des quatre-vingts ans…

— Exact. Ce ne fut donc pas une surprise et son état apporta plutôt une explication à l'agitation de Libby. Elle se tourmentait pour le sort du vieil avare qu'elle et elle seule avait trouvé moyen d'aimer.

— Si quelqu'un sent des gouttes, c'est l'ironie débordante de Rupert, dit Mr Moore.

— D'accord, j'étais et je demeure sceptique, reconnut Mr Picton en riant. Mais j'appris ultérieurement que j'avais tout lieu de l'être. Voyez-vous, le vieux Hatch souffrit d'une longue maladie, marquée par deux crises graves. Mais en établissant la chronologie des événements de cette période, je découvris que le changement de comportement de Libby avait précédé l'apparition du mal. Ce n'étaient donc pas ses inquiétudes pour la santé de son mari qui la minaient.

— Mr Picton, quelle sorte de « crises » Daniel Hatch a-t-il eues ? demanda Marcus, posant la question que nous avions tous en tête.

— Inspecteur, répondit le petit homme roux en souriant, il s'agissait de crises cardiaques.

Tandis que nous ruminions la nouvelle en silence, il cessa de marcher, plongea la main dans la poche de sa veste et poursuivit :

— Après avoir reçu tes messages, John, je suis retourné à la maison des Hatch. Elle tombe en ruine, à présent, et le jardin est à l'abandon. Mais j'ai pu trouver ceci…

De sa poche, il tira une fleur fanée, et cependant aisément reconnaissable.

— *Digitalis purpurea*, dit Lucius à voix basse. Digitale pourpre.

— Oh ! ce ne fut pas facile de le tuer ! reprit Mr Picton, d'un ton presque enjoué. Hatch était un vieux bougre solide et, comme vous le savez, inspecteur, la digitaline a de nombreux effets secondaires si on la donne en doses insuffisantes pour provoquer une stimulation excessive et fatale du cœur.

— Nausées, vomissements, troubles de la vision… récita Lucius au moment où nous nous remettions à avancer.

— Il s'accrochait à la vie presque autant qu'à son argent, dit Mr Picton. Il tint trois mois avant qu'elle parvienne enfin à lui en administrer suffisamment sans que les domestiques le remarquent. Pauvre vieux grigou. Personne ne devrait mourir comme ça.

— Aucun soupçon n'a jamais pesé sur Mrs Hatch ? voulut savoir le docteur.

— Non. Etant donné la façon dont elle s'était toujours comportée envers son mari… Mais, en définitive, Hatch ne se laissa pas berner par sa femme aussi facilement que la plupart des habitants de la ville, puisqu'il ne lui légua quasiment rien dans son testament.

— A qui est allé l'argent ? demanda Mr Moore. Aux enfants ?

— Exactement. Un trust, jusqu'à ce qu'ils atteignent leur majorité. Et Hatch désigna le juge local, et non sa femme, comme curateur. Libby ne devait recevoir que de quoi faire vivre la famille. Il semble que le vieux ait nourri quelque amertume à son égard vers la fin. Sa décision n'en fut pas moins insensée, car ses dispositions testamentaires faisaient courir aux enfants un risque terrible.

— Vous voulez dire que si quelque chose leur arrivait, l'argent irait à Libby Hatch ? demanda Miss Howard.

— Exactement, acquiesça Mr Picton. Tout amer qu'il fût, Hatch lui-même a toujours ignoré, je pense, de quoi sa femme était réellement capable… Ah ! nous y sommes.

Nous étions parvenus devant ce qu'on appelait — Mr Picton nous l'expliqua plus tard — le « nouveau tribunal », puisqu'il était occupé depuis moins de dix ans. Ce n'était pas un bâtiment particulièrement intéressant — une lourde masse de pierre couronnée de pignons, d'où s'élevait, dans un angle, une tour carrée. Mais quoi que les gens férus d'architecture puissent penser de son style, il devait, comme prison, approcher la perfection : les murs étaient outrageusement épais, les barreaux des fenêtres des cellules, au sous-sol, assez solides pour résister à un as de l'évasion.

— Avec un peu de chance, ce sera notre champ de bataille avant longtemps ! clama Mr Picton.

Il leva les yeux vers l'un des quatre cadrans d'horloge sertis dans chacun des côtés de la tour, tira sa montre de son gousset pour comparer la position de ses aiguilles à celle du mécanisme géant. Puis ses yeux argent parcoururent notre groupe, prenant la mesure de chacun de nous tour à tour, et il sourit.

— Je me demande si vous savez dans quoi vous vous êtes fourrés...

Il gravit les quelques marches du tribunal, tint ouverte la lourde porte et, tandis que nous entrions l'un après l'autre en silence, il continua à sourire.

L'intérieur du tribunal de Ballston faisait plus que compenser la banalité de son aspect extérieur. Les murs du grand hall alternaient diverses sortes et couleurs de pierres, disposées en motifs agréables à l'œil; les hautes fenêtres étaient encadrées de bois de chêne soigneusement ciré, comme les grandes portes d'acajou menant à la principale salle d'audience, située au fond, et à la plus petite, à gauche. Le jour tombait de plusieurs directions sur le sol de marbre, et l'escalier conduisant aux bureaux était éclairé, au palier du premier étage, par une magnifique fenêtre en demi-cercle.

Dans la guérite située à droite du hall, une sorte de colosse lisait la gazette locale, le *Ballston Weekly Journal*.

— Bon après-midi, Henry, lui souhaita notre guide.

— 'jour, Mr Picton, répondit l'homme sans lever les yeux.

— Aggie a apporté les dossiers du secrétariat? demanda Mr Picton en nous entraînant vers l'escalier.

— Ouais. Elle a dit comme ça qu'on dirait que vous allez vous remettre à chercher ce négr...

Le planton s'interrompit quand il leva les yeux et découvrit Cyrus près du magistrat. Ses petits yeux s'agrandirent autant qu'ils purent et il frotta son front bas d'un air penaud.

— Euh, enfin, le gars qu'a tiré sur les gosses de Mrs Hatch.

Mr Picton s'immobilisa sur la première marche de l'escalier de marbre, parut sur le point d'exploser puis soupira et dit :

— Henry ?

— Ouais, m'sieur ?

— Mr Montrose, ici présent, va travailler quelque temps avec moi.

— C'est vrai, Mr Picton ?

— Oui. Alors, trouvez un autre mot, Henry. Vous

n'apprécieriez sans doute pas que je vienne ici chaque jour en disant : «Bonjour, Henry, pauvre péquenot sans cervelle...»

— Non, m'sieur, sûrement pas, fit le planton avec une mine de chien battu.

— C'est bien ce que je pensais.

Sur ce, Mr Picton recommença à monter. Lorsque nous fûmes au premier étage, il se tourna vers Cyrus.

— Je suis navré, Mr Montrose.

— Cela n'a rien d'inhabituel, dit Cyrus.

— Oui, et cette banalité ne servira pas notre cause. Une pittoresque bourgade, n'est-ce pas ?

Le couloir du premier étage, sans être aussi somptueux que le hall, était tout aussi plaisant à regarder. Une série de portes en chêne s'étirait vers l'accès à la galerie de la grande salle d'audience. Profitant que le tribunal n'officiait pas, nous y jetâmes un coup d'œil, et si l'endroit présentait moins de fioritures que la plupart des salles d'audience new-yorkaises que j'avais fréquentées, il n'en était pas moins fort beau, avec ses bancs en bois de fruitier pour le public, au rez-de-chaussée comme sur la galerie, et le haut perchoir du juge en merisier. Je songeai que c'était peut-être là que l'on traduirait en justice la femme aux multiples noms pour l'assassinat de Dieu sait combien d'enfants, et je commençai à comprendre pourquoi Mr Picton se demandait si nous étions vraiment prêts pour ce qui pourrait se produire pendant un procès qui ne manquerait pas d'être controversé.

L'antre de Rupert Picton se trouvait à l'autre bout du couloir par rapport à la galerie, en face des bureaux beaucoup plus imposants du district attorney. En sa qualité d'adjoint, Mr Picton ne disposait que de deux pièces : la première, espace exigu destiné à une secrétaire (mais il préférait travailler seul), la seconde, plus spacieuse, donnant sur la voie ferrée et la gare. On découvrait en entrant un gros bureau à cylindre et l'habituelle quantité d'ouvrages de droit et de dossiers qu'on trouve dans n'importe quel bureau de juriste, éparpillés dans un apparent désordre. Mais dès que nous fûmes à l'intérieur, Mr Picton y pêcha ce dont il avait besoin avec une rapidité montrant que ce chaos avait un sens pour lui.

— Faites-vous une place où vous pourrez, nous conseilla-t-il. Je suis un ardent disciple de la philosophie qui soutient qu'un bureau ordonné révèle un esprit désordonné. Et vice versa.

— J'approuve totalement, dit le docteur, qui débarrassa prestement un gros fauteuil de quelques livres et s'y laissa tomber avant que quiconque ait eu le temps de le faire.

Tout en continuant à tirer des dossiers de son fatras avec des gestes rapides de cambrioleur, Mr Picton s'aperçut que Miss Howard était restée debout.

— Oh! désolé, Sara. Il y a des chaises dans l'autre pièce. Moore, grossier personnage, lève-toi et laisse Sara s'asseoir!

— Tu ne la connais pas, Rupert, répondit le journaliste, s'enfonçant plus encore dans son fauteuil. Elle a horreur de la galanterie.

Cyrus revint du bureau d'à côté avec une chaise en chêne qu'il posa près de la jeune femme.

— Tenez, Miss Howard.

— Merci infiniment, Cyrus, dit-elle, décochant à Mr Moore un coup de pied dans le tibia.

Il poussa un cri, se redressa.

— Sara, je ne me laisserai plus maltraiter! Je suis sérieux! Je pars tout de suite pour les casinos de Saratoga, et toi et ta *señora,* vous pouvez aller au diable!

— Comme vous le voyez, Mr Picton, dit le docteur en lançant à son ami un regard courroucé, notre style d'investigation est assez peu conventionnel. Mais reprenez, je vous prie.

— Certainement, répondit l'adjoint au DA en lui tendant une chemise. Voici le rapport du shérif sur les événements — il s'appelait Jones, il a pris sa retraite depuis.

Le Dr Kreizler parcourut rapidement le document pendant que Mr Picton nous en résumait la teneur d'un ton non seulement agité mais révélateur du spectacle que l'homme devait être capable de donner au tribunal :

— Mrs Hatch a déclaré que le soir du 31 mai 1894 elle rentrait avec le chariot de la famille après avoir passé l'après-midi à faire des courses en ville puis être allée au lac Saratoga avec ses enfants pour regarder le coucher de soleil. Il devait être dix heures et demie quand, sur la route de Charlton, à deux kilomètres de la maison, un homme de couleur armé d'un revolver surgit des buissons et lui ordonna de descendre. Elle refusa, essaya de s'enfuir, mais l'homme bondit sur le siège du cocher et la força à s'arrêter. Découvrant les enfants, il menaça de les abattre tous les trois si Mrs Hatch ne faisait pas ce qu'il lui disait. Bien que proche de l'hystérie, elle accepta d'obéir à ses ordres.

« Il lui ordonna de descendre du chariot et de se déshabiller. Elle s'exécuta, mais en ôtant ses sous-vêtements elle trébucha, et l'homme dut croire qu'elle essayait de se sauver ou de prendre une arme. « Sale putain blanche ! s'écria-t-il. Ce sera de ta faute ! » Et il tira sur les enfants. Thomas et Matthew, âgés respectivement de trois et quatre ans, moururent sur le coup. Clara, cinq ans et demi, perdit conscience. Après avoir tiré, l'homme sauta du chariot et disparut dans les bois. Désemparée, Mrs Hatch tenta d'abord de s'occuper de ses enfants puis décida, quand elle se rendit compte de la gravité de la situation, de rentrer au plus vite. On appela le Dr Lawrence, un des médecins de la ville, qui exerçait aussi les fonctions de coroner. Il ne put rien faire. Quand Clara Hatch sortit de son coma, quelque temps plus tard, elle avait perdu la faculté de parler ainsi que l'usage de sa main et de son bras droits.

Un moment, on n'entendit dans la pièce que le grattement de la plume de Lucius prenant des notes, puis le docteur demanda :

— Elle avait reçu une balle dans la tête ?

Mr Picton parut très satisfait de la question.

— Non. La balle a pénétré par le haut de la poitrine et est ressortie par le cou.

— Mais… cela ne tient pas debout, murmura Lucius.

— Comme beaucoup d'autres choses dans cette histoire, inspecteur, répondit Mr Picton. Chapitre suivant… (il tendit au Dr Kreizler un autre dossier)… le rapport de Lawrence. Quand il est arrivé, Mrs Hatch et sa gouvernante avaient porté les enfants à l'intérieur. Hystérique, la mère tentait de ranimer les garçons puis se mettait à courir dans la maison, passant dans toutes les pièces, y compris la chambre du mari décédé, en poussant des cris incohérents. Lawrence constata rapidement que Thomas et Matthew étaient morts et Clara dans un état désespéré. Il en informa Mrs Hatch, ce qui provoqua une nouvelle crise. Elle hurla — et je voudrais que les inspecteurs notent ce détail — que son mari avait l'habitude de dormir avec un revolver sous son oreiller et qu'elle avait laissé l'arme à cette place après sa mort. Elle avait peur à présent de monter prendre le revolver et de mettre fin à ses jours, tant elle se sentait coupable d'avoir laissé cet homme tirer sur ses enfants. Lawrence lui administra immédiatement du laudanum pour la calmer et demanda à la gouvernante — Mrs Louisa Wright, une veuve qui s'occupait de la maison depuis le mariage de Libby et Daniel Hatch — d'aller prendre le revolver dans la chambre et de s'en débarrasser. Il retourna ensuite au chevet de Clara et fit venir un chirurgien de Saratoga.

— A-t-il fait un rapport sur les blessures elles-mêmes ? demanda Lucius, sans cesser de griffonner.

— Oui, répondit Mr Picton, qui extirpa du tas un autre dossier. Chacun des enfants a reçu une balle dans la poitrine. Dans le cas des garçons, la balle a touché le cœur, tandis que pour Clara, je le répète, elle est remontée vers le cou et a effleuré la colonne vertébrale en ressortant.

— Et la distance ? Il l'a estimée ? voulut savoir Marcus.

— Oui, répondit Mr Picton, qui parut de nouveau enchanté qu'on lui pose les bonnes questions. A bout portant. On a relevé des brûlures de poudre sur les vêtements et sur la peau.

A son tour, Miss Howard interrogea le magistrat :

— Où se trouvaient exactement les enfants au moment de l'agression ?

— Ça, Lawrence ne l'a pas demandé, dit Mr Picton, ouvrant une autre chemise. Ni le shérif Jones. Ils ont accepté la version de Libby Hatch sans la mettre en doute. Et quand Jones a téléphoné chez moi pour me prier de venir, il s'attendait à ce que j'avale moi aussi cette histoire.

— Ce que vous n'avez pas fait ? suggéra le docteur.

— Non, non. J'avais rencontré Libby Hatch plusieurs

fois depuis mon retour à Ballston Spa. L'église presby-térienne que vous voyez là-bas, de l'autre côté de Bath Street (Mr Picton tendit le bras vers la fenêtre et nous regardâmes tous dehors pour apercevoir un clocher), c'est là que les Hatch se sont mariés et qu'ils allaient à la messe. Le dimanche matin, je me promenais parfois dans le coin quand les gens sortaient de l'église, et j'ai fini par lui être présenté par des relations communes. (Il marqua une pause.) Inutile, messieurs, de vous expliquer le comportement de Libby avec les hommes, je présume.

— Inutile, confirma Mr Moore. Mais de toi, que pou-vait-elle chercher à obtenir ?

— Je ne relèverai pas l'insulte contenue dans cette question, répliqua le petit homme roux. Disons simple-ment que, sur le coup, j'ai été consterné par son attitude flirteuse, provocante. Rétrospectivement, je me rends compte qu'elle espérait assurer ses arrières en prévision de l'inévitable crise.

— La crise ? fit Marcus.

— La mort de Hatch. Je pense qu'elle projetait déjà de le tuer et qu'elle essayait de s'assurer une oreille ami-cale dans les services du district attorney. Sa technique était au point, je dois le reconnaître objectivement. Elle partageait sa conversation avec moi entre des questions sur mon métier et des remarques aguichantes comme celles avec lesquelles elle a tenté de vous séduire, mes-sieurs. (Mr Picton s'interrompit, fixa un moment l'église.) Mais dans mon cas, elle s'est trompée…

— Vraiment ? Et pourquoi ? demanda le docteur, sai-sissant l'occasion de recueillir une information utile sur Rupert Picton.

— Eh bien, parce que je suis au-dessus de ces choses, répondit-il en se tournant de nouveau vers nous. Bien au-dessus. Je connais ce genre de conduite… murmura-t-il. (Son attention parut un moment se perdre, puis il se res-saisit.) Comme tous ceux qui sont passés par les services du DA à New York. Oui, j'étais en mesure de détecter la véritable nature de Libby Hatch dès le début !

Je pus voir que le docteur était convaincu par cette der-nière affirmation mais qu'il ne croyait pas qu'elle expli-quait totalement les soupçons du magistrat. Ne le connaissant pas assez pour déchiffrer son expression, Mr Picton poursuivit :

— J'avais eu des doutes à la mort de Daniel Hatch, mais je n'avais pas pu les vérifier. Lawrence avait attribué la mort à une attaque, bien que le vieil homme n'ait jamais eu de problème cardiaque. Et pour le district attorney, on en restait là. Mais quand ce fut le tour des enfants... Pour m'assurer que l'enquête serait menée avec soin, je me rendis moi-même chez les Hatch. C'était horrible, je peux vous le dire — du sang partout, et la pauvre petite Clara... Libby ayant recouvré en partie son calme grâce au laudanum, je décidai de l'interroger. D'après elle, les enfants se trouvaient à l'arrière du chariot, avec les provisions. Ils tournaient le dos à leur mère et étaient appuyés contre la cloison. Clara tenait le petit Thomas. Libby a déclaré qu'elle leur avait dit de ne pas bouger quand l'agresseur avait surgi, et qu'ils avaient obéi.

— Ce qui signifie que l'« agresseur » devait avoir des bras fichtrement longs, fit remarquer Marcus.

— En effet, approuva Mr Picton. Soit elle se trompait, soit elle mentait. Personne ne peut, de la banquette d'un chariot, tirer à bout portant dans la poitrine de trois enfants assis à l'arrière contre la cloison et tournés dans l'autre sens. Et même si l'homme avait pu tirer sous cet angle, un des enfants aurait certainement bougé après le premier coup de feu, ce qui l'aurait empêché de les abattre tous les trois à bout portant. Il y a ensuite la raison pour laquelle l'agresseur n'a pas tué Libby : elle était pourtant la seule à avoir vu clairement son visage. Voici l'explication qu'elle a fournie : il était fou, et il ne faut pas chercher de logique dans le comportement d'un fou. Ce n'est pas le genre de réponse qui inspire confiance. Le plus troublant, cependant, c'était son attitude envers Clara. Elle se lamentait devant les corps des garçons, elle les prenait dans ses bras, elle les embrassait, mais elle n'approchait pas de sa fille, et les questions qu'elle posait au Dr Lawrence sur son état semblaient provenir de sentiments divers, au premier rang desquels ne figurait pas l'affliction, selon moi. On sentait aussi de la culpabilité —

quoique cela pût être attribué au sentiment d'avoir échoué à protéger ses enfants — et de la peur.

— Le shérif a organisé une battue ? demanda Mr Moore.

— Immédiatement. Les volontaires n'ont pas manqué, ils ont ratissé la région avec des chiens pendant la nuit et les jours suivants. Mais on n'a jamais retrouvé trace de l'agresseur, comme je vous l'ai dit.

— Et l'argent ? rappela Miss Howard. A part vous, quelqu'un a bien dû considérer que Mrs Hatch tirait profit de la mort de ses enfants ?

— C'est ce que vous pensez, n'est-ce pas, Sara ? Mais vous vous trompez, je le crains. J'ai abordé le sujet une seule fois avec le district attorney. Il m'a répondu que si je voulais me suicider sur le plan professionnel, libre à moi, mais ni lui ni personne d'autre dans le service ne me viendraient en aide. J'ai fait ce que j'ai pu dans les mois qui suivirent : j'ai consulté, comme je vous l'ai dit, les archives du comté, j'ai écrit des lettres… Mais Libby quitta Ballston quelques semaines plus tard pour entrer au service des Vanderbilt, à New York. Elle n'avait pas de véritables perspectives ici — aucune, en tout cas, convenant à une femme aussi remuante et ambitieuse. Une maigre allocation, une maison décrépite, une fille dont la convalescence serait longue et pénible, et qui réclamerait des soins attentifs et constants…

— A ce propos, à qui fut confiée la petite fille ? demanda le docteur.

— A un couple de fermiers qui habite en bordure de Malta Road, répondit Mr Picton, jetant un nouveau coup d'œil à sa montre. Ils avaient déjà adopté deux orphelins et étaient tout disposés à se charger de Clara. Ils nous attendent.

Le Dr Kreizler sembla un peu surpris mais ravi de la nouvelle.

— Il est tout à fait cohérent, bien entendu, que Mrs Hatch ait voulu éviter de s'occuper elle-même de l'enfant, fit-il remarquer. Mais dites-moi : quand elle est partie, les médecins lui avaient-ils déclaré que Clara ne reparlerait jamais ?

— Oh ! certes ! Ils jugeaient la chose impossible, alors

362

que moi, je doutais qu'une lésion de la moelle épinière puisse faire perdre la faculté de parler. Mais dans ce domaine, les docteurs ne sont pas ce qu'on appelle brillants, ni même, dans certains cas, compétents. (Mr Picton referma sa montre, la glissa dans son gousset.) Nous devons partir, dit-il en se dirigeant vers la porte. Comme les Weston — le couple en question — pensent qu'un trop grand nombre de visiteurs risquerait d'effrayer Clara, je leur ai dit que vous seriez seul à m'accompagner, docteur. La fillette est encore fragile sur le plan émotif, et très intimidée par les inconnus — les gens en général, à vrai dire. J'espère que vous n'y voyez pas d'inconvénient...

— Non, répondit Miss Howard. C'est tout à fait compréhensible.

— Alors, retournons chez moi prendre le *surrey*, suggéra-t-il au Dr Kreizler. Les autres peuvent louer une voiture à l'écurie voisine, les prix sont très raisonnables. Il ne manque pas de choses à faire et à voir.

— Certainement, approuva Lucius. Pourrons-nous avoir le tableau noir aujourd'hui ?

— Ce soir au plus tard.

— Et l'ancienne maison des Hatch ? fit Marcus. Sans parler du chariot et du revolver — qu'est-ce qu'ils sont devenus ?

— La maison et le jardin attendent votre visite, répondit Rupert Picton. Mr Wooley, à l'écurie, vous indiquera comment vous y rendre, c'est très facile. Le chariot se trouve encore dans la remise, mais il tombe en ruine. Quant au revolver, c'est un peu plus compliqué. Mrs Wright m'a dit qu'elle l'a enveloppé et jeté dans un puits à sec situé derrière le jardin, à une centaine de mètres. Vous souhaitez probablement emporter les dossiers, pour les étudier pendant le trajet...

— Une dernière question avant de partir, sollicita Miss Howard. Les enfants... savez-vous si une nourrice s'est occupée d'eux quand ils étaient bébés ?

— Une nourrice ? Non, je l'ignore, mais cela ne devrait pas être difficile à vérifier : Mrs Wright vit encore ici. Pourquoi, Sara ?

— J'essaie de m'expliquer l'âge des enfants. S'ils ont

passé le cap de la petite enfance, il doit y avoir une raison.

Le Dr Kreizler approuva d'un hochement de tête et suivit Rupert Picton dans le couloir.

— Bien raisonné, Sara. Je suis sûr que Mrs Hastings
saura vous dire comment joindre la gouvernante. Maintenant, Mr Picton, concernant notre visite… Je comprends
la délicatesse de la situation, mais j'aimerais cependant
que Cyrus et Stevie nous accompagnent. Si vous n'y
voyez pas d'inconvénient.

Le petit homme se figea en haut de l'escalier de
marbre, fit aller son regard du Dr Kreizler à son majordome.

— Docteur, Mr Montrose, je ne voudrais pas paraître
grossier mais… Vous mesurez certainement le risque.

— Certes, dit mon maître. Au cas, fort improbable, où
l'histoire de Mrs Hatch se révélerait vraie, j'aurais à
répondre d'une lourde faute.

— Eh bien… fit Mr Picton, qui commença à descendre de ce qui était pour lui un pas lent — et cependant plus rapide que le nôtre. Bon, d'accord, mais je vous
préviens, tous les deux, dit-il en se tournant vers Cyrus
et moi. Je me dois de tenir compte des sentiments des
Weston comme de ceux de Clara, et je m'en voudrais que
vous fassiez tout ce trajet pour être forcés d'attendre
ensuite dans la voiture.

Le docteur le rattrapa, lui posa une main sur l'épaule.

— Rassurez-vous, Mr Picton, je pense que ce ne sera
pas nécessaire.

Il considéra la question un instant de plus et recommença à descendre en répétant :

— Non, je pense que ce ne sera pas du tout nécessaire.

30

Après être retournés chez Mr Picton prendre le cabriolet, nous partîmes pour la ferme des Weston. Suivant les
instructions de notre hôte, Cyrus (qui s'était proposé pour
conduire) gagna la partie est de la ville puis Malta Avenue, ainsi appelée parce qu'elle se transformait en une
route menant à la ville du même nom. Dès que nous
eûmes quitté la ville, les fermes et les bois reprirent possession du paysage ; en le voyant défiler, je m'efforçai
d'imaginer la scène de vol et de meurtre qui, d'après
Libby Hatch, s'était déroulée sur une route qui ne devait
pas être très différente de celle que nous empruntions. Un
criminel habile aurait pu écumer l'une et l'autre, mais il
y avait dans le récit de Mrs Hatch trop de détails qui ne
cadraient pas avec un criminel habile. Même compte tenu
de la solitude du lieu, cette agression paraissait invraisemblable, en particulier à quelqu'un qui, comme moi,
avait assidûment fréquenté les meurtriers, les voleurs et
les violeurs.

Pourquoi, par exemple, l'« agresseur » avait-il renoncé
à son entreprise une fois assuré que Mrs Hatch n'avait en
fait pas d'arme ? Pourquoi tuer les enfants et non la
femme qui aurait pu l'identifier ? Et s'il était aussi stupide, ou dérangé, comment avait-il réussi à échapper aux
patrouilles qui l'avaient cherché pendant des jours ? Non,
il était manifeste — même pour moi — que Libby Hatch
escomptait que ses concitoyens réagiraient avec leur
cœur plutôt qu'avec leur cerveau en entendant son his-

toire ; et elle avait eu raison jusque-là. Mais jusque-là seulement...

La ferme des Weston, humble mais prospère, se trouvait un peu en retrait de Malta Road, à deux kilomètres de Ballston Spa. Ils y élevaient des vaches laitières et des poulets, cultivaient des légumes en été et en automne pour les vendre au marché. Mr Picton nous expliqua qu'ils n'avaient pas pu avoir d'enfants, et quand deux tragédies — un accident de train, une naissance illégitime — avaient laissé deux nourrissons sans famille, ils les avaient adoptés. Ils les avaient élevés avec tant de soins et d'amour que l'adjoint au DA avait tout de suite pensé à eux quand il était apparu que Libby Hatch ne resterait pas pour s'occuper de la petite Clara. Comme nous approchions du chemin qui, partant de la route, menait à la maison en planches à clin, Mr Picton nous mit en garde : si nous pouvions parler librement devant Mr et Mrs Weston, nous devions surveiller nos paroles devant leurs enfants, qui n'étaient pas du tout au courant des soupçons de Rupert Picton sur Libby Hatch, et vu la façon dont les rumeurs et les nouvelles circulaient dans une aussi petite ville, nous ne pouvions courir le risque de leur révéler quoi que ce soit avant d'être prêts à le rendre public.

Après cet avertissement, Mr Picton voulut savoir pourquoi le docteur tenait tellement à ce que je participe à la visite.

— Pardonnez-moi cette question, docteur. Et vous aussi, Stevie. Je comprends que la réaction de Clara devant Mr Montrose puisse être...

— A condition, coupa l'aliéniste, que les Weston ne lui aient pas inculqué de préjugés en ce domaine.

— Oh ! non, pas du tout. Je viens voir Clara assez régulièrement. Les Weston connaissent mes soupçons au sujet de Libby, et bien qu'ils ne m'en aient jamais parlé, je crois que les années qu'ils ont passées à élever sa fille ont semé le doute dans leur esprit quant à l'honnêteté de cette femme. Mais Stevie... quel sera son rôle ?

Le docteur me regarda en souriant.

— Quoiqu'il répugne à l'admettre, Stevie a un effet rassurant sur les enfants perturbés. Je l'ai maintes fois observé à mon institut. Et la présence d'une personne n'ayant pas encore accédé à l'âge adulte rendra notre groupe moins intimidant, je crois.

— Je vois… fit Mr Picton.

— Dites-moi, elle n'a vraiment pas prononcé un mot depuis l'agression ? Pas un son ?

— Des sons, oui, parfois. Mais pas de mots.

— Communique-t-elle par écrit ?

— Non plus. Nous savons qu'elle le pourrait : Mrs Wright, la gouvernante, lui avait appris à lire et à écrire. Mais Clara n'a fait ni l'un ni l'autre depuis les événements. Lawrence et ses confrères attribuent ce mutisme à la lésion de la moelle épinière. Vous ne le croirez peut-être pas, docteur, mais ils sont allés jusqu'à m'affirmer que la blessure avait dû avoir une sorte d'effet indirect sur l'ensemble de son système nerveux !

Laszlo Kreizler faillit cracher de dégoût.

— Les imbéciles !

— Je dois préciser qu'ils ne se sont jamais passionnés pour son cas. Moi-même, je n'ai guère fait mieux. J'ai essayé tous les moyens que je pouvais imaginer pour lui faire dire quelque chose, n'importe quoi, sur ce qui s'était passé. En vain. J'espère que vous avez quelque expérience de ce type d'afflictions, docteur, parce que cette petite fille est un cas difficile.

J'échangeai un regard avec Cyrus puis regardai droit devant moi. Mr Picton ne pouvait savoir que le docteur avait réussi à établir le contact avec des êtres — un, en particulier — qu'on avait jugés une fois pour toutes incapables de communiquer avec le reste du monde. Car Mary Palmer, l'amour perdu de mon maître, souffrait précisément de cette maladie, et les efforts du docteur pour la tirer de sa solitude avaient tissé les premiers fils du lien qui les avait unis jusqu'à la mort de la jeune femme.

— Je… je crois connaître quelques techniques qui pourraient se révéler efficaces, dit-il.

— Je l'espérais. Oh ! une dernière requête, docteur : quand vous rencontrerez Clara, prenez note de son type.

— Son type ?

— La couleur de ses yeux, de ses cheveux, de sa peau.

Je vous confierai à ce propos quelque chose que vous trouverez fort intéressant, sur le chemin du retour…

En remontant la longue allée, nous aperçûmes un homme mûr aux bras puissants et un jeune garçon — qui semblait un peu plus âgé que moi — au bord d'une pâture s'étendant entre la ferme et une rivière qui coulait au pied d'une haute colline boisée. Ils s'escrimaient sur une clôture en fer barbelé qu'ils essayaient de réparer. De l'autre côté de la maison, dans un grand potager, une femme et une jeune fille arrachaient des mauvaises herbes. Comme l'homme et le garçon, elles montraient dans leur besogne une détermination à la fois enthousiaste et vaguement insatisfaite. J'ai vu cette attitude chez beaucoup de fermiers : c'est celle de gens qui, pour survivre, doivent lutter contre tout ce que la nature et la société leur opposent, et qui nourrissent cependant un étrange amour pour cette vie proche de la terre.

La famille comptait un cinquième membre : une petite fille qui, je le savais, avait juste un peu moins de neuf ans et ne semblait pas cadrer autant que les autres avec cette scène paisible. Elle ne travaillait pas : même avec l'usage de ses deux bras, une enfant de son âge n'aurait pas été capable du labeur exigé dans une ferme, et même de loin, on remarquait aussitôt que la fillette ne pouvait se servir de son bras droit. Assise au bord du jardin avec une poupée, elle tenait sur ses genoux un bloc de feuilles sur lequel elle griffonnait de la main gauche.

L'odeur de fumier nous assaillit à une cinquantaine de mètres de la maison, située près d'une grande écurie en briques rouges. Voyant notre voiture, les Weston et leurs enfants cessèrent leur travail et se dirigèrent vers nous à pas lents. Lorsque nous fûmes plus près, j'estimai que les parents devaient avoir entre quarante et cinquante ans, les rides profondes creusant leur peau parcheminée ne permettant pas d'être plus précis.

En s'approchant, Mr Weston nous regarda, Cyrus et moi, avec une expression alarmée qui nous incita à rester un peu en arrière tous les deux.

— Je croyais que c'était entendu qu'il y aurait qu'un visiteur, Mr Picton.

— Oui, Josiah, répondit l'adjoint au DA. C'est le

Dr Kreizler, que voici. Mais l'autre monsieur et le jeune garçon sont ses collaborateurs, et il pense qu'il pourrait avoir besoin d'eux pendant la visite.

Le fermier hocha la tête, ni satisfait ni hostile, essuya sa main avant de la tendre au docteur. Sa femme prit la parole :

— Je suis Ruth Weston, et voici nos enfants, Peter et Kate. Et là derrière, poursuivit-elle, feignant de chercher à tâtons la fillette qui se pressait contre sa jupe, il y a une autre jeune demoiselle…

Clara ne bougea pas. Peter sourit et se tourna vers son père.

— Je vais essayer de finir pendant qu'il fait encore clair, P'pa. Viens m'aider, Katie.

Les deux jeunes gens retournèrent à la clôture de fer barbelé. Après leur départ, Clara se détacha lentement de Mrs Weston, son bloc et sa poupée sous le bras, une poignée de crayons dans sa main gauche.

— Où est passée ma petite fille ? s'exclama Mr Picton comme s'il ne pouvait la voir. Ah ! faire tout ce chemin pour apprendre qu'elle a disparu ! Bon, merci quand même, Ruth, mais nous allons devoir rentrer…

Quand il fit un pas vers le cabriolet, la fillette surgit de sa cachette et tira sur le bas de la veste de Mr Picton avec le bout des doigts qui tenaient les crayons. Je pus alors l'examiner pour la première fois — la deuxième, en fait, puisque j'avais vu son portrait sur la photo cachée dans le secrétaire au 39, Bethune Street. C'était un petit être frêle, avec des cheveux châtains tressés en une natte unique, des yeux marron clair (où, notai-je, dansait une touche dorée), une peau pâle et des joues roses. Comme chez la plupart des enfants qui ont vu dans leur jeune âge des choses que personne ne devrait jamais voir, les mouvements désordonnés de son corps trouvaient un écho dans la nervosité poignante de son visage silencieux.

Se retournant avec une surprise feinte, Mr Picton s'exclama :

— La voilà ! Viens que je te présente un de mes amis, Clara. (Toujours accrochée à la veste, elle suivit le petit homme.) Le Dr Kreizler travaille avec des centaines et des centaines d'enfants à New York, la ville dont je t'ai parlé. Il a fait ce long voyage…

— Pour voir tes dessins, enchaîna l'aliéniste, faisant comprendre du regard au magistrat qu'il prenait le relais. Tu aimes dessiner, n'est-ce pas, Clara ? demanda-t-il en s'accroupissant près de la fillette.

Elle acquiesça d'un hochement de tête qui, nous le sentîmes tous, était en même temps une invite, pourrait-on dire : le souhait que le docteur lui demande plus. Cyrus et moi, qui étions restés en retrait, comprenions sans doute mieux la scène que les Weston et Mr Picton car nous l'avions vu utiliser la même méthode à l'Institut. Le dessin, la peinture, la terre glaise étaient autant de moyens d'entrer en contact avec un enfant qui avait survécu à quelque chose dont il était incapable de parler. C'était la raison pour laquelle le docteur gardait tant d'objets d'art dans sa salle de consultation.

— Je m'en doutais, dit-il, levant lentement un doigt vers le petit poing crispé. Parce que tu as beaucoup de crayons. Mais pas de crayons de couleur. Tu sais que ça existe, les crayons de couleur, Clara ?

L'enfant secoua la tête et ses yeux marron clair s'agrandirent comme pour signifier qu'elle ne savait pas que ça existait mais qu'elle aimerait beaucoup en avoir.

— Oh ! oui. De toutes les couleurs que tu peux imaginer. Demain, je t'en rapporterai de la ville, parce que tu as vraiment besoin de crayons de couleur pour dessiner les choses comme elles sont réellement, n'est-ce pas ? (Elle hocha la tête.) Mes amis et moi, nous dessinons aussi quelquefois. Tu veux faire leur connaissance ?

Après un autre hochement de tête de Clara, le docteur nous fit signe d'approcher.

— Voici mon ami Stevie…

— Salut, Clara, dis-je avec un grand sourire. Ton amie, elle dessine aussi ? demandai-je en montrant la poupée. (Clara secoua vivement la tête, serra ses crayons contre sa poitrine.) Oh ! je vois : le dessin, c'est ton jeu. Elle a qu'à se débrouiller pour trouver un jeu à elle.

Les frêles épaules se mirent à remuer, un son grinçant, qui pouvait passer pour un petit rire, jaillit de la gorge de Clara.

Vint le moment décisif : le docteur désigna Cyrus.

— Et voici mon ami Mr Montrose…

Pendant une quinzaine de secondes, Clara fixa le grand Noir avec une expression indéchiffrable. Il se passait quelque chose dans son esprit, et si nul d'entre nous n'aurait encore pu dire quoi, il était évident, à la façon dont la fillette regardait calmement Cyrus, que ce n'était pas de la terreur. Elle aurait pourtant dû être terrifiée : si un mystérieux homme noir les avait vraiment attaqués sur la route de Charlton, en découvrant Cyrus, la petite fille aurait dû s'enfuir vers les collines ou tout au moins se réfugier dans les jupes de sa mère adoptive.

Elle n'en fit rien.

Cyrus s'inclina avec un sourire chaleureux.

— Bonjour, Clara, dit-il de sa voix grave et apaisante. Tu sais, quand j'étais petit, j'ai fait un dessin d'une maison merveilleuse. Et tu sais quoi ? (Elle dévisagea un moment Cyrus, secoua lentement la tête.) J'habite maintenant dans cette maison — c'est la maison du docteur.

La fillette médita un moment la chose puis tendit son bloc à Cyrus.

Sur la première feuille était dessinée, grossièrement, la ferme des Weston. Cyrus sourit de nouveau, et le même petit son étrange s'échappa de la gorge de Clara.

— Alors, toi aussi, dit-il.

Aucun de nous ne découvrit jamais si mon ami avait aperçu ce que Clara Hatch avait dessiné sur sa feuille avant de lui raconter cette histoire. Avec cette expression un peu amusée, un peu espiègle qu'il prenait parfois, il refusa toujours de nous le dire. Mais cela n'avait pas d'importance. L'essentiel, c'était que la petite fille avait été mise en confiance. Coinçant sa poupée et ses crayons sous son bras, elle abandonna Cyrus pour prendre le Dr Kreizler par la main et l'amener près de Mr Picton. Puis elle posa délicatement les doigts du docteur sur la poitrine de sa poupée et leva vers le magistrat un regard interrogateur.

— Mais oui, répondit-il. Je suis sûr que le docteur saura soigner ta petite fille. C'est son travail, tu sais : aider les enfants à se sentir mieux. Tu devrais peut-être le faire entrer pour lui montrer ce qui ne va pas.

Clara reprit la main du docteur, se tourna vers Mrs Weston.

— Bien sûr, dit la fermière, lisant la question sur le petit visage. Je viens avec vous.

Ils disparurent tous les trois à l'intérieur de la maison.

— Incroyable, fit le fermier en se grattant le crâne. Ça fait trois ans qu'elle est là et je l'ai jamais vue se conduire comme ça avec un inconnu.

— Je vous l'avais dit, Josiah, le Dr Kreizler n'est pas un homme ordinaire ! s'exclama Mr Picton. Unique dans son domaine — et son domaine, c'est de s'occuper de cas comme Clara… Stevie ? Cyrus ? Nous entrons aussi ?

Cyrus hocha la tête, accompagna les deux hommes vers la porte, mais je restai où j'étais.

— Si ça vous dérange pas, je préfère aller à l'ancienne maison des Hatch voir ce que font les inspecteurs.

Mr Picton me lança un regard un peu intrigué.

— C'est à cinq kilomètres d'ici, Stevie.

— Oui, mais j'ai l'habitude de marcher.

— Comme tu voudras. Nous nous retrouverons chez moi, donc.

Dès qu'ils furent à l'intérieur, je détalai et attendis d'être hors de vue de la ferme pour allumer une cigarette.

31

Je n'étais qu'à mi-chemin de la ville quand je commençai à me demander si l'idée de faire seul cinq ou six kilomètres sur ces routes de campagne était réellement brillante. Le soleil effleurait déjà la cime des arbres, mais, même à midi, les étranges bruits furtifs provenant des bois auraient été inquiétants. Si bien que lorsque je parvins à la lisière de Ballston Spa, j'éprouvai un curieux mélange de soulagement et de déception d'être revenu à la « civilisation ». Je descendis d'un pas rapide Charlton Street qui, comme Malta Avenue, tirait son nom de la ville à laquelle elle finissait par aboutir. Bientôt je retrouvai les bois. La campagne, à l'ouest de Ballston, semblait encore moins peuplée que les terres qui s'étendaient à l'est de la ville. Il me restait trois kilomètres à parcourir et j'étais résolu à profiter de l'aventure sans me laisser de nouveau gagner par la peur. Je dois cependant avouer qu'il suffit d'un hululement de chouette pour que mon pas rapide se transforme en course éperdue.

La vue de l'ancienne maison des Hatch, quand je finis par y arriver, ne fit rien pour me rassurer, et je me demandai de nouveau si je n'aurais pas mieux fait de rester à la ferme des Weston. Car si leur demeure accueillante avait son contraire, c'était bien l'endroit dont je m'approchais. Il n'y avait plus du tout de peinture sur les murs extérieurs du bâtiment à un étage. Avec les années, le bois des planches avait pris une couleur noirâtre qui donnait l'impression que la maison avait brûlé sans être détruite.

Des haies sauvages avaient poussé d'un côté comme de l'autre des fenêtres aux carreaux brisés. Derrière, un chêne mort étendait ses branches au-dessus de quelques pierres tombales usées entourées d'une clôture métallique rouillée. Devant, le jardin s'était transformé en pré, et l'écurie en ruine disparaissait presque derrière le bosquet de jeunes érables qui avait poussé devant elle. Il restait quelques traces d'une présence humaine — bouteilles cassées, boîtes de conserve vides, pots de chambre jaunissants —, mais la façon dont elles étaient éparpillées indiquait que l'endroit n'était plus qu'un terrain de jeux pour les galopins locaux.

Me rappelant avoir entendu Mr Picton préciser que le puits se trouvait derrière le jardin, je me frayai un chemin à travers l'herbe haute et les broussailles jusqu'à l'endroit où la colline dont la maison occupait le sommet descendait en pente douce. Je ne voyais toujours pas les autres mais je pouvais les entendre et, plaçant mes mains en coupe autour de ma bouche, j'appelai :

— Sergents ? Mr Moore ?

— Stevie ? me répondit la voix du journaliste. Nous sommes ici, en bas !

— C'est où, « ici » ?

— Oblique vers la gauche en descendant la colline ! Nous sommes juste derrière un boqueteau de pins !

Je commençais à suivre ses indications quand je l'entendis de nouveau :

— Bon sang, Lucius, je me fiche de savoir de quelle sorte de pins il s'agit, enfin !

A mi-pente, je découvris Mr Moore et Marcus en bras de chemise, juchés sur un tas de grosses pierres écroulées autour d'un trou juste assez large pour qu'un homme puisse s'y glisser. Les deux hommes avaient placé en travers une solide branche d'arbre et ils tiraient lentement sur une corde épaisse. Aux bruits qui résonnaient dans le puits obscur, je devinai que Lucius devait être au fond.

— Aouh ! cria-t-il. Mais faites un peu attention, sapristi !

— Oh, pour une fois dans ta vie, cesse de pleurnicher, lui renvoya son frère.

— Pleurnicher ? C'est un peu fort ! Je descends dans

cette fosse infecte, m'exposant à Dieu sait combien de maladies...

J'arrivais près du puits quand le haut du crâne de l'inspecteur en émergea. J'aidai les deux autres à tirer et, lorsque Lucius fut complètement sorti, il roula sur le côté, pantelant. Dans ses bras, il serrait un vieux sac en papier marron.

— C'est ça ? fis-je. C'est le revolver ?

— C'est un revolver, dit Marcus, qui entreprit d'enrouler sa corde. Nous avons récupéré les parties du chariot dans lesquelles des balles auraient pu se loger : la cloison avant et la banquette du cocher.

Remarquant alors seulement qu'il manquait quelqu'un, je m'enquis :

— Et Miss Howard ?

— Elle est retournée en ville avec la voiture, répondit Mr Moore. Elle voulait interroger cette Mrs Wright, la gouvernante des Hatch. Et à la ferme ? Comment cela s'est passé ? Dis, tu n'aurais pas une cigarette, Stevie ?

Avec un soupir — il posait toujours cette question, bien qu'il en connût la réponse —, je sortis mon paquet, lui donnai un clope, en offris un aussi à Marcus.

— La fumée éloignera peut-être les moucherons, dit-il, chassant de la main les minuscules insectes qui voletaient autour de nos têtes en sueur. Le docteur a vu la petite ?

— Au bout de cinq minutes, elle lui a pris la main, rapportai-je. Je crois que Mr Picton a été surpris que ça se passe aussi bien.

— Mmm, fit Mr Moore. Tenir la main n'est pas parler. Vous avez remarqué des signes indiquant que son état est plus psychologique que physique ?

— Ben, elle pousse de petits grognements, répondis-je. Et elle arrive à rire, ou quelque chose d'approchant.

Marcus trouva ces détails encourageants.

— Ça me paraît concluant, déclara-t-il. Qu'est-ce que tu en penses, Lucius ?

— Eh bien, commença lentement l'inspecteur en se redressant, les grognements et le rire semblent exclure qu'un traumatisme ou une pathologie physiques l'aient rendue muette. A supposer, naturellement, que la balle n'ait touché aucun des organes de la gorge associés à la faculté de parler. Selon le rapport du Dr Lawrence, il n'y a eu aucune lésion cérébrale, et c'est généralement de ce côté qu'il faut chercher la cause physique de ce genre d'infirmité.

— Si ce n'est pas physique, c'est psychologique, raisonna Marcus.

— Et si c'est psychologique, fit Mr Moore en écho, il y a de bonnes chances pour que Kreizler en vienne à bout.

Marcus approuva de la tête, tira une bouffée de sa cigarette.

— Retournons voir les morceaux de chariot, suggéra-t-il en commençant à remonter la pente.

Nous prîmes son sillage.

— Qu'est-ce qu'on cherche, exactement ? demandai-je.

— Une balle, dit Marcus, dont les chaussures de ville glissaient sur les feuilles mortes et pourrissantes accumulées depuis des années sur le flanc de la colline. Ou des balles. Vois-tu, Stevie, le rapport du Dr Lawrence mentionne uniquement les points d'entrée des balles qui ont tué Thomas et Matthew Hatch. Comme ils étaient morts à son arrivée, il n'a pas cherché plus loin. Il a en revanche déterminé avec soin la trajectoire de la balle qui a frappé la petite Clara parce qu'elle était encore en vie. Le projectile est remonté vers le haut mais il s'est peut-être quand même enfoncé quelque part dans la cloison — sous la banquette, par exemple.

— On pourrait pas simplement interroger le Dr Lawrence sur les balles qui ont tué les garçons ? fis-je, m'essoufflant à rester à leur hauteur.

— Nous l'avons fait avant de venir ici, répondit Moore. Mais il est coroner depuis 84, il en a vu, des cadavres. Et comme l'a fait remarquer le sergent, il s'est préoccupé avant tout de la petite survivante. Il est incapable de dire s'il y avait dans le dos des garçons des blessures par lesquelles les balles seraient ressorties.

— Ce qui nous laisse deux possibilités, reprit Marcus. L'une fastidieuse, l'autre quasi impossible. Ou nous réduisons en morceaux les parties concernées du chariot pour voir si une balle n'est pas enfoncée quelque part dans le bois, ou...

— Ou ?

Marcus soupira avant de répondre :

— Ou nous essayons d'obtenir l'autorisation d'exhumer Thomas et Matthew.

— Le problème étant que le juge voudra consulter la mère avant d'ordonner l'exhumation, ajouta Mr Moore. (Il se tourna vers moi et sourit.) Tu veux parier sur la réaction qu'aurait Libby Hatch ?

— C'est pas dur à deviner.

Dans le jardin de devant, une planche en frêne de quatre pieds sur trois était appuyée contre un arbre, près d'un siège de cocher mangé par les vers. Nous fîmes cercle pour les examiner.

— Je ne comprends toujours pas, dit Mr Moore. Si c'est bien Libby Hatch qui a tiré sur les enfants, pourquoi ne s'est-elle pas débarrassée en même temps du chariot et des balles ?

— La balistique est une science balbutiante et peu connue, John, rappela Marcus. Même parmi les experts. En outre, le Dr Lawrence reconnaît qu'il n'a pas examiné le dos des garçons puisqu'ils étaient morts. Il n'a donc probablement pas évoqué la trajectoire des balles quand il se trouvait dans la maison, et Libby n'y a sans doute pas pensé non plus. En revanche, il a dû parler abondamment de la blessure à la nuque de Clara, qui devait être horrible, étant donné la distance.

— Elle a une natte, dis-je, éprouvant une tristesse soudaine que je n'avais pas ressentie en remarquant la coiffure de Clara, à la ferme. Sûrement pour cacher la cicatrice.

Marcus inclina la tête de côté d'une façon signifiant que ce fait concordait avec son hypothèse.

— En tout cas, il est peu probable que Libby ait eu des connaissances assez étendues sur les armes à feu pour se livrer à des spéculations sur la trajectoire des balles.

A cet instant, nous entendîmes un bruit de voiture et nous tournâmes tous la tête vers l'allée envahie d'herbe. Miss Howard la remontait, assise sur le siège d'un *buckboard* [1] de location tiré par un étalon d'allure fringante.

1. Chariot constitué d'une longue planche montée sur quatre roues. *(N.d.T.)*

Elle arrêta l'animal trapu près de nous, releva une mèche de cheveux tombée sur son visage et sauta à terre.

— Trouvé ! s'exclama-t-elle avec un large sourire. Mrs Louisa Wright, de Beach Street — elle habite une maison derrière les serres Schafer. Elle a travaillé chez les Hatch pendant sept ans, et apparemment il n'est rien dont elle n'ait envie de parler ! (Sara tendit le bras vers la colline.) Et le revolver ? Vous avez réussi ?

— Espérons-le, répondit Lucius, montrant son paquet moisi.

— Oui, c'est bien ça, fit-elle. Mrs Wright m'a dit qu'elle l'avait mis dans un sac en papier marron avant de le jeter. Nous ferions mieux de rentrer, nous avons du travail !

Pendant que nous chargions les morceaux du chariot sur le *buckboard*, Marcus demanda à Miss Howard ce que sa visite chez l'ancienne gouvernante de Daniel Hatch lui avait appris d'autre.

— Je vous en parlerai en chemin, répondit-elle avant de grimper sur le siège. Elle s'est montrée très loquace, je vous l'ai dit, mais je retiens surtout une chose : selon elle, un seul enfant de Daniel Hatch a été abattu ce soir-là.

— Que veux-tu dire, Sara ? fit Mr Moore tandis que nous montions dans le chariot.

Ce fut toutefois vers moi qu'elle se tourna.

— Tu as vu Clara, n'est-ce pas, Stevie ? (Je hochai la tête.) Cheveux châtains, yeux marron clair, peau blanche ? (J'acquiesçai derechef.) Eh bien, les garçons étaient très différents, semble-t-il.

Je songeai à la recommandation que Mr Picton avait faite au Dr Kreizler en allant à la ferme : prêter attention à la couleur des cheveux et des yeux de l'enfant.

— Alors, c'est ça qu'il voulait dire, murmurai-je.

— Qui voulait dire quoi ? s'énerva Mr Moore.

Avant que je puisse répondre, Miss Howard fit claquer les guides sur la croupe du cheval et le chariot démarra.

Pas mécontent de dire adieu à la maison des Hatch, je me réjouis de voir Sara faire un usage libéral des rênes pour nous en éloigner rapidement. Mr Moore et moi étions assis avec elle sur la banquette, les sergents voyageant à l'arrière avec la planche de frêne, le siège et le revolver, qu'ils n'avaient pas l'intention de tirer du sac avant que nous soyons de retour chez Mr Picton. Pour le moment, ils avaient une ribambelle de questions à poser sur Mrs Louisa Wright, et Miss Howard s'efforçait d'y répondre aussi rapidement et complètement que possible.

L'ancienne gouvernante n'avait pas beaucoup de sympathie pour Libby. Par chance, elle n'avait pas nourri de meilleurs sentiments à l'égard de Daniel Hatch, ce qui signifiait qu'au tribunal les jurés ne subodoreraient pas dans ses déclarations la rancœur d'une vieille domestique pour la femme jeune et jolie qui avait été sa maîtresse. Lorsque Marcus s'étonna que, n'aimant pas le couple, Mrs Wright fût restée sept années à son service, Miss Howard expliqua que cette veuve coriace et sérieuse était à l'époque la seule femme de la ville qui fût disposée à travailler pour eux. De ce fait, les Hatch dépendirent de plus en plus d'elle au fil des ans, au point que la gouvernante pouvait quasiment exiger du vieux Daniel les gages qu'elle voulait. Elle arracha ainsi à son pingre de maître assez d'argent pour s'acheter une maison convenable en ville, ce qu'aucune autre place à Ballston Spa ne lui aurait permis de faire. Mrs Wright n'avait pas versé beaucoup de larmes à la mort de Hatch puisqu'il ne lui avait rien laissé dans son testament ; quand Libby lui demanda de rester à son service, la gouvernante réclama de toucher le même salaire, ce que sa maîtresse accepta pour ne pas avoir à chercher et à former quelqu'un d'autre. Bref, l'opinion de Mrs Wright n'avait pas été déformée par des considérations sentimentales, et nous pouvions nous fier à ses déclarations.

Cela ne signifiait pas qu'elle n'avait eu aucune affection pour les enfants Hatch qui, avait-elle expliqué à Miss Howard, se trouvaient pris dans une situation étrange et confuse les maintenant dans un état de nervosité permanent. Comme Sara l'avait deviné, une nourrice s'était occupée d'eux pendant leurs premiers mois, ce qui avait empêché qu'ils deviennent la preuve vivante des insuffisances maternelles de Libby Hatch. C'était aussi la raison pour laquelle ils avaient survécu à la petite enfance. Après ces premiers mois, ils avaient connu une existence plutôt agitée. Clara avait eu la meilleure part car Daniel Hatch était aussi sûr qu'on puisse l'être qu'elle était son enfant. Mais la naissance de Matthew, d'abord, puis celle de Thomas avaient provoqué une crise puisque le vieux mari soupçonnait alors sa femme de le tromper. Les cheveux bruns bouclés, les yeux sombres et le teint mat des deux garçons — qu'on ne retrouvait ni chez leurs parents ni chez leur sœur — étaient pour Hatch la preuve qu'ils avaient été engendrés par un autre homme ; bien qu'il ne sût jamais qui était cet homme, il devint de plus en plus agressif envers Libby à mesure que le temps passait, et perdit tout intérêt pour Thomas et Matthew.

Curieusement, avait ajouté Mrs Wright, il ne s'agissait pas simplement de divagations d'un vieillard jaloux : Libby avait effectivement trompé son mari, avec un homme que ce dernier n'aurait jamais soupçonné de ce crime. Le pasteur qui avait marié le couple, un certain Clayton Parker, avait les mêmes cheveux et les mêmes yeux que les garçons et rendait fréquemment visite au vieux Daniel, qui le recevait aussi bien que le permettait son avarice. Mrs Wright avait surpris plus d'une fois Libby Hatch et le révérend dans une étreinte torride parmi les arbres poussant derrière la maison, et le brusque retour de Libby à une humeur agitée, en été 1893, était survenu — coïncidence — après que Parker eut avisé ses supérieurs qu'il gâchait ses talents religieux à Ballston Spa, et qu'il eut été envoyé faire œuvre utile dans cette Babylone moderne : New York.

— Un pasteur ? fit Marcus. Qu'est-ce qu'un pasteur pouvait bien avoir à offrir à la femme d'un des hommes les plus riches de la ville ?

— La jeunesse, la beauté et le charme, pour commencer, répondit Miss Howard. Je crois toutefois que Mrs Wright a raison quand elle affirme que Libby ne se serait pas contentée de ces qualités. Il y avait autre chose. Une sorte de... de respectabilité, en un sens. Non, plus que ça. Un espoir de rédemption, peut-être.

— De rédemption ? grogna Lucius.

— Un accès direct à Dieu ? risquai-je.

— Oui, c'est plutôt cela, Stevie, approuva Miss Howard, poussant l'allure du petit étalon noir en direction de la maison de Mr Picton. Ce n'est pas tout à fait clair pour moi, je veux consulter le docteur à ce sujet...

Nous étions arrivés à l'endroit où Charlton Road se transformait en Charlton Street. Me levant pour regarder la route dans le jour déclinant, je distinguai bientôt les quatre tourelles de la maison de notre hôte et le *surrey*, non attelé, garé devant le perron.

— Ben, on dirait que vous allez en avoir l'occasion, annonçai-je à Sara. Ils sont rentrés de chez les Weston.

Après avoir porté les morceaux de chariot sur la véranda, nous allâmes au salon. Cyrus jouait du piano tandis que Mr Picton, dans le coin le plus éloigné, regardait avec fascination le docteur transférer ses notes sur un grand tableau noir qui ne tarderait pas à être la réplique exacte de celui du 808, Broadway.

— Charmante petite scène, commenta Miss Howard avec un sourire.

Cyrus cessa de jouer ; Mr Picton et le docteur s'approchèrent aussitôt de nous.

— Enfin ! s'écria mon mentor. Quelles nouvelles de la maison Hatch ? Notre nouveau tableau attend !

Pendant l'heure qui suivit, passablement confuse, chacun s'efforça d'expliquer aux autres les progrès accomplis. Les rapports entre le Dr Kreizler et Clara Hatch s'étaient encore améliorés après mon départ, et si l'enfant n'avait pas prononcé de véritables mots, le docteur était convaincu qu'il finirait par réussir à la faire parler. Ce ne serait pas facile : Clara souffrait de ce qu'il appelait une « dissociation hystérique prolongée », ce qui signifiait que ce qu'elle avait vu était trop terrible pour qu'elle-même ou quiconque puisse y trouver un sens. Mr Picton insista cependant sur la nécessité de lui rendre la faculté de parler : il n'aurait pas une chance de persuader son patron, le district attorney Oakley Pearson, de réunir un grand jury pour envisager une inculpation de Libby Hatch si Clara n'était pas en état de déclarer clairement que sa mère avait tiré sur elle. Nous aurions beau rassembler toutes les preuves matérielles possibles, aucune d'elles ne pèserait lourd dans une affaire qui avait suscité une telle émotion — et qui provoquerait à coup sûr une vague d'indignation quand nous annoncerions notre version du crime — si la fillette ne parlait pas. Bien qu'il lui fallût un long moment pour nous l'expliquer, le point de vue de Mr Picton était simple : avant d'accuser une femme d'avoir assassiné ses propres enfants, il vaut mieux s'assurer de tenir non seulement le mobile, la possibilité matérielle de commettre le crime, l'arme... mais aussi un témoin.

Mobile, possibilité matérielle et arme joueraient cependant un rôle non négligeable, et nous pourrions nous en préoccuper pendant que le docteur s'efforcerait d'amener Clara Hatch à communiquer. Le point le plus facile à examiner ce soir-là était le troisième, puisque Lucius avait repêché dans le vieux puits — du moins l'espérions-nous — l'arme du crime. Il demanda à Mrs Hastings de lui apporter une toile cirée qu'il étendit sur le piano, puis il commença à ouvrir lentement le sac en papier à l'aide de deux de ses sondes médicales en acier.

— J'ai demandé à Mrs Wright si elle avait remarqué quoi que ce soit d'anormal au sujet de cette arme avant de la jeter dans le puits, dit Miss Howard, tandis que nous nous rassemblions autour de Lucius. N'importe quoi pouvant indiquer qu'on l'avait déplacée, ou utilisée. Mais elle était trop bouleversée pour faire attention à ce genre de détail.

— C'est compréhensible, estima Lucius. Sait-elle si l'objet était ancien ?

— Hatch lui avait raconté qu'il le gardait depuis toujours sous son oreiller. Comme il n'a pas fait la guerre de Sécession — il s'est payé un remplaçant —, nous pouvons éliminer la possibilité qu'il l'ait rapporté de l'armée.

— Alors, il s'agit sans doute d'un des modèles les plus couramment vendus dans le commerce. Etant donné l'âge de Hatch, et son manque de familiarité avec les armes à feu, il a probablement pris le plus facile à utiliser.

— Exact, acquiesça Miss Howard. Quelque chose comme un Colt Peacemaker — ce pourrait être ça, d'après la forme du paquet. Une des premières versions. Les premiers Single Action Army sont sortis quand... en 71 ? Cela correspondrait.

— Mais est-ce une arme facile à utiliser pour une femme ? voulut savoir le docteur.

C'était le genre de questions auxquelles d'ordinaire l'un des Isaacson eût répondu, mais Sara était lancée, et les deux frères savaient qu'il valait mieux ne pas se mettre en travers de son chemin.

— Pourquoi pas ? fit-elle avec un haussement d'épaules. Un calibre 45 peut donner l'impression de ne pas être une arme de femme, mais le Single Action Army fonctionnait avec des cartouches métalliques et avait un mécanisme très doux. Une arme simple, pratique, vraiment. Ajoutez à cela que même les modèles à canon long ne pesaient pas plus de trois livres, et Libby s'en serait très bien sortie, même si elle n'avait pas beaucoup d'expérience...

Je vis Mr Picton lancer à la jeune femme un regard étonné puis se tourner vers son ami.

— Ne prends surtout pas de risques avec cette fille, Rupert, le prévint Mr Moore.

Lucius parut soudain préoccupé :

— Je ne crois pas que j'arriverai à déplier le sac sans le déchirer.

— Pourquoi ne devriez-vous pas le déchirer ? demanda Moore.

Marcus répondit pour son frère :

— Si nous pouvons prouver que le sac est de fabrication locale, cela exclura qu'il puisse s'agir d'une autre arme, jetée plus récemment par quelqu'un d'autre.

— Vous n'avez pas besoin de le garder intact pour ça, intervint Mr Picton. Regardez sous le fond, inspecteur. Vous devriez y voir, imprimé en petites lettres noires : *Sacs West, Ballston Spa, New York.*

Lucius concentra son attention sur la partie recouvrant l'extrémité du canon de l'arme.

— Vous avez raison ! L'inscription y est ! Laissez-moi simplement la découper...

A l'aide d'un scalpel, il fit quatre petites fentes bien nettes dans le fond du sac, détacha un rectangle de papier marron qu'il posa délicatement sur la toile cirée.

— Voilà. Et maintenant, nous pouvons...

Avec des gestes un peu plus rapides, il entreprit de décoller des bandes de ce qui restait du papier marron, révélant un revolver à simple action comme ceux qu'on voit sur les illustrations d'histoires de cow-boys. Sa crosse marron foncé était recouverte d'une couche de moisissure verte ; la couleur bleu acier du barillet et du canon disparaissait presque sous la rouille. Aucun de nous ne sut que penser avant que Lucius ne soulève l'arme en glissant une sonde sous le pontet, l'examine et sourie.

— Merci, Mr West, soupira-t-il.

— Vous voulez dire qu'il est en bon état ? demanda Mr Moore.

— Disons simplement ceci : Ballston Spa est effectivement la ville des « meilleurs sacs en papier du monde ».

Marcus hocha la tête d'un air satisfait quand il inspecta à son tour le revolver.

— Hum, oui, fit-il, maîtrisant son excitation. Avec un peu de travail, on devrait pouvoir le faire fonctionner.

— Ce qui signifie ? dit Mr Moore.

— Ce qui signifie un test balistique, répondit Miss Howard.

Le journaliste blêmit.

— Un quoi ?

Lucius reposa l'arme et leva un doigt.

— A condition de trouver une balle dans les morceaux du chariot pour pouvoir comparer.

— Ouh là, pas si vite, réclama John Moore.

— Mr Picton, quelle est l'opinion de vos juges sur les analyses balistiques ? demanda Marcus.

Notre hôte haussa les épaules.

— Ils savent que cette technique existe, bien sûr. Mais à ma connaissance, nous n'avons pas encore obtenu de condamnation sur cette base. D'un autre côté, je ne me rappelle pas non plus d'affaire d'où elle ait été exclue *a priori*. Dans de tels domaines, nos juges ne sont pas absolument obtus : ils ne répugnent pas à établir de temps en temps un précédent. Si nous parvenons à quelque chose de convaincant — de préférence en liaison avec d'autres preuves —, je crois que nous pourrons le monter en épingle et obtenir des applaudissements.

— Monter quoi en épingle ? grommela Mr Moore. De quoi parlez-vous ?

J'étais un peu déboussolé moi-même, et je voyais bien

384

que le docteur et Cyrus ne comprenaient pas mieux que moi. Mais nous préférions laisser Mr Moore poser les questions idiotes, puisque — je le dis avec tout le respect dû à ses autres qualités — elles lui venaient naturellement.

Continuant à ignorer le journaliste, Lucius s'adressa à Mr Picton :

— Si nous réussissons à le faire marcher, il nous faudra une sorte de stand de tir.

— Vous pouvez disposer de mon jardin, inspecteur ! Il n'y a derrière qu'un grand champ de maïs. Si vous m'indiquez ce dont vous avez besoin...

— Pas grand-chose. Rien que quelques balles de coton.

— Sans problème. Mrs Hastings ! appela Mr Picton. Nous... (Il découvrit en se retournant que sa gouvernante se tenait déjà sur le seuil de la porte, l'air atterrée.) Ah ! Mrs Hastings. Appelez Mr Burke, je vous prie, et demandez-lui...

— Oui, monsieur. Des balles de coton pour que vous puissiez tirer dans le jardin ! acheva-t-elle pour son maître en levant les bras au ciel.

— Ce serait l'idéal, approuva Miss Howard.

— Oh ! tout à fait, dit Mr Moore, prenant un ton geignard. Idéal. Et surtout, ne prenez pas la peine de nous donner des explications !...

Mr Picton s'esclaffa, se tourna vers son vieil ami.

— Désolé, John, nous sommes un peu grossiers, n'est-ce pas ? J'ai une proposition, pour nous faire pardonner : si nous prenions le tramway pour aller au Canfield ? Nous pourrions continuer à discuter en dînant, et ensuite, jouer à la roulette, faire quelques parties de cartes...

— Silence ! ordonna Mr Moore, soudain ragaillardi. Tout le monde en haut pour se mettre en tenue de soirée avant que Rupert ne change d'avis ! Allez, vite !

— Et si nous n'avons pas envie d'y aller ? protesta Miss Howard, que son ami d'enfance poussait déjà vers l'escalier. Je ne m'intéresse pas au...

— Alors tu dîneras simplement et tu rentreras, la coupa Mr Moore. Laisse-nous un peu perdre notre âme !

Je m'élançais vers le premier étage quand je me rappelai un détail.

— Mr Moore, vous miserez pour moi ? Ils laissent pas jouer les enfants, là-bas, il paraît.

— Ne t'en fais pas, Stevie, je suivrai tes instructions à la lettre. Mais il faut quand même que tu te déguises en pingouin pour être admis au restaurant.

Je hochai la tête, souris.

— Je l'ai emmené rien que pour ça ! La seule chose qui peut me décider à enfiler ce truc, c'est une bonne soirée à flamber !

Je montai quatre à quatre, me ruai dans ma chambre, fermai la porte, ouvris la grande armoire d'acajou où j'avais accroché l'habit de soirée que le docteur m'avait acheté un an plus tôt environ. Je crois qu'il espérait alors que je prendrais goût à l'opéra et que je les accompagnerais volontiers, Cyrus et lui, au Metropolitan. Mais jusqu'à présent, je n'avais été dans la loge du docteur qu'une seule fois, et uniquement parce que l'enquête sur l'affaire Beecham le réclamait. Ce soir-là, cependant, je porterais sans broncher la chemise blanche raide d'amidon, le pantalon et la veste noirs, si cela pouvait me permettre de jouer à la roulette — une des attractions qu'offrait la célèbre maison de jeux de Richard Canfield à Saratoga, qu'on appelait simplement « le Casino » dans tout le pays.

L'ardeur avec laquelle j'entrepris de mettre cette tenue ne compensait cependant pas mon inexpérience en la matière : je soufflai, je jurai en m'escrimant sur la chose, et décidai finalement de laisser à quelqu'un d'autre le soin de s'occuper du nœud papillon. Lorsque je descendis enfin, tous les autres étaient déjà prêts, et Mr Moore ne cacha pas son impatience tandis que Miss Howard nouait convenablement la bande de soie blanche autour de mon cou.

A la gare des tramways électriques de Ballston Spa, nous montâmes dans une petite voiture découverte, le cœur allègre, sans soupçonner un instant que notre hôte voyait dans cette sortie autre chose qu'une simple distraction.

32

Le tramway Ballston-Saratoga n'avait qu'un an et cela se voyait : la voiture dans laquelle nous montâmes arborait des garde-fous astiqués et roulait sur une voie étroite aux rails étincelants. L'engin parcourut à bonne allure les sept ou huit kilomètres de campagne qui séparaient Ballston Spa de l'artère principale de Saratoga, Broadway. Comme nous étions assis à l'avant, le vent qui nous giflait le visage était à la fois rafraîchissant et excitant, étant donné notre destination, et bien que le voyage ne durât qu'une quinzaine de minutes, il sembla à ma jeune âme que ce fut une éternité.

Le tramway pénétra dans le plus grand centre récréatif d'Amérique par l'extrémité sud de Broadway, qui offrait une excellente vue sur le cœur de la ville, et je dois dire que le tableau était superbe. Bordée de magnifiques ormes, l'avenue elle-même aurait fait honneur à n'importe quelle ville, mais derrière les arbres, les trottoirs bien entretenus et les réverbères, brillaient les lumières d'innombrables boutiques, et d'hôtels massifs qui promettaient toutes sortes d'excitations et faisaient mentir l'étiquette démodée de « ville d'eaux » accolée à Saratoga. Rien n'indiquait que le calme, la détente étaient des denrées appréciées, voire disponibles. L'époque où des hommes politiques, des savants et des artistes du monde entier venaient « prendre les eaux » ensemble et discuter de sujets élevés était bel et bien révolue en 1897, et la ville était devenue un véritable marché aux plaisirs.

Le Casino de Canfield était un grand bâtiment carré situé dans un parc ombragé dont la Source Congress (une des nombreuses vieilles fontaines d'eau minérale de la ville) constituait autrefois le principal attrait. Il avait en fait été construit par un autre joueur fameux, John Morrissey, solide boxeur irlandais et gros bras de Tammany, qui avait utilisé ses gains pour s'établir dans le jeu et les courses de chevaux (Morrissey avait aussi créé le premier hippodrome de Saratoga). Pendant la construction, en 1870-1871, de ce qu'on appelait alors le Club House, il avait doté le lieu de tous les raffinements italiens auxquels il avait pensé, et l'établissement avait connu dès son ouverture un succès retentissant. Il n'avait cependant pas donné à l'ancien boxeur ce qu'il désirait le plus : se faire accepter par les gens de la bonne société qui venaient perdre leurs dollars par milliers. Morrissey était mort en 1878, et le casino était passé entre les mains de divers personnages sans envergure avant d'être racheté et redécoré en 1894 par son propriétaire d'alors, Richard Canfield.

Comme Morrissey, Canfield avait fait fortune dans le jeu mais n'avait pas le passé de malfrat qui avait empêché le premier d'être traité en véritable gentleman. Après avoir dirigé des maisons de jeux à Providence, Rhode Island puis New York, Canfield avait mis à profit son temps de loisir (et une courte peine de prison) pour se couler dans la peau d'un érudit et d'un amateur d'art autodidacte. Lorsqu'il reprit le Club House de Morrissey, il mit ses connaissances en pratique pour choisir des meubles et des œuvres d'art raffinés, aménager un vaste restaurant et engager l'un des plus prestigieux cuisiniers français. En refusant de permettre aux femmes et aux enfants de jouer à ses tables, il se montra plus malin que les réformateurs qui essayaient de nettoyer la ville et avaient même réussi à obtenir la fermeture d'une série d'autres maisons de jeux plus petites.

Le parc entourant le Casino fournissait le cadre adéquat à tout ce luxe avec ses fontaines, ses bassins, ses statues, et les arbres magnifiques de l'allée menant aux murs couverts de lierre du bâtiment de deux étages. Nous y pénétrâmes ce soir-là par la porte de devant, les deux

Isaacson notant avec soulagement que Canfield était l'un des rares propriétaires de maisons de jeux ou d'hôtels de Saratoga à n'avoir pas apposé à l'entrée la pancarte *La clientèle juive n'est pas la bienvenue*. La porte franchie, nous nous retrouvâmes dans un grand hall jouxtant la salle de jeux publique. Les enjeux y étaient bas (les jetons blancs valaient un dollar, les rouges cinq, les bleus dix, les jaunes cent et les marron mille) comparés à ceux des salons particuliers des étages, où tout était multiplié par cent.

Tout excité que j'étais par la perspective de jouer, j'étais plus impatient encore de rencontrer l'homme qu'on connaissait partout comme le « Prince des Joueurs ». Je n'eus pas longtemps à attendre : à peine entré, je remarquai un personnage corpulent mais d'allure cultivée dont les yeux sombres observaient tout ce qui se passait autour de lui. Il avait des traits si fascinants qu'ils finirent par susciter l'intérêt d'un peintre aussi talentueux que Mr J.A.M. Whistler, qui les reproduisit sur toile. Dès qu'il avisa notre hôte, le visage et le reste de la personne s'approchèrent, la main tendue.

— Mr Picton ! Envie de passer la soirée à nos tables ? Ou est-ce la cuisine de Columbin qui vous amène ?

— Canfield ! Non, j'ai des invités à la maison, et je les ai convaincus qu'ils ne peuvent quitter le comté sans venir admirer notre plus grande contribution à la culture américaine !

Mr Picton fit rapidement les présentations, et Canfield nous salua avec l'aisance aimable qui caractérise les magnats du jeu, mais il y avait quelque chose en plus, me sembla-t-il, dans cet accueil : le simple fait d'être les invités du magistrat nous valait des égards particuliers.

— Mr Picton nous a été d'une grande aide à un moment délicat, expliqua le joueur comme s'il avait entendu ce que je pensais. Pendant la méchante petite vague réformatrice de la ville, il a fait valoir au comté que Saratoga pouvait fermer toutes les petites maisons si cela lui chantait, mais qu'elle devait autoriser les « établissements de qualité » comme le Casino à rester ouverts si elle ne voulait pas vivre à nouveau d'amour et d'eau minérale.

— Je ne pense pas avoir été si utile, protesta l'adjoint au DA. Même les réformateurs les plus ardents ont fini par comprendre qu'ils se tranchaient eux-mêmes la gorge. Du monde, ce soir ?

— Oh ! Ils sont tous là, répondit Canfield en nous entraînant vers le restaurant. Brady, Miss Russell, Jesse Lewisohn — et Gates est là-haut, toujours résolu à établir un record.

L'énumération me laissa sans voix ; les noms de Diamond Jim Brady, le magnat du matériel de chemin de fer, doté d'une panse gargantuesque et d'un appétit presque aussi dévorant que sa passion des pierres précieuses, et de Miss Lillian Russell, la célèbre artiste qui l'accompagnait partout, étaient alors connus dans le monde entier et le sont encore aujourd'hui. Mais dans les milieux du jeu, les noms de Jesse Lewisohn — « le Banquier flambeur » — et de John Gates (que l'on surnommerait bientôt « Banco d'un million » parce qu'il perdrait et regagnerait quasiment cette somme en un jour à Saratoga) étaient aussi légendaires et causaient une excitation encore plus grande.

— Brady est au restaurant, bien sûr, poursuivit Mr Canfield. Il a déjà englouti la moitié de la carte de Columbin et il continue à se goinfrer. Je vais vous trouver une table loin de lui : même avec ses diamants, ce n'est pas un spectacle appétissant pour les autres. (Il fit signe à un serveur avant de serrer de nouveau la main de Mr Picton.) Albert s'occupera de vous, on se retrouvera dans la salle du bas. Je présume que vous ne souhaitez pas monter ?

— Avec mon salaire ? répondit Rupert Picton. Certainement pas. La salle publique suffira amplement à mettre nos finances à mal, merci.

Le joueur prit congé de chacun et s'apprêtait à retourner dans le hall quand il parut se rappeler quelque chose.

— A propos, Picton, le bruit court que vous allez rouvrir le dossier Hatch — les gosses qui se sont fait tuer…

Les autres ne purent cacher leur stupeur, mais Mr Picton se contenta de sourire en hochant la tête.

— D'accord, Canfield, je vous tiens au courant.

— Vous savez ce que c'est. Dans cette ville, les gens

jouent sur n'importe quoi : ils feront la queue pour parier sur la chasse à l'homme et le procès. J'aimerais être en mesure de fixer les cotes.

— Deux contre un pour la chasse à l'homme, actuellement. Pour le procès, je vous le ferai savoir.

— Deux contre un ? fit le patron du Casino avec un regard admiratif. Vous êtes confiant.

— Effectivement, confirma le magistrat. Mais l'identité de ceux que nous arrêterons pourrait vous étonner.

Mr Canfield nous salua de la tête avant de retourner à son travail : faire le bonheur des gogos.

— Voilà ce qui s'appelle une ville où les nouvelles vont vite, fit observer Mr Picton.

— Vous ne voulez quand même pas dire que ces gens vont parier sur l'affaire ? fit le docteur, promenant son regard sur la clientèle riche du restaurant.

— Sans aucun doute. Ne prends pas cet air indigné, Moore. Canfield n'est pas arrivé où il en est en se laissant rouler par des petits malins ayant accès à des informations privées. Bon, nous allons manger ?

Si notre table était effectivement éloignée de celle de Diamond Jim Brady et de Miss Lillian Russell, nous dûmes cependant passer près de ces deux célébrités pour gagner nos places, et le tableau qu'ils offraient n'était pas précisément ragoûtant. Je découvris qu'une légende amusante peut parfois se réduire à une réalité assez déprimante. Je savais tout sur les fameux bijoux de Brady, sur ses vingt mille diamants, et je connaissais bien entendu son appétit. Rien ne m'avait toutefois préparé à cet homme au visage de porc — dont la bedaine était emprisonnée dans des vêtements trop serrés, vanité oblige — se livrant à sa pratique prandiale habituelle : il commençait le repas en plaçant son ventre piqueté de gemmes à trente centimètres de la table et refusait de s'arrêter de manger avant qu'il touche le bord. Au moment où nous passâmes près de lui, il faisait un sort à toute une famille de homards, un bavoir protégeant son somptueux costume blanc et ses précieux diamants. En outre, il parlait fort, et de façon vulgaire, même avec les dames qui l'accompagnaient, sachant que ses millions et leur manque de talent les obligeaient non seulement à accepter ses grossièretés mais encore à en rire.

Il était ce soir-là en compagnie de Miss Lillian Russell, dont j'avais vu naturellement le visage à New York sur des affiches — lesquelles m'apparurent bigrement flatteuses quand je la vis en chair et en os pour la première fois. Elle aussi faisait mine de se délecter des propos braillards et indécents du magnat. Je ne suis pas prude ; Dieu sait qu'il m'arrivait alors d'user d'un langage peu convenable, et cela m'arrive encore. Mais il y a une différence entre un vocabulaire peu châtié et une conduite carrément odieuse, et Brady était en quelque sorte cette différence faite chair. Nous connaissions tous la rumeur selon laquelle Miss Russell n'accordait pas ses faveurs au millionnaire (il semblait d'ailleurs impossible que qui que ce soit pût avoir des rapports avec cette bassine d'excès) et folâtrait en fait avec l'ami de Brady, Jesse Lewisohn. Ce soir-là, je songeai cependant que Mr Lewisohn ne faisait pas une si bonne affaire : Lillian Russell était peut-être une artiste de talent mais sa silhouette indiquait qu'elle aussi donnait dans les excès de table. Les malheureuses femmes de chambre qui devaient la faire entrer dans le genre de robe ajustée qu'elle portait ce soir-là méritaient autant leur salaire qu'un mineur de fond.

Aux autres tables du restaurant — une admirable longue salle avec de petites lucarnes de verre cathédrale serties dans le plafond et un parquet en chêne —, le comportement était à peu près le même : tous les autres clients s'empiffraient, buvaient comme des trous, parlaient trop fort, et flirtaient d'une manière qui aurait valu une nuit au poste à n'importe quelle péripatéticienne de New York. C'étaient pourtant des gens respectables en temps normal, des gens qui, après avoir redescendu l'Hudson, reprendraient les rênes de grandes entreprises ou de ministères, redevenant du même coup responsables de la vie de millions de gens ordinaires. Fort heureusement, nous étions là pour jouer : si nous avions dû fréquenter ces gens, je ne crois pas que je l'aurais supporté.

Je n'étais pas le seul : vers la fin du repas, l'atmosphère, à notre table, était plutôt à l'écœurement, et je découvris en sortant de la salle que c'était précisément pour cette raison que le tortueux Mr Picton nous avait emmenés dans cet endroit.

— Regardez bien une dernière fois, tous, nous dit-il. Parce que si nous parvenons à faire juger Libby Hatch, ce n'est pas seulement l'indignation d'humbles citoyens de villes comme Ballston Spa que nous devrons affronter. Non, tout le poids de cette brillante société s'abattra aussi sur nos têtes. Car c'est l'essence même de l'hypocrisie d'avoir besoin de masques derrière lesquels se cacher, n'est-ce pas, docteur ? Et le foyer idyllique, la sainteté de la mère sont des masques sacrés, intouchables. Oui, attendez-vous à voir quelques-uns de ces visages à la galerie du tribunal de Ballston dans les semaines qui viennent…

Il n'était pas très charitable de nous soumettre une telle considération au moment où plusieurs d'entre nous avaient plutôt tourné leur esprit vers les distractions. Pour Miss Howard, le restaurant était plus qu'elle n'en pouvait supporter et elle choisit de rentrer immédiatement à la maison de Mr Picton. Le docteur, Cyrus et les inspecteurs — dont aucun n'avait vraiment une âme de flambeur — décidèrent tous de l'accompagner, laissant le champ libre aux véritables amateurs. John Moore et Rupert Picton burent un ou deux verres pendant que je leur exposais brièvement ma stratégie à la roulette, et, lorsqu'ils pénétrèrent dans la salle de jeux, ils semblaient avoir réussi à vaincre la répugnance que leur inspirait la clientèle. Quant à moi, interdit de jeu, je n'avais le choix qu'entre me joindre aux femmes et aux enfants ou sortir fumer une cigarette — le choix fut vite fait.

Sous les longues branches d'un saule pleurant au bord d'un des petits bassins du parc, je tirai sur mon col amidonné avec un grognement agacé. J'allumai un clope et songeai non à mes gains escomptés mais à ce que le petit homme roux avait déclaré au restaurant. Pensée peu réconfortante : en traduisant Libby Hatch en justice, nous irriterions cette bande de jouisseurs hypocrites riches et puissants. Au début, je crus que c'était cette perspective déplaisante qui me mettait mal à l'aise, mais je me rendis bientôt compte que ma sensation de creux au ventre avait une cause plus immédiate, liée à ce qui m'entourait. Au bout d'une ou deux minutes, je l'identifiai : j'étais épié.

Me retournant brusquement, je m'avançai plus profondément sous les branches du saule et scrutai l'obscurité autour de moi : il n'y avait personne en vue dans le parc. Mais à chaque seconde qui passait, j'étais de plus en plus convaincu que quelqu'un, quelque part, observait mes mouvements. Couvert d'une sueur froide, je me mis à me balancer d'un pied sur l'autre en respirant vite. Finalement, je criai à ce qui n'était apparemment que ténèbres vides :

— Qui est là ? Qu'est-ce que vous voulez ? (Je glissai une main dans une de mes poches.) J'ai une arme ! Je m'en servirai !

Soudain une tache sombre passa devant moi : tombée du ciel, semblait-il, une ombre agile toucha souplement le sol. Je poussai un cri, sautai en arrière, me retins au tronc de l'arbre pour ne pas basculer dans l'eau. J'entendis des pas s'éloigner rapidement mais, quand je relevai la tête, l'ombre avait disparu.

Reprenant ma respiration, je sentis que j'étais maintenant vraiment seul — avec autant de certitude que j'avais perçu la présence de l'inconnu. Celui qui se cachait dans l'arbre — sans doute un gosse, supposai-je stupidement — avait dû être terrifié par mon allusion à une arme et avait détalé, plus effrayé que je ne l'avais été. Je retournai au Casino en riant de ma bêtise et sans me rendre compte un seul instant que j'avais couru un réel danger. Je l'apprendrais quelques heures plus tard, quand j'affronterais de nouveau ce danger et que je verrais son visage.

33

Mr Moore, Mr Picton et moi nous en étions sortis pas trop mal la veille à la roulette, et lorsque nous nous levâmes, le samedi matin, les tâches qui nous attendaient nous apparurent sous un jour plutôt souriant. Le docteur et Cyrus étaient déjà partis pour la ferme des Weston dans un petit cabriolet de location; Marcus et Miss Howard s'échinaient à mettre en place dans le jardin de derrière trois grosses balles de coton brut apportées plus tôt. Pendant ce temps, Lucius, installé sur la véranda, examinait le Colt de Daniel Hatch et le saupoudrait de céruse pour y relever d'éventuelles empreintes avant de le démonter et de le remettre en état. Tout le monde étant utilement occupé, Mr Picton décida de se rendre à son bureau au tribunal pour continuer ses recherches sur des affaires présentant des ressemblances avec la nôtre (ce que les juristes appellent des «précédents») tandis que Mr Moore et moi descendions à la salle à manger pour prendre l'excellent petit déjeuner préparé par Mrs Hastings.

Après que nous eûmes mangé, on nous mit au travail : Lucius nous donna à chacun une loupe, une sonde médicale et un canif très aiguisé. Nous devions inspecter chaque centimètre de la planche et de la banquette du chariot rapportées par les inspecteurs. Si nous trouvions quelque chose qui ressemblait à une trace de balle, nous devions utiliser la sonde pour vérifier si l'objet logé dans le bois était métallique. S'il l'était, il ne fallait surtout pas essayer de l'extraire mais nous servir des canifs pour découper le bois autour de la chose. Mr Moore et moi écoutâmes ces instructions sans enthousiasme car à l'évidence, si nous respections cette procédure, il nous faudrait fort longtemps pour tirer une balle des morceaux de chariot, à supposer que nous ayons la chance d'en détecter une rapidement.

En fait, une heure s'écoula avant que nous tombions sur la première possibilité intéressante. Je découvris un trou dans un coin de la planche et fus tout excité quand ma sonde entra en contact avec un objet qui était indubitablement métallique. J'appelai les inspecteurs, qui estimèrent eux aussi que j'avais peut-être déniché une balle. L'essentiel était maintenant de veiller, en découpant le bois, à ne pas effleurer l'objet avec la lame de mon canif, considération que, dans l'enthousiasme de la découverte, je ne comprenais pas vraiment, je l'avoue. Si la balle était identifiable en tant que telle, qu'est-ce qu'une ou deux marques de couteau pouvaient bien faire ?

Ce n'était pas le genre de questions qu'il fallait poser à Marcus ou à Lucius si vous n'étiez pas d'humeur à entendre un très long exposé sur une branche naissante de la science policière. En l'occurrence, Mr Moore et moi eûmes droit à un cours de balistique de quarante-cinq minutes, traitement d'autant plus complet que Miss Howard y participa. Pour résumer, la balistique serait l'équivalent, pour les armes à feu, des empreintes digitales. Quelques années auparavant, un Anglais avait découvert que les balles tirées par une arme portaient la marque des défauts particuliers du canon (entailles dans le métal, etc.). En 1897, alors que presque tous les pistolets et carabines avaient un canon rayé, on savait que les balles portaient aussi la trace des rayures mêmes de l'arme, constituées de « stries » et de « cloisons ». Les stries sont les lignes en spirale creusées à l'intérieur du canon qui font tourner la balle quand elle sort de l'arme et rendent sa trajectoire plus droite dans l'air ; les cloisons sont les espaces situés entre ces rayures. Chaque balle tirée porte des marques reflétant la disposition caractéristique des stries et des cloisons dans un canon particulier. Ce système d'identification avait déjà permis la résolution de certaines affaires — pas aux Etats-Unis, cependant :

quelques années auparavant, un nommé Lacassagne, collègue français des inspecteurs, avait comparé le nombre et l'espacement des stries d'une balle prélevée sur un cadavre avec les rayures du canon d'une arme appartenant à un suspect. L'homme fut condamné, en grande partie sur la base de cette preuve balistique.

Les sergents reconnaissaient toutefois que ce jugement était un peu prématuré puisque personne n'avait encore dressé le catalogue des cloisons et des stries des armes à feu par fabricant et par modèle, encore moins pour chaque arme particulière. Il se pouvait donc que quelqu'un d'autre en France possède une arme présentant la même disposition de stries et de cloisons que celle appartenant à l'homme condamné. Le fait demeurait toutefois qu'il y avait désormais trois moyens pour déterminer si une balle donnée provenait d'une arme à feu particulière : le premier, naturellement, c'était le calibre ; il y avait ensuite les marques laissées par des défauts du canon (non que chaque canon en présente nécessairement, mais c'était le cas pour beaucoup) ; enfin, il y avait le nombre et la disposition des stries et des cloisons. Aussi convaincante que parût cette méthode, la correspondance sur ces trois chapitres entre une balle et une arme ne pouvait encore être considérée comme tout à fait probante puisque aucune autorité centrale n'exigeait des fabricants d'enregistrer les particularités individuelles de chacun de leurs modèles. Il était donc possible qu'une balle donnée, correspondant à une arme donnée pour le calibre, les défauts, les stries et les cloisons, ait en fait été tirée par une arme inconnue présentant les mêmes caractéristiques. Oh ! bien sûr, les experts en balistique comme les Isaacson pouvaient protester que la probabilité pour que deux armes aient exactement les mêmes caractéristiques était d'une chance sur un million, mais même une probabilité aussi faible laissait place au doute, et si les preuves balistiques étaient devenues un instrument très utile pour les enquêteurs aux conceptions modernes, elles n'étaient pas encore jugées concluantes sur le plan juridique.

Quand les policiers et Miss Howard eurent achevé leurs explications, j'avais quasiment fini de dégager mon morceau de métal de la planche. Mon ardeur se refroidit considérablement quand je constatai que j'avais passé près d'une heure à déloger un vieux clou. De telles déceptions étaient monnaie courante dans le travail d'investigation, je le savais, et je repris ma loupe pour continuer à examiner la surface du bois.

Pendant ce temps, Lucius, Marcus et Miss Howard poursuivaient leur exposé en expliquant ce que le plus jeune des deux frères était en train de faire avec le Colt de Daniel Hatch. Car la balistique ne se résumait apparemment pas à faire correspondre balles et canons. Lucius s'était efforcé de déterminer — en se fondant sur la rouille et la poudre accumulées sur le Peacemaker — quand on l'avait utilisé pour la dernière fois, et combien de coups avaient été tirés. Il semblait assez facile de répondre à la seconde question : il restait trois cartouches dans le six-coups, trois avaient été tirées. Rien d'étonnant : c'était le nombre auquel nous nous attendions. Mais, comme souvent en matière de police scientifique, les choses n'étaient pas aussi simples.

D'une manière générale, expliqua Miss Howard, les gens gardant un revolver chez eux laissaient une chambre vide en haut du barillet pour que le coup ne puisse partir accidentellement. A mesure que Lucius poursuivait son examen, nous étions de plus en plus convaincus que Daniel Hatch avait lui aussi adopté cette habitude. Trois chambres étaient, comme je l'ai dit, encore chargées, mais sur les trois autres, deux seulement montraient le genre de traces de poudre indiquant qu'elles avaient servi depuis le dernier nettoyage de l'arme. De plus, la troisième chambre présentait une couche de rouille plus épaisse que les deux autres, ce qui indiquait qu'elle était restée vide plus longtemps.

C'était troublant. Pour que notre hypothèse selon laquelle Libby Hatch aurait elle-même abattu ses enfants se trouve confirmée, il fallait que trois balles aient été tirées. Or deux seulement étaient sorties du Colt. Cette discordance laissait les Isaacson perplexes. Ils trouvèrent plusieurs empreintes correspondant à celles de Libby sur la crosse et la détente de l'arme, une empreinte partielle sur le chien qu'on pouvait aussi attribuer à l'infirmière sans grand risque d'erreur — mais aucun indice qu'elle eût touché au barillet, ce qui excluait la possibilité qu'elle ait à un moment quelconque rechargé le revolver. Nous savions qu'une seule balle avait traversé le cou de Clara (avant, espérions-nous, de s'enfoncer quelque part dans le chariot, probablement sous la banquette). Mais si une seule autre balle avait été tirée, comment expliquer la mort des deux garçons ?

De plus en plus maussades, les sergents notèrent soigneusement toutes leurs observations sur l'état du Colt avant de commencer à le démonter. Ce fut Miss Howard qui nous rendit espoir en avançant une solution possible à l'énigme des deux balles et des trois victimes. Elle alla prendre sur le piano, dans la pile de dossiers de Mr Picton, le rapport d'autopsie du Dr Lawrence sur les deux garçons et nous rappela que nulle part dans le document il n'était fait état de blessures par lesquelles les balles seraient ressorties des corps de Thomas ou de Matthew. En outre, si le médecin mentionnait des traces de poudre sur la peau des enfants, il ne précisait pas quels enfants. Mr Picton présumait que Lawrence parlait des trois, mais ce n'était peut-être pas le cas. Quant aux déclarations de Libby Hatch sur la position des enfants au moment des coups de feu, nous n'avions aucune raison d'y croire davantage qu'au reste de ses affirmations. Nous étions donc libres, à l'intérieur de certaines limites, d'imaginer un déroulement des faits entièrement différent de celui que Mr Picton avait élaboré sur la base des rapports.

Supposons, dit Sara, que le petit Thomas ait effectivement été assis sur les genoux de Clara quand le chariot s'était arrêté. La fillette avait reçu une balle dans la poitrine, et personne n'aurait pu la blesser à cet endroit sans déplacer au préalable son petit frère. On pouvait donc présumer, continua-t-elle, que Libby avait soulevé Thomas et l'avait reposé ailleurs, probablement sur les genoux de Matthew. Puis elle avait tiré sur Clara, acte qui avait sûrement affolé Thomas, obligeant Libby à l'abattre aussitôt. Or le Colt Peacemaker est une arme puissante ; la balle qui avait blessé Clara avait traversé la poitrine et le cou ; celle qui avait tué le petit Thomas aurait à coup sûr traversé son corps et se serait enfoncée dans ce qui se trouvait derrière — ou dans la personne qui se trouvait derrière, si nous partions de l'idée que l'enfant était assis sur son frère, conclut-elle.

Le raisonnement redonna de l'éclat aux yeux des sergents. Voulait-elle dire que les deux garçons avaient été tués par une seule balle ? Exactement, répondit-elle. Il n'y avait aucune autre explication possible étant donné l'état du Colt. Mais avant de commencer à nous réjouir, ajouta-t-elle, nous devions nous rappeler une chose : la balle n'avait peut-être pas eu assez de puissance pour traverser les deux corps, ressortir et se ficher dans le bois du chariot. Si c'était le cas, nous avions un gros problème, car entre autres choses dont le rapport de Lawrence ne faisait aucunement mention, il y avait l'extraction d'une balle du corps des enfants morts. Autrement dit, si la balle n'était pas dans le bois du chariot, elle avait été enterrée avec Matthew Hatch au cimetière de Ballston (qui se trouvait, nous n'allions pas tarder à l'apprendre, au bout de la rue). Cette conclusion effaça de nouveau les sourires des inspecteurs et ranima notre ardeur, à Mr Moore et à moi — aidés maintenant de Miss Howard —, à réduire la planche et la banquette en cure-dents pour trouver le second projectile. Sans cette balle, nous n'avions aucun moyen d'affirmer ni même de suggérer que le Colt de Daniel Hatch avait joué un rôle dans les événements.

Nous reprîmes fébrilement nos loupes et nos canifs tandis que Marcus et Lucius retournaient travailler sur l'arme. Rupert Picton rentra pour déjeuner et, pendant le repas, nous lui fîmes part des résultats de notre travail, qu'il trouva de mauvais augure. Après son départ, nous nous remîmes à notre besogne avec plus de détermination encore, mais les premières heures de l'après-midi s'écoulèrent sans que quiconque fasse une autre découverte.

L'approche du soir ramena le Dr Kreizler et Cyrus, qui unirent leurs efforts aux nôtres, toujours en vain. Les endroits que nous n'avions pas encore examinés commençaient à devenir rares, et ce fut Mr Moore qui comprit le premier les implications sinistres de ce fait. Pourtant, lorsque Mr Picton rentra du tribunal et suggéra que tout le monde cesse le travail pour prendre un verre avant le dîner, le journaliste se força à prendre un ton jovial pour presser les inspecteurs — qui avaient les yeux rougis par une journée d'examens attentifs — à accepter l'invitation. Nous les rejoindrions dans une minute, ajouta-t-il. Les Isaacson hochèrent la tête d'un air las, rentrèrent dans la maison. Dès qu'ils eurent disparu, le visage de Mr Moore changea d'expression.

— Bon, ça suffit pour ce soir, dit-il, reposant sa loupe. On arrête.

— Pourquoi, John ? objecta Miss Howard. Il fait encore jour et il ne nous reste plus beaucoup…

— Justement, la coupa-t-il. Nous aurons besoin d'un morceau de planche encore intact demain matin.

J'étais perdu, mais Cyrus avait compris et hochait la tête.

— Elle n'y est pas ?

— Il y a de fortes chances que non, répondit Mr Moore. Une balle de 45 aurait percé un trou assez grand pour que l'un de nous l'ait déjà trouvé.

— Alors, pourquoi laisser un morceau intact ? demandai-je.

— Parce que je ne veux pas que Rupert soit obligé de mentir sciemment au tribunal, ni que les sergents se parjurent. Il n'y a qu'un endroit où cette balle peut se trouver — et nous irons la prendre. Demain matin, nous l'enfoncerons dans ce qui reste de la planche et nous laisserons les autres la découvrir. Aucun de nous quatre ne sera appelé à témoigner sur ce point particulier, nous n'avons donc pas à nous soucier de mentir. Quant aux trois autres, ils croiront dire la vérité.

Le docteur fronça légèrement les sourcils.

— John, te rends-tu compte de ce que tu suggères ?

— Oui, Kreizler, mais nous n'avons pas le choix. Nous savons tous que nous n'obtiendrons jamais l'autorisation d'un juge sans l'accord de la mère. Pas avec les quelques preuves que nous avons recueillies jusqu'ici.

Mr Moore se tut, attendant d'autres objections. Il n'y en eut pas.

— Je descends à la cave chercher une pelle, reprit-il. Nous ferons ça cette nuit.

Quelque peu abasourdis, Miss Howard, Cyrus et moi échangeâmes des regards, mais le docteur résuma notre conviction profonde en déclarant :

— Moore a raison. C'est la seule façon d'être sûr.

Nous hochâmes tous lentement la tête. Si nous nous accordions à penser que le plan de Mr Moore constituait le seul moyen d'obtenir ce dont nous avions besoin tout en préservant la position éthique et juridique de Mr Picton et des Isaacson, cela ne changeait rien au fait que nous envisagions de commettre un acte effroyable, macabre et illégal, pour lequel des gens avaient été pendus par le passé. Il fallait un peu de temps pour s'habituer à cette idée.

Mr Moore trouva une pelle au sous-sol, ainsi qu'un rouleau de corde solide, qu'il laissa devant la porte extérieure de la cuisine pendant que les autres étaient au salon. Nous passâmes ensuite dans la salle à manger, où la perspective de ce que nous allions entreprendre rendit plusieurs d'entre nous peu diserts pendant le dîner. Heureusement, Mr Picton combla le silence par un flot de commentaires sur les précédents qu'il avait étudiés. Puis nous retournâmes au salon écouter Cyrus jouer du piano avant que vienne l'heure de monter. Nous attendrions que notre hôte et les sergents se couchent puis nous sortirions séparément de la maison pour nous retrouver au coin de Ballston Avenue. De là, nous prendrions la direction du cimetière.

34

La demeure de Mr Picton finit par devenir tout à fait silencieuse un peu après une heure. Je quittai ma chambre à pas de loup, sortis dans le jardin, faillis heurter Mr Moore sur la pelouse de devant quand il tourna le coin de la maison avec sa pelle et sa corde. Nous ne vîmes pas trace du reste de notre troupe de goules avant d'arriver au lieu de rendez-vous convenu. Le docteur et Miss Howard partageaient une cigarette tandis que Cyrus inspectait nerveusement les façades obscures de l'autre côté de la rue. Selon moi, il aurait pu s'épargner cette peine : Ballston Spa était manifestement le genre de ville qui fermait de bonne heure et restait fermée, même le samedi soir.

— Bon, rappelez-vous, murmura l'aliéniste au moment où nous le rejoignîmes, ce que nous allons commettre est un délit grave. Moore et moi serons donc les seuls à nous en rendre coupables. Stevie, tu feras le guet à cette extrémité de la rue. Cyrus, vous vous posterez à égale distance dans l'autre direction. Sara constituera notre dernière ligne de défense : elle gardera la porte du cimetière.

— Avec l'artillerie, précisa-t-elle en montrant l'arme qu'elle réservait aux grandes occasions, un revolver Colt calibre 45 à canon court et crosse nacrée.

Elle en vérifia le barillet avec des gestes rapides d'expert pendant que le Dr Kreizler poursuivait :

— Si l'un de vous tombe sur qui que ce soit, vous prétendrez n'être au courant de rien. Vous êtes un invité de

Mr Picton, vous prenez le frais par cette belle nuit. Compris ?

— Pourquoi ne resterais-tu pas avec Stevie pendant que je creuse, Kreizler ? proposa Mr Moore. Moins nous serons à l'intérieur, mieux ce sera, et ce n'est pas avec…

Il s'interrompit mais son regard s'était déjà porté sur le bras déformé du docteur. Celui-ci baissa les yeux vers le membre légèrement atrophié.

— Je vois : je ne te serai pas d'une grande aide pour creuser. Très bien. Tu m'appelleras quand tu auras terminé.

L'air un peu embarrassé par ce qu'il venait de dire — bien que, manifestement, il n'eût pas voulu blesser son ami —, Mr Moore s'éloigna avec les deux autres. Je restai seul avec le docteur, ne sachant comment dissiper la gêne que la mention de son bras avait fait naître, mais il s'en chargea bientôt lui-même en considérant de nouveau la chose.

— C'est étrange, fit-il à voix basse, je n'aurais jamais cru qu'il me serait un jour de quelque utilité…

— Hein ? grognai-je, incapable de dire autre chose.

— Mon bras. J'ai tellement l'habitude d'y voir une cause de souffrance et un rappel du passé que je n'imagine pas qu'il puisse être autre chose.

Je savais ce que ce « rappel du passé » signifiait : à l'âge de huit ans, il avait eu le bras gauche brisé par son père, qui l'avait ensuite poussé à coups de pied dans l'escalier. La souffrance récurrente qu'il éprouvait, l'atrophie même du membre lui rappelaient quasi constamment les épreuves qu'il avait subies dans son enfance. Quant à l'utilité de cette infirmité…

— Je faisais allusion à Clara Hatch, ajouta-t-il, comme s'il avait lu dans mes pensées. Dès notre première rencontre, je me suis naturellement senti en empathie avec elle parce qu'elle avait elle-même perdu l'usage de son bras droit, probablement à cause de sa mère.

Nous nous retournâmes tous deux en entendant les premiers coups de pelle. Par chance, l'été avait été pluvieux et lorsque le fer de l'outil s'enfonça plus profond, dans une terre plus meuble, le bruit cessa complètement. Le docteur reprit son récit :

— Aujourd'hui, j'ai décidé de mettre à profit la coïncidence afin que Clara se sente suffisamment en sécurité avec moi pour laisser des images de ce qu'elle a vécu remonter à sa conscience.

— Des images ? Vous voulez dire qu'elle se rappelle pas de toute l'histoire ?

— Une part de son esprit s'en souvient. Mais pour l'essentiel, son activité mentale vise à éviter et à effacer de tels souvenirs. Tu dois comprendre qu'elle est bloquée, sur le plan émotionnel, par l'absurdité apparente de son expérience : comment sa mère, source présumée de sécurité et d'affection, s'est-elle transformée en danger mortel ? Elle sait en outre que Libby pourrait revenir lui faire du mal. Mais aujourd'hui, les crayons de couleur que je lui ai donnés, conjugués à l'histoire que je lui ai racontée sur la violence de mon père et mon bras cassé, ont au moins fait germer dans son esprit l'idée qu'elle pourrait affronter ces interrogations et ces peurs, et peut-être même les partager avec une autre personne.

— Alors, ça lui a plu, les crayons, hein ?

Il haussa les épaules.

— C'est étonnant ce que des objets aussi banals peuvent déclencher dans de telles situations — tu as pu le voir à l'Institut. Un jouet, un jeu — des crayons de couleur. Comme on pouvait s'y attendre, le premier qu'elle a pris était le rouge.

— Le sang ? fis-je, pensant que, à la place de Clara, j'aurais fait le même choix.

— Oui. Imagine la sauvagerie de la scène, Stevie, murmura-t-il en secouant la tête. Pas étonnant qu'elle ne puisse en parler, que son souvenir même ait été exilé dans le coin le plus éloigné de son esprit. Et pourtant, dans ce coin, il réclame d'être libéré à cor et à cri — à condition toutefois que cette libération ne la mette pas en danger. (Il s'interrompt, réfléchit.) Un flot de rouge… Tu te souviens du dessin de la maison des Weston qu'elle a montré à Cyrus ? Il y a un ruisseau qui coule derrière, et aujourd'hui, elle l'a ajouté. Mais elle l'a dessiné en rouge — un flot de rouge. Et à côté, elle a dessiné un arbre mort dont les racines plongent dans l'eau… (Il secoua de nouveau la tête, serra son poing gauche.) Je te le dis, Stevie, même si nos efforts ne servent qu'à soulager l'esprit de cette pauvre enfant, nous n'aurons pas perdu notre temps ici.

Je méditai la chose un moment avant de demander :

— Dans combien de temps vous pensez qu'elle pourra vous en parler ?

— Sa conduite de cet après-midi me rend assez optimiste. Dans quelques jours, nous devrions être capables d'évoquer les événements par des questions simples et des dessins. Quant à la faire parler... pour cela, il faudra que j'élabore une nouvelle stratégie.

Entendant des pas approcher, nous reculâmes dans l'ombre d'un orme, mais ce n'était que Miss Howard venue nous prévenir que Mr Moore avait fini et attendait le docteur.

— C'est plutôt tranquille, ici, fit-elle remarquer, indiquant le cimetière. Alors John a demandé à Cyrus de l'aider pour sortir le cercueil de la fosse. Il ne doit pas peser bien lourd, d'ailleurs...

Le docteur se tourna vers moi.

— Stevie, nous te laissons seul un moment. Sois vigilant.

Ils redescendirent Ballston Avenue et je restai sous l'orme à regarder les ombres projetées par la lune. Une brise tiède se mit à souffler, jouant des tours à ma vision — et à mon imagination. Les ombres qui m'entouraient se transformèrent en formes humaines fantomatiques, ondulant et dansant, prêtes — j'en étais sûr — à se jeter sur moi. Je me raisonnai : c'était le vent, je n'avais rien à craindre ; ces fantômes n'étaient qu'illusions nées de...

Je remarquai alors qu'une des silhouettes — la plus petite, postée sous un arbre, de l'autre côté de la rue — ne bougeait pas. Non seulement elle ne bougeait pas, mais elle n'était pas là où elle aurait dû être étant donné la position de la lune. Il y avait aussi deux points qui clignotaient, à la hauteur des yeux...

Et l'ombre semblait m'adresser ce qui ressemblait fort à un sourire.

Effrayé et stupéfait, je fis quelques pas en avant pour mieux voir, frissonnai violemment quand la chose, de l'autre côté de la rue, m'imita. Dès que nous fûmes tous deux sortis de l'ombre, je distinguai clairement...

El Niño, le serviteur indigène du *señor* Linares. Il portait les mêmes vêtements trop grands pour lui et, pour une raison quelconque, il me souriait bel et bien. Il leva lentement un bras comme pour me faire signe, ce qui atténua quelque peu ma frayeur. Son geste, conjugué à son sourire et à son visage rond, le rendait moins menaçant. Mais, inclinant la tête en arrière, il se passa un doigt en travers de la gorge. Dans la plupart des parties du monde que je connais, cela ne signifie qu'une seule chose. Pourtant, comme il continuait à sourire, je lui accordai le bénéfice du doute quelques secondes de plus. Ce qui suivit ne contribua pas à me rassurer : sans cesser de sourire, il porta une main à son cou et serra, mimant un étranglement — celui de votre serviteur, probablement.

Parcouru d'un nouveau frisson, je m'élançai vers le cimetière, convaincu que le petit homme allait me poursuivre et qu'il me fallait courir pour sauver ma vie. Je ne me retournai pas, de peur de ralentir ma course : j'avais vu combien El Niño pouvait être rapide. En arrivant à la lisière nord du cimetière, j'aperçus Miss Howard qui me tournait le dos. Elle entendit le bruit de mes pas et se retourna. Voyant mon expression, elle saisit son revolver et le braqua derrière moi. Soulagé, je continuai à courir vers elle mais soudain elle baissa les bras, l'air déroutée. Je ralentis ; elle me regarda, haussa les épaules ; je m'arrêtai, pantelant, et jetai enfin un coup d'œil derrière moi.

Le petit indigène n'était nulle part en vue.

Penché en avant, les mains sur les genoux, j'avalai de grandes goulées d'air, crachai sur la chaussée. Sara me rejoignit.

— Stevie, que s'est-il passé ?

— Le serviteur du *señor* Linares. El Niño... il était là-bas !

Elle leva de nouveau son arme, la tint cette fois à hauteur de la hanche.

— Qu'est-ce qu'il faisait ?

— Il... il me regardait, répondis-je, retrouvant lentement mon souffle. Et il m'a fait un signe avec les mains.

Miss Howard, je crois qu'il voulait me tuer, mais c'est bizarre, en même temps il souriait.

De sa main libre, elle me prit par le bras, m'entraîna vers la grille du cimetière.

— Viens, il faut prévenir le docteur.

Je n'ai jamais été très croyant mais la scène que je découvris en parvenant à la grille me parut si impie que je stoppai net. La partie du cimetière qui s'étendait devant nous était éclairée par la lune mais aussi par la lueur faible de deux réverbères qui se trouvaient de l'autre côté de la grille de derrière. Impossible de se méprendre sur ce qui se passait : le docteur, en bras de chemise, était penché au-dessus d'un cercueil d'enfant dont le couvercle gisait sur un tas de terre, près d'une tombe ouverte. Il travaillait avec des gestes vifs et précis, comme un homme découpant une dinde pour une tablée de gens affamés. Mr Moore se tenait à l'écart, un mouchoir sur la bouche. Il venait manifestement de vomir.

— At-attendez, bredouillai-je quand Miss Howard fit un pas vers eux. C'est pas la peine de le déranger, on lui racontera quand il aura fini…

Elle me lança un regard signifiant qu'elle comprenait parfaitement ma répugnance.

— Reste ici et fais le guet, dit-elle. Mais je dois aller le prévenir : El Niño n'est peut-être pas seul. Tu veux mon revolver ?

Je baissai les yeux vers l'arme, secouai la tête. Sara s'approcha des deux hommes et, si je ne pus entendre leurs propos, je vis une extrême inquiétude se peindre sur leurs visages. Nous étions cependant allés trop loin pour renoncer maintenant — même moi, j'en avais conscience. Ils renvoyèrent Miss Howard à la grille, et le docteur se remit au travail.

Au bout d'un moment, il poussa un grognement de satisfaction et montra à Mr Moore quelque chose qu'il tenait entre ses doigts gantés. Le journaliste lui tapota le dos avec un sourire de soulagement. Puis ils entreprirent de refermer le cercueil et Mr Moore m'appela. La partie de mon estomac qui n'était pas encore montée jusque dans ma gorge à la vue d'El Niño attaqua l'ascension lorsque je courus vers eux.

J'étais encore à une dizaine de mètres de la tombe quand l'odeur de terre et de décomposition m'assaillit. Par chance, lorsque j'arrivai près d'eux, ils avaient remis en place le couvercle du cercueil. Avec la corde, Mr Moore et moi le fîmes redescendre dans la fosse sans trop de problèmes. Cette tâche me tint assez occupé pour m'empêcher de regarder vraiment l'endroit où je me trouvais, mais quand nous eûmes rebouché le trou et commencé à recouvrir la terre avec les mottes de gazon que Mr Moore avait soigneusement découpées, j'inspectai les pierres tombales et les monuments funéraires qui m'entouraient.

Je me tenais entre les tombes de Thomas et Matthew Hatch, dont les pierres, identiques, se distinguaient uniquement par les mots qui y étaient gravés. Dans la partie supérieure, on lisait les noms des enfants, leurs dates de naissance et de mort, suivies dans les deux cas de cette inscription : *Fils affectueux de Daniel et Elspeth*. Dessous, les mots différaient. Pour Thomas : *Un agneau retourné trop tôt auprès de l'Agneau* ; pour Matthew : *Celui qui croit en Moi ne mourra pas*. Enfin, au bas de chaque pierre, ce message en lettres moins austères, plus coulées : *Amour éternel, Maman*.

Peut-être cherchais-je seulement à fixer mon attention sur un autre objet pour me calmer quand je demandai :

— Pourquoi ils sont enterrés ici et pas chez les Hatch ? Y a un cimetière, là-bas, derrière la maison.

— Dans beaucoup de grandes et de petites villes, on doit maintenant enterrer les morts au cimetière municipal, répondit le docteur. Pour des raisons de santé publique. Mrs Hatch n'y a vu aucun inconvénient : elle a sûrement pensé qu'il y avait moins de chances pour que quelqu'un tente dans un cimetière communal ce que nous venons précisément de faire.

— A juste titre, grogna Mr Moore. On risque beaucoup plus de se faire pincer ici. (Il mit en place la dernière motte, fit disparaître les entailles sous une pluie de brins d'herbe.) Allez, filons.

Le docteur partit aussitôt vers la grille mais j'attendis Mr Moore, qui avançait plus lentement avec la pelle et la corde.

— Alors, vous l'avez trouvée ? La balle, je veux dire.

— Il semblerait, répondit-il. Quant à savoir si c'est *la* balle, demain nous le dira. Il paraît que tu as eu la visite de notre ami philippin ?

— J'ai bien cru qu'il allait me tuer...

— Je doute qu'il ait été animé de telles intentions. Tu l'as vu à l'œuvre : s'il avait voulu te tuer, tu n'aurais rien vu ni entendu.

Prenant conscience qu'il avait raison, je fis halte près de la grille.

— Mais alors, qu'est-ce qu'il voulait ? dis-je, tandis que Cyrus accourait vers nous.

— Nous l'ignorons, répondit le docteur, qui avait deviné de qui et de quoi nous parlions. Et nous devons chercher à le savoir. L'essentiel, pour le moment, c'est que tu n'en parles ni aux inspecteurs ni à Mr Picton. En ce qui les concerne — en ce qui nous concerne tous... (il jeta un dernier regard dans le cimetière avant de s'éloigner)... rien de tout cela n'est arrivé.

— Ce n'est pas moi qui te contredirai, approuva Mr Moore, acceptant la cigarette que lui offrait son ami. Je ne suis pas tellement fier de cette petite escapade.

— Tu crois que Matthew Hatch sortira de sa tombe pour te reprocher d'avoir troublé son repos éternel, Moore ?

— Peut-être. Toi, tu n'as pas l'air troublé, je dois dire.

— J'ai peut-être une interprétation différente de ce que nous venons de faire, reprit l'aliéniste d'un ton plus sérieux. Je crois peut-être que l'âme de Matthew Hatch n'a pas encore connu le repos, éternel ou autre, et que nous sommes sa seule chance d'y parvenir. (Il alluma la cigarette de Mr Moore puis la sienne.) Ce que je ne comprends pas, c'est ce qu'ils veulent, poursuivit-il, passant d'un sujet à un autre aussi agilement qu'à son habitude. L'homme nous envoie un avertissement au 808, il sauve la vie de Cyrus dans Bethune Street, et maintenant, ici, dans une autre partie de l'Etat, il adresse une sorte de message de mort à Stevie. Qu'est-ce que cela peut bien signifier ?

Miss Howard, qui avait parfaitement suivi la pensée sinueuse du docteur, suggéra :

— Le *señor* Linares désire peut-être nous faire savoir qu'il est au courant de nos faits et gestes…

— Apparemment, dit Mr Moore, tant que nous n'avons rien à voir avec sa femme et que nous ne cherchons pas à retrouver sa fille, nous ne risquons rien. Mais si nous franchissons la limite…

— Est-ce vraiment ce que signifiaient les gestes du Philippin ? demanda le docteur. Que nous pouvons faire ce que nous voulons de Libby Hatch tant que nous laissons la famille Linares en dehors ?

— Peut-être, répondit Mr Moore avec un haussement d'épaules.

— Alors, pourquoi ne pas nous le dire, tout simplement ? répliqua le Dr Kreizler, agacé. Pourquoi ces messages énigmatiques, délivrés par un intermédiaire mystérieux ?

Je secouai la tête :

— Je crois pas que c'est ce qu'il voulait dire.

— Stevie ? fit le docteur.

— Je sais pas… Ça colle pas avec la tête qu'il faisait. El Niño, je veux dire. J'ai eu la trouille, c'est sûr, mais maintenant que j'y repense, je crois pas que c'était pour me menacer, ou me mettre en garde. On aurait plutôt dit… qu'il voulait quelque chose.

— L'indigène ? fit le docteur, alors que nous approchions de la maison de Mr Picton. Que pourrait-il bien vouloir de nous ?

— J'en sais rien, répondis-je à voix basse tandis que nous formions une file indienne pour nous glisser furtivement à l'intérieur. Mais quelque chose me dit qu'il nous le fera savoir avant longtemps…

Nous n'aurions pu souhaiter que le reste de notre plan se déroule de manière plus conforme à son objectif. Quand nous eûmes regagné la maison de son ami Rupert, Mr Moore inséra la balle dans un trou de la planche que nous avions détachée du chariot des Hatch, et, le lendemain matin, nous fûmes tous réveillés par les exclamations de Lucius. Il s'était levé de bonne heure pour examiner la planche lui-même, pensant que quelque chose nous avait peut-être échappé — il en avait maintenant la confirmation. Après avoir glissé une de ses sondes dans le trou, l'inspecteur annonça que l'objet qui se trouvait à l'intérieur était indubitablement métallique et, pendant que les autres s'habillaient, Marcus et lui entreprirent d'extraire la chose. Ce fut un moment d'extrême tension pour les deux frères comme pour Mr Picton, les autres feignant d'être eux aussi impatients de savoir.

Des hourras s'élevèrent de toutes parts quand les derniers copeaux de bois cédèrent au travail patient des sergents et révélèrent une grosse balle quasiment intacte. Marcus porta le projectile à l'intérieur, le posa sur le feutre vert de la table de jeu pour que nous puissions le regarder. J'avais vu pas mal de balles dans ma vie de voyou, mais jamais je n'avais pris le temps d'en examiner une aussi soigneusement que je le faisais à présent avec l'une des loupes. Je cherchais les marques d'identification dont les Isaacson nous avaient parlé la veille, et elles étaient bien là, du moins en ce qui concernait les stries et les cloisons. Quant aux traces laissées par les défauts du canon du Peacemaker, il faudrait pour en juger une balle de comparaison — qu'il était maintenant temps d'obtenir en allant dans le jardin.

Avec des gestes d'expert, Lucius tira dans le coton les trois balles retrouvées dans le revolver. Une seule des cartouches révéla les effets du temps en ne partant pas ; les deux autres firent merveille. Il ne nous resta plus qu'à fouiller le coton pour récupérer les balles, ce qui nous prit pas loin de vingt minutes. Marcus et Lucius nous assurèrent qu'elles étaient toutes deux en bon état et que le travail de comparaison pouvait commencer, mais, nous prévinrent-ils, cela risquait de prendre des heures. Nous retournâmes dans la maison où l'aîné des deux frères avait installé le microscope sur la table de jeu. Partant de l'hypothèse que la comparaison serait positive, nous commençâmes à envisager les autres actions à entreprendre dans les jours suivants pour obtenir l'inculpation de Libby Hatch par un grand jury.

En temps ordinaire, cette inculpation n'eût fait aucun doute, le grand jury n'étant généralement que la marionnette du district attorney, mais dans cette affaire, nous ne le savions que trop, des circonstances spéciales jouaient contre nous et exigeaient que nous ne nous contentions pas d'un travail de routine. Pour Mr Picton, cela signifiait d'autres longues journées dans son bureau à continuer de recueillir toutes les informations possibles sur l'affaire, à chercher des précédents, à déterminer quels témoins, experts, etc., il faudrait appeler à comparaître. Pendant ce temps, Marcus et Mr Moore retourneraient à New York pour s'acquitter d'une série de tâches cruciales. Premièrement, notifier officiellement à Libby Hatch qu'elle ferait l'objet d'une investigation d'un grand jury, au cas où elle voudrait venir témoigner à l'audience, comme c'était son droit. (Mr Picton envisageait de faire de Marcus un officier de justice temporaire pour qu'il puisse remettre la notification.) En second lieu, les deux hommes essaieraient de localiser le révérend Clayton Parker, témoin potentiel crucial, dont Mr Moore chercherait à obtenir l'adresse à New York en se rendant dans l'après-midi à l'église presbytérienne. Enfin, si Libby

Hatch décidait qu'elle ne voulait rien avoir à faire avec le grand jury (ce que nous estimions probable), Marcus et Mr Moore resteraient en ville et tenteraient d'épier ses faits et gestes sans se faire fendre le crâne par les Hudson Dusters.

De leur côté, Lucius et Cyrus feraient équipe pour retourner dès le lendemain lundi à l'ancienne maison des Hatch et la fouiller de fond en comble en vue de trouver des indices supplémentaires. Miss Howard et moi reçûmes pour mission de rassembler toutes les informations possibles sur le passé mystérieux de Libby Hatch, en commençant par une seconde visite à Mrs Louisa Wright, suivie d'un petit voyage à Stillwater, où nous savions que Libby avait vécu un temps. Quant au docteur, il poursuivrait naturellement ses efforts avec Clara Hatch : nous ne pouvions espérer une inculpation, répéta Mr Picton, si l'on n'obtenait pas de la fillette qu'elle réponde au moins par oui ou par non à des questions simples du grand jury.

Le docteur et Cyrus partirent pour la ferme des Weston immédiatement après le déjeuner, tandis que Mr Moore se rendait à pied à l'église presbytérienne et que Mr Picton retournait à son bureau. Tous revinrent cependant avant qu'un quelconque progrès se soit fait jour en provenance de la table de jeu. Les heures s'écoulaient, mornes et longues, sans un seul indice de succès. Et puis vers six heures et demie, Lucius bondit finalement de sa chaise et se mit à brailler comme un dément — ce que nous décidâmes d'interpréter comme un signe d'espoir.

Rassemblés autour de la table de jeu, nous apprîmes bientôt que nos espoirs étaient fondés. Pour l'essentiel, la journée de travail avait produit les résultats attendus. Non seulement l'espacement des stries et des cloisons sur les balles correspondait parfaitement au canon du Colt, mais chaque projectile présentait au même endroit une autre marque, si infime qu'il avait fallu des heures pour la déceler. Elle provenait, expliqua Marcus, d'une minuscule entaille dans l'acier du canon, près de la gueule. Cette marque conférerait au test balistique le poids que nous cherchions : en admettant qu'un autre Colt Single

Action Army calibre 45 puisse présenter exactement la même disposition de stries et de cloisons, il était difficile d'avaler qu'il puisse aussi avoir le même défaut à l'intérieur du canon. Nous venions, semblait-il, de prendre un tournant décisif, et les mâchoires de notre piège complexe commençaient à se refermer.

Mr Picton était en fait si content qu'il annonça son intention de convoquer le grand jury pour le vendredi suivant. Comme nous le découvrîmes le lendemain, le patron de notre hôte, le district attorney Pearson, ne partageait pas la confiance de son adjoint : lorsque celui-ci lui fit part de son plan, Pearson eut presque une crise d'apoplexie et déclara qu'il se refusait à changer les dates de ses vacances : il avait prévu de partir d'ici deux semaines et ne rentrerait pas avant que cette agitation « anormale » autour de l'affaire Hatch ait cessé. Le petit homme roux n'en parut point affecté : il dit joyeusement au revoir à Mr Moore et à Marcus — qui devaient partir pour New York à midi — et se retira dans son bureau, laissant les autres se séparer pour mener à bien leurs tâches respectives.

Pour Miss Howard et moi-même, la première consistait à nous rendre au domicile de Louisa Wright, dans Beach Street. C'était un endroit curieux, si proche des serres Schafer qu'il baignait dans une sorte de jour continu, puisque, à toute heure de la nuit, une partie ou une autre de cette usine florale était éclairée artificiellement. En conséquence, Mrs Wright — cinquantenaire au physique agréable mais à la langue acérée, dont le mari était mort pendant la guerre de Sécession quand elle était encore jeune — couvrait ses fenêtres de rideaux et de doubles rideaux particulièrement lourds qui rendaient la maison silencieuse comme une tombe. Le tic-tac de l'horloge du salon, seule source de bruit, semblait crier que la vie et les années passaient. Les nombreux portraits de l'époux défunt qui décoraient les pièces complétaient l'impression funèbre des lieux.

Mrs Wright nous servit du thé et des sandwiches, satisfaite, me sembla-t-il, d'être de nouveau impliquée dans notre enquête. Quand elle apprit qu'elle serait appelée à témoigner devant un grand jury, sa satisfaction vira au ravissement. Ce que la veuve avait à dire sur Libby Hatch, sur le révérend Parker, sur les enfants et sur la mort du vieux Daniel fut très intéressant et confirma ses déclarations antérieures. Aussi étions-nous très optimistes quand nous quittâmes la maison vers trois heures pour nous rendre à l'écurie et louer une voiture afin d'aller à Stillwater.

Miss Howard choisit le même *buckboard* — tiré par le même étalon — et la première partie du trajet fut couverte rapidement par le vaillant petit animal. Malheureusement, le chariot lui-même se révéla moins robuste : juste après avoir pris la route longeant l'Hudson, nous perdîmes une roue arrière dans un sinistre craquement. Si l'effondrement du châssis n'endommagea ni la roue ni le véhicule, nous restâmes bloqués deux heures sur le bord de la route jusqu'à ce qu'un fermier muni d'une grosse corde offre de nous aider à soulever le *buckboard* et à remettre la roue en place. L'opération nous prit deux heures de plus et nous dûmes ensuite suivre lentement notre bon Samaritain jusqu'à sa ferme, où il disposait des outils nécessaires pour s'assurer que la roue reste en place. Miss Howard donna cinq dollars à cet homme serviable quoique peu loquace, et nous décidâmes, puisque nous étions légèrement plus près de Stillwater que de Ballston Spa (bien qu'à bonne distance de l'une et l'autre localité), que nous continuerions à descendre vers le sud et essayerions de remplir au moins en partie notre seconde mission de la journée.

Quand nous arrivâmes à Stillwater, le soleil se couchait sur la bourgade, qui ne regroupait guère plus que deux fabriques au bord du fleuve et quelques pâtés de maisons perpendiculaires aux quais. L'endroit était considérablement plus déprimant que la plupart de ceux que nous avions vus dans la région : il était difficile de deviner ce que produisaient ces fabriques, mais Stillwater donnait cette impression de saleté et de dégradation qu'on associait généralement aux villes plus grandes. Même l'Hudson, généralement clair et engageant quand on remontait aussi haut vers le nord, était couvert d'une pellicule de saleté sur cette partie de son cours. Le fait qu'il n'y eût personne dans les rues contribuait à accentuer l'aspect froid, menaçant, de la ville, et lorsque le soleil commença à disparaître nous nous demandâmes si nous avions pris la bonne décision après avoir fait réparer notre roue.

J'arrêtai le chariot dans un endroit qui semblait être le centre de la ville (bien qu'il n'y eût toujours pas âme qui vive) et nous descendîmes faire quelques pas dans l'espoir que nous finirions par tomber sur quelqu'un qui pourrait nous renseigner. Après avoir erré une dizaine de minutes sans repérer de signe d'une activité quelconque, nous entendîmes une porte s'ouvrir en face d'une des fabriques et nous vîmes un homme sortir d'une des petites maisons semblables à des cabanes qui bordaient la rue.

— Pardon… dit Miss Howard, ce qui fit sursauter l'inconnu.

En nous voyant approcher, il regarda nerveusement autour de lui, se redressa un peu.

— Pardon, répéta Sara quand nous fûmes près de lui, nous cherchons des renseignements sur une personne qui a vécu ici. A qui pourrions-nous nous adresser ? Je sais qu'il est tard, mais…

— Ils sont tous à la taverne, sûrement, répondit le type, reculant d'un pas. Enfin, ceux qui sont pas chez eux, quoi. Ils sont là-bas, dit-il, indiquant une zone proche des quais, deux ou trois rues derrière nous.

— Ah ? fit Miss Howard. Je vois… Je ne sais pas si vous-même pourriez nous aider, cela remonte à…

— J'ai passé toute ma vie ici, m'dame. Si c'est quelqu'un qu'a vécu dans cette ville, je le connais mieux que tous ces ritals et bouffeurs de patates irlandais qui sont venus travailler aux fabriques.

Elle considéra le personnage, esquissa un sourire.

— Je vois. Nous… nous cherchons des renseignements sur une femme. Quand elle vivait ici, elle s'appelait Libby Fraser, mais depuis…

— Libby Fraser ? (Le visage de l'homme exécuta un curieux petit numéro : par vagues rapides, il passa de la stupéfaction à la peur puis à la haine.) Qu'est-ce que vous voulez savoir ?

— Eh bien, nous participons à une enquête…

— Y a personne ici qui vous parlera de Libby Fraser. Pas dans cette ville. Personne a rien à dire, vous comprenez. Personne. Elle est partie y a longtemps. Si vous voulez poser des questions sur elle, vous avez qu'à trouver où elle est allée en partant d'ici.

Il cracha sur le trottoir poussiéreux, remonta son pantalon comme pour signifier qu'il avait terminé et rentra dans la maison d'où il venait de sortir.

J'échangeai avec Sara un regard interdit.

— Il faut lui reconnaître ça, finit-elle par dire, cette femme suscite de fortes réactions partout où elle passe…

En regardant vers le bas de la rue, je vis une enseigne accrochée en haut d'un des bâtiments bordant le fleuve, après les fabriques. Dans le jour déclinant, je ne pus en déchiffrer l'inscription mais le message était à peu près clair.

— Vous croyez pas qu'on devrait essayer à la taverne, là-bas ? demandai-je, tendant le bras.

— Maintenant qu'on est là… soupira Miss Howard.

Nous fîmes à pied les trois cents mètres nous séparant de la maison à l'enseigne, ce qui nous permit de constater qu'elle abritait effectivement un établissement s'arrogeant l'appellation de « taverne », mais qu'on aurait qualifié à New York de bouge. Je n'étais pas sûr qu'il fût avisé pour une femme et un gosse de pénétrer seuls dans un lieu pareil. Miss Howard dut lire mon appréhension sur mon visage puisqu'elle chercha à me rassurer en me montrant son revolver à crosse de nacre.

— Prêt ? dit-elle, faisant de nouveau disparaître l'arme dans les plis de sa robe.

Je hochai la tête malgré ma nervosité, poussai la porte du bâtiment en bois décrépit.

La salle était imprégnée des relents habituels — bière, gnôle, fumée, urine — mais comme elle se trouvait en outre au-dessus d'une partie morte de l'Hudson, une odeur d'eau croupie entrait aussi dans le mélange. Eclairée (il s'en fallait de beaucoup, en fait) par une demi-douzaine de lampes à pétrole, la « taverne » offrait à sa clientèle, au bout d'un long comptoir, un billard à blouses. Sur la vingtaine d'hommes éparpillés çà et là, quelques-uns seulement bavardaient ou faisaient autre chose que fixer les murs avec le regard mort de gars durs à la tâche se distrayant de l'unique façon qu'ils connaissaient et qu'ils connaîtraient probablement jamais : rester assis sans bouger, un verre de raide à la main. Comme cela se passe généralement dans ce genre d'endroits dans ce genre de villes, ils tournèrent tous la tête vers la porte au moment où nous entrâmes. Nous fûmes un peu surpris de découvrir au coin du bar l'homme à qui nous nous étions adressés trois minutes plus tôt dans la rue. Quoi que Libby Fraser eût pu faire dans cette ville, il avait suffi de prononcer son nom pour qu'un ouvrier fatigué s'impose une longue course afin de prévenir ses copains que deux inconnus posaient des questions sur elle.

Miss Howard le salua de la tête, mais il se retourna vers le comptoir comme s'il ne nous avait jamais vus. Hésitant sur la conduite à tenir, elle m'interrogea du regard. J'attendis que le murmure de conversations reprenne pour souffler :

— Le barman.

Nous trouvâmes une place au bout du bar et attendîmes que le grand maigre à la mine rébarbative qui officiait derrière s'approche de nous. Sans un mot, il dévisagea froidement Miss Howard.

— Bonsoir, dit-elle. Nous sommes ici pour recueillir des informations sur...

— J'en vends pas, rétorqua l'homme. Je sers à boire, c'est tout.

— Ah, fit-elle, considérant la réponse. Dans ce cas, donnez-moi un whisky. Et une *root beer* pour mon ami.

— J'ai que de la limonade, dit-il, posant un instant sur moi son regard froid.

— D'accord pour la limonade, acquiesçai-je, en m'efforçant de ne pas montrer à cet abruti qu'il me rendait nerveux.

Il ne lui fallut que quelques secondes pour nous servir. En posant un billet sur le comptoir, Miss Howard déclara :

— Nous ne nous attendons pas à ce que les renseignements soient gratuits...

L'invite ne fit que le réfrigérer davantage. Etrécissant les yeux, il se pencha vers Sara par-dessus le comptoir.

— Ecoutez-moi, Miss, fit-il d'une voix forte (et soudain tous les regards se tournèrent de nouveau vers nous). On vous l'a déjà dit : y a personne dans cette ville qui vous parlera de Libby Fraser.

Elle parcourut rapidement des yeux la salle sombre et crasseuse.

— Je ne comprends pas. De quoi avez-vous tous si peur ?

Un frisson de frayeur me secoua les épaules : nous n'étions pas dans le genre d'endroit où il est recommandé de traiter les hommes de lâches. Curieusement, pourtant, ni le barman ni aucun des clients ayant entendu la question ne lui sautèrent à la gorge. Ils continuèrent à regarder fixement devant eux, et le barman finit par répondre d'une voix étouffée :

— La peur, c'est rien d'autre que du bon sens, des fois. Et la fermer aussi. Après ce qui est arrivé aux Muhlenberg…

— Les Muhlenberg ? répéta-t-elle.

L'homme se rendit compte qu'il en avait trop dit.

— Finissez votre verre et fichez le camp d'ici, maugréa-t-il en repartant vers l'autre bout du comptoir.

— Vous ne pourriez pas au moins nous dire où habitent ces gens ? insista-t-elle, prenant des risques. Vous ne comprenez pas, je crois : nous menons une enquête qui pourrait déboucher sur l'inculpation de cette femme pour crimes graves.

Au bout d'un moment, un client assis dans un coin et dont nous ne pouvions voir le visage lança dans le silence :

— Ils habitent la vieille maison jaune, à la sortie sud de la ville…

— Boucle-la, Joe ! beugla le barman.

— Pourquoi ? S'ils la coincent, cette garce…

— Ah ! ouais ? intervint l'homme que nous avions interrogé dans la rue. Et si elle s'en sort ? Et si elle apprend que tu les as aidés ?

— Oh… fit l'autre d'un ton apeuré.

— Je vous le répéterai pas, menaça le barman. Vous finissez votre verre et dehors !

La sagesse conseillait apparemment d'obtempérer,

l'atmosphère du lieu devenant de plus en plus déplaisante. La peur exerçait sur ces gens ignorants son effet habituel, les rendant nerveux et portés à la violence. Je songeai que nous ferions mieux de quitter la « taverne », et peut-être aussi la ville. Miss Howard, malheureusement, ne voyait pas les choses ainsi. Quand je me dirigeai vers la porte, elle me suivit mais, parvenue à l'extrémité du bar, elle s'arrêta de nouveau pour assener :

— Alors, tous les hommes de cette ville ont peur d'elle ?

Sachant qu'elle avait cette fois franchi la limite de ce que ces brutes accepteraient sans réagir, je la poussai dehors et vers le chariot malgré ses protestations : elle n'était pas femme à reculer devant la menace, et la conduite des rustauds du bar ne faisait que renforcer sa détermination à rester à Stillwater pour trouver quelque chose. C'est la raison pour laquelle, au lieu de prendre le chemin de Ballston Spa, nous roulâmes en direction du sud jusqu'à une bicoque délabrée. Elle avait peut-être été jaune autrefois mais ce n'était plus qu'un tas de vieilles planches recouvertes de plantes grimpantes mortes. La faible lumière d'une lanterne éclairait une des fenêtres, devant laquelle une silhouette passa une fois ou deux.

— On entre là-dedans ? fis-je, espérant que Miss Howard pouvait encore changer d'avis.

— Bien sûr, répondit-elle d'une voix calme. Je veux savoir ce qui s'est passé ici.

Avec un hochement de tête résigné, je descendis du *buckboard*, longeai à la suite de Sara la clôture trouée entourant le jardin envahi de mauvaises herbes. Nous avançâmes jusqu'à la porte et Miss Hatch s'apprêtait à frapper quand je remarquai quelque chose, dans l'obscurité, à droite de la maison. Je donnai un coup de coude à Sara.

— Regardez un peu ça, murmurai-je en tendant le bras.

Elle se tourna vers les ruines noirâtres occupant le terrain contigu. C'étaient manifestement celles d'une autre maison, puisqu'elles étaient flanquées à chaque bout de deux cheminées à moitié écroulées, et qu'on pouvait discerner, à la lueur de la lune, deux poêles en fonte, et les vestiges — baignoire et lavabo — d'une salle de bains au milieu des gravats. Les broussailles qui poussaient parmi les décombres indiquaient que l'incendie qui avait ravagé l'endroit n'était pas récent.

Miss Howard s'écarta de la porte pour contempler le lugubre tableau, et j'eus le sentiment que nous pensions tous deux la même chose : peut-être que les gars de la « taverne » n'avaient pas tort d'être effrayés...

— J'aurais pas voulu être dans cette maison, fis-je à voix basse. On a pas beaucoup de chances de survivre à un feu pareil...

— Aucune, à mon avis, dit Miss Howard.

Elle se trompait : quelqu'un avait survécu à l'incendie et nous allions le rencontrer.

36

De la petite maison sise à la sortie sud de Stillwater, nous ne vîmes jamais que le vestibule et le salon, mais le souvenir de ces lieux est gravé si profondément en moi que je pourrais probablement les recréer — jusqu'aux milliers de minuscules fissures qui étoilaient les murs comme autant de vaisseaux capillaires. Pour les besoins de cette histoire, il suffira cependant de savoir qu'après avoir frappé nous fûmes introduits par une vieille Noire qui nous détailla avec une expression signifiant que les occupants de la maison ne recevaient pas beaucoup de visiteurs, et que cet état de fait leur convenait à merveille.

— Bonjour, dit Miss Howard en franchissant la porte. Je sais qu'il est tard, mais est-ce que Mr ou Mrs Muhlenberg est là ?

La vieille femme lança à Sara un regard dur et étonné.

— Vous êtes qui, vous ? demanda-t-elle. (Avant que Miss Howard ait pu esquisser une réponse, elle s'en chargea elle-même :) Des étrangers, sûrement : y a pas de Mr Muhlenberg. Y en a plus depuis une dizaine d'années.

Miss Howard enregistra l'information avec un léger embarras puis reprit :

— Je m'appelle Sara Howard, et voici… (Tendant le bras vers moi, elle inventa dans la seconde une explication collant avec la situation.) Mon cocher. Je travaille pour les services du district attorney du comté de Saratoga, j'enquête sur une affaire à laquelle est mêlée une femme qui a autrefois vécu dans cette ville. Son nom est

Libby Fraser. On nous a dit que les Muhlenberg avaient été en rapport avec elle...

La Noire écarquilla les yeux et leva un bras pour nous refouler.

— Non ! fit-elle vivement, secouant la tête. Vous êtes pas un peu folle de venir ici poser des questions sur... Déguerpissez !

Avant qu'elle ait pu nous chasser, une voix éraillée cria du salon :

— Qui est-ce, Emmeline ? Il m'a semblé entendre... Emmeline ! Qui est là ?

— Rien qu'une femme qui pose des questions, m'dame, répondit la servante. Je m'en débarrasse, vous en faites pas !

— Quelle sorte de questions ? demanda la maîtresse invisible.

Je notai dans sa voix ce que le docteur eût appelé un aspect paradoxal : si sa raucité indiquait un âge voisin de celui de la Noire, le ton et le rythme des mots étaient très vifs et semblaient appartenir à quelqu'un de beaucoup plus jeune.

Sur le pas de la porte, la domestique eut un soupir effrayé et répondit :

— Sur Libby Fraser, m'dame.

Après un long silence, la voix reprit, beaucoup plus doucement :

— Oui. C'est bien ce que j'avais entendu... Elle dit qu'elle appartient aux services du DA ?

— Oui, m'dame.

— Alors, fais-la entrer, Emmeline. Fais-la entrer.

A contrecœur, la servante s'effaça pour nous laisser traverser le vestibule sombre comme une grotte et pénétrer dans le salon.

On n'aurait pu donner une couleur aux murs craquelés de cette pièce, ni au papier mural qui y adhérait encore par endroits. Le mobilier, regroupé autour de la lourde table supportant la lampe, était lui aussi en état de décrépitude avancé. La lumière jaune projetée par la petite flamme fumeuse se propageait vers les coins sans les atteindre, et c'était dans l'un de ces coins que notre « hôtesse » était assise sur un divan défoncé. Un plaid de fabrication maison couvrait ses jambes et la majeure partie de son corps. Elle tenait devant son visage un éventail qu'elle agitait lentement pour se rafraîchir — du moins, le supposai-je. Autant qu'on pût en juger, il n'y avait personne d'autre dans la maison.

— Mrs Muhlenberg ? fit poliment Miss Howard en scrutant le coin sombre.

— J'ignorais que le district attorney s'était mis à employer des femmes, dit la voix rocailleuse. Qui êtes-vous ?

— Je m'appelle Sara Howard.

Il y eut un hochement de tête derrière l'éventail.

— Et le garçon ?

— Mon cocher. Et mon garde du corps... il semble que ce ne soit pas superflu, dans cette ville...

La tête continua à remuer.

— Vous posez des questions sur Libby Fraser : c'est un sujet dangereux... (Brusquement, Mrs Muhlenberg aspira une goulée d'air avec une plainte qui eût hérissé les cheveux d'un mort.) Je vous en prie, dit-elle après un silence, asseyez-vous.

Nous trouvâmes deux chaises qui semblaient un peu plus solides que les autres meubles de la pièce.

— Mrs Muhlenberg, j'avoue que je suis intriguée, déclara Miss Howard. Je ne suis pas venue ici pour chercher des ennuis. Ni dans l'intention d'offenser qui que ce soit. Mais le simple fait de prononcer le nom de Libby Fraser...

— Vous avez vu ce qu'il reste de la maison voisine ? l'interrompit Mrs Muhlenberg. C'était ma maison. Celle de mon mari, à vrai dire. Nous y vivions avec notre fils. Les gens de cette ville ne tiennent pas à voir leur propre demeure réduite en cendres.

— Vous voulez dire que c'est elle qui a fait ça ?

Dans le coin, la tête acquiesça.

— Mais je ne pourrai jamais le prouver. Pas plus que je ne peux prouver qu'elle a tué mon enfant. Elle est trop habile...

La mention d'un autre enfant mort, dans cette ville et cette maison également mortes, me donna envie de sauter par la fenêtre du salon, de grimper dans le chariot et de fouetter le petit étalon jusqu'à ce que nous soyons de retour à New York, mais Miss Howard ne broncha pas.

— Je vois, fit-elle. Je pense qu'il faut que vous sachiez, Mrs Muhlenberg, que l'adjoint au DA Rupert Picton s'efforce de faire inculper la femme que vous connaissez sous le nom de Libby Fraser. Pour le meurtre de ses propres enfants.

Derrière l'éventail, la maîtresse de maison émit un autre gémissement pitoyable, et l'un de ses pieds se mit à s'agiter au bout du divan.

— Ses propres... (Le pied cessa de bouger.) Où ? Quand ?

— Il y a trois ans. A Ballston Spa.

— Cette histoire de vagabond noir ?

— Oui. Vous êtes au courant ?

— Nous en avons entendu parler, répondit Mrs Muhlenberg. Et un groupe d'hommes a fouillé la ville. C'étaient les enfants de Libby ?

— Oui. Nous pensons qu'elle les a tués. Ainsi que plusieurs autres, à New York.

Un bruit différent s'éleva de derrière l'éventail, une sorte de sanglot rauque.

— Pourquoi serais-je étonnée ? dit finalement Mrs Muhlenberg. Si une femme est capable de tels crimes, c'est bien Libby.

Se penchant en avant, Miss Howard mit toute la compassion dont elle était capable dans sa question suivante :

— Pouvez-vous me raconter ce qui s'est passé ici, Mrs Muhlenberg ? Cela nous aiderait peut-être dans nos efforts pour la traduire en justice.

Après un autre sanglot étouffé, la femme cachée derrière l'éventail demanda :

— Sera-t-elle exécutée ?

— C'est fort possible.

Une sorte d'excitation s'insinua dans la voix de Mrs Muhlenberg.

— Si vous pouvez la faire mourir, alors, oui, je vous dirai ce qui s'est passé.

Lentement, Miss Howard tira de son sac un crayon et un bloc, se préparant à prendre des notes. Au moment où sa maîtresse entamait son récit, la vieille domestique noire quitta la pièce en secouant la tête, comme si elle ne pouvait supporter d'entendre à nouveau cette histoire.

— C'était il y a longtemps, commença Mrs Muhlenberg. La fin de l'été 1886 — elle est venue chez nous à ce moment-là. La famille de mon mari possédait une des fabriques de la ville. Nous nous étions installés dans la résidence d'à côté juste après notre mariage. C'était celle de la grand-mère de mon mari. Une propriété magnifique, avec des jardins descendant jusqu'au fleuve… Cette maison-ci était alors occupée par le gardien. C'est cet été-là qu'est né notre premier enfant. Notre seul enfant. Comme je ne pouvais l'allaiter, nous avons cherché une nourrice. Libby Fraser a été la première à se présenter, nous l'avons tous deux trouvée charmante. (Un rire morne ponctua la déclaration.) Charmante… Pour dire la vérité, j'ai toujours pensé que mon mari la trouvait un peu trop charmante. Mais elle semblait tellement tenir à cet emploi, elle cherchait désespérément à nous plaire. Désespérément. Et cela me touchait…

Après une longue pause, Miss Howard posa une question étonnante :

— Quand votre fils a-t-il commencé à avoir des problèmes de santé ?

— Je vois que vous connaissez Libby… Oui, il est tombé malade. Des coliques, avons-nous pensé au début. Moi, j'arrivais à le calmer, mais je ne pouvais pas le nourrir, et son état semblait toujours empirer quand il était avec Libby. Des heures et des heures à pleurer, des journées entières… Pourtant nous ne voulions pas nous séparer d'elle, elle faisait apparemment de tels efforts. Bientôt nous n'eûmes plus le choix : Michael, mon fils, ne supportait pas qu'elle s'occupe de lui. Nous décidâmes de trouver quelqu'un d'autre.

— Comment a-t-elle accepté votre décision ?

— Si seulement elle l'avait acceptée ! Si seulement nous l'avions forcée à l'accepter, et à partir… Elle nous a paru si effondrée, elle nous a suppliés si désespérément de lui accorder encore une chance que nous avons cédé. Et les choses ont changé, après ça. Les choses ont changé… La santé de Michael s'est améliorée. Ses coliques et ses crises de larmes se sont calmées, comme s'il acceptait finalement que Libby s'occupe de lui. Mais c'était un calme pernicieux, le symptôme d'une maladie qui le rongeait lentement. Il s'est mis à perdre du poids, le lait de Libby passait en lui comme de l'eau. Mais ce n'était pas de l'eau, non. Ce n'était pas de l'eau…

Le silence se fit dans la pièce et se prolongea si longtemps que je crus Mrs Muhlenberg assoupie. Finalement, Miss Howard tourna vers moi un regard interrogateur auquel je ne pus répondre que par un haussement d'épaules.

— Mrs Muhlenberg ? fit-elle.

— Oui ?

— Vous disiez…

— Je disais ?

— Vous disiez que ce n'était pas de l'eau — le lait de Libby.

— Non, pas de l'eau, soupira-t-elle. Du poison.

Je remuai nerveusement sur ma chaise quand Sara insista :

— Du poison ?

La tête sombre s'agita derrière l'éventail.

— Nous avons fait venir le docteur, mais il n'arrivait pas à nous expliquer ce qui se passait. Michael était malade, gravement malade. Puis la santé de Libby a commencé à se détériorer aussi. Le docteur a pensé que mon fils lui avait transmis le mystérieux mal dont il souffrait. Comment aurions-nous pu deviner ? (Sous le divan, le pied reprit son mouvement nerveux.) Personnellement, j'avais des soupçons. Appelez ça l'instinct maternel si vous voulez, je ne pouvais croire que mon fils contaminait Libby. Non, c'était elle qui lui faisait quelque chose, j'en étais sûre. Mon mari m'a répondu que j'étais tellement rongée d'inquiétude que j'en perdais la tête. Il prétendait que Libby risquait sa vie pour aider Michael. A ses yeux, et à ceux du docteur, elle était héroïque. Moi, j'étais chaque jour plus convaincue que c'était elle. Je ne savais pas comment elle faisait ça, je ne savais pas pourquoi, mais j'ai commencé à assister aux tétées, et bientôt j'ai refusé de le laisser seul avec elle une seconde. Pourtant, il continuait à dépérir. Et elle aussi s'affaiblissait…

« Finalement, je suis montée dans sa chambre un jour

qu'elle était sortie. J'ai trouvé deux paquets dans sa commode. Le premier contenait une poudre blanche, l'autre une poudre noire. Je les ai montrés à mon mari. Il ignorait ce qu'était le second paquet mais il n'avait aucun doute pour le premier.

Mrs Muhlenberg s'interrompit, comme effrayée de poursuivre, puis finit par lâcher le mot :

— Arsenic.

Devinant que j'étais sur le point de sortir pour échapper à la suite, Miss Howard posa une main sur mon bras.

— Elle donnait de l'arsenic à votre fils ? demanda-t-elle.

— Si vous connaissez Libby, vous savez qu'elle est trop intelligente pour commettre quelque chose d'aussi risqué que lui faire avaler directement du poison. Et n'oubliez pas que je la surveillais quand elle était avec lui. Quand elle était avec lui — mais pas quand elle était seule. C'était mon erreur… Lorsque mon mari l'a interrogée, elle a prétendu qu'elle s'était procuré de l'arsenic parce qu'elle avait été réveillée une nuit par un rat. Comme si nous avions des rats ! Mais nous ne pouvions imaginer une autre raison…

Mrs Muhlenberg réprima un sanglot puis poursuivit :

— Michael est mort peu de temps après. Libby a parfaitement joué l'affliction, pendant des jours. Ce n'est qu'à l'enterrement de mon enfant que la vérité m'est apparue. Elle pleurait, mais elle avait recouvré la santé. Elle l'avait empoisonné en prenant elle-même de l'arsenic, en le lui faisant boire avec son lait. Une dose pas assez forte pour une adulte, mais suffisante pour tuer un bébé. Satan lui-même n'aurait pas été plus habile.

C'était plus que je n'en pouvais supporter.

— Miss Howard… murmurai-je.

Sara se contenta de resserrer son étreinte sur mon bras sans quitter des yeux le coin obscur.

— Vous lui avez dit ?

— Bien sûr. Je ne pouvais rien prouver, mais je voulais qu'elle sache que j'avais compris. Et je voulais savoir pourquoi. Pourquoi tuer mon fils ? Que lui avait-il fait ? (Les larmes se remirent à couler.) Qu'est-ce qu'un bébé peut bien faire à une femme adulte pour qu'elle veuille l'assassiner ?

Je crus un instant que Miss Howard tenterait d'expliquer la théorie que nous avions élaborée sur le fonctionnement de l'esprit de Libby Hatch, mais elle s'en abstint. Sagement, estimai-je, car même si Mrs Muhlenberg l'avait comprise, elle n'eût pas été en état de la supporter.

— Elle a nié, naturellement, continua-t-elle. Et cette nuit-là... (Une main se leva, indiqua la direction des ruines.) L'incendie... Mon mari a été tué, j'ai moi-même failli mourir. Et Libby avait disparu.

Je priai intérieurement pour qu'elle ait terminé son récit. C'était le cas, mais Miss Howard ne voulut pas en rester là :

— Mrs Muhlenberg, seriez-vous prête à témoigner devant un grand jury ?

La plainte pitoyable s'éleva de nouveau.

— Non ! Pourquoi ? Vous pouvez leur raconter, vous — vous ou quelqu'un d'autre. Je ne peux rien prouver, vous n'avez pas besoin de moi.

— Je pourrais effectivement, mais cela n'aurait aucun poids. Si les jurés l'entendent de votre bouche, s'ils voient votre visage quand vous...

Le gémissement se transforma en un rire effrayant.

— C'est justement ce qui est impossible, Miss Howard : ils ne peuvent voir mon visage. Même moi, je ne peux pas. Je n'ai plus de visage. Je l'ai perdu dans l'incendie. En même temps que mon mari — et ma vie.

Derrière l'éventail — dont je comprenais maintenant la raison —, l'ombre de la tête se mit à trembler.

— Je n'exhiberai pas cette masse de chairs brûlées dans une salle d'audience, déclara Mrs Muhlenberg. Je ne donnerai pas à Libby Fraser cette ultime satisfaction. J'espère que mon histoire vous aidera, Miss Howard, mais je ne... je ne peux pas...

Sara prit une longue inspiration.

— Je comprends, dit-elle. Vous pouvez peut-être nous aider d'une autre manière. Jusqu'ici, nous ne sommes pas arrivés à savoir d'où vient Libby exactement. En a-t-elle fait mention ?

— Pas vraiment. Elle parlait souvent de diverses petites villes situées de l'autre côté du fleuve, dans le comté de Washington. J'ai toujours eu l'impression qu'elle venait de là-bas. Mais je n'en suis pas sûre.

Miss Howard hocha la tête et, lâchant enfin mon bras, se leva.

— Je vois. Eh bien, merci, Mrs Muhlenberg.

La vieille servante réapparut pour nous raccompagner. Au moment où nous allions passer dans le vestibule, sa maîtresse rappela Sara :

— Miss Howard ? Regardez le visage de votre jeune compagnon. Vous voyez cette terreur dans ses yeux ? Vous pensez peut-être que c'est son imagination. Vous vous trompez : ce qui était autrefois mon visage est plus hideux encore que tout ce que son esprit se représente. Savez-vous ce que c'est que d'inspirer une telle terreur ? Je suis désolée de ne pouvoir faire davantage — et j'espère que vous comprenez vraiment...

Miss Howard hocha la tête et nous sortîmes ; la domestique noire ferma silencieusement la porte derrière nous. Je me précipitai vers le chariot et m'arrêtai, étonné que Sara ne fasse pas de même. Les yeux tournés vers le fleuve, elle réfléchissait.

— Ne sommes-nous pas passés devant un embarcadère de ferry avant d'arriver à Stillwater ? me demandat-elle en s'approchant lentement du chariot.

— Oh ! non ! je traverse pas le fleuve ce soir, pas question, m'exclamai-je, la peur me rendant insolent. (Je me repris, cherchai mon paquet de cigarettes en tapotant mes poches.) Je suis désolé, mais franchement...

Un bruit, inquiétant : des pas, fort nombreux, faisaient crisser la terre sèche de la route. Nous nous écartâmes du chariot pour scruter l'obscurité, qui ne tarda pas à vomir une dizaine des clients de la taverne. Ils se dirigeaient vers nous, et le moins qu'on pût dire, c'est qu'ils ne semblaient pas disposés à faire la conversation.

Je marmonnai un « Ah ! Merde », ma réaction habituelle dans ce genre de situation, puis je regardai rapidement autour de moi en quête d'une issue.

— On peut encore filer par le sud, dis-je, ne voyant

rien dans cette direction qui pût nous arrêter. Si on fait vite...

Le cliquetis d'un barillet me fit relever brusquement la tête : Miss Howard avait sorti son Colt et inspectait les chambres avec un regard signifiant qu'elle ne plaisantait pas.

— Ne t'inquiète pas, Stevie, me dit-elle d'un ton calme en cachant l'arme derrière son dos. Je n'ai pas l'intention de me laisser bousculer par ces rustres.

Je regardai approcher la bande d'hommes ivres et menaçants, me tournai de nouveau vers Sara et compris que j'allais assister à quelque chose de vraiment vilain.

— Miss Howard, y a aucune raison pour...

Il était trop tard ; la petite troupe s'était déployée en travers de la route pour nous barrer le chemin. L'homme que nous avions rencontré à notre arrivée se détacha de la ligne.

— On s'est dit que vous aviez peut-être pas compris, grogna-t-il en s'approchant de Miss Howard.

— Qu'est-ce qu'il y a à comprendre ? répliqua-t-elle. Que j'ai affaire à une bande de pleutres effrayés par une femme ?

— Vous avez pas seulement affaire à nous, ma petite dame. Quand il s'agit de Libby Fraser, toute la ville est concernée. Elle a assez fait de dégâts ici comme ça. On veut plus entendre parler d'elle. Et si c'est pas clair...

Les autres firent eux aussi quelques pas en avant. J'ignore ce qu'ils avaient l'intention de nous faire, mais ils n'eurent même pas le loisir de nous l'expliquer. Miss Howard ramena le revolver devant elle, le braquant sur le meneur.

— Reculez, cher monsieur, ordonna-t-elle, les dents serrées. Je vous préviens, je n'hésiterai pas à vous loger une balle dans la jambe — ou dans une partie plus vitale de votre personne — si vous m'y contraignez.

Pour la première fois, il sourit.

— Ah ! vous allez me tirer dessus, hein ? (Il se tourna vers ses amis.) Elle va me tirer dessus, les gars ! clama-t-il, suscitant une série de rires bêtes. (Il reporta son regard sur Sara.) Vous avez déjà tiré sur quelqu'un, Miss ?

Elle le dévisagea avant de répondre, le plus sereinement du monde :

— Oui, bien sûr. Pourquoi ?

Comme pour appuyer ses dires, elle releva le chien du Colt.

Cela suffit à effacer le sourire de l'homme, et je crois qu'il était sur le point de renoncer à l'affrontement et de battre en retraite. Un sifflement rompit alors le silence et le meneur poussa un cri en portant une main à sa jambe. Il en arracha quelque chose, leva les yeux vers Miss Howard puis tomba lentement à genoux. Ses yeux se révulsèrent et il bascula sur le côté, un bras tendu devant lui.

Dans sa main, il tenait un mince bâton d'une vingtaine de centimètres, aiguisé à une extrémité.

37

J'échangeai avec Miss Howard un regard qu'on pourrait qualifier d'intelligence horrifiée, tandis que les autres pochards se précipitaient à la rescousse.

— Qu'est-ce que vous lui avez fait ? cria l'un d'eux (question que j'avais entendue auparavant, et dans des circonstances similaires).

— C'est pas nous, je vous assure, bredouillai-je tandis qu'ils soulevaient leur ami et l'emportaient, terrifiés.

— Allez au diable ! nous lança un autre. Et restez-y !

Sur ce, ils disparurent en direction de la taverne. Gardant son revolver braqué, Miss Howard tourna lentement sur elle-même.

— Où est-il ? murmura-t-elle.

— Dans cette obscurité ? dis-je, murmurant moi aussi. Il pourrait être n'importe où.

Nous demeurâmes immobiles, l'oreille tendue, attendant un mouvement de notre petit ennemi — si tant est qu'il fût notre ennemi, ce dont je commençais à douter. Rien ne bougeait sur la route, ni dans les arbres et les buissons qui la bordaient.

— Venez, dis-je, prenant Sara par le bras.

Cette fois, je n'eus pas à la persuader et, une demi-minute plus tard, nous roulions de nouveau vers le nord. En passant devant la taverne, j'aperçus le corps de l'homme frappé par la flèche du Philippin allongé sur le bar. Etait-il mort ou inconscient ? Je n'aurais su le dire, et j'ignorais tout autant pourquoi le serviteur du *señor* Linares était venu une fois de plus à notre secours.

— Peut-être qu'il veut juste nous zigouiller lui-même, avançai-je quand nous fûmes à un kilomètre environ de Stillwater.

— Il a eu plus d'une occasion de le faire, objecta Miss Howard. Tout cela ne tient pas debout, ajouta-t-elle dans un soupir avant de remiser le Colt dans sa cachette. Tu n'aurais pas une cigarette, par hasard, Stevie ?

— Vous en avez pas marre de me poser cette question ? m'esclaffai-je, soulagé que nous nous en soyons tirés.

Je fouillai mes poches de la main qui ne tenait pas les guides, trouvai mon paquet.

— Allumez-moi-z-en une aussi, s'il vous plaît, sollicitai-je.

Après avoir tiré quelques bouffées, elle baissa la tête, se massa les tempes.

— Vous étiez plutôt remontée, tout à l'heure, fis-je observer.

— Désolée, Stevie. Ne crois surtout pas que je t'aie mis délibérément en danger. Quand j'ai affaire à ce genre de brutes insupportables…

— Le monde en est plein, lui rappelai-je.

— Je sais, je sais. Mais il y a des moments… Enfin, j'espère vraiment que tu n'as pas pensé un seul instant que nous risquions quoi que ce soit.

— Non, non, assurai-je. Vous lui auriez vraiment tiré dessus, hein ?

— S'il avait fait mine de toucher à l'un de nous ? Absolument. Rien de tel qu'une balle dans la jambe pour apprendre aux hommes les bonnes manières.

Je ris de nouveau, sachant cependant qu'elle ne plaisantait pas. Il n'y avait probablement pas une seule femme au monde qui fût plus à l'aise pour manier une arme — ou pour tirer sur les gens. Elle avait des raisons très personnelles d'être ainsi, et il ne m'appartient pas de les exposer ici. Elle s'en chargera elle-même un jour si l'envie lui en prend.

Nous roulâmes un moment en silence sur la route longeant le fleuve avant que je finisse par demander :

435

— Comment elle peut faire ça ?

Avec un long soupir, Miss Howard répondit :

— Je ne sais pas, Stevie. Il est dans la nature des êtres tenaillés par un sentiment d'impuissance d'essayer d'exercer un pouvoir sur ceux qui leur paraissent plus faibles. Les ivrognes, les hommes frustrés battent et tuent des femmes ; les femmes qui cherchent désespérément à prouver qu'elles maîtrisent quelque chose battent et tuent des enfants, et les enfants battus torturent à leur tour des animaux...

— Non, c'est pas de ça que je voulais parler. Les meurtres, je commence à comprendre. Enfin, je crois. Mais la façon dont elle manipule les autres — comment elle fait ? Regardez : certains de ceux qui ont travaillé avec elle à New York la prennent pour une sainte ; d'autres, dans le même hôpital, l'accusent de meurtres. Son pauvre cinglé de mari voit en elle son unique secours — mais à peine tourné le coin de la rue, elle fraie avec des types comme Goo Goo. A Ballston Spa, les gens l'ont prise pour une traînée puis pour une femme bien puis de nouveau pour une traînée. Et ici, c'est à toute une ville qu'elle flanque une frousse du diable ! Comment une seule personne arrive à faire ça ?

— C'est un peu compliqué, j'en ai peur, répondit Sara avec un petit sourire. (Elle tira sur sa cigarette, réfléchit.) Toutes ces choses que tu viens d'évoquer, qu'est-ce qu'elles ont en commun ?

— Si je le savais...

— D'accord, d'accord. Alors disons plutôt ceci : aucune de ces facettes, de ces images différentes que les gens ont d'elle n'est complète. Elles sont simplifiées, exagérées. Des caricatures. L'ange du foyer — la tueuse implacable. La mère et l'épouse dévouée — la femme dissolue et impudique. On dirait des personnages tirés d'un roman ou d'une pièce.

— Comme les — comment, déjà ? — les « mythes » dont vous parliez l'autre jour au Muséum ?

— Exactement. Comme pour les mythes, ce qui est étonnant, ce n'est pas que quelqu'un ait pu forger ces personnages — il suffit d'un peu de folie ou d'imagination — c'est que tant de gens, des sociétés entières, les acceptent et y croient. J'ai bien peur que tout cela ne nous ramène à quelque chose qui est peut-être un peu difficile à comprendre pour toi... (Elle dut lire sur mon visage une expression d'orgueil froissé, car elle me pressa aussitôt le bras.) Non que tu manques d'instruction ou d'intelligence, Stevie. Tu es l'un des individus de sexe masculin les plus intelligents que je connaisse. Mais tu es de sexe masculin.

— Ouais. Et qu'est-ce que ça a à voir avec cette discussion ?

— Tout, dit-elle. Les hommes ne peuvent pas réellement saisir que la société ne veut pas que les femmes soient des êtres complets. Ce qu'une femme doit être avant tout — avant même d'être honnête et respectable — c'est être identifiable. Quand Libby commet le mal — peut-être même surtout quand elle commet le mal —, on peut aisément la ranger dans une catégorie, l'épingler sur un tableau comme un spécimen scientifique. Ces hommes de Stillwater sont terrifiés par elle parce que cette terreur leur permet de savoir qui elle est — cela les rassure, paradoxalement. Imagine combien ce serait difficile de dire : oui, cette femme est capable de colères et de violences terribles, mais c'est aussi quelqu'un qui essaie désespérément de devenir un être bon et constructif. Si tu acceptes cette contradiction, si tu admets qu'au fond d'elle-même elle n'est pas l'une ou l'autre mais les deux, qu'est-ce que cela t'apprend sur toutes les autres femmes ? Comment pourras-tu jamais savoir ce qui se passe réellement dans leur cœur, et dans leur tête ? La vie, dans le plus simple des villages, deviendrait soudain extrêmement compliquée. Et pour éviter cette complexité, on compartimente. La femme ordinaire, normale, se définit par son caractère aimant, docile et accommodant. Toute personne du sexe féminin qui résiste à cette catégorisation est donc si foncièrement mauvaise qu'il faut la craindre — plus que le criminel moyen. Elle est forcément investie des pouvoirs du Diable lui-même. Autrefois, on l'aurait probablement traitée de sorcière. Parce qu'elle ne viole pas simplement la loi, elle défie l'ordre des choses.

Je tournai la tête pour lui adresser un sourire hésitant :

— Faites attention, on dirait que vous commencez à avoir de l'admiration pour elle.

— J'ai parfois cette impression, moi aussi, reconnut-elle. Et puis je revois la photo d'Ana Linares, je me rappelle que Libby est totalement inconsciente de ses véritables motivations, et donc très dangereuse.

— Et les motivations de quelqu'un comme Goo Goo Knox ? Il sait qu'elle est mariée à Micah Hunter, qu'elle joue la femme dévouée, qu'elle le soigne, mais il veut quand même la garder ?

Sara hocha vigoureusement la tête :

— C'est la même chose. Tout chef de bande qu'il est, Knox est un homme comme les autres : il préfère classer les femmes dans des catégories commodes pour qu'elles ne lui causent pas de problèmes. Il ne croit pas que Libby soit réellement attachée à Hunter. Il présume qu'au plus profond de son âme, c'est une débauchée, et qu'il voit la vraie Libby quand elle danse pour lui. Pourtant, qu'avons-nous découvert ? Qu'elle a convaincu Knox de placer la maison de Bethune Street sous la protection de la bande. Les voyous de Goo Goo surveillent le lieu même où elle a construit une sorte de cachette pour les bébés dont elle s'efforce encore désespérément de prouver qu'elle est capable de s'occuper. Autant que nous sachions, elle a horreur de passer ses soirées chez les Dusters mais elle le fait afin de faciliter ses tentatives de devenir une nourrice exemplaire.

Ma main se porta à mon front, comme si le masser inciterait mon esprit à fournir plus d'efforts.

— Alors, ce serait pas la garce que croit Knox ?

— Si, peut-être, répondit Miss Howard, me déroutant de nouveau.

— Mais vous venez de dire qu'elle le fait pour pouvoir s'occuper des gosses...

— Aussi, oui.

— Alors c'est qui, la vraie ? criai-je presque, irrité de me sentir si borné.

— Aucune, Stevie. La vraie Libby a été brisée en plusieurs morceaux il y a longtemps. Les différents personnages qu'elle incarne, ce sont ces morceaux d'elle-même, séparés l'un de l'autre et privés désormais de cohérence.

Nous ne connaissons pas encore le contexte qui a fait de Libby une meurtrière de ce calibre. Mais sur la base de ce que nous avons vu ici, nous pouvons affirmer la chose suivante : depuis son enfance, on lui répète très probablement qu'il n'y a qu'une seule façon pour elle d'être une femme complète, épanouie…

— Etre une mère, dis-je, hochant la tête. Et elle est pas douée pour ça.

— Elle ne l'a peut-être jamais vraiment désiré, au fond d'elle-même. Nous n'en savons rien. Tout ce que nous savons, c'est que le message que les petites filles entendent en grandissant — surtout dans des coins perdus comme celui-ci — est le suivant : si vous voulez faire dans votre vie autre chose qu'élever des enfants, non seulement le chemin sera difficile mais vous ne serez jamais une femme. Vous serez juste une femelle, d'un type indéfini et pas très ragoûtant. Une courtisane, ou une servante. Ou, si vous prenez un métier, une fonctionnaire coupée du monde. Quel que soit le cas, vous ne serez sous la surface qu'une sorte d'aberration glacée dépourvue de sentiments.

D'une chiquenaude nerveuse, elle saupoudra la route d'étincelles détachées du bout incandescent de sa cigarette et poursuivit :

— A moins que vous ne vouliez être nonne — mais même les religieuses ne sont pas toujours épargnées… Un homme peut rester célibataire et être quand même un homme — à cause de son esprit, de son caractère, de son travail. Mais une femme sans enfants ? C'est une vieille fille, Stevie, et une vieille fille est toujours moins qu'une femme.

Mon cerveau peinait trop à la suivre pour se soucier de tact :

— Ben, et vous, alors ? lâchai-je.

Les yeux verts de Miss Howard obliquèrent lentement vers moi pour m'adresser un regard signifiant que j'avais intérêt à préciser ma pensée.

— Ce que je veux dire, m'empressai-je d'ajouter, c'est que rien de tout ça s'applique à vous. Vous êtes pas mariée, vous avez pas d'enfants, mais vous êtes… (Je détournai la tête, soudain gêné.) Vous êtes plus femme que n'importe quelle mère que je connais.

Sa main se posa doucement sur mon bras, et les yeux verts perdirent leur dureté.

— C'est le compliment le plus formidable qu'on m'ait fait depuis longtemps. Merci, Stevie. Mais tu es encore jeune.

— Alors, mon opinion compte pas, c'est ça ? bougonnai-je, froissé à mon tour. Ou elle changera quand je grandirai ?

Sara montra à son tour quelque embarras.

— Cela arrive, tu sais.

— Bon, mais les autres ? arguai-je. Le docteur, les sergents enquêteurs, Cyrus, et même Mr Moore ? Ils pensent tous comme moi.

Elle me coula un regard dubitatif.

— L'échantillon n'est guère représentatif de la population masculine américaine. Excuse-moi, Stevie. Je fais grand cas de votre opinion, mais pour le reste du monde, je resterai probablement toujours l'étrange Sara Howard, la détective vieille fille, si je ne fonde pas une famille. Non qu'une partie de moi-même n'aimerait pas le faire un jour. Si j'estime jamais avoir réussi dans mon métier, je pourrai envisager d'avoir des enfants. Simplement, je réfute l'idée que je ne serai pas un être complet avant d'en avoir. C'est une exigence cruelle, surtout pour les femmes qui ne peuvent la remplir. Libby en a été incapable, et cet échec l'a brisée. Oui… malgré son intelligence, elle est brisée. Un peu comme ton amie Kat, à cet égard. Intelligente mais perdue. Perdue et…

Le visage de Sara, si animé chaque fois qu'elle exprimait des idées qui, je le savais, étaient pour elle d'une importance capitale, se figea brusquement. Je devinai qu'elle avait vu quelque chose, et ce « quelque chose » ne pouvait être que…

— Où ? fis-je, tournant la tête en tous sens. Où il est ?

Elle posa une main sur mon épaule pour me calmer.

— Ralentis, Stevie, murmura-t-elle. Si je ne me trompe pas, il est devant nous…

J'inspectai la route et découvris en effet une petite silhouette dont les vêtements trop grands et les cheveux crépus révélaient l'identité. El Niño ne bougeait pas et semblait attendre que notre voiture arrive à sa hauteur. Quand nous fûmes plus près, je discernai de nouveau ce satané sourire.

— Ça alors, marmonnai-je. Comment il fait pour aller aussi vite ?

— La question serait plutôt de savoir ce qu'il veut.

— On s'arrête ?

Miss Howard secoua la tête.

— Non, continue à rouler au pas, dit-elle, posant le revolver sur ses genoux. Et voyons ce qui va se passer.

38

Je suivis l'ordre de Sara. L'indigène demeura immobile jusqu'à ce que nous soyons à sept ou huit mètres de lui, puis il mit lentement les bras en l'air. J'arrêtai le petit étalon et nous attendîmes. Baissant un bras, le Philippin indiqua le sol.

— Je fais pas mal à vous, déclara-t-il, souriant de plus belle. (Tournant les yeux dans la direction indiquée par son doigt, je découvris par terre un petit arc, deux flèches, et un autre kriss à lame ondulante.) Et vous tirez pas sur moi, continua-t-il, levant de nouveau le bras. Oui ?

Miss Howard acquiesça de la tête mais garda le Colt braqué sur lui.

— D'accord. Qu'est-ce que tu veux ?

— Je veux aider vous ! Je peux aider, oui ! Déjà aidé !

— Tu es le serviteur du *señor* Linares. Pourquoi nous aides-tu ?

La tentative qu'il fit pour ramasser ses armes amena Sara à relever le chien de son revolver. Roulant de grands yeux, le pygmée remit ses bras à la verticale.

— Pas problème : je fais pas mal à vous, madame, et vous tirez pas sur moi ! J'aide !

— Si tu m'expliquais pourquoi tu nous aides, avant de récupérer ton arsenal ?

Le visage rond d'El Niño prit une expression de dégoût théâtrale.

— C'est pas bon, travailler pour le *señor*. Il me frappe,

il frappe sa femme, il frappe tout le monde, avec des poings comme, comme...

Le petit homme regarda autour de lui, ramassa un gros caillou sur le côté de la route, le montra à Miss Howard.

— Comme des pierres, lui souffla-t-elle.

— Oui, des pierres ! Il me donne des habits, dit El Niño, indiquant les manches retroussées de sa veste, puis le pantalon grossièrement coupé aux chevilles. Trop grands ! Pas pour moi. Avant, je travaille pour le père, le vieux *señor*...

— Le père du *señor* Linares ?

— Oui, madame. Lui il est bon. Son fils, pas pareil. Il frappe avec ses poings, il se croit grand homme, parce que sa mama l'aime trop !

J'éclatai de rire, ce qui me valut un coup de coude de Miss Howard. Elle aussi avait pourtant peine à contenir son amusement devant le personnage.

— Qu'est-ce que tu veux de nous ? demanda-t-elle, baissant le Colt.

El Niño haussa les épaules.

— Travailler pour vous, je pense. Oui, je pense. Je vous regarde, je vois que vous essayez de trouver bébé Ana. C'est bien. Le *señor*, il veut pas que vous la trouvez. Mais c'est un bébé ! Je pense que vous la trouvez parce que vous êtes bons. Je travaille pour vous, je pense, oui.

Sara et moi échangeâmes un regard interdit. Qu'étions-nous censés répondre ? Sa proposition si étrange nous semblait hors de propos mais aucun de nous ne tenait particulièrement à l'en informer. Son arsenal demeurait à portée de sa main, et pendant des semaines, il avait observé nos faits et gestes sans la moindre difficulté. En outre, nous sentions en lui quelque chose d'honnête qui commandait la sympathie.

— Si tu «travailles» pour nous, qu'est-ce que tu feras ? s'enquit Miss Howard.

Avant de répondre, il tendit le bras vers ses armes.

— Je peux reprendre ?

Elle hocha la tête en le regardant comme s'il était un vilain garnement.

— Lentement.

Lentement, il glissa l'arc et le couteau dans de grandes poches cousues spécialement à l'intérieur de sa veste, s'approcha de nous en se pavanant comme un homme qui aurait eu deux fois sa taille.

— Plein de choses je sais faire ! affirma-t-il. Vous protéger des ennemis, les tuer, ou les endormir ! Faire à manger aussi ! Du serpent, du chien, du rat, si vous avez très faim. Aussi, je vois tout ! Si El Niño travaille pour toi, madame, tu as des yeux partout !

— Et quel salaire demandes-tu en échange ?

— Sal… ? fit l'indigène, perplexe.

— Que devrons-nous te payer ?

— Oh ! payer, oui ! dit-il, bombant le torse. El Niño est manillais. Les Manillais travaillent seulement si on paie ! Le *señor* me paie avec… de la merde !

Je partis d'un grand rire et, cette fois, Miss Howard n'essaya pas de m'arrêter. Elle m'imita, et le Philippin aussi, content de notre réaction.

— De la merde ! répéta-t-il. Des mauvais habits, la nourriture laissée par les autres, et la *señora* me fait dormir dehors, même en hiver ! Vous, vous me donnez de la bonne nourriture, un lit pour dormir, oui ? Beaucoup de lits dans la maison. Et vous…

Il me désigna, refit le simulacre d'étranglement.

— Ah ! non, recommence pas ! m'écriai-je. Je veux pas de problèmes avec toi…

— Non, non, pas de problèmes ! Les habits ! Vos habits d'il y a quatre nuits. Tu les aimes pas, oui ?

Comptant les nuits sur mes doigts pour essayer de me faire une idée de ce dont il parlait, je revins par la pensée à la soirée à Saratoga, et soudain je me rappelai ma « rencontre » dans les jardins du Casino.

— Alors, c'était toi ! Pas un gosse caché dans un arbre ? Tu m'as vu avec l'habit de singe !

— Habit de singe ? Non, pas pour les singes. Bel habit pour bel homme, pour moi. Toi, tu aimes pas, dit El Niño, portant de nouveau une main à son cou.

Je compris : il m'avait vu tirer sur le col, il en avait conclu que je détestais porter cette tenue.

— Stevie, qu'est-ce qu'il veut dire ? me glissa Sara.

— Il m'a vu en habit de soirée au Casino, il a remarqué que j'aime pas trop ça, murmurai-je. Tu veux mon habit, c'est ça ? demandai-je à voix haute à notre nouvel ami.

— Bel habit pour bel homme ! répéta-t-il, se frappant la poitrine. Tu donnes à El Niño, il travaille pour vous !

— Mais tu peux pas porter ça tout le temps...

— Pourquoi pas ? intervint Sara. Franchement, Stevie, je crois que ce gaillard peut se permettre ce qui lui chante.

Je réfléchis avant d'en convenir :

— Oui, vous avez raison. Mais qu'est-ce que le docteur dira ?

— Qu'est-ce qu'il dira, à ton avis, si nous lui apprenons que nous avons fait basculer un de nos principaux adversaires dans notre camp ? repartit-elle avec un sourire. (Elle se tourna vers l'indigène, lui montra l'arrière du chariot.) D'accord, monte. Et dis-nous comment nous devons t'appeler.

— Appelez El Niño ! répondit-il, se frappant de nouveau la poitrine. Alors, je travaille pour vous ? demanda-t-il, comme s'il ne parvenait pas à y croire.

— Tu travailles pour nous, confirma-t-elle. Monte.

— Non, non ! C'est pas bien. El Niño marche à côté, et la dame roule dans la voiture.

Miss Howard soupira.

— Niño, si tu travailles pour nous, tu fais partie de notre équipe. Ce qui signifie que tu montes en voiture avec nous.

Le Philippin exécuta une petite danse sur la route, sauta sur le chariot avec la souplesse d'un félin, et sourit d'une oreille à l'autre.

— Avec El Niño, vous trouvez bébé Ana ! C'est sûr ! clama-t-il.

Sur le chemin du retour, nous entendîmes le récit de sa vie, que nous rapportâmes aux autres quand nous arrivâmes à la maison de Mr Picton. Enfant, il chassait avec les hommes de sa tribu dans la jungle de l'île de Luzon lorsqu'ils avaient été attaqués par une troupe d'Espagnols. Les Aeta adultes avaient été massacrés pour le plaisir, les plus jeunes emmenés à Manille et vendus comme esclaves. Au bout de quelque temps, El Niño s'était enfui de chez son maître et avait passé les premières années de sa vie d'adulte sur les quais. Devenu pirate, il s'était battu dans toute la mer de Chine méridionale puis était revenu à Manille, où il avait été arrêté pour divers larcins. Traduit devant un magistrat espagnol, il avait été condamné aux travaux forcés à perpétuité. Le *señor* Linares père, diplomate, était alors intervenu pour lui donner une chance de s'acquitter de sa « dette » envers l'Empire espagnol en travaillant comme domestique. Je n'avais pu m'empêcher de songer à ma propre histoire, à ma rencontre avec le Dr Kreizler, et ce passé commun contribua à nouer un lien entre nous.

C'était un personnage, on ne pouvait le nier. Tout le monde, dans la maison de Mr Picton, trouvait ce curieux mélange de poses viriles et de gentillesse quasi enfantine à la fois amusant et touchant. Quand il fit la connaissance de Cyrus, El Niño se conduisit de manière émouvante et cependant comique. S'inclinant devant lui avec respect, il fut étonné quand le grand Noir — qu'il semblait prendre pour une sorte d'oracle — lui tendit la main. Le fait que « Mr Mont-*rose* » (comme il prononça toujours) vivait en égal parmi des Blancs, portant les mêmes vêtements, mangeant la même nourriture, lui semblait le signe que Cyrus était parvenu à un haut degré de savoir secret. Aussi se mit-il à calquer sa conduite sur celle de mon grand ami silencieux — ce qui, bien sûr, ne fut pas une tâche facile pour un petit être bavard et remuant comme lui.

Tout cela ne nous disait cependant pas ce que nous allions faire de notre nouvel allié. Pour le moment, nous n'avions personne à faire suivre ou à endormir, et El Niño ne manquerait pas de susciter des commentaires partout où il irait dans Ballston Spa — surtout après que je lui eus donné la tenue de soirée promise. Se rengorgeant comme un paon, il semblait prêt à affronter le monde entier, mais nous nous demandions tous si, de son côté, le monde était prêt. Ces considérations pratiques nous incitèrent à le confier provisoirement à Mrs Hastings, qui le chargea de faire la vaisselle du soir, tâche à laquelle il s'attela avec ardeur.

Quant aux informations que Miss Howard et moi avions rapportées de Stillwater, elles furent dûment transcrites sur le tableau noir dans le salon de Mr Picton. Nous passâmes ensuite sur la véranda pour discuter de leur importance. Personne ne s'étonna que Mrs Muhlenberg ne fût pas au courant des détails de l'affaire Hatch puisqu'elle vivait dans une autre ville : les shérifs des petites communes collaboraient encore moins entre eux que les commissaires des divers districts de New York. S'agissant du refus de la pauvre femme de témoigner, Mr Picton fut d'avis que ce n'était pas une grande perte : le Salomon du comté, Charles H. Brown, était partisan de juger une affaire en s'en tenant uniquement au dossier et n'aurait certainement pas permis aux jurés d'entendre des allégations sur des faits remontant à plus de dix ans. Il en allait de même pour tout le travail que nous avions effectué à New York et qui, nous rappela fermement notre hôte, n'avait pas même débouché sur une enquête officielle de la police. L'affaire Libby Hatch se limiterait donc au meurtre de ses enfants, et les déclarations de Mrs Muhlenberg ne devaient servir qu'à nous permettre de mieux cerner le caractère de la femme que nous affrontions.

A cet égard, elles nous apportaient une nouvelle preuve — si besoin était — de l'intelligence de notre adversaire. Le docteur déclara que la théorie de Mrs Muhlenberg sur la méthode utilisée par Libby pour assassiner le bébé — et dans laquelle on aurait pu voir les divagations d'une malheureuse que le chagrin avait rendue à moitié folle — était vraie : les substances ingérées par une nourrice passent par l'intermédiaire du lait dans l'organisme du bébé qu'elle nourrit. Quant au paquet de poudre noire trouvé avec l'arsenic dans la chambre de Libby, l'aliéniste pensait que ce devait être, selon ses propres termes, du *carbo animalis purificatus*, charbon animal purifié, communément appelé « noir animal » et utilisé comme antidote contre de nombreux poisons, y compris l'arsenic. Libby le gardait sans doute dans son tiroir au cas où, impatiente de réaliser son plan, elle eût pris une dose trop forte de poison. La raison de ce meurtre, nous la connaissions tous maintenant : le petit Michael Muhlenberg avait commis l'erreur mortelle de montrer que Libby n'avait pas des talents de mère très développés. Au lieu de l'admettre et de trouver une autre façon d'occuper sa vie, la meurtrière avait concocté un plan pour créer une situation où elle paraîtrait déployer des efforts héroïques afin de sauver l'enfant qu'elle était en fait en train de tuer. C'était le même schéma que nous avions discerné pour les enfants « adoptés » de Libby ainsi que pour les bébés de la maternité.

La poignante histoire de Mrs Muhlenberg contenait une autre information susceptible de nous fournir une piste : pour prendre un emploi de nourrice, Libby Hatch avait dû avoir elle-même un enfant. Si elle n'avait pas menti en remplissant les papiers de l'hôpital, elle avait maintenant trente-neuf ans et en avait vingt-huit en 1886, et cet enfant pouvait avoir presque mon âge. Le fait qu'elle se soit présentée seule chez les Muhlenberg laissait cependant penser qu'il était mort, ce qui n'aurait surpris aucun de nous. Mais, mort ou vivant, il avait dû laisser quelque part des traces de son existence.

Ce n'était donc pas seulement les parents de Libby que Miss Howard et moi chercherions de l'autre côté de l'Hudson, mais aussi la tombe d'un enfant. Mrs Muhlenberg ne nous avait donné qu'une idée générale de l'endroit où nous devions commencer nos investigations — il y avait toute une série de petites villes sur la rive opposée — et, de ce fait, il valait mieux nous y mettre sans tarder. Je crois que Miss Howard serait volontiers repartie le soir même, mais rien au monde ne m'aurait fait ressortir dans le noir. En outre, nous devions accorder à El Niño sa première nuit dans le lit que nous lui avions promis. Mr Picton le conduisit à une chambre du dernier étage en bavardant avec lui comme un vieil ami. Concernant ce qu'il adviendrait du petit homme une fois l'enquête terminée, notre hôte déclara qu'il ne verrait aucun inconvénient à le prendre à son service. Cela ne manquerait pas de fournir aux habitants de Ballston Spa un sérieux sujet de conversation. Heureux que son sort soit ainsi fixé, l'indigène se jeta sur le lit comme si c'était l'océan et ne cessa de s'y rouler que lorsque Mr Picton lui fit remarquer que Mrs Hastings n'apprécierait sans doute pas qu'il se vautre sur les draps avec mes souliers vernis.

Le docteur décida que notre nouvel associé continuerait à travailler avec Miss Howard et moi dans l'immédiat : s'il était impossible de prédire quels autres ennuis notre recherche des origines de Libby Hatch nous attirerait, on pouvait affirmer sans crainte de se tromper qu'en cas de danger les talents d'El Niño se révéleraient utiles. Cette considération allait de soi. Ce qui était moins prévisible, c'est le plaisir et l'amusement que notre compagnon nous prodiguerait. Tandis que nous explorions les villages de la rive est de l'Hudson, où Miss Howard interrogeait tous ceux qui passaient à sa portée sur la famille Fraser, El Niño et moi devînmes de vrais amis, riant, faisant les pitres, annonçant clairement aux bouseux vindicatifs ce qu'ils pouvaient faire de leur hostilité envers les étrangers. La loyauté farouche de l'indigène, transférée sur nous avec enthousiasme après avoir été accordée à contrecœur pendant des années au fils mesquin de son bienfaiteur, amena Sara à s'attacher elle aussi au Philippin, comme elle n'aurait pu le faire avec un Américain moyen de race blanche : il n'y avait ni condescendance ni velléités chevaleresques dans le comportement d'El Niño envers elle — simplement du respect pour quelqu'un qui s'était montré bon avec lui.

Notre première journée d'investigation ne produisit que des réponses négatives aux questions de Miss Howard, et d'autres regards renfrognés, méfiants, des habitants du coin. Que nous soyons à la recherche d'une meurtrière ne leur faisait ni chaud ni froid : pour eux, nous étions avant tout des inconnus, et la légitimité de notre objectif ne faisait pas tomber cette barrière. Le mercredi soir nous vit rentrer bredouilles chez Mr Picton, mais, le lendemain, nous nous levâmes avant l'aube et repartîmes en tâchant de ne pas nous laisser gagner par le découragement. Quand le soleil se leva, nous traversions le fleuve sur un bac, nous dirigeant droit vers la lumière dure du matin. Allongé à l'arrière du chariot, El Niño aiguisait son kriss en fredonnant joyeusement dans sa langue un chant qui, m'apprit-il, parlait de la beauté du matin dans la jungle tropicale où il avait autrefois vécu.

Notre matinée fut marquée par une série de déceptions, tout comme l'après-midi. Les villes, les tavernes, les bureaux de poste défilaient ; Miss Howard entrait dans chaque établissement et posait les mêmes questions sur la famille Fraser. Quand le jour commença à prendre des lueurs dorées, j'étais pour ma part plus que prêt à admettre la vanité de nos efforts : nous ne savions même pas si Fraser était le nom de jeune fille de Libby, ou celui du père de son premier enfant. Nous étions sûrs d'une seule chose : quelque part — peut-être dans un autre Etat —, une tombe portait le nom de cet enfant. Lorsque la fin de l'après-midi se mua en début de soirée, Sara commença elle aussi à penser que c'était peut-être la seule chose que nous ayons besoin de savoir, du moins pour le moment. Elle était de plus en plus convaincue que la violence de Libby provenait autant du fait qu'elle soit née fille dans une société opprimante, hypocrite, que d'éventuelles anomalies dans ses rapports avec ses parents. Notre enquête lui semblait donc une perte de temps, et il va sans dire qu'elle n'était pas femme à s'en accommoder longtemps.

Ce soir-là, quand l'horloge du tribunal de Ballston Spa sonna sept heures, nous fûmes en mesure de l'entendre puisque nous remontions Malta Road en direction du centre. Nous passâmes devant les boutiques fermées et les maisons silencieuses, nous contournâmes la gare puis nous empruntâmes Bath Street, qui nous amena sous les fenêtres de Mr Picton. El Niño dormait à l'arrière ; assise à côté de moi, Miss Howard était plongée dans ses pensées ; bercé par le claquement régulier des sabots de notre fidèle petit étalon, j'avais peine à garder les yeux ouverts.

Ce qui est, bien entendu, le type même de moment où tout se déchaîne.

— Stevie !

Je crus un instant que la voix faisait partie du rêve dans lequel je glissais.

— Stevie ! Sara ! Bon sang, vous ne m'entendez pas ?

Miss Howard me secoua. Ensemble, nous inspectâmes la rue sans y voir personne, mais quand la voix retentit de nouveau, nous la reconnûmes et découvrîmes qu'elle provenait de la fenêtre du bureau de Mr Picton.

— Par ici !

450

Levant la tête, je vis le petit homme roux agiter sa pipe d'une main, un papier de l'autre pour attirer notre attention.

— Stevie, file chez les Weston pour ramener le docteur ici ! Ils n'ont pas le téléphone. En principe, il doit rentrer vers neuf heures mais je viens de recevoir un télégramme de John. Il faut en discuter tout de suite !

Mais l'audience est pour demain matin, objecta Sara, et le docteur doit encore réussir à…

— C'est réglé ! cria le magistrat, nous plongeant, Miss Howard et moi, dans un abîme de perplexité. Sara, vous feriez bien de prendre mon *surrey* pour aller chercher Lucius et Cyrus !

Elle sauta prestement à terre, s'élança dans High Street, gravit au pas de course le perron du tribunal, se retourna pour me lancer :

— Réveille El Niño et emmène-le, Stevie, il t'empêchera de te rendormir !

— Ça risque pas de m'arriver, répondis-je, plein d'énergie. Je veux savoir ce qui se passe !

Elle sourit, releva le bas de sa jupe et se remit à courir. Pesant sa suggestion, je conclus qu'une compagnie briserait la monotonie d'une route que nous venions juste de parcourir dans l'autre sens. Quand je secouai vigoureusement mon ami étendu dans le *buckboard*, il se redressa d'un bond, saisit son kriss et se mit en position de lancer d'un seul et même mouvement rapide.

— Doucement, mon gars, dis-je, tapotant l'endroit de la banquette où était assise Miss Howard quelques instants plus tôt. Monte et accroche-toi : ça va chahuter un brin !

Ravi d'être promu à la banquette, El Niño me rejoignit avec un rire joyeux et se prépara à un voyage mouvementé tandis que j'effectuais un demi-tour. Une fois sorti de la ville, le vaillant petit étalon montra que les efforts de la journée n'avaient pas entamé son énergie. Nous filions à toute allure, soulevant derrière nous un nuage de poussière — sans parler du bruit —, et El Niño entonna une autre chanson, apprise, me dit-il, pendant ses années de flibuste en mer de Chine.

Il faisait encore jour lorsque nous arrivâmes à la ferme,

ce qui témoignait tout autant de l'endurance de notre cheval que de mes talents de cocher. Josiah Weston, bien que sidéré par la vue de l'indigène en tenue de soirée, m'informa que le docteur et Clara étaient en train de dessiner, quelque part au bord du cours d'eau coulant derrière la maison. Je chargeai El Niño de s'occuper du cheval et courus vers la rivière.

Après avoir cherché quelques minutes, je repérai le dos du docteur à environ huit cents mètres en aval. Il était assis sous un érable dont les racines formaient une sorte de plate-forme au-dessus de l'eau. En face de lui, Clara dessinait. Quand je fus assez près, j'entendis le docteur parler doucement à la fillette. Manifestement, il était parvenu à un moment crucial de ses efforts pour établir le contact avec elle :

— ... et j'ai commencé à comprendre que ce qui était arrivé n'était pas ma faute, et que si je disais aux autres la vérité, cela m'aiderait à trouver la sécurité, cela aiderait mon père à ne plus faire des choses pareilles...

Pour ne pas l'interrompre, je décidai de continuer à approcher en silence et d'attendre le moment où je pourrais annoncer qu'on le réclamait d'urgence en ville. Au lieu de quoi, je me figeai, bouche bée, en entendant Clara répondre, d'une voix légèrement enrouée et cependant étonnamment claire :

— Et votre papa est allé mieux ?

Je vis le docteur hocher lentement la tête.

— Il était très malade, comme ta maman. Mais il a fini par aller mieux, oui. Ta maman aussi, tu verras.

— Mais seulement si je dis la vérité, déclara la fillette avec frayeur.

Aucun doute : ils avaient une vraie conversation.

39

Il n'était plus question de les interrompre : ce qui se passait était trop important. Le sol détrempé de la rive en décida toutefois autrement. Immobile, retenant mon souffle, je sentis mon pied s'enfoncer dans la terre boueuse. Lâchant un petit cri, je me dégageai, ce qui produisit un clapotement un peu comique. Les deux bruits conjugués firent se lever d'un bond l'aliéniste et sa patiente. Clara se réfugia derrière le docteur, mais quand elle vit que ce n'était que moi — et que le bas de ma jambe était couvert d'une boue épaisse — elle eut un de ses petits rires rauques. Le docteur sourit ; quant à moi, je sentis mon visage devenir écarlate.

— Désolé, marmonnai-je, je voulais pas vous déranger mais…

— Clara, je crois que quelqu'un essayait de nous espionner. Qu'en penses-tu ?

Elle leva les yeux vers lui, tira sur sa manche pour lui faire baisser la tête et murmura à son oreille.

— Non, s'esclaffa-t-il, il n'est pas doué pour ça, tu as raison. Alors, Stevie, qu'est-ce qui t'amène ? me lança le docteur, avec un regard signifiant qu'il valait mieux pour moi que ce soit sérieux.

— C'est Mr Picton. Il a reçu un télégramme — de Mr Moore.

— Je vois. Bon, je te retrouve chez les Weston dans cinq minutes.

Quand j'arrivai à la ferme, la boue avait commencé à

sécher sur mon pied et ma jambe, mais j'avais toujours l'air assez ridicule pour qu'El Niño pousse un rugissement de rire. Son hilarité ne cessa que lorsque le docteur et Clara nous rejoignirent. La petite fille sembla trouver la présence de l'indigène étrange mais non menaçante, et une fois qu'elle l'eut examiné, elle murmura de nouveau à l'oreille de mon maître. Il sourit, expliqua que la taille d'El Niño était normale pour les gens comme lui.

— Il vient de l'autre côté du monde, expliqua-t-il. Il y a beaucoup de choses étranges, là-bas. Tu les verras peut-être un jour, si tu veux. (Il s'accroupit pour la regarder dans les yeux.) Je reviendrai demain matin pour t'emmener au tribunal, Clara. Je resterai avec toi dans la salle, comme promis. Mr Picton sera le seul à te poser des questions, alors, tu vois, il n'y a pas de quoi avoir peur. La vérité aidera tout le monde.

Lorsque nous redescendîmes le chemin de la ferme, je me rangeai sur la droite pour laisser le docteur amener sa voiture de location au niveau du *buckboard* et je lui donnai une version abrégée de la situation en ville, ou du peu que j'en savais. Il me fournit en retour des informations qui expliquèrent le «C'est réglé» de Mr Picton : Clara avait en fait commencé à parler dans la matinée, et le docteur avait envoyé Peter Weston en ville pour en aviser le magistrat, lui faisant ainsi savoir qu'il disposerait bien de cette dernière arme lorsqu'il se présenterait devant le grand jury.

Après cet échange, le docteur ralentit pour nous laisser repasser devant et s'efforça de ne pas se faire semer : le retour fut en effet aussi rapide et mouvementé que l'aller. Nous arrivions devant le tribunal quand le petit étalon commença à faire signe qu'il avait assez couru pour la journée. Je laissai El Niño le ramener à l'écurie avec l'autre cheval et les deux voitures, et recommander à Mr Wooley de récompenser le courageux animal par un picotin particulièrement copieux.

En voyant le *surrey* devant le tribunal, le docteur et moi conclûmes que Sara s'était acquittée de sa mission plus rapidement que nous. L'idée qu'elle était peut-être en train d'essayer d'arracher à Mr Picton avant notre arrivée les mystérieuses nouvelles en provenance de New

York nous propulsa à toute allure dans le bâtiment et l'escalier. Le gardien taillé en hercule, celui que notre hôte avait appelé Henry, brailla qu'on n'entrait pas au tribunal comme dans un moulin, qu'il y avait des règles à respecter, mais nous ne lui prêtâmes aucune attention. Observant aussi peu les règles une fois parvenus au premier étage, nous nous ruâmes dans le bureau.

— Enfin ! s'écria Mr Picton, presque aussi agité que les types aux nerfs malades que j'avais eu l'occasion de voir pendant les visites du docteur au pavillon des fous de l'hôpital Bellevue, à New York. Si vous n'étiez pas arrivés, ces trois-là m'auraient sauté dessus pour m'arracher le télégramme, j'en ai peur. Je leur ai pourtant fait valoir que vous méritiez d'apprendre la nouvelle en même temps que tout le monde — ce n'est que justice !

— Je vous en prie, fit le docteur, haletant, insensible à la délicate attention du magistrat. Allez-y...

— Le télégramme est arrivé juste après six heures, dit Mr Picton, qui mit sa pipe de côté et rectifia nerveusement sa position sur sa chaise. J'espère qu'ensemble nous lui trouverons plus de sens que je n'ai pu le faire seul. Je vous le lis...

Il déplia la chose, éclaircit sa voix de fumeur et commença :

— « Mr Rupert Picton, tribunal de Ballston Spa, Ballston Spa. *Urgent.* L.H. décline droit de se présenter devant G. Jury, renvoie l'accusation à sa déclaration sous serment à l'époque des faits. N'a rien à ajouter. Ai retrouvé hier rév. Parker, vivant, mais pas indemne. Témoignera si protection assurée. Micah Hunter mort hier d'une dose excessive de morphine. Le coroner penche pour un suicide, mais notre stratagème est éventé : deux flics locaux accompagnaient le coroner et L.H. sait maintenant qu'il n'y a pas d'enquête officielle de la police sur ses autres activités. Dusters à présent trop dangereux pour que nous continuions surveillance. Ai failli me faire tuer en suivant L.H. quand elle a emmené A.L. à leur local. Essaie en ce moment d'avoir quelqu'un dans la place. Vanderbilt de retour en ville. L.H. est allée pleurer chez lui. V. a engagé avocat de Chicago pour l'assister dans sa défense. Marcus parti hier soir pour voir qui est l'homme. Je rentre par prochain train. Apprécierai voiture et grand whisky m'attendant à la gare. Moore. » Et voilà, conclut Mr Picton. J'ai consulté les horaires, John devrait arriver vers onze heures — mais le train aura du retard, bien sûr. Ce qui nous laisse plusieurs heures pour arriver à comprendre de quoi il parle. Certains passages sont évidents, et sans surprise : franchement, je ne m'attendais pas à ce que Libby se présente à l'audience, par exemple. Mais d'autres sont assez obscurs.

Le docteur se leva, tendit la main vers la feuille de papier.

— Vous permettez ?

— Je vous en prie, répondit l'adjoint au DA en lui remettant le télégramme. Vous connaissez John depuis plus longtemps que moi, vous saisirez plus facilement ses allusions, à commencer par ce rév. Parker qui est « vivant mais pas indemne ».

— Ou Moore nous gratifie de son habituelle clarté de langage, fit le docteur d'un ton sec, ou il prend des précautions au cas où le télégramme tomberait dans d'autres mains. L'apparition de Vanderbilt est, sous ce jour, assez inquiétante.

— En effet, approuva Lucius. Il n'est pas grand-chose que ses hommes ne parviendraient à découvrir s'ils s'y mettent vraiment.

Miss Howard proposa son interprétation :

— Je suis prête à parier que Libby a effectivement lâché les Dusters sur le révérend. Si John et Lucius ont réussi à le trouver, elle a pu le faire aussi. Et Dieu sait dans quel état il est maintenant.

— Assez mal en point pour regretter de ne pas être mort, probablement, avança Cyrus. Libby en tire peut-être plus de satisfaction que si elle l'avait carrément fait tuer.

Sara acquiesça ; le docteur hocha lui aussi la tête.

— Oui, dit-il, mais apparemment, une solution plus définitive était nécessaire pour Micah Hunter. Cela aussi est compréhensible. Il ne savait certainement rien du passé de Libby, mais quand Marcus est venu leur parler de grand jury, Hunter a sans doute commencé à soupçonner la vérité. Il n'était pas difficile, même pour son cerveau abruti par la drogue, de tirer des conclusions patentes sur les malheureux enfants dont sa femme « s'occupait » à New York.

Mr Picton inclina la tête sur le côté avec une expression qui tenait du respect et se dépêcha de reprendre la parole :

— L'élimination du mari est aussi une tactique intelligente pour le procès. Libby comparaîtra maintenant dans les vêtements de deuil d'une veuve qui a passé des années à soigner un ancien combattant de la guerre de Sécession. (La moue admirative se transforma en grimace.) Dieu que c'est déprimant : les juges, les jurés et le public ne sont déjà que trop enclins à prendre le parti d'une femme — mais la veuve affligée d'un soldat de l'Union... Rien de tel qu'une robe noire et un drapeau pour susciter la sympathie. Expliquez-moi, docteur : que veut dire Moore quand il parle d'avoir « quelqu'un dans la place » ?

— Je dirais que John essaie de trouver quelqu'un de proche des Dusters qui accepterait de veiller sur Ana. Car si nous parvenons à faire condamner Libby, le sort de l'enfant serait scellé faute de quelqu'un sur place pour nous aider.

— Mais qui ? s'interrogea Lucius. John se ferait fendre le crâne s'il tentait seulement de prendre contact avec l'un de ceux qui fréquentent l'endroit.

Sentant un regard sur moi, je levai les yeux et vis que Cyrus me fixait.

— Pas obligatoirement, fit-il à voix basse.

Mon cœur se serra quand je compris de quoi — de qui — il parlait.

— Que voulez-vous dire ? demanda Miss Howard. Qui diable pourrait... ?

Son regard suivit celui de Cyrus, se posa sur moi et elle comprit. Le docteur et Lucius regardèrent aussi dans ma direction d'un air gêné. Je me mis à me dandiner d'un pied sur l'autre.

— Mais... elle, elle est partie, bégayai-je. (Le cœur battant plus vite à chaque seconde, je ne pus contenir ma voix.) Elle est partie ! Elle est en Californie...

— Nous n'en savons rien, Stevie, dit le docteur d'un ton égal. Et je ne vois pas à qui d'autre Moore pourrait faire allusion.

J'avais commencé à secouer la tête avant même qu'il ait achevé sa phrase.

— Non, fis-je, essayant de me convaincre plus encore que les autres, elle est partie !...

Me rappelant l'expression triomphante de Ding Dong sur la jetée de la 22ᵉ Rue, le jour de notre départ, je compris qu'il était inutile de m'entêter et je laissai ma voix mourir.

— J'avoue que je suis un peu perdu, dit Mr Picton. Cela ne me regarde peut-être pas, mais... de qui parlez-vous ?

Le docteur, voyant que, bien qu'encore bouleversé, je commençais à me ressaisir, se tourna vers le magistrat :

— De cette amie de Stevie dont vous nous avez entendus parler : Miss Devlin. Nous pensions qu'elle avait quitté New York pour la Californie. (Il me jeta un coup d'œil.) Nous nous trompions, semble-t-il.

— Mais c'est formidable !

La réaction enthousiaste de notre hôte me désarçonna, et je tournai vers lui un regard perplexe.

— Voyons, Stevie, cette fille a été jusqu'ici d'une grande aide, poursuivit-il. Si elle est encore à New York, nous ne saurions trouver mieux !

Cette considération, qu'aucun de ceux d'entre nous qui connaissaient véritablement Kat n'aurait avancée, me parut étrangement réconfortante. Elle eut pour effet de calmer les martèlements de mon cœur dans ma tête et dans ma poitrine, au point que je parvins même à opiner du chef.

— C'est vrai, Stevie, dit Miss Howard. Nous n'avons aucune raison de croire que Kat ne se conduira pas bien. Elle l'a fait jusqu'ici, après tout. Malgré ses accès d'humeur.

Même Cyrus, qui savait mieux que personne que la participation de Kat était plus qu'incertaine, émit une opinion positive :

— Ils n'ont pas tort, Stevie. Dieu sait qu'elle est

revêche, et imprévisible, mais elle a toujours été correcte envers nous.

— Ouais, admis-je. C'est vrai...

Je n'allais cependant pas capituler avant de voir une expression de certitude sur le visage du docteur. Je me tournai vers lui, ne la vis pas.

— Nous devons espérer, Stevie. C'est tout ce que nous pouvons faire. Mais ce ne doit pas être un espoir aveugle.

Il ne m'avait jamais menti et savait, je crois, que je n'aurais pas voulu qu'il commence à le faire à cette occasion.

— C'est vrai qu'elle nous a aidés dans cette affaire, ajouta-t-il.

Je hochai de nouveau la tête, avalai péniblement ma salive en souhaitant qu'on passe à un autre sujet, puisque je ne serais capable de trancher véritablement la question que plus tard, après avoir grillé seul un ou deux clopes. Dieu merci, le docteur revint au télégramme :

— La dernière question — la plus intrigante, je le crains —, c'est qui peut bien être cet « avocat de Chicago » dont parle Moore.

— Intrigante, en effet, acquiesça Mr Picton. (Il se leva, alla à la fenêtre, jeta un coup d'œil dehors, et tira sur sa tignasse carotte avec une telle énergie que je crus qu'il finirait par en arracher une poignée.) Chicago... Pourquoi diable Chicago ? On trouve à New York les meilleurs avocats du pays, et avec Vanderbilt derrière elle, Libby Hatch pourrait s'offrir n'importe lequel d'entre eux !

— Vanderbilt a sûrement une raison d'aller chercher de l'aide aussi loin, dit Lucius. Ce n'est pas un imbécile.

— Non, convint le petit homme roux, expédiant un coup de pied dans une pile de dossiers posée par terre. Mais c'est un magnat des chemins de fer. Les seuls juristes avec qui il est en relation à Chicago sont des avocats d'affaires. Je ne vois pas pourquoi l'un d'eux...

Des coups frappés à la porte du premier bureau nous firent tourner la tête.

— Mr Picton ? Mr Picton ? fit la voix du gardien.

— Oui, entrez, Henry !

Le mastodonte ouvrit lentement la porte et se glissa précautionneusement dans la pièce, une enveloppe à la main.

— Ça vient d'arriver pour vous, dit-il, tendant la chose au magistrat. Du bureau de la Western Union. Je leur ai dit de mettre ça sur le compte du DA.

— Bien raisonné, Henry, répondit Mr Picton en ouvrant l'enveloppe.

Ne sachant si l'adjoint au DA parlait sérieusement ou se moquait de lui, le garde plissa le front. Ce que le petit homme ajouta dissipa l'équivoque :

— Vous connaissez tout le monde, Henry ? dit-il, levant les yeux vers le visage porcin du garde puis indiquant notre groupe. Ou dois-je faire les présentations ?

— Non, m'sieur, grogna le gardien d'un air sombre. J'les connais.

— Alors, si c'est un pourboire que vous attendez, je ne puis que vous rappeler que le comté est contre cette pratique. Bonsoir, Henry.

Incapable de répondre, l'homme hocha la tête et sortit, la mine encore plus renfrognée.

— Le crétin, soupira Mr Picton après son départ. Quand je pense à l'usage qu'une personne dotée d'un vrai cerveau pourrait faire de la nourriture et de l'oxygène nécessaires pour entretenir un pareil tas de... Ah ! des nouvelles de Marcus. (Il parcourut rapidement le message.) Pas grand-chose, à vrai dire. Il a, semble-t-il, découvert le nom de l'avocat engagé par Vanderbilt et recueille des informations sur l'homme. Il se pourrait même qu'il le rencontre en personne.

— Cela peut être utile, commenta Lucius.

— Quel est son nom, Rupert ? demanda Miss Howard. Vous le connaissez ?

L'adjoint au DA regardait de nouveau par la fenêtre en tirant sur ses cheveux.

— Hum ? Oh ! Darrow. Clarence Darrow. Ce nom me dit quelque chose...

— Moi, en tout cas, je ne le connais pas, déclara le docteur.

Mr Picton fronça un moment les sourcils, finit par lever les bras.

— Moi non plus, on dirait, soupira-t-il. A moins que... Attendez ! (Il traversa la pièce, ramassa par terre une pile de revues de droit, revint les poser sur son bureau.) J'ai lu quelque chose... quelque part...

Examinant la pile à sa manière habituelle — c'est-à-dire en jetant les revues à travers le bureau, ce qui nous obligea à quelques esquives pour ne pas en recevoir une dans les dents —, il finit par trouver le numéro qu'il cherchait.

— Ah-ah ! clama-t-il en se laissant tomber sur sa chaise. Oui, voilà ! Un article qui mentionne un certain Clarence Darrow, qui émarge à la Chicago and Northwestern Railways, quoiqu'il ne travaille pas exclusivement pour la compagnie. Mais il a été son avocat, et c'est là que Vanderbilt aura entendu parler de lui...

— Je ne comprends toujours pas, avoua le docteur. Pourquoi engager l'avocat d'une compagnie de chemin de fer pour une affaire criminelle ?

— Il y a là quelques détails intéressants qui pourraient fournir une réponse, dit Mr Picton en levant un doigt. Vous vous rappelez la grève chez Pullman, en 94 ?

Il y eut un murmure général affirmatif : nous nous souvenions tous de l'affrontement entre l'American Railway Union et la Pullman Car Company à Chicago. La bataille avait été si sanglante que même moi j'en avais entendu parler par les partisans des syndicats qui formaient la partie la plus braillarde de la population dans mon ancien quartier.

— Bien qu'il fût encore à l'époque l'avocat de la compagnie Chicago and Northwestern, Clarence Darrow accepta de défendre Eugene Debs et plusieurs autres dirigeants syndicaux. Ce n'était pas une affaire criminelle : Debs et les autres étaient uniquement accusés d'incitation à la grève. Mais Darrow réussit néanmoins à porter l'affaire devant la Cour suprême...

Mr Picton se tut, feuilletant la revue.

— Et ? voulut savoir Miss Howard.

— Il perdit, bien sûr. Mais ce fut une belle bataille. Et surtout, pendant qu'ils purgeaient une peine de quelques mois de prison pour ce délit mineur, Debs et les autres furent inculpés d'un crime plus grave : tentative de s'opposer à l'acheminement du courrier au moyen d'une grève des chemins de fer. Darrow se chargea de nouveau de leur défense et, cette fois, il gagna par défaut : le gouvernement finit par abandonner les charges.

— Cela ne nous dit toujours pas, intervint Lucius, pourquoi Mr Vanderbilt estime qu'un homme qui partage son temps entre le travail pour les compagnies de chemin de fer et la défense des syndicats — combinaison qui me paraît fort curieuse, à propos — serait le candidat idéal pour s'occuper d'une affaire de meurtre...

— Non, reconnut Mr Picton. Non. Mais je vais vous dire une chose, inspecteur : je suis soulagé ! Quels que soient les talents de Darrow, Vanderbilt aurait pu, je le répète, engager les plus grands ténors du barreau de New York...

— C'est peut-être là le problème, dit le docteur. Il est possible que Mr Vanderbilt subodore dans cette affaire quelque chose de louche et qu'il ne tienne pas à ce que son nom y soit associé dans les milieux new-yorkais.

L'adjoint au DA considéra la suggestion, hocha la tête.

— Je crois que vous avez raison, docteur, je crois que vous avez absolument raison ! Marcus confirmera sans aucun doute votre hypothèse à son retour. Pour le moment... (Il coinça sa pipe entre ses dents, mit les mains sur les hanches.) Je propose que nous rentrions à la maison pour savourer un bon dîner. La situation commence à s'améliorer, j'ose le dire !

Soulagés par les récents événements ainsi que par la confiance de Mr Picton, nous nous dirigeâmes vers la porte. Certes, nous devions affronter le grand jury le lendemain, mais maintenant que Clara Hatch avait retrouvé la parole, nous n'avions aucune raison de douter que nous franchirions aisément cet obstacle pour nous acheminer vers un procès. Et dans ce procès, nous aurions pour adversaire un avocat sans expérience en matière criminelle, qui ne ferait pas le poids contre deux hommes aussi familiers de ce genre de joutes que le docteur et Mr Picton.

Ce fut l'une des plus grossières erreurs de jugement que nous commîmes pendant toute l'affaire.

40

Mr Moore arriva dans la soirée, la mise débraillée et l'air hagard — non sans raison : il avait passé une semaine épouvantable à New York, parvenant de justesse à nous revenir, membres et organes intacts. Même lorsque Marcus et lui ne se trouvaient pas dans une situation mettant directement leur vie en danger — par exemple quand ils étaient allés interroger le révérend Parker —, la violence était présente dans la conversation : le pasteur avait été agressé six mois plus tôt par plusieurs inconnus (dont nous pouvions raisonnablement supposer qu'ils appartenaient aux Hudson Dusters) qui lui avaient brisé les rotules à coups de batte de base-ball et coupé une oreille. En nous rapportant la chose, Mr Moore redevint si agité qu'il fallut deux verres bien tassés du meilleur whisky de Mr Picton pour lui calmer les nerfs. Toutefois, la nouvelle que nous étions prêts à affronter le grand jury le lendemain le réconforta grandement, de même que les restes du dîner dont il se gava dans la cuisine de notre hôte. Lorsqu'il se retira, il avait absorbé assez de nouvelles encourageantes — et de whisky — pour dormir aussi paisiblement que nous.

Avant de le laisser prendre le repos qu'il méritait tellement, je devais cependant découvrir s'il avait été effectivement en contact avec Kat et, si oui, ce qu'il en était résulté. Tandis qu'il se lavait les dents dans sa salle de bains après avoir répandu la moitié d'une boîte de Sozodont sur sa brosse et dans le lavabo, je me glissai dans la pièce et posai mes questions. L'écume aux lèvres comme un chien enragé, il me répondit que oui, il avait rencontré Kat en dehors du territoire des Dusters, il l'avait informée de notre situation avant de lui demander si elle accepterait de veiller sur Ana Linares. Kat avait réclamé de l'argent pour ses services, ce dont je déduisis que tout ce que nous lui avions donné, y compris le billet de train, était passé dans la poche de Ding Dong. Mr Moore m'assura que ce n'était pas le cas, qu'elle lui avait montré le ticket et expliqué qu'elle attendait une réponse de sa tante avant de partir pour la Californie. Quand je lui demandai si elle sniffait encore de la coco, il répondit qu'il n'aurait su le dire, d'un ton embarrassé qui me fit clairement comprendre qu'il mentait. Je me persuadai néanmoins que, pour le moment, je devais surtout me réjouir que Kat ait encore le billet et soit prête à travailler pour nous. Le reste, je m'en soucierais quand nous serions de retour à New York.

Mr Picton nous avait préparés à ce qu'une partie de la population de Ballston Spa s'intéresse aux délibérations de l'instance qui devait réunir ce vendredi matin à onze heures dans la petite salle d'audience du tribunal du comté. Mais aucun de nous — et lui non plus, sans doute — ne s'attendait à la scène que nous découvrîmes quand le *surrey* nous amena devant le bâtiment. Une centaine de personnes, de tous âges, tailles et signalements, tournaient en rond sur la pelouse et le perron comme autant de poulets affamés. En haut des marches, Henry le gardien barrait l'entrée, car les débats du grand jury ne sont pas ouverts au public — chose qu'un grand nombre des candidats spectateurs ignoraient manifestement. Le cerbère colossal semblait tout autant sympathiser avec la foule que la tenir à distance. Et plus nous approchions, plus il parut clair que l'humeur générale de ces gens — Henry compris — était au mécontentement.

— Ah ! bravo, maugréa l'adjoint au DA en tirant sur les guides pour arrêter son cheval. (Il poussa un grognement irrité qui projeta de sa pipe des cendres rougeâtres.) J'espérais tellement que mes concitoyens s'intéresseraient à l'audience ! Rien de tel qu'un peuple qui se mêle des affaires de la justice — surtout s'il est trop ignorant pour savoir quand il n'est pas autorisé à s'en mêler !

Il prit sous la banquette une pile de livres et de dossiers, sauta à terre.

— Dr Kreizler, je vous conseille de ne pas aller seul chercher Clara, recommanda-t-il, tandis que mon maître passait de l'arrière à l'avant. Dieu sait combien de ces olibrius sont sortis manifester leur opinion dans d'autres parties de la ville !

— Cyrus et Stevie m'accompagneront, répondit le docteur, au moment où je m'asseyais sur la banquette pour prendre les rênes.

— El Niño aussi ! revendiqua l'indigène, se penchant vers nous du marchepied sur lequel il était juché. Avec El Niño pour le protéger, le *señor doctor* aura pas d'ennuis !

Il eut un sourire éclatant que le docteur, même dans cette situation incertaine, ne put s'empêcher de lui rendre.

— Très bien, Niño, dit-il. Tu viens aussi. Mais ne sois pas trop prompt à brandir tes instruments de travail. (Il jeta un regard à la foule massée devant le tribunal.) Ces gens sont à craindre plus pour leur ignorance que pour leur hardiesse.

— Oui, *señor doctor* ! s'exclama le Philippin, s'asseyant à la place que Mr Moore venait de libérer. C'est vrai !

— Tu ne veux pas que je t'accompagne, Laszlo ? proposa le journaliste, qui semblait mal réveillé après sa première véritable nuit de repos en cinq jours.

— Je crois que notre petite escorte est déjà assez impressionnante, John, répondit le docteur. Et il faut bien quelqu'un pour aider Rupert à traverser cette foule. Quelqu'un qui n'aura pas immédiatement la main sur la crosse de son arme, s'entend, ajouta-t-il, adressant un bref sourire à Miss Howard.

— Oh, j'aurai les mains occupées, fit Sara, qui souleva une autre pile de livres et de documents. Heureusement pour ces lascars…

— C'est bien beau de plaisanter, docteur, dit Lucius, essuyant un front qui brillait au soleil du matin, mais soyez prudent. Le témoignage de cette fillette est capital.

— Il ne lui arrivera rien, je vous le promets.

— El Niño aussi, déclara mon nouvel ami.

— El Niño aussi, répétai-je en souriant, avant de faire claquer les guides sur la croupe du cheval.

En passant lentement devant le tribunal, je tournai la tête pour suivre des yeux les quatre autres, qui se faufilaient vers la porte du bâtiment, la pipe de Mr Picton fumant comme une cheminée de forge tandis qu'il saluait les visages familiers avec une gaieté qui n'aurait pu sonner plus faux :

— Ah ! Mr Grose, je suis soulagé de voir un représentant de notre *Weekly Journal* — son rédacteur en chef, pas moins ! C'est réconfortant ! Il est rare, pour un homme dans ma partie, de bénéficier de telles manifestations de soutien !

Avant que nous soyons trop loin pour l'entendre, une voix irritée répliqua :

— Sachez, monsieur, que le *Ballston Weekly Journal* n'a aucunement l'intention de vous soutenir si vous cherchez réellement à inculper cette malheureuse Mrs Hatch !…

Je réussis encore à capter la repartie de Mr Picton :

— Comme c'est dommage ! Shérif Dunning, faites-moi le plaisir de rappeler à ces gens — y compris à notre ami Grose — que les débats du grand jury ne sont pas ouverts au public, voulez-vous ? A la bonne heure…

Un soupir échappa au docteur.

— Seigneur, murmura-t-il, détournant les yeux de la scène et frottant son bras atrophié de sa main droite. Ça commence déjà…

En arrivant à la ferme, nous trouvâmes toute la famille dehors, regroupée autour de la voiture des Weston, une simple charrette récemment repeinte en noir. On eût dit qu'ils étaient prêts à aller à la messe, soigneusement récurés et vêtus de ces habits sombres et austères qu'ils ne devaient porter que le dimanche, pour les mariages ou les enterrements. Le docteur monta avec eux, s'assit à côté de Clara sur l'un des bancs, Mr et Mrs Weston s'installant sur l'autre, Kate partageant la banquette du cocher avec Peter, qui prit les rênes.

Clara était l'image même de la nervosité et de la confusion, bien sûr, avec ses yeux de pur-sang effrayé. Dès que le docteur fut monté dans la charrette, il la fit dessiner — le meilleur moyen, estimait-il sans doute, de l'empêcher de penser à l'endroit où elle se rendait. Quand Peter engagea la charrette dans le chemin, je suivis avec le *surrey* et, pendant tout le trajet, El Niño, Cyrus et moi restâmes à l'affût de visages curieux ou hostiles qui pourraient apparaître au bord de la route.

Nous n'en vîmes aucun avant d'arriver à Ballston Spa, mais les regards froids qui nous accueillirent à l'entrée de la ville nous révélèrent que la nouvelle de la convocation du grand jury s'était répandue. La réaction générale semblait être la même sur les marches du tribunal. Ce n'était pas tout à fait une meute — j'ai vu des meutes à l'œuvre, et c'était différent. Les citoyens de Ballston paraissaient surtout déconcertés, et leurs visages plissés par l'inquiétude exprimaient clairement le souhait que nous retournions à la grande méchante ville qui nous avait dégorgés.

— C'est étrange, *señorito* Stevie, fit observer El Niño, ces gens, ils veulent pas qu'on retrouve bébé Ana ?

— Ils voient pas vraiment le rapport, répondis-je, tandis que nous essuyions une nouvelle salve de regards hostiles devant l'hôtel Eagle. Et on peut pas leur expliquer, parce que le *señor* veut pas. C'est un secret, tu comprends ?

— Alors, c'est pour ça qu'ils ont cette tête, conclut le petit homme. S'ils connaissaient l'histoire de bébé Ana, ils seraient différents.

J'espérais de tout cœur qu'il avait raison.

Un moustachu lourdement bâti, coiffé d'un chapeau de paille à large bord et arborant un insigne au revers de sa veste, s'approcha de nous.

— Josiah, fit-il d'un ton poli mais grave, en adressant un salut à Mr Weston.

— Shérif, répondit le fermier, dont la voix ne trahit aucune émotion. Y a du monde, on dirait.

— Ouais, fit Dunning, regardant la foule avec un léger embarras. Rien de sérieux, mais vaudrait peut-être mieux que vous fassiez le tour pour entrer par-derrière. Ce sera plus facile pour tout le monde. (Il se tourna vers Clara.)

Salut, petite demoiselle, dit-il avec un sourire. Venue visiter notre tribunal ?

En guise de réponse, Clara se cacha derrière le bras du docteur. Le shérif leva les yeux pour croiser le regard de l'aliéniste et cessa de sourire.

— Bon, allez-y, Josiah.

Mr Weston tourna dans Bath Street, descendit la colline en direction de la porte de derrière. Comme je faisais mine de suivre avec le *surrey*, Cyrus me pressa le bras.

— Non, Stevie, dit-il. La porte de devant. Pour faire diversion.

Je saisis : avec Cyrus et El Niño à bord, notre voiture capterait l'attention de la foule, permettant à Clara et aux Weston d'entrer sans trop de problèmes par l'autre côté. Je mis donc le cheval au trot et utilisai au mieux les cent mètres qu'il restait à couvrir pour nous faire remarquer. Conformément au raisonnement de Cyrus, tous les regards convergèrent sur nous lorsque nous descendîmes du *surrey* et nous dirigeâmes vers les marches. Il y eut quelques rires, mais davantage de claquements de langue et de jurons, assortis naturellement çà et là de l'inévitable «Foutus nègres», le tout destiné à faire réagir mes deux amis. Mais les nobles cœurs qui marmonnaient ces insultes ignoraient à qui ils avaient affaire, car El Niño, s'il les entendit, ne parut pas les comprendre, et Cyrus avait appris depuis longtemps à maîtriser ses émotions quand on lui lançait de telles épithètes.

A la porte, nous nous retrouvâmes nez à nez avec le gardien qui, apparemment préoccupé par ce que la foule penserait de son attitude, se rongeait les ongles.

— Alors, quoi, Henry ? lui lança un homme en costume dont la voix me fit reconnaître le rédacteur en chef du *Ballston Weekly Journal*, Mr Grose. Les citoyens respectables et les représentants de la presse n'ont pas le droit d'assister aux débats, et on laisse entrer des enfants et des… sauvages ?

Ne sachant que faire, Henry adopta l'attitude du véritable opportuniste. Il croisa les bras, écarta les jambes, regarda Cyrus dans les yeux.

— Désolé, les débi… les déli… les…

468

— Les délibérations, fit le grand Noir, impassible.

— Les délibérations ne sont pas ouvertes au public, cracha Henry, une lueur de ressentiment dans l'œil.

— Monsieur, vous savez parfaitement que nous sommes des enquêteurs au service de l'adjoint au district attorney Rupert Picton. Et nous savons que vous le savez. Alors, ou vous nous laissez entrer immédiatement, ou vous cherchez à vous faire bien voir de la foule, et vous expliquerez plus tard votre décision à Mr Picton. C'est lui, votre supérieur, pas ces gens.

— Il joue au malin, le négro, grommela quelqu'un derrière moi.

Je vis une main surgir de la masse de corps qui se refermait sur nous et s'abattre sur l'épaule de Cyrus. Le bras prolongeant cette main tenta de tirer mon ami en arrière ; le visage auquel ce bras aboutissait était empreint d'une rancœur manifestement trempée dans quelques verres matinaux. Quel que soit cet homme, il avait laissé l'alcool le conduire à prendre une mauvaise décision. Cyrus saisit les doigts posés sur son épaule, les souleva d'un ou deux centimètres et, continuant à fixer Henry, commença à presser.

Cyrus possédait une poigne qui avait beaucoup en commun avec l'étau de modèle courant et, au bout d'une vingtaine de secondes, on put entendre l'homme gémir. Puis il y eut un craquement, et l'homme se mit tout bonnement à hurler.

— D'accord, d'accord ! fit Henry, s'effaçant pour nous laisser passer. Entrez, tous les trois, mais j'en parlerai à Mr Picton !

Cyrus l'assura qu'il informerait lui aussi le magistrat de ce qui s'était exactement passé. Nous franchîmes la porte et la claquâmes derrière nous tandis que la foule poussait des cris de plus en plus hostiles.

Dans le hall, Mr Moore, Miss Howard et Lucius faisaient nerveusement les cent pas devant la petite salle, située à gauche.

— Qu'est-ce qui s'est passé ? demanda Mr Moore.

— Ça s'énerve, dehors, répondis-je en m'approchant d'eux. Un des types a voulu se frotter à Cyrus.

— Nous n'avez rien ? s'inquiéta Miss Howard.

— Bien sûr, il a rien ! fit El Niño, levant vers le grand Noir un regard admiratif. Aucun de ces porcs peut affronter Mr Mont-rose !

Un peu gêné, Cyrus inclina la tête vers Sara.

— Rien d'inhabituel, Miss Howard. L'audience a commencé ?

— Je crois que oui. Dieu merci, ils ont laissé les Weston accompagner Clara — elle était pâle comme un linge quand nous sommes arrivés ici.

J'essayai de lorgner par la fente des portes coulissantes de la salle mais ne pus rien voir.

— Bon, va falloir attendre, on dirait, soupirai-je. Et pas la peine de me poser la question, j'ai des cigarettes...

Elles furent tendues, les deux heures qui suivirent : nous n'avions nulle part où aller (un petit tour dehors étant peu recommandé), rien d'autre à faire que fumer et nous ronger les sangs. Celui qui avait installé les lourdes portes d'acajou avait fait du bon travail, car non seulement nous ne pouvions rien voir par la fente mais nous ne percevions qu'un vague murmure — et encore, rarement. Nous n'entendions pas même claquer le marteau d'un juge puisque, comme je l'ai souligné, une réunion du grand jury est l'affaire du district attorney (ou, en l'occurrence, de son adjoint), et il n'y avait aucun juge dans la salle. Seulement Mr Picton, ses preuves, ses témoins... et les jurés.

Vers une heure et demie, nous entendîmes des bruits de pas et des raclements de pieds de chaise. Les portes d'acajou s'écartèrent, tirées chacune par un officier de justice. Le docteur et les Weston furent les premiers à sortir. Mon maître parlait à Clara, toujours livide, mais, en passant près de nous, il nous adressa un petit hochement de tête qui ne laissait planer aucun doute : ils avaient obtenu l'inculpation.

Les jurés s'attardaient dans la salle, comme s'ils avaient peur de sortir. Mr Picton finit par en émerger avec Dunning, qui semblait si consterné qu'il était facile de deviner que la ville de Ballston Spa, agitée et hostile toute la matinée, allait subir un choc qui décuplerait ces sentiments. L'adjoint au DA tenait sa pipe à la main et la braquait vers le visage du shérif comme un pistolet en lui faisant la leçon :

— ... et je parle sérieusement, Dunning. Quelle que soit votre opinion, le jury a tranché, et j'attends de vous, comme de tous les représentants de l'ordre de ce comté, que vous respectiez et fassiez appliquer sa décision. Y compris en protégeant les personnes avec qui mes services ont choisi de travailler. Le district attorney Pearson sera absent pendant toute l'affaire, c'est donc moi qui en serai responsable. J'espère ne pas être le seul à en avoir conscience. Et j'espère m'être fait clairement...

Le shérif leva une main.

— Mr Picton, pas la peine d'insister. Je le reconnais, avant l'audience, j'étais pas pour l'enquête, mais après ce que j'ai vu et entendu aujourd'hui... (Ses yeux se posèrent sur Clara Hatch, et je crus y voir briller une larme.) Je sais reconnaître quand je me suis trompé, dit-il, se tournant de nouveau vers Mr Picton. Nous ferons venir cette femme ici si les flics de New York nous donnent un coup de main. Pour la suite, tout ce que je peux dire, c'est que j'espère que le Seigneur vous viendra en aide, Mr Picton. Parce que vous faites Son travail.

Le petit homme roux, dont on aurait pu attendre au moins un signe de gratitude ou d'émotion devant ce *mea culpa* sincère, gratifia simplement le shérif d'une rapide poignée de main et d'un hochement de tête, signifiant par là que les éloges ou les blâmes de telles gens le laissaient pareillement indifférent.

— Eh bien, dans l'immédiat, le travail du Seigneur consistera pour moi à parler à cette foule, déclara-t-il. Alors, si vous et vos adjoints pouviez me dégager le haut du perron...

— Oui, Mr Picton, répondit aussitôt Dunning. Tout de suite. Abe ! Gully ! On y va, les gars !

Les trois hommes se dirigèrent vers la porte de devant, qui était toujours fermée, et nous prîmes leur sillage. Un étrange sentiment — mêlant l'excitation à la frayeur, teinté aussi d'un peu de tristesse — m'envahit, et je crois que les autres membres de l'équipe l'éprouvaient aussi. De leur côté, les Weston entouraient la petite Clara d'un véritable mur humain, comme s'ils craignaient que quelqu'un puisse tenter de la leur arracher. Compte tenu de l'atmosphère régnant à l'extérieur, cette attitude ne semblait pas si déraisonnable.

Lorsque la porte s'entrouvrit, le grondement coléreux que nous avions laissé derrière nous deux heures et demie plus tôt s'éleva de nouveau. Le shérif et ses adjoints durent faire appel à la persuasion, et finalement à la force, pour dégager un petit espace en haut des marches. Mr Picton s'avança, approcha une allumette du fourneau de sa pipe, considéra la mer houleuse de têtes avec une expression d'extrême dédain. Après avoir laissé les manifestants beugler deux ou trois minutes, il leva les bras.

— Bon, essayez de vous maîtriser, maintenant, si c'est possible ! cria-t-il. Ni le shérif ni moi ne souhaitons interdire ce rassemblement, mais je vous demande d'écouter très attentivement ce que j'ai à dire !

Le brouhaha mourut tandis que le procureur adjoint inspectait les visages.

— Mr Grose est toujours là ?

— Toujours ! fit la voix du rédacteur en chef, qui s'avança au premier rang. Quoique pas très heureux d'être resté des heures sous le soleil !

— Tout à fait compréhensible, convint Mr Picton, mais les fauteurs de troubles ne sont jamais rétribués comme ils le méritent, n'est-ce pas ? Quoi qu'il en soit, j'aimerais que vous vous mettiez bien dans la tête ce qui va suivre pour que je ne sois pas obligé de le répéter cent fois dans les semaines qui viennent. Le grand jury s'est réuni, il a pris sa décision, et nous devons tous la respecter.

— Nous la respectons ! affirma Mr Grose, regardant autour de lui avec un sourire. J'espère que vous êtes prêt à faire de même, Mr Picton !

— Oh ! certes, Mr Grose, répondit Rupert Picton, ravi de découvrir que le journaliste présumait que le ministère public avait perdu la partie. Une inculpation est en cours contre Mrs Elspeth Hunter de New York, anciennement Mrs Elspeth Hatch de Ballston Spa, anciennement Miss Elspeth Fraser de Stillwater. Elle est accusée de meurtre au premier degré sur les personnes de Thomas Hatch et Matthew Hatch, ainsi que de tentative de meurtre contre Clara Hatch. Le tout dans la soirée du 31 mai 1894…

Je croyais, je l'avoue, que la foule aurait déclenché une bonne vieille émeute en apprenant la nouvelle. Je fus donc surpris — comme Mr Picton, à en juger à sa mine — lorsqu'un murmure horrifié sortit de la bouche des habitants de la ville, comme s'ils venaient tous d'apercevoir un fantôme.

— Qu'est... qu'est-ce que vous dites ? bégaya Mr Grose, qui se tourna vers le shérif. Phil, est-ce que… ?

— Horace, si j'étais toi, je le laisserais finir, lui conseilla Dunning d'un ton grave.

Quand la foule s'apaisa, Mr Picton, d'humeur moins grincheuse que la minute d'avant, termina sa déclaration :

— Nous avons des preuves matérielles de la culpabilité de cette femme, nous avons un mobile, qui sera confirmé par plusieurs témoins, et nous avons un témoin visuel de la fusillade. Nos services n'auraient pas réclamé une inculpation sans ce minimum d'éléments.

Il s'interrompit, comme s'il s'attendait encore à ce que la foule explose, mais seul un homme, au dernier rang, s'écria : « Nom de Dieu ! » et partit aussitôt en courant vers la gare des tramways. J'avais eu le temps de reconnaître le garçon qui nous avait servis au Casino. Nul besoin d'être un génie pour deviner que son patron l'avait envoyé aux nouvelles afin de pouvoir afficher les cotes de l'affaire à l'intention des clients qui ne souhaitaient pas se contenter de la roulette, du poker et du pharaon.

Les autres spectateurs, immobiles, continuaient à fixer Mr Picton. A leur ressentiment s'ajoutait maintenant la confusion que doit ressentir une vache sacrée qui vient de recevoir un coup de pelle sur la tête. Le shérif rejoignit l'adjoint au DA et lui demanda :

— Vous avez terminé, Mr Picton ?

— Oui, Dunning. Vous feriez mieux de les disperser ; il n'y a rien à ajouter.

— Rien à ajouter ? bredouilla Mr Grose, dont la voix avait perdu toute suffisance. Picton, vous vous rendez compte de ce que vous avez déjà dit ?

Le magistrat hocha gravement la tête.

— Oui, Horace. Et je vous serais reconnaissant de

bien vouloir le publier intégralement dans l'édition de demain. Mesdames et messieurs, il ne s'agit pas d'une discussion de coin de rue. La ville de Ballston Spa et le comté de Saratoga seront contraints dans les jours qui viennent de sonder leur âme. Espérons que nous pourrons vivre avec ce que nous découvrirons...

Là-dessus, Mr Picton retourna à l'intérieur tandis que le shérif et ses hommes commençaient à disperser la foule. Refermant lentement la porte, l'adjoint au DA s'approcha du docteur.

— Comme vous l'aviez prédit, nous n'aurons pas de problèmes... pour le moment.

— Les implications horribles de ce crime touchent l'âme humaine plus profondément qu'on ne l'imagine dans un premier temps. Vous, Mr Picton, vous les affrontez depuis plusieurs années, nous depuis quelques semaines. Pour les gens de cette ville, c'est une révélation. On ne peut s'attendre à de la simple colère, à ce stade. La confusion continuera à dominer un moment — longtemps, peut-être. Cela jouera en notre faveur car nous avons beaucoup à faire avant l'arrivée de notre adversaire. Lorsqu'elle sera là, la confusion des habitants pourrait céder la place à quelque chose de nettement plus laid...

Après avoir rejoint les Weston, nous sortîmes, sans Mr Picton, qui devait encore s'occuper de paperasse, et en groupe, afin de nous assurer que toute la famille rentrait chez elle saine et sauve.

Sur le chemin de la ferme, le Dr Kreizler nous relata ce qui s'était passé pendant l'audience — récit chargé d'émotion mais pas particulièrement complexe : Mr Picton avait exposé la plupart des preuves matérielles que nous avions recueillies, puis, avec l'aide de Louisa Wright, il avait fait le portrait de Libby Hatch en aventurière débauchée et cupide, en femme volontaire et sans vergogne qui, si elle n'avait pas causé directement la mort de son mari, espérait sans aucun doute en tirer profit. Lorsqu'elle avait compris que les enfants étaient un obstacle, elle avait froidement tenté de les éliminer.

Le docteur précisa que l'argumentation de Mr Picton avait été si persuasive, son débit si torrentiel — comme l'avait prédit Mr Moore —, qu'un bon nombre de jurés avaient paru convaincus avant même que Clara Hatch ait témoigné. Quand la fillette avait été appelée dans le box, le procureur adjoint ne lui avait posé que quatre questions :

« Etais-tu dans le chariot avec ta mère et tes frères le soir du 31 mai 1894 ? — Oui », avait-elle répondu avec quelque hésitation.

« As-tu vu qui que ce soit d'autre sur le trajet du retour ? » Réponse : un « non » ferme.

« La personne qui a tiré sur toi se trouvait donc sur le chariot ? » Cette fois, l'enfant avait simplement hoché la tête.

« Clara, cette personne, c'était ta mère ? » Une minute s'était écoulée avant qu'elle puisse répondre, mais les regards rassurants du docteur, les signes de soutien et d'amour de Josiah et Ruth Weston lui avaient rendu son courage, et elle avait fini par murmurer : « Oui. »

Nul dans la salle n'avait soufflé mot quand la fillette était ressortie du box. Selon le docteur, les membres du jury avaient la même expression que les manifestants, dehors, lorsqu'ils avaient appris l'inculpation : tous semblaient avoir reçu sur la tête une énorme brique. Mr Picton avait ensuite prestement bouclé son affaire et obtenu l'assentiment du jury pour une inculpation de meurtre et de tentative de meurtre.

Ce n'était pas le genre de récit qui vous transporte d'allégresse ou vous rend triomphant. Après avoir vu ce que l'audience avait provoqué chez la pauvre Clara, nous éprouvions tous dans le *surrey* un sentiment de profond regret et de tristesse en revenant à la maison de notre hôte. Mais sous cette émotion du moment, il y avait chez chacun de nous quelque chose de plus profond encore, peut-être — ce qu'on pourrait appeler la conscience tacite qu'en tant que groupe nous étions enfin parvenus à ce que mes copains joueurs de passe anglaise auraient appelé un « bon lancer ». Notre enquête était maintenant sur les rails, telle une locomotive roulant inexorablement vers la femme qui avait commis tant de méfaits pendant tant d'années. Les preuves et les témoignages — rassemblés au prix d'un travail ardu — étaient les cordes avec lesquelles nous attacherions sur la voie la meurtrière aux yeux d'or. Certes, nos responsabilités envers Clara, les Weston, la petite Ana — et nous-mêmes — étaient considérables, mais notre devoir de continuer à faire tourner la machine l'était plus encore. Ce vendredi soir, nous foncions à toute vapeur, et la voie devant nous semblait dégagée.

C'était avant que Marcus rentre de Chicago.

41

Le docteur ne s'était pas trompé en présumant que l'état général de « confusion morale », pour reprendre ses termes, qui régna à Ballston Spa pendant les jours qui suivirent l'inculpation de Libby Hatch faciliterait notre travail. Si les habitants de la ville ne nous voyaient pas d'un œil plus aimable, ils étaient trop occupés à essayer de comprendre l'affaire — et ses horribles rebondissements — pour nous prêter attention. En outre, le fait que l'audience avait convaincu quelqu'un comme le shérif Dunning de la culpabilité de Libby empêchait les citoyens mécontents de voir dans le procès annoncé l'œuvre de mécréants new-yorkais. Pour ceux qui s'accrochaient obstinément à l'histoire du mystérieux Noir, il était difficile d'ignorer qu'une enfant de huit ans, ayant subi des années de tourments physiques et moraux, avait clairement déclaré à une assemblée d'adultes que sa propre mère était la meurtrière.

Libby Hatch — ou Mrs Elspeth Hunter, comme on l'appelait dans le document d'inculpation du grand jury — fut arrêtée le mardi après-midi au 39, Bethune Street, New York. Le shérif Dunning avait pris contact dès le vendredi avec la police new-yorkaise et avait été aiguillé sur le Bureau des inspecteurs. Avec l'aide de collègues du 9e district, le Bureau avait immédiatement placé Mrs Hunter sous surveillance et rapporté qu'elle ne semblait pas se préparer à quitter la ville. (Les flics ne s'étaient pas non plus heurtés à une intervention des Dusters, ce qui confirmait apparemment que Libby n'avait pas l'intention de s'enfuir.) Dunning avait demandé aux inspecteurs du 9e de ne pas arrêter la suspecte avant son arrivée — à moins qu'elle ne donne soudain l'impression de vouloir filer. Le lundi, il avait pris le train pour New York avec deux de ses adjoints.

Ce peu d'empressement à arrêter la meurtrière nous déconcerta quelque peu, mais Mr Picton nous expliqua que plus Libby Hatch se ferait attendre à Ballston Spa, plus nous profiterions du calme étrange qui s'était emparé de la ville. Aussi n'avait-il pas recommandé la plus grande célérité quand il avait accompagné Dunning et ses hommes à la gare, ce que le shérif avait interprété comme l'autorisation de profiter d'une nuit dans la grande ville avant de rentrer avec la prisonnière. Ils avaient été accueillis à la gare de Grand Central par deux inspecteurs du Bureau, qui les avaient conduits au poste de police du 9e district, dans Charles Street. (Ignorant que des inspecteurs new-yorkais avaient participé à l'enquête de Mr Picton, Dunning s'était épargné la réaction glaciale dont on l'aurait gratifié s'il avait prononcé le nom des Isaacson.) Ensemble, les policiers avaient décidé d'attendre le mardi matin pour passer les menottes à Mrs Hunter, et nous imaginions sans peine à quoi le shérif et ses adjoints avaient occupé leur soirée, puisqu'il aurait été difficile de trouver meilleurs experts que les flics du 9e pour les conseiller en la matière. Le fait que Dunning et ses gars aient attendu le mardi après-midi pour pincer Mrs Hunter semblerait prouver qu'ils avaient amplement mis à profit les « ressources culturelles » de New York. Quoi qu'il en soit, leur éventuelle gueule de bois ne les aurait que peu gênés dans leur travail puisque en arrivant à Bethune Street ils trouvèrent Libby prête à les suivre — presque comme s'il lui tardait que le procès commence, dit le shérif à Mr Picton lorsqu'il appela de Grand Central avant de monter dans le train.

Tout le mardi, les citoyens de Ballston Spa avaient continué à ruminer ce que Mr Moore, fidèle à lui-même, tenait à appeler les « implications morales » de l'affaire. On avait l'impression qu'ils les ressasseraient indéfiniment, ou tout au moins jusqu'à ce que quelqu'un donne une explication des meurtres qui disculperait leur société — une société qui n'avait pas engendré Libby Hatch mais qui avait cru à ses mensonges. Naturellement, s'ils avaient su que l'un des seuls hommes du pays capables de fournir cette explication était en train de faire ses bagages à Chicago et s'apprêtait à venir dans leur ville, leur humeur eût été fort différente.

Heureusement pour nous, le seul alors au courant des faits et gestes de Mr Clarence Darrow, c'était Marcus, qui rentra de Chicago le mardi après-midi. Après avoir échangé des saluts chaleureux avec les membres de notre groupe venus l'accueillir à la gare, l'inspecteur me confia sa valise (dont El Niño, refusant de me la laisser porter, s'empara immédiatement) et nous remontâmes Bath Street à pied en direction du tribunal. Nous avions pour instruction d'y conduire le sergent dès son arrivée, car bien que Mr Picton eût maintes questions pressantes à régler (le procès devait s'ouvrir le mardi suivant, 3 août), rien n'était plus important à ses yeux qu'obtenir des informations sur le « flingueur » judiciaire qu'on faisait venir de si loin pour l'affronter. Je présumais que Marcus aurait volontiers pris une douche chaude et un bon repas après son long voyage, mais les ordres étaient les ordres. De plus, ce qu'il avait découvert sur Mr Darrow lui semblait si crucial qu'il était lui-même impatient de nous le faire partager. Pour cette raison, le docteur avait abrégé sa journée avec Clara Hatch (il continuait plus que jamais à travailler avec elle) et nous avait rejoints à la gare, prêt à faire subir à Marcus un troisième degré de son cru : un coffret des meilleures cigarettes du docteur remplaçant les lumières vives braquées dans les yeux, une flasque de l'excellent whisky de Mr Picton tenant lieu de coup-de-poing américain.

Installé dans le vaste fauteuil en cuir du bureau de l'adjoint au DA, tenant la flasque d'une main, une cigarette de l'autre, l'inspecteur commença son rapport :

— Sa fiche signalétique a été assez facile à établir, du moins pour l'essentiel. (Il but une gorgée, posa la flasque, ouvrit un calepin.) Il a trente-neuf ou quarante ans — je n'ai pas réussi à avoir sa date de naissance exacte. Né d'un père pasteur unitarien qui a abandonné le sacerdoce pour devenir fabricant de meubles, et d'une suffragette de la Nouvelle-Angleterre. Il semble tenir plutôt du père, se passionne depuis toujours pour Darwin, Spencer, Thomas Huxley, et se considère comme un rationaliste. Oh, et il connaît aussi vos travaux, Dr Kreizler.

— Vraiment ? s'étonna le docteur. Comment l'avez-vous découvert ?

— Je lui ai posé la question, répondit simplement Marcus. Je l'ai rencontré hier soir — je me suis fait passer pour un éditeur de New York désirant l'engager pour défendre un anarchiste accusé d'avoir fabriqué des bombes. Ce dernier détail est vrai — tu te souviens de Jochen Dietrich, Lucius ? Ce crétin qui faisait sauter les immeubles des quartiers pauvres du centre parce qu'il n'arrivait pas à faire marcher ses systèmes de retardement ?

— Ah ! oui. Les collègues du 7e l'ont épinglé juste avant que nous quittions la ville, non ?

— Exactement, dit Marcus. (Il passa lentement une de ses grosses mains dans son épaisse chevelure noire, frotta ses yeux fatigués.) En tout cas, d'après un des flics de Chicago à qui j'ai parlé, Darrow a un faible pour les anarchistes — il se prend lui-même pour une sorte d'anar intellectuel. (Le sergent secoua la tête, tira une bouffée de sa cigarette.) C'est un drôle de type, pas du tout ce qu'on attendrait d'un homme qui a très bien gagné sa vie en travaillant pour de grandes compagnies. Il se fiche apparemment de son aspect extérieur : vêtements froissés, cheveux mal coupés tombant dans les yeux. Mais il y a dans ce négligé quelque chose d'étudié — de calculé, même. On dirait qu'il cherche à faire simple, qu'il joue à l'avocat de province. Même chose pour sa façon de s'exprimer : il parle comme un cynique mais s'arrange pour que vous perceviez sous la carapace un cœur d'idéaliste romantique. Dans quelle mesure il est sincère, et à quels moments, je ne saurais vous le dire. (Il tourna une page de son calepin.) Je vous livre aussi quelques détails mineurs : il est fou de base-ball, agnostique…

— Evidemment, c'est un avocat, commenta Mr Picton. Il n'y a place que pour un seul sauveur suprême en ce monde, et les avocats se réservent ce rôle.

— Allons, allons, Rupert, ne sois pas amer, le tança Mr Moore.

— Il aime la littérature russe, la poésie et la philosophie, également, poursuivit Marcus. Il tient une sorte de salon qui réunit des gens de mêmes affinités — il leur fait la lecture à voix haute. Au total, un personnage théâtral et manipulateur, malgré ses grands discours sur la justice sociale. Même ses proches le reconnaissent. J'ai notamment parlé à une femme qui est associée dans son cabinet...

— Il a une femme dans son cabinet ? fit Miss Howard. Une véritable associée ?

— Mais oui.

— Elle est là uniquement pour épater les amies suffragettes de Darrow, ou elle fait vraiment quelque chose ?

— En fait, et c'est ce qui est intéressant, il ne défend pas ardemment le droit des femmes, répondit Marcus. Il ne les considère pas comme une partie « opprimée » de la société. Pas comme, disons, les ouvriers ou les Noirs...

— Alors, les sermons habituels sur la sainteté de la mère nous seront peut-être épargnés, supputa le docteur.

— Sans doute. Mais je pense qu'il choisira un angle d'attaque plus dangereux, bien plus dangereux. (Après une autre gorgée de whisky, Marcus se tourna vers notre hôte.) Mr Picton, quelles informations avez-vous pu rassembler concernant les antécédents de Darrow ?

— J'ai trouvé un article sur le procès de Debs, répondit le magistrat avec un haussement d'épaules. On y évoque le passage de Darrow dans les compagnies de chemin de fer, mais pas grand-chose de plus.

— Rien sur l'affaire Prendergast ?

— L'affaire Prendergast ? fit Mr Picton, se redressant soudain. Par tous les diables, il a été mêlé à ça ?

— J'en ai peur, dit Marcus.

— Eh bien, eh bien... Je présume que vous vous rappelez cette affaire, docteur ?

— Certes. On a rarement vu exemple plus ridicule de dévoiement de la justice pour complaire à l'opinion...

— Curieusement, c'était aussi l'avis de Darrow, s'esclaffa Marcus.

— Prendergast, Prendergast... marmonnait Mr Moore

481

en se martelant le front. (Son visage s'éclaira.) Le type qui a tiré sur le maire de Chicago ?

— Lui-même, répondit le sergent. Le dernier jour de l'Exposition de 1893 — le premier assassinat de l'histoire de la ville. Eugene Patrick Prendergast s'est livré à la police avec son revolver à quatre dollars en affirmant qu'il avait tué Carter Harrison parce que monsieur le maire n'avait pas tenu sa promesse de le charger de la construction de la nouvelle voie aérienne de métro de la ville. Pure élucubration, bien sûr — l'homme était manifestement fou. Mais comme Harrison avait été tué à l'Expo, la presse internationale en parla longuement…

Regardant ceux d'entre nous qui ne connaissaient pas déjà cette histoire, le docteur enchaîna d'un ton sombre :

— Et l'Etat de l'Illinois décida de faire évaluer la santé mentale de Prendergast par le médecin-chef de la prison du comté de Cook — un homme n'ayant aucune formation particulière en pathologie mentale. Pourtant, ce fonctionnaire choisi avec soin déclara tout net que Prendergast était psychotique au dernier degré.

— Ce dont on ne tint aucun compte, termina Mr Picton. L'accusé fut jugé sain d'esprit et condamné à mort. Il a bel et bien été pendu, n'est-ce pas, inspecteur ?

— Il y a plus, dit Marcus. Après le premier procès, Darrow — qui a toujours combattu la peine de mort avec une véhémence quasi fanatique — se proposa pour aider l'avocat de Prendergast à obtenir une nouvelle évaluation de la santé mentale de son client. Cette seconde audience commença le 20 janvier 94 et fut très révélatrice, en particulier pour ce qui nous concerne… (Il tourna quelques pages de ses notes, porta de nouveau la flasque à sa bouche.) C'est Darrow qui prit l'affaire en main, et sa tactique, selon divers témoins, constitua une façon tout à fait différente de plaider. Dès le début, il concentra ses efforts non plus sur Prendergast mais sur les jurés, en déclarant que l'accusation, afin de satisfaire le désir de vengeance de la société, leur demandait de violer leur serment de juger l'affaire uniquement sur le fond. Or, comme Darrow passait pour un maître manipulateur de jurys, celui-là au moins s'attendait à ses manœuvres. Mais il apparut que Darrow savait qu'on avait mis les jurés en garde, et au lieu de crier au scandale, il retourna ce fait à son avantage. Dans ses remarques préliminaires, il évoqua les allégations selon lesquelles il allait embobiner les jurés avec une avalanche de détails techniques et des effets de manches. Il s'engagea solennellement à n'en rien faire car, dit-il, s'il usait en vain de ces subterfuges, la responsabilité — c'est là-dessus que repose tout le stratagème de Darrow —, la responsabilité de la mort de Prendergast lui incomberait. Et il refusait de porter un tel poids moral, déclara-t-il dans son style humble et simple. Il promit donc d'être franc et direct dans son argumentation. Si les jurés ne s'estimaient pas convaincus, c'est sur eux, non sur lui, que retomberait la responsabilité d'avoir envoyé à la mort un malade mental.

— Adroit, commenta Mr Picton en souriant lentement. Très adroit…

— Et tout à fait bidon, bien sûr, ajouta Marcus. Parce qu'en fait, Darrow eut recours à tous les trucs possibles pendant le procès. Il versa des larmes — de vraies larmes — sur le défunt maire, sur la cruauté d'un monde capable d'engendrer une créature comme Prendergast ; il supplia les jurés de laisser leur humanité prendre le dessus. Et surtout, du moins en ce qui nous concerne, il lança des attaques personnelles contre l'accusation. Il transforma ce qui devait être le procès d'un assassin en une mise en cause éloquente, sarcastique — l'homme a de l'esprit, aucun doute —, implacable, des mobiles pour lesquels l'Etat et ses représentants cherchent à faire condamner des malades mentaux. Les malheureux que le procureur appela à la barre furent accablés de tous les soupçons que Darrow put imaginer, de sorte que l'interrogatoire porta sur eux, sur leurs convictions, et non sur Prendergast. En attaquant l'accusation au lieu de défendre la cause de son client, Darrow renversa complètement le procès.

Je tournai les yeux vers le docteur, qui fixait le parquet en tirant sur les poils de sa mouche.

— Mais il ne parvint pas à ses fins, dit-il.

— Non, confirma Marcus. Le jury résista à ses pressions et maintint le verdict antérieur sur la santé mentale de l'accusé. Mais ce qui compte, c'est qu'il a bien failli faire capoter un procès devant juger de manière expéditive un malade mental.

— Regrettables méthodes, soupira le docteur. Je ne puis cependant dire que je désapprouve l'objectif.

— Peut-être pas pour cette affaire, fit observer l'inspecteur, mais si je ne me trompe pas sur ce qu'il a l'intention de faire ici, vous pourriez changer d'avis avant longtemps, docteur…

L'aliéniste ébaucha un sourire.

— Vous avez sans doute raison, Marcus.

— Je ne comprends pas, intervint Lucius. Qu'est-ce qu'il peut essayer ici ? D'accord, il trouvera des experts qui discuteront la validité de nos preuves, et peut-être même des relations personnelles de Mrs Hatch qui contesteront notre interprétation de ses mobiles. Mais pour Clara ? Comment discréditer un témoin visuel ?

— En attaquant l'homme qui se cache derrière ce témoin, répondit Marcus, le regard toujours tourné vers le docteur. Ou du moins, l'homme qui, selon lui, se cache derrière.

— Je commence à comprendre ce que vous voulez dire, inspecteur, fit Mr Picton. Et nous ne pouvons pas compter uniquement sur le témoignage de Clara pour repousser cette attaque. Les jeunes enfants — en particulier quand ils sont aussi fragiles que Clara — ne font pas des témoins sûrs. Il est facile de les influencer, par le rudoiement ou les cajoleries. C'est pourquoi il importe que le docteur continue à travailler avec Clara — pour qu'elle apprenne à fournir des explications détaillées qui ne s'écrouleront pas au premier coup de boutoir de la défense.

— Par un procédé curieux et potentiellement préjudiciable, les rôles seront inversés, dans ce procès, dit Marcus. Sachant que personne n'a envie de croire aux accusations portées contre Libby Hatch, Darrow requerra à la forme négative, et ce sera à nous de plaider notre cause. Comme vous le présumiez, docteur, l'homme ne nous accablera pas d'arguments sur le caractère sacro-saint de la femme et de la mère. Il va attaquer, non défendre, et tenter de nous mettre à genoux avant que nous comprenions ce qui se passe. La cible logique d'une attaque.

c'est le point faible — et aux yeux de l'opinion publique, j'en ai peur, c'est…

— Moi, acheva pour lui le Dr Kreizler.

Mr Picton bourra sa pipe, craqua une allumette sur sa chaise.

— Bon ! fit-il, montrant cette ardeur dans l'adversité qui était sa plus grande qualité. La question devient donc : quelle défense opposer à ce type d'attaque pour préserver la validité du témoignage de Clara ? (Il médita un instant la chose en tirant furieusement sur sa pipe.) J'espérais, vous le savez, limiter la discussion de théorie psychologique à un minimum, dans cette affaire. Mais si Darrow attaque sur ce terrain, vous devez être prêt à riposter, docteur. Avec les forces supérieures qu'en qualité d'expert vous possédez !

Laszlo Kreizler se leva, se mit à arpenter le peu d'espace libre qu'offrait la pièce.

— C'est une situation qui ne m'est pas inconnue, dit-il, massant son mauvais bras. Même si, en prenant cette affaire, j'espérais pour une fois passer à l'offensive, je l'avoue. Peut-être suis-je condamné à ne jamais pouvoir le faire…

— Oh ! mais vous le devez ! tonna le procureur adjoint en agitant sa pipe. C'est ce que j'entends par « riposter ». Je ne veux pas que vous vous défendiez derrière une barricade intellectuelle ; je veux que vous contre-attaquiez sur le terrain découvert des idées, là où le jury pourra vous voir ! Assenez des coups à cet homme — faites-le saigner, si vous pouvez ! Pour vous soutenir, je vais étudier toutes les informations personnelles que Marcus a rassemblées — et je n'hésiterai pas à les utiliser. Nous ne laisserons pas ce procès nous échapper, affirma-t-il en frappant son bureau du poing. Darrow représente peut-être une nouvelle espèce d'avocat mais, sapristi, nous rendrons coup pour coup, stratagème pour stratagème !

El Niño, assis par terre en tailleur, se leva pour s'approcher de l'aliéniste.

— *Señor doctor*, cet homme, il est dangereux pour vous ? Vous voulez qu'El Niño le tue ?

La proposition, avancée en un moment aussi tendu, contribua à détendre l'atmosphère : après quelques secondes de stupéfaction, nous éclatâmes de rire, et le docteur passa un bras autour des épaules de son petit défenseur.

— Non, Niño, dit-il. L'homme n'est pas dangereux en ce sens. Il ne cherche pas à me blesser physiquement.

— Mais s'il empêche de retrouver bébé Ana, il faut le tuer, oui ?

Miss Howard intervint :

— Je crois que le moment est venu de nous arrêter pour aller dîner. Viens, Niño. En rentrant, j'essaierai de t'expliquer pourquoi tuer cet homme n'est pas la meilleure solution. A supposer, bien entendu, que ce ne soit vraiment pas la meilleure...

Tandis que les Isaacson sortaient à la suite de Sara, Mr Moore, Cyrus et moi rejoignîmes le docteur.

— Tu es sûr que ça ira, Laszlo ? s'enquit son ami.

— Ce n'est pas pour moi que je m'inquiète. C'est pour Clara. Ce procès aurait de toute façon été une terrible épreuve pour elle. Si en plus, elle doit être la cible d'un avocat qui emploie la tactique que Marcus vient de nous exposer... Enfin, raison de plus pour la préparer de mon mieux. Si elle ne rencontre pas sa mère avant de témoigner, je pense qu'elle aura une chance d'en sortir indemne, ou à peu près.

— A ce propos, Rupert, dit Mr Moore au magistrat, qui fourrait dans un cartable les dossiers qu'il voulait emporter chez lui, peut-on espérer que le juge Brown fixera une forte caution pour une affaire comme celle-ci ?

— Je ne déteste rien tant qu'essayer de prédire quoi que ce soit au sujet de Brown, répondit Mr Picton. Le brillant Darrow n'est pas encore ici, et il semble que quelqu'un ait engagé Irving W. Maxon comme défenseur local de Libby. Maxon est un bon avocat, qui a des tas de relations en ville, mais je ne crois pas qu'il soit capable, à lui seul, d'obtenir une caution modeste. Rappelez-vous cependant une chose : si Vanderbilt finance effectivement l'opération, aucune caution, aussi importante soit-elle, ne sera trop élevée. Il faudra que je demande carrément qu'elle ne puisse être libérée sous caution, ce qui n'est jamais facile à obtenir. Et reste la question de la mise en accusation et du choix que fera la défense.

— C'est-à-dire ? fit Cyrus.

Le petit homme ferma sa serviette, leva les yeux.

— Eh bien, si Darrow arrive ici avant la mise en accusation, il est possible qu'il tente de prendre une revanche personnelle en plaidant de nouveau la folie — de réparer l'injustice faite à Prendergast en obtenant la libération de Libby Hatch sur la base de son incapacité mentale, quelque chose de ce genre. Les avocats ont de la rancœur, comme tout le monde — plus, peut-être. Je ne me fais pas de souci pour ma partie de l'affaire : j'ai assez de preuves pour établir la préméditation. Mais il y a un autre domaine où il pourrait s'en prendre à vous, docteur. Pouvez-vous démontrer qu'une femme qui a assassiné ses propres enfants est cependant saine d'esprit ?

Le docteur prit une longue inspiration.

— Je me sentirais plus confiant, naturellement, si nous avions découvert d'autres détails concernant sa jeunesse. Sur une base purement hypothétique, c'est plus ardu. Il y a cependant des précédents et, comme vous le dites, Mr Picton, la préméditation froide, intelligente, élimine la possibilité d'une maladie mentale aisément démontrable comme la *dementia praecox*, ou d'un traumatisme cérébral suffisamment grave. Pour prouver qu'elle était folle, Darrow devrait en revenir à la notion d'« aliénation morale » — l'idée qu'une personne peut être moralement mais pas intellectuellement détraquée. C'est une théorie qui a été quasi unanimement refutée. Et il est toujours possible que nos diligents enquêteurs (il m'ébouriffa les cheveux) réussissent à trouver autre chose dans le passé de cette femme avant le début du procès...

— Très bien, donc ! dit Mr Picton en empoignant sa serviette. Nous avons lieu de nourrir un optimisme prudent. En particulier, dirai-je, si l'on considère la situation présente : cette femme a été arrêtée, on l'amène ici sous bonne garde, et elle passera en jugement. J'avoue que je n'étais pas du tout sûr d'en arriver là ! Alors, ne sombrons pas dans le pessimisme. C'est néfaste pour l'appétit, et Mrs Hastings a passé l'après-midi à faire la cuisine. Il ne faut pas la décevoir !

Tandis que notre hôte continuait à nous encourager, nous sortîmes dans le couloir et rejoignîmes les autres pour descendre l'escalier de marbre. Au rez-de-chaussée, Mr Picton fit halte un instant pour s'assurer que Henry avait préparé l'une des cellules du sous-sol : Libby Hatch passerait au moins une nuit en prison puisque sa mise en accusation n'aurait lieu que le lendemain.

Juste avant de franchir la porte de devant, je m'arrêtai pour regarder la grande salle en pierre éclairée par la douce lumière couleur paille d'un soir de juillet.

— Qu'y a-t-il, Stevie ? me demanda Mr Picton.

Je haussai les épaules.

— C'est sûrement la dernière fois qu'on la voit aussi calme. Y aura de l'animation, dès demain.

— Si nous arrivons à faire exclure une libération sous caution, il y aura aussi une nouvelle locataire, dit-il. Pendant les deux semaines qui viennent, en tout cas. Henry n'aimera pas ça. Aucun des autres gardiens non plus, hein, Henry ? Vous aurez quelque chose à faire, pour changer ! ajouta-t-il en gloussant.

Tout le monde parla et rit beaucoup ce soir-là à table, sans évoquer l'affaire. On eût dit que nous voulions conjurer le mauvais sort en nous comportant comme si Libby Hatch était déjà arrivée et enfermée dans sa cellule. Mr Moore eut quasiment une attaque pendant le repas quand il se rendit compte de la date : 27 juillet, ce qui signifiait qu'il avait raté l'ouverture de la saison à l'hippodrome de Saratoga. Pour le réconforter, Miss Howard proposa une partie de poker après le dîner. Cela contribuerait non seulement à faire cesser les gémissements de Mr Moore mais aussi à détourner nos esprits de préoccupations plus pressantes.

Après avoir mis à mal l'une des excellentes tourtes de Mrs Hastings, tout le monde, Cyrus et Lucius exceptés, passa au salon et s'assit à la table de jeu. Le cadet des Isaacson était trop nerveux pour tenir en place, et le grand Noir préférait jouer sur le piano de Mr Picton. Le reste d'entre nous se jeta avec ardeur dans une partie aux enjeux peu élevés mais si animée qu'il fallut que Mrs Hastings descende de sa chambre pour nous rappeler l'heure.

Le trajet à pied jusqu'à la gare fut sans problème mais je remarquai beaucoup de visages derrière des fenêtres faiblement éclairées, fait très inhabituel dans une ville qui, je l'ai dit, se couchait généralement tôt. Ce comportement n'était pas difficile à expliquer : le sentiment que la communauté était à la veille d'un événement qui bouleverserait son opinion sur beaucoup de choses — à commencer sur elle-même — était plus fort qu'il ne l'avait été au cours des cinq derniers jours. Plus fort, même, que lorsque Mr Picton avait annoncé l'inculpation, et quand nous entendîmes le premier sifflement lointain du train de minuit, nous ne fûmes pas les seuls à frissonner, j'en suis sûr.

Il n'y avait que quelques personnes sur le quai à notre arrivée : Henry, le gardien, Mr Grose et deux de ses employés. Quant au maire, il était en vacances et, après avoir appris l'inculpation, il avait décidé de prolonger son absence : comme Pearson, le district attorney, il estimait n'avoir rien à gagner dans cette affaire. Le rédacteur en chef du *Ballston Weekly Journal* nous adressa à peine la parole, et Mr Picton ne lui livra aucune information nouvelle. Non qu'il l'eût publiée, d'ailleurs : je crois que Grose était venu en fait dans l'espoir que le shérif Dunning rentrerait bredouille, ou qu'une catastrophe quelconque se produirait à la gare. J'étais prêt à parier que si tout se passait bien, l'édition du samedi suivant ne comporterait que quelques lignes sur l'événement.

Minuit vint et passa, ce qui conduisit Mr Picton à émettre l'espoir que le gouvernement et le peuple espagnols aient encore plus de mal que nous à respecter les horaires, si notre pays nourrissait réellement l'intention d'entrer en guerre contre Madrid. Finalement, vers minuit et quart, le train fit entendre un autre sifflement, plus proche cette fois. El Niño sauta sur la voie, colla l'oreille à un rail, remonta sur le quai en hochant énergiquement la tête. Le grondement du train nous parvint au moment où un phare apparaissait dans une brèche entre les immeubles ; quelques secondes plus tard, la locomotive et ses quatre voitures presque vides pénétrèrent dans la gare.

Dunning fut le premier à descendre de la voiture de

tête ; même dans l'obscurité, il avait l'air épuisé. Un de ses adjoints suivit et, après une longue pause, elle apparut.

Sa silhouette bien tournée était prise dans une robe de soie noire dont un jupon à crinoline évasait la partie inférieure. Ses mains étaient entravées par des menottes à l'ancienne. Un petit chapeau orné d'une plume noire et incliné vers l'avant soutenait une voilette noire derrière laquelle ses yeux d'or reflétaient la lumière de la lampe à gaz du quai.

— Bien, dit Libby Hatch, exactement de la même façon que la première fois que nous l'avions entendue : d'un ton prêtant à une demi-douzaine d'interprétations et qui me rappela les propos de Miss Howard sur sa personnalité éclatée.

Remarquant alors la présence de Grose, Libby prit une expression plus nettement affligée. Elle descendit lentement du marchepied en s'appuyant sur la main que lui tendait Dunning.

— Mr Picton, je ne pensais pas vous revoir — en tout cas pas dans ces circonstances.

— Vraiment ? répliqua le magistrat, qui ne put retenir un petit sourire. C'est curieux, moi, j'ai toujours pensé que nous finirions par nous revoir, et précisément dans ces circonstances.

Les yeux d'or flamboyèrent de haine, s'adoucirent quand ils se posèrent sur le rédacteur en chef du *Ballston Weekly Journal*.

— C'est vous, Mr Grose ?

— Oui, Mrs Hatch, répondit-il, un peu surpris. Vous vous souvenez de moi ?

— Nous ne nous sommes rencontrés qu'une ou deux fois mais bien sûr que je me souviens de vous ! (Derrière la voilette, le regard s'embua.) Et mon bébé, ma Clara ? On m'a dit qu'elle a enfin retrouvé la parole, mais je n'arrive pas à croire qu'elle… qu'elle…

Ses épaules frémirent ; le bruit d'un sanglot étouffé s'échappa de ses lèvres. Troublé, Mr Grose ouvrit la bouche pour dire quelque chose, mais le docteur s'interposa.

— Mr Picton, dit-il d'un ton ferme, puis-je suggérer…

— Naturellement, répondit l'adjoint au DA, comprenant aussitôt. Dunning, vous et moi conduirons Mrs Hunter, comme on l'appelle maintenant, au bâtiment du tribunal. Une cellule l'attend. Vous avez amené une voiture, Henry ?

Le gardien, qui semblait ému lui aussi par ce qu'il venait de voir, s'avança.

— Oui, Mr Picton.

— Alors, en route, madame, reprit le procureur adjoint, indiquant la cour de la gare. Si la presse désire vous parler, les demandes peuvent être adressées à mon bureau.

Le shérif fit un pas vers Libby Hatch.

— Allons, dit-il, mieux vaut écouter Mr Picton.

Elle continua à sangloter quelques secondes puis, voyant que cela ne l'avancerait à rien, elle tourna vers le docteur un visage dont la tristesse s'estompa avec une rapidité effrayante.

— Tout ça, c'est de votre faute, Dr Kreizler ! Ne croyez pas que je l'ignore. Je me fiche de ce que vous avez pu dire à ma fille ou lui faire croire : une fois qu'elle me verra, elle saura qui croire. Je suis sa mère.

Mr Picton lui saisit le bras droit, indiquant au shérif de prendre l'autre. Ensemble, ils l'entraînèrent vers la cour.

— Vous m'entendez, docteur ? lança-t-elle par-dessus son épaule. Je suis sa mère ! Vous ne pouvez rien y changer !

Fondant de nouveau en larmes, elle passa dans la cour avec son escorte, suivie des adjoints et des gardiens.

Nous les vîmes monter dans un grand chariot à trois bancs tiré par deux chevaux. Au moment où il démarra, la seule occupante féminine était encore en pleurs, et Mr Grose tourna vers le docteur un regard sévère. Puis il s'éloigna avec ses employés en direction de la partie basse de Bath Street, où se trouvait le siège du *Journal*.

— Eh bien, Kreizler, dit Mr Moore dans la cour redevenue silencieuse. C'est toute la question, n'est-ce pas ?

— La question ? fit-il d'un ton distrait.

— Elle est la mère de Clara. Tu peux y changer quelque chose ?

— Non, répondit-il, secouant la tête. Mais nous pouvons peut-être changer ce que cela signifie.

42

La mise en accusation avait été fixée à dix heures le lendemain matin ; à moins le quart, nous étions tous rassemblés dans la grande salle d'audience. Mr Picton était assis à une longue table, côté droit, derrière une barrière basse en chêne sculpté qui séparait le public du tribunal. Côté gauche, Libby Hatch avait pris place à une table similaire avec un homme brun bien vêtu, dont le pince-nez doré chevauchait un appendice nasal long et mince. Ni la mise coûteuse ni le lorgnon élégant ne pouvaient cependant faire oublier le regard irrésolu d'Irving W. Maxon, qui ne cessait de parcourir la salle d'un œil nerveux comme s'il se demandait comment il s'était retrouvé dans cette situation, et ce qu'il pourrait bien faire pour en sortir. Libby, en revanche — elle portait encore la robe noire mais sans la voilette —, offrait l'image même de la confiance et regardait le haut pupitre en merisier du juge avec un visage qui semblait sur le point de se fendre pour ce sourire coquet dont elle usait si souvent.

Quant à Mr Picton, il avait posé sa montre sur la table et la fixait, plus calme qu'il ne l'avait été depuis que nous avions fait sa connaissance.

Le docteur, Mr Moore, les sergents enquêteurs et Miss Howard étaient tous assis au premier rang du public, derrière la table de l'adjoint au DA et la barrière en bois ; Cyrus, El Niño et moi nous trouvions juste derrière. Nous avions récuré l'indigène pour la circonstance, et sa propreté, conjuguée à ma tenue de soirée, faisait de lui l'une des personnes les plus présentables de l'assistance, puisque depuis neuf heures la populace de Ballston Spa partageait la salle avec quelques spectateurs plus raffinés venus de Saratoga. Le shérif Dunning était assis à une petite table à droite de Mr Picton, et plus loin, le long du mur droit, le box des jurés alignait ses douze sièges vides. Un gardien se tenait de l'autre côté de la salle, derrière la sténographe, une dame comme il faut qui répondait au curieux nom d'Iphegeneia Blaylock. Au-dessus du bureau de l'huissier, encore inoccupé, le perchoir du juge était flanqué de deux lampes en fer et d'un nombre égal de drapeaux, l'un des Etats-Unis, l'autre de l'Etat de New York. Postés à l'entrée, Henry et un autre homme en uniforme, légèrement plus petit (mais pas moins costaud, apparemment), surveillaient attentivement les allées et venues.

C'était étrange pour moi d'observer tous ces détails d'un autre endroit que le box de l'accusé, mais à cette impression d'étrangeté succéda bientôt un sentiment de soulagement et d'excitation quand je pris conscience que c'était dans ce lieu que nos efforts trouveraient leur conclusion dans les jours suivants. C'était comme aux courses, quand les chevaux sont derrière la starting-gate et qu'on attend leur départ, et je me surpris à taper des pieds et des mains en souhaitant que cela commence. A en juger par le brouhaha, je n'étais pas le seul. Les conversations, les rires nerveux augmentaient en volume à chaque seconde d'attente, et, à dix heures moins trois, je dus presque crier pour me faire entendre de Mr Moore.

— Quoi ? dit-il en se touchant l'oreille.

— Je dis : vous avez des nouvelles de la cote, chez Canfield ?

Il hocha la tête.

— Cinquante contre un — et je suis sûr qu'elle serait encore plus élevée si quelqu'un d'autre que Rupert s'occupait de l'affaire !

J'émis un sifflement, baissai la tête, la relevai aussitôt quand une idée me traversa :

— On pourrait peut-être demander à quelqu'un de parier pour nous ?

493

Il sourit mais secoua la tête.

— J'y avais pensé, mais j'ai promis à Rupert de n'en rien faire. Il est superstitieux, il pense que ça lui porterait la poisse !

Je souris moi aussi : n'importe quel flambeur aurait compris le sentiment de Mr Picton.

Une porte s'ouvrit au fond de la vaste salle et l'huissier entra, l'air résolu à s'occuper de toute personne qui aurait l'intention de transformer son tribunal en cirque. C'était un colosse, lui aussi, ce Jack Coffey, avec ce regard d'acier qu'on s'attend davantage à trouver dans un saloon de la Frontière que dans un tribunal de l'Est. Lorsque je découvris le juge Brown, je commençai à comprendre pourquoi il avait engagé un huissier aussi puissamment bâti. Si petit qu'il disparut presque derrière son pupitre quand il monta les marches pour aller s'y asseoir, Charles H. Brown avait des oreilles décollées de singe, un saupoudrage de cheveux d'un blanc pur sur la tête, et quantité de rides sur son visage rasé de près. Ses yeux égalaient toutefois ceux de l'huissier par leur détermination, la mise en garde claire qu'il ne tolérerait aucune incartade, cependant que le pli ferme de ses lèvres minces et sa mâchoire carrée indiquaient qu'il était un vieux routier de la justice.

Je me félicitai, en le regardant, de ne pas être assis à la place de Libby Hatch.

— Levez-vous ! ordonna Jack Coffey.

Au grondement de la voix profonde jaillie de sa poitrine en forme de barrique, tout le monde se mit debout et le silence se fit. Tenant une tablette devant lui, il annonça :

— Le comté de Saratoga contre Mrs Elspeth Hunter de New York, anciennement Mrs Elspeth Hatch de Ballston Spa, anciennement Miss Elspeth Fraser de Stillwater, accusée d'avoir, le 31 mai 1894, tué avec préméditation Thomas Hatch, trois ans, et Matthew Hatch, quatre ans, et d'avoir tenté d'assassiner Clara Hatch, cinq ans, sur le territoire de la commune de Ballston Spa.

L'acte d'accusation provoqua une vague de murmures auxquels le juge Brown mit fin en abattant sèchement son marteau. De son fauteuil en cuir rembourré — qui, aussi haut qu'il fût, ne laissait apparaître que les trois quarts de son torse au-dessus du perchoir —, le magistrat promena un regard courroucé sur l'assistance.

— La cour tient à préciser clairement dès le départ qu'elle a conscience de l'intérêt que cette affaire suscite. Mais elle n'a jamais laissé l'intérêt de l'opinion interférer avec la recherche de la justice, et elle n'a pas l'intention de commencer aujourd'hui. Je rappelle donc que vous êtes les invités de ce tribunal, et si vous oubliez les devoirs qui vous incombent à ce titre, la cour n'hésitera pas à botter votre postérieur collectif.

La plaisanterie fit sourire. Seul un homme dans le fond de la salle émit un rire — et regretta aussitôt d'avoir pris cette liberté. Le regard du juge fondit sur l'importun, sa main ridée saisit le marteau et le braqua dans sa direction.

— Faites sortir cet individu.

Henry le gardien empoigna l'homme par le col et lui fit franchir les portes d'acajou avant qu'il ait eu le temps de protester.

— Bien, reprit Brown, parcourant de nouveau la salle des yeux pour s'assurer qu'il s'était fait comprendre. L'accusée est-elle présente ?

— Oui, Votre Honneur, répondit Irving W. Maxon d'une voix un peu chevrotante.

— Vous avez entendu l'acte d'accusation, poursuivit le juge, les yeux sur Libby Hatch. Que plaiderez-vous ?

— S'il plaît à la cour, intervint Mr Maxon avant que Libby pût répondre, nous sollicitons quelques instants d'indulgence car nous attendons...

— Nous attendons tous quelque chose, maître, le coupa Brown. Moi-même j'ai attendu toute ma vie un procès qui se déroulerait sans retards inutiles. J'attends encore.

— Oui, Votre Honneur, dit Mr Maxon, dont la nervosité croissait sous le regard tombant du perchoir. Permettez-moi de vous expliquer...

On entendit alors les portes d'acajou se refermer avec un léger claquement, et l'avocat se retourna avec toute la salle pour regarder le nouveau venu.

Même de loin, je reconnus Clarence Darrow, tant l'homme ressemblait à la description que Marcus en avait donnée. A la différence de Maxon, il portait des vêtements banals — un costume marron ordinaire, une chemise blanche, une cravate nouée à la va-vite — froissés par le voyage en train. Bien que sa tenue ne fût pas aussi négligée qu'elle le deviendrait plus tard — Mr Darrow commençait seulement à faire de sa mise débraillée un de ses signes distinctifs —, son aspect différait beaucoup de celui des autres juristes, de même que sa façon de marcher : il avançait lentement, un peu voûté, par petits bonds quasi imperceptibles que seule sa taille considérable faisait remarquer. Une mèche de ses cheveux emmêlés pendait sur son front. Son visage n'était évidemment pas aussi ridé qu'il le deviendrait au faîte de sa célébrité, mais il avait déjà l'air parcheminé, et ses yeux clairs avaient déjà cette expression inquisitrice et triste qui ferait bientôt partie de sa légende. Le pli amer de la bouche, les cernes sous les yeux indiquaient une sagesse chèrement acquise au prix de contacts trop nombreux avec l'inhumanité de l'homme envers son prochain. En descendant l'allée centrale, Clarence Darrow examina le public avec un regard ferme, différent de celui du juge mais qui produisit autant d'effet : lorsqu'il arriva à la barrière, tous les yeux étaient rivés sur lui.

C'était un numéro, bien sûr, mais j'avais beaucoup fréquenté les salles d'audience et c'était assurément un des meilleurs que j'aie vus — suffisamment bon en tout cas pour me faire comprendre immédiatement que nous étions dans la panade.

Un vieux cartable sous le bras, Mr Darrow fit signe à Maxon, qui lâcha un rapide : « Si la cour veut bien m'excuser… » et se précipita vers son confrère. Le juge se renversa dans son fauteuil avec un soupir et attendit que Maxon ouvre le portillon de la barrière, introduise Darrow de l'autre côté de la salle, où il serra brièvement la main de Libby.

— S'il plaît à la cour, commença Maxon, souriant à présent.

— Il ne plaît pas à la cour, lui assena Brown en se redressant. Qu'est-ce que vous fabriquez, maître ?

— Votre Honneur, j'aimerais vous présenter Mr Clarence Darrow, avocat de l'Etat de l'Illinois. La défense souhaite que la cour l'accepte comme avocat principal de l'accusé, *pro hac vice.*

— Darrow, hein ? fit le juge. Oui, j'ai reçu certaines informations à votre sujet, Mr Darrow. En provenance de New York.

— J'espère qu'elles ne vous ont pas prévenu contre moi, répondit l'avocat d'un ton humble et apaisant.

La réponse plut au public et aussi, d'une certaine façon, au juge.

— Elles ne m'ont certes pas particulièrement bien disposé, repartit Brown, provoquant dans l'assistance quelques rires qu'il préféra laisser passer. Si l'accusée souhaite faire appel à un avocat d'un autre Etat, c'est son droit. Mais le tribunal n'a besoin des conseils de personne à New York sur la façon de conduire ces débats...

— Je comprends, Votre Honneur, dit Mr Darrow (avec un sourire charmant, je dus le reconnaître). A Chicago, nous avons la même opinion de New York.

Le public s'esclaffa de nouveau, et cette fois le marteau s'abattit.

— Le tribunal accepte volontiers de laisser Mr Darrow pratiquer dans notre Etat, *pro hac vice,* si tel est bien le désir de l'accusée, dit Brown en se tournant vers Libby Hatch.

Elle se leva, écarquilla les yeux d'un air innocent.

— Je suis désolée, Votre Honneur, fit-elle avec une petite moue, je n'ai jamais appris le latin...

Des murmures — « Moi non plus », « Ça m'étonne pas » — parcoururent les rangs du public, ce qui provoqua un autre coup de marteau.

— *Pro hac vice* signifie « pour cette fois », Mrs Hunter, expliqua Brown, aussi doucement qu'il en était capable. Mr Darrow a le droit de pratiquer dans l'Etat de New York, mais pour cette affaire seulement. Est-ce ce que vous souhaitez ?

Libby acquiesça de la tête, se rassit.

— Le ministère public y voit-il une objection ? demanda le juge.

Avec un sourire résolu, Mr Picton, glissant ses pouces dans le gilet de son pimpant costume gris, se leva.

— Aucune, Votre Honneur, dit-il. (S'écartant de sa

table, il parut plus petit, plus sec et plus vif encore comparé à son adversaire.) Si la défense soutient qu'on ne peut trouver d'avocat compétent dans le comté de Saratoga, nous ne partageons pas son opinion sur le talent de nos confrères locaux, mais nous ne voyons pas de raison de nous opposer à ce que Mr Darrow plaide.

Bien que peu disposée à trouver quoi que ce soit de drôle dans les propos de l'adjoint au DA, l'assistance ne put retenir quelques sourires de fierté.

Clarence Darrow sourit lui aussi, mais son visage se crispa quand, se tournant vers Mr Picton, il découvrit Marcus. Il se ressaisit aussitôt et inclina le buste pour signifier au sergent qu'il lui tirait son chapeau devant l'habileté de son travail de recherche.

Marcus lui rendit son salut au moment même où l'avocat répondait :

— Je remercie l'honorable district attorney. Je dois dire que je suis impressionné par ses efforts pour tout savoir sur... ma réputation.

Rupert Picton, qui n'avait rien perdu de l'échange entre les deux hommes, sourit lui aussi.

— Mr Darrow me donne une promotion, Votre Honneur. Il ignore peut-être que je ne suis que procureur adjoint de ce comté, le district attorney Pearson n'ayant pour le moment aucune intention de me céder ses splendides bureaux...

Avec une expression d'étonnement si outrée qu'il était clair qu'il connaissait exactement le rang de son adversaire, Darrow se gratta la tête.

— Adjoint ? Votre Honneur, j'aurais cru que pour une affaire aussi importante que celle-là, le ministère public aurait choisi son magistrat le plus élevé en grade pour le représenter...

— Votre Honneur n'est pas sans savoir qu'ici, à Ballston, nous avons une belle saison aussi courte qu'à Chicago, répondit Mr Picton. Nous n'avons pas voulu en priver Mr Pearson. Comme j'avais assuré l'instruction de cette affaire, nous avons estimé que nous pouvions la confier sans problème à mes maigres talents...

Le juge hocha la tête d'un air un peu agacé.

— Messieurs, si vous voulez bien cesser de vous lancer des piques, nous pourrons peut-être en finir avec la mise en accusation avant midi. Mr Darrow, le procureur n'ayant pas d'objection, vous êtes autorisé à défendre l'accusée en qualité d'avocat principal. J'espère que vous ne regretterez pas le voyage. Bien, Mrs Hunter, vous avez entendu les charges très lourdes retenues contre vous. Que plaidez-vous ?

Libby Hatch se tourna vers Clarence Darrow, qui lui adressa un signe de tête. Elle se leva, croisa les bras devant elle et déclara :

— Non coupable.

Le public réagit par des mouvements divers, et le juge usa de son marteau pour ramener le silence.

— Bien, dit-il. Mr Picton, en ce qui concerne... (Il s'interrompit en voyant l'expression abasourdie avec laquelle l'adjoint au DA fixait Clarence Darrow.) Mr Picton ? Etes-vous à ce point fasciné par le talentueux avocat de l'Illinois ?

Le petit homme roux se tourna vers le perchoir.

— Hmm ? Oh ! je suis désolé, Votre Honneur. Je n'avais pas compris que la défense en avait terminé.

— Vous trouvez son choix inadéquat, Mr Picton ?

— Il ne m'appartient pas d'en juger, Votre Honneur. Je pensais seulement qu'elle aurait pu y adjoindre quelques arguments le justifiant, « en raison de ceci ou cela » — quelque chose de ce genre...

— Mr Picton, nous avons trop eu affaire l'un à l'autre ces dernières années pour que je ne comprenne pas ce que vous cherchez à faire. Ne gaspillez pas vos insinuations, il n'y a pas encore de jurés à influencer. Mr Darrow ne semble souffrir d'aucun trouble de la parole. S'il avait tenu à justifier le choix de l'accusée, je suis sûr qu'il l'aurait fait. Souhaitez-vous fournir des explications sur ce choix, maître ?

— Certainement pas, Votre Honneur. Le choix est simple, direct et catégorique : non coupable.

— C'est clair, conclut Brown. A l'avenir, Mr Picton, l'accusation gardera pour elle ses présomptions et ses espoirs.

L'adjoint au DA sourit et s'inclina.

— Bien, reprit le juge, en ce qui concerne la caution...

— La caution ? lâcha notre ami, ce qui lui valut un autre regard irrité du juge.

— Oui, Mr Picton. Vous connaissez cette pratique, je suppose ?

— Dans une affaire comme celle-ci, elle ne me paraît pas s'imposer. Mrs Hunter est accusée de meurtre et de tentative de meurtre sur la personne de ses enfants, et la fillette qui en a réchappé est le principal témoin à charge. La cour pense-t-elle sérieusement que l'accusation puisse envisager un seul instant la possibilité d'une libération sous caution ?

— La cour pense que l'accusation doit respecter les règles de la procédure criminelle, quel que soit le crime ! rétorqua Brown. Mr Picton, je vous conseille de ne plus me prendre à rebrousse-poil. Vous savez que j'ai l'épiderme sensible.

Le procureur adjoint retint un sourire, hocha la tête avec un respect marqué.

— Je prie la cour de m'excuser. Je tiens toutefois à attirer son attention sur la gravité du crime qui est reproché à l'accusée, et sur le danger que courrait le principal témoin de l'accusation si Mrs Hunter était remise en liberté. Nous demandons qu'aucune libération sous caution ne puisse être accordée.

Indigné, Clarence Darrow riposta :

— Votre Honneur, ma cliente est une femme respectable qui a vécu la plus terrible tragédie que puisse connaître une mère : le meurtre sauvage, sous ses yeux, de deux de ses enfants, et la...

— J'ignorais que la question avait déjà été tranchée, fit Mr Picton avec une dose massive de sarcasme. Je pensais que nous étions rassemblés dans cette salle pour établir ce qui est réellement arrivé aux enfants de l'accusée...

Le juge Brown opina du chef.

— Mr Darrow, je crains de devoir donner raison au procureur, bougonna-t-il. C'est à l'accusation de faire la preuve de ses allégations, mais tant qu'elle n'aura pas échoué dans cette tâche, je ne puis tolérer vos déclarations sur la tragédie qu'aurait traversée Mrs Hunter, et je vous prie de ne pas passionner outre mesure un débat déjà lourdement chargé d'émotion en tenant de tels propos. Vous avez une requête concernant la caution ?

— Oui, Votre Honneur. Si ma cliente est effectivement coupable de violence envers des enfants, ce sera la première fois que ce tribunal ou tout autre aura à en connaître. En plus d'être une mère dévouée, elle a été nourrice ou gouvernante pour d'autres enfants que les siens, et s'est comportée dans ces fonctions aussi héroïquement que le jour des événements. Nous demandons que la cour reconnaisse que Mrs Hunter n'est une menace ni pour les témoins de l'accusation ni pour la communauté, et que, tenant compte de la fragilité de son sexe et de sa personne, vous fixiez une caution raisonnable pour qu'elle ne languisse pas dans la prison du comté pendant la durée d'un procès qui risque d'être long...

Le juge se renversa en arrière, disparut presque derrière son haut bureau, demeura une minute environ dans cette position avant de se redresser.

— La cour prend bonne note des remarques de Mr Darrow concernant le sexe et la personnalité de l'accusée, dit-il lentement. Mais elle considère également qu'elle est inculpée d'un crime particulièrement horrible. Nous regrettons l'inconfort que sa détention pourrait lui causer et nous donnerons instruction au shérif de prendre toutes les mesures possibles afin que le séjour de Mrs Hunter dans ce bâtiment soit, sinon plaisant, du moins supportable. Toutefois, la libération sous caution est refusée. (Des remous agitèrent de nouveau le public.) Je rappelle à nos invités ma mise en garde, et je les assure qu'elle était tout à fait sérieuse, menaça le juge après quelques coups de marteau. (Le calme revenu, il reporta son attention sur les deux tables situées sous son perchoir.) Nous nous retrouverons mardi matin à neuf heures pour la sélection des jurés. Mais avant que nous nous séparions, laissez-moi faire une remarque aux deux parties : la cour a conscience de la passion que suscite cette affaire et vous prie instamment de vous abstenir l'un et l'autre de propos qui pourraient encore l'attiser. L'audience est levée !

Après un dernier coup de marteau, le juge descendit de son pupitre et disparut par la porte du fond. Aussitôt, un brouhaha de conversations et de commentaires s'éleva, en particulier après que Dunning et Coffey eurent fait sortir Libby Hatch par une porte latérale menant directement aux cellules du sous-sol. Les deux avocats se mirent à discuter, mais furent interrompus par Rupert Picton, qui se dirigea droit vers leur table et déclara à voix haute :

— Alors, Maxon, vous avez trouvé de l'aide ! Je ne sais pas trop comment je prendrais la chose, si j'étais vous — quoique, lorsque cette aide provient d'un homme qui connaît aussi bien que Mr Darrow tant de domaines du droit, on ne puisse y faire objection ! (Il tendit la main.) Mr Darrow, je m'appelle Picton.

— Oui, je sais, répondit l'avocat de Chicago, serrant la main du procureur adjoint avec un notable manque d'enthousiasme, et le considérant d'un œil plus qu'un peu condescendant. J'ai moi aussi entendu parler de vous, Mr Picton, mais je précise que mes informations proviennent de canaux... (il lança un coup d'œil à Marcus)... plus directs.

— Bah, les grands hommes en font à leur guise, les autres se plient aux nécessités, repartit le procureur adjoint d'un ton désinvolte. Où Vanderbilt vous loge-t-il, Darrow ? Un endroit confortable, je présume — bien que Ballston Spa n'ait guère de luxe à offrir. En cas de besoin, vous pourrez toujours venir manger chez moi.

A la mention du milliardaire, la condescendance de l'avocat vira à l'irritation pure et simple.

— Il faut vous rendre cette justice, Mr Picton, il n'y a pas beaucoup d'aspects de la situation qui ont échappé à votre attention. Ou dois-je croire que tout Ballston Spa connaît dans le détail les dispositions que Mrs Hunter a prises pour sa défense ?

— Grands dieux non ! s'exclama l'adjoint au DA avec un rire. Et je ne vous conseille pas de les révéler. L'attitude du juge Brown envers les citoyens de New York est tout à fait typique de celle des habitants du comté. Mais vous n'avez pas à craindre de fuites de mon côté — ce ne serait pas chic de ma part, n'est-ce pas ?

Il était patent que Mr Picton faisait de son mieux pour agacer l'avocat, et qu'il y parvenait.

— Je ne suis pas sûr que j'emploierais le mot « chic »

dans le cadre d'une affaire aussi tragique, répliqua Clarence Darrow. Et je crains de ne pouvoir accepter votre invitation car je serai logé au Grand Union Hotel de Saratoga. C'est de là que nous organiserons nos efforts.

Je vis Mr Picton froncer les sourcils.

— Hmm, à votre place, je ne parlerais pas de ça non plus : les gens de Ballston n'ont pas plus d'estime pour Saratoga que pour New York. Ils ne voient dans cette ville qu'un lieu de divertissement pour les riches étrangers et les gens à leur solde...

Les yeux de Clarence Darrow s'agrandirent de stupeur sous l'effet de cette gifle, mais Mr Picton poursuivit, d'un ton badin :

— J'espère que vous ne m'en voulez pas de ma franchise — je pense que nous devons nous maintenir le plus possible sur un pied d'égalité. Au revoir, Maxon. Bonne chance... Darrow, si vous changez d'avis, pour le repas, vous me le faites savoir, hein ?

Pour toute réponse, l'avocat marmonna quelque chose entre ses dents et entraîna Maxon vers le portillon. En passant devant le premier rang, il gratifia notre groupe d'un regard glacial puis reconnut le docteur et obliqua vers lui avec une expression plus aimable.

— Dr Kreizler, n'est-ce pas ? dit-il d'un ton devenu tout à fait cordial. (L'aliéniste serra la main que l'avocat lui tendait.) Je suis un grand admirateur de vos travaux, docteur.

— Merci, Mr Darrow.

— Dites-moi, est-il vrai que vous êtes ici en qualité de conseiller de l'accusation ?

— Cela vous étonne ?

— Oui, je le reconnais. Je ne vous aurais pas cru homme à satisfaire le désir des autorités de punir la première personne qui leur tombe sous la main dans l'unique but d'écrire une fin à cette mystérieuse tragédie.

— Est-ce là ma motivation, selon vous, Mr Darrow ?

Avec un haussement d'épaules, l'avocat répondit :

— Je n'en vois pas d'autre. Une telle conduite ne vous ressemble pas, je l'admets, mais je me suis peut-être trompé sur votre compte. Ou peut-être avez-vous vos propres raisons de complaire aux autorités de l'Etat de New York.

Voyant le docteur plisser les yeux à cette allusion à peine voilée aux investigations en cours sur l'Institut Kreizler, Mr Darrow sourit.

— Quoi qu'il en soit, reprit-il, j'espère que nous aurons l'occasion de discuter à un moment ou à un autre. En dehors de cette affaire, veux-je dire. Je suis sincère quand j'exprime mon admiration pour ce que vous faites. Pour ce que vous faites en général. Au revoir, docteur.

— Au revoir, maître, répondit l'aliéniste en souriant.

Clarence Darrow suivit Mr Maxon en direction des portes d'acajou, où ils furent immédiatement accrochés par Mr Grose et quelques autres journalistes venus de Saratoga.

— Un homme habile, fit le docteur en regardant l'avocat de Chicago accorder audience à la presse avec l'aisance de l'habitude.

— Ô combien, approuva Mr Picton en nous rejoignant. Un pharisien habile drapé dans le drap grossier du peuple. (Il eut un rire bref en fermant sa serviette.) Ce sont les gens les plus faciles à irriter !

— Tu as fait de ton mieux pour ça, Rupert, grommela Mr Moore en secouant la tête. Tu veux passer tout le procès à te chamailler avec lui ?

Le magistrat porta sa pipe éteinte à sa bouche.

— John, je suis sûr que le docteur sera de mon avis : quand un homme est perpétuellement agacé, il risque de commettre des erreurs de jugement qu'il aurait évitées en temps ordinaire.

— Oui, j'avais deviné que c'était là votre objectif, Mr Picton, dit le docteur. Et vous l'avez remarquablement atteint.

— Oh, ce n'est rien. Je vous l'ai dit : les avocats de cette espèce pensent généralement qu'ils n'ont rien à apprendre de Jésus-Christ Lui-même quand il s'agit de sauver le monde. Il est aussi aisé de les exaspérer que de tomber d'un rondin flottant sur l'eau. Bon, l'ouverture s'est bien déroulée, mais j'aimerais que nous nous réunissions pour examiner la suite, si vous êtes d'accord, docteur. Nous pouvons aller dans mon bureau, si vous voulez.

L'aliéniste acquiesça, prit la tête de notre groupe pour remonter l'allée centrale et contourner la grappe de journalistes qui interrogeaient encore les deux avocats. Ils essayèrent aussi de coincer Mr Picton avec des questions assez prévisibles : la mise en accusation de Libby Hatch n'est-elle pas une manœuvre désespérée ? Quel motif une mère pourrait-elle avoir de tuer ses propres enfants ? Une telle femme ne serait-elle pas forcément folle ? Mais le petit procureur était au mieux de sa forme et, dans un flot de paroles, il se débarrassa d'eux sans rien leur révéler d'important, et les renvoya à Mr Darrow qui, leur dit-il, avait des révélations sûrement bien plus captivantes à leur faire qu'un modeste adjoint au district attorney.

Dans son bureau, Rupert Picton nous confia qu'à ce point de l'affaire il se préoccupait surtout de définir quel type de citoyen ferait le meilleur juré possible, et de dresser une série de questions qui permettrait de faire le tri parmi les candidats. Il sollicita l'avis du docteur sur ce point, obtint aussitôt une réponse : des hommes pauvres, de préférence des fermiers, des gens ayant mené une vie dure. Eux savaient que les conflits personnels et les problèmes d'argent peuvent conduire à la violence, même dans une famille qui semble heureuse et paisible extérieurement. Ces hommes auraient probablement vu ou au moins entendu leur femme s'en prendre à ses propres enfants quand la vie devient trop frustrante, trop décourageante ; ils ne nourriraient pas les illusions des nantis sur la pureté des actes et des mobiles féminins. Mr Picton se déclara soulagé d'entendre ce point de vue, qui recoupait le sien. Il s'agissait maintenant de trouver un moyen de sélectionner de tels hommes sans que Darrow en prenne conscience.

De son côté, le docteur se souciait avant tout de continuer à préparer Clara à ce qui l'attendait : maintenant que nous avions fait la connaissance de maître Darrow, il était facile de voir qu'il n'éprouverait pas de grosses difficultés pour désarçonner la fillette, pour la faire apparaître moins comme une menteuse que comme une enfant perturbée, qui ne se rappelait plus vraiment ce qui lui était arrivé et à qui l'accusation avait bourré le crâne. Darrow se montrerait probablement fort aimable avec elle, dit le docteur, et il faudrait apprendre à Clara que les charmeurs sont tout à fait capables de vous tendre des pièges — un fait qu'elle connaissait par expérience mais qui n'avait pas forcément pénétré ce qu'il appelait son « esprit conscient ».

Laszlo Kreizler assurerait une double tâche pendant le week-end et le lundi, puisqu'il passerait ses journées à préparer Clara et ses soirées à interroger Libby Hatch pour évaluer sa condition mentale. Ayant moi-même subi cet « examen » avec le docteur, et l'ayant vu le faire passer à d'autres, je savais plus ou moins ce qui se passerait dans la cellule de Libby : il l'interrogerait peu ou pas du tout sur les meurtres, lui poserait des questions — apparemment au hasard — sur son enfance, sa famille, sa vie personnelle. Libby était tenue par la loi de coopérer avec lui, ce qui ne l'empêcherait naturellement pas de tenter de l'égarer en mentant. Mais j'avais vu des criminels plus endurcis s'y essayer et échouer piteusement : il ne me semblait pas que Libby eût la moindre chance de réussir, malgré son intelligence. Quoi qu'il en soit, cette petite série de joutes serait passionnante et j'espérais pouvoir assister à plusieurs d'entre elles.

Cela paraissait cependant peu probable car aucun de nous ne serait inactif dans les quelques jours précédant le procès. Les Isaacson — avec le renfort de Mr Moore, qui sautait sur n'importe quelle occasion de retourner aux tables de jeu de Saratoga — essaieraient de découvrir quels experts et quels témoins Mr Darrow projetait de faire comparaître. Miss Howard était toujours déterminée à trouver quelqu'un qui, sans être forcément apparenté à Libby Hatch, pourrait livrer des informations sur l'enfance de l'accusée, et je l'assisterais certainement dans ses recherches, au moins jusqu'au mardi. Cette perspective ne me réjouissait pas outre mesure, car j'avais désormais l'impression que nous traquions des fantômes. J'aurais préféré accompagner Mr Moore à Saratoga, mais, conscient de l'importance de la tâche de Sara, je m'efforçai d'accepter ma mission avec autant de bonne humeur qu'en montra El Niño en apprenant qu'il continuerait à servir de garde du corps à « la dame » qui avait été sa première bienfaitrice dans notre groupe.

Les bonnes intentions et l'ardeur au travail ne paient pas toujours et, quand arriva le week-end, nous n'avions rien déniché qui pût passer pour une information utile. C'était à croire qu'on avait délibérément cherché à effacer toute trace de l'existence de Libby. Nos expéditions finirent par nous mener assez loin dans le Nord, sur les rives sud du lac George et à la lisière de la forêt des Adirondacks. Si le paysage devenait de plus en plus beau, les villes se faisaient plus petites et plus rares, au point qu'il nous fallait une bonne partie de la journée pour les atteindre, et presque toute la soirée pour rentrer. Une chose au moins était sûre : si Libby Hatch était née et avait grandi dans une ville du comté de Washington, ni elle ni ses parents n'en avaient beaucoup bougé — à supposer, bien entendu, qu'elle ne les ait pas trucidés des années plus tôt, une idée qui me trottait de plus en plus dans la tête pendant ces longs voyages inutiles d'une bourgade à l'autre. Miss Howard ne semblait pas apprécier plus que moi la perspective de chercher une aiguille qui ne se trouvait peut-être même pas dans la meule de foin qu'on nous avait assignée, et je savais qu'elle partageait mon désir d'assister aux entretiens du docteur avec Libby Hatch. Pourtant, elle continuait, sachant que tout indice sur le passé de l'accusée que nous pourrions utiliser au procès aurait plus d'importance que le plaisir que nous aurions pris à la bataille d'intelligences qui se déroulait sous le tribunal de Ballston Spa.

Nous avions cependant droit à un compte rendu de ces rencontres lorsque nous prenions place à la table de la salle à manger de notre hôte, le soir, pour un souper généralement très tardif étant donné nos activités. Au cours du premier de ces repas, le docteur expliqua que Libby s'était montrée changeante dans son attitude envers lui : elle avait commencé par prendre un air profondément blessé, comme si cet homme — à qui elle avait manifesté son admiration à leur première rencontre — avait cherché à lui faire du mal en lui attribuant non seulement l'enlèvement de la petite Linares mais aussi la mort des enfants dont elle s'était occupée à New York et le meurtre de ses propres enfants. C'était fort intelligent de sa part de commencer par cette position, nous dit le docteur : consciemment ou non, elle misait sur la répugnance secrète de chacun à accuser une mère de crimes horribles, et sur ce que Miss Howard appelait le « mythe du dévouement maternel ». Mais lorsqu'il devint clair que le docteur ne laisserait pas son propre malaise prendre le pas sur sa réflexion, Libby s'était rabattue sur un rôle qui lui était également familier : la séductrice. Elle s'était mise à le taquiner sur les désirs secrets qu'il devait cacher sous son apparence détachée et austère. Ce comportement ne l'ayant bien entendu menée nulle part, Libby en avait été réduite à faire usage de la dernière arme de son arsenal : la colère. Jetant aux orties la défroque de la victime et celle de la tentatrice, elle devint une sorte de furie, lançant à la figure du docteur des réponses chargées de ressentiment — dont un bon nombre, il le savait, étaient de purs mensonges — et ponctuées de menaces : il regretterait un jour de s'être frotté à elle. Elle ne comprenait pas que ce changement d'attitude fournissait en soi à l'aliéniste ce qu'il cherchait : la capacité de Libby à analyser les intentions du docteur et à leur opposer une série de réactions différentes mais soigneusement préparées apportait la preuve — comme il l'avait toujours soupçonné — qu'aucune maladie mentale grave, qu'aucun trouble du cerveau ne déterminait son comportement.

Quant aux sergents et à Mr Moore, leurs efforts pour trouver ce que Mr Darrow manigançait à Saratoga étaient aussi vains que les nôtres — du moins ils le furent jusqu'au samedi. Ce soir-là, alors que nous écoutions le docteur nous rapporter son dernier entretien avec Libby, les trois hommes rentrèrent plus tard que d'habitude et de bien meilleure humeur que lorsqu'ils avaient quitté la maison, le matin. Ils avaient finalement trouvé une piste en la personne d'un détective privé qui avait travaillé à New York pour Clarence Darrow. Lucius connaissait l'homme et, quand il avait pénétré au Grand Union Hotel pour faire son rapport à l'avocat, le sergent l'avait intercepté et lui avait soutiré quelques renseignements — en se gardant de lui révéler, bien sûr, qu'il était dans l'autre camp. Si le « privé » n'avait pas fourni beaucoup de détails précis, ses commentaires généraux avaient confirmé que Mr Darrow s'efforçait effectivement de découvrir tout ce qu'il pouvait sur les activités de Laszlo Kreizler et sa situation actuelle, y compris les ennuis qu'il connaissait suite au suicide de Paulie McPherson. Rien de tout cela n'était atterrant : nous avions deviné depuis le début que l'avocat s'en prendrait au docteur pour discréditer notre dossier d'accusation contre Libby Hatch. En revanche, un nom que Lucius mentionna en passant inquiéta considérablement plus le docteur.

— Oh! à propos, avait dit le sergent, souriant à Mrs Hastings quand elle déposa devant lui une grande assiette fumante, il a demandé à un autre aliéniste de venir évaluer l'état mental de Libby.

Mr Picton parut intrigué.

— Vraiment? Je me demande pourquoi. Darrow a clairement signifié qu'il n'a pas l'intention de plaider la folie.

— Exact, dit le docteur, mais quand le procureur décide de faire témoigner un expert sur la condition mentale d'un accusé, la défense estime généralement nécessaire de lui répondre sous une forme ou une autre. Selon toute probabilité, Darrow en profitera pour souligner que la mort des enfants a profondément affligé Libby, mais que c'est une femme tout à fait compétente, assez équilibrée pour s'occuper non seulement de ses propres enfants mais aussi de ceux d'autres personnes. Votre confrère n'aurait pas précisé le nom de cet aliéniste, par hasard, Lucius?

— Mmm, si, répondit le policier en s'attaquant à la cuisine familiale dont nous étions tous devenus si friands depuis notre arrivée à Ballston Spa. (Sans poser sa fourchette, il fouilla ses poches d'une main.) Je l'ai noté quelque part... Ah. (Il tira de l'intérieur de sa veste un morceau de papier.) Voilà : White. William White.

Laszlo Kreizler cessa soudain de manger et leva vers Lucius un regard alarmé.

— William Alanson White?

Le cadet des Isaacson vérifia le nom avant d'acquiescer.

— Qu'est-ce qu'il y a, Kreizler ? demanda Mr Moore. Tu le connais ?

— En effet.

Le docteur repoussa son assiette, se leva lentement, prit son verre de vin.

— Un problème ? s'enquit Mr Picton.

Les yeux noirs de mon maître se tournèrent vers la fenêtre pour scruter la nuit.

— Un mystère, en tout cas. White… (Il demeura un moment immobile puis revint vers nous.) L'un des meilleurs de la nouvelle génération — un esprit brillant, et imaginatif. Il a exercé à l'hôpital de Binghamton et réalisé des travaux fascinants sur la psychologie du criminel — son inconscient, en particulier. Il est aussi devenu un expert renommé auprès des tribunaux, malgré sa jeunesse relative.

— C'est un de vos ennemis ? demanda Marcus.

— Tout au contraire. Nous nous sommes souvent rencontrés, et nous échangeons fréquemment des lettres.

— C'est étrange, commenta Miss Howard. On aurait imaginé que Darrow fasse appel à un aliéniste ouvertement hostile à vos théories…

— Oui, mais ce n'est pas le plus étrange, Sara. White et moi avons tous deux une piètre opinion du système pénal de ce pays, de ses méthodes pour décourager le crime et soigner les malades mentaux. Toutefois, nous n'avons pas le même avis sur la définition de la maladie mentale. Ses classifications ont tendance à être plus larges que les miennes, et il inclut dans sa catégorie d'« actes déments » plus de comportements criminels que je ne le fais. Lorsqu'on fait appel à son témoignage, c'est presque toujours afin de démontrer que l'accusé est plus ou moins déséquilibré, et donc irresponsable de ses actes d'un point de vue légal.

— Hum, fit Mr Picton. Cela semblerait indiquer que Darrow garde la carte de la folie dans sa manche, au cas où il en aurait besoin plus tard. Pourtant, je ne le crois pas assez stupide pour ça…

— Moi non plus, dit le docteur. Se mettre soudain à plaider la folie au milieu d'un procès est rarement efficace : le caractère désespéré de ce changement de défense échappe à peu de jurés.

Mr Moore fit aller son regard de l'un à l'autre des deux hommes.

— Alors, d'après vous, qu'est-ce qu'il mijote, le Darrow ?

L'aliéniste secoua lentement la tête.

— Je l'ignore, et cela me préoccupe. Il y a d'ailleurs beaucoup de choses qui me préoccupent chez notre adversaire. (Il se mit à aller et venir devant la fenêtre en faisant rouler le verre de vin entre ses paumes.) Avez-vous découvert quand White doit arriver ?

— Mardi soir, répondit Lucius. Après l'ouverture du procès.

— Ce qui me laisse peu de temps pour m'entretenir avec lui, fit observer le docteur, hochant de nouveau la tête. Oui, la manœuvre est habile. Mais au nom du ciel, qu'est-ce que Darrow peut bien vouloir lui faire dire ?

Nous découvririons bientôt la réponse à cette question. Et comme tout ce qui concernait Clarence Darrow, elle nous aiderait à comprendre pourquoi il devait un jour devenir le plus grand avocat d'assises que le pays ait connu.

43

Notre édification commença le mardi matin, lorsque
des hommes venus des champs, des boutiques et des
salons de tout le comté de Saratoga furent convoqués au
tribunal de Ballston Spa pour qu'on détermine s'ils pas-
seraient les prochaines semaines dans le box des jurés
pendant ce qu'on commençait à appeler familièrement le
« procès Hatch ».

D'entrée, Mr Darrow montra qu'il savait exactement
où Mr Picton voulait en venir, et qu'il avait l'intention
de l'en empêcher. Les deux parties disposaient chacune
de vingt « récusations non motivées » — c'est-à-dire le
droit de refuser un juré potentiel sans donner d'explication — et l'avocat tira ses dix premières cartouches sur
des hommes qui n'auraient pu mieux correspondre au
profil du juré idéal tracé par le Dr Kreizler et Mr Picton.
Chacun d'eux était pauvre mais vif d'esprit, avec une
sorte d'expérience du monde surprenante chez des êtres
qui, pour la plupart, n'avaient jamais quitté leur comté,
sans parler de l'Etat. Lorsque vint son tour de les interroger, Mr Darrow se montra aimable — il se souciait trop
de gagner la sympathie du public pour ne pas l'être —,
entama une conversation détendue sur la santé du commerce, en ville, ou sur le temps humide et froid qui avait
compromis les récoltes, cet été-là. Mais dès que l'un
d'eux précisait, par exemple, qu'il avait grandi dans une
ferme réduite à une pièce commune ou, pis encore, que
sa mère, sa grand-mère, sa tante ou sa sœur cédait à l'oc-

casion à un accès de violence, il était renvoyé à ses foyers avec un merci cordial (sans un mot d'explication) de l'avocat de la défense.

De son côté, Mr Picton ne fut pas abusé par la façon « innocente » dont Mr Darrow interrogeait les candidats aisés et plus instruits sur l'« état naturel » des hommes et des femmes. La société s'était-elle dégradée au point que les liens les plus fondamentaux entre les membres de l'espèce humaine — la « loi naturelle » comme disait l'avocat — puissent être brisés sans raison ? Clarence Darrow ne déclara pas expressément que le lien unissant une mère à ses enfants faisait partie de cette « loi naturelle » — il n'eut pas besoin de le faire. A l'évidence, la plupart des personnes présentes dans la salle en étaient convaincues. Mais de même que l'avocat avait récusé tout juré potentiel parlant ouvertement de violence féminine, le procureur abattit la hache sur tout homme déclarant croire en ces liens « naturels » ou « fondamentaux ». Le défenseur de Libby Hatch finit par reprocher à son adversaire de rejeter le « concept même de loi naturelle », qui servait pourtant de fondement à la Constitution américaine et à la Déclaration d'Indépendance. Mr Picton répondit que la cour n'avait pas à entrer dans ces discussions philosophiques : son affaire, c'était la loi tout court, pas la loi naturelle. Cette attitude, si elle ne lui valut pas la sympathie du juge Brown, était parfaitement légitime, et nombre de candidats que Mr Darrow aurait manifestement souhaité garder furent dûment éconduits.

A midi, les deux hommes avaient utilisé la plupart de leurs récusations non motivées et avaient par surcroît éliminé quelques candidats pour des raisons spécifiques, de sorte qu'à la suspension de l'audience le jury n'était qu'à moitié constitué. L'après-midi s'annonçait plus rude encore car lorsqu'un des deux hommes ne pourrait plus faire usage de son droit de veto, il devrait justifier son rejet de tel ou tel candidat. A trois heures, la défense comme l'accusation avaient épuisé leur contingent de récusations non motivées et il restait cinq jurés à sélectionner. Si Mr Picton estimait pouvoir convaincre les hommes déjà choisis de partager son point de vue, il soupçonnait que le juge se montrerait plus favorable aux raisons exposées par la défense pour éliminer un candidat qu'aux arguments de l'accusation. Ce soupçon se révéla fondé. Mr Darrow continua à marteler que la notion de «loi naturelle» était le pilier de tout gouvernement et de la société américaine : accepter l'idée que les «liens de la nature» pouvaient être «brisés par caprice» revenait à dire que les Etats-Unis eux-mêmes étaient un concept erroné, clama l'avocat, et tout homme défendant cette opinion n'avait rien à faire dans un jury américain.

«Raisonnement ridicule mais singulièrement efficace», conclut le docteur, et exposé par Mr Darrow comme s'il ressortissait d'une conviction profonde, alors qu'il avait été plus probablement forgé pour la circonstance. (Cette hypothèse se trouva confirmée lorsque nous apprîmes que le juge Brown avait fait la guerre de Sécession avec le grade d'officier — information que l'avocat avait sans doute découverte bien avant nous.) Mr Picton n'avait pas de justification philosophique aussi simple pour rejeter les candidats au jury. En fait, il n'avait pas de raison du tout qui pût séduire le patriotisme «vieille école» du juge. Il se contentait de répéter qu'on ne devait pas laisser les opinions personnelles des gens sur la politique, la philosophie ou même la religion influencer leur jugement en matière judiciaire, où culpabilité et innocence étaient déterminées par des preuves, non par des convictions. Une telle conception devait sembler un peu pâlotte aux magistrats comme Brown, et lorsque les ombres se firent plus longues sur le parquet de la salle, elle commença clairement à l'agacer, tandis que les tentatives de l'avocat pour s'adresser aux sentiments profonds du vieil homme — exprimées dans ce style «simple» du Middle West que Clarence Darrow maîtrisait à la perfection — devenaient plus hautes en couleur et plus persuasives.

Lorsque les douze sièges du box furent occupés, nul n'aurait su dire quelle partie l'avait emporté en terme d'inclinations personnelles des jurés choisis. Mais si j'avais été contraint de le faire, j'aurais parié que la balance penchait en faveur de l'avocat, et Mr Moore confirma cette impression lorsqu'il annonça en rentrant ce soir-là que la cote de la condamnation était passée à soixante contre un au Casino. Pour Mr Picton, la bataille commencerait par une pente à gravir.

Nous avions cependant des preuves et des témoignages en notre faveur, et il n'y avait encore aucune raison de croire qu'ils ne parviendraient pas à modifier l'opinion de certains jurés sceptiques quant aux charges retenues contre Libby Hatch. Après tout, le shérif lui-même, sceptique au départ, avait totalement changé d'avis pendant les délibérations du grand jury. Sachant cela, Mr Picton resta fort tard dans son bureau le mardi soir pour revoir sa déclaration liminaire (qu'il prononcerait le lendemain) ainsi que l'ordre dans lequel il présenterait les preuves et appellerait les témoins.

A dix heures du matin, le juge Brown ouvrit l'audience d'un coup de marteau ; Iphegeneia Blaylock prépara ses doigts agiles à prendre note de la déclaration de Mr Picton. Lorsque l'adjoint au district attorney se leva pour s'adresser au jury, il ne restait plus trace sur son visage du sourire diabolique qu'il avait arboré pendant la mise en accusation et la sélection des jurés. Il était la gravité même, sachant — me sembla-t-il — que ce changement d'humeur retiendrait d'entrée l'attention du jury. Vêtu d'un costume sombre qui renforçait cette impression de sérieux, il fit les cent pas devant le box pendant une minute environ et attendit que les visages des douze hommes expriment une attention et une concentration totales pour ouvrir la bouche.

— Messieurs, commença-t-il, d'un ton lent et triste qui ne lui était pas familier, vous avez entendu les charges qui pèsent sur l'accusée. Mais il y a des faits extérieurs à l'inculpation dont vous devez avoir connaissance… (Il tendit le bras vers la table de la défense sans regarder Libby Hatch.) Cette femme a récemment perdu son mari, un homme d'une grande bravoure qui, au printemps de sa vie, a sacrifié sa santé à la noble cause de l'Union et de l'émancipation. Aucun de vous ne doit penser que l'accusation ignore ce fait, ou qu'elle n'aurait pas hésité — comme l'avocat de la défense l'a insinué dans la presse locale — à troubler le deuil de cette femme dans l'unique but de résoudre une vieille affaire gênante. Je vous le dis franchement : jamais nous n'aurions fait une chose pareille. Même si nous avions poursuivi un objectif aussi pervers, la mémoire d'un homme qui fut l'un des nombreux héros de son pays en des heures sombres nous aurait bloqué la voie, aussi sûrement qu'un arbre s'effondrant sur la route de Charlton bloquerait la circulation...

J'étais penché en avant sur ma chaise, non seulement pour ne pas perdre un mot de ce que disait Mr Picton, mais aussi pour guetter les réactions du Dr Kreizler. En entendant le petit procureur mentionner Micah Hunter, l'aliéniste se mit à hocher la tête.

— Bien, murmura-t-il, bien. Ne pas laisser à Darrow le monopole du sujet.

L'adjoint au DA s'interrompit, regarda le plafond.

— La route de Charlton... Nous sommes ici — à contrecœur, messieurs, n'en doutez jamais — parce qu'un événement indicible est arrivé sur cette route il y a trois ans. Quelque chose que nous tous, en tant que communauté, souhaitons ne jamais revoir, et que nous aimerions peut-être oublier. Mais nous ne le pouvons pas. Il y a dans le cimetière de Ballston Avenue deux tombes qui ne nous laisseront pas oublier ; il y a une petite fille, à demi paralysée et, jusqu'à ces derniers jours, muette de terreur, qui ne nous laissera pas oublier. Son existence même nous a rappelé pendant ces trois ans les faits horribles qui se sont déroulés ce soir-là. Aujourd'hui, elle peut enfin nous donner plus que sa simple présence poignante. Après trois longues années durant lesquelles elle a enduré des tourments qui dépassent l'imagination, même de ceux qui ont survécu au carnage de notre grande guerre, la petite Clara peut parler ! Et qui peut croire, messieurs, qu'alors qu'elle se sent enfin suffisamment en sûreté pour donner voix à ses terribles souvenirs, cette enfant aurait été persuadée de mentir ? L'un d'entre vous peut-il sérieusement croire qu'après tout ce qu'elle a souffert, cette fillette de huit ans se serait laissé convaincre de fabriquer une histoire sur les événements de la route de Charlton, où ses deux frères ont été assassinés, où elle-même a reçu une balle dont son agresseur espérait manifestement qu'elle la tuerait ?

Marquant une pause pour regarder les jurés, Mr Picton

fit un effort visible pour dominer sa passion — effort dont, le connaissant, je pouvais prédire qu'il serait vain.

— La défense voudrait vous le faire croire, poursuivit-il. La défense voudrait vous faire croire beaucoup de choses. Elle vous remettra en mémoire la déclaration sous serment de la femme qu'on appelait alors Libby Hatch, et l'appellera à la barre pour répéter cette histoire étrange, que rien n'étaie, d'un mystérieux Noir qui aurait attaqué les enfants mais pas leur mère, et se serait évanoui dans la nuit pour ne plus jamais être vu ni repéré, malgré des recherches intensives. Mais les faits, tels que le seul autre témoin des événements les expose, sont trop simples et trop clairs, malgré toute leur horreur, pour que vous vous laissiez mener plus loin sur les sentiers fantaisistes de la défense. J'en suis persuadé — persuadé, parce que j'ai entendu la version des événements de la petite Clara de sa propre bouche. Et c'est uniquement parce que j'ai entendu ce récit atroce que le ministère public a retenu ces charges contre l'ex- Mrs Hatch. N'en doutez pas, messieurs. Si Clara Hatch n'avait pas déclaré — dans ce bâtiment même, sous serment, face à la puissance effrayante d'un tribunal — que c'est sa propre mère qui a commis cet acte infâme, qui a froidement appuyé le canon d'un revolver de calibre 45 contre les petites poitrines et pressé la détente, non pas une mais plusieurs fois, jusqu'à ce qu'elle soit sûre que ses trois enfants étaient morts, je vous le répète, n'en doutez pas, si quelqu'un d'autre que Clara Hatch avait fait cette déclaration, le ministère public n'aurait jamais eu la témérité de faire peser cette charge effroyable sur cette femme ! Non, messieurs ! Nous ne jouerions pas avec l'équilibre, la santé mentale même d'un enfant dans l'unique dessein de boucler une affaire non résolue. Plutôt voir cent crimes rester irrésolus qu'engager le ministère public dans une telle ignominie ! Nous sommes, vous êtes ici pour une seule raison : parce que l'unique personne qui a été témoin de ce qui s'est passé sur la route de Charlton ce soir de mai il y a trois ans a parlé. Confronté à un récit horrifiant, le ministère public n'a eu d'autre choix que de mettre en branle, à contrecœur, je le répète, l'appareil judiciaire, au risque de troubler la tranquillité de la communauté, ainsi que celle de chaque citoyen.

Mr Picton s'interrompit de nouveau pour inspirer profondément et se frotter le front, comme si parler de cette affaire lui était douloureux.

— C'est habile, murmura Marcus au docteur. Il répond aux critiques de la défense avant même qu'elles soient formulées.

— Oui, mais regardez Darrow. Il prépare de nouveaux angles d'attaque pour remplacer ceux que Picton lui ferme.

Un coup d'œil à l'avocat me fit comprendre ce que le docteur voulait dire : bien qu'il donnât à son corps une posture détendue, son visage révélait que son esprit tournait comme une dynamo.

— Dans un instant, messieurs, reprit le procureur, vous aurez connaissance des preuves que l'accusation présentera et des témoins qu'elle fera comparaître, ainsi que des conclusions qu'on peut en tirer. Mais tandis que vous m'écouterez, une question subsistera dans votre tête, je le sais. Et de crainte qu'elle ne détourne votre attention, je vais la poser maintenant. Toutes les preuves, tous les témoins du monde ne vous empêcheront pas de vous demander comment, comment une femme peut commettre un tel crime. Il faut qu'elle soit folle pour se rendre coupable d'un tel acte. Mais la femme qui est devant vous n'a jamais souffert de maladie mentale, et la défense ne cherchera pas à la faire passer pour folle. Les victimes ne sont pas non plus des enfants naturels, autre explication communément avancée pour un « proliicide », le meurtre de sa propre progéniture. Non. Thomas, Matthew et Clara Hatch avaient un foyer, un père dont ils portaient le nom, une mère qui était et est toujours parfaitement saine d'esprit. Alors, vous demandez-vous, comment cela a-t-il pu arriver ? Le temps et les règles de la procédure m'empêchent de vous démontrer maintenant le bien-fondé de la thèse de l'accusation — ce sont les preuves qui doivent le faire. Je vous demande seulement pour le moment de prendre conscience de la répugnance de votre esprit à envisager, fût-ce un instant, que cette thèse pourrait se révéler vraie. Car c'est uniquement si vous affrontez vos préjugés, comme ceux d'entre nous qui ont instruit cette affaire ont affronté les leurs, à contrecœur — oui, je le répète encore, à contrecœur ! —, que justice sera rendue.

L'adjoint au DA marqua une pause pour s'assurer que les jurés avaient saisi son argument puis soupira et poursuivit :

— En ce qui concerne les moyens et les circonstances, les preuves montreront...

Notre ami se lança dans une énumération détaillée mais rapide de toutes les preuves indirectes que nous avions recueillies, exposa ensuite ce que ses deux autres témoins principaux — Mrs Louisa Wright et le révérend Clayton Parker — auraient à dire sur les mobiles possibles de Libby Hatch.

— Il fait du beau travail, chuchota le docteur. Je finirais presque par croire moi aussi qu'il requiert à contrecœur.

— Je te l'ai dit, répondit Mr Moore. Il est né pour ce genre de chose.

— Quel curieux retournement, dit Miss Howard. Il parle plus en avocat qu'en procureur.

— Le truc est là, expliqua Marcus. Il sait que Darrow plaidera à la forme négative, alors il argumente positivement. Il défend ses témoins et sa cause avant même qu'ils soient attaqués. Très rusé — cela devrait couper l'herbe sous le pied de Darrow.

— J'aimerais le croire, murmura le docteur.

Nous reportâmes tous notre attention sur Mr Picton quand il en termina avec la liste des preuves que l'accusation présenterait. Il retourna à sa table, parut sur le point de s'asseoir mais s'arrêta, comme s'il venait d'avoir une idée qu'il n'était pas sûr de devoir aborder. Un doigt sur les lèvres, il s'approcha de nouveau du box des jurés.

— Une dernière chose, messieurs. La cour et l'accusation n'ont émis aucune objection à ce que l'accusée soit défendue par un avocat d'un autre Etat. C'est son droit, et Mr Darrow est un avocat accompli. Pendant des années, il a représenté les intérêts des humbles comme des puissants, les grandes compagnies et les meurtriers déments. Qu'est-ce qui l'amène, peut-on raisonnablement se demander, dans notre petite ville, si loin de Chicago ? L'accusation ne vous cachera pas qu'il y a ici certaines forces qui s'exercent, car l'accusée, durant les années qu'elle a passées à New York, a été au service de quelques-unes des personnes les plus puissantes de cette métropole. Et ces personnes — naturellement, peut-être — cherchent à l'aider en ces temps de nécessité. Elles lui ont assuré le concours d'un avocat d'un autre Etat — accompli, je le répète. C'est leur affaire. Mais vous devez le savoir : en devenant aussi accompli, l'avocat de la défense a appris une chose ou deux sur les jurés. Il a appris leur façon de penser, de réagir avec leurs émotions, de considérer la terrible responsabilité de décider du sort d'un être humain dans une affaire relevant de la peine capitale. Oui, vous entendrez sans aucun doute beaucoup parler de votre responsabilité quand l'avocat de la défense fera ses remarques liminaires.

Pour la première fois, Mr Picton sourit, brièvement, aux douze visages du box.

— Mais quelle est votre responsabilité, messieurs ? demanda-t-il, reprenant un air grave. Peser les preuves et les témoignages qui vous seront présentés par l'accusation et par la défense. Rien de moins — et rien de plus. Le défenseur de l'accusée vous demandera de croire qu'il ne cherchera pas à jouer sur vos émotions et vos sympathies naturelles, qu'il ne souhaite que vous soumettre une argumentation aussi claire et honnête que possible, de sorte que si vous déclarez cette femme coupable, la responsabilité sera vôtre — uniquement vôtre. Or, messieurs, notre système de jury a eu des siècles pour perfectionner un instrument assurant qu'aucun homme n'aura le sentiment de tenir à lui seul le sort d'un autre entre ses mains, à l'instar du Tout-Puissant. Votre responsabilité, c'est uniquement de considérer ce qui vous est soumis. L'accusation et la défense ont, elles, la responsabilité de préparer et de présenter de manière adéquate leurs arguments. Si vous estimez que l'accusée n'est pas coupable, ce n'est pas vous qui êtes responsables mais l'accusation. C'est moi, messieurs. Et ce qui est vrai d'un côté l'est aussi de l'autre. Vous n'êtes pas l'Inquisition d'antan, ayant pouvoir et mission de décider arbitrairement de la vie et de la mort d'un être humain. Si vous étiez des inquisiteurs, alors vous porteriez la responsabilité de ce qui se passe ici. Mais ce n'est pas votre mission. Votre tâche est simplement d'écouter — les preuves, les témoins, et la voix du doute qui est en chacun de nous. Si je ne parviens pas à réduire cette voix au silence par mes arguments, alors vous prendrez une décision contraire à la thèse de l'accusation. Et croyez-moi, messieurs, c'est elle qui en portera la responsabilité.

Mr Picton lança un coup d'œil à Clarence Darrow quand il ajouta :

— C'est du moins ainsi que les choses se passent dans l'Etat de New York.

Le juge Brown considéra un moment le petit procureur avec une irritation mêlée de ce qu'on pourrait qualifier de respect réticent, puis il se tourna vers la table située dans l'autre partie de la salle.

— Maître ? La défense souhaite-t-elle prononcer sa déclaration liminaire maintenant, ou attendre la plaidoirie ?

Mr Darrow se leva lentement, adressa au juge un petit sourire tandis que l'inévitable mèche tombait sur son front.

— J'étais précisément en train de me poser la question, Votre Honneur, dit-il, la voix plus profonde et onctueuse que jamais. Vous n'avez pas de conseil à me donner, je suppose ?

La foule émit quelques rires étouffés, qui amenèrent le juge à saisir son marteau, mais elle se calma avant qu'il l'abatte.

— L'heure n'est pas à la légèreté, maître, fit observer le magistrat d'un ton sévère.

Le sourire de Mr Darrow s'effaça ; toutes les rides de son visage semblèrent se creuser d'inquiétude.

— Certes non, Votre Honneur. Et je m'excuse si j'ai donné cette impression. Avec votre permission, la défense livrera maintenant ses remarques liminaires.

L'avocat se leva, marcha très lentement vers le box des jurés, les épaules voûtées, tel un homme accablé par un douloureux fardeau.

— Mes excuses étaient sincères, messieurs. La confu-

sion conduit parfois à un comportement inapproprié —
car, je l'avoue, l'accusation a semé la confusion dans
mon esprit, et pas seulement sur cette affaire. Mr Picton
semble savoir beaucoup de choses sur moi : il sait
d'avance ce que j'ai à vous dire, et quels mots j'em-
ploierai. Je sais que je ne suis plus un jeune homme, mais
je ne pensais pas m'être autant encroûté dans mes habitudes…

Les hommes assis dans le box adressèrent un sourire
à Mr Darrow, qui le leur rendit.

— Il me fait passer pour un dangereux personnage,
n'est-ce pas ? reprit-il. À votre place, je serais sur mes
gardes, prêt à affronter l'avocat de la grande ville qui va
— comment a-t-il dit ? — « jouer sur vos émotions et vos
sympathies naturelles ». Un boulot pas facile, faire dan-
ser douze hommes adultes au bout d'un fil comme autant
de marionnettes. Je l'admets volontiers, messieurs, j'en
suis incapable. Surtout dans l'état de confusion où je me
trouve…

L'avocat porta une main à son cou, le massa vigoureusement en plissant les yeux.

— Voyez-vous, l'accusation voudrait vous faire
croire qu'elle aurait préféré ne pas s'occuper de cette
affaire, qu'elle vaquait tranquillement à ses occupations
quand tout à coup survint une petite fille, Clara Hatch,
mourant d'envie de raconter sa version de ce qui est
arrivé sur la route de Charlton, le 31 mai 1894. Eh bien,
messieurs, la vérité est un peu différente. La vérité, c'est
qu'après le… le cauchemar, l'inimaginable tragédie, ma
cliente, la mère de Clara Hatch, s'est trouvée dans un tel
état d'abattement qu'elle ne pouvait s'occuper d'une
enfant ayant autant besoin d'attentions et de soins que
Clara. Qu'a-t-elle fait ? Elle a accepté de la confier à deux
généreux habitants de cette ville, Josiah et Ruth Weston
— que la plupart d'entre vous connaissent — pendant
qu'elle partait assurer à sa fille et à elle-même un autre
avenir, afin qu'elles puissent toutes deux échapper aux
horreurs du passé. Ma cliente avait l'intention de revenir
chercher Clara dès le jour où elle serait suffisamment
rétablie pour quitter les Weston. Jusqu'à ces derniers
temps, ce jour paraissait lointain. Et puis ma cliente a

appris que Clara avait recouvré l'usage de la parole — elle l'a appris par le shérif Dunning, venu à New York l'arrêter. Car, apparemment, quelle a été la première chose que la petite Clara a dite après trois ans de silence torturé ? Que sa propre mère avait tiré sur elle. Cette fillette tourmentée, terrifiée, se remet à communiquer avec le monde — un événement déjà extraordinaire en soi — et sans sollicitation aucune, elle offre à l'accusation une explication de sa tragique expérience, une version qui ne correspond en aucun point à celle que tout le monde dans le comté avait acceptée pour vraie il y a trois ans, mais qui fournit à l'accusation un coupable sur qui mettre facilement la main !

Mr Darrow eut un haussement d'épaules exagéré.

— Une histoire dramatique, messieurs. Et très difficile à contester si elle était vraie. Mais elle ne l'est pas. Clara Hatch ne s'est pas réveillée un beau matin prête à raconter son histoire, et brûlant de le faire. Elle a été soigneusement préparée, préparée et aiguillonnée. Par qui ? Par l'homme qui est assis en ce moment même derrière le procureur.

L'avocat ne regarda pas le docteur mais tout le monde le fit.

— Un homme qui a passé sa vie à s'occuper d'enfants victimes de tragédies et de violences. Un homme qui a passé la semaine dernière à évaluer la condition mentale de ma cliente, et qui sera également appelé à témoigner sur ce sujet… par l'accusation.

Cette fois, il se tourna vers nous.

— Le Dr Laszlo Kreizler. Ce nom ne vous est peut-être pas familier, messieurs, mais il est connu à New York. Très connu. Respecté par certains, tandis que pour d'autres… (L'avocat laissa sa phrase en suspens, haussa de nouveau les épaules.) Messieurs, vous pouvez vous demander qui m'a fait venir de Chicago pour défendre ma cliente. Moi, je me demande qui a fait venir cet aliéniste des asiles de fous de New York pour persuader une petite fille de déclarer au monde que sa propre mère a tiré sur elle. C'est ce qui a causé ma confusion. C'est ce qui trouble l'« avocat accompli » au point qu'il se sent incapable de «jouer sur vos sympathies». Quoi que cela puisse signifier...

Ceux d'entre nous qui se trouvaient aux deux premiers rangs derrière Mr Picton échangèrent un regard anxieux, car si le procureur avait parlé aux jurés avec éloquence, Clarence Darrow s'adressait à eux dans leur propre langue, et nous le savions.

L'avocat se massa de nouveau la nuque d'un geste las, essuya avec un mouchoir les gouttes de sueur qui, midi approchant, se formaient de plus en plus rapidement sur son visage.

— Votre Honneur, messieurs les jurés, continua-t-il d'une voix triste, la vie nous confronte à de nombreux événements qui demeurent inexpliqués. Certains merveilleux, d'autres terrifiants. Une idée simple, peut-être, mais — comme tant de choses simples — lourde d'implications. Car l'esprit tend à rejeter ce qu'il ne peut expliquer — il le rejette, il le craint, il le vilipende. Il en a été ainsi dans cette affaire, en particulier pour les hommes dont la tâche consiste à résoudre les énigmes et rendre la justice. L'adjoint au district attorney qualifie de «conte invraisemblable» les explications de ma cliente sur les événements. Mais ce qui est invraisemblable n'est pas forcément faux, ni même compliqué. Examinons sa déclaration : alors qu'elle rentrait en chariot avec ses enfants après une longue journée passée agréablement d'abord en ville puis sur la rive du lac, elle a été assaillie par un Noir apparemment détraqué qui a menacé de s'en prendre aux enfants si elle ne lui cédait pas. L'homme était fou furieux, désespéré; il a pris un mouvement brusque de ma cliente pour une tentative de résistance, il a tiré sur les enfants et s'est enfui.

L'avocat glissa les mains dans les poches de son pantalon, retourna près du box du jury.

— On ne voit pas souvent de choses de ce genre dans le comté de Saratoga, je le sais. Mais n'en concluons pas que cela n'arrive jamais. Cela arrive chaque semaine à Chicago. Nous devrions peut-être demander au Dr Kreizler — que sa profession rend parfaitement à même de le savoir — combien de fois par jour cela arrive à New York. Est-ce invraisemblable là-bas aussi ? Ou uniquement ici, parce que Ballston est une petite ville paisible et agréable ? L'accusation prétendra que si personne d'autre que ma cliente n'a jamais vu trace du dément, c'est parce qu'il n'existe pas. Mais rappelez-vous, messieurs, que des heures se sont écoulées avant qu'elle ait suffisamment repris ses esprits pour pouvoir raconter ce qui était arrivé sur la route de Charlton. Plus qu'assez pour qu'un tel homme se faufile dans la gare, se cache dans un train de marchandises, ou à l'arrière d'un chariot, et se retrouve le lendemain loin des patrouilles lancées à sa recherche autour de Ballston Spa. A Chicago, ou à New York...

L'avocat avait prononcé ses derniers mots d'un ton lointain en fixant le parquet. Soudain ses sourcils se plissèrent, il se secoua, et reprit :

— Nous ne le saurons peut-être jamais. Chaque année, des affaires comme celle-ci demeurent sans solution, plaies ouvertes au cœur de notre société. Nous aimerions fermer ces blessures, évidemment. Qui voudrait mener son existence en sachant qu'à tout moment un fou peut surgir du bas-côté de la route et le dépouiller — ou, sort plus horrible, le priver des êtres qui lui sont le plus chers ? Aucun de nous. Alors, nous cherchons des solutions, des protections, et chaque fois que nous en trouvons une, nous nous persuadons que nous nous sommes rapprochés de la sécurité totale. Mais c'est une illusion, messieurs, une illusion à laquelle je refuse qu'on sacrifie ma cliente. Le ministère public se sentira peut-être mieux — et les citoyens de cette ville aussi — s'il croit avoir traduit en justice la meurtrière de Thomas et Matthew Hatch. Les charges retenues contre ma cliente n'en seront pas plus fondées, ni plus crédibles pour ceux qui ont le courage de prendre du recul et de voir les choses sous la froide lumière de la raison. L'accusation vous a parlé des preuves qu'elle présenterait, des témoins qu'elle ferait comparaître pour prouver ses allégations. Moi, je vous dis que la défense produira ses propres témoins — experts et autres — qui réfuteront l'accusation point par point.

Levant un doigt et le braquant en direction de Mr Picton, le défenseur de Libby Hatch se mit à marteler :

— Le procureur vous dira qu'il a la preuve matérielle, étayée par le témoignage de prétendus «experts», que l'arme utilisée contre les enfants appartenait à leur père, et que les coups ont été tirés par leur mère. Mais toute cette hypothèse repose sur une «science» policière qui, comme vous l'expliqueront les experts de la défense, ne mérite pas son nom. L'accusation vous dira ensuite que ma cliente avait un mobile financier et passionnel pour faire disparaître ses enfants. Mais, messieurs, les ragots domestiques ne sont pas une preuve !

Echauffé, Mr Darrow se tourna brusquement vers le public, son premier mouvement vif depuis le début de l'audience.

— Enfin, l'accusation vous dira que ma cliente est saine d'esprit, et qu'à ce titre elle mérite d'être conduite dans une terrible petite pièce du pénitencier de l'Etat, d'être attachée sur un siège qui serait plus à sa place dans le donjon d'un tyran médiéval assoiffé de sang qu'aux Etats-Unis, et d'être livrée à la puissance destructrice de l'électricité jusqu'à ce que mort s'ensuive. Tout cela pour que le ministère public puisse déclarer l'affaire close et que les citoyens retrouvent leur «tranquillité» !

S'interrompant soudain, Clarence Darrow laissa retomber ses mains avec une expression d'impuissance.

— Car il s'agit bien de cela, n'est-ce pas, messieurs. Oui, ma cliente est saine d'esprit. Dans les jours qui viennent, vous entendrez des experts ayant une vaste expérience dans ce domaine déclarer qu'aucune femme saine d'esprit n'aurait pu commettre un acte aussi violent contre ses propres enfants. Oh ! l'accusation invoquera des précédents ; elle vous soumettra des cas abominables de femmes coupables d'un tel crime qui ont été jugées responsables de leurs actes, et enfermées pour toujours, ou pendues. Mais les injustices antérieures ne doivent pas vous autoriser à commettre une injustice aujourd'hui. Oui, ces cas ont existé. Mais là encore, les experts qui ont soigneusement étudié ces questions vous diront que ces femmes souffraient de troubles mentaux terribles, et qu'elles ont été sacrifiées au désir qui anime le ministère public dans cette affaire. Un désir non de justice mais de vengeance, et peut-être plus encore de mettre fin au malaise, à la peur que provoque un crime effroyable resté sans solution.

« Messieurs, je ne puis vous expliquer ce qui s'est passé. Il y a beaucoup de choses que je ne peux expliquer. Pourquoi des bébés naissent morts ou déformés, pourquoi les cyclones détruisent en un instant toute vie sur leur passage, pourquoi la maladie mine certains êtres bons mais infortunés et en laisse d'autres mener une longue vie paisible et inutile. Je sais pourtant que ces choses arrivent. Et je me demande… Si un éclair s'était abattu du ciel ce soir-là, anéantissant ces trois pauvres enfants — comme l'accusation cherche maintenant à anéantir leur mère —, les services du district attorney auraient-ils essayé d'arracher au ciel une explication pour que les citoyens de ce comté et de cet Etat dorment plus tranquilles ? Parce que, finalement, c'est le seul endroit qui vous fournira une explication sur ce qui s'est passé le 31 mai 1894 sur la route de Charlton : le ciel. Si vous essayez de trouver une réponse ici, dans cette salle d'audience, vous ne ferez que multiplier l'horreur. Et c'est vous, oui, vous, et moi, et le procureur, et toutes les autres personnes impliquées qui en porterons la responsabilité. Frappant au hasard, une terreur aveugle a tué les enfants de Mrs Hatch, mais la mort de cette femme serait quelque chose de très différent. Très différent… »

Sur ce, Mr Darrow retourna à sa table d'un pas solennel et s'assit. Pas une fois il ne tourna la tête vers Libby Hatch, mais elle lui jeta un coup d'œil, et il y avait dans ses yeux une lueur d'espoir, une lueur qui se transforma en éclair de triomphe lorsque son regard se porta sur notre groupe, assis derrière Mr Picton. A l'évidence, elle était sûre d'être acquittée ; et quand j'examinai les visages des jurés et des spectateurs, je ne pus conclure en toute franchise qu'elle se trompait. Etrange, l'effet que cette idée eut sur moi : tout à coup, je fus incapable de penser à autre chose qu'à la petite Linares et à Kat, à ce qui leur arriverait si Libby quittait cette salle en femme libre — hypothèse qui n'avait jamais paru aussi probable.

A en juger par leur mine, le docteur et Mr Picton avaient eux aussi conscience des ravages causés par Clarence Darrow. Le jury et la foule, que même la plus médiocre des défenses aurait convaincus, avaient bu comme du petit-lait les paroles habiles et passionnées de l'avocat. Plus que jamais, les preuves et les témoignages constituaient notre seul espoir. Et cet après-midi-là, leur audition commença par un coup d'assommoir, quand la petite Clara fut appelée à comparaître.

44

La fillette et sa famille arrivèrent au tribunal pendant
la suspension de midi, escortées par le shérif et une
équipe d'adjoints spécialement nommés. Le docteur ne
manqua pas de se poster à la porte de derrière pour
accueillir l'enfant, et à l'expression qu'elle eut en découvrant la foule qui l'attendait, c'était une bonne chose qu'il
fût là : même pendant les années que j'avais passées dans
la rue, j'avais rarement vu une gosse qui eût l'air aussi
perdue et désespérée. Scrutant la jungle de figures et de
corps qui assiégeaient la charrette des Weston, Clara ne
parut se calmer que lorsque ses yeux marron doré se
posèrent sur le docteur, et elle jaillit littéralement de la
voiture pour se ruer vers lui. Des journalistes proches
s'intéressèrent à cette réaction pour une raison que je ne
compris qu'en m'obligeant à voir l'affaire avec les yeux
de nos adversaires : si vous incliniez à penser que le
Dr Kreizler manipulait Clara, lui dictait ses propos et
ses actes, vous ne pouviez que trouver sinistre le besoin
manifeste qu'elle avait d'être auprès de lui.

Lorsque les Weston suivirent Clara et le docteur à l'intérieur, les hommes de Dunning se déployèrent devant
l'entrée pour maintenir les curieux dehors. Nous montâmes au bureau de Mr Picton, où nous mangeâmes des
sandwiches que Mrs Hastings avait donnés à Cyrus. Nous
nous efforçâmes d'être aussi joyeux que possible étant
donné les circonstances, et personne ne souffla mot de
l'affaire. Notre attitude n'apaisa cependant pas la tension

de Clara. Elle ne toucha pas à la nourriture, but simplement la citronnade que Cyrus lui avait servie. Chaque fois qu'elle reposait le verre, sa bonne main, poisseuse de jus et de sucre, cherchait celle de Mrs Weston ou du docteur. Paraissant ne rien entendre de la conversation anodine et des plaisanteries nerveusement échangées, elle fixa nos visages jusqu'à ce qu'il fût presque l'heure de retourner dans la salle. Alors, quand elle crut que personne ne lui prêtait attention, elle se tourna vers le docteur.

— Ma maman est là ? demanda-t-elle d'une voix très basse.

Il hocha la tête, souriant mais le regard grave.

— Oui. Elle est en bas.

Clara se mit à donner des coups de pied dans sa chaise, baissa les yeux vers son giron.

— C'est ma robe du dimanche, dit-elle, lissant de sa bonne main le mince tissu bleu à fleurs. J'ai pas voulu manger pour pas la salir.

Mrs Weston lui sourit.

— Clara, ma chérie, ne t'en fais pas pour ça. Si tu as faim…

L'enfant secoua la tête si vigoureusement que sa tresse passa devant sa poitrine, révélant la hideuse cicatrice de sa nuque. Le docteur effleura de la main la tête de la fillette.

— Très raisonnable, la complimenta-t-il. J'aimerais que Stevie apprenne à être aussi raisonnable que toi. Ses vêtements sont dans un état lamentable, la plupart du temps.

Clara me jeta un rapide coup d'œil et sourit.

— Ouais, fis-je, je suis un vrai porc, j'y peux rien.

Pour illustrer mes dires, je laissai tomber sur ma chemise un morceau de rosbif, stratagème qui suscita chez notre témoin un petit rire éraillé. Puis Clara détourna les yeux d'un air timide.

A deux heures, nous avions retrouvé nos places dans la salle, tandis que les Weston attendaient dehors avec Clara. Mr Picton avait choisi de commencer par le témoignage de l'ancien shérif, Morton Jones, une sorte de vieux dur à cuire grisonnant qui donnait l'impression de passer une bonne partie de sa retraite assis sur une chaise de bar. Jones déclara ce qu'il avait trouvé en arrivant à la maison des Hatch le soir du 31 mai 1894, et les mesures qu'il avait prises pour faire face à la situation, notamment téléphoner à Mr Picton. Son témoignage fournit aux jurés les données matérielles de l'affaire — que Mr Darrow ne chercha aucunement à contester. Quand vint son tour, il n'usa pas de son droit d'interroger le témoin.

Le procureur appela ensuite le Dr Benjamin Lawrence, ancien coroner. En arrivant chez les Hatch, dit-il, il avait trouvé l'accusée dans un état hystérique ; les enfants ensanglantés gisaient sur le canapé et la table, dans le salon. Il avait administré du laudanum à la mère pour la calmer puis il s'était occupé des enfants, constatant rapidement que Matthew et Thomas étaient morts. Clara vivait encore, bien que Libby et la gouvernante, Mrs Wright, fussent convaincues du contraire. Quoique très faible, le pouls était détectable, poursuivit-il. Il avait donné à l'enfant une demi-tablette de nitroglycérine puis lui avait injecté dans le bras un peu de brandy pour accélérer les battements de son cœur. Il avait ensuite cherché à arrêter l'hémorragie, mais la blessure se révélant trop grave pour ses capacités, il avait téléphoné à Saratoga pour demander au Dr Jacob Jenkins, un chirurgien, de venir le plus vite possible. Jenkins devait succéder à Lawrence dans le box des témoins mais, avant d'en avoir terminé avec le premier médecin, Mr Picton ne manqua pas de demander si l'état hystérique de l'accusée la paralysait. Pas du tout, répondit Lawrence. Quand il était arrivé, Mrs Hatch passait précipitamment d'une pièce à l'autre.

— Comme si elle avait un objectif, diriez-vous ?

Le médecin s'apprêtait à acquiescer quand Clarence Darrow se leva d'un bond.

— Je me vois contraint de soulever une objection, Votre Honneur. La question appelle une réponse à caractère spéculatif du témoin, qui ne pouvait savoir ce que Mrs Hatch avait en tête...

— Accordée, décida le juge. Je vous avais prévenu, Mr Picton — pas de suggestions. Le jury ne tiendra pas compte de la question du procureur.

Me penchant en avant, je vis le docteur cacher un sourire derrière sa main.

— Comme si c'était possible, murmura-t-il.

Mr Picton posa encore quelques questions au Dr Lawrence : avait-il assisté Mrs Hatch quand elle avait donné naissance à ses enfants ? Oui, répondit le médecin. Dans quel état Mrs Hatch était-elle après son troisième accouchement ? Le Dr Lawrence déclara que la naissance du petit Tommy avait été difficile et que, depuis, sa mère ne pouvait plus avoir d'enfants. (Mr Picton cherchait à préparer le jury à l'idée — que nous avions émise comme hypothèse dès le début de l'affaire — que Libby en voulait à ses enfants.) Mr Darrow contesta la pertinence de la question, ce à quoi l'adjoint au DA répondit en lui abandonnant le témoin. Une fois de plus, l'avocat déclina son droit au contre-interrogatoire.

Il fit de même avec le Dr Jenkins : après que le procureur eut questionné ledit témoin sur les soins administrés à Clara Hatch — en veillant particulièrement à faire comprendre aux jurés qu'il n'y avait aucun lien entre la blessure par balle de la fillette et sa longue aphasie — Darrow se leva, lâcha : « Pas de questions pour le moment, Votre Honneur », et se rassit aussitôt.

L'air un peu troublé, le juge se gratta le haut du crâne.

— Mr Darrow, commença-t-il lentement, je sais que vous avez une façon de faire différente dans l'Ouest, mais je présume que vous observez les mêmes règles de procédure ?

L'avocat sourit, se leva de nouveau.

— Je remercie la cour de sa sollicitude. Il se trouve simplement que la défense ne conteste pas la thèse de l'accusation concernant ce qui s'est passé immédiatement après les coups de feu. Du moins, pas pour ces témoins.

Le public sembla rassuré par la réponse. Quant au juge, il hocha plusieurs fois la tête et déclara :

— Très bien, maître. Tant que vous savez ce que vous faites...

— Je m'y efforce, Votre Honneur, dit Mr Darrow en se rasseyant.

Brown se tourna vers le procureur :

— L'accusation peut appeler son témoin suivant.

Mr Picton se leva, prit une longue inspiration, et je vis la main du docteur serrer son bras à en faire blanchir ses jointures.

— Votre Honneur, j'ai une requête inhabituelle à présenter, dit notre ami.

Les petits yeux du juge firent de leur mieux pour s'ouvrir tout grands.

— Vraiment ?

— Oui, Votre Honneur. Le témoin suivant est Clara Hatch. Elle n'a que huit ans, elle n'a pas vu sa mère — sa mère naturelle — depuis plus de trois ans. Les habitants de Ballston Spa... (à ce point, Mr Picton promena sur la salle un regard que j'aurais souhaité plus empreint de simplicité)... sont aussi charitables et délicats que ceux de toute autre communauté, je n'en doute pas. Mais compte tenu des particularités que je viens de rappeler, l'accusation souhaite que le public quitte la salle pendant la déposition de Clara Hatch.

— Hmm, fit Brown, tirant sur une de ses oreilles de singe. En règle générale, je ne suis pas partisan des audiences à huis clos. Elles rappellent un peu trop l'Ancien Monde, à mon goût. Mais je reconnais que vous soulevez un point important. Qu'en pensez-vous, Mr Darrow ?

L'avocat se leva plus lentement encore que d'habitude, plissant le front.

— Votre Honneur, comme la cour, nous concédons qu'il s'agit d'un témoin particulier, qu'il convient de traiter avec ménagement. Mais — et je le dis avec des sentiments mêlés — l'accusation a déclaré elle-même que cette petite fille est son principal témoin. En outre, elle a déjà comparu à huis clos, devant le grand jury. Je le répète, je comprends parfaitement la sensibilité d'une enfant, mais, Votre Honneur, ma cliente risque sa vie, dans ce procès. Quel que soit l'âge de cette fillette, si sa déclaration doit conduire sa mère sur la chaise électrique, je pense qu'elle doit être capable de la faire devant le même auditoire et sous les mêmes contraintes que tous les autres témoins qui défileront dans le box.

Le public, pour ses propres raisons égoïstes plus que

pour toute autre considération, manifesta son approbation par des murmures, et le juge n'hésita pas cette fois à jouer du marteau.

— La cour a conscience du préjugé de l'assistance en la matière, lança-t-il, parcourant les rangées d'un œil froid. Plus de commentaires, sinon je fais évacuer la salle !

Il prit la peine de vérifier combien de temps les spectateurs mettaient à obtempérer (quelques secondes seulement) et revint à Mr Picton :

— La cour est sensible aux préoccupations du procureur. Je peux vous assurer que si j'entends ne serait-ce qu'une épingle tomber pendant le témoignage de cette enfant, j'accéderai à la requête de l'accusation. En attendant, je crains que la considération due à la défense ne doive primer. L'enfant est nerveuse, c'est compréhensible, mais j'ose dire que l'accusée ne l'est pas moins. Appelez votre témoin, Mr Picton.

L'adjoint au DA ouvrit les bras.

— Mais, Votre Honneur…

— Le témoin, répéta Brown en se carrant dans son fauteuil.

Mr Picton baissa les bras, poussa un soupir.

— Très bien. Mais je me sentirai libre de rappeler à la cour ses engagements si le comportement du public venait à troubler mon témoin.

— Je serais fort surpris que vous preniez nos invités en défaut avant moi, répliqua le juge. Mais faites-le-moi savoir, je vous en prie, au cas improbable où cela se produirait. Poursuivez.

Le petit procureur prit de nouveau une longue inspiration et se tourna vers Iphegeneia Blaylock.

— L'accusation appelle Clara Hatch à témoigner.

Henry le gardien ouvrit l'une des portes d'acajou.

— Clara Hatch, dit-il d'une voix basse mais ferme.

Ils entrèrent : la petite fille en robe d'été, la main gauche soutenant la droite, suivie de Mr et Mrs Weston, transpercés par les regards brûlants de toutes les paires d'yeux de la salle. Pour la plupart, les spectateurs connaissaient le couple depuis l'enfance, mais, en des moments pareils, les années de connaissance et d'amitié peuvent s'écrouler sous la pression de la confusion, des soupçons, et de la peur pure et simple.

Cette fois encore, Clara inspecta la foule avec des mouvements rapides de sa petite tête ; lorsqu'elle trouva le visage du docteur, elle y arrima son regard, comme s'il était un phare pouvant guider jusqu'au port le petit navire de sa vie après qu'il aurait essuyé la tempête qui menaçait de l'autre côté de la barrière en chêne. Je me tournai pour regarder Libby Hatch : la mère de l'enfant (sa mère « naturelle », comme Mr Picton l'avait adroitement souligné) vit que Clara n'avait d'yeux que pour le docteur, et l'expression aimante, implorante, que cette femme avait réussi à imprimer sur ses traits, dans l'espoir d'émouvoir la fillette, se dégrada en une grimace de jalousie — et de haine. Quand l'huissier eut fait passer l'enfant par le portillon, Libby parvint à recomposer son expression et, bien qu'elle ne fût plus aussi tendre que l'instant d'avant, elle en était plus près que toutes les mines que je l'avais vue prendre jusqu'ici.

A mi-chemin, Clara s'arrêta de marcher, comme si elle sentait les yeux d'or lui vriller la nuque. Elle se retourna lentement pour regarder la femme en robe noire, qui lui sourit tendrement avant de porter ses mains à sa bouche pour retenir un sanglot — un seul. L'air étrangement calme, Clara prononça ces simples mots : « Pleure pas, Maman », d'un ton qui n'aurait pu être plus mûr ni plus attentionné. Ces mots réduisirent au silence toutes les personnes présentes dans la salle, comme la fillette avait été elle-même réduite au silence pendant trois ans.

Elle monta dans le box des témoins, leva sa main gauche, la bonne, suivant la procédure à laquelle le docteur l'avait préparée pendant de longues heures. Prévenu par Mr Picton, l'huissier prit la main droite sans vie du témoin et la plaça sur sa bible. Avec plus de douceur que d'ordinaire, il demanda :

— Jures-tu solennellement devant Dieu que le témoignage que tu vas faire devant ce tribunal...

— Je le jure, répondit Clara trop tôt, manifestant pour la première fois sa nervosité.

Jack Coffey leva un doigt pour lui demander d'attendre.

— … sera la vérité, toute la vérité, rien que la vérité ?

— Je le jure, répéta-t-elle en rougissant un peu.

— Décline ton identité complète.

— Clara Jessica Hatch.

Sur un signe de Coffey, elle s'assit, coula de nouveau un regard à sa mère et détourna aussitôt les yeux pour fixer le docteur. Il lui adressa un petit hochement de tête résolu afin de lui faire savoir qu'elle s'en tirait très bien. Mr Picton se leva et s'approcha du box.

— Bonjour, Clara, dit-il, d'un ton précautionneux et cependant jovial. (Elle ouvrit la bouche pour répondre, ne put que saluer de la tête.) Clara, j'aimerais que tu racontes à ces messieurs (il désigna le jury) tout ce qui est arrivé le soir du 31 mai, il y a trois ans. A ta manière. Tu peux faire cela pour moi, Clara ? (Au bout de quelques secondes, la fillette — dont on devinait les efforts pour ne pas regarder sa mère — acquiesça d'un nouveau hochement.) Alors, vas-y, s'il te plaît.

Elle prit sa respiration, referma les doigts de sa main gauche sur son avant-bras paralysé, puis rejeta l'air de ses poumons et commença son histoire, de sa voix éraillée et pleine de courage :

— On est allés en ville, acheter des choses. Et puis au lac…

— Le lac Saratoga ? demanda Mr Picton.

— Oui. On y allait en été. Pour voir le coucher de soleil. Des fois, y avait des feux d'artifice. Mais Tommy était fatigué. Et Matthew avait mal au ventre, parce qu'il avait mangé trop de caramels, alors, Maman a dit qu'on ferait mieux de rentrer.

— Maman ? Clara, est-ce que tu vois ta maman dans cette salle ? (La fillette hocha la tête.) Tu peux me la montrer, s'il te plaît ?

Elle leva les yeux, regarda brièvement Libby puis baissa de nouveau la tête en tendant le bras vers la table de la défense.

— Notez sur le procès-verbal que le témoin reconnaît l'accusée, Mrs Elspeth Hunter, anciennement Elspeth Hatch, plus connue sous le nom de Libby Hatch, comme sa mère, dit Mr Picton, qui se rapprocha du box des témoins. Dis-moi, Clara, reprit-il avec plus de douceur encore, avais-tu envie de rentrer, ce soir-là ?

Elle secoua la tête, en veillant à ce que sa tresse reste sur sa nuque.

— Non, monsieur. Je voulais voir le feu d'artifice.

— Et ta maman ? Elle voulait le voir aussi ?

— Oui. Mais elle disait qu'on devait ramener Tommy et Matthew à la maison.

— Elle était contente ?

— Non. Elle était en colère. Elle se mettait en colère, quelquefois.

— Elle a dit quelque chose qui t'a fait comprendre qu'elle était en colère ?

L'enfant hocha de nouveau la tête, mais avec réticence.

— Elle a dit que ce qu'elle voulait, elle, ça comptait pas — ça comptait jamais. Parce qu'elle devait toujours s'occuper de nous au lieu de faire ce qu'elle voulait.

— Elle t'a dit ce qu'elle aurait voulu faire exactement ?

Clara haussa sa bonne épaule.

— Je pense qu'elle avait envie de voir le feu d'artifice.

Laissant quelques instants à la petite fille, Mr Picton attendit avant de demander :

— Bon, vous êtes donc montés dans le chariot pour rentrer à la maison ?

— Oui, monsieur.

— Ta mère a fait quelque chose — elle était en colère, tu disais...

Le visage de Clara prit une expression perplexe.

— Elle nous a pas donné de fessée ni rien, si c'est à ça que vous pensez. Elle m'a juste demandé de faire monter les enfants dans le chariot, et on est partis.

— Elle te l'a demandé ? dit Mr Picton, montrant délibérément aux jurés une mine étonnée. Elle ne l'a pas fait elle-même ?

— Elle a essayé, mais Matthew s'est mis à pleurer. Alors, elle m'a demandé de m'en occuper, et elle est allée au bord de l'eau se laver la figure.

Le procureur adressa aux jurés un regard lourd de sens.

537

— Elle te demandait souvent de t'occuper des deux petits ?

— Oui, oui, fit Clara. C'était mon travail.

Il hocha la tête en continuant à regarder les jurés, qui ouvraient de grands yeux, comme le shérif Dunning à l'issue de l'audience du grand jury.

— Je vois, dit-il. C'était ton travail… Et une fois les garçons dans le chariot ?

— Maman est revenue, et on est partis pour la maison, répondit Clara, d'une voix moins ferme.

Percevant le changement, Mr Picton retourna près de l'enfant, se plaça de façon à ce que son corps barre à Clara la vue de Libby.

— Mais vous n'êtes pas arrivés à la maison, n'est-ce pas ?

Apparemment soulagée de ne plus voir sa mère, Clara secoua la tête d'un air moins hésitant.

— Non, monsieur.

— Pourquoi ?

Une autre inspiration, un autre regard au docteur, et elle poursuivit :

— On a retraversé la ville ; et quand on a été sur la route de la maison…

— La route de Charlton ?

Clara acquiesça de la tête.

— Tout d'un coup, Maman a arrêté le chariot sous un gros arbre, sur le côté de la route. Il faisait noir, à ce moment-là, et je savais pas pourquoi elle s'était arrêtée. J'avais peur.

— Où étais-tu assise ?

— A l'arrière. Je tenais Tommy pour qu'il embête pas Matthew — il s'était endormi.

— Qui s'était endormi ? Matthew ?

— Oui. Je voulais pas que Tommy le réveille, parce qu'il se serait remis à pleurer à cause de son ventre. Ça embêtait Maman. Je lui ai demandé pourquoi on s'était arrêtés. Pendant quelques minutes, elle est restée sans rien dire, à fixer la route. Je lui ai redemandé pourquoi, alors elle est descendue de la banquette, elle a fait le tour jusqu'à l'arrière. Elle tenait son sac à la main. Elle a répondu qu'elle avait quelque chose d'important à nous dire.

Entendant de nouveau trembler la voix de l'enfant, Mr Picton s'efforça de la rassurer :

— Tout va bien, Clara. Qu'est-ce qu'elle vous a dit ?

— Elle a dit qu'elle s'était arrêtée... qu'elle s'était arrêtée...

— Oui ?

Le regard de la fillette se perdit. Mon cœur se serra à la pensée qu'elle avait sombré de nouveau dans le silence horrifié qui l'avait si longtemps retenue prisonnière. Mâchoires crispées, le docteur devait craindre la même chose. Nous recommençâmes tous deux à respirer quand elle répondit, murmurant presque :

— Elle a dit qu'elle avait vu notre papa.

Le juge se pencha en avant, une main en coupe autour d'une de ses grandes oreilles.

— Parlez un peu plus fort, si vous pouvez, mademoiselle.

Elle leva les yeux vers lui, avala sa salive, répéta :

— Elle a dit qu'elle avait vu notre papa. Il a dit qu'il était avec le bon Dieu et que le bon Dieu voulait qu'on y soit aussi.

Mr Picton se tourna vers le box du jury.

— Pour votre information, le père de Clara, Daniel Hatch, est décédé le 29 décembre 1893, six mois environ avant le soir en question. D'une crise cardiaque soudaine et inexpliquée, ajouta-t-il en regardant Libby.

L'avocat de la défense jaillit de sa chaise.

— Votre Honneur, ce genre d'insinuation...

— Mr Picton, je vous ai prévenu... fit le juge.

— Je n'ai rien insinué, se défendit notre ami, ouvrant de grands yeux innocents. La vérité, c'est que tous les médecins de Ballston Spa ont examiné Daniel Hatch pendant sa maladie et n'ont trouvé aucune explication à son état.

— Alors, dites ça, maugréa Brown. Les demi-vérités ne valent pas mieux que les mensonges. Poursuivez.

— Clara, qu'est-ce que cela signifiait, d'après toi, que le Bon Dieu voulait vous avoir près de Lui ?

L'enfant haussa de nouveau son épaule gauche.

— Je savais pas. J'ai pensé qu'elle voulait dire qu'un jour... mais...

— Mais ce n'était pas ce qu'elle voulait dire, n'est-ce pas ?

Clara secoua la tête, assez fort cette fois pour faire osciller la tresse. Lorsque la cicatrice de sa nuque devint visible, un ou deux jurés la montrèrent aux autres.

— Non, répondit la petite fille. Elle a ouvert son sac. Elle a pris le revolver de Papa.

— Comment savais-tu que c'était celui de ton père ?

— Il le gardait sous son oreiller. Une fois, il me l'avait montré. Il m'avait dit de jamais y toucher, sauf s'il y avait quelqu'un de méchant dans la maison. Quelqu'un venu pour voler ou... Maman l'avait laissé sous l'oreiller après sa mort.

La voix de Clara se brisa. Elle avait l'air effrayée, si effrayée que même un coup d'œil au docteur ne la rassura pas. Mr Picton s'approcha plus près d'elle encore pour demander :

— Qu'est-ce qui s'est passé, Clara ?

— Maman, elle est...

La tête de la fillette se mit à trembler, la moitié gauche de son corps suivit. Serrant son bras valide autour d'elle, elle fit un violent effort pour continuer :

— Elle est montée dans le chariot. Elle a réveillé Matthew et elle m'a dit de lui donner Tommy à tenir. C'est ce que j'ai fait. Elle m'a regardée. Elle m'a dit que le moment était venu d'aller voir Papa et le bon Dieu. Que ce serait mieux pour nous, qu'il fallait faire ce que Dieu voulait.

Des larmes emplirent les yeux de Clara, roulèrent sur son visage. Serrant son bras autour de sa poitrine, elle tâchait de poursuivre :

— Elle m'a touchée avec le revolver...

— Où t'a-t-elle touchée, Clara ?

L'enfant indiqua le haut de sa poitrine, eut un sanglot.

— Et puis ?

— Je me rappelle qu'elle a appuyé sur la gâchette et qu'il y a eu une explosion, mais c'est tout. Je me rappelle rien d'autre. Jusqu'au moment où je me suis retrouvée dans mon lit, à la maison.

Mr Picton hocha la tête, lâcha une longue expiration.

— Très bien, Clara. C'est très bien. Nous pouvons parler d'autre chose, maintenant, si tu veux.

De la main, elle s'essuya les joues en murmurant : «D'accord.» Il lui laissa une ou deux minutes pour se reprendre et demanda d'une voix plus forte :

— Tu te souviens du révérend Parker ?

— Il... il disait la messe à l'église. Et il venait de temps en temps voir Papa et Maman.

— Que faisait-il quand il venait les voir ?

— Il mangeait avec nous. Quelquefois, il allait se promener avec Maman. Papa n'aimait pas y aller. Il disait que l'air était mauvais pour lui.

— Ta maman vous emmenait, toi ou tes frères ?

— Non. Elle disait que c'était pas notre place.

Mr Picton tendit le bras vers le box pour toucher l'épaule gauche de la fillette.

— Merci, Clara, dit-il, l'air soulagé.

Sans se soucier de parler assez fort pour être entendu des autres, il ajouta :

— Tu as été très courageuse. (Il regarda le juge et les jurés.) Votre Honneur, l'accusation n'a plus de questions à poser au témoin.

Il retourna à sa table, laissant Clara exposée au feu des yeux de sa mère. Pendant le témoignage de l'enfant, Libby s'était comportée comme le docteur l'avait prédit : d'abord elle avait pleuré en silence, s'était tordu les mains. Puis, quand le procureur s'était placé de manière que Clara ne puisse plus la voir, elle avait cessé de pleurer et ses traits s'étaient figés en un masque haineux. Mais les jurés avaient-ils remarqué son expression ? N'étions-nous pas les seuls à pouvoir déchiffrer son visage parce que nous connaissions toute son histoire ?

L'air terriblement seule maintenant que Mr Picton n'était plus auprès d'elle, Clara baissa les yeux, remua les lèvres silencieusement. Remarquant l'expression désespérée de la fillette, le juge se pencha vers elle.

— Clara ? Vous pouvez continuer ?

Elle sursauta, leva la tête.

— Continuer ?

— La défense doit maintenant vous interroger, dit

Brown, avec l'unique sourire que je lui vis de tout le procès.

— Oh, fit-elle, comme si elle avait oublié. Oui, je peux continuer, monsieur.

Le juge se redressa, tourna les yeux vers la table de la défense.

— A vous, Mr Darrow.

Pendant l'interrogatoire du procureur, l'avocat avait gardé les mains jointes devant sa figure, de sorte qu'il eût été difficile de voir sa réaction ou de deviner ce qu'il pensait. Lorsqu'il se leva pour le contre-interrogatoire, les mines soucieuses ou indignées dont il nous avait gratifiés jusqu'ici avaient fait place à une expression directe et détendue.

— Merci, Votre Honneur, répondit-il en souriant.

Il se dirigea vers le box des témoins, se plaça de manière à empêcher désormais la petite fille de voir le docteur. Au tribunal plus que nulle part ailleurs dans la vie, c'est un prêté pour un rendu...

— Bonjour, Clara, dit-il en s'approchant d'elle. Je sais que ce n'est pas facile pour toi, alors, je vais m'efforcer de te libérer le plus vite possible. (Elle baissa les yeux en guise de réponse.) Tu dis que tu ne te souviens plus de rien avant de t'être réveillée dans ton lit, c'est bien ça ? (Elle acquiesça de la tête.) Mais tu n'as pas pensé que tu avais fait un mauvais rêve ?

— Non. J'étais... blessée...

— Oui, tu étais blessée gravement, dit Mr Darrow, suant la compassion par tous les pores. Et tu as dormi longtemps, tu le sais ?

— Ils me l'ont dit après — les docteurs.

— Un long sommeil peut parfois vous égarer. Moi, quand j'ai trop dormi, il m'arrive de ne plus savoir où je suis à mon réveil.

— Je savais où j'étais, répondit Clara d'une voix douce mais ferme. J'étais à la maison.

— Brave petite, murmura le docteur, se tordant le cou pour essayer de la voir.

— Bien sûr, fit Mr Darrow. Mais le reste, tu le savais aussi ? Je veux dire, tu te souvenais de tout le reste en te réveillant ?

Comme si elle ne pouvait s'en empêcher, Clara regarda de nouveau sa mère, qui avait les larmes aux yeux et les mains jointes. L'enfant ramena brusquement la tête en arrière, comme si on l'avait tirée avec une corde.

— Je me rappelle que Maman criait. Et pleurait. Elle disait que Matthew et Tommy étaient morts. Je comprenais pas. J'ai voulu me lever pour lui demander, mais le docteur m'a donné un médicament et je me suis rendormie.

— Et lorsque tu t'es réveillée de nouveau ?

— Maman était près de mon lit. Avec les docteurs.

— Elle t'a dit quelque chose ?

— Elle a dit qu'on avait été attaqués — par un homme. Un fou. Elle a dit qu'il avait tué Matthew et Tommy... (Les larmes recommencèrent à couler lentement sur son visage.) Je me suis mise à pleurer, je voulais voir mes frères, mais Maman a dit que je pourrais plus jamais...

Clarence Darrow tira de sa poche de poitrine un mouchoir nettement plus propre que les vêtements qu'il portait.

— Tu le veux ? proposa-t-il. (Elle prit le carré de lin blanc qu'il lui tendait, essuya son visage.) Clara, combien de temps après ta maman est-elle partie ?

— Peu de temps après. Je crois. Je sais pas au juste.

— Mais elle est restée auprès de toi tout le temps jusqu'à son départ ?

— Avec Louisa, notre gouvernante. Les docteurs aussi, de temps en temps. Et Mr Picton nous rendait visite.

— Je n'en doute pas, dit l'avocat, coulant un regard aux jurés. Que t'a dit ta maman avant de partir ?

Après avoir de nouveau regardé Libby à la dérobée, Clara répondit :

— Qu'elle devait nous trouver un nouvel endroit pour vivre. Pour qu'on soit pas obligés de rester dans cette maison. Y avait trop de tristesse, là-bas : Papa était mort, Tommy et Matthew aussi. Elle m'a dit qu'elle chercherait un autre endroit et qu'elle reviendrait quand elle aurait trouvé.

— Et tu l'as crue ?

— Oui.

— Tu la croyais, en général ?

— Oui. Sauf…

— Sauf ?

— Sauf quand elle se mettait en colère, quelquefois. Alors, elle disait des choses que… je la croyais pas. Elle les pensait pas vraiment.

— Je vois, dit l'avocat, qui fit pivoter son corps en restant au même endroit. Donc, ton dernier souvenir de ce soir de mai, sur la route de Charlton, c'est ta maman qui te touche avec une arme, qui appuie sur la détente… et après ça, un grand bruit ?

— Oui.

— Mais tu ne t'en souvenais plus quand tu t'es réveillée ? (Clara fit non de la tête.) Et tu ne te souvenais plus de ce qui était arrivé à Tommy et à Matthew ?

— J'ai… j'ai pas vu ce qui est arrivé.

— Tu es sûre ?

— Oui.

— Et ta maman est partie, et tu es allée vivre avec Mr et Mrs Weston ? (Clara acquiesça.) Et pendant les trois années que tu as passées chez eux, jamais tu ne t'es souvenue de ce qui s'est passé ce soir-là ?

La réponse coûta à l'enfant un gros effort :

— Je… je m'en souvenais pas de manière à pouvoir en parler… Ou à pouvoir le montrer. Je pouvais seulement le voir. Dans ma tête.

Mr Darrow se retourna vivement vers Clara, qui sursauta et tenta vainement de regarder le docteur.

— Une phrase bigrement alambiquée, pour une petite fille. Pas de manière à pouvoir en parler ou à pouvoir le montrer, mais de manière à pouvoir le voir dans ma tête. Tu as trouvé ça toute seule ?

Elle baissa les yeux.

— C'était comme ça.

— Tu as trouvé ça toute seule, Clara ? répéta Mr Darrow. (Sans attendre de réponse, il fit un pas vers elle.) Ou ne serait-ce pas plutôt le Dr Kreizler qui t'aurait amenée à voir les choses de cette façon, et qui t'aurait soufflé ces mots pour le jour où tu comparaîtrais ?

Mr Picton se dressa comme si son siège était tapissé de charbons ardents.

— Votre Honneur, l'accusation proteste ! Nous avons demandé que l'on ménage ce témoin, et à quoi assistons-nous ? Réponses sollicitées, harcèlement...

Avant que Brown puisse réagir, l'avocat leva une main.

— Je retire la question, Votre Honneur, et je vais tenter de trouver des formulations plus acceptables pour le ministère public. (Il sourit de nouveau au témoin.) Clara, quand as-tu commencé à te souvenir de ce qui s'est passé ce soir-là ? Je veux dire, t'en souvenir au point de pouvoir en parler ?

Elle haussa une épaule, l'air plus inquiète encore après le bref mais dur échange entre les deux hommes.

— Y a pas si longtemps, je crois.

— Avant de rencontrer le Dr Kreizler ? (Elle secoua la tête, de mauvaise grâce.) Après ? Ou au moment où tu l'as rencontré ?

L'adjoint au DA se leva de nouveau.

— Votre Honneur, avec tout le respect que je lui dois, à quelle question l'éminent avocat de l'Illinois souhaite-t-il que le témoin réponde ?

— Asseyez-vous, Mr Picton, répliqua le juge. La défense est parfaitement dans son droit.

— Merci, Votre Honneur, dit Clarence Darrow. Alors, Clara ?

— Je n'avais pas oublié, répondit la fillette, dont les larmes se remirent à couler. Pas vraiment.

— Qu'est-ce que tu n'avais pas oublié ? Tu n'as jamais su ce qui était arrivé à Tommy et à Matthew, tu nous l'as dit. Donc tu ne pouvais t'en souvenir et tu ne t'en souvenais pas. Alors, qu'est-ce que tu savais et que tu n'avais pas oublié ?

— J'ai pas... commença Clara, qui leva vers le juge un regard implorant. Je comprends pas ce qu'il veut dire.

— Je veux dire, reprit l'avocat, d'un ton plus ferme, qu'est-ce que tu savais et que tu n'as jamais oublié ? Qu'est-ce que tu savais, que tu as oublié, et dont tu as commencé à te souvenir récemment ?

Parcourue d'un frisson, Clara ramena son regard sur

Mr Darrow, tenta de contourner la barrière de son corps pour voir le docteur qui, de son côté, essayait désespérément de se placer en position d'être vu.

— Par tous les diables, murmura-t-il, Darrow cherche délibérément à l'embrouiller…

— Je comprends pas ! s'écria la petite fille, pleurant ouvertement maintenant.

— Voyons, c'est très simple…

— Non ! Je comprends pas…

— Réponds, lui enjoignit l'avocat, surprenant tout le monde par la sévérité, la dureté, même, de son ton. Qu'est-ce que tu as toujours su, et qu'est-ce que tu as oublié mais que tu t'es rappelé il n'y a pas si longtemps, peut-être à peu près au moment où tu as fait la connaissance du Dr Kreizler, peut-être exactement quand tu as fait sa connaissance ? Clara ! Tu dois…

— Arrêtez ! cria une voix, faisant taire l'avocat et le brouhaha qui s'élevait des rangées. (Toute la salle se tourna vers la table de la défense, où Libby Hatch était en larmes, comme sa fille.) Laissez-la tranquille ! Vous n'avez pas le droit de la traiter comme ça, pas après ce qu'elle a vécu ! Si elle ne se souvient pas, elle ne se souvient pas ! Cessez de rudoyer mon enfant ! Arrêtez ! Arrêtez !

Portant les mains à son visage, Libby s'effondra sur la table au moment où le public se remettait à murmurer. Brown abattit son marteau.

— L'accusée est priée de se ressaisir ! ordonna-t-il. Et l'assistance aussi ! Mr Darrow, le tribunal aimerait savoir…

— S'il plaît à la cour, la défense renonce au reste de ses questions, déclara l'avocat. Vu les circonstances, nous demandons une suspension jusqu'à demain matin.

Le brouhaha redoubla, le juge se mit à frapper furieusement de son marteau.

— Silence ! Je ne tolérerai plus un seul bruit ! (Quand son injonction commença à faire effet, il lâcha son marteau, l'air fort mécontent.) Le témoin peut regagner sa place. L'audience est suspendue jusqu'à demain matin dix heures. J'espère que d'ici là, vous aurez adopté une conduite radicalement différente, sinon le tribunal poursuivra ce procès à huis clos !

Un dernier coup de marteau et l'huissier aida Clara — à présent secouée de sanglots — à descendre du box des témoins. Mr Picton se précipita vers elle, mais le regard tourmenté de la petite fille demeurait fixé sur sa mère, apparemment anéantie.

— Pleure pas, Maman ! lui cria-t-elle de nouveau tandis qu'on l'emmenait.

Le ton était différent : il avait perdu toute maturité, et le poids des sanglots accentuait le désespoir des mots.

— Pleure pas, c'est pour t'aider ! Tu verras, ça t'aidera… ils m'ont dit…

Libby Hatch ne releva pas la tête. Sentant ce qui se passait, le docteur s'approcha vivement du portillon de la barrière, mais, quand Clara le vit, son angoisse sembla encore augmenter. Passant devant lui, elle courut vers les Weston, qui la firent aussitôt sortir de la salle.

Le juge avait déjà quitté les lieux et, tandis que les jurés s'apprêtaient à faire de même, Mr Darrow prit l'accusée par le bras et l'entraîna vers la porte latérale.

— Elle se rappelle pas ! Elle se rappelle pas ! geignit-elle. Comment voulez-vous qu'elle se rappelle, ce n'est qu'une enfant ! Oh ! ma pauvre Clara, mon pauvre bébé !

L'air embarrassé, Mr Darrow se tourna vers les jurés. Leur expression déroutée parut le rassurer et il confia Libby au gardien qui se tenait derrière Iphegeneia Blaylock.

Quand le calme revint, Mr Picton rejoignit le Dr Kreizler. Le regard qu'ils échangèrent n'indiquait rien de bon, et je n'eus aucun mal à comprendre pourquoi. Le reste de l'équipe se regroupa, l'air préoccupé. Seul Mr Moore semblait plus intrigué qu'inquiet.

— Si vous voulez mon avis, Vanderbilt jette son argent par les fenêtres. Vous vous rendez compte : malmener une enfant de huit ans ! Darrow doit être cinglé ! Même sa mère…

Il s'interrompit en voyant nos têtes et finit par saisir ce que nous avions déjà deviné.

— Sapristi ! lâcha-t-il en frappant du pied. J'ai horreur d'être le dernier à comprendre. Il a tout manigancé, hein ?

— Le saligaud, **murmura** Marcus, plus médusé que furieux. Il a transformé un désastre absolu pour sa cliente en un avantage possible.

— Et elle a parfaitement joué son rôle, fit observer Mr Picton d'un ton de regret. Tu sais, John, des hommes comme Vanderbilt ne se maintiennent pas là où ils sont en faisant de mauvais choix. (Il émit un sifflement rageur, assena une claque à la barrière.) Qu'est-ce que cela peut faire à Darrow qu'on le prenne pour une brute insensible si, parallèlement, il arrive à convaincre les jurés que Libby aime sincèrement sa fille et serait incapable de lui faire le moindre mal ?

Je levai les yeux vers le docteur, dont le visage avait légèrement pâli. Il se tourna vers les portes d'acajou, comme s'il espérait que Clara allait revenir dans la salle, mais tout ce qu'il vit — tout ce que nous vîmes — ce fut les spectateurs sortant en file indienne, certains se retournant pour lancer à notre groupe des regards pour le moins dénués de sympathie. L'aliéniste chercha son siège à tâtons, s'y laissa tomber, les traits soudain livides — il était aussi blême, me rappelai-je avec frayeur, quand il avait appris le suicide de Paulie McPherson.

Sentant qu'on me tirait doucement le bras, je me tournai, découvris El Niño qui me regardait d'un air grave.

— *Señorito* Stevie, chuchota-t-il, tâchant de ne pas être entendu des autres. C'est pas bon.

— Ça, tu peux le dire.

L'indigène rajusta sa cravate de soie blanche, mit les mains sur les hanches.

— Cet homme, Darrow, vous êtes sûr que je dois pas le tuer ?

— En fait, répondis-je en secouant la tête, je commence à me le demander...

45

Nous fûmes d'autant plus déprimés, chez Mr Picton ce soir-là, qu'au début de la journée nous avions cru pouvoir prendre un avantage décisif. Au lieu de cela, le rusé Mr Darrow nous avait infligé au moins une partie nulle, voire une défaite. Il avait réussi à montrer que Clara était en réalité peu sûre d'elle ; il avait fait germer l'idée que la confiance apparente de l'enfant — et peut-être même toute son histoire — était l'œuvre du docteur. Certes, les faits, tels qu'elle les avait exposés, jouaient en notre faveur, mais comme tous ceux qui ont eu affaire à la loi vous le diront, ce ne sont pas toujours les faits, ce ne sont généralement pas les faits qui décident d'une affaire. Nous parlâmes peu pendant le dîner, les adultes dépensant la majeure part de leur énergie à faire subir une autre belle saignée à la cave de Mr Picton. Après le repas, Marcus et Mr Moore prirent le tramway pour Saratoga afin de se faire une idée de la réaction de l'opinion au témoignage de Clara — bien que la réponse parût évidente.

Pour ma part, la tombée de la nuit raviva mes inquiétudes au sujet de Kat. En sortant de table, j'allai faire une longue promenade ; à mon retour, je m'assis sur la véranda et tentai à nouveau de chasser mon sentiment de culpabilité en me disant que Kat aurait dû quitter New York, qu'elle était la seule à blâmer. Je n'y parvins pas. Plus je considérais le problème, plus je m'enfonçais dans cet état auquel j'aboutissais à chaque fois que je songeais à mes rapports avec Kat : une sorte de tristesse frustrée et, dessous, le sentiment que j'étais au moins en partie responsable de la situation.

Plongé dans ces ruminations, j'entendis à peine la porte grillagée s'ouvrir derrière moi. Je savais que c'était le docteur : il avait remarqué mon expression tourmentée pendant le dîner et venait s'assurer que j'allais bien. Je n'avais pas envie de parler — en règle générale, discuter de Kat avec d'autres me donnait le sentiment d'être stupide — et je lui fus reconnaissant quand il s'assit à côté de moi sans dire un mot. Nous écoutâmes un moment les grillons, nous échangeâmes quelques remarques sur un essaim de lucioles qui donnait une bonne imitation d'un ciel étoilé au-dessus de la pelouse de notre hôte. Mais chacun de nous restait muré dans ses propres soucis.

Ceux du docteur se devinaient aisément : le moment — terrible — où Clara était passée devant lui sans s'arrêter l'amenait à se demander s'il avait agi pour le bien de l'enfant ou s'il l'avait utilisée pour ses propres objectifs au lieu de l'aider. Je ne trouvais rien à lui dire : en toute honnêteté, je ne savais que penser. Le silence et l'oubli auraient peut-être mieux valu pour quelqu'un comme Clara, raisonnait une partie de moi-même ; affronter les démons du passé, surtout à un si jeune âge, n'était peut-être qu'un douloureux gâchis ; la clé de l'existence — malgré les théories auxquelles le docteur croyait, et auxquelles il avait consacré sa vie — consistait peut-être à laisser derrière soi les laideurs rencontrées et à aller de l'avant. Peut-être…

Nous étions encore assis sur la véranda quand Mr Moore et Marcus apparurent dans l'allée. L'aliéniste se leva, leur cria :

— Vous avez vu White ?

Le journaliste hocha la tête, montra une petite enveloppe qu'il remit au docteur en arrivant aux marches.

— Nous l'avons vu, mais il n'a pas dit grand-chose.

— Ce n'est pas tout, ajouta Marcus, tandis que le reste de notre groupe, attiré par les voix des deux hommes, nous rejoignait. Plusieurs autres personnes ont réservé une chambre aujourd'hui au Grand Union — aux frais de Mr Vanderbilt.

— Des témoins de la défense ? voulut savoir Miss Howard.

Marcus acquiesça, regarda son frère.

— Ils ont fait venir Hamilton, Lucius.

Le cadet des Isaacson ouvrit de grands yeux.

— Hamilton ? Tu plaisantes !

Marcus secoua la tête au moment où Mr Picton demandait :

— Qui est Hamilton ?

— Le docteur Albert Hamilton, d'Auburn, Etat de New York, précisa Marcus. Bien qu'il n'y ait aucune preuve qu'il possède un doctorat quelconque. Ancien vendeur de spécialités pharmaceutiques, il se prétend expert dans toute une série de domaines, de la balistique à l'anatomie en passant par la toxicologie. C'est un charlatan, mais il a réussi à se faire un nom dans les prétoires, et il a trompé plus d'une personne intelligente. En envoyant du même coup plus d'un innocent à la potence.

— Darrow l'a engagé ? demanda le procureur.

Marcus opina du chef.

— A mon avis, on vous réclamera le revolver et les balles demain matin dès l'ouverture de l'audience, pour que Hamilton puisse procéder à ses propres « analyses »...

— Mais c'est ridicule ! se récria Lucius. Hamilton est prêt à réciter tout ce que les gens qui le paient veulent qu'il dise !

— Ce qui est la façon la plus simple de devenir un expert renommé, marmonna Mr Picton. Il y a quelqu'un d'autre ?

— Oui, répondit Mr Moore. Et je n'aime pas les possibilités qu'implique sa présence. Darrow veut quelqu'un qu'il puisse présenter comme un expert en psychologie féminine — quelqu'un de la région, que le public connaît et pour qui il pourrait même avoir de la sympathie. (Il se tourna vers Miss Howard.) C'est ton amie, Sara : Mrs Cady Stanton.

— Mrs Cady Stanton ? répéta-t-elle.

— Mais elle était là ! rappela Cyrus, inquiet. Quand nous avons fait faire le portrait de Libby... elle sait que nous traquons cette femme depuis un moment...

— C'est justement pour ça que Darrow souhaite la faire témoigner, je suppose, dit Marcus. Il essaiera de faire croire que le docteur se livre à une chasse aux sorcières.

— Il n'ira pas loin, prédit l'adjoint au DA d'un ton assuré. Votre rencontre avec Mrs Cady Stanton relève d'une autre affaire, sur laquelle il n'y a pas encore d'enquête officielle, et je peux en tirer parti. Si Darrow risque ne serait-ce qu'une allusion à ce que vous avez fait à New York, j'amènerai le juge à lui taper sur les doigts pour tentative de sortir du cadre de l'affaire.

— Oui, dit Miss Howard, mais si Mrs Cady Stanton pense que nous nous acharnons sur Libby, elle nous sera hostile, et elle peut être très persuasive quand elle est montée contre quelqu'un. (Considérant cette éventualité, Sara décocha un coup de pied à l'un des piliers du toit de la véranda.) Bon sang, il est malin, cet homme !...

Le docteur avait écouté sans faire de commentaires, occupé qu'il était à lire la note du Dr White.

— D'autres bonnes nouvelles, Kreizler ? demanda Mr Moore, remarquant l'expression soucieuse de son ami.

— Certes pas ce que j'espérais, répondit-il avec un haussement d'épaules. White m'écrit que, vu les circonstances, il ne juge pas avisé de me rencontrer avant de témoigner. Ce n'est pas le genre d'attitude qu'il aurait normalement eue...

— Peut-être pas, dit Mr Picton. Mais c'est cohérent : Darrow impose le secret sur tout ce qui concerne cette affaire. Je crois qu'il a été un peu étonné de nous voir aussi bien préparés et qu'il tient à nous offrir quelques surprises en échange. En tout cas, c'est ce qui est arrivé aujourd'hui.

— Curieusement, il semble qu'il ne faille pas surestimer ce qui s'est passé, dit Marcus en se dirigeant vers la porte. Pas si l'on en juge d'après les cotes, chez Canfield.

— Où en sommes-nous ? demanda Cyrus, qui suivit le sergent à l'intérieur.

— Pas de changement, répondit Mr Moore. Toujours soixante contre un pour un acquittement, et Canfield trouve des gens prêts à parier, même avec cette cote.

Sans lever les yeux de la note qu'il avait reçue, le docteur s'enquit :

— Tu as perdu combien en obtenant cette information, Moore ?

Le journaliste rentra lui aussi, en bredouillant : « Ç'aurait pu être pire » d'un ton embarrassé. Aussi coûteuse qu'elle pût être, la nouvelle que les gens qui suivaient le procès avec le plus d'attention — les gros joueurs — ne pensaient pas que le numéro de Darrow nous avait porté un coup fatal était encourageante, et permit à tous de dormir un peu mieux, je crois. Lucius fut le dernier à se coucher : il devait témoigner le lendemain sur les preuves indirectes que nous avions contre Libby Hatch, et il tenait à ne rien laisser au hasard avant de se mettre au lit.

Il fut aussi le premier à se lever : en descendant, je le trouvai déjà prêt, vêtu avec soin, arpentant le jardin en marmonnant pour lui-même. D'un sang-froid remarquable lorsqu'il s'agissait d'enquêtes ou d'analyses scientifiques, il détestait (comme moi) être au centre de l'attention d'une foule d'inconnus, et nous nous serions tous sentis un peu mieux si Marcus, bien plus diplomate, avait été celui des deux frères qui témoignerait. Mais faire témoigner Marcus aurait donné à Mr Darrow la possibilité de laisser entendre, voire de déclarer carrément, que l'accusation avait enquêté sur son compte avant le procès, fait qui, s'il n'avait rien d'illégal, pouvait être présenté comme une preuve de notre désarroi.

Ce fut donc Lucius qui, juste après dix heures, prêta serment et s'assit dans le box des témoins, prêt à révéler toutes les informations que son frère et lui avaient tirées du revolver de Daniel Hatch depuis leur arrivée à Ballston Spa. La salle d'audience donnait une impression différente due aux nouveaux visages visibles derrière la table de la défense : le Dr William Alanson White, petit homme jeune portant lunettes ; Mrs Elizabeth Cady Stanton, resplendissante ; enfin, un type d'allure bizarre qui essayait de compenser sa taille minuscule en se rengorgeant comme un coq : le « docteur » Albert Hamilton, « expert » bien connu en balistique. Le Dr White et Mrs Cady Stanton n'accordèrent qu'un salut guindé et réticent à ceux d'entre nous qu'ils connaissaient afin de signifier d'entrée de jeu qu'ils désapprouvaient ce que nous manigancions, et je ne crois pas que cette atmosphère tendue contribua à réduire la nervosité de Lucius. Il n'en montrait pas moins un calme admirable, attendant d'être interrogé comme s'il faisait ça tous les jours.

En fait, soumis aux questions de Mr Picton, le sergent fut rien moins qu'impressionnant : il ne laissa de côté aucun détail, n'hésita pas dans ses réponses, et ne transpira même pas, du moins pas plus que n'importe qui d'autre par cette matinée chaude et moite. Ce ne fut qu'à la fin de son témoignage que les choses commencèrent à se gâter :

— Une dernière précision, sergent, sollicita de lui le procureur. Vous nous avez indiqué quand, approximativement, cette arme a été utilisée pour la dernière fois, et combien de coups ont été tirés. Vous nous avez expliqué pourquoi deux balles ont suffi pour frapper les trois enfants, vous avez souligné que la balle retrouvée dans le bois du chariot correspond au canon du revolver de Daniel Hatch. Au cours de votre examen, avez-vous relevé quoi que ce soit qui puisse permettre de hasarder une hypothèse sur l'identité de la personne qui a utilisé ce revolver en dernier ?

— Oui, répondit Lucius.

— De quoi voulez-vous parler ?

— Nous avons procédé à une analyse dactyloscopique. Nous avons comparé les résultats obtenus à des échantillons prélevés sur des objets familiers appartenant à l'accusée. Ils correspondent parfaitement.

Une fois de plus, Mr Darrow bondit de sa chaise.

— Je m'oppose au tour que prend l'interrogatoire, Votre Honneur ! L'accusation cherche à faire admettre un type de preuve qui n'a jamais été accepté par un tribunal américain, et je suis sûr que Mr Picton le sait parfaitement !...

— Très juste, approuva le juge. A moins que l'adjoint au district attorney ne soit en possession de nouvelles données scientifiques qui établissent la fiabilité absolue des empreintes digitales — car, je le précise pour les jurés, c'est de cela qu'il parle — ou à moins qu'il ne soit en mesure d'invoquer un précédent dans une affaire jugée par un tribunal américain, je ne lui permettrai pas de poursuivre dans ce sens...

— Votre Honneur n'aura pas à m'accorder cette autorisation, répondit Rupert Picton. En fait, nous ne souhaitons pas poursuivre l'interrogatoire. Nous prenons acte que la technique des empreintes digitales n'est pas encore reconnue par les tribunaux américains, bien qu'elle le soit en Argentine...

— Mr Picton, menaça le juge, levant son marteau.

— ... et que les autorités britanniques aient autorisé son utilisation en Inde par la police et...

— Assez, Mr Picton! beugla Brown, abattant son marteau.

— Votre Honneur, je prie la cour de m'excuser mais je crois avoir été mal compris, dit le petit homme, reprenant son air innocent. Je ne fais que mentionner des faits intéressants et, si l'on adopte un certain point de vue, fort importants. Je ne dis pas que les jurés doivent leur accorder un poids quelconque uniquement parce que les Argentins, les Indiens et les Britanniques le font. Après tout, nous sommes en Amérique, et il faut du temps pour accepter les nouveautés, dans ce pays. Je ne soumets pas ces analyses comme preuves, je les présente simplement comme une coïncidence assez remarquable qui pourrait intéresser le jury. Je n'ai plus de questions, Votre Honneur.

— Mr Picton, fit le juge en s'efforçant de maîtriser sa voix, si j'ai déjà entendu un aussi bel exemple de mauvaise foi dans un tribunal, je ne m'en souviens pas. Vous savez parfaitement que toute déclaration faite par un témoin doit être considérée comme une preuve! Je devrais vous inculper d'outrage à la cour — c'est d'ailleurs ce que je ferai si vous vous risquez de nouveau à ce genre de manipulation sémantique! Vous êtes ici pour présenter des preuves recevables, non pour faire des remarques sur des théories «intéressantes» et sans fondement! (Se tournant vers le box du jury, Brown poursuivit sur sa lancée :) Les jurés ne tiendront aucun compte de tout ce qui vient d'être dit, et qui sera rayé du procès-verbal. (Ce fut ensuite le tour de Lucius :) Quant à vous, sergent, si vous faites encore la moindre allusion aux empreintes digitales, je vous inculperai aussi d'outrage à magistrat !

— Oui, monsieur le juge, répondit le policier, penaud.

Avec un soupir exaspéré, Brown pivota vers la table de la défense.

— Le témoin est à vous, Mr Darrow ! Puisque je suis en veine d'avertissements, laissez-moi vous dire une chose à vous : plus de scènes hystériques comme celle que vous nous avez fait subir hier ! Ce procès se déroulera dorénavant dans le strict respect de la procédure. Si l'une des parties la transgresse de nouveau, je ferai boucler tout le monde !

L'avocat ne put retenir un sourire, qui provoqua un nouvel accès de fureur du juge. Pointant son marteau vers la tête de Darrow, il éructa :

— Ne commettez pas l'erreur de prendre mes mises en garde à la légère, maître, ou vous vous retrouverez dans le premier train pour Chicago !

Le défenseur de Libby effaça le sourire de ses lèvres en quittant sa table.

— Oui, Votre Honneur. Veuillez m'excuser ; vous avez été extrêmement patient.

— Vous pouvez le dire, grogna le juge, suscitant une vague de rires dans la salle. (Brown se leva, empoigna son marteau et frappa comme un dément sur son bureau.) L'avertissement vaut aussi pour vous !

A mesure que le calme revenait, le juge recouvra son sang-froid mais il attendit le silence total pour se rasseoir en grommelant quelque chose comme « ... en quarante ans de prétoire... ». Puis il braqua de nouveau son marteau sur l'avocat.

— Eh bien ! Allez-y, maître. Je n'ai pas envie de mourir avant la fin de ce procès.

Mr Darrow s'approcha de Lucius en hochant la tête.

— Sergent, dans combien d'affaires, selon vous, la balistique a-t-elle joué un rôle important ?

— Aux Etats-Unis ?

— Ah oui, sergent, pour ménager les nerfs de Son Honneur, je crois qu'il vaut mieux limiter notre discussion aux Etats-Unis...

J'eus l'impression que beaucoup, dans la salle, se retinrent de rire.

— Quelques-unes, répondit Lucius avec un haussement d'épaules.

— Pourriez-vous me donner un nombre ?

— Non, je le crains.

— Mais cette technique avec laquelle vous pouvez, dites-vous, déterminer quand une arme a servi pour la dernière fois, grâce aux moisissures et à la rouille qui se trouvent sur l'objet, elle a déjà été utilisée ?

— Plusieurs fois. Cela a commencé avec l'affaire Moughon, en 1879. L'accusé a été acquitté quand un armurier a établi que les moisissures et la rouille accumulées sur son pistolet prouvaient que l'arme n'avait pas été utilisée depuis un an et demi au moins. Or le meurtre avait été commis plus récemment.

L'avocat se dirigea d'un pas lent vers les jurés en secouant la tête.

— Je ne sais pas, sergent — cela tient peut-être à moi —, mais j'en ai vu, de la moisissure et de la rouille, dans ma vie. Cela me semble assez étonnant qu'on puisse en quelque sorte dater leur croissance, comme pour des créatures vivantes.

— Les moisissures sont des créatures vivantes, répondit Lucius, se risquant, malgré sa nervosité, à asticoter Mr Darrow. Et la rouille, c'est simplement l'oxydation du métal, qui suit un calendrier connu. Une fois qu'on a la formation requise, ce n'est pas sorcier.

— Que vous dites, sergent, que vous dites... Et je suis bien obligé de vous croire — pour le moment. Donc, cette arme aurait servi il y a trois ans, à quelques mois près. Et on a retrouvé une des balles dans le chariot. (Le visage de l'avocat se plissa.) Je ne voudrais pas paraître obtus, mais là encore... Combien d'affaires ont été élucidées avec cette technique ?

Lucius parut un peu moins à l'aise quand il répondit :

— Les armuriers établissent depuis des dizaines d'années que telle balle sort de telle arme...

— Ce serait donc une science exacte ?

— Tout dépend de ce que vous entendez par « exacte ».

— Je veux dire exacte, repartit l'avocat en revenant auprès du policier. Sans marge d'erreur.

L'inspecteur gigota sur son siège, tira un mouchoir de sa poche pour s'éponger le front.

— Il n'y a pas beaucoup de sciences qui n'admettent pas une marge d'erreur.

— Je vois. Ce n'est donc pas une science exacte. Et la balle elle-même ? Avez-vous un indice qu'elle ait servi pour l'un des meurtres ?

— Elle porte des traces de sang.

— Quel type de sang ?

Lucius se mit à transpirer plus abondamment et s'essuya de nouveau le visage.

— Il... il n'existe pas encore d'analyses permettant de distinguer un type de sang d'un autre.

— Ah, lâcha Clarence Darrow. En somme, vous nous dites : voilà une arme qui a été utilisée il y a trois ans environ — par qui, nous n'en savons rien —, et qu'on a retrouvée au fond d'un puits derrière la maison des Hatch. C'est peut-être avec cette arme qu'on a tiré une balle logée dans le bois du chariot des Hatch — balle dont on ne sait si elle a joué ou non un rôle dans les meurtres. C'est à peu près ça, sergent ?

— Je ne poserais pas le problème de cette façon. Il y a de fortes chances...

— Vos fortes chances laissent place à un doute raisonnable, sergent. Du moins, dans mon esprit. Mais passons à une question à laquelle vous pourrez peut-être répondre avec un peu plus de précision : dans combien d'affaires avez-vous témoigné comme expert en balistique ?

— Combien ? fit Lucius, manifestement pris au dépourvu.

— C'est une question simple, sergent.

Les yeux baissés, le cadet des Isaacson répondit à voix basse :

— C'est la première.

— La première ? dit Mr Darrow, qui jeta un coup d'œil au box des témoins avant de revenir aux jurés. Vous plongez en eaux bien profondes pour un homme qui nage pour la première fois, vous ne croyez pas ?

Tentant de résister, Lucius rétorqua :

— J'étudie la balistique depuis des années...

— Oh ! je n'en doute pas. Simplement, personne jusqu'ici n'avait eu l'idée de vous consulter. Je me demande pourquoi. Ce sera tout, sergent.

Comme Lucius commençait à se lever, le défenseur de Libby leva la main.

— Oh, une dernière chose. Vous avez déclaré au début de votre témoignage que vous appartenez à la police de New York. Puis-je vous demander... sur quelle affaire enquêtez-vous, actuellement ?

Abasourdi, Lucius se renversa en arrière, cherchant à gagner du temps.

— Actuellement ? Eh bien, l'adjoint au district attorney m'a chargé d'analyser...

— Je veux dire : pour votre service.

Lucius prit sa respiration.

— L'enquête que je mène actuellement n'a aucun rapport avec cette affaire, et il ne me semble pas approprié de...

— N'est-il pas exact, sergent, coupa l'avocat, que vous avez été chargé il y a quelques semaines d'enquêter sur le Dr Laszlo Kreizler — pour être plus précis, sur son rôle dans le suicide d'un des enfants dont il s'occupe, à l'Institut Kreizler de New York ?

Des exclamations de surprise montèrent de l'assistance.

— Objection ! rugit Mr Picton en se levant d'un bond. Votre Honneur, quel rapport l'enquête dont est actuellement chargé le témoin peut-elle avoir avec l'affaire ?

Le juge fit taire la salle à coups de marteau, saisit le lobe d'une de ses oreilles et dit à Mr Darrow :

— Maître, j'espérais que vous laisseriez les insinuations à l'accusation. Que cherchez-vous au juste, en évoquant un sujet aussi manifestement sans rapport avec l'affaire ?

— Votre Honneur, je crains de ne pas partager l'opinion de la cour sur ce point. Quand le dossier de l'accusation repose si lourdement sur les travaux d'un expert, quand l'intégrité et les compétences de cet expert font l'objet d'une enquête menée par un autre expert de l'accusation… Votre Honneur, le procureur n'est pas le seul à pouvoir déceler une coïncidence étonnante…

Les yeux du juge flamboyèrent.

— Peut-être, rétorqua-t-il, mais la cour ne tolérera pas plus les coïncidences de la défense que celles de l'accusation ! Si le sujet que vous abordez a un rapport direct avec cette affaire, expliquez-le-nous sur-le-champ, maître.

Mr Darrow écarta les bras en prenant à son tour un air innocent.

— Je prie la cour de m'excuser si mes remarques ont été déplacées…

— Déplacées et inadmissibles. Le jury ne tiendra pas compte des remarques de la défense concernant la mission actuelle du témoin pour la police de New York, et ces remarques seront rayées du procès-verbal. (Le marteau menaçant obliqua vers la table de la défense.) Et n'essayez plus ce genre de choses avec moi, Mr Darrow. Je n'admettrai plus qu'on mentionne ou qu'on explore un sujet quelconque qui ne concernerait pas cette affaire. Veuillez poursuivre.

— Je n'ai plus de questions, Votre Honneur, répondit l'avocat en s'asseyant.

— Mr Picton ? Souhaitez-vous réorienter l'interrogatoire ?

— Si cela pouvait effacer de la mémoire des jurés les insinuations de Mr Darrow, je réorienterais, soupira l'adjoint au DA. Comme c'est impossible…

— Alors, le sergent peut regagner sa place, décida le juge. Et l'accusation peut appeler son témoin suivant.

— Le ministère public appelle Mrs Louisa Wright.

Une légère agitation parcourut le fond de la salle quand Mrs Wright franchit les portes d'acajou.

46

Tandis que l'ancienne gouvernante descendait l'allée, le docteur se pencha vers Mr Picton :

— Et Parker ?

— Deux des adjoints de Dunning étaient censés l'amener par le train de ce matin. Ils devraient déjà être ici. Tant pis, je le ferai témoigner cet après-midi.

Vêtue d'une robe bleue démodée, Mrs Wright passa le portillon d'un pas assuré, tourna sa tête grisonnante et ses traits anguleux vers la table de la défense, ne montra aucune émotion lorsque son regard se posa sur Libby Hatch. Quand l'huissier l'invita à prêter serment, elle répondit par un : «Je le jure !» ferme et sonore, puis déclina son identité comme si elle s'attendait à ce que quelqu'un la mette en doute. Elle ne se départit pas de cette attitude pendant tout son témoignage, qui fournit aux jurés un tableau très clair de la vie chez les Hatch au moment des événements. Libby était une femme versatile, dit Mrs Wright, et capable d'accès de rage d'une extrême violence lorsqu'elle sentait ses désirs contrariés. Mr Picton veilla à faire comprendre aux jurés que la gouvernante n'avait aucune tendresse non plus pour Daniel Hatch et ne nourrissait aucune jalousie à l'égard de son ancienne maîtresse : comme elle l'avait déclaré à Miss Howard lors de notre première visite en ville, les seuls êtres pour lesquels elle eût une affection sincère dans cette maison, c'étaient les trois enfants, si perturbés par les excentricités de leur père et les changements d'humeur de leur mère qu'ils semblaient vivre dans un état permanent de nervosité.

Après avoir brossé ce portrait pas très riant de la famille Hatch, le procureur demanda :

— A quel moment le révérend Clayton Parker est-il devenu un familier de la maison, diriez-vous ?

— Au début, il passait pour les fêtes, Noël, etc., répondit la vieille dame, et naturellement, il avait baptisé Clara, mais c'est plus tard qu'il a commencé à venir régulièrement. Je crois que le premier soir où il est resté dîner, c'était pour le premier anniversaire de Clara.

— Et ensuite, il est venu souvent ?

— Oh ! au moins une fois par semaine, quelquefois plus. Mr Hatch s'intéressait de plus en plus à la religion, voyez-vous. C'est le cas de beaucoup de gens quand ils commencent à penser qu'ils n'en ont plus pour longtemps...

Mrs Wright, qui n'avait pas voulu plaisanter, fut surprise quand sa remarque provoqua des rires dans le public.

— Mais si ! insista-t-elle. J'ai vu ça souvent !

— Bien sûr, dit Mr Picton. L'intérêt de Mr Hatch pour l'Eglise constituait-il la raison principale des visites fréquentes du révérend ?

— Objection, Votre Honneur, fit Mr Darrow d'un ton monotone. La question appelle une réponse de nature spéculative.

— Alors, je la reformule, dit l'adjoint au DA avant que le juge lui enjoigne de le faire. Mrs Wright, était-ce avec Mr Hatch que le révérend passait le plus de temps pendant ses visites ?

— Non, monsieur. Après tout, il faut combien de temps pour faire un chèque ?

La remarque suscita de nouveaux rires, auxquels le juge répondit à sa manière habituelle : plusieurs coups de marteau irrités. Se penchant en avant, il adressa au témoin une remontrance enrobée de douceur :

— Si vous pouviez essayer de faire des réponses moins sarcastiques...

— J'essaie, monsieur le juge ! se défendit-elle, un peu offensée. C'est tout ce que faisait Mr Hatch quand le

562

révérend nous rendait visite : il signait des chèques, et il parlait quelques minutes de théologie. Le reste du temps, c'était madame qui s'occupait de leur invité.

— Pour quelle raison ?

— Je ne peux vous répondre. Je sais seulement ce que j'ai vu, six ou sept fois.

— Qu'est-ce que vous avez vu, Mrs Wright ?

Redressant le buste et plissant les yeux, l'ancienne gouvernante tendit un doigt vers la table de la défense.

— J'ai vu cette femme et le révérend. Dehors, dans le bosquet de bouleaux, à quatre cents mètres de la maison.

— Que faisaient-ils ?

— Pas le genre de choses qu'un pasteur fait générale-ment avec une femme mariée ! répondit Mrs Wright, qui semblait aussi scandalisée que si les événements qu'elle évoquait s'étaient déroulés la veille.

Le juge soupira.

— Mrs Wright, la question est directe. Pourriez-vous lui apporter une réponse de même nature ? J'ai suffisam-ment entendu jouer sur les mots, dans cette affaire.

La vieille dame leva vers le perchoir un regard indi-gné.

— Vous voulez... vous voulez vraiment que je dise ce à quoi je pense ?

— Ce serait tout à fait souhaitable, répondit Brown en essayant de sourire.

Mrs Wright joignit les mains sur son giron.

— Je ne sais pas si... enfin, si vous me l'ordonnez, monsieur le juge. (Elle prit sa respiration.) La première fois, j'étais allée chercher madame parce que Clara était malade. Je l'ai vue parmi les bouleaux avec le révérend. Ils étaient enlacés. Ils... ils s'embrassaient.

Les murmures de la foule déclenchèrent une nouvelle volée de coups de marteau.

— Et les autres fois ? demanda Mr Picton.

— Les autres fois... Eh ben, fit la gouvernante, mal à l'aise, certaines fois, c'était pareil. Mais pour les autres... ça se passait en plein été. Il faisait chaud, comme maintenant. Le sol est meuble dans le bosquet, couvert d'un lit de mousse... Je n'en dirai pas plus, juge ou pas juge. Je suis une femme convenable !

— Et nous ne vous demanderons pas de tenir des propos inconvenants, assura Mr Picton. Mais laissez-moi vous poser la question sous cette forme, Mrs Wright : serait-il exact de dire que vous avez surpris l'accusée et le révérend Parker quelque peu, voire totalement, dévêtus ?

A présent, l'ex-gouvernante se tortillait carrément sur sa chaise.

— Oui, monsieur. C'est exact.

— Et engagés dans des rapports intimes ?

Sa gêne tournant à la colère, elle répondit sèchement :

— Oui, monsieur ! Une femme mariée, avec la plus adorable petite fille qu'on puisse souhaiter ! J'appelle ça une honte !

Mr Picton se mit à aller et venir devant le témoin.

— Je présume que vous ne pouvez me fournir les dates précises de ces événements ?

— Précises, non.

— Non, bien sûr. Mais je vous pose la question autrement : pouvez-vous affirmer qu'ils ont précédé les naissances de Matthew et Thomas Hatch d'au moins neuf mois ?

— Votre Honneur ! intervint Clarence Darrow. Je crains que l'accusation ne cède encore à son penchant pour l'insinuation !…

— Je ne suis pas sûr de vous suivre, cette fois, répondit le juge. Bien que de manière fort irritante, l'accusation a présenté des preuves concernant la possibilité de commettre les meurtres, et le moyen employé. Je vais maintenant l'autoriser à aborder la question du mobile. Mais faites-le prudemment, Mr Picton.

— Oui, Votre Honneur, promit le petit procureur, qui semblait prêt à embrasser la vieille tête grise dodelinant au-dessus du perchoir. Mrs Wright, diriez-vous que les dates de ces événements coïncideraient à peu près avec la naissance des deux plus jeunes enfants ?

— Elles coïncidaient très bien, je me rappelle m'en être fait la remarque à l'époque. Et avec la tête qu'ils avaient, ces garçons… J'ai tiré mes conclusions.

— Quelle tête avaient-ils ? demanda Mr Picton, jetant

un coup d'œil au juge. Attention, pas de supposition, Mrs Wright.

Pointant de nouveau l'index vers la table de la défense, la vieille dame déclara :

— Ces garçons ne tenaient ni leurs cheveux ni leurs yeux de Mr ou Mrs Hatch. Tout le monde pouvait le voir. Et il y avait autre chose : quand on vit dans la maison où on travaille, on finit par connaître ses rythmes, pour ainsi dire. Mr et Mrs Hatch faisaient chambre à part. Au début du mariage, ils passaient de temps en temps la nuit ensemble, mais après la naissance de Clara… Mr Hatch n'a plus dormi que dans son propre lit et, s'il est arrivé à madame d'aller dans la chambre de son mari pour autre chose que lui apporter à manger ou lui donner ses médicaments, je ne l'ai pas vue faire.

— Quand avez-vous vu Mrs Hatch entrer dans la chambre de son mari pour la dernière fois ?

— Le soir de la mort des enfants. Elle courait comme une folle dans la maison — je n'arrivais pas à la retenir. Puis elle est restée enfermée dans l'ancienne chambre de Mr Hatch pendant cinq bonnes minutes.

— Enfermée ? Comment saviez-vous qu'elle avait fermé la porte à clé ?

— Elle y était quand le shérif et le Dr Lawrence sont arrivés. Ils sont montés, pour que le docteur lui donne un calmant, mais la porte était fermée à clé. Au bout d'un moment, elle est sortie en criant et s'est remise à courir. Elle disait qu'elle avait trouvé le revolver de son mari, qu'elle avait peur de faire une bêtise. Elle m'a demandé de la débarrasser de cette arme, alors, je l'ai enveloppée dans un sac en papier et je l'ai jetée dans le vieux puits.

— Vous vous rappelez quelle sorte de sac en papier ?

Mrs Wright hocha la tête.

— Mr Hatch achetait tout en gros, pour faire des économies. Il nous restait encore une caisse entière de sacs de la fabrique de Mr West.

Mr Picton alla à sa table, prit le rectangle que Lucius avait découpé dans le fond du sac contenant le Colt.

— Le sac aurait donc porté cette inscription ?

demanda-t-il en montrant le morceau de papier au témoin.

Après examen, la vieille dame acquiesça.

— Vous êtes sûre ?

— Certaine. Voyez-vous, il y a deux ans, la maison West a changé l'emplacement de l'inscription : elle est maintenant en haut du sac, plus au fond. Alors, s'il vous reste des modèles anciens, vous le remarquez forcément.

— Il vous en reste ?

— Oui, monsieur, je ne les jette jamais. Une veuve qui vit avec une pension de l'armée ne peut pas se permettre de gaspiller…

— Je n'en doute pas. Merci, Mrs Wright. Je n'ai plus de questions.

L'adjoint au DA se rassit, l'air satisfait qu'aucune des déclarations de son témoin n'ait été rayée du procès-verbal. De son côté, Mr Darrow semblait se concentrer sur un de ses changements de stratégie improvisés : les mains devant le visage, il demeura un long moment immobile et silencieux.

— Maître ? fit le juge. Vous avez des questions à poser au témoin ?

Seuls les yeux de l'avocat bougèrent quand il marmonna : « Rien qu'une ou deux, Votre Honneur. » Après une autre pause, il se leva.

— Mrs Wright, avez-vous observé dans le comportement de l'accusée quoi que ce soit qui puisse vous inciter à croire qu'elle serait capable d'assassiner ses propres enfants ?

Mr Picton, qui venait de se rasseoir, se releva aussitôt.

— Objection, Votre Honneur. Le témoin n'est pas qualifié pour donner un avis sur de tels sujets. Nous avons des aliénistes qui nous diront de quoi l'accusée est ou non capable.

— Oui, grogna le juge, mais ils se contrediront mutuellement et nous n'aboutirons nulle part. Le témoin est une femme d'un bon sens peu courant, il me semble et, après tout, c'est vous, Mr Picton, qui avez tenu à ce qu'elle fasse connaître son sentiment à la cour. Je l'autorise à répondre.

— Merci, Votre Honneur, dit Darrow. Alors, Mrs Wright ?

L'ex-gouvernante réfléchit, coula un regard à Libby.

— Je... je ne pensais pas qu'on me poserait cette question.

— Ah ? fit l'avocat. Désolé de vous surprendre, mais essayez quand même de fournir une réponse. Avez-vous jamais, pendant toutes les années passées à son service, soupçonné Mrs Hatch d'être capable d'assassiner ses propres enfants ?

La lutte qui se déroulait dans l'esprit de Mrs Wright était pleinement visible sur son visage.

— Qu'est-ce que fait Darrow ? murmura Mr Moore. C'est nous qui étions censés poser cette question !

— Il a senti ce que les jurés concluaient des déclarations de Mrs Wright, répondit le docteur. Il veut l'ébranler en la forçant à porter une accusation directe. Mais est-ce qu'elle se laissera ébranler... ?

Mr Darrow croisa les bras.

— Je suis toujours là, Mrs Wright.

— Ce n'est... commença-t-elle en se tordant les mains. Ce n'est pas le genre de chose dont on peut parler à la légère...

— Vraiment ? Il me semble que vous aviez moins de scrupules, il y a un instant. Laissez-moi vous venir en aide. Vous prétendez que Mrs Hatch avait une liaison torride avec le révérend Parker. Ne pensez-vous pas qu'il lui aurait été plus facile de partir avec lui, après la mort de son mari, si elle n'avait pas eu ses trois enfants à charge ?

— C'est une façon brutale de présenter la chose, dit Mrs Wright, jetant un nouveau coup d'œil à son ancienne maîtresse.

— Si vous connaissez une manière plus douce de porter de telles accusations, faites-le-moi savoir, répliqua l'avocat. Alors, Mrs Wright ?

— Vous ne comprenez pas, lui lança-t-elle d'un ton de défi.

— Qu'est-ce que je ne comprends pas ?

— J'ai des enfants, monsieur. Mon mari et moi en avons eu deux avant qu'il soit tué à la guerre. Je ne peux imaginer ce qui pousserait une femme à commettre un tel acte. Ce n'est pas naturel. Qu'une mère veuille détruire la vie qu'elle a mise au monde, ce n'est pas naturel.

— Votre Honneur, je me vois contraint de solliciter votre aide. La question est pourtant claire, ce me semble...

— Mrs Wright, on vous demande simplement votre opinion, intervint le juge.

— Mais c'est une accusation terrible à porter contre quelqu'un !

Sentant la peur de la vieille femme, Clarence Darrow s'approcha du box des témoins.

— C'est le ministère public qui la porte, et vous êtes son témoin. Allons, vous saviez qu'elle avait été rayée du testament de son mari, qu'elle ne pouvait hériter que si les enfants mouraient. Cela n'a pas éveillé vos soupçons ?

— Bon, d'accord ! finit par s'écrier Mrs Wright. Cela a éveillé mes soupçons, mais c'est quand même une accusation terrible à porter contre quelqu'un !

— Voyons si je vous comprends bien. Vous dites que Mrs Hatch est sujette à des accès de violence. Vous dites qu'elle avait une liaison avec le révérend Parker. Vous dites qu'elle voulait l'argent de son mari. Et vous dites maintenant que tout cela pousse à la soupçonner d'avoir tué ses enfants... mais vous n'avez pas exprimé de tels soupçons à l'époque ?

— Bien sûr que non, protesta-t-elle. On m'a demandé mon avis il y a une semaine seulement !

— Exactement, Mrs Wright, approuva l'avocat, très satisfait. Dites-moi, avez-vous connu d'autres femmes qui portaient la main sur leurs enfants ?

Le visage de la vieille dame prit une expression déconcertée.

— Oui, bien sûr.

— Avez-vous entendu parler de femmes qui trompaient leur mari ?

Elle remua nerveusement sur sa chaise, s'efforça de modérer son ton.

— Une ou deux, peut-être.

— Et de femmes qui ont épousé des hommes riches pour mettre la main sur leur fortune ?

— Peut-être.

— Pensez-vous que l'une d'entre elles ait été capable de tuer ses propres enfants ?

— Que voulez-vous dire ?

— Ce que vous venez d'entendre, Mrs Wright.

— Je-je ne sais pas...

— Mais vous avez des soupçons assez précis en ce qui concerne Mrs Hatch. Maintenant, veux-je dire.

— Je ne comprends pas.

— Oh ! je crois que si, répliqua Mr Darrow, se rapprochant de nouveau. Mrs Wright, ne jugez-vous pas maintenant Mrs Hatch capable de tuer ses enfants uniquement parce que l'adjoint au district attorney et ses enquêteurs vous l'ont suggéré ?

— Votre Honneur ! explosa Mr Picton en se levant. Si l'avocat de la défense insinue que le témoin ment...

— Je n'insinue rien de tel, Votre Honneur, répondit Mr Darrow. Je cherche simplement à retrouver les origines des soupçons de Mrs Wright, et à montrer qu'ils semblent aboutir, comme tant d'autres choses dans cette affaire, au procureur, et aux personnes qui le conseillent en la matière.

— Mr Darrow, dit le juge, je croyais que nous en avions fini avec les insinuations...

— Mais certainement, Votre Honneur. Je n'ai plus de questions à poser au témoin.

Il y eut une longue pause pendant laquelle l'adjoint au DA regarda son adversaire s'asseoir avec une expression mêlant rage et confusion.

— Mr Picton ? fit Brown, rompant le silence. Souhaitez-vous réorienter l'interrogatoire ?

— Non, Votre Honneur.

— Alors, Mrs Wright peut regagner sa place. Avez-vous un autre témoin à appeler, Mr Picton ?

Tout en s'efforçant de recouvrer son calme, notre ami regarda en direction de la porte, puis du shérif, qui haussa les épaules.

— Euh, apparemment, le prochain témoin de l'accusation n'est pas encore arrivé. Il devait être escorté jusqu'ici par deux des adjoints du shérif Dunning, mais je ne sais pas…

A ce moment, un jeune garçon se glissa entre les portes d'acajou. Vêtu de l'uniforme de la Western Union, il tenait à la main une enveloppe. Après avoir interrogé le gardien, il se dirigea vers la table que celui-ci lui indiquait. Le voyant approcher, Mr Picton dit au juge :

— Voilà peut-être des nouvelles du témoin, Votre Honneur. Si vous m'accordez un instant…

— Un instant, Mr Picton, dit Brown en se renversant contre le dossier de son siège.

Le petit télégraphiste remit l'enveloppe au procureur, lui réclama une signature. Mr Picton ouvrit le télégramme, le parcourut rapidement, le relut. A la troisième lecture, il blêmit et se laissa tomber sur sa chaise.

— Picton, murmura le docteur derrière lui, qu'est-ce qui se passe ?

Le juge se pencha en avant, l'air à la fois inquiet et un peu irrité.

— Mr Picton ? Vous allez bien ?

— Votre… Honneur, balbutia l'adjoint au DA, se remettant lentement debout. Je suis désolé. L'accusation s'apprêtait à faire témoigner le révérend Clayton Parker. Il devait prendre le train ce matin en compagnie de deux adjoints du shérif. Il semblerait qu'il ait eu… un accident…

— Un accident ? Quel genre d'accident ? demanda le juge.

Mr Picton baissa les yeux sur le télégramme, répondit lentement :

— Le révérend Parker est tombé sous les roues d'une locomotive entrant en gare ce matin à Grand Central. On l'a emmené gravement blessé à l'hôpital, où il est mort il y a trois quarts d'heure.

La nouvelle frappa la salle aussi brutalement que le train avait dû heurter le pasteur. Les spectateurs — dont un bon nombre avait appartenu à la paroisse de Parker — poussèrent des exclamations ; quelques-uns semblaient émus aux larmes. Quant à nous, nous étions trop sidérés pour dire ou faire quoi que ce soit. Aucune confusion dans nos esprits, cependant : nous savions tous que cette mort ne pouvait être accidentelle. Se faire écraser par un train à Grand Central, c'était quasiment impossible, à moins que quelqu'un ne vous aide — quelqu'un ayant l'expérience de ce genre de choses, quelqu'un de fort, quelqu'un d'assez fou pour commettre un tel acte au milieu de la foule, sans se soucier de la présence de deux adjoints. Un homme bourré de coco, par exemple. Un Hudson Duster.

Libby Hatch émit un son bref qui, je l'aurais juré, était un rire, mais, quand je me tournai vers elle, elle avait le visage enfoui dans ses mains et semblait pleurer.

Le juge Brown s'employa à rétablir l'ordre, quoique avec plus de ménagement que d'habitude. Quand la foule commença à se calmer, il parcourut la salle d'un œil sombre.

— La cour est attristée par cette nouvelle, dit-il. Le révérend Parker était connu et respecté dans cette communauté, malgré les allégations faites dans cette salle. Vu les circonstances, je propose que nous suspendions l'audience jusqu'à deux heures. Mr Picton, vous pourrez alors appeler votre témoin suivant. Ou, s'il vous faut plus de temps...

Bien qu'il parût encore sous le coup de la nouvelle, le procureur secoua la tête.

— Non, Votre Honneur. Merci. L'accusation sera prête à deux heures. Avec son témoin suivant...

Dès que le juge eut quitté la salle, le vacarme reprit et Mr Picton s'affala sur sa chaise. Ne sachant que dire, aucun de nous ne s'approcha de lui. Une fois de plus, nos plans avaient été déjoués, et le sort de notre cause semblait compromis : le témoignage de Louisa Wright, que Mr Darrow avait habilement manœuvrée, ne recevrait jamais aucune corroboration. Le petit procureur demeura un moment prostré puis finit par relever la tête et regarda notre groupe — sans s'attarder sur personne en particulier.

— Docteur, dit-il à voix basse, j'espère que vous serez fin prêt pour deux heures, parce que je ne peux pas laisser le jury sur ce qu'il vient d'entendre. (Il se tut, haussa un sourcil.) Vous êtes notre dernier espoir.

Apparemment conscient de la délicatesse de notre

situation, le Dr Kreizler hocha la tête. Et ce fut d'une voix parfaitement maîtrisée qu'il répondit :

— Tout ira bien, Mr Picton. J'ai peut-être appris une chose ou deux de notre ami Darrow…

47

En retournant dans la salle, cet après-midi-là, je remarquai que les gardes avaient changé de place, détail auquel je n'accordai sur le coup que peu d'intérêt. Le costaud qui se tenait habituellement derrière Iphegeneia Blaylock gardait maintenant la porte, tandis que notre vieil ami Henry, au front bas et à l'esprit lent, était à présent posté de l'autre côté de la barrière, près de la table de la défense. Attribuant cette modification à un désir des deux hommes d'échapper à la routine, je n'y prêtai guère attention, je le répète. Rétrospectivement, j'y vois le premier indice d'un événement bien plus sinistre, qui nous mènerait finalement à la conclusion inattendue et terrible de ce procès. Beaucoup de maux de tête nous auraient été épargnés si j'avais compris, si l'un d'entre nous avait compris ce que ce changement annonçait, mais le docteur, le seul qui, en toute logique, aurait pu le déchiffrer, était trop absorbé par son duel imminent avec Mr Darrow pour remarquer un détail aussi futile en apparence.

L'aliéniste s'assit dans le box des témoins juste après l'ouverture de l'audience et passa presque toute l'heure qui suivit à répondre aux questions de Mr Picton sur son travail avec Clara Hatch, puis à discuter de l'état mental de Libby Hatch. Aussi bien le jury que l'assistance semblaient disposés à accueillir son témoignage avec un certain scepticisme lorsqu'il commença à parler, mais, comme cela se produisait souvent quand il comparaissait, il gagna lentement quelques-uns d'entre eux à sa cause par ses déclarations claires et compatissantes, surtout quand il parla de Clara. Sans manquer de souligner qu'en soignant la fillette il n'avait fait que suivre sa procédure standard pour de pareils cas — dont, il le souligna également, il avait traité un grand nombre —, le docteur fit le portrait d'une petite fille intelligente et sensible dont l'esprit avait été terriblement traumatisé, mais non brisé, par les événements survenus le soir du 31 mai 1894. Sa description de Clara eut pour effet d'amadouer les jurés qui, au lieu d'être déconcertés par les détails de son diagnostic médical, finirent par s'y intéresser. A mesure qu'il évoquait les longues journées passées à dessiner avec l'enfant, sans jamais la forcer à parler, ni lui mettre de mots dans la bouche une fois qu'elle eut recommencé à communiquer, les douze hommes devinrent de plus en plus réceptifs, pourrait-on dire, de sorte que, lorsque Mr Picton commença à poser des questions sur Libby Hatch, ils étaient prêts à entendre ce que l'aliéniste avait à dire. Il n'y avait là aucune manœuvre : simplement, malgré son aspect singulier, son accent et la nature étrange d'une bonne partie de ses travaux, lorsqu'il parlait des enfants, il avait un ton si sincère, si aimant, que même les plus sceptiques ne pouvaient douter qu'il se souciait avant tout des jeunes êtres dont il avait la charge.

Les questions de Rupert Picton sur Libby Hatch visaient un unique objectif : démontrer qu'elle était non pas démente mais calculatrice et capable d'user de tout un éventail de méthodes pour obtenir ce qu'elle désirait. Le docteur parla des trois rôles qu'elle avait joués pour gagner sa sympathie — la victime, la séductrice, la furie vengeresse — et expliqua qu'aucune de ces attitudes n'était pathologique par nature. C'étaient en fait des méthodes couramment utilisées par divers types de femmes quand elles essayaient de prendre le dessus dans une situation donnée — en particulier dans leurs relations avec les hommes. Se faisant l'avocat du diable, Mr Picton demanda si le meurtre par une femme de ses propres enfants rentrait dans ce cadre, si l'on pouvait véritablement y voir une tentative pour mieux maîtriser sa vie et le monde. Là, le docteur se lança dans un long exposé de cas similaires où des mères avaient effectivement liquidé leur progéniture parce qu'elle les empêchait de satisfaire des besoins que ces femmes considéraient comme fondamentaux.

Il évoqua notamment un cas que nous connaissions tous fort bien : la vie et les crimes de Lydia Sherman, la « Reine des empoisonneuses ». L'aliéniste nota quelques similitudes intéressantes entre cette meurtrière et Libby Hatch : Lydia Sherman avait été, selon les termes du docteur, « inapte au mariage et à la maternité, tant du fait de son caractère que de sa constitution », mais cela ne l'avait pas empêchée d'aller à la chasse au mari et de mettre au monde une ribambelle d'enfants. Chaque fois que la situation devenait intolérable — ce qui ne pouvait manquer d'arriver, étant donné sa personnalité —, elle trucidait sa petite famille au lieu de reconnaître que le problème provenait peut-être d'elle. Une « dynamique » comparable commandait le comportement de Libby Hatch, dit le docteur. Pour une raison quelconque — il précisa que l'accusée s'était toujours refusée à lui parler de son enfance —, Libby ne pouvait tolérer le fossé entre ce qu'elle désirait et ce qu'elle pensait que la société attendait d'une femme. Entêtée, totalement absorbée par ses besoins et ses désirs, elle ne pouvait admettre que ses enfants se mettent en travers de ses plans, mais elle éprouvait aussi une envie désespérée d'être perçue comme une bonne mère, une femme aimante. Vue sous cet angle, la mystérieuse histoire du nègre fantôme sur la route de Charlton n'était pas si étrange : c'était le seul moyen d'apparaître aux yeux des habitants de sa ville comme une femme héroïque, non comme la meurtrière de trois gosses qui contrariaient ses projets. Mais il n'y avait là aucune démence, fit-il remarquer, on avait souvent envoyé des hommes à la potence pour des crimes semblables, sans que personne suggère qu'ils étaient fous.

N'y a-t-il pas toutefois une différence entre hommes et femmes en ce domaine ? demanda Mr Picton. Uniquement aux yeux de la société, répondit le docteur. Le monde en général ne peut accepter l'idée que ce que la plupart des gens considèrent comme le lien fondamental — celui qui unit une mère à ses enfants — n'a en fait rien de sacré. N'ayant pas fini d'énoncer les questions que les jurés — il affirma en être sûr — se posaient en eux-mêmes, Mr Picton demanda pourquoi Libby n'avait pas simplement abandonné les enfants pour recommencer sa vie ailleurs, comme le font souvent d'autres femmes. Etait-ce uniquement l'argent qu'elle espérait toucher à leur mort qui l'avait poussée à ce bain de sang ? Ces questions étaient destinées à permettre à Laszlo Kreizler de répéter l'idée centrale de son témoignage, de la marteler jusqu'à ce qu'elle pénètre dans la tête des jurés : le désir de l'accusée d'être reconnue comme une bonne mère était encore plus fort que sa cupidité. Tout être humain veut croire — et veut convaincre le reste du monde — qu'il est apte à remplir les fonctions fondamentales de l'existence. Pour les femmes conditionnées par la société américaine, c'était particulièrement vrai : on adressait aux jeunes filles le message suivant (et ici, le docteur emprunta à Miss Howard, qui, après tout, lui avait fait comprendre cette réalité) : si vous ne participez pas à la propagation de l'espèce, rien de ce que vous ferez par ailleurs ne compensera cette lacune. Libby Hatch avait probablement été « endoctrinée » par sa propre famille. Elle ne pouvait supporter qu'on voie en elle une femme ne voulant pas ou ne pouvant pas s'occuper correctement de ses enfants. Dans son esprit, il valait mieux qu'ils meurent plutôt qu'elle soit flétrie par cette tare. Mais d'aucuns verraient dans cette attitude de la démence, fit observer Mr Picton, et ne s'agissait-il pas en fait d'une forme de folie ? Non, répondit le docteur, c'était de l'intolérance. Une sorte, rageuse et vengeresse, d'intolérance. Or l'intolérance n'était pas — et selon lui ne serait jamais — considérée comme un trouble mental.

Nous qui étions assis aux deux premiers rangs, nous avions souvent entendu ces arguments, mais l'aliéniste et le procureur insufflèrent à la discussion assez de sang neuf pour nous la rendre captivante. Son effet fut encore plus puissant sur les jurés, à en juger par leur expression, et c'est la raison pour laquelle Mr Darrow tenta d'entrée de saisir le docteur à la gorge dès que Mr Picton se fut rassis.

— Dr Kreizler, est-il exact que vous et vos collaborateurs avez récemment essayé de prouver que l'accusée est coupable de la mort inexpliquée d'un certain nombre d'enfants à New York ?

L'adjoint au DA n'eut même pas à se relever : avant qu'il puisse formuler une objection, Brown frappa de son marteau, faisant taire les murmures que la question avait provoqués dans la salle et le box du jury.

— Mr Darrow ! vociféra-t-il. J'en ai par-dessus la tête de ces questions irresponsables, d'un côté comme de l'autre ! Je veux vous voir dans mon bureau, vous et Mr Picton, immédiatement ! (En se levant, le juge se tourna vers les jurés.) Et vous, messieurs, vous ne tiendrez pas compte de cette question, qui sera biffée du procès-verbal ! Le témoin peut quitter son box, mais rappelez-vous, docteur : vous serez toujours sous serment quand l'audience reprendra.

Le juge Brown disparut par la porte de derrière, suivi de Mr Darrow et de Mr Picton. Laszlo Kreizler se leva, nous rejoignit lentement.

— Je crois que c'est maintenant que le vrai procès commence, docteur, fit observer Lucius.

— Darrow prépare le terrain pour ses experts, ajouta Marcus, regardant en direction de Mrs Cady Stanton, du Dr White et du « docteur » Hamilton. Il sait qu'il ne peut vous attaquer pour incompétence, alors il essaie de jouer la carte du motif secret, mais je ne pensais pas qu'il l'abattrait si vite.

— Il n'avait pas le choix, répondit l'aliéniste. S'il avait essayé de s'acheminer peu à peu vers cette accusation, le juge ne l'aurait pas laissé aller jusqu'au bout. De cette façon, il est au moins sûr que les jurés l'ont entendue. Cela vaut bien un sermon dans le bureau de Brown.

— A propos de ses experts, on dirait qu'il s'en prépare encore de belles, là-bas, fit Cyrus, indiquant la table de la défense.

Libby Hatch s'était levée pour serrer la main de Mrs Cady Stanton, qui répondait « Merci, merci » aux flatteries que lui adressait sans doute l'accusée, comme elle l'avait fait avec le docteur lors de leur première rencontre.

— Je devrais peut-être essayer d'arrêter ça, suggéra

Miss Howard. Maintenant que le sujet a été abordé, pour ainsi dire, Mrs Cady Stanton comprendra sûrement…

— A votre place, je m'en abstiendrais, Sara, conseilla le docteur. Ne donnons pas de munitions à Darrow en tentant de fraterniser avec ses témoins.

Ses yeux noirs revinrent à la porte de derrière et il sourit en disant :

— Je me demande ce qui se passe là-dedans…

Il se passait — comme nous l'apprit plus tard Mr Picton — que l'adjoint au DA faisait au juge un exposé complet de ce qui nous avait amenés à Ballston Spa. Les détectives privés de Mr Darrow (qui étaient en fait ceux de Mr Vanderbilt, nous l'apprîmes par la suite) avaient dressé, avec l'aide du Bureau des inspecteurs de New York, et de divers employés de la maternité et de l'hôpital St Luke, un tableau assez précis de nos investigations sur Libby Hatch. La seule chose que l'avocat ne connaissait apparemment pas, c'était l'enlèvement de la petite Linares, et Mr Picton prit garde qu'aucune information ne lui échappe à ce sujet. Le juge Brown écouta d'un air exaspéré, et si ce compte rendu ne le rendit pas mieux disposé à notre égard, il renforça sa détermination à maintenir hors du procès tout ce qui ne lui était pas directement lié. Il se montra particulièrement ferme avec Mr Darrow sur ce point : la défense pouvait discourir à son gré sur les motifs personnels ou professionnels du Dr Kreizler, sur ses méthodes, mais il lui était interdit d'évoquer d'autres investigations. L'avocat répondit qu'il lui serait difficile de décrire les vrais mobiles du témoin sans parler de ces investigations, mais le juge s'en tint à sa position — comme Mr Picton l'avait prédit. Les trois hommes retournèrent dans la salle, où l'interrogatoire du docteur reprit :

— Dr Kreizler, quelle est exactement votre profession ? demanda Clarence Darrow quand les spectateurs eurent repris leurs places.

— Je suis aliéniste et psychologue. Je travaille en cette capacité dans la plupart des hôpitaux de New York. Je procède aussi à des évaluations de santé mentale pour la municipalité quand on me le demande, et je comparais comme expert dans des procès comme celui-ci. L'essentiel de mon temps est cependant consacré à un institut pour enfants que j'ai fondé il y a quelques années.

Le défenseur de Libby Hatch s'apprêtait à poser une autre question, mais le docteur montra ce qu'il voulait dire quand il avait déclaré avoir appris une chose ou deux de Clarence Darrow :

— Je dois ajouter que je n'exerce pas actuellement les fonctions de directeur de cet Institut, en raison d'une enquête sur sa gestion motivée par le suicide d'un jeune garçon que nous avions récemment accueilli.

Dépité de ne pas avoir eu l'occasion d'arracher cette précision au docteur, l'avocat enchaîna :

— On vous a en fait interdit l'Institut pendant une période de deux mois, est-ce exact ?

— Oui. Il n'est pas rare qu'un tribunal prenne cette décision en de telles circonstances. Cela a permis de mener plus librement et plus efficacement l'enquête sur ce qui a conduit ce garçon à en finir avec la vie.

— Cette enquête a-t-elle abouti ?

— Non, répondit le docteur en baissant les yeux.

— Ce doit être particulièrement frustrant, pour un homme qui a passé une grande partie de sa vie à tenter d'aider des enfants...

— Je ne dirais pas « frustrant ». Déroutant, certainement. Et bouleversant.

— Je ne suis pas aliéniste, docteur, dit Mr Darrow qui fit quelques pas vers les jurés, mais je dirais qu'en ajoutant « bouleversant » et « déroutant » on obtient facilement « frustrant », vous ne croyez pas ?

— Peut-être, concéda le docteur avec un haussement d'épaules.

— Et une personne frustrée dans un domaine peut être tentée de chercher satisfaction dans un autre — c'est du moins ainsi que je vois les choses.

L'avocat retourna à sa table, y prit un livre.

— Connaissez-vous un certain Dr Adolf Meyer ?

— Certainement, acquiesça Laszlo Kreizler. C'est un confrère. Et un ami.

— Il semble s'intéresser particulièrement aux enfants, si j'en juge par ses ouvrages. Je présume que vous avez lu ce qu'il a écrit sur les enfants affligés de ce qu'il appelle une « imagination morbide ». Vous pourriez peut-être expliquer au jury de quoi il s'agit.

Le docteur se tourna vers les jurés.

— Ce trouble affecte les enfants qui ne peuvent maîtriser leur imagination, même par un effort conscient. Ils souffrent souvent de cauchemars, de terreurs nocturnes, et parfois même, dans les cas les plus graves, d'hallucinations.

L'avocat de la défense prit un autre livre, retourna vers le box des témoins.

— Et ces deux docteurs européens : Breuer et Freud ? Vous les connaissez ?

— Oui.

— Ils ont procédé à une étude approfondie de l'hystérie et de ses effets. J'avoue que j'ignorais le véritable sens de ce mot avant d'ouvrir cet ouvrage. Je croyais qu'il s'appliquait à des dames surexcitées.

De petits rires fusèrent, et le Dr Kreizler attendit que le calme revienne avant de commenter :

— Le mot nous vient des Grecs, qui pensaient que les troubles nerveux violents étaient particuliers aux femmes et provenaient de l'utérus.

Mr Darrow sourit en reposant les livres.

— Nous savons à présent qu'il n'en est rien, n'est-ce pas ? Tout le monde peut être hystérique. Je crains d'avoir moi-même — sans le vouloir — poussé Son Honneur au bord de l'hystérie.

Il y eut de nouveaux rires, moins timides, mais le juge se contenta de lancer à l'avocat un regard glacial.

— Et je le prie de m'en excuser, poursuivit Mr Darrow. Mais je m'intéresse à ce que ces messieurs — Breuer et Freud — disent de l'hystérie. Pour eux, ses causes remonteraient à l'enfance, comme l'imagination morbide. Docteur, se pourrait-il que Clara Hatch souffre d'imagination morbide ou d'hystérie ?

Le docteur fit un effort manifeste pour ne pas tourner la question en dérision.

— Non, répondit-il. Ce n'est pas mon avis. Comme je l'ai expliqué au procureur, Clara a subi ce que j'appelle une « dissociation hystérique prolongée ». C'est un trouble tout à fait distinct de l'hystérie dont parlent Breuer et Freud.

— Vous semblez bien sûr de vous, après avoir passé... combien de jours avec cette enfant ?

— Dix au total.

— Travail rapide, estima Clarence Darrow, en feignant d'être impressionné. Et Paul McPherson, le garçon qui s'est tué dans votre institut ?

— Que me demandez-vous, au juste ?

— Est-ce qu'il présentait ces troubles ?

— Je ne saurais dire. Il n'a passé que peu de temps avec nous, avant sa mort.

— Ah ? Combien de temps ?

— Quelques semaines.

— Quelques semaines ? Cela n'aurait-il pas dû vous suffire pour formuler un diagnostic précis ? Pour Clara Hatch, il ne vous a fallu que dix jours...

Le docteur plissa les yeux quand il comprit où l'avocat voulait en venir.

— Je m'occupe de dizaines d'enfants, à l'Institut. Clara, en revanche, a bénéficié de toute mon attention.

— J'en suis persuadé, docteur. Tout à fait persuadé. Et vous lui avez expliqué que le travail que vous faisiez ensemble l'aiderait, c'est bien exact ? (L'aliéniste acquiesça de la tête.) Et qu'il aiderait aussi sa mère ?

— Chez une enfant comme Clara, le souvenir d'un événement terrifiant provoque une scission de la psyché. Elle s'est séparée de la réalité de cet événement en refusant de communiquer avec le reste du monde et...

— C'est très intéressant, coupa Mr Darrow, mais si vous répondiez à la question ?

Après un silence, le docteur eut un hochement de tête réticent.

— Oui. Je lui ai dit que si elle arrivait à parler de ce qui s'est passé, ce serait une aide pour elle... et pour sa mère.

— Aider sa mère était donc important pour elle ?

— Certainement. Clara aime sa mère.

— Même si elle semble croire que sa mère a essayé de la tuer ? Et qu'elle *a* tué ses frères ? (Sans attendre de réponse, Mr Darrow poursuivit son attaque :) Dites-moi, docteur, quand vous travailliez avec Clara, qui le premier a avancé l'idée que c'était sa mère la véritable coupable des meurtres de la route de Charlton ? Vous ou elle ?

L'aliéniste se redressa, indigné.

— Elle, bien sûr !

— Mais vous, vous pensiez déjà qu'elle était coupable, n'est-ce pas ?

— Je… (chose rare, le docteur avait du mal à trouver ses mots)… je n'en étais pas sûr.

— Vous êtes venu de New York à la demande du procureur mais vous n'étiez pas sûr ? Laissez-moi vous poser la question autrement : soupçonniez-vous la mère de Clara d'être coupable ?

— Oui.

— Je vois. Vous êtes venu à Ballston Spa, vous avez passé vos journées avec une enfant qui n'avait parlé à personne depuis trois ans, vous avez utilisé tous les trucs et techniques de votre profession…

— Je n'utilise pas de trucs, se hérissa le docteur.

— … pour capter la confiance de cette petite fille et lui faire croire que vous essayiez de l'aider, alors que, depuis le début, vous soupçonniez sa mère d'être la personne qui a tiré sur elle. Et vous nous demandez de croire que jamais vos soupçons n'ont transparu dans vos rapports avec l'enfant — à aucun moment, pendant ces dix jours ?

— Je ne vous demande pas de croire quoi que ce soit, répliqua Laszlo Kreizler. Je vous dis ce qui s'est passé.

Là encore, l'avocat ne parut pas entendre.

— Docteur, vous nous avez déclaré qu'après avoir perdu le jeune Paul McPherson vous étiez «dérouté», «bouleversé». Peut-on dire que vous l'êtes encore ?

— Oui.

— Dérouté, bouleversé… et potentiellement discrédité auprès de vos confrères, je présume, si l'enquête établit que Paul McPherson est mort faute d'avoir reçu à l'Institut l'attention et les soins que son état réclamait. Car, comme vous l'avez vous-même souligné, vous ne pouviez lui accorder toute votre attention. Et il est mort. Et vous êtes venu ici, tenaillé par un sentiment de culpabilité. Et vous vous êtes retrouvé face à une fillette à laquelle vous pouviez donner «toute votre attention», à qui vous pouviez épargner le sort de Paul McPherson. Mais seulement, seulement s'il y avait une réponse au mystère qui avait maintenu cette enfant dans le mutisme pendant toutes ces années. Et vous avez inventé une réponse...

— Je n'ai rien inventé! protesta mon maître, saisissant inconsciemment son bras gauche.

— En êtes-vous certain, docteur? rétorqua Mr Darrow, haussant la voix lui aussi. Etes-vous sûr de ne pas avoir implanté dans l'esprit de Clara Hatch, comme seul un aliéniste habile pourrait le faire, l'idée que c'est sa mère, non un fou quelconque qui a disparu et qu'on n'a jamais retrouvé, qui est coupable — tout cela pour qu'elle puisse de nouveau parler et mener une vie heureuse?

— Votre Honneur! C'est un harcèlement manifeste du témoin! s'indigna Mr Picton.

Le juge écarta l'objection d'un geste, ce que voyant, Mr Darrow poursuivit:

— Il y a simplement un petit problème, docteur. Pour que votre stratagème, pour que le stratagème de l'accusation fonctionne, ma cliente doit s'asseoir sur la chaise électrique! Mais que vous importe? Vous serez justifié, à vos propres yeux et à ceux de vos confrères. L'affaire Hatch fera plus que contrebalancer l'affaire McPherson! Votre précieuse intégrité sera restaurée, et les services du DA pourront clore le dossier! Pardonnez-moi, docteur, mais je ne suis pas disposé à accepter ce marché. Il y a dans la vie des tragédies qui n'ont pas de réponse!

Soudain, dans un geste qui nous sidéra, Miss Howard, Mr Moore, Cyrus et moi, l'avocat saisit son propre bras gauche et, singeant le docteur, nous signifia qu'il connaissait le secret du passé de Laszlo Kreizler.

— Oui, des tragédies sans réponse, docteur, comme vous le savez fort bien! Et chercher à prendre une revanche n'y changera rien! Accrocher la pancarte coupable au cou de ma cliente ne redonnera pas vie au bras inerte de Clara Hatch et ne ressuscitera pas Paul McPherson! Les choses ne sont jamais aussi claires, docteur, jamais aussi facilement explicables. Un détraqué a commis un crime et a disparu. Un jeune garçon est entré dans les douches et s'est pendu. Evénements horrifiants, inexplicables, mais je ne vous laisserai pas clouer ma cliente sur la croix uniquement parce que vous ne pouvez vivre sans explications ! Non, je ne le permettrai pas !

Se tournant vers les jurés, l'avocat leva vers les cieux un doigt épais, le laissa retomber, comme s'il était soudain épuisé.

— Et vous non plus, messieurs, je l'espère. (Il prit une longue inspiration, retourna s'asseoir.) Je n'ai plus de questions.

Jamais, je crois, je ne ressentis autant de compassion pour le docteur que lorsqu'il descendit du box des témoins pour se diriger vers l'endroit où nous étions assis. Je le savais profondément blessé par les mots de Mr Darrow et je ne fus pas surpris quand, au lieu de retourner à sa place, il poursuivit en direction des portes d'acajou. Sachant qu'il voulait être seul un moment, je ne le suivis pas, mais, dès que le juge annonça la suspension de l'audience jusqu'au lendemain matin dix heures, je courus vers la sortie, Cyrus et Mr Moore sur mes talons.

Nous découvrîmes le docteur de l'autre côté de la rue, fumant une cigarette à l'ombre d'un arbre. Il ne bougea absolument pas à notre approche et continua à fixer le bâtiment du tribunal en plissant les yeux. Mr Moore lui dit avec douceur :

— Mon vieux Laszlo, je crois qu'il te reste une ou deux choses à apprendre de Darrow…

Le docteur poussa un soupir mêlé de fumée, adressa un sourire quasi imperceptible à son ami d'enfance.

— J'en ai l'impression, John.

Nous entendîmes alors la voix de Mr Picton, qui apparut en haut des marches avec Miss Howard, les Isaacson et El Niño. Le petit homme roux nous vit et se précipita vers nous en brandissant le poing.

— Maudit bonhomme ! pesta-t-il après s'être assuré que le Dr Kreizler allait bien. Jamais vu un tel culot ! Je suis navré, docteur. Darrow se trompe ; il se trompe lourdement.

Les yeux de l'aliéniste se portèrent sur l'adjoint au DA mais sa tête demeura immobile.

— Il se trompe ? fit-il à voix basse. Oui, il se trompe au sujet de Libby Hatch. Et de cette affaire. Mais en ce qui me concerne ?

Avec un haussement d'épaules, il jeta sa cigarette dans le caniveau et s'engagea seul dans High Street.

48

A minuit, la cote d'une condamnation de Libby Hatch
avait grimpé à cent contre un au Casino de Canfield, et
il n'était pas difficile de comprendre pourquoi : Mr Darrow avait réussi à semer le doute dans l'esprit des jurés
sur les preuves balistiques de Lucius avant même que son
propre expert, Albert Hamilton, vienne témoigner. En
outre, l'hypothèse d'un mobile passionnel avancée par
Mrs Louisa Wright resterait à jamais invérifiable après
l'« accident » survenu au révérend Clayton Parker. Les
questions très efficaces de l'avocat sur les motivations et
les techniques du Dr Kreizler avaient ajouté la cerise sur
ce gâteau peu alléchant. Chacun de nous comprenait que
si le procès continuait dans le même sens, nous allions
droit à une défaite.

Rien d'étonnant, donc, à ce que le climat fût plus que
lugubre, ce soir-là, chez Mr Picton. On se serait cru à une
veillée funèbre. Résignés à perdre sur le terrain juridique,
nous concentrâmes nos efforts non sur ce qu'il restait à
faire au tribunal (c'est-à-dire à peu près rien en ce qui
nous concernait et, pour notre hôte, annoncer officiellement que l'accusation n'avait plus de témoins à faire
comparaître et prononcerait son réquisitoire) mais sur le
moyen de faire sortir Ana Linares du quartier général des
Dusters avant que Libby retourne à New York. Il fallait
prévenir Kat par l'intermédiaire de son amie Betty, recrutée par Mr Moore : il était convenu que nous lui adres-
serions un télégramme chez Frankie dès que nous juge-

rions le moment venu pour Kat d'intervenir. Le seul fait d'évoquer cette éventualité me mit les nerfs à vif, et j'envisageai un moment de descendre à New York m'assurer que tout était en place. Je savais cependant que si les Dusters me voyaient traîner dans le coin, la situation de Kat deviendrait encore plus périlleuse. Je restai donc à Ballston Spa, attendant avec les autres l'issue probablement désastreuse de notre entreprise.

— Le prochain siècle verra l'avènement d'une nouvelle sorte de justice, prophétisa Mr Picton, alors que nous étions tous réunis sur la véranda de sa maison, tard dans la soirée. Des procès où les victimes et les témoins seront jugés à la place des accusés... Ah! docteur, ce n'est pas un progrès, je puis vous le dire, et je ne veux pas y participer. Si cela continue, nous nous retrouverons dans un monde de ténèbres, où les avocats profiteront de l'ignorance du citoyen ordinaire pour manipuler la justice comme le faisaient les prêtres au Moyen Age. Non, cette affaire, si nous perdons, quand nous perdrons, sera la dernière pour moi.

— J'aimerais y trouver un aspect qui puisse vous réconforter, mais j'ai bien peur de n'en voir aucun, déclara le docteur. Darrow est le juriste de l'avenir, c'est clair.

— Et je suis un vestige, ajouta Mr Picton. (Il eut un rire bref.) Un vestige à quarante et un ans! Cela ne paraît pas très juste, hein? Ah! telle est la fortune des temps nouveaux.

Il faut lui rendre cette justice : à la différence de nombreux autres joueurs que j'avais connus, il savait perdre avec panache, et je crois que pas un de nous ne manqua d'apprécier sa capacité à prendre avec philosophie la déculottée qu'il venait de se voir infliger au tribunal — à l'exception, bien sûr, de Miss Howard, qui était toujours la dernière de notre groupe à accepter un échec ou une défaite.

— Si vous pouviez cesser de vous comporter comme si tout était fini, vous deux, bougonna-t-elle, s'asseyant sur les marches de la véranda avec une lampe à pétrole et une grande carte de l'Etat de New York. Darrow n'a même pas encore entamé sa plaidoirie, pour l'amour du ciel ! Nous avons encore le temps de trouver quelque chose...

— Ah ? Et quoi, par exemple ? répliqua Mr Moore. Regarde la situation en face, Sara : on ne peut combattre les préjugés de toute une société, plus une femme aussi mortellement rusée que Libby, plus l'une des bandes les plus violentes de New York, plus un génie du barreau comme Darrow, et espérer l'emporter. (Il se tourna vers Mr Picton, baissa les yeux.) Sans vouloir te vexer, Rupert.

— Il n'y a pas de mal, répondit le magistrat, saluant son ami avec sa pipe. Tu as tout à fait raison : le bonhomme a transformé en triomphe ce qui aurait dû être un désastre. Je lui tire mon chapeau.

— Bon, avant de vous précipiter dans la queue pour rendre hommage à ce serpent des prétoires, riposta Miss Howard, vous me permettrez peut-être de suggérer quelques efforts supplémentaires pour sauver notre cause ? (Elle ramena son regard sur la carte.) Il nous manque toujours la pièce principale : quelqu'un qui connaîtrait les parents de Libby Hatch.

— Sara, dit Marcus en tendant le bras vers le tribunal, en ce moment, le jury n'est pas très enclin à entendre une analyse psychologique du contexte familial de Libby Hatch.

— Non, convint-elle, et ce n'est pas ce que je propose. Ne l'oubliez pas, elle s'est présentée chez les Muhlenberg comme nourrice. Elle a donc eu un enfant, et cet enfant doit se trouver quelque part, sur ou sous terre.

— Mais vous avez déjà cherché pendant des jours, lui rappela Lucius. Vous avez parcouru quasiment chaque pouce du comté de Washington...

— Et c'est peut-être là que je me suis trompée. Réfléchissez, Lucius : si vous étiez à la place de Libby, si vous veniez d'obtenir une place de nourrice, est-ce que vous prendriez le risque de donner à vos employeurs la possibilité de vérifier vos antécédents ?

Avant que le sergent pût répondre, le docteur demanda :

— Que voulez-vous dire, Sara ?

— Qu'elle est trop maligne pour ça. Si elle a laissé un secret derrière elle dans sa ville natale, ou même simplement de la famille, cette famille savait probablement sur elle des choses dont Libby ne tenait pas à ce qu'elles soient révélées, en particulier aux personnes susceptibles de l'engager comme nourrice. Vous l'avez vous-même souligné, docteur : le comportement de Libby prend forcément ses racines dans son enfance. C'est pour cela qu'elle a fait en sorte que personne ne sache d'où elle venait vraiment. D'un autre côté, elle était obligée de donner comme provenance une ville qu'elle pouvait décrire, ou sur laquelle elle savait au moins quelque chose, pour que son histoire paraisse vraisemblable.

— C'est juste, approuva Cyrus. Elle a sûrement cherché à se couvrir, au moins de ce côté-là.

— Mais alors, elle peut venir de n'importe où ! s'exclama Mr Moore.

— John, essaie d'écouter plus de trente secondes d'affilée, lui renvoya Miss Howard. De n'importe où, c'est exclu. Elle savait que les Muhlenberg cherchaient une nourrice, donc elle était de la région. Elle parlait beaucoup de diverses petites villes du comté de Washington, donc, elle y avait passé quelque temps. Mais si elle s'efforçait de cacher ses origines, elle ne venait pas du comté de Washington, ce qui signifie...

Mr Picton claqua des doigts.

— Ce qui signifie que vous devez peut-être retourner à Troy, Sara. C'est le chef-lieu du comté de Rensselaer, situé au sud du comté de Washington — sur la rive droite du fleuve. Et Stillwater se trouve juste en face, de l'autre côté de la limite entre les deux comtés...

Miss Howard posa sa lampe à pétrole, tapota sa carte.

— Ce que je viens de remarquer il y a cinq minutes ! annonça-t-elle avec un grand sourire.

— C'est quand même un coup hasardeux, dit Marcus d'un ton las. Et cela vous obligerait à partir demain, à manquer...

— Manquer quoi ? l'interrompit-elle. Les experts de Darrow ? Mrs Cady Stanton ? Je sais ce qu'ils vont déclarer, et vous aussi. C'est évident — peut-être même superflu, à ce stade. Mais nous, nous devons faire vite. Cyrus, vous me seriez utile, si vous pouviez venir — Stevie aussi.

— Et El Niño pour vous protéger ! cria presque l'indigène, gagné par l'enthousiasme de Miss Howard.

— Bien sûr, dit-elle, caressant les cheveux crépus du Philippin. (Elle interrogea du regard le docteur et Mr Picton.) Alors ?

Le petit homme roux réfléchit en tirant sur sa pipe et finit par hausser les épaules.

— Nous n'avons rien à perdre, je suppose. Allez-y, risquez le coup.

— Moi je dirais que vous avez tous besoin de vous reposer, fit le docteur. Vous devrez prendre le train le plus tôt possible demain matin, si vous voulez disposer de la journée entière à Troy.

Notre quatuor — Miss Howard, moi, Cyrus, El Niño — se leva et se dirigea vers la porte grillagée. Je ne prétendrai pas que nous étions confiants, non, mais la perspective de faire quelque chose au lieu de passer une autre journée à voir Mr Darrow user du tribunal comme de son stand de tir personnel constituait une sorte de soulagement. Dans l'escalier, tandis que nous montions à nos chambres respectives, je saisis l'occasion de complimenter Miss Howard à ma manière pour son travail de réflexion :

— Etre une « détective vieille fille », ça laisse plein de temps pour faire marcher ses méninges, hein ?

Je me réfugiai dans ma chambre pour échapper à une taloche décochée par jeu — mais avec précision — en direction de ma tête.

Nous repartîmes donc pour une exploration de la campagne de l'Hudson Valley, à la fois plus urgente du fait des contraintes de temps et moins fastidieuse quant à la méthode puisque les longs trajets en chariot nous seraient cette fois épargnés. Nous prîmes le premier train pour Troy le lendemain matin et réussîmes à nous faire admettre dans les bureaux du comté de Rensselaer sans trop de difficultés. Sis dans un bâtiment qui présentait plus qu'une vague ressemblance avec une banque, ces bureaux donnaient sur un petit parc occupant le centre de la ville. De la fenêtre de la salle des archives, Troy nous parut nettement moins laide que vue du train. En fait, elle avait un certain charme — du moins dans ce quartier.

Cette impression tenait peut-être à la fraîcheur du temps, inhabituelle pour la saison, et à mon soulagement de ne pas devoir passer la journée au tribunal de Ballston Spa. Quoi qu'il en soit, les deux ou trois premières heures que nous consacrâmes à l'examen des registres d'état civil me semblèrent très courtes. Il n'y avait personne avec nous dans la vaste salle, hormis un employé dont la tâche principale consistait apparemment à rester éveillé. El Niño (qui ne lisait pas l'anglais) et moi (qui n'étais pas porté sur les documents officiels) faisions les pitres parmi les chaises et les tables tandis que Cyrus et Miss Howard se chargeaient du travail.

Vers une heure, Cyrus trouva une pépite d'or sous la forme d'un petit registre vieilli contenant les naissances et les décès survenus de 1850 à 1860 dans une ville répondant au curieux nom de Schaghticoke. Cherchant un bébé répondant au nom peu courant d'Elspeth, Cyrus dénicha non pas une « Fraser » mais une « Franklin », le nom du père. Le nom Fraser apparaissait plus bas : c'était celui de la mère.

— Vous pensez qu'ils n'étaient pas mariés ? demanda Miss Howard quand nous nous regroupâmes pour regarder les pages jaunies par-dessus les épaules du grand Noir. Libby est une enfant naturelle ?

— Cela expliquerait en partie sa conduite, répondit Cyrus. De toute façon, c'est facile à vérifier. Stevie, réveille notre ami, dit-il, indiquant du pouce l'employé assoupi, et demande-lui le registre des mariages de cette ville, disons pour les dix années précédant — quelle est la date de naissance de Libby ? — le 18 mars 1858.

— C'est comme si c'était fait, répondis-je.

Je courus au comptoir de l'employé, le tirai de son sommeil en giflant des deux mains le panneau de bois sur lequel il avait posé la tête. Grommelant et jurant, il se redressa, alla en traînant les pieds chercher le document réclamé — qui se révéla être un autre petit registre poussiéreux. Je l'apportai précipitamment à Miss Howard, qui s'assit à côté de Cyrus et commença à le parcourir en cherchant les noms Franklin ou Fraser.

— Voilà, dit-elle au bout de dix minutes. Officialisation d'un mariage de droit coutumier entre George Franklin et Clementine Fraser, le 22 avril 1852.

— J'ai trouvé deux autres enfants, annonça Cyrus, qui avait continué à éplucher son registre. George Junior, né en septembre 1852, et Elijah, né deux ans plus tard.

— Bon, fit Miss Howard, l'air presque déçue, *exit* l'hypothèse de la bâtarde. Il semble que Libby ait simplement pris le nom de jeune fille de sa mère en quittant sa ville natale.

— Et comment on fait pour savoir quand ? demandai-je. Si jamais on retrouve pas les parents, je veux dire.

— Nous savons qu'en 1886 elle travaillait pour les Muhlenberg. Nous pouvons jeter un coup d'œil au recensement de 1880 — cela limitera un peu le champ des recherches.

— C'est parti ! m'exclamai-je en retournant au comptoir.

Cette fois, l'homme m'entendit arriver et leva brusquement la tête avant que j'aie eu le temps de le faire sursauter. Quand il revint, il égalisa le score en laissant tomber sur mes mains un énorme registre. Je poussai un jappement et emportai la chose en marmonnant :

— Rien de tel qu'un boulot de rond-de-cuir pour aiguiser le sens de l'humour, hein ?

Le recensement de 1880 nous indiqua que Libby Hatch vivait encore avec ses parents à cette date — elle avait alors vingt et un ans. Nous apprîmes aussi — ce ne fut pas une révélation stupéfiante — que George Franklin exerçait le métier de « fermier », et que les deux garçons travaillaient avec leur père. Libby s'était-elle mariée alors qu'elle habitait encore le comté de Rensselaer ? C'était, estimions-nous, la seule autre question à laquelle le bureau des archives pourrait apporter une réponse. Un nouvel examen du registre des mariages ne donna rien, et nous ne pûmes que nous demander si elle s'était mariée dans un autre comté entre 1880 et 1886, ou si l'enfant qu'elle avait eu était illégitime. Ce dernier mystère ne fut pas éclairci par le registre des naissances puisqu'il ne signalait aucune Franklin ou Fraser ayant mis au monde un bébé. Laissant la question sans réponse, nous restituâmes la pile de registres à l'employé et partîmes pour la gare.

Nous prîmes le train de quatre heures pour Ballston Spa, et le retour se déroula dans un climat plus joyeux qu'à l'aller puisque nous ramenions au moins une information. Certes, il y avait toutes les chances pour qu'elle ne débouche sur rien : nous ignorions ce que la famille Franklin était devenue après 1880 (personnellement, j'aurais parié que Libby avait zigouillé tout le monde). Mais au moins, nous avions maintenant un point de départ pour nos recherches. Impatients d'apprendre la nouvelle au docteur et aux autres, nous montâmes au pas de gymnastique la pente menant de la gare au tribunal… et découvrîmes que l'audience avait déjà été suspendue. Nous redescendîmes en courant vers la maison de Mr Picton pour lui annoncer qu'il restait un espoir de découvrir d'autres informations.

La nouvelle ne fut pas d'un grand réconfort pour le reste des troupes après ce qui s'était passé au tribunal. Comme prévu, Mr Darrow avait ouvert le feu avec ses trois experts, qui avaient fait de leur mieux pour renforcer le penchant déjà prononcé du jury à croire Libby innocente. Albert Hamilton, le vendeur-de-remèdes-de-charlatan-devenu-expert-en-police-scientifique, avait réussi à débiter assez d'informations déroutantes sur les balles et les pistolets pour que les déclarations de Lucius paraissent sinon erronées, du moins invérifiables. Pour commencer, avait-il affirmé, la balle extraite du chariot pouvait provenir ou non du revolver de Daniel Hatch : parce qu'il n'existait pas de registre central des armes à feu (comme Lucius et Marcus nous l'avaient signalé) et parce que le Colt Peacemaker avait été un modèle très en vogue pendant des années, la possibilité que la balle ait été tirée par un autre revolver n'était pas d'une sur un million, comme le prétendait Lucius. Quant aux marques distinctives laissées sur le projectile même, Hamilton se donna beaucoup de mal pour expliquer que la production de l'usine de Samuel Colt respectait des critères d'une haute exigence, que les particularités de chaque article étaient similaires à celles de tous les articles du même modèle. Le défaut à l'intérieur du canon pouvait être commun à des dizaines, voire des centaines d'autres Peacemaker. Lors du contre-interrogatoire, Mr Picton avait demandé comment une usine ayant des critères de qualité aussi élevés aurait pu produire des centaines d'armes présentant le même défaut à l'intérieur du canon, question à laquelle Hamilton n'avait pu répondre. Mais aussi incompétent que l'homme pût paraître aux yeux de quiconque ayant des notions de balistique, il avait fait des ravages parmi les profanes du jury, et les déclarations de Mr Darrow, pour qui les preuves balistiques de l'accusation n'étaient pas recevables, se trouvèrent apparemment confirmées.

Quant au confrère du docteur, William Alanson White, sa tâche consista à contester l'affirmation du ministère public selon laquelle une femme saine d'esprit était capable de préparer et de commettre le meurtre de ses propres enfants. Il s'en était acquitté avec succès, aidé en cela par le fait que, pendant sa carrière, il ne s'était guère intéressé à la psychologie des relations familiales, en tout cas pas de manière controversée comme le Dr Kreizler et d'autres (Adolf Meyer, notamment). Limitant son domaine aux criminels et à leurs troubles mentaux, White fut perçu d'emblée comme moins étrange que Laszlo Kreizler, et donc plus digne de confiance. Par surcroît, il n'avait pas travaillé directement sur Clara Hatch, lacune qui, en d'autres circonstances, l'aurait fait paraître moins qualifié pour parler d'elle, mais qui, dans cette affaire perturbante où tout était sens dessus dessous, lui valut d'être tenu pour impartial et donc plus crédible. Lorsque Mr Darrow lui avait demandé son « avis autorisé » sur la condition mentale de Clara, le Dr White avait répondu qu'il ne pensait pas qu'on pouvait se fier aux souvenirs d'une enfant qui avait subi pareille épreuve. C'était ce que les jurés avaient envie d'entendre — c'était beaucoup plus facile à croire que les déclarations de la petite fille.

La partie principale du témoignage de White avait toutefois porté sur Libby Hatch elle-même : était-elle ou non capable du crime dont on l'accusait ? Le Dr White déclara qu'après avoir passé trois heures avec cette femme il s'était forgé la même opinion que le Dr Kreizler : Libby, bien qu'impulsive et émotive, ne souffrait d'aucune maladie mentale et était donc parfaitement saine d'esprit, en particulier au sens juridique de l'expression. Mais la conclusion que White en tirait était à l'opposé de celle du docteur : la bonne santé mentale de Libby était l'indice, voire la preuve, qu'elle n'avait pu tirer sur ses enfants. Selon White, il n'y avait que trois raisons pour lesquelles une femme pouvait commettre un tel crime : la folie, la misère, l'illégitimité de la progéniture. Aucune de ces raisons n'intervenant dans l'affaire, les explications de l'accusation n'étaient pas « crédibles ». « Le caractère même du crime, avait déclaré le Dr White (propos si extravagants que Mr Picton les avait notés), suffit pour établir un diagnostic de démence. » Libby Hatch ne présentant aucun trouble mental, elle ne pouvait donc être coupable, avait conclu White, usant d'une logique qui, là encore, aurait paru insensée à une oreille avertie mais qui séduisit le jury.

Qu'en était-il de tous les autres cas que Mr Picton et le Dr Kreizler avaient cités ? avait alors demandé Clarence Darrow. De ces femmes qui, indéniablement, avaient assassiné leurs propres enfants et avaient cependant été jugées saines d'esprit ? Lydia Sherman, par exemple ? Le Dr White répondit que, malheureusement, Lydia Sherman avait commis ses crimes à une époque où la science des troubles mentaux balbutiait. De plus, l'opinion avait été tellement bouleversée par les meurtres de la « Reine des empoisonneuses », les preuves et les témoignages à charge avaient été si nombreux, qu'elle n'avait quasiment eu aucune chance d'être jugée impartialement, encore moins d'être déclarée irresponsable de ses actes. Les aliénistes de l'époque n'étaient pas assez subtils pour comprendre ce qui n'allait pas chez cette femme, et l'opinion criait vengeance. Mr Darrow avait alors demandé à son témoin si, selon lui, on ne répétait pas avec l'affaire Hatch l'injustice faite à Lydia Sherman. Le Dr White avait répondu solennellement que, Libby Hatch étant innocente, l'injustice était cette fois encore plus grande.

Enfin, Mrs Cady Stanton avait conclu les témoignages en faveur de la défense. Mr Darrow lui avait posé des questions particulièrement adroites : le témoin, qui avait combattu toute sa vie pour les droits de la femme, n'estimait-il pas que les membres de son sexe devaient accepter à la fois les inconvénients et les avantages de leur condition inégale ? Ne pensait-elle pas qu'on ne devrait pas permettre aux femmes de « se cacher derrière leur jupe », d'invoquer leur sexe comme excuse ou comme explication dans certaines situations ? Tout à fait, avait répondu Mrs Cady Stanton, et si l'on avait accusé Libby Hatch d'un autre crime que l'assassinat de ses enfants, la vieille suffragette n'aurait pas pris la peine de venir à Ballston Spa pour témoigner. Mais dans ce seul domaine — donner la vie et élever les enfants — les hommes et les femmes ne seraient jamais égaux. Répétant ce qu'elle nous avait déclaré au 808, Broadway, Mrs Cady Stanton avait offert au jury et au public un exposé sur le « pouvoir créateur divin » des femmes, particulièrement manifeste dans les rapports entre une mère et son enfant. Si ce pouvoir était utilisé à des fins néfastes, avait-elle dit, la responsabilité ne saurait en incomber aux femmes : aucune d'entre elles ne pouvait trahir une force qui, par sa nature divine, était plus puissante que sa propre volonté. Non, si une femme se livrait à des violences contre ses enfants, c'était soit parce qu'elle était folle, soit parce que la société des hommes l'avait contrainte à cet acte — probablement les deux.

Mr Picton éprouva des difficultés sur ce dernier point, car, au cours des heures passées avec le Dr Kreizler, il en était venu à comprendre qu'il était effectivement fort possible que les actes de Libby Hatch aient été influencés par la société des hommes. Mais tous deux soutenaient que, indépendamment de cette influence, Libby était légalement responsable de ses actes, et l'adjoint au DA avait demandé à Mrs Cady Stanton si elle ne partageait pas cet avis. Non, avait-elle répondu, jetant au Dr Kreizler un regard signifiant qu'elle le savait lancé dans une véritable chasse aux sorcières, bien qu'elle ne pût en parler. Non : si les hommes conditionnaient et harcelaient une femme au point de lui faire assassiner ses enfants, ils la rendaient aussi démente — en tout cas sur le plan légal, c'est-à-dire incapable de comprendre la nature de ses actes, ou ce qu'ils avaient de condamnable. Et puisque ni les experts de l'accusation ni ceux de la défense n'avaient estimé que Libby était folle, elle ne pouvait avoir commis ces crimes.

Il n'avait fallu qu'une journée pour entendre ces témoignages qui, pris ensemble, apportaient une nouvelle preuve — non qu'elle fût nécessaire, commenta Mr Picton — que Mr Darrow était véritablement le maître de la plaidoirie au négatif. Sans faire comparaître sa cliente (décision toujours dangereuse pour la défense dans un procès pour meurtre), il était parvenu à mettre en pièces la thèse de l'accusation avec une logique si habilement retournée — cul par-dessus tête, pourrait-on dire — qu'elle tenait debout. D'abord dérouté, le jury s'était lentement laissé convaincre. Et les efforts désespérés de Mr Picton pour dénoncer cette pirouette verbale patente — affirmer que quelqu'un est innocent parce qu'il est sain d'esprit et que le crime dont on l'accuse est dément — ne servirent qu'à le faire apparaître comme la voix du passé, ainsi qu'il l'avait fait observer la veille. Au contraire, la logique négative et inversée de Mr Darrow avait un parfum de nouveau siècle, de pensée moderne. Toutefois, comme le petit procureur l'avait aussi souligné la veille, paraître nouveau ne vous rend ni plus honorable ni plus respectable, mais simplement plus efficace avec un jury. Ce qui est, au bout du compte, l'idée que la plupart des avocats se font du progrès, je suppose.

Mr Darrow n'avait pas clos l'exposé de sa cause et pouvait théoriquement faire comparaître Libby Hatch le lundi s'il le souhaitait. Ce n'était cependant pas nécessaire. Le numéro auquel elle s'était livrée pendant le témoignage de Clara avait été bien plus efficace que toutes les protestations d'amour pour ses enfants qu'elle aurait pu faire, et permettre à Mr Picton de la mettre sur le gril durant le contre-interrogatoire (l'accusation n'a pas elle-même le droit d'appeler l'accusé à témoigner) n'aurait pu que causer des ennuis à la défense. Non, du point de vue de Mr Darrow, il valait mieux laisser Libby où elle était : à la table de la défense, veuve éplorée, mère aimante dont la vie avait été saccagée par des pertes et des tragédies terribles et qui, en dépit d'efforts héroïques pour survivre sur un océan de difficultés, était à présent persécutée par des autorités confrontées à leur incapacité à résoudre une vieille affaire de crime barbare, et par un aliéniste ne songeant qu'à restaurer sa réputation.

Il n'était pas difficile, dans ces conditions, de comprendre pourquoi les nouvelles que nous rapportions de Troy ne réconfortèrent guère nos amis : ce qui, dans le passé, avait fait de Libby Hatch la femme qu'elle était maintenant — ou qu'elle était le soir où elle avait tiré sur ses trois enfants — semblait de l'histoire ancienne. Comme Marcus l'avait fait remarquer la veille, les jurés n'en étaient plus à attendre des explications psychologiques sur le contexte ayant engendré une jeune fille normale, saine d'esprit, qui serait un jour capable d'assassiner ses propres enfants. En fait, ils n'en étaient plus à croire qu'elle les avait assassinés tout court, et si nous tentions d'introduire cette notion de contexte, nous ne ferions que brasser de l'air. La seule chose utile sur laquelle pouvaient déboucher nos recherches, c'était la découverte que Libby avait commis un autre crime violent avant de devenir nourrice chez les Mulhenberg.

Cette éventualité semblait cependant assez improbable pour tout le monde — excepté, là encore, pour Miss Howard, qui refusait d'abandonner la monture qu'elle chevauchait avant qu'elle soit morte de fatigue. Et le samedi matin, notre quatuor montait de nouveau dans le *surrey* de Mr Picton. (Le docteur aurait souhaité nous accompagner, mais il estimait de son devoir personnel d'aller ce jour-là à la ferme des Weston pour s'enquérir de l'état de Clara.) La ville de Schaghticoke était située à une dizaine de kilomètres de la rive droite de l'Hudson, ce qui impliquait une autre traversée en bac, un autre trajet monotone dans une campagne pas très différente de celle des comtés de Saratoga et de Washington. Nous découvrîmes en arrivant qu'on préparait quelques champs pour la foire du comté de Rensselaer, ce qui contribuait sans doute à rendre plus cordiales que d'ordinaire l'atmosphère et l'attitude des habitants de la ville : nous ne dûmes interroger que quelques personnes sur la ferme des Franklin avant qu'une bonne âme nous indique exactement comment nous y rendre.

Elle s'étendait à l'est de la ville, le long d'une route

peu fréquentée et creusée d'ornières qui semblait annoncer une autre maison sinistre hantée par les fantômes de la violence et de la tragédie. Vous imaginez ma surprise quand, au sortir d'un tournant, j'avisai deux champs de maïs bien entretenus à gauche, des prés entourés d'une clôture neuve à droite. Plus étonnant encore, une maison petite mais d'aspect pimpant, fraîchement repeinte en blanc, et dont la pelouse soigneusement tondue était ceinte de jolies bordures de fleurs.

Nous tournâmes dans la courte allée menant à la maison sans d'abord voir âme qui vive, mais bientôt un homme en sortit pour se diriger vers une grange dont le toit apparaissait au-dessus des épis de maïs. Agé de quarante-cinq ans environ, il avait l'air plutôt sympathique.

— On s'est trompés d'endroit, grognai-je en arrêtant la voiture devant la ferme.

Déconcertée, Miss Howard regarda un moment autour d'elle puis descendit du *surrey* et se dirigea vers la porte de la clôture de piquets blancs entourant la pelouse.

— Restez ici, nous ordonna-t-elle.

N'aimant pas beaucoup l'idée de la laisser parler seule à un inconnu, El Niño tira de sa veste son arc et ses flèches (il avait aménagé la doublure de mon habit de soirée pour y loger ses armes) et garda un œil attentif sur la cour.

— Excusez-moi ! cria Sara, parvenue au coin de la maison.

L'homme se retourna et, souriant, trottina vers l'endroit où elle se tenait.

— Bonjour, dit-il, essuyant ses mains à son pantalon. Je peux faire quèque chose pour vous ?

— Je l'espère. Je m'appelle Sara Howard, j'enquête pour les services du district attorney du comté de Saratoga. Je cherche Mr et Mrs George Franklin.

Le fermier plissa les yeux d'un air intrigué, mais ne perdit pas tout à fait son sourire.

— C'est mes parents. Enfin, c'était. Le père est mort y a de ça cinq ans.

— Oh. Je suis désolée. Et votre mère ?

— Elle est à Hoosick Falls, en visite chez mon frère

et ma belle-sœur, répondit l'homme. Ils ont un magasin là-bas. Elle sera pas de retour avant demain. De quoi il s'agit?

Adoptant le même ton cordial que le fermier, Miss Howard demanda :

— Vous ne seriez pas George Junior? Ou Elijah?

Il inclina la tête d'un air étonné.

— On dirait que vous connaissez la famille, mam'zelle. Je suis Eli — c'est comme ça qu'on m'appelle. Y a quèque chose qui va pas?

— Je... commença Miss Howard, qui nous coula un regard, comme si elle ne savait comment procéder. Mr Franklin, si je puis me permettre, avez-vous eu récemment des nouvelles de votre sœur?

— Libby? fit le fermier. (Un nuage passa sur ses traits et il baissa les yeux, l'air mal à l'aise.) Non. Non, ça fait, oh, plusieurs années qu'on a pas de nouvelles. Elle a des ennuis?

— Je préférerais en discuter quand votre mère sera là, répondit Miss Howard.

— Ecoutez, je pense qu'il vaudrait mieux m'en parler d'abord. Qu'est-ce qu'elle a fait, Libby?

— Vous supposez qu'elle a fait quelque chose? Pas qu'il lui est arrivé quelque chose?

Il écarquilla les yeux.

— Il lui est arrivé quèque chose?

— Mr Franklin... (Sara croisa les bras, regarda le fermier dans les yeux.) Je dois vous dire que votre sœur passe actuellement en jugement à Ballston Spa. Pour une accusation très grave.

Elijah Franklin accueillit la nouvelle avec moins de consternation que je ne le supposais.

— Alors, c'est ça, murmura-t-il après quelques instants de silence. (Le ton n'était ni indigné ni stupéfait, simplement... triste — il n'y a pas d'autre mot.) Qu'est-ce qui s'est passé? Y a un homme là-dessous, je parie. Il est marié, quèque chose comme ça?

— Quelque chose comme ça, mentit froidement Miss Howard, supposant sans doute qu'elle obtiendrait de lui plus d'informations en abondant dans son sens qu'en lui révélant la vérité. Pourquoi ? Elle a déjà eu ce genre d'ennuis ?

— Libby ? grogna-t-il. Avec les hommes, elle a toujours eu des ennuis. (Il détourna les yeux, émit un petit sifflement déçu.) Pourquoi vous êtes ici ? On va nous demander de témoigner ? Je vois pas...

— Non, non, s'empressa de répondre Sara. J'ai simplement pensé que vous et votre famille pourriez nous donner des renseignements sur le passé de votre sœur. Elle n'est pas très encline à en parler elle-même.

— M'étonne pas, fit-il en secouant la tête. Ecoutez... vous feriez mieux d'attendre la mère, si c'est le genre de renseignements que vous cherchez. Elle en saura plus que moi. Revenez demain...

— Oh, nous reviendrons, assura Miss Howard. Mais si vous pouviez nous donner quelques éléments, en attendant. (Elle fit deux ou trois pas vers la porte de la petite maison.) Vous avez toujours vécu ici ?

— Oui, tou... Oh ! excusez-moi, vous voulez p't-êt' boire quèque chose ?

— Ce serait très aimable à vous. La route a été longue, poussiéreuse.

— Et les... les gens qui sont avec vous ? s'enquit Franklin en indiquant le *surrey*.

— Hmm ? Oh, ne vous en faites pas pour eux. Je n'en ai pas pour longtemps, de toute façon. Je garderai l'essentiel de mes questions pour demain, quand votre mère sera là.

— Ben, entrez, alors.

Après nous avoir adressé un signe de tête, elle disparut à l'intérieur de la maison, tandis que le fermier nettoyait la boue de ses bottes au vieux racloir boulonné sur les marches de pierre.

— Je comprends pas, dis-je en le regardant entrer à son tour. C'est là que Libby Hatch a grandi ?

— Ça ne semble pas correspondre à ce que nous savons d'elle, n'est-ce pas ? fit remarquer Cyrus, qui descendit de la voiture pour se dégourdir les jambes. Mais il n'y a jamais moyen de savoir...

— *Señorito* Stevie, me dit El Niño, reposant son arc. Cet homme... il fera pas mal à la dame ?

— Je crois pas, répondis-je.

— Alors, El Niño va dormir, décida-t-il. (Il s'allongea à l'arrière du *surrey* mais, avant de fermer les yeux, il leva de nouveau la tête vers moi.) *Señorito* Stevie, le chemin qu'on prend pour arriver à bébé Ana, il est étrange, oui ? Ou c'est seulement parce qu'El Niño comprend pas ?

— Non, tu comprends parfaitement, lui dis-je en allumant un clope. Un chemin étrange, c'est vrai…

49

Miss Howard ne passa qu'une demi-heure dans la maison des Franklin, mais ce fut suffisant pour apprendre quelques détails intéressants qu'elle refusa toutefois de nous révéler avant que nous soyons de retour chez Mr Picton, et tous réunis devant le tableau noir.

La ferme, fort ancienne, ne comprenait que quelques pièces, dont deux chambres. Les frères avaient partagé l'une, tandis que Libby avait dormi pendant toute son enfance et les premières années de sa vie adulte dans la chambre de ses parents. Il n'y avait dans cette pièce ni rideau ni séparation d'aucune sorte, et Libby avait subi durant de longues années un manque total d'intimité, fait que le Dr Kreizler estimait extrêmement important. Le Dr Meyer et lui avaient fait des recherches sur les enfants exposés presque constamment aux regards de leurs parents, et avaient découvert que ces gosses connaissaient une kyrielle de problèmes quand venait le moment d'affronter le monde extérieur : ils étaient en général irascibles, d'une sensibilité excessive à toute critique et montraient ce que le docteur appelait «une peur pathologique de la gêne», si aiguë que le Dr Krafft-Ebing la qualifiait de «paranoïa». Devenus adultes, ils doutaient de leur capacité à se faire une place dans le monde. Ils éprouvaient généralement le besoin d'avoir des gens autour d'eux, mais, en même temps, ils nourrissaient du ressentiment, voire de la haine, pour ces gens.

— Nous ne parlons pas d'agressions physiques ou

verbales violentes, bien entendu, expliqua le docteur lorsqu'il commença à remplir la partie du tableau réservée aux faits concernant l'enfance de Libby. Mais un tel manque d'intimité peut donner des résultats tout aussi graves — en premier lieu, une incapacité de la psyché à se développer en une entité unifiée, intégrée et indépendante.

Je repensai à ce que Miss Howard avait dit de la personnalité de Libby, brisée dès le plus jeune âge en fragments qu'elle n'avait jamais réussi à rassembler.

— C'est difficile à concevoir, poursuivit le docteur. L'horreur d'être forcé de passer chaque instant, veille ou sommeil, en présence d'un autre être humain, de ne connaître que rarement, voire jamais, la solitude. Imaginez la frustration et la colère, le sentiment de, de...

— D'étouffement, acheva Cyrus pour le docteur (et je savais qu'il songeait aux bébés que Libby avait tués).

— Exactement, Cyrus, approuva l'aliéniste, qui inscrivit le mot sur le tableau en grosses lettres et le souligna. Nous avons ici la première clef qui éclaire à la fois l'énigme de la psyché de Libby et le mystère apparent de sa conduite — *étouffement*. Mais quelles ont été les conséquences, dans la première partie de sa vie ? Son frère vous en a-t-il donné une idée, Sara ?

— Il y a un seul sujet qu'il a accepté d'aborder, répondit Miss Howard. Essentiellement, je crois, parce qu'il ne voulait pas que sa mère en entende parler. Apparemment, Libby aurait eu des rapports fréquents avec les garçons dès son plus jeune âge. Elle était extrêmement précoce, tant sur le plan sentimental que sur le plan sexuel.

— Là encore, c'est logique. Un tel comportement doit, par nécessité, être secret, et donc intime — pourtant, il reflète son incapacité, frustrante, à obtenir par elle-même cette intimité et cette indépendance.

En écrivant ces remarques, le docteur ajouta :

— J'imagine qu'en conséquence elle n'était pas particulièrement tendre avec les jeunes gens sans méfiance qu'elle prenait dans ses filets.

— Non, dit Sara. Une vraie briseuse de cœurs.

Mr Moore, assis dans un coin avec le pichet de vermouth qu'il s'était préparé, poussa un grognement qui parut trouver un écho dans le sifflement lointain d'un train.

— Tu entends, Kreizler ? C'est le bruit que fait cette satanée affaire en nous échappant. Elle disparaît dans la nuit, et qu'est-ce que tu fais ? Tu restes planté devant ton fichu tableau, comme si tu allais trouver en réfléchissant un moyen de nous empêcher de perdre. Nous sommes foutus, oui ! Qui se soucie de savoir pourquoi Libby Hatch est ce qu'elle est, à ce stade ?

— La voix éternelle de l'encouragement, ironisa Mr Picton. Encore six ou sept verres de ton breuvage, John, et tu t'assoupiras peut-être pour nous laisser continuer en paix…

— Je sais que c'est un peu tard dans la course pour essayer de remonter, dit le docteur, qui alluma une cigarette en fixant le tableau. Mais nous devons faire ce que nous pouvons tant qu'il est temps. Nous le devons.

— Pourquoi ? grommela Mr Moore. Personne ne veut que cette maudite femme soit coupable, on nous l'a bien fait comprendre. Alors, pour qui continuons-nous ?

— Il reste Ana Linares, rappela Lucius.

Le journaliste émit un autre grognement.

— Une enfant dont le père se fiche qu'elle vive ou pas ! Elle aurait probablement une meilleure chance de s'en sortir avec Libby qu'avec ce saligaud d'Espagnol…

— En cet instant précis, je ne pensais pas à Ana Linares, dit le docteur.

— Vous pensiez à Clara, n'est-ce pas ? lui demanda Miss Howard. Comment va-t-elle ?

Il haussa les épaules, l'air mal à l'aise.

— Elle est désemparée. Et pas très bavarde, ce que je ne lui reproche pas. Je lui avais promis que cette épreuve les aiderait, elle et sa mère. Son témoignage n'a aidé ni l'une ni l'autre. A présent, à la terreur de ce qui s'est passé il y a trois ans s'ajoute sa peur de ce qui arrivera si sa mère est acquittée. Elle n'est plus assez jeune pour ne pas comprendre le danger qu'elle courra si on laisse Libby libre de se venger d'une « traîtresse », seul témoin de son crime.

Abandonnant sa craie, il prit un verre de vin, l'approcha de ses lèvres, arrêta son geste, comme s'il renonçait à toute sorte de réconfort.

— Vous n'avez rien à vous reprocher, docteur, affirma Marcus. Le dossier paraissait solide. Il n'y avait aucune raison de penser que le procès se passerait ainsi.

— Peut-être, murmura l'aliéniste, qui s'assit et posa son verre.

— Puis-je rappeler à tout le monde... commença Miss Howard.

Elle fut interrompue par un autre grognement sonore de Mr Moore.

— Oui, oui, on sait, Sara : ce n'est pas encore fini ! Ma parole, tu ne te lasses pas de cette scie ?

— Si tu veux savoir si je souhaite que ce soit fini afin d'avoir une bonne excuse pour me noyer au fond d'un verre, la réponse est non, John, répliqua-t-elle. Il est vrai que nous n'avons pas appris grand-chose aujourd'hui, mais la mère doit en savoir plus, et elle rentre demain. Nous retournerons là-bas. Vous nous accompagnerez, docteur ? Je ne suis pas sûre de connaître toutes les questions qu'il faut poser...

Il parvint à trouver au fond de lui un reste d'énergie et d'allant pour répondre :

— Bien sûr. Toutefois, si vous n'y voyez pas d'inconvénient, je préfère me passer de dîner. Je n'ai pas spécialement faim. Il est inutile d'arriver chez les Franklin avant l'après-midi, disiez-vous, Sara ?

— C'est exact.

— Alors, nous n'avons aucune raison de nous lever tôt, ajouta-t-il avec un léger embarras. Bonne nuit.

Nous marmonnâmes un bonsoir en réponse, puis le silence se fit tandis qu'il montait lentement l'escalier.

Quand elle eut entendu la porte de sa chambre se refermer, Miss Howard prit un morceau de craie dans la gouttière du tableau et le lança sur Mr Moore, qu'elle atteignit entre les deux yeux. Il poussa un cri.

— Tu sais, John, si le *Times* refuse de te reprendre, tu peux toujours t'établir dans un nouveau métier : donner des coups de pied aux chiens malades, arracher leurs béquilles aux infirmes...

— Un jour, tu me blesseras gravement, geignit-il, frottant la marque de la craie sur son front. Et je te traînerai en justice, je te le promets ! Ecoute, je suis navré que vous me preniez tous pour un défaitiste, mais je ne vois vraiment pas ce que la mère de Libby pourrait vous apprendre d'utile.

— Rien, peut-être ! riposta-t-elle. Mais tu as vu ce que le docteur a subi, cette semaine. Et rappelle-toi, c'est nous qui l'avons entraîné dans cette affaire, pour l'aider à oublier ses ennuis de New York. Nous n'avons fait que lui en attirer d'autres, semble-t-il. Alors, tu pourrais au moins essayer d'être encourageant.

Un peu honteux, Mr Moore coula un regard vers l'escalier.

— Oui, c'est vrai, reconnut-il. (Il se versa un autre verre, ramena ses yeux sur Miss Howard.) Veux-tu que je vous accompagne, demain ? Je ferai ce que je peux pour entretenir l'espoir, je te le promets.

Elle soupira, secoua la tête.

— En ce moment, tu n'y parviendrais pas, ta vie dût-elle en dépendre. Non, il vaut mieux que j'emmène seulement Stevie : moins nous serons, moins le silence sera pesant. Et j'ai le pressentiment qu'il y aura beaucoup de silence, ajouta-t-elle en levant les yeux vers l'étage des chambres.

La prédiction était bonne. Le docteur ne descendit pas avant midi et ne manifesta pas plus d'appétit que la veille. Il feignit de s'intéresser à la mission qui nous attendait, mais peine perdue : à l'évidence, il avait conscience qu'il était fort improbable que nous découvrions à la ferme des Franklin quoi que ce soit d'assez crucial pour renverser la situation au tribunal. Lorsque nous montâmes dans le *surrey*, il avait renoncé à tout simulacre de conversation, et il demeura silencieux pendant tout le trajet.

La maison des Franklin était aussi paisible que la veille mais cette fois, en plus d'Elijah, une femme âgée — bien en chair sans être grosse — travaillait dans la cour, arrachant les mauvaises herbes des bordures de fleurs. Un chapeau de paille à large bord protégeait du soleil sa tête aux cheveux gris, et sa robe de vichy était en partie recouverte par un tablier légèrement sali. Elle chantonnait, et un petit chien sautillait joyeusement autour d'elle, lâchant de temps à autre un jappement pour lui soutirer une caresse sur le museau ou quelques mots affectueux.

Lorsque le docteur avisa la scène, ses yeux noirs prirent un éclat que je ne leur avais pas connu depuis deux jours.

— Tiens, fit-il à voix basse tandis que j'arrêtais la voiture devant le portillon de la barrière blanche, une ombre de sourire se dessinant sur son visage.

— Pas exactement ce que vous escomptiez ? demanda Miss Howard en le rejoignant.

— La tragédie et l'horreur ne portent pas toujours les habits attendus, Sara. Sinon, ma profession serait inutile.

En attachant les rênes, je vis Eli Franklin courir vers nous.

— Bonjour, Miss Howard, dit-il, la mine inquiète.

— Mr Franklin. Je vous présente le Dr Kreizler, qui travaille aussi sur l'affaire. Et je ne crois pas que vous ayez fait la connaissance de notre jeune ami Stevie Taggert, hier...

Il nous serra rapidement la main sans dire un mot, revint aussitôt à Sara.

— Ma mère... Je lui ai dit...

Mais déjà la femme s'était retournée et nous avait vus. Son petit chien, constatant lui aussi la présence d'inconnus, aboya plus fort.

— Oh ! voilà les amis d'Elspeth ? fit-elle d'une voix à la fois forte et mélodieuse.

Elle se dirigea vers nous, et son fils murmura précipitamment :

— Je pouvais pas lui dire que Libby a des ennuis, ça l'aurait mise dans tous ses états. Son cœur est plus aussi bon qu'avant. Si y avait moyen de l'interroger sans...

— Nous tâcherons, Mr Franklin, répondit le docteur. Votre mère nous dira peut-être ce que nous voulons savoir sans que nous ayons à révéler notre objectif...

Soulagé, le fermier eut juste le temps de le remercier avant que sa mère ne parvienne à la barrière.

— Alors, vous êtes des amis de ma fille, m'a dit mon fils ? Et vous essayez de la retrouver ?

L'expression de ses yeux d'ambre laissait penser qu'elle ne croyait pas tout à fait à cette histoire mais qu'il lui était plus facile de l'accepter que d'envisager des possibilités moins plaisantes.

— On pourra pas beaucoup vous aider, poursuivit-elle avant que le docteur ou Miss Howard ait pu répondre. Comme Eli vous l'a dit hier, ça fait des années qu'on est sans nouvelles de Libby. Ça ne m'étonne pas, d'ailleurs ! Elle est si insouciante, cette fille ! Elle a jamais su s'occuper de la moindre...

— Maman, l'interrompit Eli Franklin. Je te présente Miss Howard, et le Dr Kreizler — c'est bien ça ? Et le jeune garçon s'appelle...

— Stevie tout court, ça suffira, dis-je, ce qui me valut un grand sourire de Mrs Franklin.

— Stevie tout court, hein ? fit-elle, me caressant la joue. Un magnifique garçon !

— Euh, ils pensent qu'on sait peut-être quelque chose qui les aiderait à la retrouver, reprit le fils.

— Oui, nous non plus nous n'avons pas de nouvelles depuis un moment, mentit Miss Howard. Si vous nous parliez un peu de ses habitudes...

— Pas de nouvelles non plus ? s'exclama Mrs Franklin. C'est tout Libby, ça ! Elle nous a envoyé un ou deux mots, mais pas une visite ! Cette fille mène sa vie comme ça lui chante, sans se soucier des autres. Ah ! il y a des gens comme ça, que voulez-vous. (Elle ouvrit le portillon.) Mais entrez donc. Venez vous asseoir derrière la maison — on a grillagé la véranda pour ne plus être embêtés par ces satanées mouches. Avec l'humidité qu'on a eue cet été, ça grouille de bestioles !

Nous la suivîmes sans dire un mot.

— J'ai préparé de la citronnade et du thé glacé, dit-elle, il fait trop chaud pour boire autre chose. Il y a aussi du pain d'épice, et on trouvera bien des bonbons pour toi, Stevie, si tu les aimes autant que mes fils, dans le temps ! Mais pour Libby, je sais vraiment pas si je pourrai vous aider...

Dans la véranda, de grands panneaux d'un grillage serré tenaient effectivement à l'écart les insectes qui commençaient à tournoyer en essaims dans le soleil de l'après-midi.

— C'est peut-être même vous qui pourriez me donner

des nouvelles, en fait, poursuivit la mère de Libby. Je vous le disais, on l'a pas vue depuis… depuis combien de temps, Eli ?

Le fermier adressa à Miss Howard un regard appuyé.

— Dix ans, répondit-il.

— Dix ? fit Mrs Franklin. Non, tu dois te tromper. Même insouciante comme elle est… Si longtemps que ça, vraiment ? Asseyez-vous, tout le monde ! Nous allons nous rafraîchir…

Je m'installai dans un grand fauteuil d'osier en poussant un soupir : ça allait être un sacré boulot, de tirer les vers du nez de cette bonne femme.

— Merci, Mrs Franklin, dit le docteur, prenant place dans un autre fauteuil. Il fait chaud, et la route a été longue.

— Vous pouvez le dire, approuva-t-elle en distribuant les verres. Tout ce trajet depuis Ballston Spa ! Jamais j'aurais cru qu'on se donnerait autant de peine pour elle.

Dans les mots comme dans le ton, quelque chose me rappela la première rencontre avec Libby, devant sa maison de Bethune Street.

— Les gens se sont jamais beaucoup intéressés à Elspeth, continua Mrs Franklin.

Son fils se tourna vivement vers Miss Howard, lui demandant du regard de ne pas parler des choses qu'il lui avait confiées la veille.

— Ses frères étaient plus sociables — ils tiennent ça de moi, je suppose. Elspeth, elle était plutôt comme son père : une rêveuse, trop occupée par ce qu'elle avait dans la tête pour être utile dans une maison.

— J'ai cru comprendre que votre mari vous a quittés, dit Miss Howard.

— Oui, Dieu le bénisse, répondit Mrs Franklin, qui ajouta des feuilles de menthe fraîche dans nos verres et nous présenta un plateau de pain d'épice. Ça fait maintenant cinq ans qu'il est passé. Le pauvre George s'est tué au travail. Il a jamais été un très bon fermier — s'il n'avait pas eu les garçons pour l'aider… De sacrés travailleurs, tous les deux. Ils tiennent ça de moi aussi, je crois. La tête sur les épaules. Mais George était un rêveur, comme Elspeth…

— Elle vous aidait, quand même ? demanda le docteur.

Mrs Franklin s'esclaffa — le rire léger, bien huilé d'une femme habituée à manier les hommes.

— Je ne sais pas comment vous le dire, docteur, mais cette fille n'a jamais été bonne à rien — pas pour les choses pratiques, en tout cas. Oh, elle était plutôt jolie. Et intelligente, aussi, surtout pour les études. Mais elle ne savait rien faire de ce qui compte vraiment pour une jeune fille.

Miss Howard faillit s'étrangler avec sa tranche de pain d'épice, mais parvint à garder une expression aimable.

— Une vraie catastrophe à la cuisine, reprit la mère de Libby. Quant au ménage... Je ne pouvais même pas lui demander d'épousseter sans qu'elle casse quelque chose. Une enfant adorable, mais à quoi ça sert d'être adorable quand on grandit ? Pas étonnant qu'elle ait jamais eu de soupirant. Elle est restée vivre chez nous jusqu'à ce qu'elle devienne quasiment une vieille fille, et pas un homme est venu demander sa main. Vous savez, les hommes ici travaillent dur, ils ont besoin d'une femme qui sait tenir une maison, pas d'une rêveuse. Et la beauté, ça passe, docteur, ça passe...

Le petit chien, qui nous avait suivis, haletait d'excitation aux pieds de sa maîtresse, dont il attira l'attention en jappant de nouveau.

— Oh ! Leopold, tu veux du pain d'épice, toi aussi ? Excuse-moi ! Tiens... (Elle lui donna un morceau du gâteau — excellent, je dois le reconnaître —, lui caressa la tête.) Oui, mon trésor. Tu te souviens pas de Libby, toi, hein ? Elle était déjà partie quand on t'a eu...

Mrs Franklin parut se perdre dans ses pensées.

— On avait un autre chien, à l'époque, reprit-elle. Le chien de Libby. Comment il s'appelait, Eli ?

— Fitz, répondit le fermier avant d'engloutir son troisième verre de citronnade.

— Oui, c'est ça. Fitz. Elle l'adorait, cette bête. Ce qu'elle a pu pleurer quand il est mort ! J'ai bien cru qu'elle passerait, elle aussi. Tu te rappelles, Eli ?

Eli Franklin s'arrêta soudain de mâcher son pain d'épice.

— Non, répondit-il, l'air mal à l'aise.

— Mais si, voyons. C'était juste avant qu'elle parte travailler chez ces gens de Stillwater, là...

— Les Muhlenberg? glissa Miss Howard.

— Alors, vous les connaissez? Des gens très bien, d'après Elspeth. Elle nous a écrit de là-bas — une seule fois. Oui, très bien. Juste avant de partir, elle a eu cet accès de fièvre...

— Maman... fit le fermier, dont l'embarras semblait croître.

— ... et c'est le lendemain que Fitz est mort. Je suis sûre que tu t'en souviens, Eli : on l'a enterré derrière la grange. Tu lui as fait un petit cercueil, et Libby a peint une...

— Maman! répéta Eli, d'un ton plus sec. (Il tourna vers nous un sourire crispé.) Ces gens n'ont pas envie d'entendre toutes les petites choses qui sont arrivées à Libby quand elle vivait ici. Ils s'intéressent à ce qui lui arrive maintenant.

Mrs Franklin regarda son fils avec une surprise à laquelle se mêlait un peu de cette colère froide que j'avais plusieurs fois décelée sur le visage de Libby Hatch.

— Je m'excuse si je gêne mon fils, déclara-t-elle, mais j'étais en train de leur parler des Muhlenberg...

— Tu leur parlais de... commença Eli, qu'un autre regard glacé fit taire.

— Des gens très bien, reprit Mrs Franklin, retrouvant sa voix mélodieuse. C'est ce qu'Elspeth disait dans sa lettre. Naturellement, j'étais contente, parce que c'était un travail idéal, pour elle!

La mâchoire de Miss Howard faillit se décrocher et la mienne aussi, j'imagine. Avant que l'un de nous ait eu le temps d'exprimer sa stupeur, le docteur, soupçonnant un malentendu, demanda :

— De quelle sorte de travail s'agissait-il, Mrs Franklin?

— Comment, vous ne le savez pas? s'étonna la mère de Libby. Si vous connaissez les Muhlenberg, vous devez savoir qu'Elspeth était la préceptrice de leur fils — avant qu'elle parte pour New York, je veux dire. Mais vous avez peut-être rencontré les Muhlenberg quand elle les avait déjà quittés ?

— Oui, répondit nerveusement Miss Howard. Nous avons fait leur connaissance tout récemment, en fait. Et celle de votre fille aussi, à New York. Nous sommes tous de là-bas, voyez-vous.

— Vraiment ? Alors, vous devez en savoir plus que moi sur elle. Je n'ai pas reçu une seule lettre depuis qu'elle vit là-bas. Mais comme je disais, Elspeth a toujours été comme ça — elle ne se rend sûrement même pas compte qu'elle n'écrit pas. Toujours à rêvasser, cette fille...

Mrs Franklin parut de nouveau se perdre dans ses pensées, mais cette fois je commençai à comprendre que ce que j'avais pris pour de l'étourderie n'était qu'un moyen d'éviter des sujets dont elle ne voulait pas ou ne pouvait pas parler, soit parce qu'ils étaient trop douloureux, soit parce qu'ils auraient révélé sur elle des choses qu'elle ne tenait pas à dévoiler, surtout à des inconnus. Aussi m'attendais-je à ce que le docteur insiste : il n'était pas homme à se laisser détourner de son but. Je fus donc doublement surpris lorsqu'il se leva, examina les yeux de Mrs Franklin fixant le lointain et finit par dire :

— Oui, je crois que vous avez raison, madame. Merci pour ces rafraîchissements. Nous continuerons à chercher votre fille à New York.

Aussitôt, la mère de Libby sortit de sa rêverie et se leva elle aussi.

— Désolée de ne pas pouvoir vous aider, vraiment. Si vous tombez sur Elspeth, dites-lui que sa famille aimerait bien savoir ce qu'elle devient.

Sur ce, elle nous indiqua la porte grillagée.

— Docteur, fit Miss Howard d'un ton préoccupé, je ne suis pas certaine que nous ayons...

— Oh ! je crois que Mrs Franklin nous a dit tout ce qu'elle pouvait, la coupa-t-il. Et cela nous sera extrêmement utile, j'en suis convaincu.

En prononçant ces derniers mots, il lança à Miss Howard un regard lourd de sens. Elle haussa les épaules, se dirigea vers la porte. Comme nous traversions la pelouse, Mrs Franklin leva un doigt.

— Vous savez, docteur, vous devriez chercher dans les théâtres. J'ai toujours pensé qu'Elspeth finirait sur les planches, je ne sais pas pourquoi. Bien, au revoir ! Ravie de vous avoir connus.

Miss Howard et moi-même nous efforçâmes de ne pas avoir l'air trop éberlués en prenant congé de Mrs Franklin, qui appela son chien et rentra dans la maison.

— Je vous raccompagne à votre voiture, dit Eli, apparemment soulagé de nous voir partir. Merci de pas avoir parlé à ma mère des ennuis de Libby. Vous avez vu comment elle est...

— Oui, Mr Franklin, nous l'avons vu, répliqua le docteur. Peut-être plus que vous ne le soupçonnez. J'ai une faveur à vous demander en échange de notre discrétion.

— Une faveur ? Qu'est-ce que...

— Nous voudrions aller jeter un coup d'œil derrière la grange.

— Derrière la grange ? répéta le fermier, se forçant à rire. Mais pourquoi ? Y a rien qui...

— Mr Franklin. S'il vous plaît, dit le docteur, glacial.

Le fermier se mit à secouer lentement la tête.

— Non. Je suis désolé, mais je sais même pas ce que vous voulez. Pas question de vous laisser...

— Très bien, repartit l'aliéniste, qui fit un pas vers la porte. Vous me contraignez à poser la question à votre mère...

— Attendez ! s'écria Eli Franklin en le retenant par le bras. Vous... vous voulez juste jeter un coup d'œil derrière la grange ?

— Mr Franklin, vous savez parfaitement ce que nous voulons voir.

A cet instant, Miss Howard se frappa le front, comme si elle venait de comprendre de quoi parlait le docteur. Le fermier avala sa salive, se tourna vers elle.

— Libby a des ennuis plus graves que ce que vous m'avez dit, hein ?

— J'en ai peur, répondit-elle.

L'air un peu attristé par cette révélation, il hocha la tête.

— Bon. Venez.

Ouvrant la marche d'un pas lent, il nous fit traverser

la pelouse de derrière, puis l'allée poussiéreuse, pour nous amener à la cour boueuse et couverte de fumier s'étendant derrière la grange.

— Vous croyez que… murmura Miss Howard.

— Je ne crois pas, je suis sûr, dit le docteur. Il nous faut seulement une description exacte du lieu pour montrer à Libby que nous sommes venus ici et que nous ne plaisantons pas.

— Quel lieu ? demanda votre serviteur, le seul à présent à ne pas savoir ce qui se passait.

Il y avait une mare à un bout de la grange, un bosquet de framboisiers à l'autre. Eli Franklin s'approcha d'un des buissons épineux, ramassa une branche tombée d'un pommier sauvage et s'en servit pour tailler une brèche dans les broussailles. Un objet fiché dans le sol apparut.

C'était une plaque funéraire en bois d'une cinquantaine de centimètres de haut. Elle était craquelée en plusieurs endroits mais l'inscription qu'on y avait peinte, bien que passée, était encore lisible :

FITZ
1879-1887
Amour éternel, Maman

En lisant la dernière ligne, j'eus l'impression qu'on faisait courir le long de mon dos la pointe d'une plume d'oie : les mêmes mots étaient gravés sur les tombes de Thomas et Matthew Hatch à Ballston Spa.

— Bien sûr, murmurai-je, reculant sans quitter la petite tombe des yeux. Bien sûr, elle était nourrice…

La voix du docteur finit par me faire relever la tête.

— De quoi est mort le chien, Mr Franklin ?

— Je sais pas. Quand elle me l'a apporté, il était mort. Il avait pas une marque sur lui. Je lui ai fait le cercueil, elle l'a emmené, elle l'a fermé. Et puis je l'ai aidée à l'enterrer.

— Et cet « accès de fièvre » de votre sœur ?

— Il a duré toute la nuit, répondit le fermier, qui se tourna pour regarder la tombe. Ça lui a pris qu'on était déjà tous au lit… et elle a bien failli mourir. Mais vous savez quoi ? Elle a pas dit un mot jusqu'au lendemain matin. Pas une plainte… Mon père et ma mère, ils ont dormi sans se douter de rien.

— Vous savez certainement, Mr Franklin, qu'une personne qui détruit les preuves d'un crime peut être inculpée de complicité ?

Franklin acquiesça, livide.

— C'est qu'un chien…

Le docteur s'approcha de lui.

— J'espère pour vous que votre sœur entendra raison et ne nous obligera pas à revenir avec l'autorisation d'exhumer ce… ce chien. D'ici là, je vous conseille de veiller à ce que personne ne touche à cette tombe.

Eli Franklin hocha la tête sans cesser de fixer la plaque funéraire. Assuré de s'être fait comprendre, l'aliéniste nous entraîna, Miss Howard et moi, vers le *surrey*.

— Docteur, le rappela le fermier. Elle a jamais — Libby, je veux dire —, elle a jamais rien eu à elle. Vous avez entendu ma mère : Libby était une servante dans cette maison. Non, même pas : une servante a au moins une chambre à elle. (Il baissa de nouveau les yeux vers la tombe.) Elle a eu les hommes — les garçons, plutôt — qui lui tournaient autour. Ça au moins, c'était à elle. Elle méritait de l'avoir, sans que ça détruise sa vie. Elle méritait d'avoir autre chose qu'un chien…

Le docteur hocha la tête, repartit en direction de la voiture.

— Vous pensez que le juge Brown accordera le permis d'exhumer ? demanda Sara.

— Je pense que nous n'aurons pas à en venir là. A défaut de Libby, Darrow et Maxon entendront raison.

En montant dans le *surrey*, Miss Howard se retourna vers la grange.

— Et le frère ? Il sait ?

— Il a certainement des soupçons, répondit le docteur au moment où je lançais le cheval en direction de la route. Quant à ce qu'il sait exactement…

— Et la mère ? demandai-je. Elle est pas si écervelée qu'elle voudrait le faire croire — elle sait peut-être, elle aussi…

— C'est possible, bien sûr, répondit le docteur. Elle aussi a des soupçons concernant sa fille, et elle ne serait

616

pas tout à fait surprise par cette histoire. Mais je ne crois pas qu'elle sache vraiment. Libby aura su trouver des moyens de cacher sa grossesse — et vous avez entendu comment elle a finalement accouché. Sans une plainte. Pour n'importe qui d'autre, je ne l'aurais pas cru, mais nous avons ici affaire à une femme capable de s'imposer une discipline incroyable lorsqu'elle est acculée...

— Et qui est le père ? demanda Miss Howard.

— Cette question et d'autres recevront une réponse plus tard, déclara mon maître. Stevie, j'ai remarqué une auberge, quand nous avons traversé la ville. Il y a peut-être le téléphone. Nous devons prévenir Mr Picton, lui demander de nous retrouver à son bureau dès notre retour. Il faudrait aussi qu'il prenne contact avec Darrow et Maxon, pour qu'ils nous rejoignent, disons... (Il tira sa montre de son gousset, fit une rapide estimation.) Vers neuf heures. Oui, cela devrait nous laisser le temps de régler les détails.

Il remit sa montre dans son gilet, croisa les bras.

— Ensuite, nous aviserons, conclut-il.

50

A sept heures et demie, ce soir-là, toute l'équipe se trouva de nouveau réunie dans le bureau de Mr Picton pour évaluer les résultats de notre visite à la ferme des Franklin, et déterminer les mesures à prendre. Même El Niño était présent. S'il comprenait rarement ce qui se passait, et s'il participait plus rarement encore à la discussion, il estimait de son devoir de veiller à ce que « la dame », « Mr Montrose », Mr Picton (son futur *jefe*) et aucun autre d'entre nous ne puissent être assaillis par qui que ce soit. Et tandis que nous faisions cercle autour du bureau de l'adjoint au DA, le petit indigène montait la garde près de la porte. Sur le moment, je trouvai sa conduite amusante et touchante ; plus tard, j'en vins à regretter que nous n'ayons pas tous imité sa prudence.

La conversation — une conversation qui tourna rapidement au débat — porta essentiellement sur la façon de présenter notre découverte aux avocats de la défense et sur le meilleur arrangement que nous pourrions obtenir d'eux. De l'avis général, Mr Picton devait déclarer à Libby Hatch que l'accusation était prête à oublier le cercueil enfoui derrière la grange familiale si elle acceptait de plaider coupable — mais coupable de quoi ? Le procureur répugnait à renoncer à l'accusation de meurtre au premier degré qui aurait envoyé Libby sur la chaise électrique, mais il savait qu'offrir à quelqu'un le choix entre mourir maintenant et mourir plus tard n'était pas une carotte très alléchante. Il se résigna donc à se rabattre sur une accusation de meurtre au second degré, avec une peine de prison à vie sans possibilité de libération sur parole. Quelques-uns d'entre nous — Marcus et Mr Moore, principalement — ne voyaient pas pourquoi Libby serait davantage disposée à accepter cette solution, étant donné sa personnalité : une femme qui appréciait autant qu'elle la liberté, sous toutes ses formes, ne devait pas envisager avec un grand enthousiasme de passer le reste de sa vie derrière des barreaux.

Le docteur était d'un avis contraire. Si, en surface, Libby se révoltait contre une telle peine, une partie d'elle-même, plus profonde, pouvait l'accepter, voire l'accueillir avec soulagement. Mr Moore et Marcus se montrèrent sceptiques jusqu'à ce que l'aliéniste développe son argumentation. La prison, expliqua-t-il, répondrait en fait aux aspirations contradictoires de Libby : être isolée et avoir en même temps des gens autour d'elle ; remplir ce qu'elle considérait comme une tâche utile (car une femme aussi intelligente qu'elle accéderait sans nul doute à une position d'autorité parmi les détenues, disons du quartier des femmes de Sing Sing) et avoir en même temps l'impression de défier les lois et les usages (puisque, après tout, elle serait une taularde). Entrait aussi en compte son désir de maîtriser ce qui se passait autour d'elle : nombre de criminels, poursuivit le docteur, en particulier s'ils sont de la trempe de Libby, désirent secrètement introduire dans leur existence des règles, de la discipline (elle avait, nous rappela-t-il, supporté en silence pendant des heures les douleurs de l'enfantement) ; et si, en l'occurrence, les contraintes physiques étaient administrées par la prison, Libby, avec son talent pour se leurrer elle-même, ne tarderait pas à se convaincre que c'était elle qui décidait de son sort. D'une certaine façon, elle n'aurait pas tort, dit-il, car c'étaient bien ses propres actes criminels qui l'auraient menée en prison. Une dernière considération motivait plus que toute autre la conviction du docteur que Libby accepterait le marché que Mr Picton avait l'intention de lui proposer : à maintes reprises, elle nous avait apporté la preuve qu'elle plaçait sa propre vie au-dessus de tout, y compris de la santé et de la sécurité de ses enfants. Indépendamment de tout autre facteur, la possibilité d'échapper à une exécution devrait suffire à la persuader de jouer le jeu, conclut-il.

Marcus fut convaincu par le raisonnement, mais Mr Moore avait encore des doutes. Et Mr Picton, bien que sachant qu'ils optaient pour la seule solution sensée, continuait à se sentir floué de ne pas pouvoir obtenir la peine capitale. Le docteur fit valoir que l'essentiel, c'était que Libby Hatch soit mise dans un endroit où elle n'aurait plus aucun contact avec des enfants — en particulier avec sa propre fille. En outre, Clara se remettrait plus rapidement en sachant que sa mère avait été emprisonnée à vie et non exécutée, puisque l'enfant n'aurait pas à porter pendant le reste de son existence le fardeau énorme d'avoir contribué à envoyer sa mère sur la chaise électrique. Miss Howard déclara que c'était la meilleure raison d'accepter l'accord. En fait, compte tenu de l'effet que l'exécution de Libby aurait eu sur l'enfant, Sara se demanda pourquoi Mr Picton ne s'était pas immédiatement fixé pour objectif une peine de prison à perpétuité. Ce commentaire suscita des déclarations assez passionnées de l'adjoint au DA sur le caractère imprévisible de l'avenir : comment pouvait-il être sûr que les manigances de Libby ne convaincraient pas un gouverneur — disons dans vingt ou trente ans — d'annuler la partie de la condamnation interdisant toute libération sur parole ? Le docteur et Miss Howard avaient fait beaucoup pour expliquer le mal, mais ils n'avaient rien fait pour le supprimer, argua-t-il. Seule la mort apportait ce genre de solution.

Comment la science pouvait-elle apprendre quoi que ce soit de criminels comme Libby si les autorités les expédiaient tous systématiquement à la chaise électrique ou à la potence ? riposta le Dr Kreizler. La discussion sur ce point et sur d'autres durait encore quand le soleil se coucha derrière la gare. Quelques minutes avant neuf heures, on frappa à la porte de l'antichambre du bureau de Mr Picton. El Niño ouvrit, Mr Darrow et Mr Maxon entrèrent, le premier semblant curieux mais confiant, le second aussi nerveux qu'à l'ordinaire. Avec cérémonie, le petit indigène les introduisit dans le bureau et nous nous levâmes tous.

— Ah ! Maxon, Darrow, c'est très aimable à vous de venir aussi tard un dimanche, dit le procureur.

— Quelle assemblée ! fit Mr Darrow, parcourant du regard notre petit groupe. Quelques difficultés à boucler votre réquisitoire, Mr Picton ?

— Mon réquisitoire ? répéta l'adjoint au DA, feignant la surprise. Par tous les diables, avec ce qui s'est passé aujourd'hui, je n'y pensais plus du tout ! Il faut dire que je ne suis pas vraiment certain d'en avoir besoin, désormais.

L'air content de lui, il ficha sa pipe entre ses dents.

— Vous avez du nouveau, Picton ? demanda Mr Maxon en remontant nerveusement son lorgnon.

— Qu'est-ce qu'il pourrait avoir ? s'esclaffa Clarence Darrow. Mr Picton, j'espère que vous n'avez pas commis l'erreur de garder quelque chose en réserve pour un numéro de dernière minute. Le juge Brown ne me paraît pas homme à apprécier ce genre de chose…

— Je le sais, répondit le procureur. Et votre confrère Maxon sait que je le sais. Alors, je dois avoir une bonne raison pour vous faire venir ici ce soir… vous ne pensez pas, Maxon ?

A la différence de l'avocat de Chicago, le défenseur local sembla très sensible à l'argument. Ravi de le constater, Mr Picton se tourna vers moi :

— Stevie ? Pourrais-tu descendre demander à Henry de nous amener Mrs Hatch… pardon, je veux dire Mrs Hunter ?

— Tout de suite, répondis-je.

En traversant la pièce, j'entendis Mr Picton poursuivre :

— Docteur, vous resterez avec nous, si vous le voulez bien. Les autres s'installeront dans l'antichambre : nous ne cherchons pas à intimider l'accusée par la présence écrasante de trop nombreuses personnes.

Après avoir descendu quatre à quatre l'escalier de marbre, je fonçai sans relever la tête vers la guérite du garde et commençai :

— Mr Picton vous demande de…

Je vis alors à qui je parlais. Ce n'était pas Henry mais l'un des autres costauds qui avaient gardé les portes de la salle d'audience pendant le procès.

— Il est où, Henry ?

— Qu'est-ce que ça peut te faire, môme ?

— A moi, rien. Mais Mr Picton, il a des choses à lui demander.

L'air agacé, le garde indiqua du menton une porte derrière lui.

— Il est en bas. Il surveille la prisonnière.

J'accueillis l'explication d'un simple hochement de tête, sans réfléchir. Lorsque j'y songe aujourd'hui, par-dessus ce gouffre de tant d'années, je me prends à souhaiter de nouveau qu'un détail quelconque m'eût ouvert les yeux.

— Ben, le procureur veut qu'il la fasse monter à son bureau.

— Quoi, maintenant ?

— Ah, sûrement pas jeudi prochain, rétorquai-je. A votre place, je me remuerais : ils attendent tous, là-haut.

— Hé ! me cria le garde tandis que je m'élançais déjà vers l'escalier. Je reçois pas d'ordres d'un gamin !

— Tu viens pourtant d'en recevoir un, murmurai-je avec un sourire en parvenant au premier étage.

De retour dans l'antichambre de Mr Picton, je constatai que Cyrus, les sergents, Mr Moore, Miss Howard et El Niño étaient agglutinés autour de la porte en chêne menant au bureau. Juché sur les épaules du grand Noir, le Philippin regardait par une imposte entrouverte ce qui se passait entre les trois juristes et le docteur, puis s'efforçait de l'expliquer aux autres à voix basse. Seul problème : son anglais n'était pas assez bon pour qu'il comprenne la moitié de la conversation.

— Ils parlent de la fille, Clara, maintenant, chuchota El Niño au moment où j'entrai.

— Qu'est-ce qu'ils disent ? demanda Sara.

— Ils disent que... que... (Le petit indigène secoua la tête de frustration.) *El señor doctor* explique des choses que je comprends pas — des choses sur sa maladie, sur sa mère — celle qu'elle est l'assassin...

— Oh ! ça ne sert à rien, s'impatienta Mr Moore. Stevie, prends la place de ton ami.

J'allais suivre son ordre quand on frappa à la porte. J'attendis qu'El Niño soit descendu des épaules de Cyrus pour ouvrir, me retrouvai face à Henry et Libby Hatch. Plus d'une semaine de cellule n'avait pas réussi à altérer son aspect extérieur — sa robe noire était aussi impeccable que le soir où elle était descendue du train — ni à ternir l'éclat diabolique de ses yeux d'or. Elle passa entre nous, sourit en accordant un regard à chaque visage silencieux puis secoua la tête, comme pour déplorer l'immense bêtise que nous avions commise en nous en prenant à elle. Henry garda une main sur le bras de sa prisonnière (elle ne portait pas de menottes, autre détail qui aurait dû me paraître curieux) quand il frappa à la porte du bureau puis ouvrit.

— Entrez, Mrs Hunter, dit Mr Picton. Merci, Henry. J'enverrai quelqu'un en bas quand nous aurons terminé.

— Vous voulez pas que j'attende ? s'étonna le garde.

— Henry, je parle grec ? soupira le petit homme roux. Si j'avais voulu que vous attendiez, je vous l'aurais demandé. Retournez en bas, je vous préviendrai quand nous aurons fini, merci beaucoup !

Le garde leva des yeux de chien battu vers sa prisonnière, qui hocha la tête. Il sortit du bureau en traînant les pieds ; Libby Hatch alla s'asseoir devant Mr Picton, à côté de Clarence Darrow, tandis que l'autre avocat nous fermait la porte au nez.

— Allez, Stevie, grimpe, murmura Mr Moore.

Prenant appui sur les mains que Marcus avait jointes pour me faire la courte échelle, je me juchai prestement sur les épaules de Cyrus. Une fois confortablement assis, j'approchai avec précaution mon visage de l'imposte, qui était suffisamment ouverte pour me permettre de voir tous les protagonistes, ainsi qu'un morceau du bureau de Mr Picton. Baissant la tête à intervalles réguliers pour murmurer un compte rendu aux autres, j'observai et relatai la scène suivante :

— Pourquoi me faire venir ici à cette heure ? demanda Libby d'une voix basse et triste. C'est à cause de Clara ? Il est arrivé quelque chose à mon bébé ?

— Allons, Mrs Hatch... pardon, Mrs Hunter, dit Mr Maxon, lui posant une main sur le bras. Calmez-vous.

— Oui, épargnez-vous cet effort, Mrs Hunter, enchaîna Mr Picton, sans trace de compassion dans la voix. Vous n'êtes pas au tribunal, et aucun journaliste ne rôde dans le secteur. Vos simagrées ne sont pas indispensables...

— Au lieu d'être insultant, Picton, intervint Mr Darrow, croisant les jambes et se renversant en arrière, vous pourriez peut-être nous dire ce que vous voulez.

Le procureur alluma sa pipe avec de petits mouvements vifs.

— Je ne vois aucune raison de tourner autour du pot, répondit-il. (Lâchant de grosses volutes de fumée, il se pencha en avant.) Les framboisiers, Mrs Hunter... pour être plus précis, ceux qui poussent derrière la grange de votre famille, à Schaghticoke... A moins qu'il n'y ait pas eu de framboisiers du temps où vous viviez encore là-bas ? Oui, c'est probable — ça n'aurait pas été facile de creuser dessous. Enfin, ça pousse vite, ce genre de buissons. Ils cachent presque la chose, maintenant. Presque.

Les traits figés, Libby étreignait les bras de son fauteuil. Je ne voyais qu'un seul de ses yeux d'or, écarquillé de stupeur.

Mr Darrow se gratta le crâne d'un air agacé.

— Picton, vous avez complètement perdu l'esprit, ou ce charabia signifie-t-il quelque chose ?

Le visage de Mr Maxon reflétait une réaction différente. S'il ignorait de quoi parlait son adversaire, il savait que l'adjoint au district attorney ne perdrait pas son temps en élucubrations.

— Picton, avez-vous oui ou non un élément nouveau que vous souhaitez introduire ?

Sans répondre à l'une ou à l'autre question, notre ami continuait à fixer Libby. Au bout d'un moment, il se mit à hocher la tête.

— Oui, Mrs Hunter, nous les avons retrouvés — votre mère et votre frère Elijah. Et surtout, nous avons découvert la chose, et nous avons entendu toute l'histoire...

Cette dernière affirmation contenait une inexactitude,

je le savais, mais tous les bons juristes connaissent la valeur d'un bluff calculé.

Libby Hatch gardait un silence qui commençait à alarmer ses avocats.

— De quoi parle-t-il ? dit Mr Darrow, dont la voix profonde recelait à présent une trace d'incertitude.

Comme si elle avait deviné que le procureur n'était pas la véritable cause de la situation dans laquelle elle se trouvait, Libby porta son regard sur le docteur.

— Mais qui êtes-vous ? murmura-t-elle, avec une violence glacée qui sidéra ses défenseurs.

L'aliéniste haussa les épaules.

— Rien qu'un homme qui sait de quoi vous êtes capable, Mrs Hunter.

De plus en plus mal à l'aise, Clarence Darrow se leva.

— Enfin, est-ce que quelqu'un va se décider à nous expliquer ce qui se passe ?

— C'est assez simple, Darrow, répondit Mr Picton, cessant enfin de fixer Libby. Quoique d'une simplicité terrifiante. Il y a dix ans — je ne puis vous donner la date exacte, mais nous pensons que c'était au printemps —, votre cliente a mis au monde un enfant. Un enfant naturel. Elle l'a assassiné et enterré derrière la grange familiale, dans un cercueil contenant aussi le cadavre d'un chien — qu'elle avait également tué, j'en suis sûr, pour fournir un prétexte à l'enterrement. Nous avons vu la tombe, nous avons entendu des déclarations qui corroborent ce fait de membres de la famille. Nous sommes prêts à conclure un marché.

— De tous les trucs de dernière minute que j'ai... commença Mr Darrow.

Il se tut quand Libby leva la main vers lui.

— Et si nous n'acceptons pas votre marché ? demanda-t-elle.

— Nous exhumons le corps de l'enfant — votre mère, qui ignore encore notre découverte, sera ainsi mise au courant du crime — et nous vous arrêtons dès la fin de ce procès. Nous arrêterons peut-être aussi votre frère comme complice. Après tout, il a fabriqué le cercueil, il a creusé la tombe...

— Il ne savait rien ! s'écria-t-elle sans réfléchir.

Mr Darrow posa une main sur l'épaule de sa cliente.

— Ne dites plus un mot, Mrs Hunter, lui enjoignit-il. Picton, vous avez terminé ?

— A peu près.

L'avocat se rassit, scruta longuement le visage de Libby, parut y lire quelque chose qui ne lui plut pas, quelque chose qui lui disait que Mr Picton ne délirait peut-être pas.

— A titre d'hypothèse, dit-il, sans quitter sa cliente des yeux, quel genre de marché proposez-vous ?

— Nous réduirons les charges à meurtre au second degré dans l'affaire présente si Mrs Hunter plaide coupable.

— Et, ajouta le docteur, si elle prend contact demain matin avec ses complices de New York et leur donne pour instruction de nous remettre la petite Ana Linares à notre retour.

— En échange, reprit Mr Picton, elle sera condamnée à la prison à vie, sans possibilité de libération sur parole.

Comme Libby s'apprêtait à répliquer, Mr Darrow répéta, plus fermement encore :

— Ne dites rien. (Il se tourna vers le procureur.) Pourrions-nous, Mr Maxon et moi, en discuter en privé avec notre cliente — peut-être avoir un peu de temps pour réfléchir ?

— Je vous accorde un quart d'heure, répondit le magistrat. Le Dr Kreizler et moi vous laissons ce bureau.

Il se leva, adressa un signe au docteur, qui le suivit lentement vers la porte. J'eus à peine le temps de sauter des épaules de Cyrus et de me composer une attitude avant qu'elle s'ouvre. En sortant du bureau, mon maître me considéra d'un regard curieux, comme s'il me soupçonnait de quelque chose, mais dès que Mr Picton eut refermé la porte, l'attention se porta sur d'autres sujets.

— Alors ? fit Mr Moore.

Je les avais, lui et les autres, tenus informés de l'évolution de la situation, mais il se croyait sans doute obligé de respecter les formes.

— Je pense que nous avons de fortes chances d'aboutir, répondit l'adjoint au DA. Libby semble nous prendre au sérieux. Elle ne souhaite pas que sa mère apprenne ce que sa fille unique a fait de sa vie, ni qu'elle soit traînée devant un tribunal pour témoigner sur un infanticide qui a été commis sous son nez. La menace de poursuivre également son frère a aussi joué, je crois.

— Cette femme demeure cependant indéchiffrable, dit le docteur. Il y avait dans son ton quelque chose de… de faux. Elle était sous le choc, certes mais… elle ne se conduisait pas comme quelqu'un qui sent le piège se refermer.

— Cela confirmerait votre hypothèse, docteur, suggéra Lucius. Peut-être qu'une partie inconsciente de son esprit est attirée par l'idée de la prison.

— Non, il y a autre chose, répondit l'aliéniste. Je n'arrive pas à le définir, et je ne crois pas que j'en serai capable. En tout cas… (il regarda sa montre) pas avant quatorze minutes…

Ces quatorze minutes s'écoulèrent dans un silence presque complet. Les trois personnes se trouvant dans le bureau de Mr Picton parlaient à voix si basse qu'il était impossible de distinguer un seul mot. Quant à nous, je crois que nous étions tous trop tendus pour continuer à spéculer sur ce qui pouvait se passer. Finalement, quand le délai accordé eut expiré, l'adjoint au DA frappa doucement à la porte, entra sans attendre de réponse, invita le docteur à le suivre et la referma derrière lui.

— Stevie ! murmura Mr Moore.

J'avais déjà escaladé le dos de Cyrus et je lorgnais par l'imposte quand le petit procureur lança :

— Alors, Darrow ? Vous avez pris une décision ?

— Je crains que vous ne deviez dorénavant adresser vos questions à Mr Maxon, répondit l'avocat, les yeux fixant le sol.

— Ah ? fit Mr Picton, surpris.

— Oui, dit Clarence Darrow, sans relever la tête. Mrs Hunter a jugé bon de se passer de mes conseils. En conséquence, j'ai l'intention de rentrer à Chicago par le prochain train.

Echangeant des regards étonnés, Mr Picton et le Dr Kreizler firent de leur mieux pour s'abstenir de toute manifestation de triomphe.

— Vous ne parlez pas sérieusement, j'espère, dit le magistrat.

— Epargnez-moi votre courtoisie professionnelle, Picton, répondit l'avocat. Et si vous avez envie de pavoiser, ne vous gênez pas : vous avez joué là un fameux coup.

Pendant tout ce dialogue, Libby Hatch regarda droit devant elle, comme pour signifier qu'elle n'avait plus rien à faire avec Clarence Darrow. Quant à Maxon, son visage généralement anxieux montrait pour une fois un certain soulagement.

— Il y a un train à minuit pour Buffalo, je crois, dit Mr Darrow, dont les épaules me parurent plus voûtées que la veille, mais c'était peut-être un effet de mon imagination. De là, je prendrai la correspondance...

— Je suis vraiment désolé que vous partiez, déclara Mr Picton.

— Oh ! je n'en doute pas, répondit l'avocat en ébauchant un sourire.

Je n'eus que le temps de taper sur le crâne de Cyrus avant que Mr Darrow n'ouvre la porte. Cyrus s'écarta précipitamment vers la gauche pour qu'au moins les personnes restées dans le bureau ne puissent nous voir ; mais quand l'avocat passa dans l'antichambre et referma la porte derrière lui, il me découvrit perché sur les épaules de mon ami. Comme je m'attendais à un sermon outragé, je fus stupéfait lorsqu'il secoua la tête en riant.

— Je n'ai jamais vu une chose pareille ! dit-il.

Il salua notre groupe en portant deux doigts à sa tempe et sortit.

Aussitôt, Cyrus me ramena en position devant l'imposte et, reprenant mon espionnage, je vis que les trois hommes fixaient Libby Hatch, toujours silencieuse.

— Mrs Hunter a décidé d'accepter vos conditions, annonça Mr Maxon. Mon confrère était d'un avis contraire, mais personnellement...

— Inutile d'expliquer, l'interrompit Mr Picton d'un ton bienveillant. Darrow est un avocat de la grande ville qui veut se faire un nom à l'échelle nationale. On ne se taille pas une brillante réputation en concluant un accord avec l'accusation, n'est-ce pas ? Surtout quand on avait tout lieu d'espérer une victoire spectaculaire. Mrs Hunter sait, j'en suis sûr, que vous faites passer ses intérêts avant votre réputation.

— Merci, Picton. Oui, tout bien considéré, je pense qu'accepter votre marché est le meilleur choix. Pensez-vous utile de poursuivre la discussion, ou laissons-nous le reste pour demain, au tribunal ?

— Restons-en là, répondit le procureur. A moins que Mrs Hunter veuille faire une déclaration ?

Libby commença à secouer la tête puis leva un doigt.

— Juste une chose. Mon frère Eli. Je ne veux pas que vous l'embêtiez. Il n'était au courant de rien.

— Il avait des soupçons, quand même ? objecta Mr Picton.

— On traîne les gens en justice parce qu'ils ont des soupçons, maintenant ? rétorqua-t-elle. Non, je veux votre parole.

— Ne vous inquiétez pas, Mrs Hunter. En acceptant ce marché, vous faites avorter toute tentative d'investigation sur ce qui s'est passé à la ferme familiale — si le choix des mots n'est pas trop regrettable... (Il se tourna vers la porte.) Stevie !

Cyrus me saisit par la taille, me posa par terre. J'ouvris la porte, passai la tête dans le bureau où Mr Maxon aidait Libby à se lever.

— Stevie, tu veux demander à Henry de monter pour reconduire Mrs Hunter à sa cellule ?

Je partis en trombe mais n'allai pas cette fois plus loin que le couloir, où Henry faisait nerveusement les cent pas en tirant sur une cigarette.

— Hé ! appelai-je. Mr Picton veut qu'on ramène Mrs Hunter en bas !

Il écrasa son clope par terre avec l'une de ses grosses bottes, se rua dans le bureau. J'avais à peine fait un pas pour le suivre qu'il ressortit avec sa prisonnière, qui donnait l'impression que son monde venait de s'écrouler. Je n'avais aucune raison de douter de son abattement et, en la regardant s'éloigner dans le couloir, je sentis mon propre moral entamer une remontée notable mais contenue. Après le départ de Mr Maxon, je retournai dans le bureau et trouvai les autres dans un état comparable :

heureux, oui, mais abasourdis par la rapidité du retournement de situation. Mr Moore fut le premier à parler :

— Alors, Rupert, quel est l'ordre du jour ? On fait la fête ou...

L'adjoint au district attorney sourit, haussa les épaules, tenta de maîtriser son excitation.

— Avec prudence, John, avec prudence. Il faut encore que Brown approuve l'accord, et il n'aime pas beaucoup les surprises.

— Il ne peut quand même pas le rejeter ? fit Miss Howard, qui semblait ne pas savoir si elle devait donner libre cours à sa joie. Maintenant que l'accusée elle-même l'a accepté...

— Moi, je suis superstitieux, déclara Mr Picton en mettant de l'ordre dans ses papiers. Cela ne vous a sûrement pas échappé. Je ne me risquerai pas à faire des prévisions sur ce qui se passera demain matin.

— Et vous, docteur ? demanda Lucius.

L'aliéniste était allé à la fenêtre du bureau, d'où il regardait l'église presbytérienne.

— Hmm ?

— Vos pronostics ? dit Lucius. Il y a encore quelque chose qui vous chiffonne ?

— Quelque chose, non. Plutôt Libby. L'accord lui-même est excellent, et je suis convaincu que Brown, bien qu'affligé d'une singulière rigidité d'esprit, l'approuvera.

— J'aimerais que vous ne disiez pas des choses pareilles, docteur... fit Mr Picton.

— Allons, Rupert ! protesta Mr Moore. Laisse ces sornettes aux régions obscures du monde. Tu es le maître de ton destin, dans cette affaire — je ne vois pas comment tu aurais pu le démontrer plus clairement. Toi et Kreizler — oui, et toi aussi, Sara, vous avez réussi un coup fumant, et je dis que nous devons rentrer chez toi et déboucher quelques bouteilles de cet excellent champagne que j'ai vu caché dans un coin de ta cave...

— Bravo, approuva Marcus. Venez, vous tous ! Nous sommes restés si longtemps dans les cordes que nous avons oublié l'effet que cela fait de placer un bon direct. Un bon direct — qu'est-ce que je dis ? Nous les avons mis KO, oui !

Observant son maître, Cyrus déclara :

— Il semble effectivement que le vent a tourné.

Je commençais moi-même à me laisser gagner par ce sentiment croissant de victoire quand une considération pratique m'arrêta :

— Et Kat ? Faudrait peut-être la prévenir ?

— Pas encore, Stevie, répondit aussitôt le docteur. Attendons que le juge ait officialisé l'accord. Miss Devlin se mettrait en danger en prenant une initiative quelconque avant que nous soyons rentrés à New York pour l'aider.

— D'accord, acquiesçai-je. Mais pourquoi on reste ici ? Qu'est-ce qu'on attend pour partir ?

— Tu te rappelles ces hommes de Stillwater ? me demanda Miss Howard. On aurait pensé qu'ils n'avaient rien à craindre, eux non plus — des années s'étaient écoulées depuis l'incendie de la maison des Muhlenberg. Mais la peur ne les avait pas quittés…

Voici quelle fut la réponse de Mr Moore :

— Billevesées, comme disait ma grand-mère. Nous avons mis cette femme en cage, son sort est scellé. Allez, tout le monde, on rentre et on se donne de grandes claques dans le dos !

Mr Picton finit par hocher la tête.

— Je crois que nous pouvons au moins nous accorder une soirée libérée de toute inquiétude. Commencez sans moi, je dois revoir certains points, rédiger ma proposition pour le juge… Et je te serais reconnaissant de ne pas liquider tout le champagne avant que je vous rejoigne, John.

Nous quittâmes donc le bureau pour rentrer d'un bon pas dans la chaleur de la nuit. Notre moral continua à monter tandis que nous descendions High Street, et si nous n'étions pas extatiques en arrivant chez Mr Picton, nous nous sentions assez bien pour pousser un hourra général en découvrant que notre hôte avait téléphoné et demandé à Mrs Hastings de remonter quelques bouteilles de la cave et de les mettre dans la glace. Le dîner était prêt et nous attendait. Jamais les talents de l'aimable vieille gouvernante n'avaient donné résultat aussi alléchant : chapon rôti, agneau au curry et aux raisins secs, pommes de terre accommodées de diverses et succulentes façons (notamment frites et fortement salées, pour moi), ainsi qu'une abondance de jeunes légumes apportés le jour même des fermes du coin. Ajoutez à cela une tarte sablée aux fraises, des glaces maison, et vous aurez un festin pour lequel nous ne pûmes tout simplement pas attendre notre hôte. Les rires et les plaisanteries fusèrent dans la salle à manger tandis que nous mangions et buvions. Je me contentai de *root beer* mais, avant longtemps, ma conduite devint aussi débraillée que celle des adultes avalant force verres de vin. Pris dans cette ambiance, aucun de nous n'avait réellement conscience du temps qui passait : nous aurions pu rester toute la nuit à table tant nous nous sentions soulagés de savoir que l'affaire Libby Hatch allait connaître un dénouement heureux.

Juste avant minuit, une cloche se mit à sonner au loin.

Marcus fut le premier à le remarquer : au milieu d'un rire — Mr Moore racontait comment une bande d'Hudson Dusters l'avait poursuivi autour d'Abingdon Square pendant son récent voyage à New York —, le sergent inclina soudain la tête.

— Vous avez entendu ?

— Entendu quoi ? dit Mr Moore, se versant de nouveau du champagne. Vous avez des hallucinations, Marcus.

— Non, écoutez, insista l'inspecteur, qui ôta sa serviette de ses genoux et se leva. C'est une cloche…

Du coin de l'œil, je vis le docteur relever brusquement la tête : il avait perçu le bruit, et tous les autres l'entendirent à leur tour.

— Qu'est-ce qui se passe ? fit Lucius.

El Niño courut à la porte grillagée de la véranda.

— Ça vient d'une des églises ! nous cria-t-il.

— Un office ? dit Cyrus. Une messe de minuit au mois d'août ?

Envahi d'un soudain malaise, je regardai le docteur, qui agita une main pour réclamer un peu de calme. Lorsque nous eûmes obtempéré, un autre bruit s'éleva par-dessus les stridulations des grillons, dans le jardin.

C'était la voix d'un homme, appelant désespérément à l'aide.

— Picton, murmura le docteur.

— Ce n'est pas la voix de Rupert, répondit Mr Moore.

— Je sais, dit Laszlo Kreizler. Et c'est précisément ce qui m'effraie.

Il se précipita vers la porte, aussitôt suivi par tous les autres.

51

Mus par un sentiment d'urgence qui balaya la joie grandissante que nous avions éprouvée pendant le dîner (et qui eut aussi pour effet de dégriser rapidement les adultes), nous remontâmes High Street au pas de course. A mi-chemin du tribunal, il devint clair que la cloche que nous entendions était celle du clocher de l'église presbytérienne — mauvais signe. Des lumières s'allumaient çà et là dans les maisons bordant la rue, mais rares étaient les âmes courageuses sorties en chemise de nuit pour tenter de découvrir ce qui se passait. La chose demeura mystérieuse jusqu'à ce que nous soyons presque parvenus au bâtiment — moment où je me rendis soudain compte que je connaissais la voix qui appelait à l'aide.

— C'est l'autre garde ! criai-je au docteur. Celui qui était de faction à la porte quand on est sortis !

— Tu es sûr ?

J'écoutai de nouveau.

— Ouais, c'est lui ! Je lui ai parlé avant qu'on fasse monter Libby dans le bureau !

Scrutant l'obscurité devant moi — il n'y avait que deux ou trois becs de gaz entre la maison de Mr Picton et le tribunal —, je cherchai à déceler un mouvement quelconque. Je remarquai que la cloche s'était tue. Arrivé près de la pelouse, j'aperçus sur le perron du tribunal une silhouette qui agitait frénétiquement les bras.

— Le voilà ! m'exclamai-je quand je reconnus pour de bon le garde avec qui j'avais eu des mots.

J'accélérai l'allure, le docteur aussi, et nous fûmes bientôt face à face avec un homme frappé de terreur.

— Pour l'amour du ciel, descendez ! gémit-il en tendant le bras derrière lui. Essayez de les sauver, docteur ! Moi, je dois aller chercher le shérif !

— Qu'est-ce qu… ? commença l'aliéniste, mais le garde détalait déjà.

Marcus le regarda s'éloigner en s'interrogeant :

— Pourquoi il n'a pas utilisé le téléphone ?

— Il est terrifié au point de ne plus pouvoir penser, dit le docteur, haletant. Et je ne vois qu'une raison à cela. Venez !

Prenant de nouveau la tête de notre groupe, il pénétra dans l'édifice, s'élança vers la porte située derrière la guérite du garde. Elle ouvrait sur un escalier de pierre qu'il n'eut aucune peine à négocier puisqu'il l'avait emprunté maintes fois pour descendre interroger Libby Hatch. En nous entraînant à toute vitesse dans les entrailles du bâtiment, il ne cessait de marmonner : « Stupidité, stupidité ! »

Parvenu dans la pièce centrale d'où partaient les couloirs menant aux cellules, il s'arrêta brusquement… et nous fîmes de même en découvrant cette scène, faiblement éclairée :

Henry le gardien était appuyé contre un mur, les yeux grands ouverts, la mâchoire pendant d'une façon bizarre. On lui avait tranché la gorge d'une oreille à l'autre, et il portait quelques autres coups de couteau à la poitrine. Il ne saignait pas, pourtant — du moins, il ne saignait plus. Chaque goutte de son sang avait coulé de son corps, trempant ses vêtements et formant une grande flaque sombre par terre.

En face de lui, également adossé au mur, Mr Picton présentait lui aussi quelques vilaines blessures à la poitrine et une entaille profonde sur un côté du cou. Mais à la différence de ceux de Henry, ses yeux retenaient encore une faible lueur de vie, et sa bouche aspirait l'air, bien que par petites goulées irrégulières.

La flaque de sang qui l'entourait était cependant presque aussi grande que celle dans laquelle baignait le gardien mort.

Tandis que nous demeurions pétrifiés d'horreur, le docteur alla droit à Mr Picton, examina rapidement ses blessures.

— Cyrus ! appela-t-il. J'ai besoin de ma trousse ! (Sans un mot, le Noir repartit vers l'escalier.) Sergent ! poursuivit le docteur en regardant Lucius. Vous aussi, Sara, aidez-moi ! John, Marcus, il nous faut des pansements — déchirez vos chemises, tous les deux !

El Niño tomba à genoux, garda un moment la tête baissée puis la releva pour tourner vers le plafond des yeux désespérés. Tout à coup, il poussa une longue et terrible plainte qui déchira la nuit comme le hurlement d'un loup.

— *Jefe !* geignit l'indigène en larmes. *Señor* Picton, *no. No !*

Les sanglots d'El Niño firent tourner légèrement la tête au procureur, mouvement qui parut lui causer une vive souffrance. Quand il découvrit le docteur, Lucius et Miss Howard occupés à panser ses blessures, il s'efforça d'humecter sa bouche avec ce qui lui restait de salive pour pouvoir parler.

— Mon D-Dieu, hoqueta-t-il, quel bruit pour un si petit homme...

— Ne parle pas, Rupert, dit Mr Moore, réduisant sa chemise en charpie. Tu vas t'en tirer, mais pour une fois dans ta vie, s'il te plaît, ne parle pas !

Mr Picton eut un petit rire, grimaça.

— Désolé, John. J'ai toujours trop parlé... Je sais que cela t'embarrassait, quelquefois.

— Ne sois pas idiot, répondit Mr Moore en refoulant ses larmes.

— Et vous, docteur... poursuivit le blessé, les yeux sur l'homme qui tentait d'arrêter l'hémorragie. Vous avez toujours voulu... savoir... pourquoi je suis comme ça... Mon contexte...

Une quinte de toux projeta une gerbe de sang sur la poitrine de l'aliéniste qui, imperturbable, continuait à soigner son patient.

— J'allais vous le révéler... murmura le petit homme roux. J'en avais l'intention...

— Mr Picton, vous devez écouter John, dit le docteur. Vous ne devez absolument pas parler.

— Déjà entendu ça... balbutia le blessé.

Il aspira une ou deux bouffées d'air ; sa poitrine se raidit sous l'effet d'un spasme puis se relâcha ; son regard dériva vers le cadavre du gardien.

— L'imbécile... Docteur, combien croyez-vous qu'il y ait... d'histoires, réelles et imaginaires... où le geôlier se fait séduire par sa prisonnière ?

— Je vous en supplie, Rupert, fit Miss Howard, elle aussi au bord des larmes. (Elle posa deux doigts ensanglantés sur les lèvres de Mr Picton, eut un pâle sourire.) Essayez de garder le silence. Je sais que c'est difficile pour vous...

Il dégagea sa bouche, sourit lui aussi.

— Sara... je préfère... qu'on me laisse... diriger sans ingérence la scène de ma mort. (Il regarda de nouveau Henry.) Des centaines... d'histoires... comme celle-là, j'imagine... Cela donne la mesure... de l'analphabétisme dans notre société, voyez-vous... C'est ce qui est si intéressant...

Il toussa, cracha de nouveau du sang, agrippa les revers de la veste du docteur, et tira, les yeux agrandis par la douleur.

— Ce n'est pas... elle... haleta-t-il. Elle lui a dit... de me tuer... Mais ce crétin... n'a même pas réussi à faire ça convenablement... (Il se laissa retomber.) Ensuite elle l'a tué... il y a plus d'une heure... Elle a une longueur d'avance sur vous, docteur... Vous devez partir... partir...

— Rupert, au nom du ciel, ferme-la ! dit Mr Moore, dont les larmes coulaient maintenant sur ses joues.

Mr Picton sourit de nouveau, nous regarda tour à tour.

— Vous avez tous... Je veux vous remercier...

Saisissant de nouveau les revers du docteur, il murmura :

— Quand on m'enterrera... lisez les inscriptions sur les tombes... ma famille... un indice...

Sa tête roula sur le côté, la lueur consciente de son regard s'éteignit.

Le docteur posa deux doigts sur la gorge de Mr Picton, tira sa montre de son gilet, en approcha le couvercle brillant des narines ensanglantées du blessé.

— Il respire encore, annonça-t-il en se remettant à le panser. Mais à peine.

Des bruits de pas résonnèrent dans l'escalier ; Cyrus apparut avec la trousse du docteur, suivi quelques instants plus tard par Mrs Hastings.

— Oh ! Votre Honneur ! s'écria-t-elle. Votre Honneur, non !

— Mrs Hastings, lui dit le docteur. Mrs Hastings ! dut-il répéter pour qu'elle l'entende. Savez-vous si le Dr Lawrence a des instruments chirurgicaux dans son cabinet ? On ne peut transporter votre maître à Saratoga mais on ne peut pas non plus lui donner ici les soins dont il a besoin.

Refoulant ses larmes, la gouvernante répondit :

— Oui, je crois. Il s'en est servi pour mon mari quand il... Oh ! Votre Honneur, je ne pourrai pas le supporter !

— Ecoutez-moi ! ordonna l'aliéniste. Emmenez le sergent avec vous. (Il indiqua Marcus, qui avait remis sa veste sur son tricot de corps.) Téléphonez à Lawrence, pour le prévenir. Ensuite, allez à l'écurie de Mr Wooley, demandez-lui de préparer son chariot le plus doux, d'en capitonner l'arrière avec ce qu'il voudra. Vous pouvez faire ça, Mrs Hastings ?

— Je... (Elle se ressaisit, hocha la tête.) Oui, docteur. Si le sergent veut bien m'aider.

— Venez, Mrs Hastings, dit Marcus, la guidant vers la porte. Si nous faisons vite, tout ira bien.

Quand ils eurent quitté la salle, le docteur recommença à s'occuper des blessures de Mr Picton.

— Oui, s'ils font assez vite, murmura-t-il d'une voix presque sans espoir.

— Et Libby ? rappela Lucius. Picton a raison — elle a une longueur d'avance sur nous.

— Nous n'y pouvons rien. Il faut d'abord tout tenter pour sauver notre ami — nous le lui devons. Il faut aussi parler au shérif. Je veux que ce qui vient de se passer ici soit parfaitement clair, afin que, lorsque nous reprendrons notre chasse, nous puissions le faire ouvertement, cette fois.

En entendant ces mots, je ne pus que penser à une chose : qu'arriverait-il à Kat quand Libby Hatch serait de retour à New York? Il était plus de minuit — difficile, voire impossible, d'envoyer à Betty un message lui demandant d'aller chez les Dusters pour avertir Kat. Qu'arriverait-il? Je m'interrogeais, avec une frayeur croissante. Si cette horrible femme avait pu traiter ainsi le pauvre Mr Picton — sans parler du gardien mort gisant à l'autre bout de la salle —, que se passerait-il lorsqu'elle...

Je sentis quelqu'un me tirer par la manche. Pivotant, je découvris El Niño, qui semblait avoir surmonté temporairement son chagrin : au lieu de larmes, une lueur farouche brillait dans ses yeux et son visage, pour la première fois depuis que je le connaissais, montrait la violence dont il était capable dans sa colère. Je n'avais plus devant moi l'agréable petit indigène mais l'homme qui, enfant, avait été arraché à son peuple, vendu, et qui, échappant à son esclavage, était devenu un mercenaire errant.

— *Señorito* Stevie, chuchota-t-il en m'entraînant vers l'escalier tandis que les autres continuaient à fixer leur attention sur le blessé. *Señorito* Stevie, répéta-t-il quand nous fûmes hors de portée d'oreille. Je dois aller.

— Aller? Aller où?

— Le *jefe* va mourir, je connais ces blessures. Et je l'ai lu aussi dans les yeux du *señor doctor*. Il essaie de sauver, mais il réussit pas. Et il essaie pendant des heures. (Son kriss apparut soudain sous la veste de mon habit de soirée.) Je dois aller. Avant que la piste de cette femme est froide. Je le dois au *señor* Picton.

— Pourquoi tu me dis tout ça?

— Ils me laisseront pas aller, répondit-il, indiquant les autres. Ils m'empêchent de partir — et ils vous empêchent aussi.

— Moi?

— Vous pouvez pas attendre que le *jefe* est mort si vous voulez sauver votre amie et bébé Ana. C'est à nous de faire ça, *señorito* Stevie. Vous connaissez les endroits où il faut aller, et moi, je sais faire ce qui doit être fait, dit l'indigène, avec un regard au couteau qu'il tenait à la main. Mais les autres ne permettent pas, s'ils savent.

Je tournai mon regard vers le docteur. El Niño avait

raison, bien sûr : jamais il ne m'autoriserait à partir avant eux pour protéger Kat.

— Mais comment... ?

— Pas difficile, assura le Philippin. Toi et moi, on sait faire.

J'accordai au problème quelques secondes de réflexion.

— Ils s'attendent à ce qu'on prenne le train, donc ils essaieront de nous coincer à la gare, raisonnai-je à voix haute. Il suffirait de faucher un cheval à l'écurie, d'aller à Troy, de prendre l'express là-bas...

Le petit homme posa une main ferme sur mon épaule.

— Tu vois, *señorito* Stevie, c'est à nous de faire. Nous savons comment.

Je respirai à fond plusieurs fois pour calmer les battements de mon cœur avant d'acquiescer :

— D'accord. Juste une chose...

Je retournai dans la salle, émis un petit sifflement en direction de Mr Moore. Je dus m'y reprendre à deux fois avant d'attirer son attention. D'un geste, je lui fis signe de nous rejoindre. Il s'approcha lentement, sans quitter des yeux le blessé.

— Qu'y a-t-il, Stevie ?

— Je... nous devons partir. Tout de suite.

Cette fois, il tourna vers moi son visage ruisselant de larmes.

— Que veux-tu dire ?

— Elle a déjà une bonne avance. Vous et les autres, vous devez rester pour vous occuper de Mr Picton, et tout expliquer au shérif. Le temps que ce soit fini...

Il pesa mes propos, jeta un bref coup d'œil à son ami agonisant.

— Mais comment pourras-tu... ? (Son regard tomba sur le kriss d'El Niño et s'assombrit, sans pour autant devenir désapprobateur.) Comment ferez-vous ?

— On se débrouillera, répondis-je. Suffit qu'on ait un peu d'avance, nous aussi...

Mr Moore plongea la main dans une poche, en tira son portefeuille.

— Il vous faudra de l'argent, fit-il observer, terre à terre.

— Alors, vous nous aiderez ? dis-je.

— Kreizler m'étripera pour ça, soupira-t-il. (Il me tendit une liasse de billets — tout ce qu'il avait —, posa une main sur mon épaule, l'autre sur celle d'El Niño.) Ne me dis pas comment vous irez là-bas : je ne pourrai pas révéler ce que j'ignore. Et soyez prudents. Nous vous rejoindrons dès que nous pourrons. Dès que…

— Oui. Dites au docteur… (Je regardai l'homme qui avait tant fait pour moi, et dont je défiais maintenant l'autorité.) Dites-lui que je suis désolé…

— Je sais. Ne t'en fais pas, et ne perds plus de temps. Va, fais ce que tu as à faire. Va, Stevepipe…

Tandis qu'il retournait auprès des autres, El Niño et moi montâmes l'escalier avec l'agilité et la discrétion de deux individus particulièrement versés dans l'art de la clandestinité.

52

En arrivant à l'écurie, nous trouvâmes Mr Wooley en train de confier à Mrs Hastings et Marcus le chariot spécialement équipé (il avait fait installer un matelas de plumes à l'arrière) réclamé par le docteur. Certains qu'il n'accepterait jamais de nous louer un cheval, nous attendîmes qu'il rentre chez lui pour nous approcher de la porte de l'écurie, fermée par un cadenas gros mais simple qui ne me résista pas longtemps. Une fois à l'intérieur, je cherchai le petit étalon dont je connaissais la vaillance et, tandis qu'El Niño le sellait, j'allai au vieux bureau, griffonnai un mot expliquant à Mr Wooley où il trouverait sa bête — à la gare de Troy — et enveloppai le message de quelques billets couvrant plus que largement mon « emprunt ».

Lorsque j'eus terminé, El Niño avait fini de préparer l'étalon et, comme le Philippin avait passé quelque temps avec une bande de pillards écumant à cheval l'Indochine française, je le laissai prendre les rênes et montai derrière lui. Nous passâmes au pas devant la maison de Mr Wooley, traversâmes la ville au trot. Une fois sur la route de Malta, l'indigène lâcha la bride au cheval, qui se mit à galoper à une allure à la fois effrayante et rassurante.

Plus de trente kilomètres séparent Troy de Ballston Spa, mais le petit étalon, quoique portant deux cavaliers, en vint facilement à bout, comme je l'avais espéré. La nouvelle qui nous attendait à la gare fut moins encourageante : nous avions manqué le dernier train pour New

York et il n'y en avait pas d'autre avant le lendemain. Un train de marchandises de la West Shore Railroad devait cependant passer vingt minutes plus tard et, laissant notre courageuse monture, nous nous faufilâmes près de la voie et sautâmes dans un des wagons quand le train ralentit pour traverser la ville. Cette solution, moins confortable et moins touristique (la compagnie West Shore empruntait des voies éloignées à l'intérieur des terres), se révéla cependant plus adaptée à notre objectif puisque le convoi de marchandises s'arrêta très peu et que nous trouverions, bien que sa destination finale fût Weehawken, New Jersey, de l'autre côté de l'Hudson par rapport à Manhattan, un ferry pour nous déposer à Franklin Street, à une vingtaine de rues au sud du quartier général des Dusters, dans Hudson Street.

Libby arriverait à New York bien avant nous, c'était une certitude. Restait à savoir ce qu'elle ferait une fois là-bas. Son principal objectif serait-il de faire disparaître toute trace d'Ana Linares, de soutirer quelque argent à Goo Goo Knox et de fuir dans l'Ouest, où les criminels recherchés parvenaient souvent à se faire une nouvelle vie sous un autre nom ? Une telle décision eût été logique, mais la logique ne rentrait plus en ligne de compte dès lors qu'il s'agissait de Libby. Dotée d'un esprit rusé et tortueux, intelligente, oui, mais en définitive, ses actes — toute sa vie — étaient absurdes, et je savais que si je voulais prévoir le prochain coup qu'elle jouerait, je devrais raisonner comme le docteur au lieu de m'appuyer sur mon expérience de criminels aux vues plus pratiques.

Lorsque le train pénétra dans le New Jersey et que l'aube donna au ciel une étrange lueur bleue, je m'attelai à cette tâche et parvins à l'unique conclusion qui pût me rendre quelque espoir : après les épreuves subies à Ballston Spa, les révélations sur sa vie de meurtres et de destructions, Libby avait plus que jamais besoin de garder Ana en vie, de prouver enfin qu'elle était capable de s'occuper d'un enfant. Elle tenterait de quitter New York, aucun doute là-dessus, mais je présumais qu'elle le ferait avec le bébé, et tant qu'elle ne s'en prendrait pas à Ana, Kat n'aurait aucune raison d'intervenir et de risquer sa vie. Ce raisonnement me parut solide et je m'y cramponnai tandis que notre train longeait les Palisades en entrant dans Weehawken.

Dès que la gare fut en vue, El Niño et moi sautâmes du train et courûmes vers l'embarcadère du ferry sans échanger un mot. L'indigène était de plus en plus absorbé par son désir de vengeance. Pendant la traversée de l'Hudson, il aiguisa son couteau et ses flèches, mélangea diverses substances dans une petite gourde en bois contenant une pâte collante. Il s'agissait probablement du produit dont il enduisait la pointe de ses projectiles, et je ne pus que supposer qu'il modifiait le mélange pour le rendre mortel. Son visage avait une expression si sombre, si déterminée, que j'éprouvai le besoin de clarifier certains points avec lui.

— El Niño, personne comprend mieux que moi ce que tu ressens. Mais ce qui compte avant tout, c'est de sauver Ana et Kat, d'accord ?

Il hocha lentement la tête en trempant l'extrémité d'une flèche dans le récipient.

— Pour le reste, tu sais ce que diraient le docteur, Miss Howard et les autres : si c'est possible, il faut essayer de prendre Libby Hatch vivante, pour qu'elle soit jugée.

— Déjà jugée, marmonna-t-il. Je sais quoi les autres pensent, *señorito* Stevie. (Glissant la dernière de ses flèches sous sa veste, il me regarda dans les yeux.) Mais toi aussi ?

Je secouai la tête.

— Une fois que Kat et le bébé seront en sûreté, ce que tu feras ne regarde que toi, en ce qui me concerne.

Il hocha de nouveau la tête, regarda l'embarcadère de Franklin Street, qui venait d'apparaître devant nous.

— Oui. Toi et moi, on comprend ces choses, dit-il.

Je n'avais pas le choix. Si j'essayais d'empêcher El Niño de faire ce qu'il estimait être son devoir, je n'aboutirais qu'à me fâcher avec lui. En outre, je n'étais pas certain que sa solution ne fût pas la meilleure. Libby Hatch était comme un serpent, elle semblait capable, en se tortillant ou en tuant, de se tirer de n'importe quelle situation ; et je ne pouvais imaginer qui que ce soit qui fût mieux à même de mettre ce serpent hors d'état de nuire que le petit homme venu de l'autre côté de l'océan et assis à côté de moi.

New York n'est jamais plus laid qu'au lever du jour et n'empeste jamais plus qu'au mois d'août — ces deux faits furent amplement démontrés ce matin-là tandis que le bateau fendait l'eau vers l'embarcadère. Certes, nous apercevions au loin ces splendeurs qui impressionnent tant les gogos venus d'ailleurs — le Western Union Building, les tours de Printing House Square, le clocher de Trinity Church —, mais rien de tout cela ne compensait la puanteur des détritus en putréfaction et de l'eau sale, ni la vue des quartiers misérables s'étendant derrière les quais. Naturellement, notre humeur ne contribuait pas à rendre New York attrayant. Après une nuit d'horreur comme celle que nous venions de vivre, aucune ville, sans doute, ne nous aurait paru belle. Seul motif de satisfaction : la mission que nous nous étions assignée occupait une si grande place dans nos esprits qu'elle ne laissait pas le sentiment d'abattement dû au retour parmi la saleté et les dangers de la métropole nous gagner : dès que nous eûmes débarqué, nous nous élançâmes en courant vers notre destination sans songer un seul instant à prendre un fiacre.

La première chose à faire, à l'évidence, c'était essayer d'avoir une idée de ce qui se passait chez les Dusters. A cette heure matinale, le lieu devait être mort (quoiqu'on ne pût en être sûr : les Dusters, comme tous les renifleurs de coco, avaient tendance à dormir à n'importe quelle heure), et je résolus que le mieux serait de nous poster à un endroit d'où nous pourrions surveiller les allées et venues autour du bâtiment. De préférence en haut d'un immeuble situé de l'autre côté de Hudson Street, car il y avait peu de coins de rue où nous pouvions traîner en plein jour sans nous faire repérer par un membre de la bande. Approchant par Horatio Street, j'avisai un bâtiment qui offrirait une bonne vue sur le bouge crasseux mais très connu de Goo Goo Knox. Je crochetai la serrure de la porte de derrière et, quelques minutes plus tard, nous étions sur le toit, accroupis derrière le muret surmontant la façade.

Il n'était pas encore huit heures. Des bourgeois venus

s'encanailler — faciles à reconnaître à leur mise — sortaient en protestant : manifestement bourrés de cocaïne, ils n'en avaient pas encore assez de se vautrer dans la fange, mais le Duster massif qui les poussait dehors leur signifia clairement que leurs «hôtes» étaient fatigués de les distraire et voulaient se reposer. C'était pour nous une bonne nouvelle puisque cela nous laisserait un peu de temps pour trouver un moyen de faire parvenir un message à Kat et découvrir si Libby Hatch était bien dans la place. Manifestement, ni moi ni El Niño ne pouvions entrer pour poser la question. La solution, c'était que j'aille chez Frankie parler à Betty, l'amie de Kat. Elle pourrait, elle, pénétrer chez les Dusters sans trop de problème. Pendant ce temps, El Niño resterait sur le toit ; si Libby se manifestait, il la suivrait et ne tenterait quelque chose contre elle que s'il avait la certitude de récupérer Ana Linares saine et sauve.

Je redescendis donc dans la rue où je hélai le premier fiacre en vue. Sachant que je ne parviendrais jamais à convaincre le cocher de me conduire à Worth Street — quartier où ses collègues ne s'aventuraient jamais de peur de se faire dévaliser ou tuer —, je lui donnai la destination la plus proche qu'il accepterait, supposais-je : l'ancien tribunal du boss Tweed, juste au nord de l'hôtel de ville. Il ne se trouvait qu'à quelques rues de Chez Frankie (bien qu'on eût pu se croire à l'autre bout de la ville, tant le changement de paysage était saisissant) mais je tombai pile dans les embouteillages matinaux. Malgré les tuyaux que je donnai au cocher pour éviter les voies principales, le trajet s'accomplit quasiment au pas.

Le matin n'avait jamais été un moment bien choisi pour entrer dans un endroit comme Chez Frankie, et ce jour-là ne faisait pas exception. Comme nous étions en été, le trottoir était encombré de gosses «dormant» dehors — ou, pour parler plus franchement, cuvant la gnôle infâme que Frankie servait dans son bar. Ceux qui n'étaient pas inconscients vomissaient dans le caniveau et gémissaient comme s'ils étaient sur le point de mourir. Enjambant des corps et toutes sortes de déjections humaines sitôt la porte franchie, j'eus au moins le soulagement de n'entendre aucun bruit dans la fosse aux combats de chiens et de rats. En fait, il n'y avait personne dans l'établissement excepté le barman, un jeune Italien d'une quinzaine d'années à la joue balafrée d'une vilaine cicatrice.

Lorsque je lui demandai si Frankie était là, il me répondit que le « patron » dormait dans une des arrière-salles — avec, comble de déveine, Betty. Je fis valoir au barman que je devais absolument parler à Betty, mais il secoua la tête : Frankie avait donné l'ordre qu'on ne les dérange pas. Ne pouvant en rester là, je parcourus la salle des yeux, les gosses affalés sur les tables ou sur le plancher, en essayant de deviner si l'un d'eux avait une matraque. De la poche revolver d'un gamin — il ne pouvait avoir plus de dix ans — dépassait une lanière en cuir révélatrice. Comme il était assoupi à une table, la tête dans une flaque de son propre vomi, je présumai qu'il ne verrait pas d'inconvénient à ce que je lui emprunte son arme. Je me dirigeai donc droit vers la porte menant aux « chambres » de derrière, aussitôt suivi par le barman, et m'emparai de la matraque du môme endormi avant que l'Italien ne se jette sur moi. Trois secondes plus tard, mon assaillant gisait sur le plancher, avec une jolie bosse pour faire pendant à sa cicatrice.

Un rapide coup d'œil dans les pièces m'apprit que Frankie et Betty cuvaient dans celle du fond. Je saisis la fille, la traînai jusqu'au bar, réussis à trouver un peu d'eau pour lui asperger le visage. Tirée de sa torpeur, elle fit apparaître une lame d'une vingtaine de centimètres de long, et je ne dus qu'à mes réflexes d'éviter qu'elle me la plante dans le ventre. Lorsque Betty me reconnut, elle rangea son arme mais son humeur ne s'améliora pas pour autant. Je lui expliquai la situation de Kat, elle accepta de m'accompagner et de m'aider dans mon plan — après, bien entendu, que je lui eus proposé quelques thunes.

Je retournai avec Betty au tribunal de Tweed, hélai un autre fiacre et me fis conduire à Hudson Street : « A l'hôpital », avais-je dit au cocher pour le rassurer. Ledit hôpital se trouvait non loin du QG des Dusters et, quand nous descendîmes du fiacre, Betty avait redonné quelque vivacité à son esprit en reniflant un peu de la coco qu'elle serrait dans son petit sac élimé. Je n'essayai même pas de l'en empêcher ou de lui faire la leçon — je ne songeais qu'à Kat, à ce moment-là — mais c'était fort peu réjouissant de voir une fille aussi jeune détruire son corps avec cette saleté de poudre blanche. Cela l'aida néanmoins à affronter avec un peu plus de courage l'idée d'aller chez les Dusters. Lorsque je la quittai pour retrouver El Niño sur le toit, j'avais de bonnes raisons de croire que mon plan réussirait.

Mon optimisme crût encore quand l'indigène me rapporta qu'il avait effectivement repéré Libby Hatch : juste après mon départ, elle avait fait une brève apparition dans la rue pour arrêter le chariot du laitier. D'après El Niño, elle ne semblait pas ravie d'avoir dû se lever aussi tôt, manifestement pour subvenir aux besoins de la petite Ana, mais le fait qu'elle soit retournée à l'intérieur avec la bouteille de lait semblait indiquer que, pour le moment du moins, elle n'envisageait pas de fuir. Elle n'avait d'ailleurs aucune raison de le faire : elle savait qu'il faudrait du temps au docteur et aux autres pour la rattraper, qu'une fois à New York ils devraient expliquer les événements aux flics puis convaincre un ponte de Mulberry Street de faire une descente sur le QG des Dusters — pas le genre de décision qu'un policier sensé prendrait sans une longue séance préalable de persuasion. Toutefois, savoir où se trouvaient actuellement Libby et l'enfant constituait une réelle cause de satisfaction.

Fait moins encourageant, Betty revint de chez les Dusters quinze minutes plus tard, déroutée, déçue — et plus que passablement inquiète. De notre perchoir, je sifflai pour attirer son attention puis lui fis signe de me retrouver au coin de la rue. Là, elle me raconta une histoire pour le moins étrange : Libby Hatch était arrivée un peu après trois heures du matin, s'était aussitôt enfermée avec Ana Linares dans la chambre de Goo Goo Knox. Kat, fidèle à la promesse faite à Mr Moore, s'était introduite dans la pièce sous prétexte de demander au chef des Dusters si elle devait s'occuper du bébé. Mais Libby ne se souvenait que trop bien que Kat était mon amie ; prise d'un accès de rage, elle l'avait accusée d'être une espionne dont le véritable dessein était de lui enlever Ana et de la dénoncer à la police. En temps ordinaire, Goo

Goo aurait résolu le problème en faisant zigouiller Kat et en jetant son cadavre dans le fleuve, mais Ding Dong était alors intervenu — autant par désir de sauver la face aux yeux des autres Dusters que par souci réel du sort de Kat, supposai-je. Personne, déclara-t-il, ne toucherait à une de ses filles sans son autorisation. Les deux hommes s'étaient lancés dans une bagarre fort appréciée par les gens du monde que nous avions vus sortir. Au début, Kat avait cherché à défendre Ding Dong, mais, au bout d'un moment, Libby elle-même, dans une de ses réactions imprévisibles que nous connaissions si bien (et qui n'annonçaient généralement rien de bon), avait mis fin au combat en déclarant qu'elle serait satisfaite si Kat quittait simplement les lieux. Ce que mon amie avait fait, mais sans aller plus loin que le coin de rue le plus proche, probablement afin de poursuivre sa surveillance de l'extérieur.

Pour une raison que personne dans le bouge ne connaissait, elle avait soudain disparu peu de temps avant notre arrivée. C'était inquiétant car il n'y avait que quelques endroits où elle aurait pu se réfugier, et le bar de Frankie figurait en tête de liste. A l'évidence, elle ne s'y était pas rendue. D'un autre côté, on était en août, et Kat se cachait peut-être dans l'un des parcs de la ville qui offraient asile aux gosses des rues pendant la belle saison. Je décidai d'en faire rapidement le tour et de voir si l'une de mes connaissances — Hickie le Boche, par exemple — n'aurait pas aperçu Kat.

Avant de laisser Betty retourner chez Frankie, je lui donnai le numéro de téléphone de la maison du docteur et lui fis promettre d'appeler si Kat allait là-bas. Puis je remontai sur le toit exposer mon plan à El Niño. Je savais qu'il préférerait rester à surveiller le QG des Dusters, au cas où Libby bougerait, et je lui donnai également le numéro de téléphone du docteur, en le prévenant toutefois que je n'y serais pas avant une heure ou deux. Au cas où Libby Hatch sortirait, il devait la suivre et me tenir au courant. Je lui remis la moitié de ce qui restait de l'argent de Mr Moore et partis à la recherche de Kat.

La partie la plus éprouvante pour mes nerfs consista à arpenter les quais de l'Hudson en demandant si quelqu'un n'avait pas assisté à une bagarre, ou repéré un cadavre dans l'eau. J'interrogeai quelques équipes de dockers en poussant jusqu'à la jetée de la Cunard, mais aucun d'eux n'avait entendu parler de quoi que ce soit. Je tombai même sur mon vieux copain Gros-Blair, qui, comme d'habitude, avait fourré son nez un peu partout pendant la matinée et n'avait ni vu Kat ni entendu parler de violence sur les quais. Cela était à la fois rassurant et intrigant : où Kat avait-elle bien pu passer ? Une autre question me trottait dans la tête : pourquoi Libby Hatch avait-elle laissé filer mon amie au lieu de lui infliger le même sort qu'à ce pauvre idiot d'Henry, et peut-être aussi à Mr Picton ? De tous les traits composant la personnalité complexe de cette femme, la compassion n'était pas le plus manifeste, en particulier quand sa propre sécurité était en jeu. Pourquoi avait-elle laissé partir Kat ?

En traversant mon ancien quartier, je fis halte dans une demi-douzaine de bouges pas très différents de Chez Frankie sans trouver trace de Kat. A la halle aux poissons de Fulton, Hickie interrompit sa baignade matinale pour m'annoncer qu'avec une bande de copains il avait « cassé » dans la nuit une série de maisons dans le West Side. Ils n'étaient pas rentrés avant le matin et s'étaient offert quelques pintes en chemin dans un bar de Bleecker Street. Lui non plus n'avait rien entendu, ce qui me redonna espoir : s'il était arrivé quelque chose à Kat, la nouvelle aurait rapidement fait le tour de notre circuit. Mais où diable était-elle ?

Une autre visite chez Frankie (où, Dieu merci, le jeune Italien que j'avais allongé n'était plus de service) me donna finalement un début de réponse. En rentrant, Betty avait trouvé Kat qui l'attendait. Elle ne se sentait pas bien du tout — c'était pour cette raison qu'elle avait cessé de surveiller le QG des Dusters. Elle avait des douleurs terribles au ventre et à l'estomac — mal que ni elle ni Betty n'arrivèrent à identifier ni à soulager. Apprenant que j'étais de retour, Kat avait décidé d'aller m'attendre devant la maison du docteur, car je pourrais peut-être, expliqua-t-elle à son amie, lui donner un remède particulièrement efficace pour le genre de problème qu'elle avait (allusion à l'élixir parégorique du docteur). Betty avait voulu accompagner Kat, qui s'était mise à vomir, mais Frankie était encore furieux que Betty eût quitté leur lit ce matin-là, et Kat était partie seule. Elle était déjà probablement dans la 17ᵉ Rue.

Je retournai rapidement à City Hall Park et pris un fiacre en me représentant Kat blottie comme l'autre fois dans la haie du jardin de devant du docteur. Le récit de Betty me laissait supposer que, cette fois encore, elle souffrait de manque et qu'il me faudrait lui administrer le même traitement — il me vaudrait un autre sermon du docteur mais, au moins, je serais en mesure d'aider Kat une fois à l'intérieur de la maison.

Je la trouvai comme je l'avais imaginée, recroquevillée sous les branches, tel un chaton nouveau-né, vêtue, comme toujours en été, d'une vieille robe mince révélant les formes naissantes de son jeune corps. Elle dormait, respirant à petits coups rapides et pressant son sac contre son ventre. Deux petites flaques de vomi — de la bile, à vrai dire, car les haut-le-cœur avaient depuis longtemps vidé son estomac — tachaient le sol derrière son dos arrondi. Dans son visage couleur de cendre, de grands cernes noirs s'étaient formés sous ses yeux ; en lui prenant la main, je remarquai que ses ongles commençaient à prendre une teinte inquiétante, comme si on lui avait écrasé les doigts.

Même moi, je me rendais compte qu'elle était beaucoup plus malade que la dernière fois.

Relevant quelques mèches blondes trempées de sueur tombées sur son visage, je m'aperçus que sa peau était étrangement fraîche au toucher et, lorsque j'essayai de la réveiller, je dus lui tapoter les mains et répéter son nom pendant une bonne minute. Dès qu'elle reprit conscience, elle s'étreignit le ventre, eut un nouveau hoquet, sans bile cette fois. Sa tête ballotta quand je l'aidai à s'asseoir.

— Stevie... haleta-t-elle. Oh ! mon Dieu, j'ai salement mal au ventre...

Le regard trouble, elle se laissa aller sur ma poitrine.

— Je sais, dis-je, m'efforçant de la mettre debout pour la faire entrer. Betty m'a raconté. Depuis combien de temps t'es privée de coco ?

— C'est pas ça. J'en ai une boîte pleine, je sniffe depuis ce matin. C'est autre chose...

Lorsqu'elle fut debout, la douleur parut se calmer un peu et elle leva les yeux vers moi pour la première fois.

— Décidément, je suis jamais à mon avantage quand on se voit, hein ? fit-elle avec un petit sourire.

— Ça va aller, assurai-je. Faut juste que je te fasse entrer pour te donner ce qu'il faut.

Elle me pressa le bras, l'air très inquiète et peut-être un peu honteuse.

— J'ai fait ce que j'ai pu, tu sais. J'avais promis à ton ami le journaliste de veiller sur la petite, et j'ai vraiment essayé, mais j'avais tellement mal...

— Pas de problème, dis-je. Tu t'es bien débrouillée. Y a quelqu'un d'autre qui surveille, maintenant. Quelqu'un à qui Libby arrivera pas à échapper.

— Ouais, mais est-ce que lui, il arrivera à lui échapper ?

— Il aura pas besoin, il peut rendre coup pour coup.

Vacillant un peu quand je la conduisis vers la porte, Kat déglutit avec une extrême difficulté.

— Il doit être sacrément fort, alors. Parce que, tu peux me croire, Stevie, cette bonne femme, c'est la fin du monde...

Je pris ma clé, ouvris, guidai Kat à l'intérieur de la maison, où l'air était chaud et sentait le renfermé. Au pied de l'escalier, elle se plia en deux, rendit un peu de bile jaune, poussa un cri et, comme si ce cri avait épuisé ses dernières forces, se laissa tomber sur une marche et se mit à pleurer en silence.

Je m'assis à côté d'elle, la serrai contre moi.

— Stevie, parvint-elle à dire, je sais que t'es pas censé faire ça et que ça t'attirera des ennuis...

J'avais complètement oublié l'élixir parégorique.

— Ah ! oui. Attends là, je vais chercher le truc.

Je l'appuyai contre le mur, me levai pour aller dans le cabinet de consultation du docteur, mais, au moment où je me tournais vers le vestibule, elle agrippa une de mes mains comme si elle craignait de ne plus jamais me revoir si elle me lâchait.

— J'ai jamais mérité que tu sois aussi bon avec moi, murmura-t-elle.

— Arrête, répondis-je, m'efforçant de retenir mes larmes. Ça va aller. On s'en est sortis, l'autre fois, non ? On s'en sortira encore. Et ce coup-ci, ajoutai-je avec un sourire, je te mettrai moi-même dans le train.

Elle hocha la tête, baissa les yeux.

— Peut-être... peut-être même que tu partiras avec moi, hein ?

— Ouais, peut-être, murmurai-je, la gorge serrée.

— J'ai jamais eu envie de retourner avec lui, tu sais, Stevie. Mais j'avais pas de nouvelles de ma tante, je savais pas quoi faire...

— Oublie tout ça. Pour le moment, on s'occupe seulement de te guérir.

Je me ruai dans le cabinet du docteur, revins avec la grosse bouteille d'élixir, dont j'administrai à mon amie une dose généreuse. Sachant qu'il avait calmé ses crampes la fois précédente, elle ne se plaignit pas de son goût, mais elle avait de plus en plus de mal à déglutir et il ne lui fut pas facile d'avaler le remède. Lorsqu'elle y fut parvenue, l'élixir parut faire effet rapidement, soulageant suffisamment la douleur pour permettre à Kat de se lever, de passer un bras autour de mon cou et de commencer à monter. Mais le soulagement fut de courte durée. A peine arrivions-nous au deuxième étage qu'elle se plia de nouveau en deux et poussa un cri, si terrible que je résolus de ne pas aller plus loin. Comme nous étions devant la chambre du docteur, je l'entraînai vers le grand lit à colonnes.

— Non, fit-elle, pantelante. Non, Stevie, je peux pas. C'est son lit, il te tannera le cuir !

Je la portai à demi, l'allongeai sur le mince couvre-lit bleu foncé.

— Combien de fois il faut que je te le répète ? Il est pas comme ça.

Tandis que la tête de Kat s'enfonçait dans la montagne d'oreillers moelleux, je parcourus la pièce des yeux, cherchant quelque chose pour la couvrir. La housse de satin chinois vert et argent d'une couette pliée sur un divan, près de la fenêtre, finit par attirer mon regard.

— Tiens, dis-je en étendant la couette sur mon amie. Faut que tu restes au chaud et que tu laisses le médicament faire son effet.

Malgré sa souffrance, Kat remonta la couette pour frotter sa joue contre le satin.

— Il a de chouettes choses, ton docteur. Du vrai satin... ça reste frais, même quand il fait étouffant... Comment t'expliques ça, Stevie ?

Je m'agenouillai à son chevet, touchai son front.

— Je sais pas. Les Chinois, ils connaissent des trucs, répondis-je avec un sourire. (La voyant grimacer, je lui montrai la bouteille d'élixir.) Tu veux essayer d'en reboire un peu ?

Elle acquiesça, mais, malgré ses efforts, elle ne réussit qu'à en avaler une très petite quantité et finit par renoncer. Les mains sur l'estomac, elle se tordit de douleur, hurla en montrant les dents de manière effrayante.

Je commençais à penser que le mal dont elle souffrait ne passerait pas avec une dose d'élixir parégorique. Insistant pour que Kat fît une nouvelle tentative, je courus au bureau de mon maître, ouvris son carnet d'adresses, trouvai le numéro de téléphone du Dr Osborne, un médecin au grand cœur qui vivait à proximité et nous avait souvent accordé ses soins quand il y avait un blessé ou un malade à la maison. Sans perdre un instant, je traversai la cuisine, décrochai le téléphone, obtins la communication, mais la bonne du Dr Osborne m'annonça qu'il faisait sa tournée à l'hôpital St Luke et ne serait pas de retour avant deux heures. Je lui fis promettre de demander au docteur de nous téléphoner dès son retour puis je remontai à la chambre, poussai un soupir de soulagement en constatant que les spasmes de Kat avaient cessé. Je m'agenouillai de nouveau près d'elle et pris sa main froide dans la mienne. Elle tourna la tête, me sourit.

— Je t'ai entendu, en bas. T'essayais de me trouver un docteur...

— Il viendra dans un moment. Tu tiendras le coup jusque-là ? plaisantai-je.

— Je peux tenir bien plus longtemps que ça, Stevie Taggert, répondit-elle en souriant. Tu verras. J'ai jamais été soignée par un docteur. J'ai jamais dormi sous une couette en satin non plus. C'est chouette…

Elle cessa de sourire, et je crus que la douleur revenait, mais c'était la curiosité qui lui redonnait une expression grave.

— Une chose que je t'ai jamais demandée…

— Oui, Kat ?

— Comment ça se fait que tu t'occupes tout le temps de moi comme ça ?

Je pressai sa main, répondis par une pirouette :

— Ben, si je veux que tu m'embauches comme domestique quand tu seras devenue une grande dame…

Elle leva son autre main, me frappa faiblement le bras.

— Je suis sérieuse. Pourquoi, Stevie ?

— Demande au Dr Kreizler quand il sera là. Il a toujours une explication pour tout.

— Je te le demande à toi. Pourquoi ?

Je secouai la tête, baissai les yeux vers sa main.

— Parce que… je t'aime beaucoup, voilà pourquoi.

— Peut-être aussi parce que tu m'aimes tout court, hein ?

— Peut-être.

Je levai les yeux quand elle posa un doigt sur mon visage.

— Ça te tuera pas de me le dire, tu sais… (Elle se tourna vers la fenêtre et ses yeux bleus reflétèrent le gris du ciel menaçant.) Alors, Stevie Taggert m'aime, peut-être, murmura-t-elle, étonnée. Voyez-vous ça…

Les fenêtres tremblèrent un peu quand le premier grondement de tonnerre résonna au-dessus de la ville. Kate ne l'entendit pas : en prononçant ces derniers mots, elle avait glissé dans le sommeil, signe, espérais-je, que l'élixir avait finalement fait effet. Serrant sa main assez fort pour sentir le sang battre à son poignet, je posai la tête sur la couette et attendis que le Dr Osborne appelle.

Ce ne fut pas le téléphone qui me réveilla mais le Dr Kreizler qui, d'un geste à la fois doux et ferme, desserra mes doigts de la main inerte de Kat.

53

Si mon esprit n'avait été obscurci par ce que j'éprouvais pour Kat, j'aurais peut-être compris à temps pour la sauver. En tout cas, cette pensée me hante, depuis. J'avais pourtant remarqué que la conduite de Libby à l'égard de Kat, chez les Dusters, avait été étonnamment indulgente. Lorsque le docteur et les autres arrivèrent, à midi, mon amie était morte. Avant même qu'ils me réveillent, Lucius, alerté par l'aspect épouvantable de Kat, avait prélevé un échantillon de vomi dans la petite flaque, au pied de l'escalier, et procédé à une analyse. Le résultat était clair : la cocaïne que Kat avait reniflée depuis son départ de chez les Dusters était coupée d'arsenic. Aucun doute sur la personne qui avait concocté le mélange, bien sûr ; aucun mystère non plus concernant le moment et le mobile : profitant de la bagarre entre Goo Goo et Ding Dong, Libby avait certainement subtilisé le sac de Kat et glissé le poison dans sa boîte de coco, en présumant que mon amie ne remarquerait pas la très faible différence de couleur entre les deux poudres.

Abruti par le manque de sommeil et les chocs successifs des dernières vingt-quatre heures, je demeurai assis au bord du lit du docteur, contemplant le visage étrangement paisible de Kat et attendant que deux employés de la morgue viennent chercher son corps. Les autres — excepté Marcus, qui s'était rendu directement de la gare au Central de Mulberry Street pour expliquer à ses supérieurs qu'une criminelle en fuite errait en liberté dans

New York — se déplaçaient silencieusement dans la maison, échangeaient des murmures. Ils avaient probablement décidé qu'il valait mieux me laisser le temps d'émerger de l'horrible brouillard dans lequel je me trouvais.

Je n'en sortis qu'en entendant arriver le fourgon de la morgue. Lorsque les deux employés entrèrent dans la maison, je compris qu'ils allaient emporter Kat, que je ne verrais plus jamais son visage, vivant ou mort. Je n'y pouvais rien, mais, dans l'état de confusion qui était le mien, je m'aperçus que j'avais surtout besoin de faire ces adieux dont Libby Hatch m'avait privé. Mon regard parcourut la pièce, s'arrêta sur le petit sac de Kat. Je l'ouvris en espérant y trouver les quelques objets auxquels elle tenait le plus au monde : le portefeuille de son père, la photo de sa mère, le billet de train pour la Californie. Lorsque je déclarai au docteur qu'on ne pouvait laisser enterrer mon amie au cimetière des indigents sans qu'elle emporte ces souvenirs, il me répondit de ne pas m'inquiéter, qu'elle aurait des funérailles décentes au Calvary Cemetery de Queens.

Le mot « funérailles » dissipa les derniers lambeaux de brume de mon esprit. Courant au fourgon, j'arrêtai les deux employés, relevai le drap qui couvrait Kat, touchai son visage froid une dernière fois et me penchai pour murmurer à son oreille :

— Pas peut-être, Kat. Je t'aimais. Je t'aime…

Puis je rabattis lentement le drap, reculai pour laisser les deux hommes faire leur travail. Comme je regardais le fourgon s'éloigner, la réalité claire et glacée s'abattit sur moi en une déferlante si terrible que je ne pus m'empêcher de courir vers Miss Howard, qui se tenait sur le pas de la porte, d'enfouir mon visage dans sa robe et d'y sangloter longuement.

— Elle a essayé, Stevie, murmura-t-elle en me serrant contre elle. Elle a vraiment essayé, vers la fin.

— Elle avait pas beaucoup de chances de réussir, parvins-je à bredouiller dans mon chagrin.

— Elle n'en avait aucune. La partie était faussée. Dès le début…

Je hochai la tête. Après le départ du fourgon, le docteur traversa le jardin pour nous rejoindre.

— Ce n'est pas seulement la vie qui l'a condamnée. Si elle avait agi à sa guise, elle aurait peut-être survécu à tout ce qu'elle a souffert, Stevie, dit-il en posant une main sur mon épaule. Nous ne devrons pas l'oublier dans les jours qui viennent.

Hochant de nouveau la tête, j'essuyai mes joues. Une pensée que le cataclysme de la mort de Kat avait tenue à l'écart jusqu'ici se glissa dans mon esprit.

— Et Mr Picton ? demandai-je. Est-ce qu'il est… ?

— Mort, acheva simplement le docteur. Là où nous l'avions trouvé. Il avait perdu trop de sang.

J'eus soudain le sentiment que le sol s'ouvrait sous moi.

— Mon Dieu, gémis-je. (Me laissant glisser le long du mur, je portai une main à mon front et me remis à pleurer.) Pourquoi ? Pourquoi ?

Le docteur s'agenouilla devant moi. Autour de ses pupilles noires, ses yeux étaient rougis.

— Stevie, tu as grandi dans un monde où des gens volent, où des gens tuent pour obtenir un avantage, où ils agressent pour satisfaire un désir — un monde où le crime, pour terrible qu'il soit, semble avoir un sens. Les actes de cette femme te paraissent différents mais ils ne le sont pas. C'est une question de perception. Un homme viole parce qu'il ne voit pas d'autre moyen de satisfaire une horrible pulsion. Libby tue parce qu'elle ne voit pas d'autre moyen d'atteindre des objectifs aussi vitaux pour elle que l'air qu'elle respire, et qui ont été implantés dans son esprit quand elle était trop jeune pour savoir ce qui se passait. Comme le violeur, elle commet une erreur — une abominable erreur — et c'est notre tâche — la tienne, la mienne, celle de Sara et des autres — de comprendre les perceptions qui conduisent à ces actes aberrants, afin d'empêcher que d'autres en soient les esclaves.

Posant une main sur mon genou, il me regarda dans les yeux avec une expression reflétant la peine qu'il avait éprouvée quand sa Mary Palmer bien-aimée était morte, à deux pas de l'endroit où nous nous trouvions.

— Tu as perdu quelqu'un qui t'était cher à cause de

ces perceptions erronées, reprit-il. Si tu n'as plus envie de continuer à...

Il fut interrompu à la fois par un coup de tonnerre et par la sonnerie du téléphone. Sans que je puisse m'expliquer pourquoi, la conjonction de ces deux bruits me rappela qu'El Niño poursuivait sa surveillance sur le toit et n'avait pas encore donné de nouvelles. Je me levai.

— Je vais répondre, dis-je. C'est sûrement El Niño — je l'ai laissé en planque devant le QG des Dusters.

Comme je prenais le chemin de l'office, le docteur me rappela :

— Stevie, si tu veux arrêter, personne ne t'en voudra. Mais si tu choisis de continuer, n'oublie pas en quoi consiste notre tâche.

Je hochai la tête, traversai la cuisine, décrochai. C'était bien El Niño.

— *Señorito* Stevie, vous avez des nouvelles de votre amie ?

Retenant mes larmes, je répondis :

— Cette femme l'a tuée. Kat est morte... Mr Picton aussi.

Il lâcha à voix basse un mot dans une langue qui m'était inconnue, ajouta après un silence :

— Deux fois raison de faire justice. J'ai peine pour toi, *señorito*.

— T'es où ?

— Dans l'écurie, en face la maison de la femme. Elle retourne là-bas avec bébé Ana. Je paie l'homme pour pouvoir téléphoner.

— Et les Dusters ?

— Partout dans la rue.

— Alors, prends pas de risques. Si t'en vois plusieurs, ça veut dire qu'y en a encore plus que tu vois pas. Reste caché.

— Oui. Mais si c'est possible... elle meurt, oui ?

Me retournant, je vis que le docteur et Miss Howard étaient dans la cuisine et me regardaient. Ils avaient probablement deviné à qui je parlais.

— Je sais pas, répondis-je, jetant un coup d'œil à mon maître.

— *Señorito*, ton amie est morte.

— Je sais, mais c'est peut-être plus compliqué qu'on pensait. On a besoin de savoir… pourquoi elle fait ça.

L'indigène accorda un instant de réflexion à ma réponse, soupira.

— *Señorito* Stevie, dans la jungle, il y a des tigres qui tuent l'homme, d'autres qui le tuent pas. Personne sait pourquoi. Mais tout le monde sait que les tigres qui tuent doivent mourir. Parce qu'une fois qu'ils boivent le sang de l'homme, ils recommencent.

Je ne savais que lui répondre : une partie de moi trouvait son argumentation, aussi terrible fût-elle, parfaitement fondée.

— *Señorito*, vous êtes là ?

— Je t'écoute.

— Vous chassez le tigre avec moi, ou vous essayez de le comprendre ?

— Je peux pas, dis-je, me tournant pour que le docteur et Miss Howard ne puissent m'entendre. Mais vas-y, toi. Et ne rappelle pas — les autres essaieraient de t'en empêcher.

Après un autre silence, le petit homme déclara :

— C'est mieux, oui. Je te comprends, mon ami.

— Moi aussi, je te comprends, murmurai-je.

— J'espère qu'on se revoit. Sinon, rappelle-toi que je porte encore l'habit que tu m'as donné. Quand je le mets, je sens ton amitié, et je suis fier.

Ces mots faillirent faire jaillir de nouveau mes larmes.

— Faut que j'y aille, dis-je, raccrochant avant qu'El Niño ait eu le temps d'ajouter quoi que ce soit.

— L'indigène ? demanda le docteur.

J'acquiesçai, passai dans la cuisine.

— Il surveille la maison de Bethune Street. Libby est retournée là-bas avec Ana. Mais ça grouille de Dusters, dans le coin.

— Je vois, fit le docteur, qui se mit à tourner autour de la table. Est-elle retournée chez elle simplement pour prendre ses affaires, ou pour se débarrasser du fardeau d'Ana Linares à l'abri de tout regard, dans sa cachette secrète ? (Après avoir pesé les deux hypothèses, il frappa du poing sur la table.) Dans un cas comme dans l'autre, nous n'avons plus une seconde à perdre : la crise se dénouera ce soir. Si Marcus réussit à convaincre ses supérieurs, nous pourrons utiliser toute la puissance des services de police pour pénétrer dans la maison. Sinon...

— Même s'il parvient à les convaincre, comment être sûrs que Libby ne fera pas de mal à l'enfant avant que nous arrivions là-bas ? s'inquiéta Miss Howard. Ou pendant que nous essaierons d'entrer ?

— Nous ne pouvons être sûrs de rien, admit Laszlo Kreizler, mais nous devons faire tout ce qui est en notre pouvoir. Sara, je propose que vous téléphoniez à la *señora* Linares. Avisez-la que nous devons maintenant passer aux actes, et que les conséquences ne plairont peut-être pas à son mari. Elle souhaitera peut-être partir de chez elle pour se mettre en sûreté quelque part.

Exprimant son accord d'un hochement de tête, Miss Howard se dirigea vers le téléphone au moment où Cyrus entrait dans la cuisine.

— Ah ! Cyrus, poursuivit le docteur. Nous aurions grand besoin d'une tasse de votre excellent café : je ne crois pas que nous aurons avant longtemps la possibilité de rattraper le sommeil en retard, et nous devons garder l'esprit clair.

— Bien, monsieur. Stevie, tu pourrais peut-être te reposer un peu, toi, suggéra mon ami, dont la main puissante, consolatrice, se posa sur mon épaule.

— J'ai aucune envie de dormir, répondis-je, me rappelant ce qui s'était passé la dernière fois que je m'étais assoupi. Fais-le fort, ton café, quand même.

— Comme toujours, dit le grand Noir. Ah ! docteur, j'oubliais : le sergent m'a chargé de vous dire qu'il est allé au Central aider son frère. Il s'inquiète que cela prenne si longtemps.

— Moi de même, fit le docteur, regardant sa montre. La question semblerait pourtant assez facile à régler. Comme tant d'autres aspects de cette affaire...

Ne me sentant pas encore prêt à discuter des détails de ce que nous allions entreprendre, je montai au premier étage, où je trouvai Mr Moore dans le salon. Il avait placé l'un des fauteuils du docteur devant une fenêtre ouverte afin de contempler l'orage qui maltraitait toujours la ville. Je me laissai tomber sur un divan proche pour me joindre à son observation silencieuse des arbres de Stuyvesant Park agités par le vent.

— Foutu orage, marmonnai-je.

En tournant les yeux vers lui, je lus sur son visage une tristesse et une confusion pareilles à celles qui me rongeaient l'âme.

— Foutu été, fit-il en écho. Mais le temps est toujours complètement fou, dans cette ville. (Il me regarda brièvement, soupira, secoua la tête.) Et maintenant, nous sommes censés arrêter cette femme et étudier son cas. Je ne suis pas précisément d'humeur à ça.

— Moi non plus.

Il leva un doigt comme s'il s'adressait aux cieux courroucés.

— Rupert n'a jamais cru qu'on puisse apprendre quoi que ce soit d'un meurtrier après l'avoir pincé. C'est comme essayer d'étudier les techniques de chasse d'une bête sauvage en l'observant à l'heure du repas dans une ménagerie, disait-il. Il aurait été le premier à nous conseiller de tuer cette garce à la première occasion.

— Ça peut encore arriver, annonçai-je en haussant les épaules. El Niño continue à la surveiller, et il perdra pas son temps à lui demander pourquoi elle fait ce qu'elle fait. Tout ce qu'il veut, c'est une occasion de lui tirer dessus à un moment où elle aura pas le bébé dans les bras.

— J'espère qu'il en aura une. J'espère que j'en aurai une.

— Vous pensez vraiment que vous pourriez la tuer ?

— Tu pourrais, toi ? me renvoya-t-il, en cherchant une cigarette.

Je haussai les épaules.

— J'y ai réfléchi. Autant moi qu'un électricien de Sing Sing, si elle doit y passer. Mais… je sais pas. Ça fera revenir personne.

Il alluma sa sèche, rejeta la fumée dans un sifflement.

— J'ai toujours détesté cette expression, dit-il, une pointe d'agacement se mêlant à sa tristesse.

Pendant quelques minutes, nous restâmes silencieux, sursautant quand un coup de tonnerre éclatait ou qu'un éclair semblait transpercer le cœur de la ville. Les trois autres finirent par nous rejoindre. Cyrus portait un plateau qu'il posa sur le chariot de service. Devinant notre humeur, le docteur s'abstint de parler immédiatement de ses plans et nous bûmes le café en regardant l'orage jusqu'à ce que le bruit d'un fiacre annonce l'arrivée des Isaacson. Ils s'étaient manifestement chamaillés pendant le trajet et continuèrent à le faire en montant au salon : apparemment, les choses ne s'étaient pas bien passées à Mulberry Street.

— C'est de la couardise, déclara Marcus, après avoir pris un moment pour me présenter ses condoléances. De la couardise pure et simple ! Oh ! ils accorderont le mandat, mais s'il faut affronter les Dusters pour arrêter cette femme, cela ne les intéresse pas.

Lucius se versa une tasse de café, riposta :

— J'ai essayé d'expliquer à mon frère ce qui est arrivé la dernière fois que le Service a lancé une offensive générale contre les Hudson Dusters. Un nombre embarrassant de policiers a fini à l'hôpital. Les gamins du West Side taquinent encore les agents de ronde avec des chansonnettes sur l'événement…

— Et n'oublions pas la clientèle qui fréquente généralement le repaire des Dusters, ajouta Miss Howard. Beaucoup de notables de cette ville vont y renifler de la cocaïne et se bercer d'illusions romantiques sur la vie des voyous. Les imbéciles !

— Cela n'excuse pas la couardise de la direction, s'entêta Marcus, qui se servit lui aussi une tasse du breuvage de Cyrus. Bon sang, il s'agit d'une femme, coupable de plusieurs meurtres ! Et la police ne veut pas intervenir parce qu'elle craint de perdre la face ?

— Elle ne veut pas intervenir parce que, jusqu'ici, il n'y a eu aucune victime importante, à ses yeux du moins, expliqua le docteur. Vous savez aussi bien que moi, Marcus, que cela a toujours été la règle dans cette ville. Nous avons connu un bref changement avec Roosevelt, mais aucune de ses réformes n'a réellement pris corps.

— Alors que devons-nous faire ? demanda Lucius, dont le regard balaya la pièce.

Je savais que Mr Moore et Marcus pensaient probablement la même chose que moi : si personne ne voulait se charger du boulot, c'était à nous d'aller là-bas, de pénétrer dans la maison de Bethune Street et de faire le nécessaire. Mais aucun de nous ne se risquerait à exprimer cette opinion tant que le docteur serait présent, car nous savions qu'il tenait à capturer Libby Hatch vivante.

Ce fut pour cette raison que sa suggestion nous prit par surprise :

— La marine, fit-il à voix basse.

— La quoi ? dit Mr Moore, sidéré.

— La marine, répéta l'aliéniste, les yeux brillants. Marcus, nous savons que les Dusters se délectent des affrontements avec la police de New York. Que penseraient-ils, selon vous, d'une confrontation avec la marine des Etats-Unis ?

— Kreizler, tu es manifestement tombé sur la tête, dit Mr Moore.

Ignorant l'interruption, le sergent répondit :

— Au débotté, je dirais qu'ils battraient en retraite : les marins, vous le savez, sont renommés pour la bagarre. Et ils sont investis de l'autorité du gouvernement fédéral, pas seulement de celle de la ville : les relations politiques et les rivalités locales ne joueraient pas.

Le docteur fit rebondir les jointures de sa main droite contre sa bouche, s'interrompit soudain, comme sous l'emprise d'une idée nouvelle :

— La jetée de la White Star Line se trouve à quelques rues de la maison de Libby Hatch, n'est-ce pas ?

— Oui, répondit Miss Howard, intriguée. Au niveau de la 10ᵉ Rue. Pourquoi ?

Il se saisit de l'exemplaire du *Times* logé dans la poche de la veste de Marcus, le feuilleta rapidement, trouva ce qu'il cherchait.

— Pas de navires de la White Star au port en ce moment, annonça-t-il. Il pourrait donc y faire accoster un bâtiment...

— De qui tu parles ? s'énerva Mr Moore, criant presque. Laszlo, qu'est-ce que... ? Oh non. Oh non, Kreizler, c'est de la folie, tu ne peux pas — pas Roosevelt !

— Si, répondit le docteur, souriant par-dessus le journal. Roosevelt.

Le journaliste se leva péniblement.

— Mêler Theodore à cette histoire ? Une fois qu'il aura appris ce qui se passe, il déclenchera sa fichue guerre contre l'Espagne ici même !

— Voilà précisément pourquoi il ne faut pas lui révéler tous les détails, répliqua le docteur. Le nom d'Ana Linares et l'identité de ses parents ne le regardent pas. Le seul fait que, confrontés à une série de meurtres et à un enlèvement, nous ne parvenions pas à obtenir l'aide de la police devrait suffire à éveiller son intérêt.

— Qu'est-ce qu'il pourra faire ? demanda Miss Howard qui, comme Mr Moore et le docteur, connaissait Mr Roosevelt de longue date. Il est sous-secrétaire à la Marine mais…

— Mais il traite la flotte américaine comme sa propriété privée, dit l'aliéniste, montrant une enveloppe. Une lettre de lui arrivée pendant notre absence. Il semble que Theodore ait profité des vacances de Long, le secrétaire, pour prendre des mesures audacieuses. On le surnomme à Washington le « secrétaire de la belle saison » — ce dont il est immodérément fier. Je suis sûr qu'il y a un ou deux navires disponibles à l'arsenal de Brooklyn — voire plus près. Leurs équipages fourniraient assez d'hommes pour nos objectifs. Un ordre de Roosevelt, c'est tout ce dont nous aurions besoin.

Mr Moore se donnait de petites tapes sur le front comme pour faire entrer l'idée dans sa tête.

— Soyons clairs : tu proposes que Roosevelt ordonne à la marine des Etats-Unis d'envahir Greenwich Village et d'engager le combat contre les Hudson Dusters ?

Les coins de la bouche de mon maître se relevèrent de nouveau.

— En gros, oui.

— L'idée peut sembler extravagante, intervint Marcus, séduit par la suggestion, mais cela n'apparaîtra pas dans les comptes rendus. S'il y a heurts, on croira à une rixe de plus entre les matelots et la canaille. Et pendant la bataille, nous serons libres d'agir à notre guise.

Le docteur fourra la lettre dans sa poche, alla vers l'escalier.

— Je lui téléphone à Washington immédiatement, dit-il en descendant. Il ne faut pas perdre de temps ! En ce moment même, Libby se prépare peut-être à quitter la ville !

La simple possibilité que Mr Roosevelt intervienne dans l'affaire, fût-ce indirectement, fit courir dans la maison un nouveau souffle de vie. Il avait cet effet sur les gens, l'ancien préfet de police : de tous les amis du docteur, pas un n'aimait plus que lui la vie, l'action, le combat — que ce soit en boxe ou en politique. Malgré ma tristesse, je me sentis réconforté par l'idée qu'il pourrait nous aider à faire passer Libby Hatch en jugement. Oh ! Mr Moore avait raison, c'était extravagant, mais quasiment tout ce que Theodore Roosevelt entreprenait semblait insensé au début... et débouchait souvent sur des réalisations importantes et heureuses. En attendant que le docteur revienne de l'office, nous commençâmes à discuter des détails du plan avec un intérêt frôlant l'enthousiasme — un enthousiasme fort surprenant, étant donné ce que nous venions de traverser.

Le docteur revint, sinon très excité, du moins très satisfait.

— Il est d'accord, annonça-t-il. Il veut que nous attendions ici — quelqu'un de l'arsenal nous indiquera quel navire sera disponible et quand. En tout cas, il promet de l'action pour ce soir...

Mr Moore lâcha un autre gémissement incrédule, mais même lui souriait, à présent.

— Dieu nous vienne en aide...

Ainsi commencèrent de longues heures d'attente. A l'espoir tranquille succéda une impatience inquiète, car le téléphone et la sonnette demeuraient silencieux. Mr Roosevelt n'était pas homme à perdre du temps, et l'absence de toute nouvelle nous laissait perplexes. En outre, la pluie ne faiblissait pas et son rythme régulier aidait l'épuisement à nous gagner : l'ardeur qui nous habitait ne changeait rien au fait qu'aucun de nous n'avait réellement dormi plus d'une heure depuis le samedi soir. Tour à tour, nous montâmes à nos chambres pour nous accorder un bref somme, et chacun de nous, moi compris, s'éveilla de ces courtes plages de sommeil agité pour apprendre que nous n'avions toujours reçu aucun message de Brooklyn ou de Washington.

Finalement, vers cinq heures, le docteur redescendit téléphoner ; lorsqu'il revint, son humeur était fort différente de la fois précédente. Non seulement il n'avait pas réussi à joindre son ami, mais il avait eu avec la secrétaire de Mr Roosevelt une conversation qui lui avait laissé la nette impression que l'homme était dans son bureau et refusait de lui parler. Personne ne comprenait ce que tout cela signifiait : Theodore Roosevelt n'était pas homme à se dérober à une franche explication, surtout avec quelqu'un qu'il estimait. S'il s'était rendu compte qu'il ne pouvait tenir la promesse faite au docteur, il aurait à coup sûr pris la communication pour le lui dire. Quelle pouvait donc être l'explication de sa conduite ? Avait-il découvert le côté espagnol de l'affaire Libby Hatch et décidé d'entreprendre quelque chose séparément ?

Ces questions n'étaient pas de nature à raviver notre fougue défaillante et, quand sept heures sonnèrent, nous étions tous allongés dans le salon du docteur, à demi assoupis. La pluie avait enfin cessé ; étendu sur le tapis devant une des doubles fenêtres, je laissais l'air frais apporté par l'orage jouer sur mon visage et me plonger dans le premier repos véritable que je prenais de la journée. Je dormais cependant d'un sommeil léger, aisément interrompu par les bruits du dehors, et celui que j'entendis vers sept heures et demie était à la fois si familier et si incongru que je n'aurais su dire si je dormais ou si j'étais éveillé.

C'était la voix forte et haut perchée de Mr Roosevelt :

— Attendez ici ! disait-elle. Vous nous conduirez à l'arsenal dès que nous aurons parlé aux autres !

— Bien, monsieur !

Je roulai sur le flanc pour regarder dehors.

C'était bien lui, le sous-secrétaire à la Marine, vêtu de son plus beau costume de lin blanc et accompagné d'un homme plus âgé portant un uniforme d'officier.

— Sacré bon Dieu, murmurai-je, me frottant les yeux pour m'assurer que je n'avais pas des visions. Sacré bon Dieu ! répétai-je, assez fort pour tirer les autres de leur assoupissement.

Sans pouvoir m'empêcher de sourire, je me levai, secouai la première épaule à ma portée.

— Il est là ! Docteur, Miss Howard... c'est Mr Roosevelt ! Il est là ! Sacré bon Dieu !

Les autres se levèrent à leur tour, aussi décontenancés et dubitatifs que je l'avais été — du moins jusqu'à ce qu'ils entendent la porte d'entrée s'ouvrir.

La voix péremptoire monta de l'escalier :

— Docteur ! Moore ! Où êtes-vous, nom d'un tonnerre ? (Des pas lourds résonnèrent sur les marches.) Où est la brillante Sara Howard, mon ancienne secrétaire ?

Quelques pas encore, puis les traits reconnaissables entre tous apparurent dans la pénombre en haut de l'escalier : au contraire du chat du Cheshire de Mr Lewis Carroll, ce qu'on voyait d'abord chez Theodore Roosevelt, c'était son sourire, ses grandes dents blanches. On découvrait ensuite les petits yeux plissés derrière les lunettes à monture métallique, puis la tête carrée, la grosse moustache, enfin la puissante poitrine, fruit d'exercices opiniâtres après une terrible enfance d'asthmatique.

Il vint vers nous, suivi par l'officier de marine, d'allure beaucoup plus calme.

— C'est un comble ! tonna-t-il. Le crime fait des ravages et vous êtes tous là à flemmarder comme s'il n'y avait rien à entreprendre ! (Souriant d'une oreille à l'autre, il tendit sa grosse patte droite au maître de maison.) Kreizler ! Ravi de te revoir, docteur, ra-vi !

— Bonsoir, Roosevelt, j'aurais dû me douter que tu ne laisserais pas passer cette occasion !...

Le sous-secrétaire fit le tour de la pièce pour serrer la main de tout le monde et laisser Miss Howard le serrer dans ses bras. Il parut particulièrement content, me sembla-t-il, de constater que les frères Isaacson étaient là, et toujours membres de la police, car c'était lui qui les y avait fait entrer dans le cadre de ses efforts pour libérer Mulberry Street des griffes du clan irlandais de Tammany. Quand il s'approcha de moi, j'étais si excité par sa présence que je me dandinais d'un pied sur l'autre. Il devait cependant rester trace de ma tristesse du matin sur mon visage, et le sourire de Mr Roosevelt se crispa un peu lorsqu'il se pencha pour me serrer la main et me regarder dans les yeux.

— Stevie, mon jeune ami, je peux voir que tu traverses une dure épreuve. Mais sois-en persuadé, mon garçon, nous sommes ici pour veiller à ce que justice soit faite !

54

Tandis que les Isaacson puisaient dans leur arsenal et
leur matériel d'effraction ce dont nous pourrions avoir
besoin pour notre assaut final contre le 39, Bethune
Street, les autres se hâtèrent d'aller passer une tenue
appropriée : on ne restait pas à bayer aux corneilles quand
Mr Roosevelt était dans les parages. Lorsque nous fûmes
de nouveau tous rassemblés dans le salon, l'ancien préfet de police en profita pour nous présenter plus longuement l'officier qui l'accompagnait :

— Lieutenant William W. Kimball, de la marine des
Etats-Unis, clama-t-il fièrement, comme si le marin était
l'un de ses fils, et non un homme visiblement plus âgé
que lui.

Nettement plus âgé, en fait. Quand vint mon tour de
lui serrer la main, je me demandais pourquoi, à son âge
(près de cinquante ans, semblait-il), il n'était pas plus
élevé en grade. L'un de nous m'expliqua plus tard que sa
situation n'avait rien d'inhabituel : comme la marine
n'avait participé à aucun combat depuis la guerre de
Sécession, l'avancement y piétinait nettement.

— Le lieutenant enseigne à l'Ecole navale, poursuivit
le sous-secrétaire. Il n'a pas son pareil pour échafauder
des plans de guerre.

— Comment, Roosevelt, tu prépares une guerre ? fit
Mr Moore, moqueur.

L'homme politique leva un doigt.

— Moore, tu ne me prendras pas au piège avec tes

questions de journaliste. La marine élabore toujours des plans, dans l'éventualité d'un conflit avec n'importe quelle puissance.

— Je n'aurais pas cru que nous aurions besoin de plans stratégiques pour ce que nous allons entreprendre ce soir, dit le docteur, observant l'officier avec curiosité. Mais vous êtes le bienvenu, lieutenant.

— Merci, docteur.

Bien que l'homme gardât quelque chose de l'air fanfaron du marin (sans oublier sa grosse moustache), on devinait à sa voix qu'il avait plus d'intelligence que le commun des matelots.

— Ce ne sont pas mes connaissances en matière de plans de guerre qui ont incité Mr Roosevelt à me demander de venir, dit-il. J'ai d'autres domaines de compétence qui, selon lui, pourraient être utiles.

— Ô combien! approuva Theodore Roosevelt en assenant une claque au dos de l'officier. Kimball est en avance sur son temps. Dans la bouche de la plupart de nos officiers, je n'entends que «cuirassés, cuirassés, cuirassés», mais Kimball s'emploie à mettre au point les armes qui détermineront l'évolution de la guerre navale dans le prochain siècle. Torpilles! Sous-marins! Je vous le dis, notre ami n'a rien à envier au romancier français Jules Verne...

Cette remarque éveilla mon intérêt, car le docteur m'avait souvent donné à lire des ouvrages de cet auteur, et la vie sous les mers, les voyages sur la Lune, les puissantes armes nouvelles décrites par le Français m'avaient tenu éveillé plus d'une nuit, à m'interroger sur le genre de monde vers lequel nous nous dirigions.

— C'est vrai, lieutenant? fis-je, avec le plus grand respect dont j'étais capable. On va se battre sous l'eau, comme le capitaine Nemo?

Il sourit, ébouriffa mes cheveux.

— Oh! oui, Master Taggert... mais sans les fusils électriques du capitaine, je le crains. Du moins, pour le moment. La torpille sera l'arme principale des sous-marins qui, avec les vedettes lance-torpilles, deviendront l'ennemi mortel de tous les navires.

— Les vedettes lance-torpilles? C'est quoi?

— La raison pour laquelle le lieutenant Kimball est ici, Stevie, répondit Mr Roosevelt. De petites embarcations au blindage léger, capables de pointes de vitesse remarquables. J'en ai essayé une d'Oyster Bay à Newport il y a quelques semaines, et je n'ai pas peur de le dire, j'ai trouvé ça épatant ! On se croirait sur un cheval particulièrement fougueux — vif, agile, capable de frapper sans prévenir et de disparaître. (Il se tourna vers le docteur.) Exactement le genre de qualités que requiert ton affaire de ce soir, Kreizler, me semble-t-il.

Le docteur considéra la suggestion.

— Oui. Oui, la capacité de faire soudain irruption et de repartir aussi vite sera un atout indéniable. Où se trouvent ces bateaux, en ce moment ?

— Nous en avons quelques-uns à l'arsenal, répondit le lieutenant Kimball. Ils demandent des équipages relativement restreints, mais ils peuvent embarquer des hommes en plus, si nous l'estimons nécessaire.

— Plus nous serons, mieux ce sera, si nous devons affronter les Dusters, fit observer Mr Moore. Je suppose que ces « torpilles » ne peuvent toucher une cible à l'intérieur des terres, lieutenant ?

— J'ai peur que non, répondit l'officier avec un sourire. Une fois débarqués, nous devrons compter sur nos seules forces.

— C'est bien ce que je craignais, marmonna le journaliste.

— Courage, John ! s'exclama Mr Roosevelt, frappant le dos de son vieil ami avec autant de vigueur que celui du lieutenant. Voyons, nous pouvons opposer cinq ou six dizaines de marins à ces...

— Teddy, coupa Mr Moore, usant du diminutif que, disait-on, l'ancien préfet de police n'appréciait pas. La soirée sera éprouvante, alors, si tu commences à me donner des tapes dans le dos maintenant, je ne serai plus capable de me tenir debout avant que ce soit terminé...

— Ha ! Ne me raconte pas d'histoires, je sais de quoi tu es vraiment capable, Moore. Tu l'as amplement démontré lors de notre dernière aventure ensemble ! (Le sous-secrétaire s'approcha de Miss Howard, lui prit les mains.) Quant à vous, Sara, je parie que cette robe toute simple cache dans ses replis un certain Colt à crosse de nacre !

— Avec un nombre appréciable de cartouches, ajouta-t-elle. Alors, que personne n'ait l'idée saugrenue — et périlleuse pour sa santé — de veiller sur moi…

— Comme si nous ne le savions pas, grommela Lucius.

— Ah ! mes Maccabées ! fit Mr Roosevelt, qui se dirigea vers les Isaacson. Kimball, vous ne trouverez jamais deux hommes qui conjuguent mieux que les sergents bravoure et méninges. On m'a traité de tous les noms quand j'ai fait entrer des Juifs dans la police, mais j'ai tenu bon. Croyez-moi, si nous avions six ou sept hommes comme eux dans les services de renseignement de la marine, nous… (Il s'interrompit au moment où il allait en dire trop, sourit, leva la main.) Mais je m'écarte de ce qui nous préoccupe en ce moment ! Cyrus ! poursuivit-il en s'approchant de mon robuste ami. Et vous ? Vous vous servirez uniquement de vos poings, ou vous emporterez quelque chose d'un peu plus substantiel ?

— Mes poings me suffiront, monsieur. Je dois quelques horions aux Dusters.

— Et vous les leur rendrez, je n'en doute pas un instant. Vous savez, il faut qu'on fasse quelques reprises ensemble, un de ces jours, sur le ring ! (L'homme politique se mit en garde, décocha une série de crochets en direction de Cyrus.) Ce serait amusant, vous ne croyez pas ?

— A votre disposition, monsieur, répondit le grand Noir en s'inclinant.

— Epatant ! Bon, on nous attend à l'arsenal. Les équipages ont été mis en état d'alerte. Tout le monde est prêt ? Bien ! J'ai une voiture qui attend, Kreizler — elle peut prendre une bonne partie d'entre nous, les autres monteront dans une des tiennes.

— Il nous faudra des fiacres, je le crains, répondit le docteur. Nous n'avons pas encore récupéré nos chevaux à l'écurie qui nous les garde…

— Alors, qui vient avec Kimball et moi ? Toi, Stevie ? Tu as envie d'en savoir plus sur les armes fantastiques que le lieutenant rêve de lâcher sur le monde ?

Je lançai un regard plein d'espoir à l'aliéniste, qui acquiesça de la tête, sachant, je crois, combien j'avais envie d'accompagner l'officier, et pourquoi. Ce désir de parler d'armes et de destruction, loin de répondre à une envie enfantine, correspondait à une motivation plus sombre, plus déterminée, que la mort de Kat avait fait naître en moi, et qui n'avait fait que croître toute la journée : l'espoir que nous pourrions enfin porter à Libby Hatch un coup auquel elle ne s'attendrait pas.

— Oui, m'sieur, répondis-je. Ça me plairait.

— Bon ! Kimball, je fais du jeune Stevie votre aide de camp pour cette opération. Ne le sous-estimez pas : plusieurs officiers de police de cette ville ont commis cette erreur, et certains d'entre eux en boitent encore. (L'expression de Mr Roosevelt devint plus sérieuse quand il s'adressa au docteur :) Kreizler, tu viens avec nous, j'espère, et vous aussi, Sara, car j'avoue que j'aimerais en savoir plus sur cette femme diabolique...

L'épaisse couche de nuages gris qui avait recouvert la ville toute la journée se déchirait en masses sombres se détachant nettement sur un ciel éclairé par la lune quand nous sortîmes de la maison et gagnâmes à pied le coin de la Deuxième Avenue, suivis par le grand landau de Mr Roosevelt, dont les deux capotes avaient été relevées. Après que nous eûmes trouvé deux fiacres pour Mr Moore, Cyrus et les Isaacson, je montai dans le landau avec les autres. Le docteur, Miss Howard et Mr Roosevelt commencèrent bientôt à parler de Libby Hatch et de l'affaire — à voix basse, montrant pour mes sentiments une considération dont je leur fus reconnaissant. Pour sa part, l'aimable lieutenant semblait si disposé à me faire la conversation que je soupçonnai Mr Roosevelt de lui avoir donné pour instruction d'essayer de me réconforter. Si c'était le cas, l'officier s'acquitta admirablement de sa mission. De la description de toutes les choses étonnantes que, selon lui, verraient les mers dans les dix ou vingt prochaines années, il passa au récit de ses voyages lointains, aux gens étranges qu'il avait rencontrés. Si ces histoires ne pouvaient me consoler, elles détournaient au moins mon attention des sombres pensées prêtes à envahir mon âme.

Après avoir traversé l'East River au pont de Brooklyn, le landau tourna à gauche et longea les quais jusqu'à Wallabout Bay et l'entrée du dédale de cales sèches, de jetées, de grues, de voies ferrées, de hangars et de fonderies constituant l'arsenal de Brooklyn. C'était à New York une véritable institution remontant au début du siècle, et aussi familière aux habitants de la ville que n'importe quelle autre partie du port. Pour une raison quelconque, elle me parut très différente ce soir-là. Peut-être à cause de mon humeur, pensai-je, peut-être parce que je visitais l'endroit en compagnie de l'homme qui était, dans la marine, le personnage officiel le plus important en ce moment. Je ne tardai pas à me rendre compte qu'aucune de ces explications n'était la bonne...

La lumière — il y avait de la lumière partout, éclairant des dizaines d'hommes au travail. A près de dix heures du soir. Et ces hommes travaillaient sur des bâtiments de guerre, certains à demi achevés, d'autres prêts à prendre la mer, tous énormes, impressionnants.

— Ça bosse drôlement, Mr Roosevelt, dis-je, regardant les riveteurs qui s'interpellaient et enfonçaient dans la nuit des clous d'acier rougis.

L'ancien préfet de police avait l'air d'un enfant devant un arbre de Noël.

— Oui, nous avons lancé le *Maine* il y a deux ans, et plusieurs autres depuis. Beaucoup d'autres suivront !

Du coin de l'œil, je vis le docteur adresser du regard à Miss Howard un rappel silencieux : le sous-secrétaire ne devait pas découvrir l'identité du bébé que nous tentions de sauver, ni pourquoi nous avions dû mener notre enquête de cette manière. Ici, en effet, tout était prêt pour la déflagration : la moindre étincelle mettrait le feu aux poudres.

Les vedettes lance-torpilles dont Mr Roosevelt et le lieutenant Kimball avaient parlé étaient alignées le long d'un wharf de ciment, au bout de l'arsenal. A peine plus grands que les yachts à vapeur et les chaloupes qui sillonnaient généralement les eaux du port, ces bateaux étaient équipés de machines beaucoup plus puissantes qui nécessitaient deux et même trois cheminées. Ils avaient une forme plus élancée que ces embarcations privées, une ligne gracieuse qui rendait difficile de croire qu'ils étaient cuirassés d'acier. Non que leur blindage fût très épais, d'ailleurs : comme l'avait fait remarquer Mr Roosevelt, les lance-torpilles sacrifiaient la sécurité à la vitesse et pouvaient filer à plus de cinquante kilomètres à l'heure. Chacun d'eux abritait un équipage d'une trentaine d'hommes et portait sur son pont les armes mortelles qui leur donnaient leur nom : des torpilles, cylindres d'acier de plus de quatre mètres de long, remplis d'air comprimé et terminés par un puissant dispositif explosif. Libéré, l'air propulsait les projectiles hors des tubes et à travers l'eau sur des centaines de mètres — une distance suffisante pour permettre aux rapides petits bateaux qui les avaient lancés d'échapper à l'explosion. Au total, une invention fort ingénieuse qui contrastait avec les énormes cuirassés aux tourelles massives construits dans une autre partie de l'arsenal.

En plus des équipages des vedettes, une vingtaine d'autres marins se tenaient au garde-à-vous sur le quai — des hommes qui semblaient avoir été spécialement choisis pour la besogne qui nous attendait. J'ai vu plus d'un matelot bagarreur dans mon enfance, j'ai vu plus d'un bar réduit en miettes parce qu'une « danseuse » à la langue bien pendue ou un croupier de pharaon aux mains agiles avait essayé de berner l'un d'eux, mais aucune des bandes de marins que j'avais croisées n'était aussi impressionnante que celle-là. Musclés, balafrés, impatients d'en découdre, ils avaient manifestement de la peine à maîtriser leur ardeur pour rester au garde-à-vous tandis que Mr Roosevelt et le lieutenant Kimball descendaient du landau. L'officier échangea quelques mots avec les commandants des trois vedettes lance-torpilles, qui ordonnèrent à leurs équipages de rejoindre les malabars qui se trouvaient déjà sur le wharf. S'avançant devant cette troupe — qui, je l'admets, semblait de taille à rivaliser avec les Dusters —, le lieutenant fit mettre les marins au repos avant de leur expliquer leur mission :

— Messieurs ! leur lança-t-il d'une voix forte qui ne trahissait ni ses cinquante ans ni le fait qu'il était avant tout un stratège. La plupart d'entre vous savent qu'il est absolument impossible de naviguer sur l'eau salée pour l'Oncle Sam pendant trente, dix ou même cinq ans sans finir par se rendre compte que les Etats-Unis d'Amérique sont le pays le plus glorieux qui ait jamais existé, et qu'ils doivent occuper la première place — en tout !

Les matelots poussèrent des acclamations auxquelles Mr Roosevelt se joignit de tout cœur.

— Mais vous savez aussi, je présume, poursuivit le lieutenant, que les Etats-Unis ne peuvent occuper cette première place tant que des ennemis se mettront en travers de leur route. Des ennemis de l'extérieur — qui, avec un peu de chance, connaîtront bientôt la puissance des grands bâtiments construits autour de nous — et des ennemis de l'intérieur, qui connaîtront notre puissance ce soir même ! (Nouveaux hourras, que l'officier eut quelque peine à calmer.) Je vous demande de prêter attention à ce que va vous dire l'honorable sous-secrétaire à la Marine, Mr Theodore Roosevelt !

« Teddy » s'avança, plissant les yeux comme pour prendre la mesure des hommes qu'il avait devant lui.

— Matelots, dit-il, certains d'entre vous trouvent peut-être étrange le boulot qui nous attend. Pourquoi, vous demandez-vous à juste titre, nous confie-t-on la tâche de faire appliquer les lois de ce grand pays sur notre propre sol ?

Du poing, il frappa la paume de son autre main et continua à brailler par-dessus le vacarme des chantiers :

— La réponse est simple : parce que ceux qu'on a chargés de veiller à la sécurité des gens et de faire respecter la loi dans cette partie du pays ont manqué à leur devoir ! Et à qui les Etats-Unis font-ils invariablement appel quand leurs citoyens sont en danger — où que ce soit dans le monde — et que personne d'autre ne peut ou ne veut assumer la responsabilité de les protéger ?

Avec un ensemble à la fois étonnant et électrisant, les matelots rugirent d'une seule voix :

— La marine des Etats-Unis !

La vague sonore faillit renverser ceux d'entre nous qui se trouvaient derrière Mr Roosevelt, mais le sous-secrétaire continua à sourire de toutes ses dents en agitant le poing.

— Exactement ! beugla-t-il. Matelots, j'attends de

vous que vous vous battiez dans le respect des règles, mais que vous frappiez dur ! Merci à tous.

Il s'écarta pour laisser le lieutenant reprendre la parole :

— Les officiers porteront des armes de poing, les sous-officiers et les matelots des matraques ! La force répondra à la force ! Il s'agit d'une opération de police, messieurs... je sais que vous vous conduirez en conséquence. Rompez et regagnez vos bâtiments !

Avec un autre rugissement, cette fois de pure excitation et de désir d'action, les matelots se dirigèrent vers les vedettes et sautèrent à bord au moment où les machines de chaque bateau lâchaient des jets de vapeur dans un concert de sifflements. Le lieutenant Kimball conduisit notre groupe au navire de tête, où nous prîmes position juste derrière la timonerie. L'ordre d'appareiller fut lancé par-dessus le grincement croissant des pistons ; soudain, les hélices se mirent à baratter l'eau et la vedette s'élança vers le fleuve, à une vitesse que je n'avais jamais connue sur l'eau, et qui me fit basculer en arrière. Mr Roosevelt passa un bras robuste autour de mes épaules pour me retenir. Souriant, je me tournai pour observer les deux autres embarcations qui prenaient notre sillage.

Je ne crois pas être jamais parvenu à décrire le sentiment qui me submergea alors, bien que j'aie tenté maintes fois de le faire. J'étais exalté au-delà des mots par la vue des deux vedettes qui nous suivaient, par le grondement des puissantes machines. Toutes les émotions de la nuit et du jour qui venaient de s'écouler — sans parler des semaines dures et souvent terrifiantes qui avaient précédé — jaillirent subitement de ma bouche en un cri auquel Mr Roosevelt se joignit. Regardant de nouveau devant moi, j'aperçus ce même pont de Brooklyn que nous avions traversé une demi-heure plus tôt et vers lequel nous foncions maintenant à une allure qui paraissait déjà impossible. Pourtant, nous allions encore accélérer. Comme nous passions devant l'un des lieux de baignade favoris de Hickie le Boche — la halle aux poissons de Fulton —, le commandant de notre vedette ordonna aux mécaniciens de donner toute la puissance des machines, de sorte que lorsque Dame Liberté nous apparut, nous eûmes l'impression que nous aurions pu atteindre son île en quelques secondes.

Les autres semblaient aussi impressionnés que moi par la vitesse et la maniabilité de l'étonnant petit bateau : le docteur, Mr Moore et les Isaacson bombardaient tour à tour le lieutenant Kimball de questions souvent difficiles à capter par-dessus le fracas de plus en plus assourdissant des machines. Pour ma part, je n'avais pas de questions, rien que des émotions, aussi irrésistibles que l'arme flottante à bord de laquelle nous nous trouvions. Lorsque la vedette vira vers le nord pour pénétrer dans les eaux de l'Hudson, lorsque je revis les quais où j'étais si souvent venu ruminer de sombres pensées au sujet de Kat, je lâchai la bride à ces émotions, je laissai des larmes de tristesse, de rage, de détermination, se mêler à celles que le vent fouettant nos visages arrachait à mes yeux.

— On te tient, maintenant, Libby Hatch, murmurai-je entre mes dents serrées. On te tient, on te tient !

Comme le docteur l'avait supposé, l'immense hall à un étage abritant la jetée de la White Star Line nous dissimula aux regards comme un embarcadère normal n'aurait pu le faire. Quand les lance-torpilles furent à proximité de la 10ᵉ Rue, le commandant de notre vedette ordonna à la flottille de ralentir et nous nous approchâmes lentement du quai. Après que notre bateau eut glissé le long du hall vert de la jetée, des matelots l'amarrèrent à des piliers proches d'une échelle. Laissant à bord la moitié de l'équipage pour garder la vedette — mais emmenant les marins affectés en renfort à l'opération —, nous gravîmes les barreaux menant au niveau inférieur du hall : la réception des bagages, vaste espace où régnait d'ordinaire une activité démente. Vide comme il l'était ce soir-là, il avait un aspect fantomatique et, pour la première fois, à mon sentiment de participer à une mission que rien ne pourrait arrêter vint se mêler une bonne dose d'appréhension. Les quelques gardes et employés de la compagnie qui se trouvaient sur les lieux avaient probablement été avertis de notre venue, car ils collaborèrent avec Mr Roosevelt (qui, à New York, n'avait qu'à montrer son visage pour être aussitôt identifié — comme ce serait bientôt le cas dans tous les Etats-Unis et le monde) et nous guidèrent vers la sortie sans poser de questions.

Le docteur m'entraîna à l'écart.

— Stevie, étant donné les événements, je n'ai pas soulevé le problème de ton départ inopiné de Ballston Spa.

Je ne le ferai pas non plus maintenant. Je te demande simplement une chose : reste à tout instant à côté de quelqu'un plus large d'épaules ou mieux armé que toi. Je ne doute pas de ta capacité à te défendre, mais cette femme...

— Pas besoin de me le dire, répondis-je, autant pour me rassurer que pour calmer ses craintes. J'ai pas l'intention de lui sauter dessus tout seul... même si c'est pas l'envie qui me manque.

Quand nous quittâmes le hall pour l'obscurité des quais, il me serra brièvement contre lui.

— Je sais, mais Libby est une créature aux ressources infinies. En fait, même avec cette troupe, je ne suis pas sûr que nous soyons suffisamment préparés pour l'affronter.

Quelques groupes de dockers traînaient autour de la jetée, mais ils s'abstinrent sagement de provoquer une soixantaine de marins armés des plus déterminés. Nous décidâmes de remonter West Street — qui courait le long du fleuve — sur les quatre ou cinq cents mètres séparant l'embarcadère de Bethune Street : nous présumions que les Dusters ne s'attendaient pas à ce que nous pénétrions dans leur territoire par ce côté, et nous espérions pouvoir au moins nous approcher de la maison de Libby Hatch sans nous faire repérer. Nous n'avions cependant pas franchi deux cents mètres que des formes sombres, mystérieuses, commencèrent à se mouvoir côté terre de la large rue. Elles apparurent d'abord par deux, puis ces paires se fondirent en une meute, semblable à celles que des chiens galeux, efflanqués, forment quand ils repèrent une source possible de nourriture. Les silhouettes ne soupçonnaient apparemment pas la raison de notre présence car, avant longtemps, les habituels quolibets et défis idiots fusèrent dans notre direction : simplement des voyous qui pissaient pour marquer leur territoire, je le savais — mais je savais aussi qu'étant donné notre mission la situation pouvait rapidement dégénérer.

Lorsque nous atteignîmes la 11ᵉ Rue, les ombres, au nombre d'une quinzaine, s'enhardirent jusqu'à nous lancer des pierres et des bouteilles. Dès que le premier projectile atterrit, Mr Roosevelt cria d'un ton sec :

— Kimball !

Le lieutenant réagit en se tournant vers l'un des officiers.

— Simmons ! Prenez dix hommes et occupez-vous de ces individus !

Je n'avais pas à apprendre leur travail à ces marins, mais il me semblait qu'ils commettaient peut-être une erreur : la vigueur inattendue de notre réaction risquait de révéler aux Dusters que nous n'étions pas une simple bande de matelots en permission descendus à terre pour passer la nuit aux tables de jeu et avec les prostituées. Ce ne fut cependant pas une mince satisfaction que de voir le commandant d'une des vedettes et son détachement courir sur les pavés de West Street, pistolet et matraque en main, pour fondre sur les Dusters médusés avec une telle détermination qu'on ne peut réellement qualifier de combat ce qui suivit. Un ou deux voyous reçurent un coup sur la tête ; les autres, alarmés par le pistolet de Simmons, détalèrent. Je ne savais que trop, malheureusement, qu'ils couraient au QG d'Hudson Street chercher des armes et des renforts — et prévenir Goo Goo.

— C'est parti, me murmurai-je avec nervosité quand nous tournâmes dans Bethune et que le détachement qui avait dispersé les Dusters nous rejoignit.

Les cent cinquante mètres qui nous séparaient encore de la maison de Libby Hatch me parurent soudain très longs et, quand je vis Miss Howard et Lucius saisir leur revolver, je résolus de me placer derrière eux. Cyrus glissa sa main droite dans la poche de sa veste, enfilant son coup-de-poing américain : il allait y avoir du vilain, nous le savions tous deux.

D'autres silhouettes sortirent des entrées d'immeuble, des ruelles débouchant sur le côté nord de Bethune Street, ainsi que du chantier des nouveaux laboratoires de la compagnie de téléphone Bell, en construction de notre côté de la rue. Les matelots interprétèrent ces mouvements furtifs comme le signe que les Dusters avaient compris le message et ne nous poseraient pas de problème ; nous, les civils, nous savions qu'il n'en était rien. Comme la plupart des bandes, celle de Goo Goo Knox n'aimait se battre que lorsqu'elle avait la supériorité du nombre et de l'armement. A l'évidence, les Dusters se regroupaient, probablement pour prendre position dans Washington Street. La manœuvre avait été précédée, j'en étais sûr, d'une généreuse distribution de cocaïne, de sorte que, lorsque nous nous retrouverions face à eux, les Dusters auraient reniflé assez de poudre pour se croire capables d'affronter toute la marine américaine, sans parler du pitoyable groupe qui venait de pénétrer dans leur territoire.

Pendant de longues minutes, Bethune Street demeura cependant déserte et silencieuse devant nous, ce qui me parut étrange. Ma nervosité diminua un peu, et je me laissai aller à penser que mes craintes étaient injustifiées.

Il n'en était rien, bien sûr.

Juste avant que nous arrivions au carrefour de Washington Street, ils se déployèrent devant nous : plus de Dusters — soixante, soixante-dix — que je n'en avais vu rassemblés de toute ma vie. Ding Dong avait rameuté la plupart des gosses servant d'auxiliaires à la bande ; comme la première fois où nous étions allés chez Libby, ils frappaient leur paume avec un gourdin ou un manche de pioche, astiquaient leur coup-de-poing et semblaient maîtriser à grand-peine leur envie de se jeter droit sur nous. Pour couronner le tout, leurs yeux brillaient comme les vitrines du grand magasin McCreery un jeudi soir : je ne m'étais pas trompé, la coco avait coulé à flots.

A la tête de cette meute particulièrement dangereuse, Goo Goo Knox et Ding Dong paraissaient avoir oublié leur querelle de la veille — ou, plus probablement, ils avaient remis une bonne bagarre à plus tard pour une castagne qui s'annonçait meilleure encore. Ding Dong arborait cet éternel sourire de crétin que Kat — je n'avais jamais compris pourquoi — trouvait si séduisant. En revanche, l'expression de Goo Goo indiquait qu'il avait une idée plus exacte de l'adver-saire à qui il se mesurait. C'était compréhensible : en sa qualité de chef des Hudson Dusters, il avait croisé maintes fois le chemin de Mr Roosevelt quand celui-ci était préfet de police, et il savait que si le robuste ponte à lunettes s'était dérangé en personne, ce n'était pas juste pour lui faire peur.

Knox était une sorte de petit tonneau effrayant, avec

des yeux fous et des bras puissants, une peau si pâle qu'il avait l'air d'un spectre. Cela tenait en partie à ses origines, mais surtout au fait qu'il ne voyait presque jamais la lumière du jour : avant de devenir l'un des fondateurs des Dusters, il avait appartenu aux Gophers, autre effroyable bande d'Irlandais violents et imprévisibles qui régnaient sur l'Hell's Kitchen et passaient leurs journées à boire et bambocher dans les caves du quartier. Ils ne sortaient que la nuit pour piller les dépôts du West Side, affronter d'autres bandes ou se livrer à leur passe-temps favori : estourbir les flics et les dépouiller de leurs uniformes, qu'ils offraient comme trophées à leurs petites amies. C'était en partie parce que de nombreux Dusters étaient d'anciens Gophers que la police craignait la nouvelle bande : en même temps qu'un penchant pour le pillage des dépôts, les Dusters avaient gardé le goût des Gophers pour l'uniforme. J'ignorais si cela incluait l'uniforme de l'US Navy, mais on pouvait le croire, à en juger par l'expression de Goo Goo ce soir-là.

— Mr Roosyvelt, chantonna le chef de bande quand notre troupe ne fut plus qu'à quelques mètres d'eux. J'croyais que vous étiez à Washington, à faire joujou avec les p'tits bateaux… Qu'est-ce qui vous amène en territoire duster ?

— La dernière fois que j'ai vérifié, Knox, le West Side de New York faisait encore partie des Etats-Unis, répliqua le sous-secrétaire. Ces hommes appartiennent à la marine américaine, ils sont ici pour assister les sergents enquêteurs… (il pointa un doigt épais vers les Isaacson) dans l'accomplissement de leur devoir…

— Et c'est quoi, ce devoir ?

— Cela ne vous regarde pas. Vous et vos troupes… vous feriez mieux de vous écarter.

— Ah ! j'vois que vous avez rien compris. Comme j'disais, vous êtes en territoire duster — les aut' bandes viennent pas ici, les flics viennent pas ici… personne vient ici s'il veut pas se prendre une rouste.

— Vraiment ?

— Ouais, répondit Knox, sûr de lui. Vraiment.

— Je crains que vous n'oubliiez une exception à cette règle.

— Ah ! ouais ? Et c'est quoi, espèce de tas de...

En prononçant ces derniers mots, Knox tenta d'abattre son manche de hache sur Mr Roosevelt. Erreur. Avec une rapidité étonnante pour sa corpulence, « Teddy » arracha l'arme des mains de Goo Goo et lui en assena un coup sur le côté de la tête. Les Dusters arrondirent les yeux.

— Le gouvernement fédéral des Etats-Unis ! tonna Mr Roosevelt, cependant que Knox tombait à genoux, gémissant tel un animal blessé.

Les autres Dusters firent un pas en avant comme s'ils allaient attaquer, hésitèrent. Je savais que ce répit ne pouvait durer. Je tirai sur la manche du docteur et, indiquant de la tête la direction du fleuve, m'efforçai de lui faire comprendre qu'une bataille en règle allait éclater, que nous ferions bien d'en profiter pour retourner à West Street et gagner la maison de Libby Hatch par un autre itinéraire. Il saisit le message. Au moment où les marins serreraient les rangs pour faire face à l'assaut, tout notre groupe commença à reculer lentement — tout le groupe sauf Cyrus, dont le regard demeurait lié à celui de Ding Dong et qui ne bougea pas.

Knox, saignant du front, reprit ses esprits, leva les yeux vers ses hommes et vociféra :

— Alors, bordel ? Qu'est-ce que vous attendez ?

L'orage déferla. Tel un mur hurlant, les Dusters chargèrent, les matelots firent de même. Leurs rangs se mêlèrent si vite qu'il devint quasiment impossible de se servir d'armes à feu, pour un camp comme pour l'autre. Ce serait un combat au poing et à la matraque, c'était clair, et il s'étendrait probablement à tout le pâté de maisons : nous devions nous en extirper au plus vite.

— Courez ! criai-je à Mr Moore.

Il hocha la tête, fila vers l'ouest avec les Isaacson, mais Miss Howard et le docteur attendaient encore Cyrus.

— Cyrus ! Venez avec nous ! lui ordonna l'aliéniste.

Le grand Noir n'écoutait plus. Dès que la bagarre s'était déclenchée, il avait empoigné Ding Dong par la chemise, l'avait littéralement soulevé du sol et projeté à deux mètres derrière la ligne des marins, où il pourrait s'occuper de lui sans que ses amis viennent à son secours. Le Duster heurta durement la chaussée, lâcha son gourdin que, du pied, Cyrus expédia au loin. Puis il remit Ding Dong debout et lui dit :

— Pas de bâton, pas de couteau, pas de revolver. Et je ne suis pas non plus une gamine de quatorze ans. Alors, montre-moi comment tu sais te battre.

Sur ce, il se mit à frapper des deux poings le visage et la poitrine du Duster, qui parvenait difficilement à se couvrir et à placer quelques coups.

Le docteur soupira, regarda Miss Howard.

— Laissons-le régler ses comptes, Sara. Il s'en tirera. Nous, nous devons absolument aller là-bas !

Acquiesçant à regret, elle pivota vers West Street mais son regard s'attarda sur Cyrus — et bien lui en prit, car deux Dusters réussirent à quitter la mêlée et s'élancèrent pour prêter main-forte à Ding Dong. Ils étaient tous deux armés de barres de fer entourées de toile à sac, et Cyrus leur tournait le dos. Une fois de plus, semblait-il, la bande allait le prendre par-derrière.

Miss Howard leva son Colt, le tint à deux mains, tira deux coups dont les détonations se répercutèrent sur les façades des immeubles et les pavés de la rue. Quand la fumée se dissipa, les deux Dusters gisaient par terre, rotule brisée. Miss Howard sourit et, constatant que Cyrus poursuivait gentiment son affaire avec Ding Dong, revint vers nous.

— Je te l'ai dit, Stevie : rien de tel qu'une balle dans le genou pour apprendre aux hommes les bonnes manières.

Des hurlements de rage et de douleur montaient à présent de toute la rue. Quand nous nous engouffrâmes tous les six dans Bank Street, on eût dit que l'Enfer avait élu domicile dans le quartier Bethune. Les dockers eux-mêmes se tenaient à l'écart, les habitants restaient claquemurés chez eux. En passant dans Greenwich Street, nous entendîmes qu'on tirait des verrous derrière les portes closes. Notre plan semblait toutefois fonctionner car, lorsque nous tournâmes de nouveau vers le nord en direction de Bethune Street, nous n'aperçûmes pas un seul Duster : ils étaient tous allés à la partie de « rigolade ». Cela nous ouvrait la voie de la maison de Libby

Hatch, à laquelle nous arrivâmes quelques secondes plus tard.

— Je doute qu'il soit bien nécessaire de frapper, fit le docteur, hors d'haleine. Sergents ?

Marcus saisit son pied-de-biche, en glissa la fourche dans l'encadrement de la porte, à droite de la poignée. Puis lui et son frère maintinrent l'outil en place, prêts à appuyer de toutes leurs forces.

— Quand nous ferons pression, dit Marcus, suant pour une fois autant que son frère, vous pousserez tous sur la porte en même temps. Sara, il vaudrait mieux que vous ayez votre Colt à la main.

Miss Howard s'écarta pour suivre le conseil ; le docteur, Mr Moore et moi plaquâmes les mains à divers endroits du panneau de bois.

— Prêts ? fit Marcus. Attention, un, deux...

En criant « trois ! », il appuya sur le pied-de-biche avec Lucius et nous poussâmes. Le chambranle craqua presque dans l'instant ; quelques solides coups d'épaule achevèrent de démantibuler la partie droite de l'encadrement. Du pied, Marcus finit d'enfoncer la porte et nous nous ruâmes à l'intérieur, nous écartant vivement pour que Sara puisse braquer son arme sur...

Rien. Aucun signe de vie dans l'entrée, et l'escalier qui, le long du mur de droite, montait vers l'obscurité montrait pareille absence d'activité humaine. Miss Howard s'avança, le Colt pointé sur les ténèbres ; nous suivîmes, effrayés, oui, mais surtout extrêmement déçus.

— Elle ne peut pas... commença le docteur. Elle ne peut pas nous glisser encore entre les doigts...

Nous nous déployâmes et Lucius, son revolver à la main, gravit les premières marches de l'escalier. Il aurait continué à monter, précédant Marcus et Mr Moore, si nous n'avions entendu un claquement de porte provenant du salon.

— La porte qui mène au sous-sol, murmurai-je.

Les trois hommes redescendirent. Marcus compta de nouveau jusqu'à trois, et nous nous précipitâmes dans le salon, Sara et Lucius menant la charge. La pièce était trop obscure pour que nous discernions autre chose que les contours des meubles les plus proches et, au fond, l'entrée menant au couloir de la cuisine. Ce qui rendit d'autant plus effrayante la voix qui surgit de l'ombre :

— Ça n'a plus d'importance, maintenant. Vous avez réussi à vous introduire dans la maison — mais vous ne trouverez jamais ce que vous cherchez.

Lucius ouvrit la bouche, sans doute pour signifier à la meurtrière qu'elle était en état d'arrestation, mais le docteur lui pressa le bras et répondit à sa place :

— Ecoutez-moi, Elspeth Franklin, vous n'êtes pas obligée d'affronter la mort...

Libby Hatch rétorqua :

— Soyez tous maudits !

Je vis une ombre bouger dans le couloir en direction de la cuisine — un mouvement rapide, suivi, à notre grande perplexité, par le bruit de pas grimpant vers les étages.

— Un escalier, fit le docteur. Il y a un escalier derrière.

— Pourtant, je l'ai jamais vu, dis-je.

— Au moment où Bates aménageait le sous-sol, elle a peut-être fait construire un passage dérobé, suggéra Marcus.

— Il doit être aussi difficile d'y pénétrer que dans la cachette de la cave, dit le docteur. Alors, vite : Marcus, descendez avec Lucius et Moore ! Essayez de trouver l'enfant ! Sara et Stevie, venez avec moi !

Les échos de la bataille rangée nous parvenaient encore du dehors quand nous nous séparâmes — les Isaacson et Mr Moore descendant à la cave, Miss Howard et moi montant à la suite du docteur. Au deuxième étage, nous trouvâmes une échelle métallique menant à une trappe percée dans le plafond. Sara grimpa la première, l'ouvrit, prit appui pour se hisser sur le toit.

Nous aurions dû savoir qu'il fallait faire preuve d'un peu plus de subtilité pour poursuivre un adversaire aussi rusé que Libby. Comme j'étais le dernier, je ne vis pas exactement ce qui se passa ensuite, mais le docteur me le raconta plus tard. Dès qu'elle passa la tête au-dehors, Miss Howard reçut un coup qui lui fit perdre conscience et lâcher son Colt. Avec une force étonnante — décuplée, sans nul doute, par le caractère désespéré de sa situation —, notre ennemie tira le corps de Sara sur le toit et braqua un pistolet sur l'aliéniste.

— Vous êtes bien placé pour savoir que je n'hésiterai pas à m'en servir, Dr Kreizler. Montez… très lentement.

Le docteur me dissimulant en partie aux yeux de Libby, je ramassai prestement le revolver de Miss Howard, le glissai sous la ceinture de mon pantalon et le recouvris du pan de ma chemise. Puis je montai à mon tour, en espérant que Libby ne se douterait de rien.

Quand ma tête émergea, elle me cria :

— Toi, le gosse, viens ici !

J'obéis, avec des mouvements lents et souples pour ne pas faire tomber le Colt. Quand je fus sur le toit, Libby referma la trappe, utilisa sa main libre pour traîner le corps de Miss Howard dessus. Elle se redressa, l'air plus démente que jamais, fit aller son arme du docteur à moi.

— Lequel, lequel, marmonnait-elle. (Elle saisit mon maître par le bras, appuya le canon du pistolet sur sa tempe.) Les mains en l'air, Dr Kreizler. Toi aussi, sale gosse — et ne bouge pas, si tu veux que le cerveau du docteur reste en un seul morceau.

Je levai les bras à demi : plus haut, j'aurais révélé le Colt fourré sous ma ceinture. Libby parut se détendre un peu, remit de l'ordre dans sa coiffure et dans sa mise — la même robe rouge à dentelle noire qu'elle portait quand nous l'avions vue pour la première fois.

— Pourquoi ? demanda-t-elle au docteur, avec dans la voix une trace de regret.

— J'aurais pensé que c'était évident, répondit-il, les bras toujours en l'air.

Des cris montèrent de la rue.

— Vous entendez ? reprit-elle. C'est de votre faute, tout ça ! Rien ne serait arrivé si…

— Si nous vous avions laissée continuer à assassiner des enfants, vous voulez dire ?

— Les assassiner ? s'offusqua-t-elle. Je n'ai fait que chercher à les aider !

— Vous savez, je crois que vous êtes sincère, d'une certaine façon…

Ses yeux d'or s'emplirent de larmes puis elle tapa soudain du pied avec rage.

— Alors, pourquoi vous me traquez comme ça ?

— Ecoutez-moi, Elspeth. Si vous vous livrez, nous trouverons peut-être un moyen de…

— C'est ça, coupa-t-elle d'une voix froide. La chaise électrique, oui, espèce de menteur !

— Non, je peux essayer de faire comprendre aux autorités pourquoi vous avez fait ces choses…

— Mais je n'ai rien fait ! hurla Libby, de nouveau désespérée. Vous ne le voyez pas ? Non. Non, bien sûr — vous êtes un homme. Quel homme pourrait comprendre ce qu'a été ma vie ? Vous vous imaginez que j'ai voulu tout ça ? Ce n'est pas de ma faute !

J'attendais l'occasion de pouvoir saisir le Colt caché sous ma chemise, et je me dis que si je parvenais à lui faire perdre totalement son sang-froid…

— Ah, ouais ? Et le môme que vous avez enterré avec le chien ? C'est la faute à qui, ça ?

— Ferme-la, sale gamin ! La pauvre femme qui s'est usée à t'élever, tu l'as sûrement remerciée en lui crachant à la figure ! En désobéissant, en pleurnichant, en… Tu veux connaître l'histoire du bébé dans la tombe ? Je ne l'avais pas demandé, ce mioche, je n'en voulais pas. J'avais un amoureux — un garçon de bonne famille, que j'aurais pu présenter à ma mère, pour lui montrer que je pouvais, que je pouvais… (Elle se tut un instant, fixa le toit goudronné.) Il aurait fait n'importe quoi pour moi. Moi, j'ai fait n'importe quoi pour lui. Mais sa famille a tout découvert, elle lui a interdit… (Elle releva les yeux.) Et je me suis retrouvée avec sa saleté de semence en moi ! Un bâtard, voilà ce qu'il aurait été, ce gosse ! Alors j'ai eu raison ! Mais je ne pouvais le dire à personne !

Voyant que mon plan avait l'effet désiré, je maintins la pression :

— Et quand vous avez tué Matthew et Thomas, vous l'avez pas voulu non plus, je suppose ? Votre doigt a glissé sur la gâchette ? Ou c'est eux qui vous ont demandé de leur tirer dessus ?

Abasourdi et alarmé, le docteur me lança :

— Stevie, qu'est-ce que tu…

— Là aussi, vous avez eu raison ? poursuivis-je, implacable.

690

La respiration courte, Libby s'écria :

— Ça valait mieux pour eux ! Tu crois que j'avais envie de les tuer ? Il valait mieux pour eux qu'ils quittent ce monde...

— Ouais, pour que vous puissiez prendre leur argent et filer avec votre copain le pasteur !

— Tais-toi ! Satanés gosses, vous n'apprendrez donc jamais à vous taire ? Vous savez où ça mène ! Je vous ai prévenus !

Elle me regarda comme elle avait dû regarder tous les enfants qu'elle avait assassinés, leva le bras et abattit la crosse de son pistolet sur le crâne du docteur. Il tomba à terre, saignant d'une blessure au-dessus de la tempe mais encore conscient. Aussi vif qu'ait été le geste de Libby, il me procura le temps dont j'avais besoin : lorsque, saisissant le docteur par le col, elle se tourna vers moi, je tenais le Colt de Miss Howard à deux mains et le braquais sur elle.

— Bon, si vous voulez le tuer, allez-y, dis-je, le cœur battant. Mais, après, ce sera votre tour, c'est affiché !...

56

Libby me regardait avec l'expression qu'elle avait eue quand Mr Picton lui avait révélé que nous avions découvert la tombe, derrière la grange : stupeur et rage. Elle pinça les lèvres puis les desserra juste assez pour cracher :

— Je vais le tuer ! Je vais le tuer, je le jure !

— Je sais, dis-je. Le problème, c'est de savoir si vous voulez y passer aussi.

— Tu es comme les autres : tu ne me laisses pas le choix !

— Si. Vous lâchez le docteur et vous vous débinez. On vous poursuivra pas.

Laszlo Kreizler, encore étourdi par son coup sur la tête, parut aussi stupéfait que la meurtrière.

— Stevie, qu'est-ce que tu racontes ?

— Alors ? fis-je, gardant les yeux sur Libby.

Elle retourna l'idée dans sa tête, sembla tentée. Je reçus une aide inattendue quand la voix de Mr Roosevelt tonitrua dans la rue :

— Ils battent en retraite ! Lieutenant Kimball ! Envoyez un détachement s'emparer de Knox !

Je m'autorisai un petit sourire.

— Vous avez entendu ? dis-je, indiquant le bord du toit. Votre pote Goo Goo se fait la paire. Vous voulez filer avec lui ?

— Comment je peux être sûre que vous ne me suivrez pas ?

La suite de mon numéro devait être particulièrement soignée. Je respirai à fond avant de répondre :

— Vous prenez le flingue. C'est le seul qu'on a.

Etourdi, le docteur ne l'était pas au point de ne pas entendre.

— Non ! s'écria-t-il. Stevie, ne…

Libby l'interrompit :

— Tu le fais glisser par ici d'abord.

Je secouai la tête.

— Vous laissez le docteur s'éloigner de vous. Après, je vous file le revolver.

— Stevie, intervint de nouveau l'aliéniste. Tu ne peux pas faire confiance à…

Il se tut quand elle appuya durement le canon du pistolet contre sa tête.

— Ah ! oui, c'est ça, docteur ! On ne peut pas faire confiance à cette femme. Elle vous tirera dans le dos. Après tout, elle a tué ses propres enfants, non ? Et plein d'autres. Laissez-moi vous dire une chose, Dr Kreizler. J'ai fait tout ce que j'ai pu pour ces enfants. Les miens, j'ai souffert pour les mettre au monde. Les autres, j'ai passé des heures et des heures à m'occuper d'eux — les nourrir, les laver, les changer. Et tout ça pour quoi ? Pour quoi, docteur ? Ils n'arrêtaient pas de plcurer. Ils n'arrêtaient pas de tomber malades. Ils n'arrêtaient pas d'avoir besoin de quelque chose… (De sa main libre, Libby empoigna ses cheveux, poursuivit d'une voix triste, désespérée :) Toujours besoin de quelque chose. Ça ne cessait jamais. Je faisais tout ce que je pouvais, tout ! Ça aurait dû suffire ! Mais non… Finalement, ils étaient mieux après que je… (Elle baissa les yeux.) Ils n'avaient plus besoin de rien, murmura-t-elle.

Quand elle releva brusquement la tête, ses yeux avaient retrouvé leur éclat doré.

— Bon, allons-y, mon garçon, reprit-elle. Le docteur s'écarte de deux pas, et tu me lances le revolver.

— C'est le marché, confirmai-je.

Mon maître tenta une fois de plus de me dissuader :

— Stevie, ne…

— Allez, docteur, dit Libby, ricanant presque. Faites-les, ces deux pas.

Elle garda son arme braquée sur lui tandis qu'il s'écartait. Quand je jugeai qu'il était suffisamment loin d'elle, je me baissai, posai le Colt de Miss Howard sur le sol goudronné.

— Stevie... répéta le docteur.

Je levai les yeux vers lui, espérant qu'il lirait le message qu'ils contenaient. Cela lui prit une demi-seconde mais il comprit, ferma la bouche et hocha la tête, imperceptiblement.

— Fais glisser l'arme, dit Libby.

Je m'exécutai. Le revolver s'arrêta à ses pieds, elle se baissa vivement pour le prendre, se releva.

— En fait, docteur, vous aviez raison, déclara-t-elle avec un de ses petits sourires aguichants. (Il y eut un déclic lorsqu'elle releva le chien de son pistolet.) Je n'ai pas l'intention de laisser l'un de vous...

Elle n'acheva pas sa phrase. Un sifflement perça la nuit et je saisis les jambes du docteur pour le faire tomber. Un coup de feu partit mais la balle ne toucha que la cheminée en fer de la maison voisine. Le docteur et moi levâmes la tête.

Libby ne souriait plus ; elle avait les yeux ouverts et serrait encore dans sa main le pistolet fumant. Une petite flèche grossière était plantée dans son cou et je savais que, quoique encore debout, elle était sûrement déjà morte : la strychnine l'avait sans doute tuée bien avant que les muscles de ses jambes commencent à céder sous elle. Au bout d'une seconde ou deux, elle finit par tomber, d'abord à genoux, puis sur le flanc.

Nous nous précipitâmes vers elle — moi, pour lui arracher le pistolet, le docteur pour lui tâter le pouls. Il dut le sentir battre faiblement puisqu'il appela avec douceur :

— Elspeth ? Elspeth Franklin ?

En poussant son dernier soupir, Libby parvint à prononcer les mots « toujours besoin » puis elle expira, et le docteur tendit la main pour lui fermer les yeux.

Je ne sais combien de temps nous restâmes accroupis près d'elle ; je sais seulement que ce furent des coups frappés de l'autre côté de la trappe qui nous tirèrent de notre hébétude.

— Sara ? fit la voix de Mr Moore. Stevie, Kreizler ?
Que s'est-il passé ? Vous n'avez rien ?

La trappe et le corps de Miss Howard se soulevèrent
ensemble quand l'ami de l'aliéniste essaya d'accéder au
toit. Sous la poussée, Sara commença à revenir à elle,
gémit, ouvrit les yeux puis roula sur le sol avec un grognement.

Abandonnant Libby, le docteur courut vers Miss Howard
au moment même où Mr Moore surgissait de la trappe.

— Bon Dieu, murmura le journaliste en découvrant la
scène. Qu'est-il arrivé ?

Sans répondre, le docteur appuya la nuque de Miss
Howard sur son genou, tira un mouchoir de sa poche,
entreprit de nettoyer et d'examiner la blessure, se
convainquit rapidement qu'elle était bénigne. Il tapota
doucement les joues de Sara, parvint à lui faire recouvrer
totalement ses esprits.

— Docteur, haleta-t-elle. Qu'est-ce qui s'est passé ?
Où est… ?

— Restez tranquille, répondit-il avec un sourire. C'est
fini.

Il la souleva pour que, sans bouger la tête, elle pût voir
le corps de Libby Hatch.

— Elle est… morte ? demanda-t-elle avec une pointe
de tristesse.

— Oui.

Miss Howard regarda un moment le cadavre puis émit
un bruit qui tenait du hoquet et du sanglot. Lorsqu'elle
se tourna de nouveau vers nous, une larme roula sur sa
joue.

— Je suis désolée, murmura-t-elle. Je sais que je ne
devrais pas…

Le docteur lui caressa le visage.

— Ne vous excusez pas. Il faut bien que quelqu'un
verse une larme en un moment pareil. (Il se tut, jeta un
coup d'œil à Libby Hatch.) J'avoue que j'en suis incapable. Incapable…

Sara se redressa.

— Mais qui…

— C'est ce que j'aimerais savoir moi aussi, nous
lança Mr Moore.

— Regardez son cou, répondis-je.

Il traversa le toit avec précaution, comme si Libby pouvait encore se jeter sur lui, examina le corps, hocha la tête.

— Alors, c'est l'indigène, finalement. Où est-il ?

Je haussai les épaules.

— Je sais pas. Déjà loin, sûrement. J'espère.

— Il vaut mieux retirer la flèche, décida Mr Moore, qui tendit prudemment la main vers le projectile. Je ne tiens pas à devoir expliquer ça à Roosevelt, ajouta-t-il en lançant le trait par-dessus le muret. Et je suis sûr que la blessure sera assez mystérieuse pour abuser n'importe quel imbécile de coroner.

Il revint près de nous, posa sur moi un regard interrogatif mais approbateur.

— C'est toi qui as organisé tout ça, hein, Stevie ?

— Organisé, c'est pas le mot, répondis-je.

— Décidément, ton instinct de joueur est invétéré, me dit le docteur avec un léger sourire.

— On peut pas appeler ça jouer — c'était couru d'avance. Pour quelqu'un qui le connaissait aussi bien que moi…

Miss Howard tendit le bras, effleura la tête du docteur.

— Vous êtes blessé.

— Cela aussi, nous le devons à notre jeune ami. Mais rien de grave — simple coup indispensable au plan de Stevie, semble-t-il.

— Hé, attendez, protestai-je, je pouvais pas savoir qu'elle vous cognerait vraiment.

Il leva une main.

— Punition appropriée pour avoir douté de ton jugement en la matière. Non, plus sérieusement, je te félicite, Stevie. C'était un plan remarquable.

Comme pour appuyer le compliment, Mr Moore m'ébouriffa les cheveux et Miss Howard me sourit — autant d'attentions qui me faisaient toujours mourir de gêne. Par bonheur, je trouvai aussitôt un moyen de changer de sujet de conversation :

— Et Ana ? demandai-je à Mr Moore.

— Mon Dieu, oui, c'est vrai. Ana. (Il se tourna vers

le docteur et Miss Howard.) Vous êtes en état de descendre, tous les deux ?

— Je crois, répondit-elle en se remettant debout avec quelque difficulté. Pourquoi, John ? Explique-toi.

Il secoua la tête avec une expression indéchiffrable.

— Je pourrais, mais vous ne me croiriez jamais.

57

Le temps que nous redescendions au rez-de-chaussée,
la bataille était quasiment terminée — à l'avantage des
marins, si j'en jugeais à leurs cris. Au moment où nous
passions devant la porte de devant, Marcus entra, confir-
mant que les Dusters avaient pris la fuite. Tout le monde
se réjouit de la nouvelle. Il me revint une fois encore de
jouer les trouble-fête en expliquant qu'ils reviendraient
bientôt en force et mieux armés, c'est-à-dire avec des pistolets.

— Qu'est-ce qui te fait croire ça, Stevie ? demanda
Mr Moore, qui passa la tête dehors pour jeter un coup
d'œil dans la rue. Les gars de la marine leur ont fichu une
jolie peignée — ils ne sont pas près de revenir…

— Ils sont obligés, rétorquai-je. Ils peuvent pas se permettre un signe de faiblesse. La bagarre a eu lieu sur leur
territoire. S'ils en restent là, les bandes voisines le dépè-
ceront…

— Là encore, le raisonnement de Stevie est parfaitement juste, approuva le docteur. N'oublions pas qu'il
connaît ce monde beaucoup mieux que nous. Marcus,
allez voir Roosevelt. Persuadez-le de renoncer à arrêter
Knox ou qui que ce soit d'autre. Demandez-lui d'envoyer
simplement quelques hommes sur le toit pour enlever le
cadavre de Libby. Ensuite, nous retournerons aux
bateaux.

Marcus acquiesça, demanda à Mr Moore :

— Vous les emmenez en bas, John ? (Il se tourna vers

moi.) C'est le jardin qui m'a mis la puce à l'oreille, Stevie. Il avait l'air à l'abandon, tu te rappelles ? Et les outils, dans la cave, ne servaient manifestement jamais.

Je plissai le front.

— Ouais ? Et alors ?

— Eh bien, il y avait une raison, répondit le sergent avant de ressortir.

Plus intrigués encore, nous descendîmes à la suite de Mr Moore dans la cave poussiéreuse. L'unique ampoule était allumée, éclairant une pièce où les choses semblaient à peu près dans l'état où je les avais laissées lors de ma visite : en d'autres termes, aucun signe d'un passage secret forcé.

— John, dit le docteur. J'avais cru comprendre…

Mr Moore leva une main.

— Nous l'avons refermé pour vous réserver la surprise, expliqua-t-il, passant des étagères de conserves au tas de vieux outils de jardin. Comme toi, Stevie, nous avons vainement essayé de faire pivoter les étagères. Tu aurais d'ailleurs fini par réussir, si tu avais choisi autre chose qu'une vieille houe comme levier.

Je ne compris pas où il voulait en venir.

— Quoi ?

Il indiqua les deux plus grands instruments — une pelle et un râteau.

— Ouvert, dit-il, touchant la pelle. Fermé, ajouta-t-il, effleurant le manche du râteau.

— Moore, ce n'est pas le moment de jouer ! s'impatienta le docteur. De quoi parles-tu ?

En guise de réponse, le reporter du *Times* leva un doigt, saisit la pelle. Au lieu de se détacher de l'endroit où il était posé, l'outil pivota autour d'un point auquel il semblait fixé et, ô stupeur, les étagères se mirent à bouger, s'écartèrent du mur de brique, révélant un trou d'un mètre carré dans le sol.

— Mon Dieu, murmura Miss Howard en s'avançant.

Le docteur et moi suivîmes, muets d'étonnement.

— Juste assez large pour un adulte de taille moyenne, commenta Mr Moore, qui prit une des torches électriques des Isaacson. Comme le tunnel.

— Le tunnel ? répéta l'aliéniste.

— Viens, je vais te montrer.

Mr Moore descendit les premiers barreaux d'un puits s'enfonçant dans la terre. Il disparut, nous laissant échanger des regards nerveux.

— Comment ça se fait que j'aie pas tellement envie d'y aller ? fis-je à voix basse.

— Tu viens de passer par des moments terribles, Stevie, dit Miss Howard, posant une main sur mon bras. Et ce qu'il y a en bas n'est peut-être pas joli à voir.

Le docteur fut du même avis :

— Il serait tout à fait compréhensible que tu préfères attendre ici.

Je secouai la tête.

— C'est pas ça. J'ai envie de voir, mais… Oh ! tant pis, j'y vais, décidai-je. De toute façon, ça peut pas être pire…

Je suivis avec précaution la torche de Mr Moore, qui s'arrêta à quatre ou cinq mètres de profondeur.

— Attends une seconde avant de descendre complètement — le temps que je pénètre dans le tunnel ! me cria-t-il. Les autres devront faire pareil.

— Le tunnel ? répétai-je moi aussi.

— Tu verras.

Je vis. En bas du puits, dont les parois étaient de béton brut, une ouverture donnait sur un étroit tunnel, juste assez haut pour qu'on puisse avancer en baissant la tête. Mr Moore attendit que Miss Howard et le docteur nous aient rejoints, puis braqua sa torche dans ce que je supposai être la direction du jardin de derrière : le tunnel, lui aussi en béton, courait sur une douzaine de mètres. L'endroit était humide, mais pas aussi étouffant qu'on pouvait s'y attendre.

— C'est un courant d'air que je sens ? demanda Miss Howard.

Elle humecta un de ses doigts, le tint en hauteur.

— A l'autre bout, ça devient presque une brise, répondit Mr Moore, le visage éclairé par la torche comme un feu follet.

— Mais d'où vient-elle ? voulut savoir le docteur.

— Cela fait partie de la surprise, dit Mr Moore. (Il commença à descendre le tunnel vers la faible lueur qui

en marquait la fin, mit une main en porte-voix.) Lucius !
Toujours là ?

— Oui, John, répondit la voix de l'inspecteur. Mais
ne criez pas, nom d'un chien !

Tandis que nous progressions, le dos courbé comme
des mineurs, une idée inquiétante me traversa l'esprit :

— J'entends pas de bébé...

— Non, en effet, confirma Mr Moore, toujours aussi
indéchiffrable.

En quelques secondes, nous parvînmes à une petite
porte en bois entrouverte, par laquelle s'échappait la
lumière que nous avions aperçue de l'autre extrémité
Elle donnait apparemment sur une sorte de pièce et, pendant que nous nous préparions à y pénétrer, des images
de chambres de torture défilaient dans ma tête : chevalet,
fer rouge, cages grouillantes de rats — qui sait à quels
moyens Libby Hatch avait recouru pour apprendre aux
enfants qu'elle kidnappait à bien se conduire ? Je commençai à me demander si je n'aurais pas dû rester
attendre en haut...

— Bon, dit Mr Moore, tout le monde est prêt ? (Personne ne répondit, ce qu'il prit pour un acquiescement.)
Alors, allons-y.

Il poussa la porte et nous entrâmes.

La première chose que je remarquai, ce fut la lumière
— une lumière vive, provenant non d'ampoules nues
mais de charmantes petites lampes posées sur une paire
de tables de nuit et une commode peinte en rose. Les
murs étaient couverts d'un papier où des bébés animaux
souriaient sur un fond blanc. Comme Mr Moore l'avait
prédit, le courant d'air était devenu brise lorsque nous
avions pénétré dans la pièce. C'était dû, nous expliqua-
t-il, à des ventilateurs électriques installés dans des puits
d'aération débouchant sur le jardin. En face de la commode, un vélum de dentelle recouvrait un berceau. Un
troisième mur était percé d'une fenêtre derrière laquelle
une main talentueuse avait peint un paysage campagnard
paisible rappelant les collines ondoyantes et les pâtures
du comté de Saratoga. Le sol disparaissait sous un tapis
fait à la main ; dans un coin, un magnifique fauteuil à bas-

cule en chêne était cerné par des montagnes de jouets —
coûteuses boîtes à musique, cubes, animaux en peluche.

En fait, au niveau du sol, cette pièce eût été une ravissante chambre d'enfants.

— Bon Dieu, lâchai-je, trop abasourdi pour offrir quoi
que ce soit d'autre en guise de commentaire.

Ma stupéfaction ne fit qu'augmenter quand mon regard
s'arrêta sur la personne assise dans le fauteuil.

C'était le sergent enquêteur Lucius Isaacson, se balançant doucement pour bercer une Ana Linares apparemment ravie d'être dans ses bras. Devant nos visages ébahis, il rougit un peu.

— J'ai dû changer sa couche pour qu'elle arrête de
pleurer, dit-il non sans une pointe d'embarras. Mais j'ai
l'habitude — avec les enfants de ma sœur...

— Il semblerait, dit le Dr Kreizler, qui s'approcha et
se pencha vers le bébé. Mes compliments, sergent.

— Alors, elle va bien ? demanda Miss Howard.

— Elle est sous-alimentée, répondit Lucius. Et elle
souffre d'une légère colique, mais cela se comprend. Et
Mrs Hatch ?

— L'indigène l'a eue, annonça Mr Moore. Les marins
sont en train de descendre le cadavre du toit. D'après
notre expert ès voyous, ajouta-t-il en me désignant, nous
avons intérêt à déguerpir d'ici avant que les Dusters
reviennent...

— Oui, je crois que ce serait une excellente idée,
dit Lucius avec nervosité. (Il se leva, tendit l'enfant à
Miss Howard.) Sara, si vous voulez...

Elle ne fit aucun geste pour prendre l'enfant.

— Vous vous débrouillez très bien, Lucius, assurat-elle avec un petit sourire pervers. Et je viens de recevoir un méchant coup sur la tête, je pourrais perdre
l'équilibre en remontant...

— Cela vous dérange de la garder, sergent ? s'enquit
le docteur, qui parcourait la pièce du regard, comme pour
en graver l'image dans son esprit, me sembla-t-il.

— Non, non, dit Lucius. Simplement, je ne voudrais
pas en entendre parler pendant des années. (Il nous lança
un regard d'avertissement, rejoignit le docteur et inspecta
lui aussi la pièce.) Un peu dur à avaler, non ?

— Vous croyez ? fit l'aliéniste.

Mr Moore apporta de l'eau au moulin de Lucius :

— Enfin, Laszlo, étant donné la personnalité de Libby, on aurait pu s'attendre à quelque chose de plus… austère, pour user d'un euphémisme.

— Ce n'était qu'un côté de sa personnalité, John, fit Miss Howard, promenant un doigt sur les bébés animaux du papier mural.

— Tout à fait, Sara, approuva le docteur.

Revenu de ma stupéfaction, je risquai une remarque :

— En tout cas, elle a fini par l'avoir, son intimité. Même si elle a dû pour ça creuser quasiment jusqu'en Chine…

— C'est vrai, dit mon maître. Pourtant, même ici, coupée du monde, elle n'a pas réussi à…

Il laissa sa phrase en suspens, regarda les grands yeux d'Ana, presque aussi sombres que les siens.

— Tu as été bien difficile à trouver, *señorita* Linares, reprit-il. Mais tu es saine et sauve, grâce à Dieu.

— Elle ne le restera pas longtemps si nous ne sortons pas d'ici, prévint Mr Moore. Jette un dernier coup d'œil, Kreizler — quelque chose me dit que nous ne reviendrons pas en territoire duster avant un moment.

Nous retournâmes dans le tunnel, accordant quelques secondes encore au docteur pour mémoriser l'étrange cachette qui avait abrité l'obsession de Libby Hatch et qui constituait, à présent qu'elle était morte, l'unique vestige des rouages de son esprit complexe.

Au rez-de-chaussée, nous retrouvâmes Mr Roosevelt et le lieutenant Kimball, qui étaient entrés dans la maison avec Marcus. Les marins s'étaient regroupés dehors autour du perron, et deux d'entre eux portaient une civière pliante sans doute apportée d'une des vedettes. Le corps de Libby Hatch, enveloppé dans un drap, y était attaché par des sangles. L'humeur de la troupe avait viré du triomphalisme à l'inquiétude : des matelots avaient repéré des mouvements ennemis laissant penser que la bande préparait un nouvel assaut. Les marins formèrent une double haie protectrice autour de Lucius, qui portait encore le bébé, et tout le monde partit au trot en direction du fleuve.

En chemin, je m'approchai de Cyrus, dont la mise était quelque peu en désordre, mais qui paraissait en pleine forme — et très satisfait.

— Y a pas beaucoup de types qui sortent d'une bagarre avec Ding Dong aussi frais que toi, fis-je observer en souriant.

— Parce qu'il n'y a pas beaucoup de types qui le forcent à se battre à la régulière, répondit-il.

— Alors, tu l'as soigné, faut croire ?

Il désigna du menton le chantier des laboratoires Bell, qui se trouvait à présent sur notre gauche, et répondit :

— Je te laisse juge.

Ding Dong, appuyé à un tas de briques, avait le visage transformé en patchwork de bleus, les membres pliés à des angles bizarres. J'émis un sifflement grave.

— Nom de Dieu ! Il est vivant ?

— Oh oui. Mais il le regrettera peut-être demain matin...

J'approuvai de la tête, pénétré d'un profond sentiment de justice. Comme nous approchions du fleuve, Cyrus baissa les yeux vers moi.

— Tu sais, Stevie, j'ai toujours pensé que cette fille ne te vaudrait que des ennuis. Je ne le nierai pas maintenant. Mais en définitive, elle a bien agi envers toi, envers nous, et envers le bébé. Alors, je me trompais.

Je tâchai de mettre dans mon regard autant de gratitude que j'en éprouvais.

— Non, tu te trompais pas. Kat, c'était les ennuis. Mais c'était d'autres choses aussi.

— Tu as raison.

Le moral de notre petite troupe s'améliora considérablement une fois que nous eûmes retraversé West Street pour descendre le quai du même pas rapide. A mesure que la masse blanche de l'embarcadère de la White Star Line grossissait, nous sentions se lever la chape d'angoisse qui pesait sur nous. Ce fut Mr Roosevelt qui signifia officiellement que nous pouvions respirer :

— Alors, docteur, rugit-il au moment où nous passions devant Perry Street, il semblerait que nous ayons remporté la victoire !

— Je réserve mon jugement jusqu'à ce que nous

soyons en sécurité à bord, répondit prudemment l'aliéniste en inspectant les alentours. Mais les résultats préliminaires sont encourageants.

Le sous-secrétaire rugit de rire.

— Kreizler, si j'ai jamais rencontré un homme plus porté que toi à voir le côté sombre d'une situation, je n'en garde pas le souvenir ! Il est vrai que nous n'avons pas arrêté ce gredin de Knox, mais nous avons donné à ces brutes une leçon qu'elles n'oublieront pas de sitôt, et qui n'a coûté à nos hommes que quelques hématomes ! Savoure cet instant, docteur !

— Nous n'avons essuyé aucune perte ? s'étonna mon maître, qui ne semblait pas encore prêt à célébrer la victoire.

— Bon, deux ou trois bras cassés, reconnut Mr Roosevelt. Et une fracture de la mâchoire. Mais les coupables ont été remboursés avec intérêts, je te l'assure. Alors, je ne veux pas de ta mélancolie ! Tu dois apprendre à apprécier nos triomphes !

Le docteur finit par sourire — plus amusé, je crois, par l'attitude incorrigible de son vieil ami que réellement satisfait de ce qui venait de se passer au 39, Bethune Street. Oh ! nul doute qu'il se réjouissait d'avoir sauvé la petite Ana, mais les causes des horreurs dont nous avions été témoins allaient disparaître à jamais avec le corps que deux marins emportaient sur un brancard. Provisoirement privé par les autorités de son théâtre d'opération à l'Institut, le docteur n'avait aucun lieu où procéder à une autopsie de Libby Hatch, à un examen de son cerveau pour vérifier s'il présentait ou non une anomalie quelconque. Et même s'il y avait eu accès, les Isaacson auraient difficilement pu livrer à leurs supérieurs un cadavre à la tête disséquée. En plus de la mort de Libby Hatch, ces considérations empêcheraient toujours Laszlo Kreizler de voir dans cette affaire un « triomphe », tout comme je garderais à jamais un souvenir douloureux de cette aventure du fait de la mort de Kat.

Nous montâmes à bord des vedettes sans problème. Avec la première — où se trouvait le corps de Libby —, les Isaacson se rendraient à une jetée de la police, près du Battery, où ils pourraient clore un dossier que le Service avait mis tant de mauvaise grâce à ouvrir. Pendant ce temps, nous retournerions avec Ana à l'arsenal de Brooklyn et, de là, chez le docteur. Miss Howard préviendrait alors la *señora* qui, depuis le début de l'après-midi, s'était réfugiée au consulat français pour échapper à son mari.

Tout à fait rétablie, Sara monta dans le bateau de tête et attendait que Lucius lui apporte l'enfant quand Mr Roosevelt surgit inopinément.

— Retournez dans l'autre vedette, sergent, dit-il en lui prenant le bébé des bras. J'ai l'habitude de porter des petits paquets comme celui-là. Soyez sûr que je le livrerai sans dommage !

L'enfant calée au creux du bras, l'homme politique monta agilement l'échelle. Je me souvins en l'observant qu'il avait lui-même cinq jeunes enfants dont il avait dû s'occuper seul à maintes reprises.

Une fois à bord, il prit le temps d'examiner le joli petit visage avant de confier Ana à Miss Howard.

— Quels traits extraordinaires, dit-il avec une douceur qui ne lui était pas habituelle. Regarde ses yeux, docteur !

— Je les ai vus, Roosevelt. Un bel enfant.

Agitant l'un de ses gros doigts près de la frimousse, le sous-secrétaire demanda d'un ton détaché :

— Il est à qui ?

Nous nous figeâmes tous. Par bonheur, « Teddy » était trop occupé à regarder le bébé pour le remarquer.

— A qui ? répéta le docteur par-dessus le bruit des machines. Quelle importance ?

— Aucune, mais après ce que nous venons de vivre, j'aimerais rencontrer les parents, dit Mr Roosevelt. (Il eut un sourire épanoui quand Ana saisit son doigt.) Et leur dire qu'ils ont eu une sacrée chance d'avoir fait appel à vous...

— Ses parents travaillent au consulat, se hâta de répondre Miss Howard. Au consulat français. Malheureusement, ils ont l'intention de rentrer en France dès qu'ils auront récupéré l'enfant. Cela se comprend.

— Tout à fait, acquiesça le sous-secrétaire. J'espère, Sara, que vous soulignerez que ce genre d'incident n'est pas du tout courant dans notre pays.

— Certainement, assura-t-elle.

Souriant de nouveau au bébé, Mr Roosevelt reprit :

— Français, disiez-vous ? Dommage qu'ils ne soient pas espagnols. Elle a quelque chose d'espagnol, cette petite. Notre affaire aurait au moins servi à montrer à ces fripouilles comment un peuple libre règle un problème comme celui-là !

— Mmm, oui, fit Mr Moore d'un ton qu'il voulait désinvolte. C'eût été une bonne occasion, en effet...

— Mais comme tu disais, docteur, peu importe qui sont les parents, reprit Mr Roosevelt tandis que notre vedette gagnait le milieu du fleuve. C'est une enfant, et elle est en sécurité maintenant.

Comme Ana essayait de nouveau d'attraper le gros doigt, le sourire de Theodore Roosevelt s'élargit.

— Vous savez, fit-il, je crois qu'une main de bébé est la plus jolie chose au monde.

58

Lorsque nous fûmes tous de retour 17e Rue, Lucius trouva un biberon dans la salle de consultation (le docteur s'en servait — quelle ironie ! — pour traiter des femmes éprouvant des difficultés à sevrer leur enfant) et prépara une mixture afin d'aider la petite Ana à se débarrasser des coliques qui continuaient à effacer, toutes les quatre ou cinq minutes, son sourire béat. Du lait, du miel et le peu d'élixir parégorique qui avait échappé à mes tentatives pour soigner Kat entrèrent dans la composition du mélange. Après que le sergent le lui eut fait boire, l'enfant recouvra ses couleurs et sa gaieté. Bol d'air frais que la présence de ce petit être content, et même heureux, parmi des gens qui n'avaient connu depuis des jours que la violence et le meurtre.

Vers une heure du matin, Mr Roosevelt et le lieutenant Kimball prirent congé pour rentrer à Washington et se remettre à préparer cette guerre contre l'Espagne qu'ils prédisaient et espéraient. Encore aujourd'hui, j'ignore si quelqu'un informa un jour l'ancien préfet de police que notre affaire aurait pu conduire — si les choses avaient tourné autrement — au déclenchement de cette guerre. Quelque chose me dit que le docteur dut lui en toucher un mot avant que Mr Roosevelt meure, au début de cette année. Mais l'essentiel, maintenant comme alors, c'est qu'il soit venu à notre aide en sachant uniquement que ses amis et un bébé innocent avaient besoin de lui. Je ne l'en admirais que plus. Aujourd'hui, lorsque je le revois s'éloigner de la maison dans son landau, nous adresser ce sourire merveilleux qui, plus tard, ferait le bonheur des caricaturistes, je me demande pourquoi aussi peu d'hommes possèdent cette force singulière, cette capacité à sourire à un bébé après avoir fracassé le crâne de voyous comme les Hudson Dusters. C'est une question qui me harcèle encore.

Vers une heure et demie, les inspecteurs revinrent du poste de police de New Street, où le corps de Libby Hatch avait été déposé. De là, son cadavre irait à la morgue, ce qui ne laissait pas de me tourmenter : je ne pouvais me faire à l'idée qu'on mette la meurtrière dans le même bâtiment que Kat, même si elles étaient toutes les deux mortes. Nous n'y pouvions rien, cependant : il fallait procéder à l'autopsie de Libby. (Les résultats, nous l'apprîmes plus tard, furent « non concluants », comme Mr Moore l'avait soupçonné.) Quant à El Niño, je m'attendais à demi à ce qu'il téléphone cette nuit-là pour s'assurer que tout s'était bien terminé, mais je finis par me rendre compte que, de son point de vue, c'était déjà fait : son *jefe* avait été vengé, et bébé Ana serait rendue à sa mère. Tout ce que New York pouvait lui réserver maintenant, c'était des ennuis avec la police : il valait mieux qu'il quitte rapidement la ville — et peut-être le pays — sans perdre de temps à chercher à nous joindre.

De son côté, Miss Howard avait appelé le consulat français à notre arrivée chez le docteur pour annoncer à la *señora* Linares que tout allait bien et qu'elle lui amènerait Ana dès que la police lui fournirait une escorte. Nous savions tous que les sergents se chargeraient de cette tâche et qu'ils feraient bien d'être armés pour l'accomplir : nous ignorions quels nouveaux serviteurs le *señor* Linares avait engagés quand El Niño était passé dans notre camp ; nous ne savions pas si, comme le petit indigène, ils surveillaient la maison du docteur. Cette prudence se révéla superflue : Sara, Marcus et Lucius remirent le bébé à sa mère sans problème. A leur retour, ils nous expliquèrent que la *señora* hésitait entre rentrer en Espagne auprès de sa famille ou partir pour l'Ouest, dans ces régions des Etats-Unis où il était courant de refaire sa vie — où, je l'avais espéré, Kat aurait pu prendre un nouveau départ. La joie immense qu'éprouva Isabella Linares en retrouvant sa fille suffit à convaincre nos trois amis que nous n'avions pas subi en vain toutes ces épreuves.

Peut-être était-ce vrai pour eux. Pour Mr Moore et moi, cependant, la question se poserait toujours de savoir si nous avions eu raison d'entraîner des êtres qui nous étaient chers dans une aventure qui avait fini par leur coûter la vie. Ce genre de question trouve rarement une réponse, et ne cesse jamais de vous harceler. Alors même que j'écris ces lignes, je ne puis prétendre être plus près de faire taire ces doutes que je ne l'étais à trois heures ce matin-là, lorsque nous nous séparâmes et que je restai longuement assis sur mon appui de fenêtre, à fumer en pleurant, à voir partout les yeux de Kat dans le ciel étoilé.

Il y eut, bien sûr, des funérailles. Après une cérémonie toute simple pour Kat au Calvary Cemetery le mercredi après-midi — tous les membres de notre groupe y assistèrent, ce dont je leur fus reconnaissant —, nous prîmes le train le jeudi matin de bonne heure pour nous rendre à Ballston Spa, où Mr Picton fut enterré dans le cimetière même que nous avions profané quelques semaines plus tôt. C'étaient bien sûr la tristesse, l'affection et le respect qui nous avaient fait faire ce long voyage afin de dire adieu au petit homme agité qui avait refusé de classer l'affaire des meurtres de Charlton Road et qui, jusque dans la mort, nous avait donné les preuves d'un courage admirable. La curiosité aussi nous amenait dans le Nord : nous brûlions de savoir ce que Mr Picton avait voulu dire en parlant d'« indice » dans le cimetière.

Tandis qu'on descendait le cercueil dans la fosse, chacun de nous glissa un coup d'œil aux tombes des autres membres de la famille, et nous fûmes étonnés de découvrir que tous les hôtes de cette concession — non seulement les parents de Mr Picton, mais également une sœur et un frère plus jeunes — étaient décédés le même jour. Après la cérémonie, le docteur interrogea Mrs Hastings, qui répondit que toute la famille était morte dans son sommeil à cause d'une fuite de gaz dans la grande maison de High Street. Seul Mr Picton avait été épargné, parce qu'il faisait alors ses études de droit à New York.

Si la gouvernante ne fit aucun commentaire sur cette étrange affaire (une fuite d'une telle ampleur que le gaz avait déniché et tué, jusque dans les pièces les plus éloignées de la vaste demeure, tous les membres de la famille) il paraissait évident que quelqu'un avait délibérément liquidé toute la famille, et ce quelqu'un ne pouvait être qu'un des Picton, puisque toutes les portes de la maison étaient fermées de l'intérieur au moment des faits.

Au-delà de cette conclusion, on ne pouvait que spéculer. La mère de Mr Picton avait-elle, dans une crise de dépression, tué son mari, ses enfants et elle-même ? Selon le docteur, la chose n'était pas rare chez les femmes souffrant de mélancolie profonde. Mr Picton avait-il soupçonné la vérité, et ces soupçons l'avaient-ils poussé à poursuivre Libby Hatch pendant tant d'années ? Nous ne le saurions jamais. Cette possibilité, conjuguée à la tristesse de l'enterrement lui-même, nous tint tous bien silencieux dans le train qui nous ramenait à New York.

Un calme sinistre régna dans la maison de la 17e Rue les jours suivants : l'affaire était finie mais nous ne pouvions reprendre nos vies normales, car même si nos esprits avaient eu suffisamment de ressort pour rebondir aussitôt, nous attendions encore les résultats de l'enquête sur la gestion de l'Institut du docteur. Le vendredi matin, les Isaacson — qui, depuis notre retour, n'avaient cessé de retarder leur déposition — durent finalement témoigner à huis clos devant le tribunal. Dans l'après-midi, le révérend Bancroft fut appelé à comparaître pour donner son opinion sur l'Institut, sur la compétence du personnel, et, plus généralement, pour dire si l'établissement était une institution saine. La cour attendit le lundi pour rendre son verdict, et je n'exagère pas en affirmant que ces deux jours furent les plus longs de ma vie. Le temps moite couvrait tous les habitants de la ville de cette mince pellicule de sueur dont il semble impossible de se débarrasser et qui rend d'humeur irascible. Dès dix heures du matin, le thermomètre atteignit les vingt-cinq degrés, et lorsque Cyrus, le docteur et moi montâmes dans la calèche pour nous rendre au tribunal de Tweed, à deux heures, je n'aurais pas parié que Frederick — rendu un rien paresseux par plusieurs semaines de pension — ou nous-mêmes aurions la force requise pour atteindre notre objectif.

Nous l'atteignîmes, dans tous les sens du terme. Non seulement le juge Samuel Welles nous surprit en déclarant que les affaires de l'Institut étaient en ordre et le cas de Paulie McPherson une « aberration manifeste », mais il stupéfia toute la salle en tançant fermement les édiles qui avaient réclamé une enquête. Les méthodes du Dr Kreizler étaient peut-être non orthodoxes, déclara le juge, et dérangeaient peut-être certains — lui-même n'était pas sûr que toutes lui agréaient —, mais on ne pouvait nier leurs résultats. En fait, depuis des années qu'il dirigeait l'Institut, le docteur n'avait perdu qu'un seul enfant, et l'enquête des deux sergents avait clairement établi que l'adolescent songeait au suicide avant même de venir à l'Institut et qu'il y avait apporté l'instrument de son « crime ». Rappelant à ceux qui critiquaient Laszlo Kreizler que les tribunaux de New York avaient mieux à faire que perdre leur temps avec des poursuites injustifiées, le juge Welles prononça un non-lieu.

Nous savions tous que Welles était un homme imprévisible, mais, jusque-là, aucun personnage officiel n'avait exprimé son soutien aux travaux du docteur et l'événement suffit à nous faire croire qu'il y avait peut-être après tout une certaine justice en ce monde. Mr Moore avait pris le risque de réserver un cabinet particulier au restaurant de Mr Delmonico, ces petites salles privées étant le seul endroit de l'établissement où Cyrus et moi avions le droit de manger. Pendant le repas qui suivit l'audience, les adultes s'empiffrèrent de plus de plats aux curieux noms français que ma mémoire ne peut en restituer après tant d'années. Pour ma part, je me contentai d'un steak et de frites. Mr Delmonico me trouva même une bouteille de *root beer* — je le soupçonne d'avoir envoyé un de ses marmitons en acheter une chez l'épicier du coin. Si je ne me souviens pas du menu exact, je me rappelle que ce fut une soirée peu commune pour nous : il n'y eut ni meurtre, ni kidnapping, ni grand mystère au centre de la conversation. En fait, on ne parla guère de crime, ce soir-là : nous étions simplement heureux d'être ensemble et de voir que les événements terribles vécus en commun n'étaient pas la seule chose qui nous rapprochait.

La journée s'étant si bien passée, nous aurions dû nous douter que sa fin nous réserverait une surprise désagréable ou tout au moins perturbante. Après le festin chez Delmonico, le docteur invita tout le monde chez lui et, en arrivant, nous découvrîmes un fort beau coupé de ville arrêté devant la grille du jardin. Les deux individus assis sur la banquette juraient cependant avec la voiture : vêtus de cabans grossiers indiquant qu'ils étaient sans doute familiers des endroits les plus louches des quais, ils avaient un teint bistre et de grands yeux sombres qui faisaient aussitôt penser à l'Inde ou à cette partie du monde. J'avais fait le trajet en fiacre avec le sergent Lucius, dont le visage — joyeux et rubicond après ce repas généreusement arrosé chez Mr Delmonico — devint grave, et même un peu pâle lorsqu'il aperçut le véhicule et les hommes.

— Qu'est-ce que… ? murmura-t-il. Oh non.

— « Oh non » ? répétai-je en faisant aller mon regard du coupé au policier. Pourquoi « Oh non » ? C'est qui, ces types ?

Lucius respira profondément avant de répondre :

— On dirait des lascars.

— Des lascars ? fis-je, un peu inquiet. (Même moi, j'avais entendu parler de ces marins et pirates qui parcouraient l'océan Indien et la mer de Chine méridionale.) Qu'est-ce qu'ils fabriquent ici ?

— Essaie de deviner. On en voit souvent… sur les quais de Manille.

— Oh, fis-je, jetant un autre coup d'œil aux deux types sur la banquette. Et merde !

Pendant ce temps, les autres étaient déjà descendus du second fiacre et de la calèche du docteur et se dirigeaient vers le coupé. Le premier signe de vie émanant du véhicule fut une question :

— Dr Kreizler ? fit une voix grave à l'accent espagnol.

Mon maître s'avança.

— Je suis le Dr Laszlo Kreizler. En quoi puis-je vous être utile ?

La porte du coupé s'ouvrit enfin pour laisser descendre

un bel homme de taille et de corpulence moyennes, aux cheveux noirs soigneusement pommadés. Ses vêtements, de la meilleure qualité qui se puisse trouver, avaient cette coupe austère qui indique généralement le diplomate. Il tenait à la main une canne terminée par un lourd pommeau d'argent.

— Je m'appelle Narciso Linares. Je crois que vous savez qui je suis.

Ayant déjà deviné, comme nous tous, l'identité du visiteur, le docteur inclina la tête avec un petit sourire.

— *Señor*.

Narciso Linares pointa sa canne vers la maison.

— Y a-t-il un endroit où nous pourrions parler ? L'affaire est urgente.

— Je vous en prie, dit l'aliéniste, indiquant la porte.

Le diplomate et le docteur se dirigèrent vers la grille, mais, quand nous voulûmes les suivre, les deux lascars sautèrent de leur banquette et nous barrèrent la route, les bras croisés, l'air agressif.

Laszlo Kreizler tourna vers l'Espagnol un visage choqué.

— *Señor*, qu'est-ce que cela signifie ? Ces personnes sont mes invités.

Narciso Linares considéra la question, hocha la tête.

— Bien, dit-il, avant d'adresser quelques mots en espagnol aux matelots indiens, qui retournèrent à la voiture en traînant les pieds.

Le docteur conduisit le *señor* Linares au salon, lui proposa un verre. Le visiteur réclama un cognac, que Mr Moore lui servit pendant que nous prenions place. Cyrus alla à la fenêtre surveiller les marins.

Quand il comprit que nous avions tous l'intention de rester, le *señor* exprima sa surprise :

— L'affaire qui m'amène est de nature confidentielle — et certes pas destinée aux oreilles des domestiques…

— Il n'y a ici aucun domestique, répliqua le docteur. Ces gens sont mes collaborateurs.

— Le Noir aussi ? demanda le diplomate, coulant un regard à Cyrus.

S'efforçant de garder son calme, l'aliéniste reprit :

— S'il y a quelque chose dont vous voulez discuter,

vous devrez le faire devant nous tous. Sinon, je vous souhaite le bonsoir.

Le *señor* Linares vida son verre, haussa les épaules.

— J'irai droit aux faits, donc. J'ai des raisons de croire, docteur, que vous savez où se trouvent ma femme et ma fille.

— Vraiment?

— Oui. Si c'est bien le cas, je vous recommande fortement de me le révéler si vous voulez éviter un incident diplomatique.

Le docteur tira de sa poche son étui à cigarettes.

— Je m'étais laissé dire que les diplomates ont du tact, dit-il. J'ai peut-être été mal informé...

— L'heure du tact est passée depuis longtemps, rétorqua le *señor* Linares. Je sais qu'il y a quelque temps mon épouse a fait appel aux services de cette femme. (La canne se braqua dans la direction de Miss Howard.) Depuis, ma vie est une succession de problèmes. Je vous préviens, je suis tout à fait sérieux quand je vous menace d'une protestation officielle.

Mon maître examina le *señor* en allumant une cigarette, se laissa retomber contre le dossier du fauteuil.

— J'en doute fort.

La réponse fit à l'Espagnol l'effet d'une gifle.

— Vous me traitez de menteur? s'indigna-t-il en se levant.

Le docteur ne parut pas inquiet.

— Je vous en prie, épargnez-moi votre fierté latine ou — comment dites-vous? — votre *machismo*. Il est tout à fait inutile ici, je vous l'assure.

— Dr Kreizler, je ne suis pas homme à tolérer de tels mots...

— *Señor* Linares, rasseyez-vous, je vous prie. Je présume que si vous aviez eu l'intention d'impliquer votre consulat ou votre gouvernement dans cette histoire, vous l'auriez fait depuis longtemps. Et vous ne seriez pas venu ici accompagné de ces deux individus... (l'aliéniste indiqua la fenêtre d'une main désinvolte) dont la présence visait probablement à m'arracher par l'intimidation physique le renseignement que vous recherchez. Heureusement pour moi, malheureusement pour vous, je ne suis pas rentré seul. Alors, si nous nous dispensions de parler d'incidents diplomatiques ?

Le diplomate s'accorda une ou deux secondes, se rassit, parvint même à ébaucher un petit sourire réticent.

— Oui. J'avais entendu dire que vous êtes un homme intelligent…

Le docteur durcit soudain le ton :

— Et moi j'ai entendu dire que vous n'hésitez pas à battre une femme, ou n'importe quel être plus faible que vous. Et que vous avez accepté de cacher l'enlèvement de votre enfant. Alors vous pourriez peut-être m'expliquer pourquoi vous débarquez ici, comme le gouverneur de quelque lointaine colonie espagnole, pour exiger de moi une information que je ne possède pas ?

Narciso Linares releva vivement la tête.

— Vous ignorez ce que sont devenues ma femme et ma fille ?

— Si je le savais, je ne vous le dirais pas, mais je vous donne ma parole que je l'ignore.

C'était vrai : la *señora* Linares avait quitté New York pendant le week-end sans communiquer à Miss Howard sa destination finale. Elle avait promis de lui écrire quand elle serait installée et que tout irait bien.

— Je vois, fit l'Espagnol, moins contrarié que nous l'aurions cru. J'ai perdu mon temps en venant ici.

Il lança à Mr Moore un regard agacé, comme pour lui reprocher de ne pas lui avoir déjà resservi un cognac. En remplissant le verre, l'ami du docteur ne put s'empêcher d'intervenir dans la conversation :

— C'est parce que Ana est une fille ? Ils ne comptent pas beaucoup dans votre partie du monde, non, les rejetons de sexe féminin ?

Le *señor* secoua la tête.

— Quels moralistes provinciaux vous faites, vous, les Américains ! Vous vous imaginez que je me conduirais ainsi sans une raison impérieuse ?

— Quelle raison pourrait être assez « impérieuse » pour vous obliger à abandonner Ana ? demanda Miss Howard d'un ton méprisant.

Narciso Linares parcourut le cercle de visages qui l'entourait, vida son second verre.

— Mes motivations doivent paraître horribles aux naïfs que vous êtes.

— Nous ne les connaissons pas, ces motivations, rappela Marcus.

— Depuis le début, nous tentons vainement de les déterminer, d'ailleurs, ajouta Lucius.

L'Espagnol acquiesça de la tête quand Mr Moore lui proposa un troisième cognac.

— Je comprends la difficulté. Comme tous vos compatriotes, vous croyez ce que racontent vos journaux : l'Empire espagnol est un ramassis de militaristes arrogants qui ne cherchent qu'à prouver leur virilité face au premier pays qui les offensera. Eh bien… (Il but une gorgée.) Vous avez en partie raison — mais en partie seulement. Je peux ? demanda-t-il, indiquant l'étui en argent.

Le docteur, à présent vivement intéressé par ses propos, lui fit signe de se servir. L'homme alluma une cigarette, rejeta la fumée d'un air approbateur.

— Excellent. Russe ?

— Géorgien. Mélangé à du Virginie.

Linares tira une autre bouffée.

— Oui, excellent, vraiment… Docteur, avez-vous entendu parler d'un de mes cousins, le général Arsenio Linares ? (L'aliéniste fit signe que non.) Il commande la garnison de Santiago de Cuba. Ou de l'amiral Pascual Cervera y Topete, commandant de notre escadre de Cadix ? (Le docteur répondit de nouveau par la négative.) Je m'en doutais. Mais vous connaissez — vous connaissez tous — le général Weyler, dit le Boucher, et la clique belliciste qui entoure la régente… Ce sont eux qu'on cite dans vos journaux. Vos messieurs Hearst et Pulitzer ne vendent pas leurs torchons en se faisant l'écho des voix de la raison…

— De la raison ? fit le docteur.

Le *señor* Linares lui lança un regard dur.

— Vous ne supposez quand même pas que nous sommes tous incapables de voir la réalité qui nous entoure ? Oui, il y a à Cuba, en Espagne, et même aux Philippines, où j'ai passé mon enfance, beaucoup d'Espagnols qui pensent que votre pays s'est ingéré dans nos affaires et a insulté nos dirigeants. Ils ont raison. Mais ils souhaitent régler le différend par la guerre — ils le souhaitent presque autant qu'un grand nombre d'Américains. Il y a aussi dans notre pays des hommes qui connaissent l'issue inéluctable qu'aurait cette guerre. Les officiers que j'ai mentionnés, par exemple. Et moi-même.

— Pouvez-vous être plus précis ? sollicita Mr Moore.

L'Espagnol le regarda, eut un rire bref.

— Votre pays est comme un jeune garçon qui vient de basculer dans l'âge adulte et ne connaît pas encore l'étendue de sa force. Si l'Espagne entre en guerre contre l'Amérique, *señor,* les conséquences seront désastreuses pour notre Empire. Nous perdrons nos dernières possessions dans cette partie du monde, et sans doute beaucoup plus. Mais ces arguments sont sans effet sur ceux qui veulent défendre l'orgueil national par les armes. Ils ne prêtent pas attention aux avertissements d'officiers expérimentés comme mon cousin, ou l'amiral Cervera, qui connaissent notre faiblesse. Ils n'écoutent pas non plus les simples secrétaires de consulat, qui ont vu les grands bâtiments que vous construisez à Brooklyn, à Newport, en Virginie. (Le *señor* Linares fixa le fond de son verre.) Non, ils n'écoutent pas…

Le docteur écarquilla les yeux.

— Vous voulez dire que vous avez essayé de dissimuler l'enlèvement de votre fille pour ne pas donner aux extrémistes de votre pays un argument de plus pour déclarer la guerre aux Etats-Unis ?

Le *señor* ne parut pas éprouver la moindre honte quand il repartit :

— Qu'auriez-vous fait à ma place, docteur ? L'empire d'Espagne est malade, il meurt de sa propre arrogance, qui ne cherche qu'un prétexte pour se manifester. Je le sais. En même temps, j'ai grandi dans cet Empire ; ma famille le sert depuis trois cents ans. Je dois tout faire pour retarder sa destruction.

— Y compris laisser votre propre fille mourir ? lui assena Miss Howard.

Sans la regarder, Linares répondit :

— L'Espagne a besoin de fils, pas de filles. Il faut peser le coût en tenant compte du profit, comme vous dites, vous les Américains.

Marcus continua pour lui :

— Alors, maintenant, vous voulez simplement vous assurer qu'elles ne referont pas surface quelque part. Vous voulez avoir la certitude que l'affaire est bel et bien terminée.

Le *señor* Linares haussa les épaules.

— J'aimerais obtenir l'annulation de notre mariage, si ma femme ne revient pas vivre avec moi. Je me remarierai. Comme je l'ai dit, l'Espagne a besoin de fils.

Le docteur se leva brusquement, les yeux flamboyants.

— Je le répète, j'ignore totalement où elles se trouvent. Et je vous demande maintenant de quitter ma maison !

L'ordre, plutôt grossier, ne parut pas surprendre l'Espagnol, qui se leva lui aussi et gagna le vestibule.

— *Señor*, le rappela Miss Howard. (Il s'arrêta près de l'escalier, se retourna.) Si un homme fait passer son pays avant son enfant, si ce pays non seulement tolère mais encore encourage un tel choix, ne peut-on dire qu'il est déjà détruit ?

— Je pense que dans les mois qui viennent nous aurons la réponse à cette question, répondit l'Espagnol avec calme.

D'un pas rapide, presque léger, il sortit de la maison et retourna à son coupé, nous laissant ruminer en silence la dernière pièce manquante de l'affaire Libby Hatch.

59

Bien sûr, la guerre entre les Etats-Unis et l'empire d'Espagne éclata quelques mois après notre conversation dans le salon du docteur avec le *señor* Linares. En dépit de ce que beaucoup semblent avoir pris le pli de penser depuis, l'«arrogance» espagnole dont parlait Narciso Linares fut autant la cause du bain de sang que les rodomontades des bellicistes américains. Les prédictions du diplomate sur les conséquences du conflit se révélèrent aussi justes que son opinion sur ses causes : l'Empire espagnol fut démantelé, les Etats-Unis héritèrent d'une série de nouvelles possessions — dont les Philippines. Je pense que rares étaient ceux, même à Washington, qui avaient une idée précise de la situation dans laquelle ils se fourraient en s'emparant de ces terres : comme l'écrivit à l'époque Mr Finley P. Dunne, plaisantin de la presse, la plupart des Américains n'auraient su dire avant la guerre si les Philippines étaient un «archipel ou des conserves». Pour ma part, je n'eus qu'une seule pensée — une question, à vrai dire — lorsque j'appris que nous étions devenus les maîtres de ces îles : El Niño avait-il réussi à rentrer dans sa patrie avant que nous l'envahissions, et fit-il partie de ces Philippins qui ne tardèrent pas à se battre contre nous pour leur indépendance ? Je ne l'ai jamais su, mais cela eût été assez dans sa nature.

Les sergents Isaacson reprirent leurs fonctions habituelles dans la police après avoir bouclé l'enquête sur l'Institut Kreizler, mais leur position dans le service demeura aussi précaire qu'elle l'avait toujours été. Au fil des ans, plusieurs commissions s'attachèrent à combattre la corruption dans la police — en fait, on a parfois l'impression qu'il y avait toujours une commission en train d'enquêter sur ladite corruption — et les deux frères témoignèrent devant chacune d'elles, afin de nettoyer au moins le Bureau des inspecteurs. Mais leurs efforts leur valurent uniquement d'être plus isolés encore parmi leurs « pairs », et je suis persuadé que, n'eût été le talent qu'ils démontrèrent dans tant d'affaires, le couperet serait tombé sur eux depuis longtemps. Ils persistent cependant, se chamaillent, procèdent à des expériences et, d'une manière générale, s'efforcent de pratiquer une police scientifique. Nombreux sont les voleurs, les violeurs, les poseurs de bombes qui regrettent que les galonnés irlandais n'aient pas réussi à se débarrasser de la « paire de Juifs ».

Miss Howard continua après l'affaire Libby Hatch à tenir son agence de détective privé au 808, Broadway. L'une et l'autre sont encore aujourd'hui en activité. Sara a fini par élargir sa clientèle pour permettre aux hommes comme aux femmes de bénéficier de ses talents. Avec le temps, elle est devenue une sorte de légende dans la profession — ce dont elle est extrêmement fière, bien qu'elle ne le reconnaisse jamais. Malgré ses propos sur les défauts des hommes, elle a noué en chemin des relations intimes avec deux ou trois d'entre eux, mais il ne m'appartient pas de révéler les détails de ces aventures. Ce que je puis dire, c'est qu'elle reste la femme la plus singulière que j'aie rencontrée, mariant le sens de l'amitié à l'indépendance en un mélange dont la plupart de ses consœurs sont aussi incapables aujourd'hui que Libby Hatch il y a vingt-deux ans. Je crois que cela est dû — comme Miss Howard l'a toujours soutenu — aux balivernes dont on nourrit les femmes quand elles sont jeunes. La solution serait peut-être qu'un plus grand nombre d'entre elles portent une arme, je ne sais pas. Quoi qu'il en soit, Miss Howard logea encore au fil des ans quelques balles dans certains genoux masculins, et cela ne fit que l'aider à rester indépendante.

Mon amitié avec Cyrus fut l'un des piliers de ma vie.

Il se maria peu après la conclusion de l'affaire Hatch. Sa femme, Merle Spotwood, vint vivre avec nous, ce qui mit fin à notre longue recherche d'une cuisinière convenable. Elle était et demeure un véritable cordon-bleu, en plus de ses qualités personnelles. Je vivais encore chez le docteur quand leurs trois enfants naquirent, et s'ils transformèrent le dernier étage de la maison en une bruyante nursery (on installa les petits dans la chambre qui avait été celle de Mary Palmer), cela ne me dérangeait absolument pas. Le vacarme irritait parfois le docteur, mais les marmots prenaient soin de marcher doucement quand ils passaient devant la porte de son bureau, et la présence d'enfants dans la maison contribua à améliorer l'humeur de tous ses occupants. La grande bâtisse de la 17ᵉ Rue fut une maison heureuse pendant ces années-là, et je ne fus pas peu triste de la quitter quand vint le moment de m'installer dans l'arrière-salle de ma boutique et de commencer une vie indépendante.

Quant au docteur, une fois sa réputation lavée, il se replongea dans son travail à l'Institut comme un homme un temps privé des choses essentielles à sa vie. Cela ne veut pas dire qu'il ne continua pas à se poser certaines des questions soulevées pendant le printemps et l'été 1897. Qu'est-ce qui avait poussé le jeune Paulie McPherson à se pendre ? Qu'était-il vraiment arrivé à la famille de Mr Picton ? Combien d'enfants Libby Hatch avait-elle tués ? A ces questions, on pouvait apporter des éléments de réponse, et elles finirent par s'effacer de son esprit. Mais d'autres, plus personnelles, ne le quittèrent jamais. Elles semblent encore le hanter quand il reste tard le soir dans son salon à ruminer les complexités de l'existence. Si l'on ne peut soutenir que ces questions lui ont été insufflées par l'habile Clarence Darrow — le docteur ne l'avait pas attendu pour être tenaillé par le doute —, il est indéniable qu'en parlant de ces doutes pendant le procès l'avocat contribua à donner voix à des interrogations qui, sans lui, seraient peut-être restées inexprimées. Pourquoi le docteur a-t-il toujours cherché, avec une telle opiniâtreté, une explication aux événements terribles dont il avait connaissance dans sa profession ? C'est une question qu'il a des difficultés à empoigner, semble-t-il. En suggérant qu'il se servait peut-être de son travail pour apaiser ses propres doutes, Mr Darrow avait manifestement touché une corde sensible, et cette hypothèse ne cessa de tourmenter le docteur tandis que son ancien adversaire se taillait une réputation de brillant avocat dans les tribunaux de toute l'Amérique. Toutefois, cela n'empêcha jamais Laszlo Kreizler de travailler, d'aller de l'avant, et cette capacité à surmonter ses propres doutes constitue, autant que je puisse en juger, la seule différence entre une vie riche de sens et une existence inutile.

Enfin, il y a Mr Moore. J'ai tout loisir d'écrire ces derniers mots car, pour la première fois depuis que j'ai ouvert cette boutique, je bénéficie de l'aide d'un assistant. Beau joueur, Mr Moore a reconnu qu'il avait perdu son pari après avoir lu mon manuscrit, ajoutant néanmoins que, malgré sa vivacité, mon récit souffrait d'un « regrettable manque de style ». C'est lui qui le dit. En tout cas, il est en ce moment dans la boutique, en tablier, et vend du tabac aux rupins. Je crois même qu'il apprécie la possibilité qui lui est offerte de tarabuster ces gens comme seul un boutiquier peut le faire : rien n'a jamais tant plu à mon vieil ami qu'une occasion de cracher sur le gratin dont il est issu.

Son retour au *Times* après l'affaire Hatch ne fut pas des plus faciles pour lui : il aurait souhaité faire la chronique de nos récents exploits dans les pages de ce journal, mais il savait que la direction refuserait de toucher à cette histoire, fût-ce avec des pincettes. Il se consola en « couvrant » le procès qui suivit le « mystère du corps sans tête ». Mr Moore espérait pouvoir injecter dans ses articles certaines des leçons apprises au cours de l'affaire Libby Hatch. Il aurait pourtant dû se douter que ses efforts seraient vains. La victime décapitée, Mr Guldensuppe, fut rapidement oubliée par à peu près tout le monde, tandis que son ancienne maîtresse, Mrs Nack, et la plus récente conquête de celle-ci, Martin Thorn, devinrent les héros d'un véritable mélodrame. Aux yeux de la presse, de l'opinion, et des services du district attorney, Mrs Nack faisait figure de damoiselle en détresse : elle prétendait avoir été corrompue et dévoyée par Thorn, alors qu'elle avait en fait participé à la préparation du meurtre et au dépeçage du cadavre. Pour couronner le tout, en échange de l'aide qu'elle fournit à l'accusation pour envoyer Thorn à la chaise électrique, Mrs Nack convainquit le procureur de requérir contre elle la peine la plus légère possible : quinze ans à Auburn, ultérieurement réduits à neuf pour bonne conduite.

Lorsque vint le jour de l'exécution de Thorn, Mr Moore se rendit à Sing Sing, déterminé à obtenir du prisonnier condamné une déclaration sur cette société qui permettait encore aux femmes de commettre impunément les crimes les plus atroces pour l'unique raison qu'il était trop perturbant de les en croire capables. Lorsque Thorn fut conduit à la chaise électrique, Mr Moore lui demanda ce qu'il pensait de la sentence rendue pour sa complice.

« Oh ! je sais pas, répondit l'homme, abattu et résigné. Ça m'est égal, dans un sens comme dans l'autre. »

Ainsi prit fin la petite croisade de mon ami pour mettre en lumière certaines des vérités que Libby Hatch nous avait apprises. Le « bestial » Thorn et sa complice « abusée mais repentante » (ainsi que les qualifia le DA) se révélèrent être en fait des gens très ordinaires, tandis que les « monstres » que tout le monde avait à l'origine soupçonnés du crime — profanateurs de tombes, anatomistes fous, goules assoiffées de sang — n'étaient que des ombres inventées pour mettre en vedette les policiers, vendre des journaux et effrayer les enfants turbulents.

Pour ma part, j'ai réussi mieux qu'on eût pu l'espérer, je suppose, étant donné mon point de départ. La plupart de mes vieux copains et complices ont fini en prison ou sont morts dans la rue. S'il est difficile de regretter que Ding Dong et Goo Goo Knox aient connu ce sort, il est affligeant qu'un être aussi généreux que Hickie le Boche ait passé une grande partie de sa vie d'adulte à arpenter la cour de Sing Sing. Ma propre vie se réduit plus ou moins à cette boutique et, bien que le tabac m'ait été bénéfique en terme d'argent, il m'a aussi laissé — exemple de ce que le docteur appelle une « tragique ironie » — cette toux infernale, un mal qui continuera fort probablement à ronger mes poumons jusqu'à ce que je n'aie plus rien à cracher. J'ai parfois le sentiment que le docteur se reproche de ne pas avoir réussi à me faire renoncer aux clopes, mais j'étais un drogué de la nicotine bien avant de le rencontrer. Aussi attentionné et patient qu'il se montrât toujours, j'avais pris dans la première partie de ma vie certains plis que ni sa bonté ni sa sagacité ne pouvaient défaire. Je ne l'en tiens pas pour responsable, naturellement, et je ne l'en aime pas moins. Cela m'attriste de penser que mon état lui fournit une raison supplémentaire de se tourmenter. Mais, je le répète, c'est cette capacité d'œuvrer, malgré ses tourments, à améliorer le sort de notre espèce, en grande partie misérable, qui fait de lui un homme aussi peu ordinaire.

Si plusieurs femmes ont traversé ma vie, aucune n'a suscité en moi le genre de rêves que j'ai partagés avec Kat dans la cuisine du docteur. Ils sont morts avec elle, je crois. A ceux qui trouveront étrange que cela me soit arrivé si tôt dans la vie, je ne puis que répondre ceci : pour ceux d'entre nous qui ont grandi dans la rue, tout est arrivé trop tôt — trop tôt et trop vite. Une fois par semaine, je prends le métro pour aller fleurir la tombe de Kat au Calvary Cemetery, et certains jours — de plus en plus souvent, ces temps-ci — je me surprends à bavarder avec elle, comme nous l'avions fait le matin où elle avait avalé presque toute la bouteille d'élixir parégorique. Où qu'elle soit, elle sait probablement que je la rejoindrai bientôt, et si l'idée de quitter mes amis, en particulier le docteur, ne me réjouit pas, je ressens une sorte de frisson étrange à penser que je vais la retrouver, adulte et libérée de ses envies de coco et de grande vie. Nous pourrons peut-être même enfin mener une existence paisible et agréable — le genre d'existence qui ne lui fut jamais accordé pendant son bref séjour sur terre. Beaucoup n'y verront qu'un rêve stupide, mais ceux qui viennent du monde que nous avons connu, Kat et moi, n'auront pas cette impression.

REMERCIEMENTS

En faisant des recherches pour *L'Aliéniste,* dont les péripéties précèdent celles de ce roman-ci, il m'est apparu que, contrairement à l'opinion couramment répandue, les femmes sont aussi portées aux crimes violents que les hommes. Mais leurs victimes sont généralement des enfants — souvent les leurs — et ce fait dérangeant semble décourager le reportage à sensation dont font habituellement l'objet les hommes violents, en particulier les meurtriers en série. J'en ai discuté avec le Dr David Abrahamsen, qui m'a beaucoup aidé pendant la préparation de *L'Aliéniste* : les femmes, selon lui, maltraitent ou assassinent des êtres avec qui elles ont des liens personnels (à la différence des hommes, qui choisissent souvent comme victimes, pour assouvir leurs penchants violents, de parfaits inconnus, plus faciles à objectiver). Une fois de plus, je remercie le Dr Abrahamsen pour son assistance et ses encouragements, sans lesquels ce projet se serait fourvoyé dès le départ.

Tous ceux pour qui la violence féminine est un phénomène familier retrouveront dans l'affaire Libby Hatch divers éléments de crimes commis non seulement au siècle dernier mais aussi plus récemment. Cette similitude est tout à fait voulue et n'aurait pu être atteinte sans les travaux essentiels d'analystes qui ont relaté l'histoire de quelques-unes des meurtrières contemporaines les plus remarquables. Je dois mentionner tout particulièrement Joyce Eggington pour son admirable étude du cas de Marybeth Tinning, Ann Rule pour son ouvrage incisif sur Diane Downs, Andrea Peyser pour ses articles et son analyse des meurtres de Susan Smith, et mon ami John Coston pour son examen du cas Ellen Boehm. Tous doivent être loués pour avoir refusé de justifier par des arguments sociologiques le comportement de leurs sujets, pour les avoir traités d'abord comme des individus violents et ensuite comme des femmes, pour paraphraser Rupert Picton.

Les bibliothèques, comme toujours, font la différence entre imagination et reconstitution. Je remercie les personnels de la New York Public Library, de la New York Society Library et de la New York Historical Society pour leur aide inlassable. Merci également au personnel du Brookside Museum et de la Public Library de Ballston Spa, de la Public Library de Saratoga Springs et de l'Historical Society du comté de Saratoga.

Je suis reconnaissant à Perrin Wright pour son aide dans le travail de recherche, ainsi que pour sa précieuse compagnie pendant plusieurs voyages physiques et mentaux qui, pour éprouvants qu'ils furent pour moi, durent l'être plus encore pour elle à certains égards. Je la remercie de sa perspicacité, de sa largeur d'esprit et de son soutien.

Le Dr Laszlo Kreizler est né lors d'un lointain dîner avec John Therese, qui continue depuis à me prodiguer son amitié et ses conseils. Ils demeurent aussi inestimables aujourd'hui qu'ils l'étaient alors.

Le chemin que j'ai suivi dans le labyrinthe du système juridique de l'Etat de New York à la fin du XIXᵉ siècle a été éclairé par Julie Glynn, juriste à l'intelligence toujours en éveil. En outre, Julie et son mari Andy Mattson, analyste fin des études américaines, ont toujours été prêts à discuter de mes idées, à écouter mes longs discours, contribuant ainsi à empêcher ma pression intérieure de devenir explosive. Il va sans dire que les libertés prises avec la procédure légale pour des raisons de ressort dramatique sont de mon seul fait.

Une fois de plus, j'ai bénéficié des remarques et des suggestions pertinentes de Tim Hadelman, ainsi que de l'amitié nécessaire pour mener à bien un projet long et ardu. Je lui exprime toute ma gratitude.

Pour leur patience infinie et leurs encouragements constants, je remercie mon agent, Suzanne Gluck, et mon éditeur, Ann Godoff. Elles ont dû subir les divagations d'une âme tourmentée, et j'espère qu'elles savent que je ne serais jamais venu à bout de ce roman sans elles. Marsinay Smith et Enrica Gadler ont également aplani le chemin, et je leur en suis reconnaissant.

Heather Schroeder a déployé des efforts infatigables pour veiller au destin de ce livre à l'étranger, et a constamment fait preuve de compréhension et de longanimité.

J'adresse mes plus sincères remerciements à Hilary Hale, qui m'a aidé à maintenir le cap et m'a tendu la main secourable de l'amitié en Angleterre.

Je dois également saluer les efforts des médecins qui m'ont aidé à tenir bon pendant plusieurs années très difficiles : Ernestina Saxton, Tirso del Junco Jr, Frank Petito et Bruce Jaffe ont montré le dévouement et la disponibilité dont tous les médecins devraient faire preuve mais que, malheureusement, on ne peut attendre de la plupart d'entre eux. Je les en remercie. J'exprime aussi ma gratitude à Vicki Hufnagel, chirurgien, pionnière en son domaine, qui m'a rendu l'espoir quand d'autres en étaient incapables ou s'y refusaient. Ses efforts pour braquer les projecteurs sur certaines zones d'ombre de la médecine lui ont toujours valu l'hostilité de l'*establishment* médical, qui continue à protéger ses membres aveugles et rétrogrades aussi assidûment qu'il y a cent ans.

Alors que ce livre était encore dans sa prime enfance, il a failli subir le sort des victimes de Libby Hatch parce que j'errais, les yeux grands ouverts, dans le bourbier de la création sur une autre côte. Pour m'avoir aidé à réaliser un rêve difficile, et à me remettre ensuite au métier d'écrivain, je tiens à remercier, par ordre d'apparition dans ma vie, Rene Garcia (et Risa Bramon Garcia), Betty Moos, Mike Finnell, Joe Dante, Kathy Lingg, Cynthia Schulte, Helen Mossler, Garry Hart, Bob Eisele, Dan Dugan, Thom Polizzi, Jamie Freitag, Sandy Veneziano, Jason La Padura, Natalie Hart, Deborah Everton, Mar-

shall Harvey, Michael Thau, Kathy Zatarga, Bill Millar,
Hal Harrisson et toute l'équipe de la Paramount, ainsi que
— car on ne peut les oublier — John Corbett, John Pyper-
Ferguson, Rod Taylor, J. Madison Wright, Darryl
Theirse, Carolyn McCormick (et Byron Jennings et
Cooper), Marjorie Monaghan, Joel Swetow et le reste de
la distribution des *Chronicles*. Que ce livre voie le jour
avant ce projet ne révèle aucune insuffisance de leur part
mais témoigne que New York n'aura jamais à craindre
d'avoir pour rival, dans le domaine de l'innovation artis-
tique et de la puissance culturelle, un certain petit village
de Californie du Sud.

Ma reconnaissance va également à Lynn Freer et Jim
Turner, ainsi qu'à mon copain Otto, némésis du matin ; à
John et Kathy von Hartz, à mon frère Simon et à sa
femme Cristina, ainsi qu'à mes conseillers les plus sûrs,
Lydia, Sam, Ben et Gabriella ; à mon frère Ethan et à sa
femme Sarah ; à Marta von Hartz et à Jay Shapiro ; à
William von Hartz, Debbie Deuble, Ezequiel Vinao,
Oren Jacoby, Meghann Haldeman, Ellen Blain et au
fidèle Tom Pivinski. Je veux aussi remercier Marvin
Cochran, et je suis persuadé qu'il m'entendra, où qu'il
puisse être.

Enfin, c'est à l'intelligence et à la sensibilité remarquables d'Elisabeth Harnois que l'auteur doit d'avoir
achevé ce livre et d'être resté sain d'esprit.

Achevé d'imprimer en juillet 2000
sur les presses de l'Imprimerie Bussière
à Saint-Amand (Cher)

PAO : — «Avenue d'Italie — 75013 Paris Cedex 13
Tél. : 01.44.16.05.00

— Ph. Grégori —
Dépôt légal : juin 1995
Imprimé en France

POCKET - 12, avenue d'Italie - 75627 Paris Cedex 13
Tél. : 01-44-16-05-00

— N° d'imp. 1824. —
Dépôt légal : juin 1999.

Imprimé en France